ヒット曲・「ドライフラワー」優里・「炎」LiSA・「DYNAMITE」BTS（参考：ビルボードジャパンHot100）
ベストセラー・『52ヘルツのクジラたち』町田その子（中央公論新社）（参考：2021年本屋大賞）

● 大谷翔平，二刀流で日本人最多本塁打

米大リーグ，エンゼルスの大谷翔平が7日，米カリフォルニア州アナハイムの本拠地で行われたレッドソックス戦で32本目のソロ本塁打を放ち，松井秀喜（ヤンキース）が2004年にマークした日本人のシーズン最多本塁打記録を塗り替えた。

9月 ● 藤井聡太王位・棋聖，3冠達成

13日，藤井聡太2冠が豊島将之叡王＝竜王＝に挑戦していた叡王戦5番勝負の第5局で勝利し，叡王を奪取した。19歳1か月での3冠は史上最年少。

7月 8月 ● 東京オリンピック開催

新型コロナウイルス感染症流行を受け，史上初の延期となった東京五輪が開催された。日本の金メダルは27個，そのうち女子種目は14個でいずれも歴代最多。銀14個と銅17個を加えた総数58個も夏冬を通じて最多。

10月 ● 岸田文雄内閣が発足

菅義偉首相の任期満了に伴い，9月29日に自民党の総裁選挙が行われた。岸田文雄前政調会長が新総裁に就任した。10月4日に召集された臨時国会で衆参両議院から第100代内閣総理大臣に指名され，皇居での総理大臣の親任式と閣僚の認証式を経て，同日，新内閣を発足させた。

8月 9月 ● 東京パラリンピック開催

8月24日，東京パラリンピックが開会した。日本が獲得したメダルの数は金メダルが13個，銀メダルが15個，銅メダルが23個の合わせて51個で，前回大会の24個を大きく上回った。

民法改正法に向けて考える

資料 1　主要5カ国の成年年齢等

	選挙権（歳以上）	被選挙権（歳以上）	成年（歳以上）	刑事上の少年（歳未満）
日本（2017年）	18	参議院 30 衆議院 25	20	20
米　国	18	上院 30 下院 25	18	18
英　国	18	上院 21 下院 18	18	18
フランス	18	上院 30 下院 23	18	18
ドイツ	18	上院 18 下院 18	18	18

（『立法と調査』No.294）

● 18 歳が成人年齢に！

憲枝：先生，2022 年 4 月 1 日から，成人年齢が 20 歳から 18 歳に引き下げられますよね。

先生：そうだね。2018 年 6 月 13 日に民法が改正されて引き下げとなったんだ。

憲枝：でも先生，「18 歳成人」と言いますけど，何が変わるんですか？

先生：例えば，ローンやクレジットカードの契約が保護者の同意なしにできたり，「5 年有効」のパスポートだけでなく「10 年有効」のパスポートが取得できるようになる。

憲枝：女性の婚姻年齢が引き上げられるということも聞きました。

先生：そうだね。これまで女性は 16 歳で結婚できたけれど，これからは成人同士の結婚として男性と同じく 18 歳になったんだ。18 歳に引き下げられないものもあるよ。例えば，飲酒や喫煙，競馬や競輪などのギャンブルは 20 歳未満は禁止のままです。

憲枝：先生，なぜ「18 歳成人」にする必要があるんですか？

先生：政府は，「若者の自立を促し，社会の活性化につなげる」と言ってるね。また憲法改正の国民投票年齢や選挙権年齢と成人年齢を統一するねらいもあるだろうね。だから少年法適用年齢を，現行の 20 歳未満から 18 歳未満に引き下げようという議論も始まっている。他にも世界の趨勢は「18 歳成人」だということもある。

憲枝：世界は「18 歳成人」の国が多いんですか？

先生：そうなんだ，ここでは先進 5 か国（G 5）を見てみよう。**資料 1** を見てごらん。

憲枝：え！ 日本以外全部 18 歳じゃないですか !! でも世界の趨勢（すうせい）といっても，日本国民はどう思っているんでしょうね？

先生：よい質問だね。次に**資料 2** を見てごらん。

憲枝：賛成は 2 割弱で反対が約 8 割もいるじゃないですか？　どうして反対なんでしょう？

先生：18 歳・19 歳といえば，高校 3 年生や大学 1 年生だ。保護者という立場の眼から見れば，年齢引き下げは不安が強いと思うよ。

●大人ってなんだろう？

憲枝：「不安」って，やはり「大人（おとな）」になっていないということなんでしょうか？

先生：そういう言い方もあるだろうね。ここで「大人」について考えてみようか？
「大人」とはどのような意味だと思う？　辞書などで調べてごらん。

憲枝：こんなことが書いてあります。

> ① 一人前の年齢に達した人。「入場料大人 200 円，子供 100 円」⇔子供。
> ② 一人前の人間として，思慮分別があり，社会的な責任を負えること。また，その人。
> ③ 昔は，元服（冠をつけて服装を改める）後の男子，裳着（もぎ）を済ませた女子。（『デジタル大辞泉』）

先生：そうだね。ある「時期」を超えたら「大人」になるんだね。通過儀礼という儀式（→ p.61）があるのは知っているかな。昔は辞書にある元服などの儀式がそれにあたり，終わったら「大人」になったわけだ。そのような儀式の名残（なごり）が「成人式」なのかもしれないね。

憲枝：なるほど……。

先生：元服などの儀式がない現代では，区切として「年齢」を用いているんだろう。それが 20 歳であり 18 歳というわけだ。だが，調

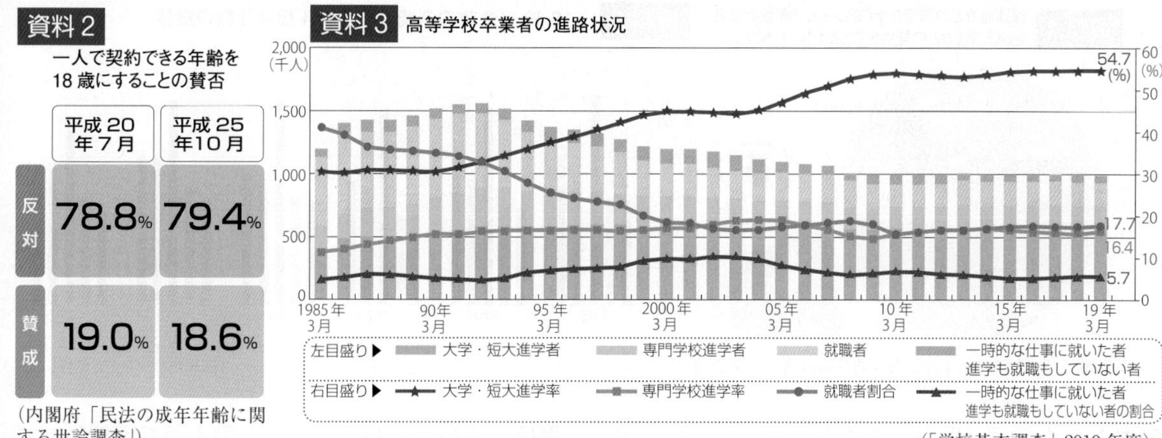

べてくれた②の「一人前の人間として，思慮分別があり，社会的な責任を負えること」に注目してごらん。憲枝さんは 18 歳になっていたね。どうだろう，「思慮分別」はあるかな？ 「社会的な責任」は負えるかな？

憲枝： 自分で自分の判断が出来るってことですよね。精神的にはまだまだだと思うし，経済的には学生なので難しいのは事実です。

先生： そうだろうね。**資料 3** のように，高校卒業後の大学進学率が 5 割を超え，専門学校などを入れると進学者が 7 割になっている現在，学生のうちは難しいだろうと思うよ。

憲枝： だから保護者の方たちは反対するんですね。では「18 歳成人」になって，何か良いことはあるんですか？

● 18 歳成人のメリット・デメリット！

先生： やっぱりそこが気になるよね。では，「18 歳成人になって変わること」の資料をあげるので，それぞれ「良いこと（18 歳や 19 歳には恩恵があること）」「18 歳成人で悪いこと（18 歳や 19 歳には恩恵がないこと）」に分類してもらおうか。
（下の囲みの作業に取り組んでみよう）

憲枝： 先生，「保護者の同意なしに，18 歳でもローンやクレジットカードの契約が可能になる」は，保護者が反対しても自分で気に入った商品が買えるという点では「良いこと」だと思うのですが，悪質商法の標的になりそうなので「悪いこと」にもなりそうです。

やってみよう！

憲枝さんの代わりに次の資料Ⓐ～Ⓕを，「18 歳成人で良いこと（18 歳や 19 歳には恩恵があること）」「18 歳成人で悪いこと（18 歳や 19 歳には恩恵がないこと）」に分類して下さい。

	18 歳成人で良いこと	18 歳成人で悪いこと
資料の記号		

Ⓐ **保護者の同意なしに，18 歳でもローンやクレジットカードの契約が可能になる。**

Ⓑ **「10 年有効」のパスポートが取得できるようになる。**

Ⓒ **複数の国籍をもったときに 18 歳未満ならば 20 歳までに国籍を選択できる。**

Ⓓ **性同一障害の人は，18 歳から家庭裁判所に性別変更を申し立てできる。**

Ⓔ **結婚は男女同じく 18 歳以上からとなる。**

Ⓕ **公認会計士や司法書士，社会保険労務士などの専門資格取得が 18 歳からとなる。**

資料 4　保護者などの同意がなくても一人で高額な商品を購入するなどの契約をできるようにすることに

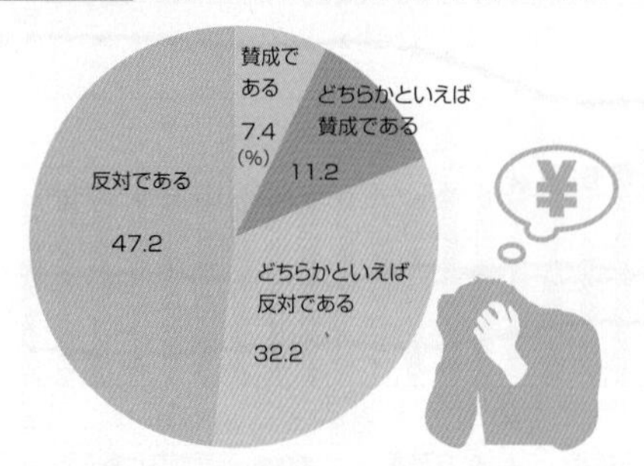

（内閣府「民法の成年年齢に関する世論調査」平成 25年）

資料 5　18 歳～22 歳の消費者トラブル相談件数の推移

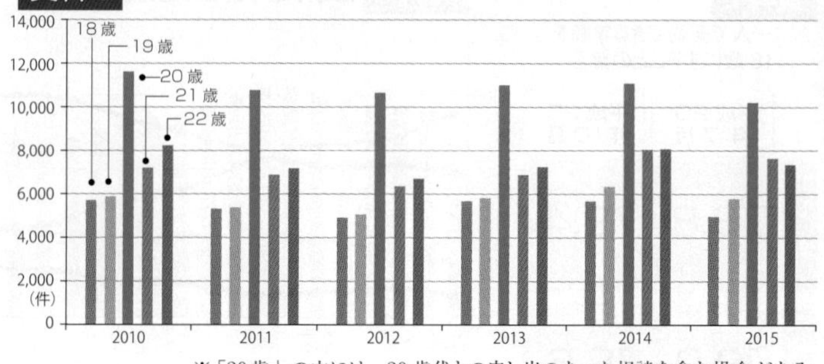

※「20歳」の中には，20 歳代との申し出のあった相談を含む場合がある。
『国民生活センター資料』より

先生：なるほど，良いところに気がついたね。自分で考えて決める「**契約**」が，大きな課題となっているんだ。**資料 4** を見てごらん。18 歳，19 歳の人が，保護者などの同意がなくても一人で高額な商品を購入するなどの契約をできるようにすることに対して「反対」とする人の割合が 79.4%なんだ。

憲枝：そんなに高いんですか？

先生：その理由がポイントだ。賛成の理由は，「働いて自分で稼いだお金は，自分の判断で使えるようにしてもよいと考えられるから」(47.1%)，「権利を与え，義務を課すことによって，大人としての自覚を促すことができるから」(45.7%) だったが，反対の理由は「経済的に保護者に依存をしているから」(59.2%)，「自分がしたことについて自分で責任をとることができないから」(55.9%) だった。

憲枝：反対する理由も分かります。

先生：実は，君たち 18 歳，19 歳を含む未成年者は，高額な買い物をするときは原則として保護者の同意が必要だったし，同意がなければ契約を取り消すことだってできたんだ。

憲枝：え！？　本当ですか？

先生：本当だよ。これを「未成年者取消権」といって，消費者被害防止の最大の防波堤だと言われていたんだ。例えば，インターネットで「特別優待」「脱毛無料」という広告を見て美容整形外科に行ったら，カウンセラーに 100 万円の手術を勧められて断れずに契約をしてしまった，というケースでは未成年取消権が使えたんだ。

憲枝：知りませんでした。そのような消費者被害は広がるんでしょうか？

●消費者トラブルに注意！

先生：**資料 5** を見てごらん。18, 19 歳に比べて「成人」となって未成年者取引権を使えなくなった 20 歳は消費者トラブルの相談件数が，1.5 倍程度になっているよね。マルチ商法だけだと，「20 ～ 22 歳」は「18 ～ 19 歳」に比べて，相談件数が 12.3 倍になっているんだ。

憲枝：それだけ 20 歳の成人したばかりの人は「標的」になっているということですか？

先生：そうだと思うよ。**資料 6** を見ると被害額も違うよね。

憲枝：1.7 倍くらい？　そうなんだ，狙われてしまうんだ！

先生：成人年齢引き下げにあたって，政府もその対策として消費者契約法を改正して「デート商法」などは取り消せるようにしたり，高校生への教育を強化することを前提にすると言っている。いずれにせよ，若者自身の意識改革が必要になるはずだ。

憲枝：はい，しっかり調べたり，知識を拡げていきます。

先生：では，「契約」について，課題を出そうかな。次の質問の答えを根拠を示して答えてください。知らないことが多いと思うけれど，実社会に出るときには必要だから。頑張って考えて下さい。

（次ページのやってみよう！ Q1 ～ Q6を考えましょう）

資料 6　消費者トラブル相談事例の平均購入額（2010〜2015 年度）

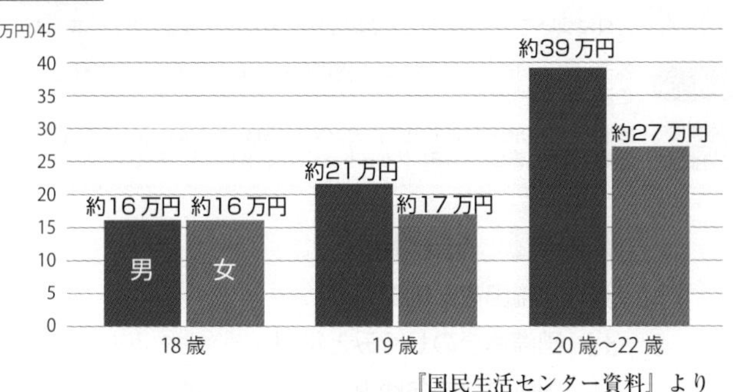

『国民生活センター資料』より

やってみよう！（消費者庁「社会への扉」などより作成）

Q1. 店で買い物を申し込んだとき，契約が成立するのはいつ？

①商品を受け取ったとき。
②代金を支払ったとき。
③店員が「はい，かしこまりました」と言ったとき

Q2. 店で商品を買ったが，使う前に不要になった。解約できる？

①原則，解約できない。
②レシートがあり 1 週間以内なら解約できる。
③商品を開封していなければ解約できる。

Q3. 17 歳の高校生が，保護者に内緒で 10 万円の化粧品セットを契約した。この契約は取り消せる？

①取り消すことはできない。
②未成年者取消しができる。
③保護者が取り消しを求めたときのみ，未成年者取消しができる。

Q4. ネットショップで T シャツを買ったけれど似合わない。クーリング・オフできる？

①クーリング・オフできない。
②契約してから 14 日間ならクーリング・オフできる。
③商品が届く前ならクーリング・オフできる。

Q5. 契約書を作成しなくても契約は成立するか？

①常に成立する。
②成立しない。
③原則，口約束でも成立するが，書面を作らなければならない契約もある。

Q6. 契約トラブルに巻き込まれたとき，どうすればいいか？

①地元の消費生活センターに相談する。
② 188 番の消費者ホットラインに電話をする。
③法テラスを利用する。

Q1［回答］
③店員が「はい，かしこまりました」と言ったとき。
消費者と事業者とが，お互いに契約内容（商品の内容・価格・引き渡し時期等）について合意をすれば契約は成立する。つまり，口約束でも契約は成立する。契約書や印鑑・サインは証拠を残すためのもの。

Q2［回答］
①原則，解約できない。
契約は「法的な責任が生じる約束」なので拘束力がある。

Q3［回答］
②未成年者取消しができる。
社会経験の少ない未成年者が法定代理人（親権者などの保護者）の同意を得ずに契約した場合，契約を取り消すことができる。
未成年者取消しは，未成年者自身からでも，法定代理人からでもできる。取消しにより，未成年者は受け取った商品があれば事業者に返品し，支払った代金があれば返金される。
＊ただし，小遣いの範囲の少額な契約，結婚をしている者，成人であると積極的にウソをついたり，法定代理人の同意があるとウソをついたりした場合等は，未成年者取消しができない。

Q4［回答］
①クーリング・オフできない。
ネットショッピングは法律上のクーリング・オフ制度はない。
ただし，ネットショップ独自に，返品の可否や，その条件についてのルールを定めている。返品のルール（利用規約）を，注文前に必ず確認しよう。

Q5［回答］
③原則，口約束でも成立するが，書面を作らなければならない契約もある。
契約は申込と承諾の合致があれば　成立するが，保証契約など，契約者に大きな不利益が想定される契約では，書面の作成が要求されている。契約トラブルを避けるためには，きちんと契約書を作成することが大切である。

Q6［回答］
①②③いずれも正解。
不確かな SNS の情報に頼ったり，友人たちだけで解決しようとしたりするのではなく，できるだけ早く専門家に相談しよう。

目次

TOPICS　テーマごとに導入の話題を提供しました。いま話題になっていることや，新聞を活用した資料の提供など，楽しく読める資料です。

解説　資料について，さらに詳しい用語説明や資料の見方などを施しました。

Column　各テーマに関係した，読み物を提供しています。予備的な資料としてご活用ください。

正誤問題にTRY✓　該当ページの内容にあわせて，センター試験の過去問から，正誤（○×）問題を提供しました。腕だめしにトライしてみましょう。答えは365頁。

現代を知る keyword

世界と日本の動き◇重要語（2021年12月～2022年6月）

清水書院

コロナ下での経済活動　リベンジ消費による乗客の増加が見られる羽田空港（2022年3月26日）

2022年の 上半期 ニュース

1月 news

国内：・国の基幹統計で，データの書き換え発覚
・慶應大が脊髄損傷の患者にiPS由来の細胞を移植。世界初
海外：・地域的な包括的経済連携（RCEP）が発効
・トンガで海底火山噴火，近隣国で津波発生

2月 news

国内：・旧優生保護法に基づく不妊手術の強制について，国に賠償命令
・新型コロナ，国内の類型感染者が500万人を超える
海外：・北京五輪で日本勢が史上最多の18個のメダル獲得
・ロシア，ウクライナ侵攻

3月 news

国内：・福島沖で地震。宮城・福島で震度6強を観測
・1月から続いたまん延防止等重点措置，全面解除
・2022年度予算が107兆円で可決，成立。10年連続で過去最大を更新
海外：・国連緊急特別総会，対露非難決議を採択

4月 news

国内：・改正民法が施行され，成年年齢18歳に引き下げ
・知床半島沖で観光船事故
・円急落，約20年ぶりの1ドル＝131円台の円安に
海外：・フランス大統領選挙，マクロン氏が再選

5月 news

国内：・沖縄の本土復帰50年
海外：・フィンランドとスウェーデンがNATO加盟申請

6月 news

国内：・衆議院議員選挙区画定審議会，アダムス方式に基づく選挙区の改定案を勧告
・最高裁，在外邦人が最高裁裁判官の国民審査権を持たないのは違憲の判決
海外：・G7サミットがドイツで開催。G7首脳コミュニケと，ロシアのウクライナ侵攻や気候変動などについての5つの個別声明を発表

（時事通信フォト，2022年の出来事などより構成）

円安が進む為替レート（2022年6月22日）

2022年7月の参議院議員選挙

2022年7月10日に投開票が行われ，選挙区74（今回は神奈川選挙区で欠員となっている非改選の1議席の選挙も同時に行われるため，選挙区は75），比例代表50の125議席を争った。自民党は改選55議席を上回り，単独で改選過半数の63議席を確保し，大勝した。公明と合わせた与党で76議席に達した。憲法改正に前向きな与党と日本維新の会・国民民主党の「改憲勢力」は国会発議に必要な3分の2以上の議席を維持した。投票率は52.05％で，2回連続の50％割れは回避したものの，過去4番目の低さとなった。

世界と日本の動き（2021年12月～2022年6月）

12月 のできごと

政治の動き

国内の動向

01◆**国勢調査の確定値発表**　総務省は2020年10月1日時点の日本の総人口は，1億2641万6099人で2015年の前回調査から94万8626人減少したと発表した。これにより，2022年以降の衆院小選挙区数はアダムズ方式によれば，15都県で「10増10減」となることが示された

15◆**国交省，統計書き換え**　国土交通省が，建設業の受注動向を表す国の基幹統計【keyword ①】でデータの書き換えなど不適切な処理を行っていたことが発覚

21◆**2年ぶり死刑執行**　2003年に群馬県内のパチンコ店員2人を殺害した事件の死刑囚2人と，04年に兵庫県で親族ら7人を殺害した事件の死刑囚の刑執行。死刑執行は19年12月26日以来

21◆**「こども家庭庁」の基本方針が閣議決定**　政府は子ども政策の司令塔となる「こども家庭庁」に関する基本方針を閣議決定した。内閣府の外局として「2023年度のできる限り早い時期」に創設すると明記し，内閣官房に準備室を設けた

24◆**北京五輪の閣僚派遣見送り**　政府は北京冬季五輪・パラリンピックに政府代表団を派遣しない方針を表明した。東京五輪・パラリンピック大会組織委員会の橋本聖子会長らが出席する

世界の動向

06◆**スー・チー氏に有罪判決**　ミャンマーの国軍が設置した特別法廷アウン・サン・スー・チー氏に刑法違反などで禁錮4年の有罪判決。その後，恩赦で禁錮2年に減刑

06◆**米が北京五輪を外交ボイコット**　米政府が北京五輪・パラリンピックに政府高官らを派遣しない「外交ボイコット」を発表

08◆**独ショルツ政権発足**　ドイツ連邦議会（下院）が社会民主党のオラフ・ショルツ氏を首相に選出し，緑の党，自由民主党との3党連立政権が発足

09◆**米が「民主主義サミット」開催**　米国が中露など権威主義的な国々に対抗するため，約110か国・地域を招待した「民主主義サミット」【keyword ②】がオンライン形式で開幕

14◆**WHOがオミクロン株拡大に危機感表明**　世界保健機関（WHO）が新型コロナのオミクロン株の感染拡大に危機感を表明。21日，WHOはオミクロン株を106か国・地域で確認したと発表

19◆**香港の議会選挙で親中派独占**　香港の立法会（議席90）の選挙が投開票され，89議席を親中派が押さえた。これまで35議席（70議席中）を得ていた民主派は大差で落選。中国化が深まった

30◆**米露首脳が電話会談**　バイデン米大統領とプーチン露大統領がウクライナ情勢を巡り電話会談。双方の溝を埋められずに終了

経済の動き

13◆**韓国がTPP申請表明**　韓国が，環太平洋経済連携協定（TPP）に加盟申請する方針を表明。これまでイギリス，中国，台湾がTPPへの加盟を申請している

14◆**トヨタ，EV350万台販売目標**　トヨタ自動車が電気自動車（EV）の30年の世界販売目標を350万台にすると発表

15◆**米FRB，22年3回利上げ**　米連邦準備制度理事会（FRB）は量的緩和の終了時期を22年3月に前倒しする方針を決定。22年中に利上げを3回する見通しも示した

20◆**過去最大の補正予算**　コロナ対策の事業支援などをもりこんだ21年度補正予算が，参院本会議で与党などの賛成多数で可決，成立。一般会計の歳出は35兆9895億円で，補正予算としては過去最大。当初予算と合わせた歳出総額は142兆6550億円となる

23◆**三菱電機が歴代役員を処分**　三菱電機は鉄道車両向け製品の不正検査など一連の問題を起こした経営責任があるとして，過去の経営幹部を含む役員12人の処分を発表

24◆**22年度予算案閣議決定**　政府は22年度予算案を閣議決定。一般会計の総額は107兆5964億円で過去最大

30◆**大納会，32年ぶり高値**　大納会の東京株式市場で，日経平均株価の終値は，年末の株価としては1989年以来，32年ぶりの高値となる2万8791円71銭だった

keyword ①　基幹統計

政府の統計のうち特に重要とされているもので，統計法（平成19年法53号）に基づいて指定され，政策立案や民間の経営判断，研究活動などに幅広く使われる。国の人口実態などを明らかにする「国勢統計」や，国連に定められた基準で経済状況を示す「国民経済計算」，その他総務大臣が指定する特に重要な統計53をいう。正確な集計が特に求められるため，調査方法を設定，変更するには総務省の承認が必要である。調査対象となった個人や企業は回答する義務があり，作成従事者が真実に反する内容にすることを禁じ，罰金や罰則もある。

keyword ②　民主主義サミット

バイデン米大統領が110以上の国・地域の代表者を招待し，オンラインで行った。バイデン大統領は，招待しなかった中国やロシアを念頭に「権威主義を押し戻す」と強調し，その具体案も発表した。中露は猛反発している。全ての招待国・地域の首脳による各国の取組等についてのビデオ・メッセージ及び主要なテーマに沿った国内・国外双方における取組に関するコミットメントの発出が呼びかけられた。日本は，民主主義を含めた普遍的価値を重視する立場から，岸田総理大臣による首脳プレナリー・セッションへのオンライン参加に加え，ビデオ・メッセージと日本の取り組みについてのコミットメントを発表した。

1月のできごと

政治の動き

国内の動向

07◆34都道府県にまん延防止措置 政府は，新型コロナウイルスの緊急事態宣言に準じた措置が可能となる「まん延防止等充填措置」を沖縄・広島・山口３県に９日から適用することを決定。21日，27日に，東京や大阪など31都道府県にも適用した

13◆コロナワクチン接種間隔１か月短縮 政府が新型コロナワクチンの３回目接種を巡り，医療従事者や高齢者を除く一般と職域接種について，２回目との間隔を「原則８か月以上」から「７か月以上」への短縮を決定

14◆統計不正20年 国の基幹統計のデータ書き換え問題で，国土交通省の第三者検証委員会が報告書を斉藤国交相に提出。書き換えは約20年前から行われていたことが明らかに。同省は山田邦博次官ら計10人を処分。21日，斉藤氏を含めた政務三役らは給与などを自主返納へ

14◆iPS細胞で脊髄損傷治療 慶応大は，人のiPS細胞【keyword③】から神経のもとになる細胞を作り，脊髄損傷の患者に移植する臨床研究を実施したと発表。移植手術は世界初

17◆岸田首相，初の施政方針演説 通常国会が開会し，首相が就任後初の施政方針演説でオミクロン株対策に注力する考えを強調

24◆「グリーンGDP」算定へ 山際経済再生相は，衆院予算委員会で，温室効果ガスの削減努力といった環境要因を考慮した新たな経済推計「グリーンGDP」（仮称）の算定に乗り出す方針を明らかにした

世界の動向

04◆カザフ全土で抗議デモ カザフスタンで燃料価格高騰に対する抗議デモが全土に拡大。15日，カザフ検察当局がデモで225人が死亡したと発表

05◆北，相次ぎミサイル発射 北朝鮮が「極超音速ミサイル」などを発射（5，11，14，17，25，27，30日）。30日の発射について，31日に朝鮮中央通信が中距離弾道ミサイル「火星12」を発射したと報道

07◆コロナ感染者３億人超 新型コロナの世界の累計感染者数は米ジョンズ・ホプキンス大の集計で３億人を突破

12◆英ジョンソン首相が謝罪 英国で新型コロナウイルス感染防止の規制が敷かれていた2020年，首相官邸で飲酒を伴うパーティーに参加していたことをジョンソン首相が認めた。下院本会議で「議長，私は謝りたい」と陳謝した

21◆日米首脳会談 岸田首相がバイデン米大統領とテレビ会議方式で会談。2022年前半にバイデン氏が来日し，オーストラリア，インドを加えた４か国の枠組み「クアッド（Quad，日米豪印戦略対話）」の首脳会談を日本で開催する方針で一致

28◆佐渡金山，世界遺産に推薦 岸田首相が「佐渡島の金山」（新潟県）を世界文化遺産の候補として国連教育・科学・文化機関（ユネスコ）に推薦する方針を発表

経済の動き

11◆東証プライムに1841社 東京証券取引所は全3777社の上場企業について，４月の市場再編に伴う移行先を発表。最上位にあたる「プライム」には，１部の2185社の８割強となる1841社が移行する

12◆経常黒字48.2%減 財務省が発表した2021年11月の国際収支統計によると，経常収支は8973億円となり，前年同月比48.2%減。原油高を受けて貿易収支は赤字に転じた

15◆トンガ海底噴火で津波 トンガ近海で海底火山が噴火。気象庁は鹿児島県の奄美群島などに津波警報，太平洋側を中心に津波注意報を発表。同県奄美市で1.2mの潮位変化を観測。最大計22.9万人に避難指示

17◆みずほFGが新体制 みずほフィナンシャルグループは，社長に木原正裕執行役を２月１日付で充てる人事を正式発表。システム障害を巡る業務改善計画も金融庁に提出

20◆2021年の貿易収支は赤字 財務省は2021年の貿易統計を公表，輸出が83.1兆円，輸入が84.6兆円と高水準だったが，貿易収支は1.5兆円の赤字となった

25◆ガソリン補助金を支給 経済産業省は27日からガソリン価格の急騰を抑える補助制度を初めて発動すると発表。軽油や灯油，重油も対象で，３月末までの時限措置

26◆高速炉開発で日米が覚書 日本原子力研究開発機構と三菱重工業は，米原子力新興企業テラパワー社と次世代高速炉開発計画で技術協力する覚書を締結

---

keyword③　iPS細胞

iPS細胞はinduced Pluripotent Stem cell（人工的に多能性を持たせた幹細胞）の略称で，京都大学の山中伸弥教授が名付けた。幹細胞なので生体のさまざまな組織の細胞に分化する能力と，分裂によって増殖する能力をもつ。2006年に，一度役割が決まった細胞に４つの遺伝子を入れて，あらゆる細胞になれる状態に戻すことに成功している。iPS細胞を使った脊髄損傷の治療は慶応大の2022年１月が世界初で，期待が大きい。一方で実用化に向けては，コスト面などの課題も多い。現時点での主な目的は，安全性の確認であるとされている。

iPS細胞を使う脊髄損傷の治療の流れ

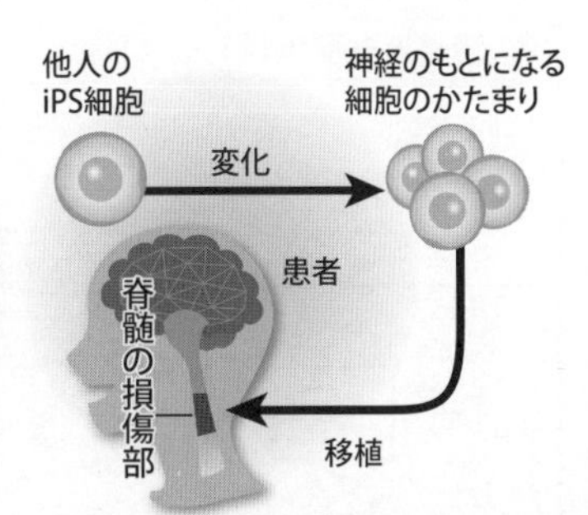

（朝日新聞1.15を基に作成）

2月のできごと

政治の動き

国内の動向

01 ◆中国の人権「懸念」決議　衆議院は中国の新疆ウイグル自治区などでの人権問題に懸念を示す決議を採択

02 ◆同居家族待機7日に　後藤厚生労働相は，新型コロナウイルスの変異株「オミクロン株」対策として，感染者の同居家族に濃厚接触者としての自宅待機を求める期間を7日間に短縮すると発表

07 ◆3回目接種「1日100万回」　岸田首相は衆院予算委員会で，新型コロナワクチンの3回目接種について，2月後半までに1日100万回を目指す考えを表明

17 ◆水際対策緩和へ　首相は記者会見で，3月から観光目的以外の外国人の新規入国を認め，1日あたりの帰国・入国者数の上限を5000人程度に引き上げるとした水際対策の緩和措置を発表

22 ◆強制不妊，国に賠償命令　旧優生保護法**【keyword⑤】**に基づく不妊手術を強制されたとして，近畿地方の男女3人が国に計5500万円の損害賠償を求めた訴訟の控訴審判決で，大阪高裁が国に計2750万円の賠償を命じた。国の賠償責任を認めたのは，1，2審を通じて初めて

世界の動向

04 ◆北京五輪，日本が冬季史上最多のメダル18個　第24回冬季五輪北京大会が開催された。日本は金3個，銀6個，銅9個の計18個のメダルを獲得し，冬季の最多記録を更新した

08 ◆台湾，福島産禁輸解除　台湾行政院(内閣)は，2011年の東京電力福島第一原発の事故後に続けてきた福島，茨城，千葉，栃木，群馬の5県産食品の輸入禁止措置の解除を発表，21日に実施

21 ◆ロシア，ウクライナに侵攻【keyword④】　プーチン露大統領がウクライナ東部の親露派武装集団支配地域を独立国家として承認。翌22日，米と欧州連合（EU）は経済制裁を発表。23日，日本も露に対して，ビザ発給停止や露国債の日本での発行停止などの制裁を発表した

27 ◆北が弾道ミサイル　北朝鮮が弾道ミサイル1発を発射。北朝鮮のミサイル発射は今年8回目

28 ◆温暖化「36億人対応できず」　国連の気候変動に関する政府間パネル・IPCC**【keyword⑥】**は，新たな報告書を公表。世界の33億～36億人は地球温暖化に対応できない沿岸部や途上国に住んでいると指摘し，警鐘を鳴らした

経済の動き

01 ◆韓国と初の自由貿易協定　日中，ASEAN諸国などが参加し，1月1日に10か国で先行して発効した地域包括的経済連携（RCEP）が韓国との間でも発効。日本にとって韓国と結ぶ初の自由貿易協定に

01 ◆東京都の人口が26年ぶりに減少　2022年1月1日時点の東京都の推計人口は1398万8129人で，昨年同期より4万8592人の減少。1996年に1万9千人減って以来26年ぶり。23区での減少が4万9891人と大きかった

07 ◆東芝2分割に　東芝が経営戦略説明会を開き，会社を二つに分割する計画を発表。2021年11月に示した3分割案を修正

18 ◆G20，世界経済リスク監視　主要20か国・地域（G20）財務相・中央銀行総裁会議は「発生中の地政を巡る緊張」を含む「主要なグローバルなリスクを引き続き監視する」との共同声明を採択

26 ◆2021年生まれ，最少84万人　2021年に生まれた赤ちゃんの数（出生数）は84万2897人で，過去最少を更新したことが，厚生労働省の人口動態統計（速報値）でわかった

keyword④　ロシア，ウクライナに侵攻

2022年2月21日，プーチン大統領は，ロシアと国境を接するウクライナ東部の一部で，親露派武装勢力が実効支配する地域「ドネツク人民共和国」と「ルガンスク人民共和国」（ともに自称，地図参照）を一方的に国家承認した。さらに両「共和国」の親露派の要請に基づいてロシアが軍事基地を設置できることを含む協力条約を締結した。この両「共和国」からの要請とする形で，ロシアは軍を「平和維持部隊」として親露派支配地域に派遣した。これにより，ロシアのウクライナ侵攻が始まった。

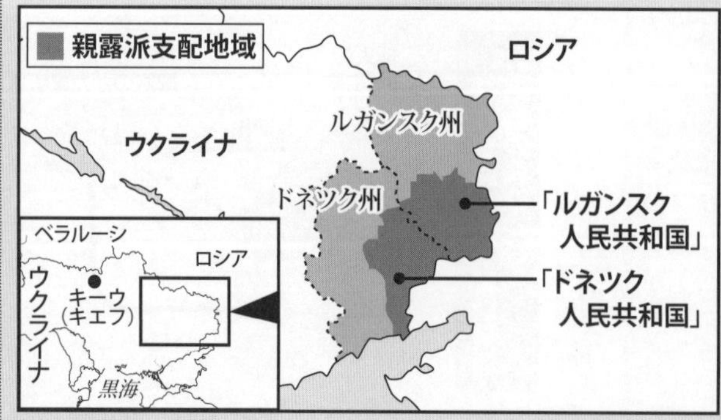

keyword⑤　旧優生保護法

「不良な子孫の出生防止」をうたい，終戦後の1948年に議員立法で成立。障がいなどを抱える人への不妊・中絶手術を認め，本人の同意などを得ない強制手術も容認された。国によると，少なくとも2万5000人に手術が実施されたという。国際的な批判を背景に1996年，障がい者への差別的条項を削除して母体保護法に改正された。2019年には，強制不妊手術の被害者救済法が議員立法で成立した。

keyword⑥　IPCC

1988年に設置され，1990年に最初の報告書を発表した。自ら研究を行うのではなく，世界中の研究者の協力の下，出版された文献（科学誌に掲載された論文等）に基づき，自然科学的根拠（地球温暖化の現状や今後の見通し）・地域や生態系への影響・緩和策の3つの報告書と統合報告書を数年ごとに発表している。各国政府の気候変動に関する政策に科学的な基礎を与える役割を担っている。活動が評価され，2007年のノーベル平和賞を受賞している。

3月のできごと

政治の動き

国内の動向

01◆プーチン氏の資産凍結　政府は閣議でロシアのウクライナ侵攻をうけ，プーチン大統領ら関係者6名とロシア中央銀行の資産凍結を了解し，発動した

02◆原発避難，東電敗訴確定　東京電力福島第一原発事故で避難した住民らが国や東電に損害賠償を求めた3件の集団訴訟の上告審で，最高裁は東電側の上告を退けた。国の基準を上回る賠償を命じた2審判決が確定。7日，別の3件の集団訴訟でも東電側の上告棄却

04◆重点措置解除　政府は新型コロナウイルス対策の「まん延防止等重点措置」について，18都道府県での期限を21日まで再延長すると決定。17日，21日での全面解除を決定。改訂した基本的対処方針にイベントや移動の制限を緩和する方針を明記

14◆参院選被買収，一転起訴　2019年参院選を巡る大規模買収事件で，検察当局は，河井克行・元法相側から現金を受領した100人のうち，広島県議ら9人を公職選挙法違反で在宅で正式起訴し，25人を略式起訴した

21◆露が平和条約交渉を中断　ロシア外務省が日本との平和条約交渉の中断を表明。翌日，岸田首相は「断じて受け入れることはできない」と反発

22◆新年度予算成立　2022年度予算【keyword⑦】が参議院本会議で可決，成立

23◆ゼレンスキー氏国会演説　ウクライナのゼレンスキー大統領がオンライン形式で国会演説

世界の動向

01◆バイデン氏，一般教書演説　バイデン米大統領が就任後初の一般教書演説を行い，ウクライナに侵攻したロシアのプーチン大統領を非難。26日にはワルシャワで演説し，ロシアへの対抗とウクライナ支援を呼びかけた

02◆国連で対露非難決議を採択　国連緊急特別総会がロシア軍のウクライナ即時撤退を求める対露非難決議を採択。24日，国連緊急特別総会がウクライナの人道状況改善や戦闘の即時停止を求める決議を採択

04◆露軍，原発を攻撃　ロシア軍がウクライナ南東部のザポリージャ原子力発電所を攻撃し，制圧

05◆北，ミサイル相次ぎ発射　北朝鮮が弾道ミサイルを発射。16日に韓国軍は失敗と推定。24日にも北朝鮮が大陸間弾道ミサイルを発射。最高高度は過去最高の推定6000キロメートル超

08◆米英がロシア原油を禁輸　米国と英国が，ロシア産の原油や石油製品の輸入禁止を表明。11日，先進7か国（G7）はロシア製品に高関税を課すことを目指す共同声明を発表

18◆米中首脳テレビ会議　バイデン米大統領と習近平中国国家主席がテレビ電話で会談し，ロシアのウクライナ侵攻などを協議

29◆ウクライナ，停戦協議で提案　ウクライナがトルコで行ったロシアとの停戦協議で，「中立化」の条件として自国の安全を保障する新たな枠組みを提案

経済の動き

03◆日産事件でケリー被告に一部有罪判決　日産自動車前会長カルロス・ゴーン被告の役員報酬の過少記載で，金融商品取引法違反に問われた日産元代表取締役グレッグ・ケリー被告に，東京地裁は懲役6月，執行猶予3年の判決。ゴーン被告を首班と認定した。ケリー被告の起訴事実の多くは無罪に。被告側，検察側とも控訴

16◆宮城・福島で震度6強　福島県沖を震源とする地震があり，宮城，福島両県で最大震度6強を観測。首都圏や東北地方を中心に大規模な停電が発生。宮城県内では東北新幹線が脱線した

16◆米FRBが利上げ　米連邦準備制度理事会（FRB）が政策金利の0.25%引き上げを決定。ゼロ金利政策を2年ぶりに解除した。景気回復に伴う高水準のインフレを抑えるための金融引き締め策

21◆政府が初の電力逼迫（ひっぱく）警報　政府は東京電力管内で電力が足りなくなる恐れがあるとして，初の「電力需給逼迫警報」を出した。これは，電力の予備率が3%を下まわると予測された時に出される

22◆円安6年1か月ぶり120円台　対ドルの円相場が約6年1か月ぶりに1ドル＝120円台の円安水準

24◆EUが巨大IT規制で合意　欧州連合（EU）は巨大IT企業を規制して公平な競争環境を整備する「デジタル市場法」の最終案を決定。10月に施行する見込み

keyword⑦　2022年度予算

2022年3月22日に成立した2022年度の一般会計の歳出総額は107兆5964億円で，10年連続で過去最大を更新した。コロナ禍で落ち込んだ企業業績の回復で，税収の増加や，個人消費の増加を見込んでおり，国債の発行額は減少した。歳出では社会保障費が過去最大となる。一定の所得がある75歳以上の医療費窓口負担を2022年10月から2割に引き上げるなどして医療費を抑制したが，団塊の世代が75歳以上になり始めることに伴う医療費や介護費の増加が影響した。政府の判断で国会の議決なしに支出できる「新型コロナウイルス対策予備費」を21年度に続き5兆円計上し，ワクチン接種体制の整備などに活用する。中国や北朝鮮が開発を進める極超音速兵器への対処をはじめ，研究開発費を大幅に増額したことなどから防衛費も過去最大を更新した。

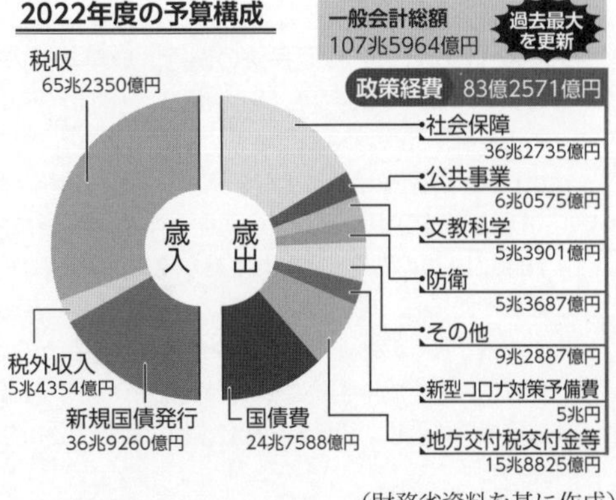

（財務省資料を基に作成）

4月のできごと

政治の動き

国内の動向

01 ◆**改正民法施行，18歳成人に** 改正民法が施行され，20歳だった成年年齢が18歳に引き下げられた【keyword⑧】。成年年齢に関する規定変更は146年ぶり。飲酒や喫煙，ギャンブルなどは，年齢を引き下げない

05 ◆**ウクライナ避難民来日** ウクライナの避難民20人が政府専用機の予備機で羽田空港に到着

08 ◆**露産石炭輸入禁止へ** 岸田首相がロシア産石炭の輸入禁止などエネルギー分野に踏み込んだ追加制裁を発表。ウクライナに侵攻したロシア軍が民間人を虐殺した疑いが強まったことを受けた措置

20 ◆**露制裁強化の関連法成立** ロシアへの制裁を強化するための改正外国為替及び外国貿易法などが参院本会議で可決，成立

22 ◆**外交青書，北方領土「不法占拠」** 外務省が2022年版外交青書を公表。北方領土について「日本固有の領土であるが，現在ロシアに不法占拠されている」と記述し，19年ぶりに「不法占拠」の表現が復活

08 ◆**19歳起訴，初の実名公表** 甲府市で昨年10月，夫婦を殺害し，住宅に放火して全焼させたなどとして，甲府地検は19歳の男を殺人，現住建造物放火などの罪で起訴。改正少年法に基づき，男の実名を全国で初めて公表した

23 ◆**知床観光船事故** 北海道・知床半島沖で，乗客乗員26人が乗った観光船が消息を絶った。30日までに14人の死亡が確認され，行方不明者は12人

世界の動向

02 ◆**ウクライナ，キーウ州全域奪還** ウクライナが露軍からキーウ州全域を奪還したと発表。キーウ近郊ブチャでは民間人とみられる遺体多数が確認されたと報じられる

07 ◆**G7，露の民間人虐殺非難** 先進7か国（G7）が外相会合を開催。ウクライナでの虐殺を「戦争犯罪，国際人道法違反」と非難する首脳声明を発表

12 ◆**コロナ世界感染5億人超** 米ジョンズ・ホプキンス大の集計で，新型コロナウイルスの世界の累計感染者数が5億人を突破

21 ◆**露「マリウポリ掌握」** セルゲイ・ショイグ露国防相がプーチン大統領にウクライナ南東部マリウポリを「完全掌握した」と報告。ウクライナは否定

24 ◆**仏大統領選，マクロン氏再選** 4月10日に行われた1回目の選挙の結果をうけて，仏大統領選の決選投票が行われ，現職で中道のエマニュエル・マクロン氏が再選

24 ◆**米国務・国防長官キーウ訪問** 米国のブリンケン国務長官とオースティン国防長官がキーウを訪問し，ゼレンスキー大統領らと会談。米閣僚のウクライナ訪問は露侵攻後初

26 ◆**国連総長，露ウクライナ両国大統領と会談** 国連のアントニオ・グテーレス事務総長がモスクワでプーチン大統領と会談し，28日にはキーウでゼレンスキー大統領とも会談。人道支援の立場から民間人の避難や停戦交渉を促した

経済の動き

01 ◆**景況感，7期ぶり悪化** 日本銀行が発表した3月の短観で，大企業の製造業の景況感を示す業況判断指数が，2020年6月調査以来，7四半期ぶりに悪化

04 ◆**東証プライム始動** 東京証券取引所で，新たな市場区分「プライム」「スタンダード」「グロース」の株式取引が開始。大規模な市場区分の見直しは約60年ぶり

20 ◆**20年ぶりの円安** 外国為替市場で，円相場は1ドル＝126円台まで下落。2002年5月以来，約20年ぶりの円安・ドル高水準となった。28日には1ドル＝131円台に急落し，約20年ぶりの円安水準を更新

22 ◆**貿易赤字2年ぶり** 財務省発表の貿易統計で，2021年度の輸出額から輸入額を差し引いた全体の貿易収支が5兆3749億円の赤字となった。赤字は2年ぶり

22 ◆**エネルギー価格41年ぶりの上げ幅** 3月の消費者物価指数で，エネルギー関連は前年同月比で20.8%上昇。1981年以来，約41年ぶりの上げ幅となった

23 ◆**日露のサケ・マス交渉妥結** 水産庁はサケ・マスを巡るロシアとの交渉が22日に妥結したと発表。日本漁船の漁獲量は昨年の水準を維持

26 ◆**6.2兆円経済対策発表** 岸田首相がロシアのウクライナ侵攻に伴う原油価格や物価の高騰に対応する緊急経済政策を発表。国費で6.2兆円を充てる。民間投資などを含めた事業規模は13.2兆円

---

keyword⑧　改正民法の施行，成年年齢の引き下げ

日本における成年年齢は，明治9（1876）年の太政官布告以降，20歳とされてきた。しかし近年，憲法改正国民投票の投票権年齢や，公職選挙法の選挙権年齢などが18歳に改定され，国政上の重要な事項の判断に関して，18歳，19歳の者を大人として扱う政策が進められてきた。これを踏まえ，民法においても，18歳以上の者を大人として取り扱うのが適当ではないかという議論がなされた。世界的にも，成年年齢は18歳が主流である。若者の自己決定権を尊重し，積極的な社会参加を促すことになると考えられている。

変わること（18歳でできるようになること）	変わらないこと（20歳にならないとできないこと）
・保護者の同意なしの契約 ・有効期間が10年のパスポートの取得 ・性同一性障害の人の性別変更の申立て ・公認会計士，司法書士などの資格取得 ・裁判員に選ばれること ・女性が結婚できる年齢（16歳から引き上げ）	・飲酒や喫煙 ・公営ギャンブル ・国民年金に加入する義務 ・養子を迎える ・大型・中型自動車運転免許の取得

5月のできごと

政治の動き

国内の動向

11 ◆**経済安保法成立**　経済安全保障推進法【keyword ⑨】が参院本会議で自民，公明両党，立憲民主党，日本維新の会，国民民主党などの賛成多数で可決，成立した。中国やロシアなどを念頭に，日本の経済安保態勢の抜本的な強化を図る

15 ◆**沖縄復帰 50 年**　沖縄が本土復帰した 1972 年から 50 年を迎え，沖縄と東京の２会場を中継で結んで記念式典が開かれた。政府主催の式典が２会場で同時開催されるのは復帰当日以来

16 ◆**内閣支持率上昇 63%**　読売新聞社は 13 〜 15 日に全国世論調査を実施し，岸田内閣の支持率は 63%で，前回（４月１〜３日調査）の 59%から４ポイント上昇した（16 日付）

23 ◆**日米首脳会談**　岸田首相は東京都内でバイデン米大統領と会談し，防衛費の「相当な増額」を確保する決意を伝え，日米同盟の抑止力と対処力を早急に強化する方針を確認した。両首脳の正式な対面での会談は初めて

25 ◆**国民審査の在外投票不可は違憲**　海外の日本人が最高裁裁判官の国民審査に投票できないのは憲法に反するとして，在外邦人らが国に損害賠償などを求めた訴訟で，最高裁大法廷は，投票を認めていない国民審査法は「違憲」とする判決を言い渡した

31 ◆**補正予算成立**　原油高騰対策などを盛り込んだ 2022 年度補正予算が参院本会議で，自民，公明両党と国民民主党などの賛成多数で可決，成立した

世界の動向

04 ◆**北，相次いで弾道ミサイル発射**　北朝鮮が弾道ミサイルを発射（４，７，12，25 日）。25 日のミサイルについて，岸防衛相はオースティン米国防長官との電話会談で，大陸弾道ミサイル（ICBM）であるとの認識を共有

10 ◆**韓国，尹大統領が就任**　韓国の尹錫悦（ユンソンニョル）大統領が就任し，５年ぶりの保守政権を発足させた

10 ◆**比大統領にマルコス氏**　９日投開票のフィリピン大統領選で，故マルコス元大統領の長男，フェルディナンド・マルコス元上院議員が当選確実と地元メディアが報道

21 ◆**米韓首脳会談**　バイデン米大統領が韓国の尹錫悦大統領とソウルで初めて首脳会談を行い，共同声明に合同軍事演習の拡大に向けた協議を始める方針を盛り込んだ

21 ◆**豪政権交代**　オーストラリア総選挙の投開票が行われ，野党の労働党が勝利したと地元メディアが報道。23 日にアンソニー・アルバニージー党首が首相に就任し，約９年ぶりに政権が交代

24 ◆**クアッド（Quad）首脳会談**　日豪米印４か国の，連携や協力の枠組みである「Quad」の４回目の首脳会談が，首相官邸で行われた。自由や民主主義，法の支配といった基本的価値を共有する。ロシアによるウクライナ侵攻を受け，インド太平洋地域でも，中国を念頭に，力による一方的な現状変更を許さないことで一致した

経済の動き

04 ◆**米 0.5% 値上げ**　米連邦準備制度理事会（FRB）は，物価上昇抑制のため，政策金利を通常の２倍の 0.5%引き上げることを決定

08 ◆**G7，露産石油禁輸合意**　先進７か国（G7）の首脳がオンライン会合で，ロシア産石油の輸入を禁じ，ロシアへのエネルギー依存を段階的に解消する方針で合意

12 ◆**経常黒字 22%減**　財務省が発表した 2021 年度の国際収支統計（速報）によると，海外との取引や投資収益の状況を示す「経常収支」は，前年度比 22.3%減の 12 兆 6442 億円の黒字だった

16 ◆**企業物価 10.0% 上昇**　日銀が発表した４月の国内企業物価指数は前年同月比で 10.0% 上昇した。前年の水準を上回るのは 14 か月連続。石炭・石油製品など資源関連を中心に幅広い品目で価格が上昇し，41 年ぶりの２ケタの伸びを記録

18 ◆**GDP 年 1.0% 減**　内閣府が発表した 22 年１〜３月期の国内総生産（GDP）速報値は，物価変動の影響を除いた実質で，前期比 1.0% 減（年率換算）だった

20 ◆**４月の消費者物価 2.1% 上昇**　総務省が発表した４月の全国消費者物価指数は，「生鮮食品を除く総合」で，前年同月比 2.1%上昇した。消費税率引き上げの影響を除けば，２%の大台に乗ったのは 13 年７か月ぶり

23 ◆**IPEF 発足宣言**　バイデン米大統領は，主導する新たな経済圏構想「インド太平洋経済枠組み（IPRF）」の発足を宣言

---

keyword ⑨　経済安全保障法

政府の経済政策や企業の事業活動を通じ，経済や社会全体の安全を維持する考え方。半導体などの戦略物資の安定調達や，人工知能（AI）のような国の競争力を左右する先端技術開発，重要情報の管理強化などが課題となる。ハイテク分野での中国の台頭を機に，米欧が取り組みを強化している。経済安全保障法は，官民の技術開発協力・重要物資のサプライチェーン強化・基幹インフラの事前審査・特許の非公開を四本柱とする。

keyword ⑩　北大西洋条約機構（NATO）［→ p.8］

1949 年，アメリカを中心にカナダ・イギリス・フランスなど 12 か国で結成された軍事的同盟機構。その後，西ドイツやスペインなどが加盟。近年は旧東側諸国も相次いで加わり，2022 年６月時点では 30 か国が加盟している。本部はベルギーのブリュッセル。加盟国の領土と国民の防衛を最大の責務としており，加盟国のどこか一国が武力攻撃を受けた場合は，全加盟国に対する攻撃とみなして集団的自衛権を行使すること（条約第５条）を規定している。NATO 軍を持ち，各国の参謀総長クラスで構成される軍事委員会の統一指揮下におかれている。2022 年５月にフィンランドとスウェーデンが加盟申請を出し，６月に認められた。

政治の動き

6月のできごと

国内の動向

06 ◆**小惑星の砂にアミノ酸** 探査機はやぶさ2が持ち帰った小惑星りゅうぐうの砂などの試料から，「生命の源」ともされるアミノ酸が検出されたことが明らかに

09 ◆**内閣・衆院議長の不信任案を否決** 立憲民主党が提出した岸田内閣に対する不信任決議案は衆院本会議で自民，公明両党などの反対多数により否決された。野党である日本維新の会や国民民主党なども反対に回った。共産党や社民党は賛成し，れいわ新選組は棄権した。立民が同時に提出した細田博之衆院議長の不信任案は与党の反対で否決された。維新と国民は棄権した

13 ◆**改正刑法成立** 懲役と禁錮の両刑を一元化し，「拘禁刑」を創設する改正刑法が参院本会議で可決，成立

16 ◆**過去最多 140 選挙区見直し** 衆院選挙区画定審議会（区割り審）は，小選挙区定数を 10 増 10 減し「一票の格差」を是正するアダムズ方式【keyword ⑪】による新たな区割り案を岸田文雄首相に勧告した。格差は現行区割りの 2.096 倍から 1.999 倍に縮小した

19 ◆**令和臨調が発足** 持続可能な社会の実現など，先送りされてきた課題の解決策を民間の立場から提示する「令和国民会議」（令和臨調）が，東京都内で発足大会を開き，自民党や立憲民主党など6党の代表と，財政健全化や社会保障などについて議論した

22 ◆**参院選公示** 第 26 回参院選が公示された。選挙区 367 人，比例 178 人の計 545 人が届け出た。うち女性は約 33%の 181 人で比率，人数とも過去最多

世界の動向

09 ◆**日本，非常任理事国に** 国連総会で国連安全保障理事会の非常任理事国の改選が行われ，日本が選出された。任期は 23 年1月から2年間。日本が非常任理事国を務めるのは 12 回目で最多

10 ◆**観光入国手続き再開** 政府は，訪日外国人観光客の入国手続きを再開した。観光目的の入国は新型コロナウイルス感染症の流行で往来が途絶えて以降，約2年ぶり

12 ◆**仏国民議会選** フランスの国民議会（下院）議員選挙【keyword ⑫】が行われた。エマニュエル・マクロン大統領の与党連合「アンサンブル」が左派連合を僅差で抑えて首位に立った。19 日に決選投票が行われ，与党連合が第1勢力を維持したが，過半数（289 議席）を大きく割り込んだ

26 ◆**G7 サミット，対ロシア圧力強化を確認** 先進7か国首脳会議（G7 サミット）がドイツで開幕した。ウクライナに侵攻したロシアへの圧力強化を確認。穀物輸出停滞による食料危機に対応するため，途上国などに 45 億ドル（約 6100 億円）の拠出を表明

29 ◆**北欧2国，NATO 加盟へ** 北大西洋条約機構（NATO）首脳会議【keyword ⑩】がスペイン・マドリードで開かれ，首脳宣言を採択した。5月に加盟申請をしたフィンランドとスウェーデンの加盟の手続きを進めることで合意

29 ◆**日米韓首脳会談** 岸田首相は，米国のバイデン大統領，韓国の尹錫悦大統領と首脳会談を行った。インド太平洋地域で協力を強化し，北朝鮮問題に連携して対処することで一致した。日米韓首脳会談は約5年ぶり

経済の動き

01 ◆**上海の都市封鎖解除** 中国・上海市は，新型コロナウイルスの感染拡大に伴いロックダウン（都市封鎖）を約2ヵ月ぶりに解除した。停滞していた経済活動が再開するが，中国最大の経済都市の封鎖で寸断されたサプライチェーンの正常化には一定の時間がかかるとみられる

02 ◆**島根原発2号機の再稼働，県が合意** 島根県の丸山達也知事は，中国電力島根原発2号機（松江市，82 万キロワット）再稼働への同意を県議会で表明した。地元同意手続きは完了，中国電は早ければ 2023 年度の再稼働を目指す

21 ◆**1ドル＝ 136 円台後半に値下がり** 東京外国為替市場，円相場は一時，1ドル＝ 136 円台後半まで値下がりした。1998 年以来，およそ 24 年ぶりの円安水準。29 日には1ドル＝ 137 円台まで値下がりした

26 ◆**初の電力需給逼迫注意報** 経済産業省は，気温上昇に伴い東京電力管内の 27 日の電力需給が逼迫し，電力各社の需要に対する供給余力を示す予備率が5％を下回る見通しとなったとして，企業や家庭に節電を呼びかける「電力需給逼迫注意報」を初めて発令

30 ◆**帰宅困難区域，一部避難解除** 2011 年3月に重大事故を起こした東京電力福島第一原発周辺の帰還困難区域のうち，大熊町の特定復興再生拠点区域（復興拠点）の避難指示が解除された。帰還困難区域で住民が暮らせるようになるのは2例目で，第一原発が立地する自治体では初めて

（2022.01 ～ 2022.07 「読売新聞」NEWS 月録などより構成）

keyword ⑪ アダムズ方式

選挙で議員定数を配分する方法。アメリカの第6代大統領アダムズが提唱したとされ，人口比をより正確に議席に反映できる。まず各都道府県の人口を「一定の数」で割る。次に商の小数点以下を切り上げた数字を 47 都道府県分すべて足し，その合計が議員定数と一致するように「一定の数」を調整して決定する。現行と比べると，地方の議席が減り，都市部が増える。

keyword ⑫ フランスの国民選挙

フランス国民議会選挙は5年に一度実施される。577 議席を小選挙区単記2回投票制直接普通選挙で改選。第1回投票で選出されるには，有効票の絶対多数，有権者の4分の1の票数を獲得しなければならない。1回目投票で過半数を得た候補者がいない場合，得票率 12.5% 以上を獲得した候補者が2回目投票に進む。決選投票では，相対多数を獲得すれば当選できる。

現代社会ライブラリーへようこそ！ 2022-23

Welcome to A Present Age Social Library

資料編

テーマ学習一覧

18歳選挙権に向けて，自分の考えを整理していこう！

● 選挙と選挙権

先生：日本では，平成27年に法律が改正されて，選挙権を有する年齢が，20歳から18歳に引き下げられたね。

隆史：そうすると，高校生が投票する可能性があるんですか。

先生：そうだよ。でもね，世界のほとんどの国では，18歳で選挙権を行使できる国が多いんだよ。下の表や地図を見てご覧。

憲子：ほんとだわ。世界のほかの国はそうなっているのね。でも，なんで18歳なのかしら。義務教育が終わったからとか，就職したからとかのきっかけで決めてもいいのにね。でも私は，今年18歳だから，選挙があれば今でも投票に行けるけどね。

先生：国ごとに色々な事情はあるんだ。兵役（徴兵制度）のある国などは，考え方も日本とは異なるだろうね。

隆史：そもそも，なんで選挙があるのかな。なんでみんなは投票に行くの？

先生：教科書や資料集などではどんなふうに書かれているか確認してみよう。選挙権を国民が獲得するための歴史や考え方が書かれているよね。

隆史：選挙とは，国民が政治に参加する機会で，国民の意思を表明する機会，って書かれています。

先生：そうだね，民主主義社会では，権威や権力はすべて，そこに住む私たち国民から生まれるっていう，国民主権の考え方だね。

憲子：だから選挙があるのね。もし，私たちが選んだ代表が，私たちが望んでいる事に反することをすれば，次の選挙の時に変えることが出来るからですね。

● 選挙と投票率

先生：ところで，右の資料を見てもわかる通り，実際の選挙になると20歳代では選挙に行かない人の方が多いんだ。最近の国政選挙の年代別投票率を見ると，50歳代から70歳代は6割から8割だというのに，20歳代は4割を切っている。なぜ若者たちの多くが選挙に行かないんだろう？　どう思う？

隆史：国政選挙って国全体のことだから，自分の1

（注）衆院事務局資料を基に作成

日本の**18**歳，**20**歳でできることはそれぞれ法律で決められている

	できること	定めている法律
18歳	結婚（女性は16歳から，父母どちらかの同意が必要）	民法＊
	普通自動車などの運転免許取得	道路交通法
20歳	酒を飲む，たばこを吸う	未成年者飲酒禁止法など
	本人の意思だけによる結婚	民法＊
	親などの手を借りずに民事裁判を起こす	民事訴訟法

＊民法改正により，2022年4月から18歳で本人の意思だけによる結婚が，男女ともにできるようになる

（『日本経済新聞』2015.3.7）

	選挙権	被選挙権（下院）	法律上の成人	刑事手続で「非少年」
日本	2016年夏から 18歳	（衆議院）25歳	20歳＊	20歳
アメリカ	18	25	18	18
イギリス	18	18	18	18
ドイツ	18	18	18	原則 18
フランス	18	18	18	18

主要国の選挙権年齢等一覧表

（『主要国の各種法定年齢』国立国会図書館および立法考査局 2015.3.7）

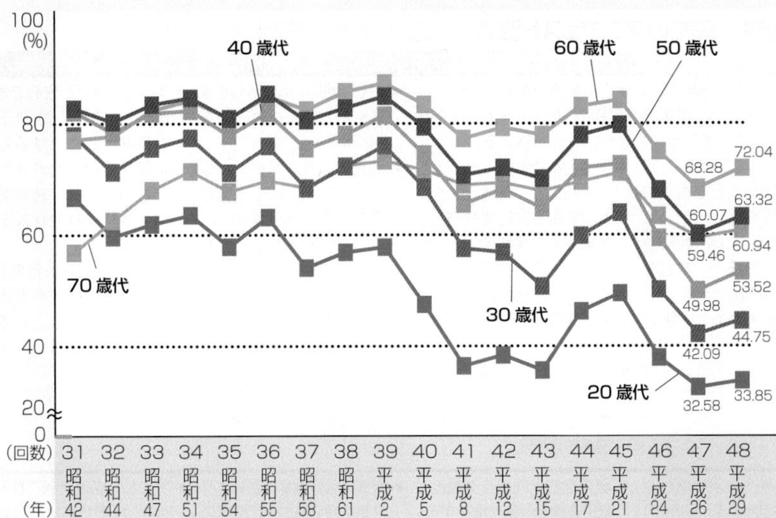

年代別投票率のグラフ
（総務省選挙部資料より）

票は，何万分の1，何十万分の１で，自分が行っても行かなくても結果は変わらないと思っちゃうからではないですか？

先生： うーん。でも，多くの若者たちがそう考えて，選挙に行かないという行動を選べば，どうなるんだろう。選挙に行かないのは，自分の意思を表明しないということになるよね。

憲子： 選挙で投票してくれる人の意見を，政治家の人たちは聞くことが多くなるのかしら。生徒会の選挙でも自分を支持してくれる人たちの意見を優先して考えたりしますよね。

隆史： グラフを見ると投票率が高いのは，50代や60代の人たちだね。政治家の人たちは，お年寄りの意見を優先して聞く可能性が高くなるのかな。

先生： その通り！　このままでは日本の政治は「お年寄りの，お年寄りによる，お年寄りのための」政治になってしまう可能性が高い。日本が抱えるこれからの大きな問題，たとえば赤字国債，日本の平和や安全などは，今の若者や子どもたちに一番負担や責任がかかってくるはずなのに，若者向けの政策が取られなくなる可能性が出てくるわけだ。ここは大きなポイントだ。

● 選挙に行くために

隆史： 投票に行ったほうがいいことは分かったけれど，どういう基準で候補者のなかから選べばよいか，自分ではよく分からないんです。

先生： 投票の基準がまったくないと困るよね。そういう時は候補者の所属する政党に注目して考えてほしいな。というのは，現代の議会政治では，政党単位で意見をまとめ，一致して行動することが多いからなんだ。政党は，考え方や意見が同じような人たちの集まりだからね。国政選挙がある時には，各党は必ずマニフェストや政権公約を発表する。これを投票前に手に入れて比較したり，新聞やインターネットに載る「まとめ」などで読んで比較してほしい。

憲子： 聞いただけで難しそう！私たちでも読めますか？

先生： たしかにすべて読もうとするのは，大変だね。まず，今の自分にとって何が望ましい政策なのか，１つでも２つでもいいから，考えて欲しい。自分なりの「争点」をしぼって比較するんだ！

隆史： 僕はなんだろう。戦争に巻き込まれるような日本にはならないでほしい，とか。

憲子： 私は，将来どんどん働きたいので，女の人の働く環境を考えてほしいわ。

先生： 自分にとっての「争点」となるテーマはしぼれたかな？　では，次ページの資料「政党のマニフェスト要約」を見て，自分の「争点」となるテーマについて，各政党がどのような政策を提案しているかチェックしてみよう。そして，自分の意見に近い政策に「○」，自分の意見と違う政策に「×」をつけてみるんだ。

2021年10月の衆議院議員総選挙　政党のマニフェスト要約（上位の議席を獲得した政党）

	新型コロナ対策	経済政策など	外交・安全保障	憲　法	年金・社会保障
A党	● 3回目のワクチンの追加接種に向けた準備を進めるほか，全国各地で早期に治療薬を投与できる環境を整備し経口薬の普及を促進する。 ● 感染症対策の司令塔機能など，危機管理能力を強化する。 ●「医療難民」を出さないよう病床や人材確保に全力で取り組み，人流の抑制や医療提供体制の確保のため，行政がより強い権限を持てるように法改正を行う。	● 今後，数十兆円規模の経済対策をとりまとめ，来年春までを見通せるよう，地域・業種を限定しない事業継続・事業再構築の支援を規模に応じて実施する。 ●「電子的ワクチン接種証明」「無料PCR検査所」などを活用し経済を動かす。 ● 非正規雇用者や女性，子育て世帯など，コロナで困っている人に経済的支援を行う。	● 日米同盟を基軸に「自由で開かれたインド太平洋」をいっそう推進する。 ● 防衛力を抜本的に強化するとした上で，弾道ミサイルなどを相手の領域内で阻止する能力の保有を含め，抑止力向上の取り組みを進めるほか，新たな国家安全保障戦略などを速やかに策定する。 ● 防衛費は，NATO加盟国がGDPの2%以上を目標にしていることも念頭に増額を目指す。	● 時代の要請に応えられる憲法を制定するために力を尽くす。 ● 改正の条文イメージとして「自衛隊の明記」「緊急事態対応」「参議院の合区解消・地方公共団体」「教育充実」の4項目を提示し，衆参両院の憲法審査会で憲法論議を深める。 ● そして，憲法改正原案の国会発議を行い，国民投票を実施した上で，早期の憲法改正実現を目指す。	● すべての世代が安心できる医療・介護・年金・少子化対策をはじめとする社会保障全般の総合的な改革をさらに進め，持続可能な全世代型社会保障を構築する。 ● 年金については，将来にわたって国民が安心できる水準を確保するとしているほか，国民皆保険を堅持する。
B党	● 入国者を10日間隔離する措置など，徹底した水際対策が必要だとしている。 ● また，必要な時に誰でも受けることができるPCR検査の体制を確立する。 ● 医療や介護への財政支出の抑制方針を転換し，公立・公的病院の統廃合や病床削減などを進める「地域医療構想」などを見直す。	● 生活困窮者への現金給付や事業者支援を盛り込んだ30兆円以上の補正予算案を直ちに編成する。 ● 消費税の税率を時限的に5%に引き下げるほか，当面年収1000万円程度までの人の所得税を実質免除する。 ● 一方で，富裕層の金融所得への課税強化などで，所得の分配機能を強化したい。	● 健全な日米同盟を基軸とした現実的な政策を推進する。 ● アメリカ軍普天間基地の名護市辺野古への移設を中止し，基地負担を見直す交渉を始めるほか，日米地位協定の改定などを掲げる。 ● また，核兵器禁止条約の締約国会合にオブザーバーとして参加する。	● 衆議院の解散権の制約など，立憲主義に基づいて国民の権利拡大に寄与する観点から憲法議論を進める。 ● 一方，憲法9条への自衛隊の明記については，安全保障関連法を前提に自衛隊を明記すれば，集団的自衛権の行使容認を追認することになり，平和主義という憲法の基本原理などに反し，反対していく。	● 安心して老後を過ごせる社会をつくるため持続可能な年金制度の確立を目指し，最低保障機能の強化のため年金の抜本改革に着手する。 ● また，低所得の高齢者に一定の金額を年金に上乗せして給付する制度を設けることを検討する。
C党	● 3回目のワクチン接種も，2回目までと同じように無料とする。 ● 経口薬を含めた国産の治療薬の開発や確保に万全を期す。 ● また，感染の後遺症として，けん怠感や脱毛，嗅覚や味覚の異常などに悩む人が増えていることを受けて，相談体制の整備や治療法の開発を進めるとしている。	● 経済の立て直しに向けて，感染の収束を前提に，観光や飲食などの消費を喚起する，「新・Go Toキャンペーン」を実施する。 ● 消費喚起に加えて，マイナンバーカードの普及を進めるため，キャッシュレス決済で使える3万円のポイントを一律で付与するほか，デジタル化などを進めるための投資の強化も掲げる。	● 多国間主義を尊重し，平和外交の展開を掲げる。 ● 唯一の戦争被爆国の立場から，核保有国と非保有国の橋渡し役を担うため，核兵器禁止条約の批准に向けて，締約国会議に日本がオブザーバー参加することで環境を整備していく。 ● 中国については，国際社会に対する責任を果たすべきだと指摘している。	● 現在の憲法の制定時に想定されなかった新しい理念や憲法改正でしか解決できない課題が明らかになれば必要な規定を付け加える「加憲」を検討すべき。 ● 一方，緊急事態における国会機能の維持のため，国会審議にオンラインで参加できる制度を検討する。	● 健康寿命の延伸や安心で質の高い医療の構築を行う。 ● 介護する人の孤立を防ぐため「ヤングケアラー」と呼ばれる子どもたちの相談をはじめ，支援を総合的に推進する。 ● 年金制度では，働き方の多様化を踏まえ，パートなどで働く短時間労働者が厚生年金に加入しやすいよう，加入要件を緩和する。
D党	● ワクチン接種と一体で，いつでも誰でも，かつ無料で，PCR検査を行えるようにする。 ● また，感染症病床や保健所への国の予算を2倍にして，医療崩壊を2度と起こさないための医療体制の強化を図る。 ● さらに，中小企業や個人事業主，フリーランスに持続化給付金と家賃支援給付金を再支給する。	● 新型コロナの影響で収入が減少した家計を支援するため，1人10万円を基本に「暮らし応援給付金」を支給する。 ● 消費税の税率を5%に引き下げ，最低賃金を全国一律で時給1500円に引き上げる。 ● 中小企業を除き，法人税率を28%に戻し，富裕層の株取り引きへの税率を欧米並みの水準に引き上げるなど大企業と富裕層に応分の負担を求める。	● 憲法9条を生かした平和外交を行い，日米安全保障条約を廃棄して対等・平等の立場で日米友好条約を締結する。 ● 沖縄県民の民意を無視した辺野古新基地建設を中止し，普天間基地の無条件撤去を求めるほか，米軍の特権を許した日米地位協定を抜本改定する。	● 必要なのは憲法を変えることではなく，憲法9条を生かした外交で平和な日本とアジアをつくることであるため，自民党の改憲案に反対し，断念に追い込む。 ● 前文を含む全条項を厳格に守り，平和的・民主的条項の完全実施を求める。	●「マクロ経済スライド」は年金を目減りさせる仕組みであり若い世代ほど年金の削減幅が大きくなるため，廃止する。 ● 高額所得者が優遇されている保険料を見直し，巨額の年金積立金を活用するなどして「減らない年金」を実現する。
E党	● 臨時の医療施設の担い手を確保するため，経済的補償を講じた上で，知事が医療機関に対し，医師や看護師の派遣を命令できるよう法整備する。 ● 患者の入院調整などの役割が保健所に集中している仕組みを見直し，地域の開業医などで分担するよう改める。	● 過度なインフレを招かない範囲で積極的な財政出動・金融緩和を行う。 ● 2年間を目安に消費税の税率を5%に引き下げ，年金保険料の支払いの免除などで可処分所得を増やし，家計消費の回復を目指す。 ● 株式会社に農地の所有を認めるなど，産業の新規参入規制の撤廃・緩和を行う。	● GDP=国内総生産の1%未満としてきた日本の防衛費を見直し，テロやサイバー・宇宙空間への防衛体制を強化。 ● 自衛隊の基地や原子力発電所といった，安全保障上重要な施設の周辺など国家の安全保障上，重要な土地利用を厳格に規制する。	● 新型コロナなど非常事態に対処するため政府の権限を一時的に強化する「緊急事態条項」を新たに憲法に設けることを検討する。 ● 幼児教育から大学などの教育無償化，道州制の導入で統治機構改革の実現，政治や行政による恣意(しい)的な憲法解釈を許さないよう，憲法裁判所の設置を提案する。	● 所得に応じて，所得税を差し引いたり，現金を給付したりする「給付付き税額控除」，または，すべての国民に無条件で一定額を支給する「ベーシックインカム」を導入し今の年金制度を見直す。 ● 現行の年金制度を維持する場合は「積立方式」に移行する。

（2021年10月　NHK衆議院選2021特設サイトより作成　https://www.nhk.or.jp/senkyo/database/shugiin/2021/）
ここでは「党名」は伏せてあるが，次ページに掲載してある

先生：出来たかな？

隆史：○×をつけ終わりました。

先生：さて，○×をつけ終わって，「○」が一番多い政党が，とりあえず隆史君が投票すべき政党の「第一候補」なんだよ。

隆史：えーーー！！　そんなに簡単に投票先を決めていいんですか？

先生：たしかにすべての政党の政策を理解して，比較してから選択するのがベストだよ。でもね，そこまで完璧にしている人はほとんどいないと思うよ。「でも」って思うかもしれないな。君たち若い世代は「完璧主義」だからね……。私だって「すべての政党の政策」と言われたらひるんでしまうよ。だから，自分にとって一番望ましい政策を考えて，そのテーマを比較して投票しているんだよ。

憲子：なんだか肩の力が抜けてきました。これまで選挙って言うと，どうしても「将来の日本を決める」というイメージが強くて，とっつきにくかったんですね。

先生：そうなんだ。しかし，いま選んだテーマは２つだったけれど，望ましい政策をかなえるために，どうやって実行するかまでを考えていくと，政治についての関心はさらに深まっていくはず，３つでも４つでも比較することが出来ることを忘れてはいけないよ。このように少しずつ政党の主張や社会の仕組みを理解していく必要があるよ。そこは自分で努力してほしい。

隆史：ボートマッチ（vote match）というものがあると，聞いたのですが。

先生：選挙に関するインターネット・サービスだよ。立候補者や政党に対して，選挙で争点となりそうな政策に関するアンケートに答えてもらい，それをデータベース化するものなんだ。そして，私たちが同じアンケートに回答する事で，立候補者や政党との考え方の一致度を測定することができるというものだよ。

憲子：どんなふうにするんですか？

先生：インターネットで「あなたは原発の再稼働に賛成ですか」との質問に，「YES」か「NO」かで答える。次に「あなたはＴＰＰ締結に賛成ですか」に答える。そうして 20 項目くらい答えると，「あなたは，○○党の政策の一致度△%。××党の政策の一致度□% ……」などと出るんだ。さっき「政策などをすべて知っていないと，投票に行けないのか」という質問に答えたよね。

憲子：ええ，興味のある政策を比較して投票すればよい，と言っていただきました。このボートマッチは，政党の政策と私の興味のあることをうまく「マッチ」するものなんですね。

先生：確かに，自分の興味と政党の政策を簡単にマッチングさせてくれるものではあるが，これが「絶対」と思ってはいけないよ。あくまでも参考程度に考えておき，マニフェストなどを使って自分で調べ，比較することが大事であることは理解して下さい。

隆史：先生，選挙へのハードルがずいぶん低くなりました。投票できるようになったら絶対，選挙に行きますね！　ありがとうございました。

選挙 Q&A

Q1：税金を払っていないので，選挙権はない？

A1：選挙権は権利ですから，納税に関係なくすべての日本国民にあります。

Q2：選挙当日になっても「選挙に来て下さい」のハガキ（封書）が来ないので，投票に行けない？

A2：ハガキ（封書）は原則として「世帯」ごとに来ますので，保護者への連絡と一緒になっています。また，ハガキがなくても身分証明書などを持って行くと投票できます。

Q3：投票日当日，友人達とディズニーランドに行く予定が入っている。「遊び」が理由だと期日前投票は出来ない？

A3：期日前投票は，「仕事」など以外にも「レジャー」などの理由でも出来ます。公示又は告示日の翌日から選挙前日まで行うことが出来ます。

政党名　Ａ党　自由民主党　Ｂ党　立憲民主党　Ｃ党　公明党　Ｄ党　共産党　Ｅ党　日本維新の会

1 地球環境問題

TOPICS

地球温暖化とゲリラ豪雨

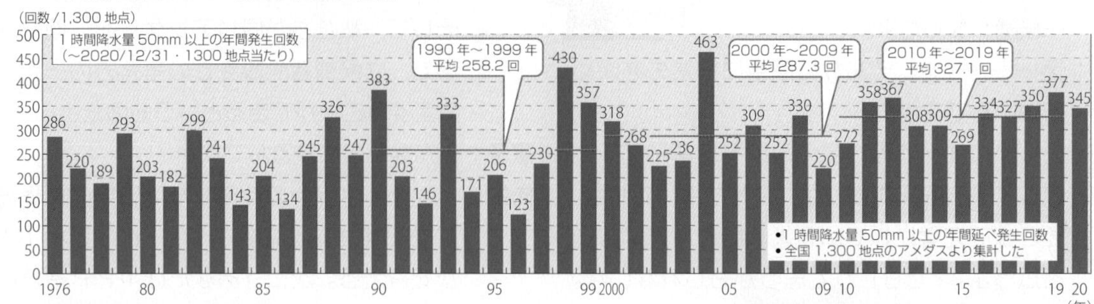

資料：気象庁資料より環境省作成

上の図表から，1時間降水量50mm以上の年間発生回数は1990年からの10年間，2000年からの10年間，2010年間からの10年間でどのように変化しているか，考えてみよう。

都市部におきるゲリラ豪雨（大阪府高槻市）

1 地球環境の問題

崩壊するペリト・モレノ氷河―アルゼンチン・パタゴニア

冬季にもかかわらず水煙を上げて崩壊するアルゼンチン南部パタゴニアのロスグラシアレス国立公園のペリト・モレノ氷河。冬期の崩壊が確認されたのは初めて。

1979年 夏

2021年 夏

酸性雨の被害

水没の危機にあるモルディブのマレ

熱帯雨林の焼畑で伐採された森林（ブラジル）

○×で答えよう！ 正誤問題にTRY✓ 国連人間環境会議での合意を受けて，環境保全のための様々な取組みを行う，国連環境計画（UNEP）が設立された。

2 地球環境とその相互関係

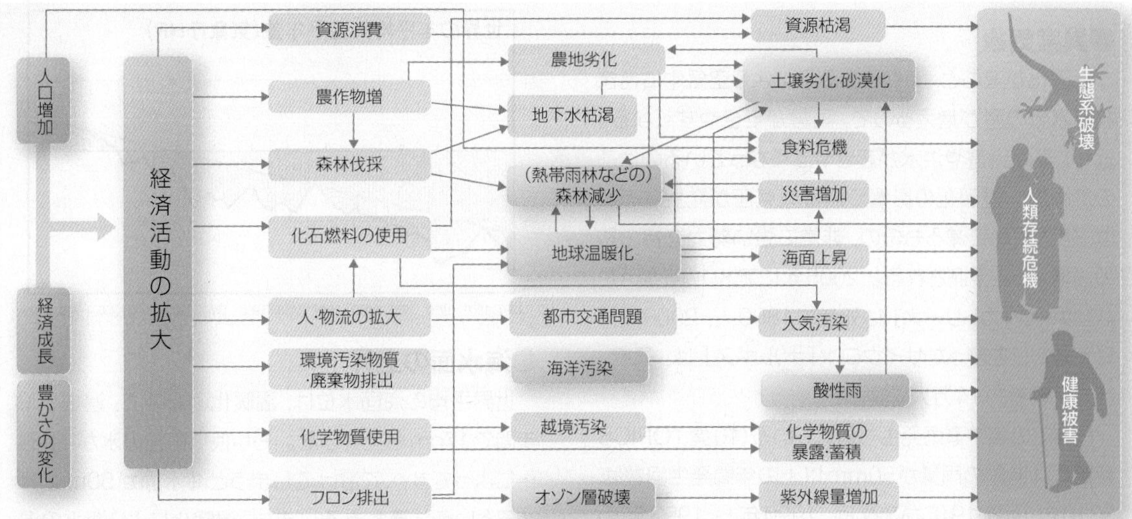

解説 この図に見られるように，地球環境問題は複雑に影響を与えあって，その因果関係（原因と結果）は多岐にわたっている。また化学変化のように急激な変化ではなく，長い時間をかけ目に見えない形で少しずつ変化していくのが特徴。そのため一国だけによる克服はきわめて難しく，多くの国が協力して解決のために取り組まなくてはならない。

3 地球環境問題とは

地球温暖化	化石燃料の大量消費やフロンの使用などによって地球の平均気温が上昇している。気温の上昇は降水パターンの変化など異常気象を引き起こしている。
オゾン層破壊	フロンやハロンの大気中への放出によってオゾン層が破壊され，有害紫外線が増大し，人の健康や生態系に悪影響が懸念されている。
酸性雨	硫黄酸化物や窒素酸化物などにより，酸性の強い降雨がみられ，各地で森林の荒廃や湖沼などの生態系の破壊がみられる。
熱帯雨林の減少	過度の森林伐採や焼き畑などにより，熱帯雨林が減少している。気候の変化や大気中の二酸化炭素の濃度を上昇させる原因となる。
砂漠化	過度の放牧や焼き畑，異常気象などによって地表の砂漠化が進んでいる。気候の変化や食料生産の減少につながる。
野生生物種の減少	熱帯林の減少などの野生生物の生息環境の悪化や乱獲などにより野生の動植物の種が絶滅あるいは減少している。生態系の変化や遺伝子の喪失が心配されている。

私たち人類が豊かで快適な生活を追求した結果，1970年代に入ると，一国内の「公害」問題というカテゴリーではとらえられない国境を越えた地球規模の環境破壊が大きな問題になってきた。先進国における大量生産・大量消費・大量廃棄，一方，発展途上国における人口爆発や経済発展にともなう環境破壊などさまざまな要素が加わったためである。1972年には国連人間環境会議で採択された，人間環境宣言において，環境問題への国際的な取り組みが明言された。この地球環境問題には，地球温暖化，オゾン層破壊，酸性雨，熱帯雨林の減少，砂漠化，そして野生生物種の減少などがあげられている。

Column 100年後の地球ー表面温度は?

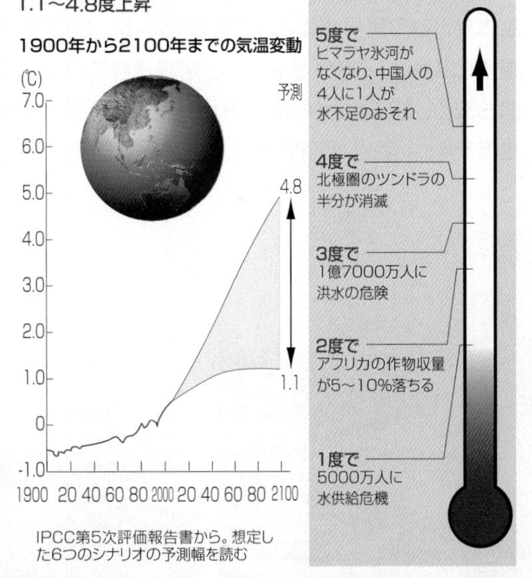

IPCC第5次評価報告書から。想定した6つのシナリオの予測幅を読む

国連の「気候変動に関する政府間パネル(IPCC)」は，21世紀末に世界の平均気温が最悪の場合4.8度上昇する可能性があると警告した。この地球の表面温度の上昇が，どのような影響を与えるのか。上図の通り，3～4度の上昇で北極や南極の氷がとけて海水面が上昇するため，世界で数億人が洪水の危機に直面するという。温暖化の進行によっては，熱帯地域の病気が温帯にまで広がる危険も高まることも考えられる。IPCCの第5次報告書（2013年9月）によれば，気候変動の原因は95%以上が人間活動によるものであるとしており，観測による事実として，確認できることは，1880年～2012年の期間にかけて，0.85度の気温上昇があるとしている。

○×で答えよう! 正誤問題にTRY✓ 先進国に農産物を輸出している途上国の中には，サトウキビなどの生産量を増やした結果，土地が荒廃するといった環境破壊が生じている国もある。

序編

テーマ学習　地球温暖化によって何がおこるか

●異常気象

温暖化が進むと，海からの蒸発により空気中に含まれる水分の量が増えるので，雨雲ができやすくなる。近年，豪雨災害や洪水が起きやすくなっているのはこのためだ。温暖化の影響で熱帯低気圧が発生する数は，世界平均で減るものの，非常に強い勢力を持つものが増えると予測される。2005年にアメリカを襲ったハリケーン「カトリーナ」は死者約1800人，2008年にミャンマーを襲ったサイクロン「ナルギス」は，死者・行方不明者約14万人に達した。

日本での集中豪雨発生も増えている(10頁TOPICS参照)。1時間の雨量が50mm以上の年間発生回数は，2010年～2019年が327回，1990年～1999年の258回に比べて1.3倍となっている。

気象庁は天気予報で2007年から最高気温が35°C以上の日を「猛暑日」と呼ぶ「予報用語」が生まれた。東京などの大都市では地球温暖化とヒートアイランド現象により，1日の最高気温が35°C以上の日が1990年以降急増，20年前の約3倍になり，特別な名前で呼ぶべきという意見が強まったためである。2020年の東京の8月は，この「猛暑日」と記録された日が11日間もある，暑い夏となった。8月17日には，静岡県浜松市で41.1度という国内最高気温が再び観測された。

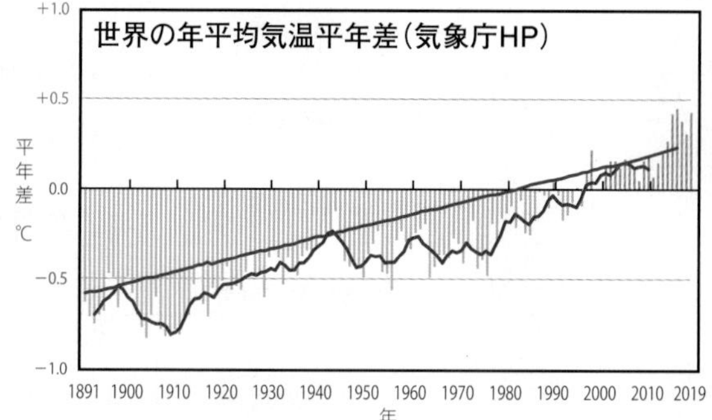

●海水面の上昇

世界平均の海面水位は，温暖化の影響で，過去100年間で17cmも上昇した。もし仮に南極の氷が，温暖化によってすべて溶けてしまうと海水面が50m上昇するという試算もある。また，温暖化により海水の温度が上昇し，海水が膨張するために海水面が上昇するということもある。

オランダ，ドイツ北部，デンマーク，バングラデシュ，ベトナムなど海抜以下の地域を抱えた各国，オセアニア諸国，モルディブなどの海抜が低い島を擁する地域の中には，海面上昇が差し迫った問題となっているところもある。既にツバルでは集団移住が計画されており，今後この様な海面上昇による移民(環境難民)の発生が予測されている。

海水面の上昇は，低い土地を水没させるだけでなく，熱帯低気圧による高潮の脅威を増大させる。

東京，大阪，名古屋など日本の大都市はいずれも海に面しており，海抜0m地帯(海面よりも低い土地)に400万人以上が暮らす。高潮が発生すると巨大災害が発生する可能性がある。

高潮で冠水した関西国際空港
(2018年9月4日，大阪府泉佐野市)
関西地方を中心に猛威をふるった台風21号は，関西空港付近で最大瞬間風速58.1mもの猛烈な風を観測した。また，最高潮位が329cmにもなる高潮が大阪市で観測された。関西国際空港では，高潮で滑走路の全面が冠水し，また，連絡橋には強風で流された船が接触したこともあり，10日間の営業がストップした。

○×で答えよう! 正誤問題にTRY✓　発展途上国の一部では，生活を維持するために環境を破壊し，その環境の破壊がさらに貧困を深刻化させるという悪循環もみられる。

4 森林破壊・熱帯雨林の減少

森林のはたらきには，どのようなものがあるだろうか？

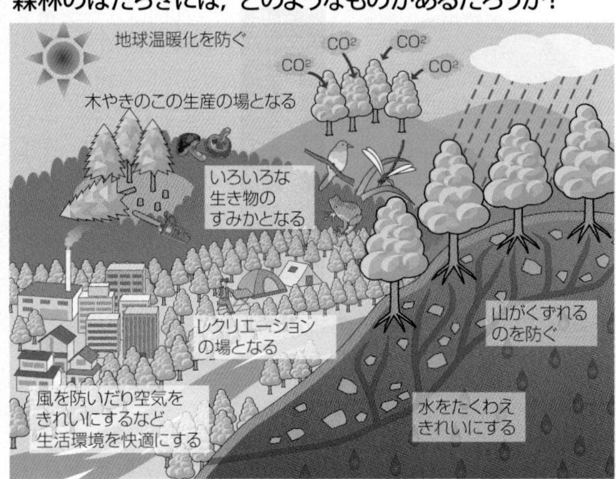

① 水を貯え，きれいにし水源を守ること
森林がなくなると，洪水や干ばつが起こりやすくなる。

② 土砂の流失を防ぎ山崩れや崖崩れを防止する。

③ 光合成により二酸化炭素を吸収し酸素を供給
温暖化防止に役立つし，空気をきれいにする。

④ 気温を調節する。森林の中は冬温かく夏涼しい。

⑤ 動植物の保護 クマ・イノシシ・シカ・リス・野鳥などの生活の場である。キノコや山菜，木材など人間にとって有用な物を提供する場でもある。

⑥ 森林公園やキャンプ場，トレッキング・登山などのレクリエーションの場

この他，人間の生活に欠く事のできないものである。

森林破壊・熱帯雨林の減少（1990年と2015年）

（「環境白書」2018）

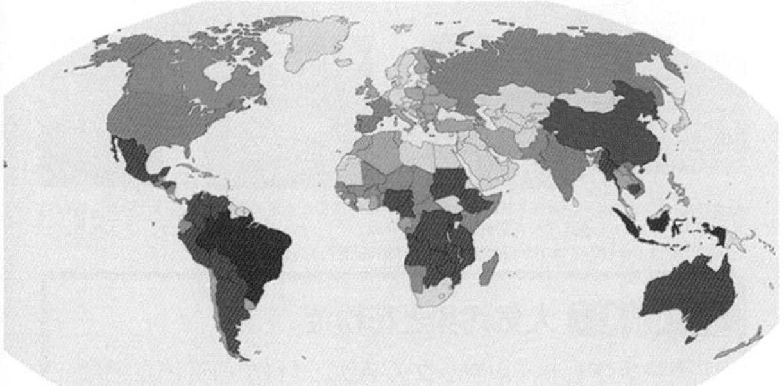

純減少：■ 50万ha以上 ■ 10～50万ha ■ 1～10万ha
純増加：■ 1～10万ha ■ 10～50万ha ■ 50万ha以上

解説 図を見てみよう。赤く濃くなっている部分が森林の減少が激しい部分である。南米のアマゾン川流域，アフリカの中央部，インドネシアやフィリピンなど東南アジア，オーストラリア。赤道をはさむように広がる熱帯雨林の破壊が進行している。20世紀に入って以降，熱帯雨林は森林破壊が進み，急速に減少・劣化してきている。 森林破壊の速度は，毎秒0.5～0.8haにもおよび，かつて地表の14%を覆っていたとされる熱帯雨林が現在は6%まで減少し，このペースで減少が続けば40年で地球上から消滅するものと予測されている。 それにともなって絶滅する生物種の数は，年間5万種にも上るとみられる。

5 砂漠化の進行

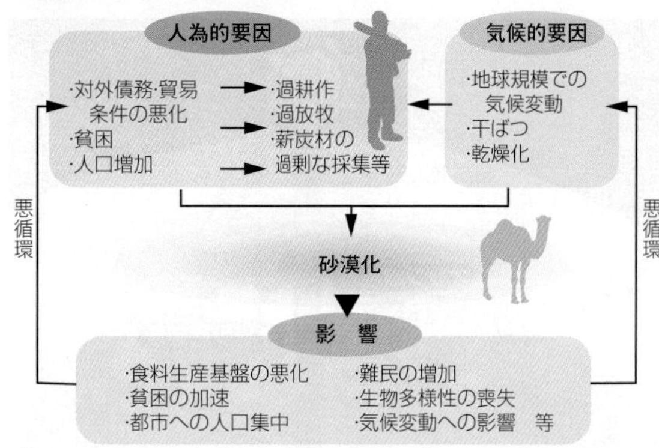

解説 砂漠化の影響を受けている土地面積は約36億haで，全陸地の約4分の1と言われ，日本の面積の95倍に相当する。 砂漠化の影響を受けている人口は，世界人口の約6分の1，約10億人となる。砂漠化の原因として，地球温暖化による降水量の減少と過放牧によるステップ（草原）の砂漠化が考えられる。人口増加に対応するため家畜を増やしすぎると，草の根まで食い尽くしてしまう。このため，自然の回復力が間に合わなくなってしまうのだ。

Column 森林破壊・熱帯雨林の減少はなぜおこる？

日本の木材需給状況（2019年）

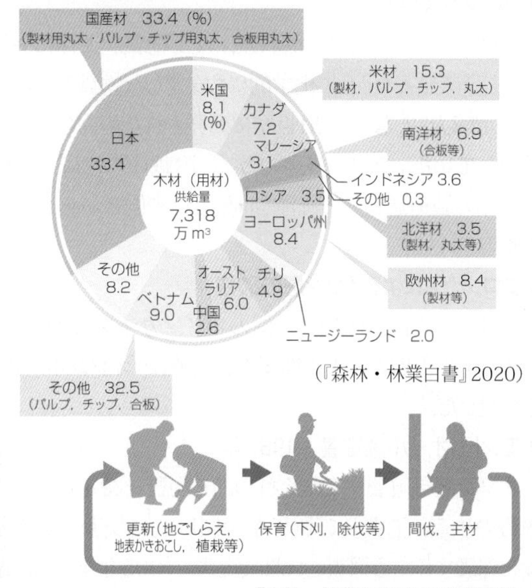

（『森林・林業白書』2020）

『森林・林業白書2016参考資料』

第1に過度な焼畑農業である。熱帯雨林の保有国は一般に貧しい国が多く，しかも人口が爆発的に増加している。農地や放牧地の拡大の必要が生じる。世界で数億人が焼畑農業で生活している。伝統的な焼畑農業は自然と調和した「環境にやさしい農法」であったが，人口の爆発的増加や営利目的により自然のサイクルを無視した焼畑が行われるようになると森林破壊が進むようになるのである。第2に木材の伐採である。日本でも建築材や紙の原料（パルプ）として多くの木材を輸入している。国内での森林破壊は少ないが，世界の森林破壊に日本も責任を負っているわけである。

○×で答えよう！ 正誤問題にTRY✓ 森林破壊は，地球温暖化の促進のみならず，土壌の流出や砂漠化の原因になるとされており，その防止のために，国際的な対策として国連総会において条約が採択された。

6 オゾン層の破壊

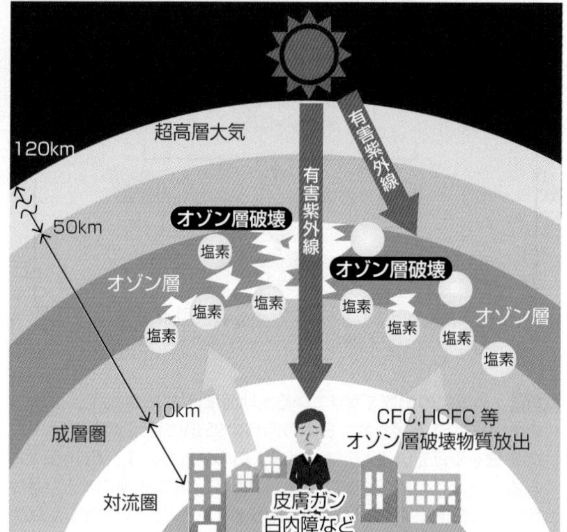

①オゾン層とは?

地球の地上12キロ～50キロにかけて，オゾンが濃くたまっている。これをオゾン層という。このオゾン層が，太陽から降り注ぐ，人体に有害な紫外線を99%吸収している。

②フロンガスとは?

1930年アメリカで開発された，人工物質。人体に対しては，ほぼ無害なうえに化学的にも安定した物質で，変色したり燃えたりしない。20世紀に開発された最高の物質と言われていた。スプレー用のガス，冷蔵庫の冷媒，半導体部品の製造過程での洗浄(油を溶かす働きがある)として使用された。

③フロンガスによるオゾン層の破壊

フロンガス1分子で10万個のオゾン分子を破壊する。1980年代アメリカの人工衛星が，南極に「オゾンホール」を発見した。

④モントリオール議定書　1987年

オゾン層を破壊するおそれのある物質を特定し，当該物質の生産，消費及び貿易を規制して人の健康及び環境を保護するため採択された議定書。1995年までに，先進国での特定フロンガスが全廃（発展途上国では2015年までに)。モントリオール議定書の締約国は，2014年9月現在197か国(EUを含む)。

⑤なぜオゾン層の破壊は続くのか?

使われたあとゆっくり上昇して10年以上たってオゾン層に達する。また，古い冷蔵庫やカーエアコンに残っているフロンガスが廃棄され，大気中に排出される。さらに，発展途上国では，2010年までフロンガスの生産は続けられた。まだまだ，紫外線対策は必要であるようだ。

南極上空のオゾンホール(気象庁HP 2020年)

(オゾンホールは南緯45度以南で定義され，オゾンホールの面積はオゾン全量が220m atm-cm以下 の部分をさす)

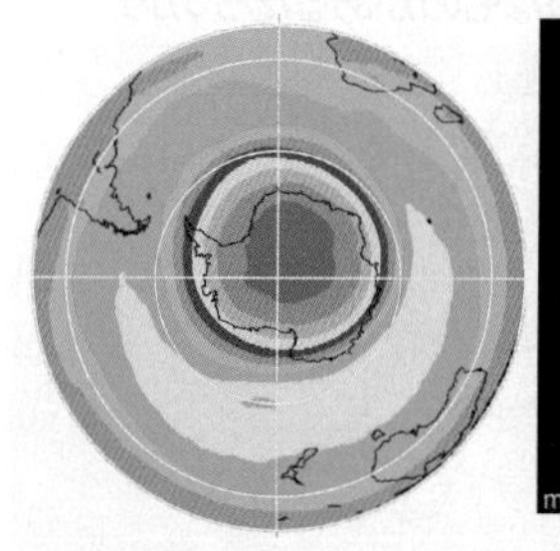

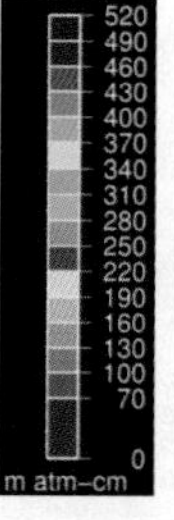

凡例はオゾン量を色別で示している(上から下にむかって少なくなっている)。2020年の左図では，中心から上側，円型状に，オゾン量が少ない範囲が穴のように広がっていることがわかる。

南極上空のオゾンホールの規模の推移(気象庁HP)

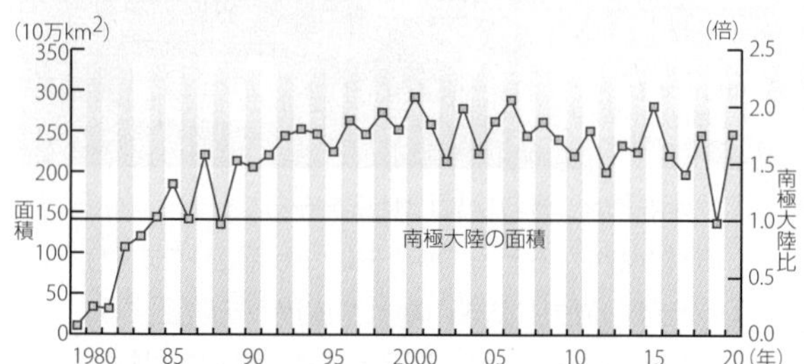

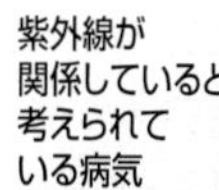

急性
・日焼け
・紫外線角膜炎(雪目)
・免疫機能低下

慢性
・しわ
・しみ,日光黒子
・良性腫瘍
・前がん病変(日光角化症,悪性黒子)
・皮膚がん
・白内障
・翼状片

(環境省『紫外線環境保険マニュアル2008』)

解説 日焼けや皮膚がんに大きく影響する太陽光からの紫外線はほとんど大気層で吸収されるが，オゾン層の破壊により地表に届く量が増えてきた。その結果，最初特に白人に皮膚がんの被害が多かった。しかし，最近は皮膚がんが日本人にも増加している。紫外線は，皮膚がんだけではなく，免疫機能の低下やしわ，しみの原因となったり白内障の原因ともなる。

世界における紫外線増加による健康影響

皮膚がん

成層圏のオゾン層が1%減少した場合

悪性黒色腫 現在の発生率 → +2%

その他の皮膚がん 50万人/年 → +1.6% 万人/年

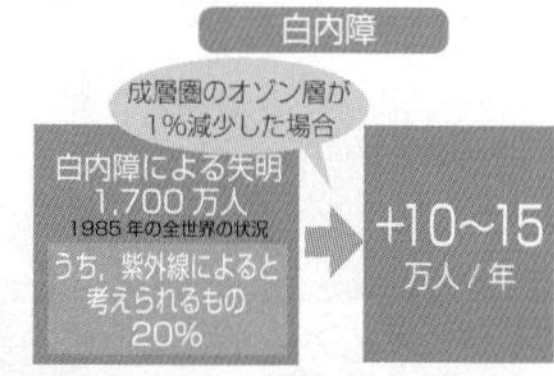

皮膚がんについては，いずれもアメリカ人のデータに基づく推定。前述のとおり，日本人をはじめ有色人種は白色人種に比べて紫外線の影響が少ないことがわかってます。なお，その他皮膚がんについては，全世界ではアメリカの3倍，年間48万人の増加と推定されている

Column　大気汚染と花粉症

東京大学とドイツマックスプランク科学研究所などは，大気中の汚染物質が花粉症などと反応してアレルギーを起こしやすくする仕組みを解明した(『日本経済新聞』2011.2.11)。以前から都市部では，杉の多い山間地よりも花粉症患者が多いことが指摘されており，大気中のオゾンと，車や工場の排ガスに含まれる微粒子が反応して有害性を高めることは知られていた。研究チームはオゾンからできた活性酸素が，さまざまな微粒子と反応していることを見つけた。オゾンを花粉と反応させる実験でも，花粉の表面で活性酸素ができた。大気汚染と花粉症との関係が解明されることによりその理由が明らかにされたことになる。

○×で答えよう! 正誤問題に TRY✓　フロンガスによるオゾン層破壊については，ストックホルムでの国連人間環境会議で採択された議定書をきっかけに，国際的な取り組みが始まった。

7 酸性雨とその被害

酸性雨発生のメカニズム

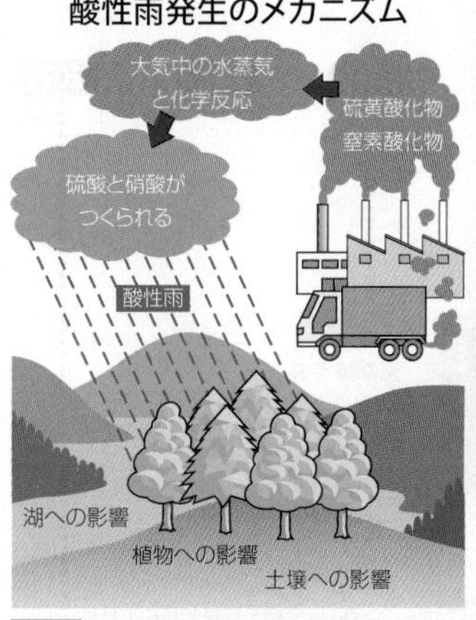

解説 化石燃料の大量使用により，大気中の窒素酸化物や硫黄酸化物が増加したのが原因で，酸性の強い降雨（pH5.6以下）が世界的にみられる。特に森林の立ち枯れや，湖沼などの生態系の破壊などが顕著であり，ヨーロッパでの被害は特に深刻である。日本でもその被害が年々拡大し，長野県と岐阜県の県境にある乗鞍岳では，pH3前後の酸性雨・酸性霧が観測されている。

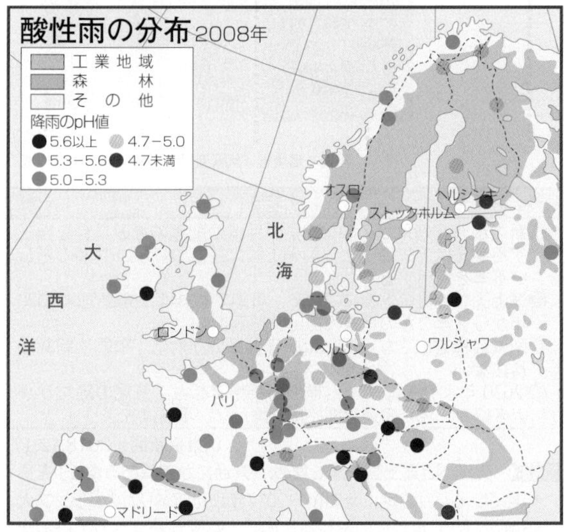

解説 酸性雨はこの20年間でヨーロッパでは著しい被害をもたらしている。特にドイツでは森林面積の約半分が被害をうけ，森林だけでなく湖沼に入り込んだために魚介類の減少といった被害も見られる。空気は自由に国境を越えられるので，必ずしも自国で排出された汚染物質による酸性雨ではなく，問題解決に向けて国際的な協力が欠かせない。

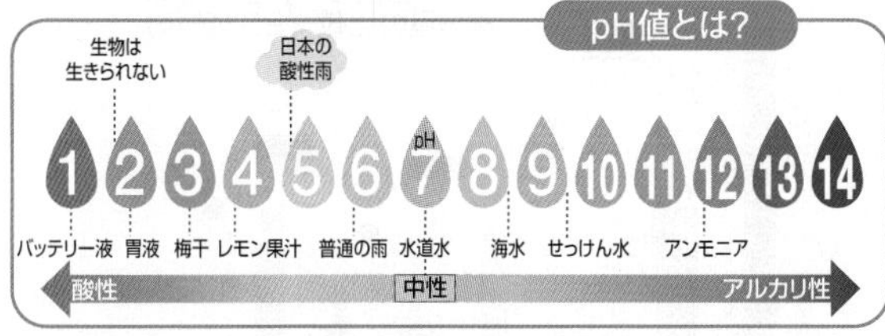

pH値とは物質の酸性，アルカリ性の度合いを表す数値。pHは水素イオン濃度指数：potential Hydrogen, power of Hydrogenの略。酸性からアルカリ性の間に1～14の目盛りをつけて，pH7を中性とし，それ未満を酸性，それより大きければアルカリ性としている。 pH7よりも値が小さければ小さいほど酸性の性質が強く，値が大きければ大きいほどアルカリ性の性質が強い。

8 地球環境問題への国際的取り組み

年代	事　　項（→ p.336 入試対策用語集）
1971	ラムサール条約採択
1972	国連人間環境会議（スウェーデン・ストックホルム）開催　人間環境宣言採択 ロンドン海洋投棄条約採択　世界遺産条約採択
1973	国連環境計画（UNEP）発足　ワシントン条約採択
1977	国連砂漠化防止会議（UNCOD）開催　砂漠化防止行動計画採択
1982	国連環境計画管理理事会特別会合開催　南極上空でオゾンホール発見
1985	オゾン層保護のためのウィーン条約採択
1987	モントリオール議定書採択 環境と開発に関する世界委員会（ブルントラント委員会）東京宣言採択
1988	気候変動に関する政府間パネル（IPCC）設置
1989	バーゼル条約採択
1992	国連環境開発会議（地球サミット）開催（ブラジル・リオデジャネイロ） 環境と開発のためのリオ宣言・アジェンダ21・森林原則声明・生物多様性条約・気候変動枠組み（温暖化防止）条約採択
1994	砂漠化対処条約採択
1997	第3回気候変動枠組条約締約国会議（COP3）で京都議定書採択
2001	アメリカ，京都議定書から離脱
2002	持続可能な開発に関する世界首脳会議開催（南アフリカ・ヨハネスブルグ）　持続可能な開発に関するヨハネスブルグ宣言採択
2005	京都議定書発効（2004年ロシア加盟による）
2007	国連「気候変動に関するハイレベル会合」開催
2009	国連「気候変動サミット」開催（ニューヨーク） 第15回気候変動枠組条約締結国会議（COP15）がコペンハーゲンで開催。コペンハーゲン合意
2010	第10回生物多様性条約締結国会議（COP10）名古屋で開催。「名古屋議定書」「愛知目標」が採択
2012	国連持続可能な開発会議（リオ＋20）開催
2015	第21回気候変動枠組条約締約国会議（COP21）パリで開催。「パリ協定」が採択
2017	アメリカ，パリ協定からの離脱を表明

▲ブルントラント氏

○×で答えよう! 正誤問題にTRY✓ 1980年代半ばにウィーンで国連環境計画（UNEP）の会議が開催され，生物の多様性を保全するため，生物多様性条約が調印された。

9 京都議定書と京都メカニズム

概要	先進国の温室効果ガス排出量について，法的拘束力のある数値目標を各先進国ごとに設定
対象ガス	二酸化炭素 (CO_2)，メタン (CH_4)，一酸化二窒素 (N_2O)，代替フロン等３ガス (HFC，PFC，SF_6)
基準年	1990年 (代替フロン等については1995年とすることも可能)
約束期間	2008年から2012年の５年間
数値目標	各国の目標→日本－６％，米国－７％，ＥＵ－８％。先進国全体で少なくとも５％削減を目指す。
吸収源	森林等による二酸化炭素の吸収量を削減目標の達成手段として算入可能

1997年12月，日本が議長国となって気候変動枠組条約締約国第3回会議（COP3，京都会議）が開催された。この会議の結論は，議長国日本が当初示した削減目標よりも大幅にきびしい削減率となり，その排出削減率や途上国の問題など多くの課題を残した。これを受けて日本は翌98年10月に「地球温暖化対策の推進に関する法律」を公布し，国・事業者・国民の協力体制を明確化した。この会議で採択された「京都議定書」は，アメリカが2001年3月に締約国から離脱したことなどによって条約の発効が難航した。

●京都メカニズム　（いずれも『朝日キーワード2007』より）

京都議定書の目標を達成するための措置。以下の３つを指す。

①クリーン開発メカニズム（ＣＤＭ）

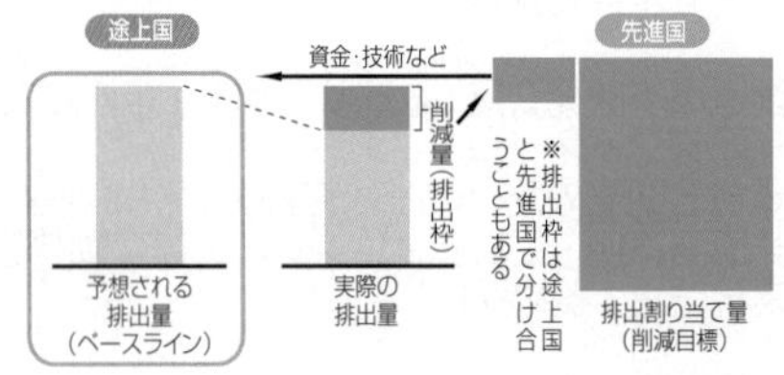

途上国で減らした温室効果ガスを先進国の削減目標の達成などのために使えるシステム。国だけでなく企業も参加できる。先進国の資金・技術支援を受け，途上国で温室効果ガスの排出削減事業を実施し，その事業で生じる削減量を先進国が排出枠として獲得。先進国の削減目標の達成に利用することができることが認められている。

②共同実施（ＪＩ）

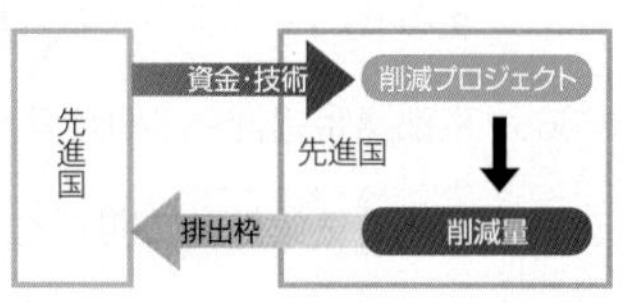

温室効果ガスの排出削減事業を先進国間で実施し，その事業で生じる削減量（もしくは排出枠）を投資した先進国が獲得し，自国の排出枠に加えることができるシステム。CDMが先進国と途上国が協力して行うのに対し，JIは先進国間で協力して行うものである。

③国際排出量取引（ＥＴ）

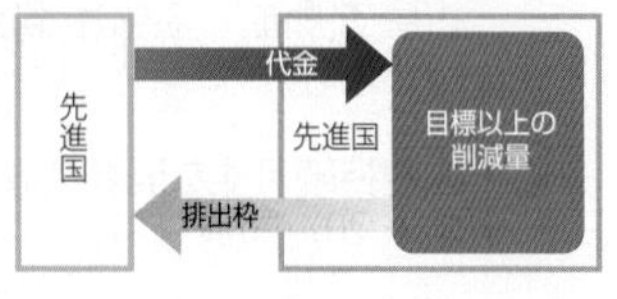

先進国が他の先進国から排出枠を買い，自国の削減目標に活用できるシステム。目標以上に削減できた先進国が余剰排出枠を出さないと，取引は成立しない。EU（欧州連合）では，2005年に世界初の多国間取引市場（EUETS）を発足した。

10 パリ協定までの交渉と運用ルール

●国際交渉の流れ

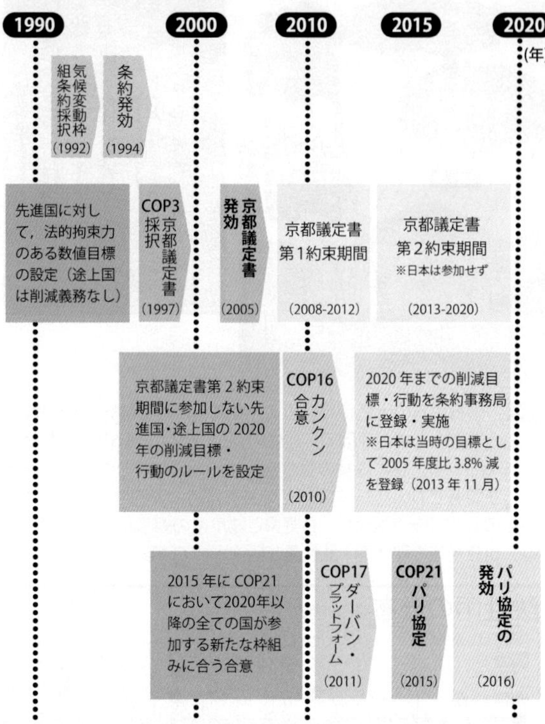

出典：環境省『気候変動の国際交渉』より作成

パリ協定の運用ルールのポイント

◎新たな温室効果ガスの排出削減目標や削減の進み具合を検証する手法は，先進国と発展途上国に差をつけず，共通の厳しい基準を採用する
◎途上国への資金支援について，可能であれば，先進国は2020年から２年ごとの将来の拠出額を示す
◎削減目標を出さない国には順守委員会が対応。懲罰や制裁は科さない
◎2030年より先の削減目標の更新頻度など，意見の隔たりが大きいが，協定の運用開始に支障がない項目は先送り

（『東京新聞』2018.12.17）

解説 先進国と途上国の溝を埋め，「共通だが差異ある責任」を負わせているパリ協定。発効後の2017年にはアメリカのトランプ大統領がパリ協定からの離脱を表明し，影響が懸念されているなか，2018年ポーランドで開催されたCOP24で協定の運用ルールを採択。先進国と途上国が共通ルールのもとで温室効果ガスの削減に取り組むことが決まった。

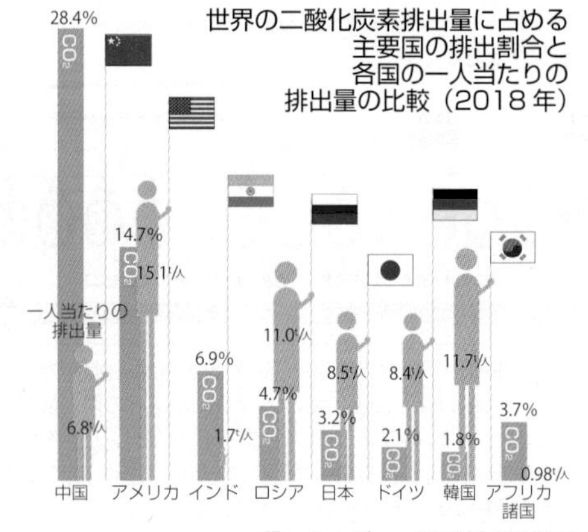

（『エネルギー・経済統計要覧』2021）

○×で答えよう! 正誤問題にTRY✓ 京都議定書では，温室効果ガス排出量の削減目標には国による差を認めず，EU（欧州連合），アメリカ，日本等の先進国に一律削減させる数値目標で合意されている。

テーマ学習 パリ協定の採択

京都議定書とパリ協定の比較

京都議定書(期間:2008年～2012年,2013年～2020年)	項目	パリ協定(期間:2020年～)
1997年12月11日	採択日	2015年12月12日(現地時間)
先進38か国・地域	対象国	途上国を含む196か国・地域
・人為的な温室効果ガスの排出抑制 ・大気中の温室効果ガス濃度を安定化させる	全体の目標	・産業革命前からの気温上昇を2℃よりも十分低くする ・上昇幅を1.5℃未満に抑える努力をする
・なし	長期目標	・人為的な温室効果ガスの排出量ピークを早期に迎える ・排出量と吸収量を今世紀後半までに均衡
・先進国全体で1990年比5％削減 ・途上国には削減義務なし ・一部に拘束力のある削減目標を義務付け(日本6%減，米国7%減，EU8%減)	削減目標	・すべての国に削減目標の策定・実施と具体的な国内対策を義務付け。 ・5年毎に見直し・更新。 ・目標値は各国が「現在の目標を上回る最大限可能な目標」を自ら決定
あり(達成しなければ罰則)	達成義務	なし
・条約上「拠出の義務がある」と規定	途上国への資金支援	・条約で拠出を先進国に義務付け ・先進国以外にも自主的な資金提供を奨励

(『環境白書』2016年版，「毎日新聞」2016.6.8，2016.9.4，「日本経済新聞」2016.9.4などより)

●COP21の到達点

COP21は，フランス・パリにおいて，2015年(平成27年)11月30日～12月13日の14日間，開催された，気候変動枠組み条約第21回締約国会議である。約140か国もの首脳級が新たな国際枠組みの採択に向けた交渉に取り組み，12月12日，交渉はついに合意にいたった。

京都議定書以来18年ぶりに合意にいたったパリ協定は，国際条約として初めて「世界的な平均気温上昇を産業革命以前に比べて2℃より十分低く保つとともに，1.5℃に抑える努力を追求すること」や「今世紀後半の温室効果ガスの人為的な排出と吸収の均衡」を掲げたほか，先進国(いわゆる附属書Ⅰ国)と途上国(いわゆる非附属書Ⅰ国)という枠組みを超えたすべての国の参加，5年ごとに貢献(nationally determinedcontribution,「NDC」)を提出・更新する仕組み，適応計画プロセスや行動の実施等を規定しており，国際枠組みとして画期的なものと言える。

Column 温室効果ガスのはたらきと温暖化

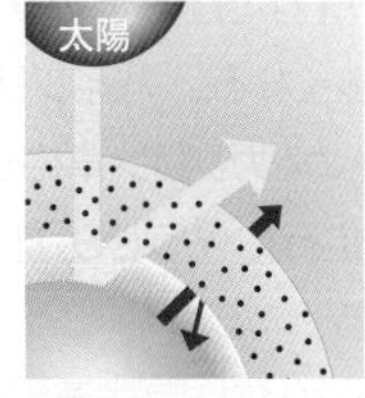

太陽から地表に届いたエネルギーは地表を温め，その熱は赤外線となって放射される。

温室効果ガスは，赤外線の一部を吸収する。吸収された赤外線は再び地表に向けて放射され地表を温める。

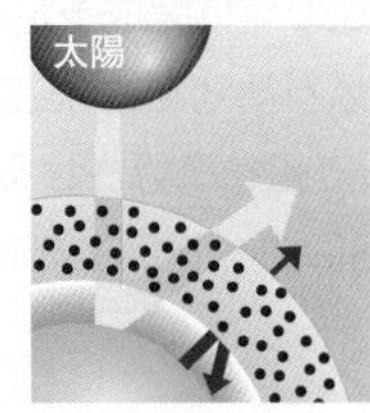

大気中の温室効果ガスの濃度が増加すると，地表の温度も上昇すると考えられる。

●先進国・新興国・途上国，全員参加を実現

パリ協定は対立してきた先進国と途上国の溝を埋め，「共通だが差異ある責任」を負わせた点で歴史的合意といえる。その点で，議長国フランスの調整力が高く評価された。日米欧などの先進国は2025～30年までの温暖化ガス削減幅を数値目標で約束し，新興国である中国やインドはGDP当たりの排出量の改善などを約束した。

先進国，新興国，途上国がそれぞれ違う指標で目標を設けることで，全員参加による採決を実現したのである。努力目標とはいえ「気温上昇を産業革命前よりも1.5度以内に抑える」と定めた。今世紀後半には温暖化ガスの排出量を森林などが吸収する量と均衡する水準まで減らす長期目標を掲げ，5年ごとに各国の目標を見直す規定も盛り込んだ。こうしてパリ協定は2016年11月に発効要件を満たし発効された。2017年，アメリカのトランプ政権が離脱を表明し，2020年11月に正式に離脱した。2021年に就任したバイデン大統領により同年2月に復帰。

世界の二酸化炭素(CO_2)排出量

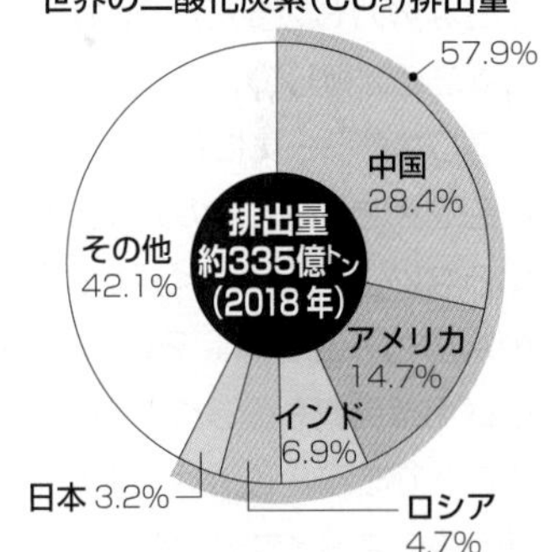

(『エネルギー・経済統計要覧』2021)

各国の削減目標

国連機構変動枠組み条約に提出された約束草案より抜粋

国	目標	基準
中国	2030年までに GDP当たりのCO_2排出を **60～65%** 削減	2005年比
EU	2030年までに **40%** 削減	1990年比
インド	2030年までに GDP当たりのCO_2排出を **33～35%** 削減	2005年比
日本	2030年までに **26%** 削減 2005年比では25.4%削減	2013年比
ロシア	2030年までに **70～75%** 削減	1990年比

※2015年現在 ※国連と環境省の資料に基づく

○×で答えよう! 正誤問題にTRY✓ 地球温暖化対策のために，気候変動枠組み条約が採択され，温室効果ガスの具体的なルールや目標が定められた。

テーマ学習　どうすれば地球温暖化を防止できるのか

①エネルギーを使わなくてすむ家

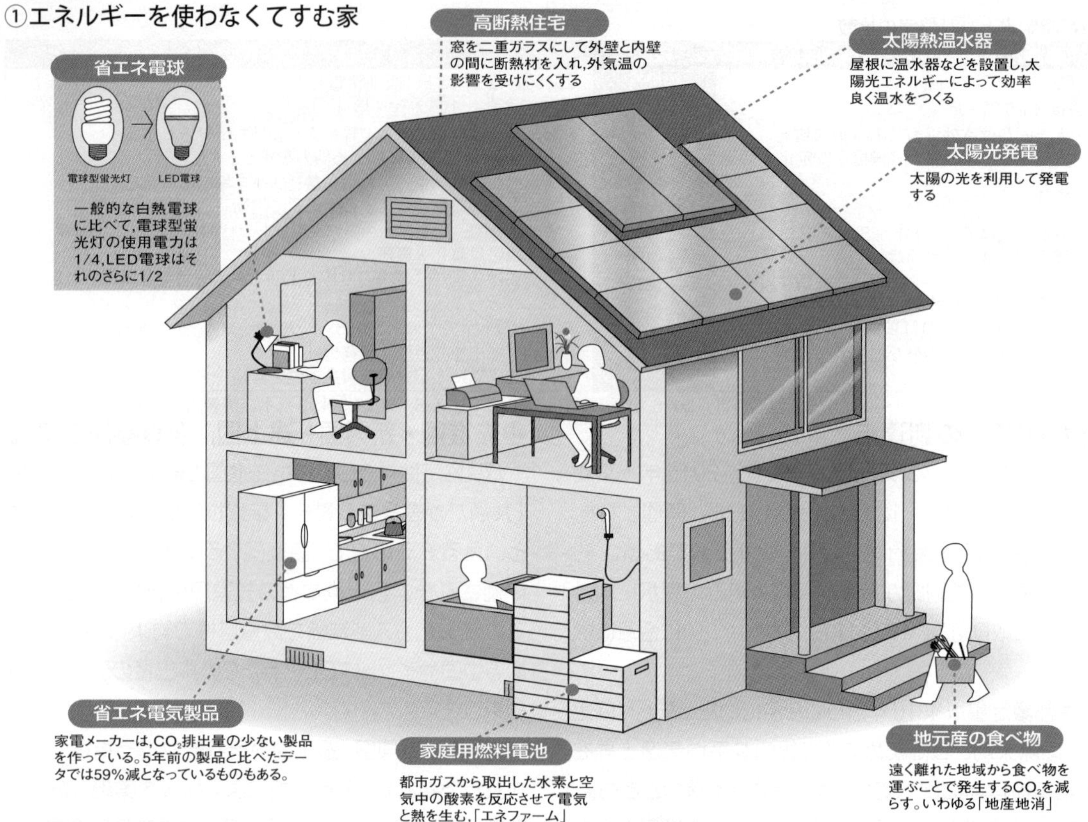

1. 住まいと暮らしを変える。（①参照）

「電気をこまめに消す」「暖房の温度を下げる」など小さな努力も必要だが，それだけではCO_2を急速に減らすことは難しい。上図のような家に住めば，快適に暮らしながら一気にCO_2を減らすことができる。第一に窓を大きくし太陽の光が入る家ならば昼間の照明はいらない。風がうまく通り抜ける構造の家ならば，夏の冷房も必要ない。そして，家を高断熱住宅にしておけば冷暖房費も少なくてすむ。第二に省エネ製品を選ぶことである。最近はエネルギーを節約して効率的に使う省エネタイプの冷蔵庫に買い替えることでCO_2を大幅に減らせるし，電気代も安くなる。省エネ型冷蔵庫は，10年前のものと比較して約60%のCO_2排出を削減しているし，エアコンも10年前のものと比較すると約40%削減できる。蛍光灯をLED照明に変えれば，CO_2を50%削減できる。第三に家を発電所にすることである。屋根に太陽光発電パネルを取り付ければ自分の家で使う電気を自分の家で生産することができるようになり，基本的にCO_2を排出しなくなることも可能である。このパネルで発電して余った電力は，電力会社で高い値段で買い取る制度もできている。

2. 交通手段をエンジンからモーターに変える。（②③参照）

近い将来，自動車は現在の主流であるガソリン車から，「ハイブリッド車」「プラグインハイブリッド車」「電気自動車」の3つに移行すると予測されている。

「ハイブリッド車」は，ガソリン車にある燃料タンクのほかに駆動用のバッテリーと発電機を搭載している。「プラグインハイブリッド車」は，基本的な構造はハイブリッド車と同じだが，コンセントを介して外部からも充電できるようにする。「電気自動車」は，モーターとバッテリーだけが搭載されている。電力だけで走行するため，駆動用のバッテリーの量は多くなる。ハイブリッド車のCO_2排出量は燃費が良いため，ガソリン車の50%～60%になる。電気自動車の走行に伴うCO_2排出量はガソリン車の2%～25%になる。

船舶による輸送も日本郵船が2030年に完成予定の「スーパーエコシップ2030」では燃料電池を主な動力源にして，太陽光や風力も利用して船を航行させる。実現すればこれまでのコンテナ船に比べてCO_2を69%削減することができる。

○×で答えよう！ 正誤問題にTRY✓　水素と二酸化炭素の化学反応によって電力を発生させる燃料電池は，自動車などへの利用が進んでいる。

②電気自動車

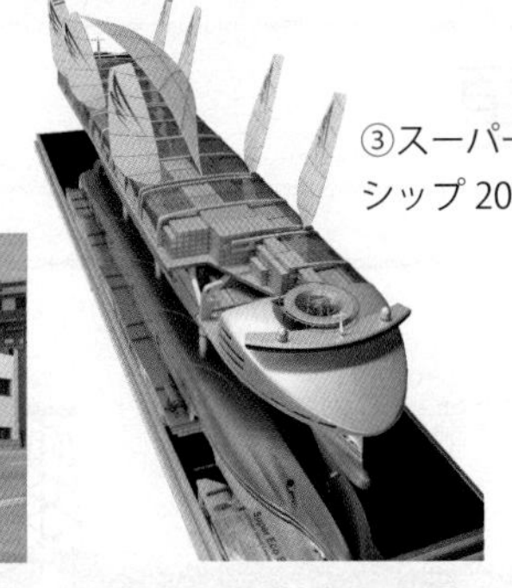

③スーパーエコシップ 2030

3. 再生可能エネルギー（自然エネルギー）を普及させる。

エネルギー源には，石油や石炭，天然ガスなどの化石燃料，原子力，さらに再生可能エネルギー（自然エネルギー）がある。機械の発明によって大量生産が始まった産業革命以降，私たちはたくさんのエネルギー源を使ってきた。その主なものが化石燃料であり，CO_2排出の原因となった。これに対して，自然エネルギーは太陽光や風力，地熱，水力，バイオマスなどがある。自然エネルギーの優れている点は何か。

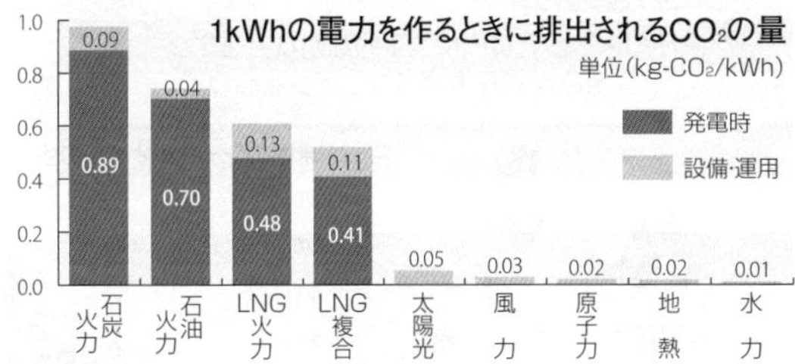

第一に，CO_2を排出しないだけでなく，クリーンなエネルギーである。原子力発電のように放射性廃棄物も出ないし，地震などによる事故の深刻な放射能汚染の心配もない。第二に，どこの国でも自給できる。石油や石炭などをほとんど輸入している日本にとって，太陽光も風力も地熱もバイオマスも豊富にあり，これをうまく利用すればエネルギーを輸入することなく自給できるようになるわけである。第三に，永久になくなることのないエネルギーであるということだ。石油，石炭，天然ガス，ウランはいずれ枯渇するエネルギー資源であるのに対し，自然エネルギーは太陽と地球がなくならない限り豊富に存在する。

ただし，再生可能エネルギーは自然に頼るため，太陽光発電の場合は曇りや雨，夜には発電できない。風力発電の場合は風がないと発電できない。つまり，安定した電力供給には不向きだといわれる。このような問題を克服するために期待されるのがIT技術だ。従来の発電所と再生可能エネルギーの発電所，太陽光発電の一般家庭をネットワークで結び，発電量や需要量の情報をやりとりすることで安定的で効率のよい電力の供給が可能になる。「スマートグリッド」と呼ばれ，開発がすすめられている。

4. 社会の仕組みを変える。

しかし，こうしたことを実現するためには，多額のお金がかかるし，個人では実現できないことがある。そこで大きな問題となるのは，政治である。政府が，リーダーシップをとって，CO_2排出量を減らすために社会の仕組みを変える必要があるのである。

第一に，現在日本政府が行っている太陽光発電の余剰電力の買い取りだけでなく，風力・地熱発電・小型水力発電など自然エネルギーによる電力全般を，10年程度で初期投資の費用を回収できる価格で，電力会社が全量買い取る「固定価格買取り義務制度」を導入することが考えられる。ドイツやEU諸国では，こうした制度をすでに取り入れているところも多い。その際，いま電気料金に含まれ，主に原発用に使われている電源開発促進税（年間3300億円）や，温室効果ガスの削減目標に達しない分の穴埋めに海外から排出量を買い取るのにも使われている石油石炭税（同4800億円）などの使い方を見直し，ユーザーの負担増を抑制する必要がある（2012年に日本でも導入された）。

第二に，石油や石炭をはじめとする化石燃料に課する税金である環境税を導入する必要がある。CO_2をたくさん出す企業や事業所，個人から税金を取れば，CO_2排出量を削減することが利益になる。また，環境税としての税収は，環境対策として利用すれば，さらにCO_2排出量の削減につながる。2012年に日本でも地球温暖化対策のための税が導入された。

第三に，最大の排出源である産業界に対して，「排出量取引制度」をつくり，発電施設も含めた事業所の総量削減を定める必要がある。産業界は日本の温室効果ガスの総排出量の7割を占め，わずか大企業の約50社，約150の事業所だけで日本全体のCO_2排出量の50%に達している。家庭の努力だけでは，CO_2排出量は削減できない。産業界こそ，先頭に立たなければならない。政府が，産業界に対してCO_2排出量の削減を強く説得し，実現すべきであろう。

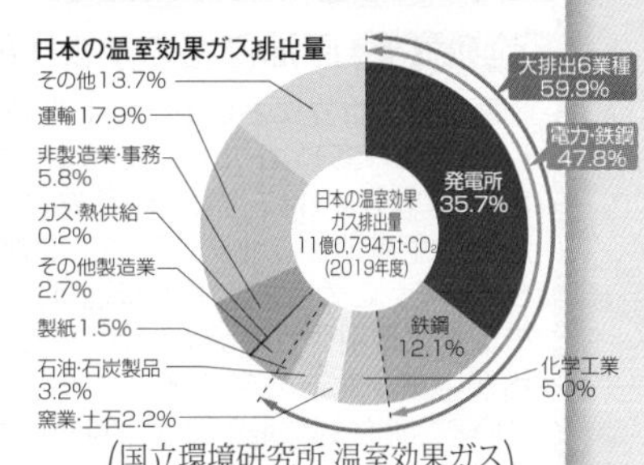

（国立環境研究所 温室効果ガスインベントリオフィスHP）

2 資源エネルギー問題

TOPICS

シェールガス（オイル）革命

シェールガスは，頁岩（シェール）という固い岩盤のすきまに閉じ込められた天然ガスで，これまでは掘り出すことが困難な資源だった。技術の進歩により水圧破砕や水平坑井掘削技術が確立したことから，シェールガスの生産量が飛躍的に増加し，［革命］と呼ばれるようになった。

2013年6月にアメリカのエネルギー省情報局（EIA）が発表した資料では，世界のシェールガス（オイル）の可採資源量は3,450億バレルと推定されており，主なシェールオイルの資源保有国は，アメリカ，ロシア，中国，アルゼンチンなどとなっている。

アメリカでは，オイルショック後から，自国の備蓄を優先し，40年間も禁止していた原油の輸出を2016年3月から再開している。シェールガス革命によって，アメリカの産油量は急速に増加し，産油国ともなってきている。

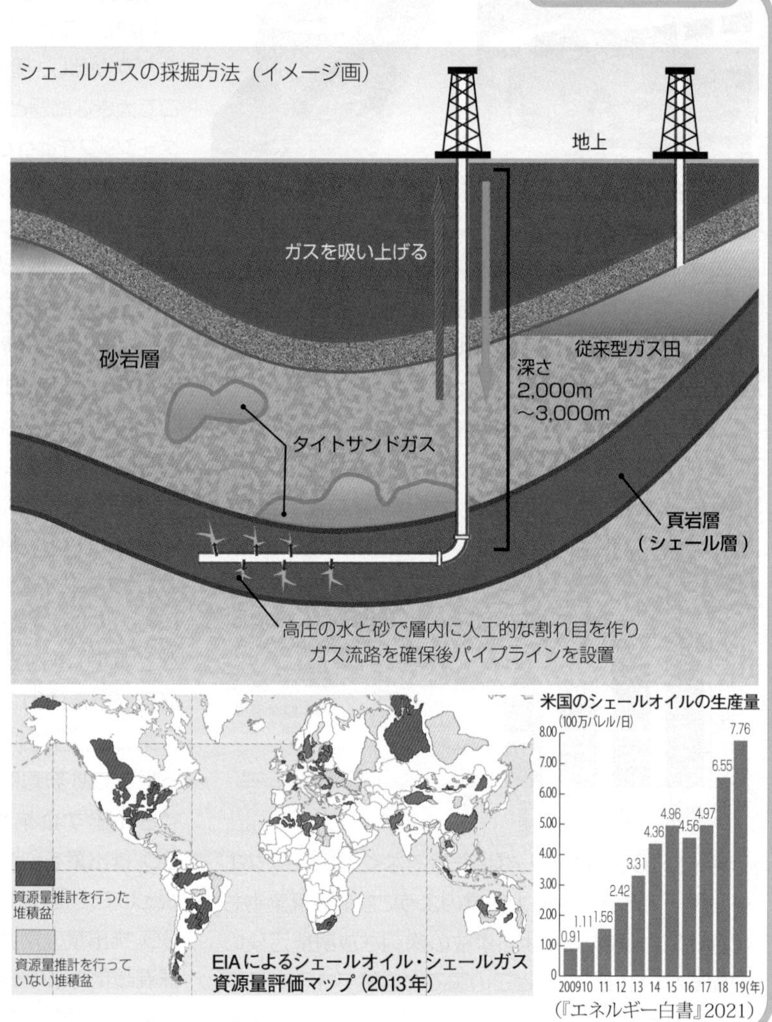

EIAによるシェールオイル・シェールガス資源量評価マップ（2013年）

（『エネルギー白書』2021）

Column 原油価格の決まり方

原油は，世界において「リットル」ではなく，「バレル（＝約159リットル）」という単位を用いて取引される。バレルは石油を運ぶ「樽」の英語である。原油の主産地は，北米，中東，北海（欧州）になっている。このうち北米の産油は，ニューヨークで活発に取引されているため，ここで決まった価格が中東や北海の産油価格に大きな影響を与えている。圧倒的な取引量が，世界における取引価格の指標にのし上げているのである。

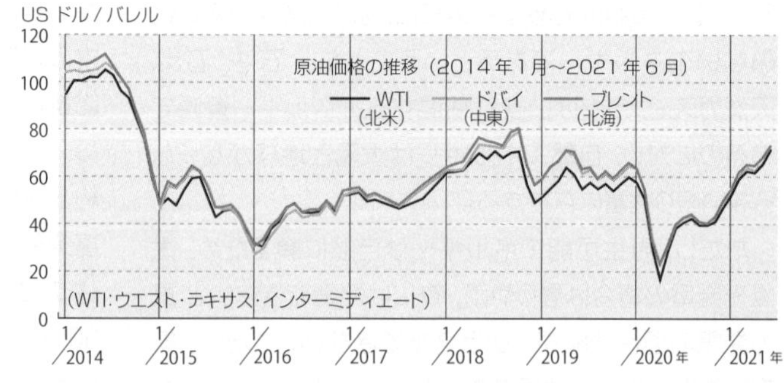

原油価格は投機（巨額の利益を狙う投資）によって，大きく上下変動している実態がある。一般には，価格は需要と供給の法則によって決まると考えられているが，それを超える範囲で変動が起きている。冬の暖房シーズンに価格が上昇しそうであるが，グラフを見ての通り，関係性は乏しいと言わざるを得ない。実際には，アメリカを中心とした巨額の利益を狙う投資家による投機が，原油価格を上下している実態がある。何かの要因で，巨額を投じて買い占めを起こせば価格の高騰が起き，値下がりの気配があれば売却をして大きな利益を得ようとするのである。原油市場が投資家たちの金儲けの場となっていると批判は絶えない。

（池上彰『解決ニュースの疑問』他より）

○×で答えよう！ 正誤問題にTRY✓ 石炭や石油などその成因が古代の動植物に由来するエネルギー資源の総称を，自然エネルギーという。

1 世界のエネルギー資源埋蔵量

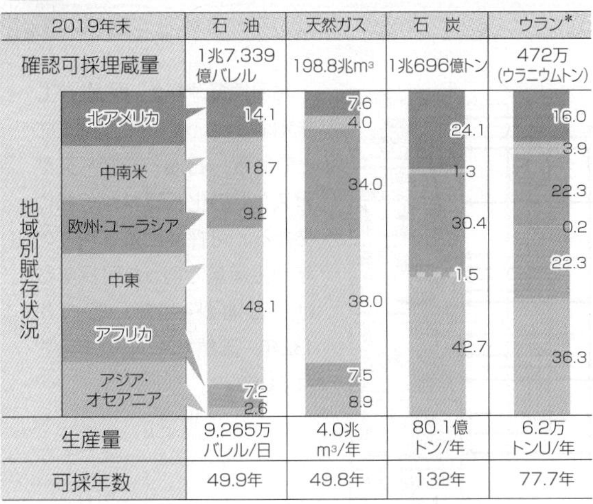

2019年末		石 油	天然ガス	石 炭	ウラン*
確認可採埋蔵量		1兆7,339億バレル	198.8兆m³	1兆696億トン	472万(ウラニウムトン)
地域別賦存状況	北アメリカ	14.1	7.6	24.1	16.0
	中南米	18.7	4.0	1.3	3.9
	欧州・ユーラシア	9.2	34.0	30.4	22.3
	中東	48.1	38.0	1.5	0.2
	アフリカ	7.2	7.5		22.3
	アジア・オセアニア	2.6	8.9	42.7	36.3
生産量		9,265万バレル/日	4.0兆m³/年	80.1億トン/年	6.2万トンU/年
可採年数		49.9年	49.8年	132年	77.7年

注：*確認可採埋蔵量は2016年末データ。ウランの在庫は豊富なため，年生産量は年需要5.6万トンを下回っている。この可採年数は確認埋蔵量を年需要で除して算出した

（『エネルギー・経済統計要覧』2021）

解説 1970年代以降，エネルギー資源は開発途上国の地域的偏在と枯渇問題により資源ナショナリズムと言う考え方が主流を占めている。そのため，資源を武器に国際紛争も起こり（中東戦争や湾岸戦争），先進国はその対応に苦慮することになった。

2 世界の発電エネルギー事情

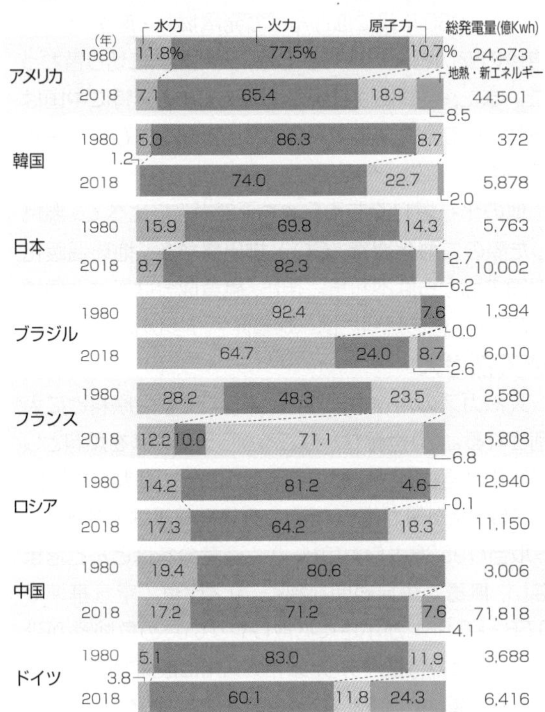

（『世界国勢図会』2020/21など）

解説 発電エネルギー源は，その国の自然環境からの影響も多い。比較的降水量の多い国は水力，海底油田など資源がある国は石油，と言う具合である。しかし，先進国は石油危機後，「脱石油化」の傾向にある。

3 日本のエネルギー供給と消費

①一次エネルギー総供給の構成

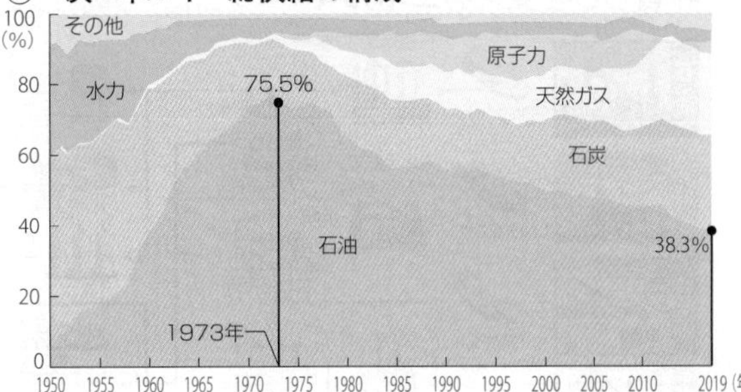

（『エネルギー・経済統計要覧』2021）

解説 エネルギーを生み出すための，原油，天然ガス，石炭などの化石資源や，原子力発電の燃料であるウランなどのエネルギー資源を一次エネルギーという。日本は供給エネルギーの90%を輸入している。日本に供給される一次エネルギーのうち，運輸部門などを中心に，石油への依存度は100%に近い。1973年には75%を占めていた石油の割合は，現在は40%まで低下してきているが，ほかのエネルギーに比べ依然，最大のシェアである。

②日本の最終エネルギー消費とGDPの推移

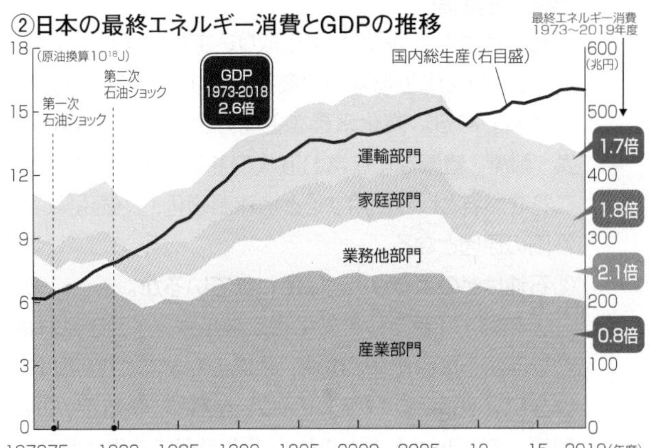

（『エネルギー白書』2021）

解説 日本のエネルギーの消費は，家庭や職場で使用する直接エネルギーである「民生部門」。人やものを運ぶ輸送エネルギーの「運輸部門」。ものの生産に使用される「産業部門」の３つに分けて考えられる。産業部門の消費量は多いが，石油ショック以降の伸びは横ばいである。省エネ対策を徹底して行い，消費量を抑えていることがうかがえる。民生・運輸部門部門は大幅に伸びているが，これは，ライフスタイルの変化や，自動車保有台数が増えていることなどを背景としている。

Column 可採埋蔵量と可採年数

可採埋蔵量とは，地下に存在する石油や天然ガスなどといった地下資源の埋蔵量のうち，「現在の市価で」技術的・経済的に掘り出すことができる埋蔵総量から，既生産分を引いた量のこと。価格高騰期には採掘に高いコストがかかる資源もカウントされるようになるため大幅に増大したり，不況などにより価格が大幅に下落するとコストの低い鉱山のみがカウントされるようになり大きく減少する。

可採年数は，可採埋蔵量を現在の年間生産量で割ったもの。発展途上国などでエネルギー資源の使用量が増大し年間生産量が増えれば，可採年数は減少する。

○×で答えよう! 正誤問題にTRY✓ 日本では1960年代のエネルギー革命により，石炭から石油に転換した。

テーマ学習　枯渇性資源と再生可能資源

●暮らしを支えるエネルギー

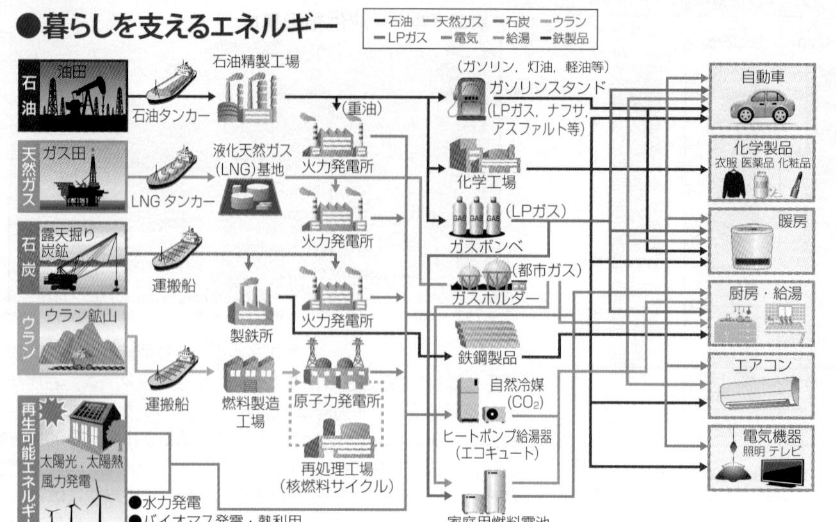

枯渇性資源とは，採掘してしまえばなくなってしまう資源のことである。石油・石炭・天然ガスなどの化石燃料がそれにあたる。可採埋蔵量を現在の年間生産量で割った可採年数は，石油が49.9年，石炭が132年，天然ガスが49.8年とされている。

●石油資源

①石油とは?　旧堆積層に取り込まれた藻やプランクトンなどの古代生物中の有機物からなるものであり，化石燃料である。炭化水素を主成分とし，他に少量の硫黄・酸素・窒素などを含む液状の油である。このため，これを燃料として使用すると地球温暖化，大気汚染，酸性雨の原因となる。

②石油はどのようなことに使われているか。

上の図（「暮らしを支えるエネルギー」）を見ればわかるように自動車，暖房，発電のための燃料だけではない。医薬品，プラスチック，衣料品，化粧品，ゴム製品，アスファルトなどきわめて広範囲に使用されていることがわかる。そうした意味でも非常に重要な資源である。

③偏って存在する資源　円グラフを見れば明らかなように，5割近くが中東で生産されている。20世紀には石油資源をめぐって戦争や紛争が何度も起きた。最近のアメリカのイラク戦争も隠された戦争の原因として，イラクの石油資源を指摘する人もいる。

世界の原油確認埋蔵量

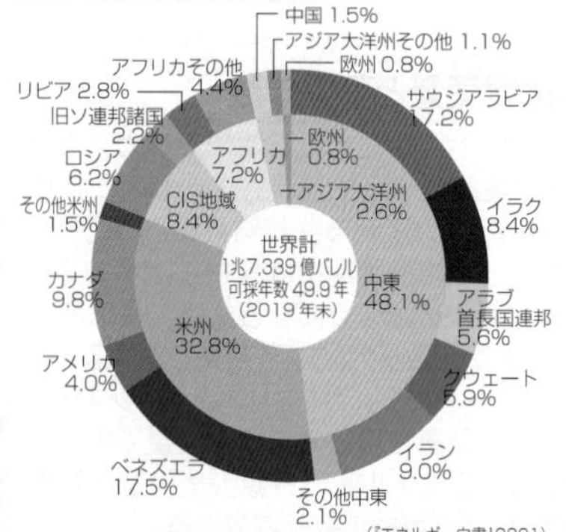

（『エネルギー白書』2021）

●石炭資源

①石炭とは?　古代の植物が完全に腐敗分解する前に地中に埋もれ，そこで長い期間地熱や地圧を受けて変質（石炭化）したことにより生成した物質の総称。見方を変えれば植物化石でもある。

②石炭のメリットとデメリット　天然ガスも石油も数十年の埋蔵量しかないのに比べ，石炭は110年程度の埋蔵量がある。また石油と違い政情の安定している国の埋蔵量が多く，価格も安定している。第二次石油危機後の1980年代にほとんどの発電燃料・産業燃料が値段の安い石炭に回帰するか，天然ガスに切り替わった。また，製鉄には石炭が不可欠である。特に中国は依然として全エネルギーのうち7割以上を石炭が占めている。

他の化石燃料である石油や天然ガスに比べて，燃焼した際の二酸化炭素（CO_2）排出量が多く地球温暖化問題の面からは不利だ。また，硫黄成分は石油と同様に含まれ，他の燃料に比べ煤塵発生が多い。

●天然ガス

天然ガスの用途は，燃料と，化学工業の原料とに大別される。20世紀なかばころから天然ガスを燃料として利用することが急速に広まってきた。精製した天然ガスは，発熱量が高い（メタンの高発熱量は1立方メートル当り9536キロカロリー），硫黄分をほとんど含まない，無毒で爆発範囲が狭く，ガス比重（空気基準で0.56～0.95）が小さく拡散しやすいため危険性が少ない，などの特徴があり，都市ガス用に最適である。

石炭，重油と比較して硫黄分を含まず，燃焼時に発生する窒素酸化物が比較的少ないため，大気汚染防止対策上有利であり，とくに石炭，石油に比べて二酸化炭素の排出量が単位熱量当りもっとも少ないので発電用燃料としての価値が高い。　（『環境白書』2013など）

○×で答えよう!　正誤問題にTRY✓　石油危機を契機に，それまで石油に依存してきた日本は，官民一体となって省エネルギー対策を講じ，さらに太陽エネルギーへの転換を進めた結果，総エネルギー供給に占める石油の比重は他の先進国並みに低下した。

4 日本の原子力発電所

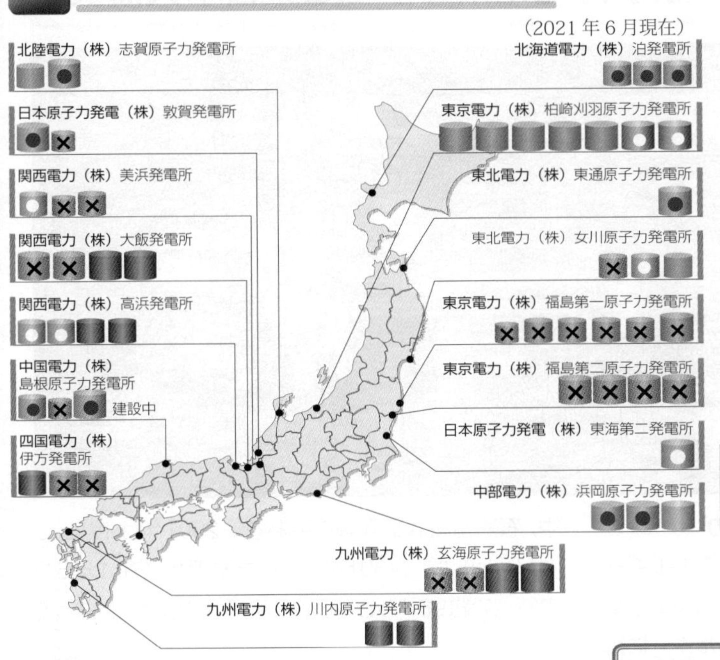

解説 2015年8月11日，鹿児島県にある九州電力・川内原発1号機が再稼働した。日本国内のすべての原発が停止している状態が1年11か月続いていたが，原子力発電が復活した形となった。現在9機が稼働している。

安全性など新しい規制基準が設けられ，その基準はクリアしていることになっている。地震と津波対策は，揺れに耐えられる補強工事と海抜15mの防護壁の設置を施した。炉心溶融，いわゆる核燃料が溶融してしまうメルトダウンへの重大事故対策は，すべての交流電源が失われないよう，大容量発電機や可動式ポンプなどの非常用設備を強化した。しかし，リスクがゼロにはなり得ず，安全性を絶えず高めていく姿勢が求められている。

5 日本の主要資源の輸入依存度

資源名	輸入依存度（'20）	主な輸入先（2020年）	
原油	99.7%	①サウジアラビア	40.1%
		②アラブ首長国連邦	31.5%
		③クウェート	9.0%
		④カタール	8.3%
石炭	99.6%	①オーストラリア	59.6%
		②インドネシア	15.9%
		③ロシア	12.5%
		④アメリカ合衆国	5.4%
天然ガス	*97.7%	①オーストラリア	39.1%
		②マレーシア	14.2%
		③カタール	11.7%
		④ロシア	8.2%
鉄鉱石	*100%	①オーストラリア	57.9%
		②ブラジル	26.9%

＊は2019年。（『日本国勢図会』2021/22など）

解説 日本の場合，基本的なエネルギー源は海外に依存する率が非常に高い。かつて石炭は国内自給率が非常に高かったが，コストの上昇と質の低下から海外依存度が急速に上がった。また，資源の輸入においては，オーストラリアとの結びつきが強いことがわかる。石油は中東地域への輸入依存度が高いため，危機管理の観点から輸入先を分散化させている。国内備蓄水準で国と民間，産油国共同の備蓄をあわせ，205日（2020年4月末時点，国118日，民間83日，産油国共同4日）分となっている。

Column 石炭火力発電所の廃止？

2020年7月，経済産業省は低効率で旧式な石炭火力発電所の休廃止する方針を発表した。低効率とされる約110基のうち9割にあたる100基程度を対象とし，2030年度までに段階的に進める。二酸化炭素排出量が少ない効率のよいものへの切り替えも検討している。

石炭火力に依存し続ける日本に対し，国際社会は厳しい目を向けている。石炭火力は温暖化ガスを大量に排出することから「気候変動リスクを助長する」との批判が強く，脱炭素の流れは「脱石炭発電」へとつながっている。

ただ，日本の場合は石炭火力に依存せざるをえない事情もある。石炭火力は燃料が比較的安価で，電力料金が高くなるのを抑えている面がある。原油などと比べ市場取引の影響を受けにくい側面もある。

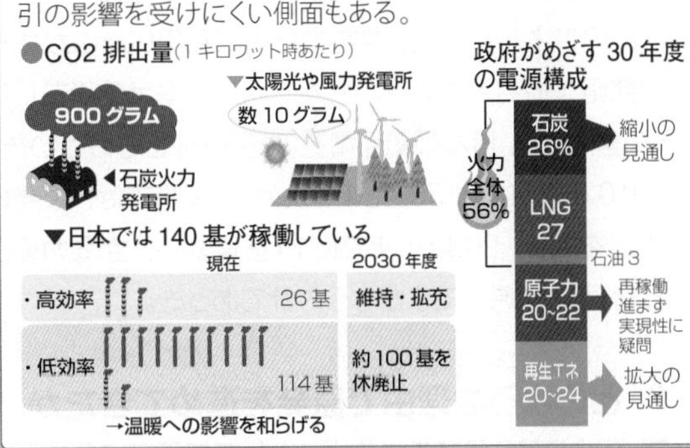

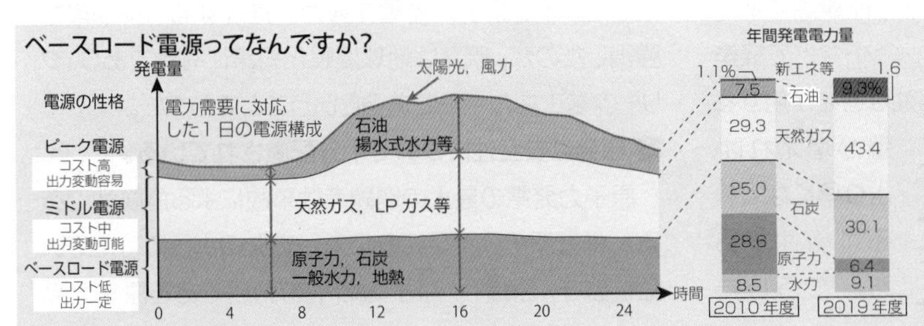

「ベースロード電源」とは，発電（運転）コストがあまりかからず，安定的に発電することができ，昼夜を問わず継続的に稼働できる電源のことである。地熱・一般水力・原子力・石炭が，エネルギー基本計画ではあげられている。1日の電力需要に応じて，「ミドル電源」・「ピーク電源」などを組み合わせて，適切に供給する体制となっている。

○×で答えよう！ 正誤問題にTRY✓ 風力や太陽光，バイオマスなどの自然エネルギーは環境汚染を起こしにくく，日本政府は現在，自然エネルギーの利用を促進する施策を進めている。

テーマ学習　福島第一原子力発電所の事故と東日本大震災

1. 原子力発電とはどのようなものか

原子力とは，原子核反応によって生じるエネルギーのことである。原子核の核分裂によって生じるエネルギーは，物を燃やすなどの化学反応のエネルギーに比べて，100万倍以上となる。例えば，1gのウランが核分裂するときに放出するエネルギーは，石油なら2t，石炭なら3tを燃やさなければ得られない。原子力は人類の持つ一番強力で，効率の良いエネルギーといえる。

この強力なエネルギーはまず，原子爆弾（原爆）として開発され，アジア太平洋戦争末期には，アメリカ軍によって広島と長崎に投下された。広島で約14万人，長崎で約7万人が犠牲となり(1945年末まで)，広島と長崎の両市を一瞬で廃墟とするほどであった。

このエネルギーを，発電のために利用したのが原子力発電（原発）である。日本では東日本大震災前には54基存在し，日本の総発電量の約30%を占めていた。2010年に政府が示したエネルギー政策では，原発の増設を進め，2030年までに14基増やし，全電力のうち約50%を原発でまかなう方針であった。

2. どのような理由で原発を進めてきたか

1 石油などの代替エネルギーとして期待できる。

石油などは，いずれなくなる再生不可能資源である(石油の可採年数は50.7年)。中国，インドなどで経済がさらに発展し，エネルギーとして石油などを使用する量が増えれば，より早くなくなる可能性がある。こうした中，石油価格は上昇傾向にある。2001年は1バレル（159リットル）約30ドルであったものが，2011年6月の時点で約96ドルとなり，10年前の3倍以上になっている。

図1

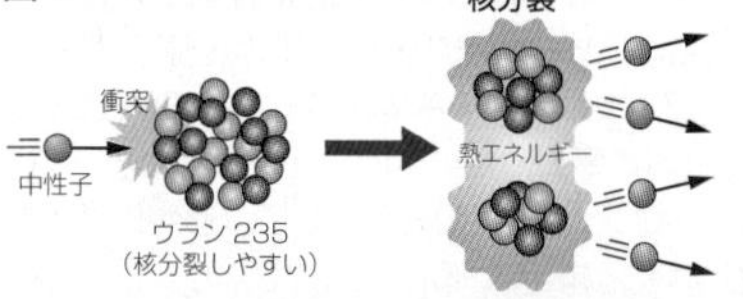

また，日本は資源の少ない国であることから，必要なエネルギーは海外に頼っている。石油はほとんど生産できないし，石炭・天然ガスも同様だ。こうした点から石油に代わるエネルギーとして，ウランを原料とする原子力発電は重要であると主張されている。

2 原発は，発電コストが安く経済的である。

資源エネルギー庁の資料によると，発電コストは1kWhあたり，水力11.9円，火力10.7円，石炭5.7円，原子力5.3円の発電原価になっている。太陽光発電は37～46円/kWh，風力発電は11円～26円/kWhとなり原子力発電が圧倒的に安くて経済的である。しかも安定したエネルギーであるということも強調している。

3 地球温暖化防止のために原発が有効である。

化石燃料(石油・石炭・天然ガス)による発電は，二酸化炭素(CO_2)を排出し，地球温暖化の原因になることは知られている。CO_2排出量が最も多いのは石炭火力であり，2位が石油火力，3位がLNG(液化天然ガス)火力，4位がLNG複合(不純物を除去した天然ガス)である。今回の震災前には「原発ルネサンス」という言葉が生まれ，原子力発電を強力に推進する人々が最も強調したのが，原発は地球温暖化対策に有効であり，クリーンなエネルギーであるということであった。

4 原発は安全性について十分配慮されている。

原子力発電の最大の問題点は事故による危険性である。推進派の人々はこれに対して次のように答えていた。まず，原爆と，原子力の平和利用である原子力発

○×で答えよう! 正誤問題にTRY✓　ソ連のウクライナ共和国にあったチェルノブイリで1973年原子力発電所の事故が起こった。

図2　BWR（沸騰水型原子炉）
原子力発電所のアクシデントマネジメントの例

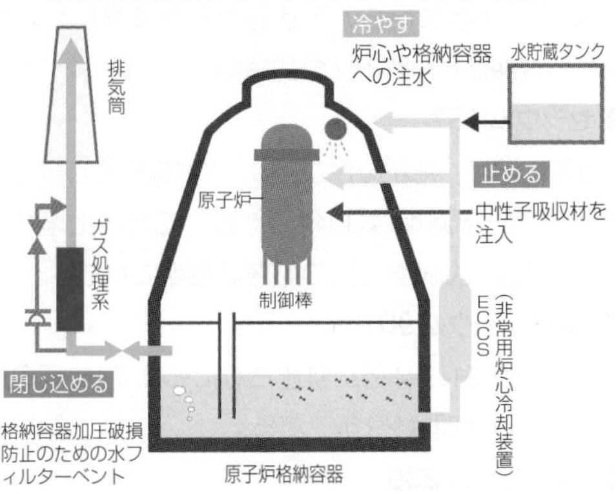

電の相違である。原爆で使用されるウランは，核分裂しやすいウラン235を100％近く集めた非常に特殊なものだが，原発はウラン235が2～4％のものを使う。したがって核分裂が急速にはおこらないので原爆のように爆発することはない，というのである。地震対策についても，きわめてまれな地震に対しても耐震性があり，安全であるとしてきた。また，津波に係わる調査や想定される津波についても詳細なシミュレーション等を実施して安全性を確認してある，と主張していたのである。

さらに，「多重防護」すなわち万が一不測の事態が発生しても，最悪の事態に至らないように独立した複数の安全対策を講じている，ということであった。原子炉においては，格納容器や原子炉建屋で，事故時に放射性物質が外部環境に放出されることを防いでいると説明していた（図2参照）。

3. 福島第一原発の事故

1 東日本大震災の発生

2011年3月11日，午後2時46分，東北地方の太平洋沖でマグニチュード9.0の地震が発生した。これは，同年2月に日本人留学生が犠牲になった，ニュージーランド地震の規模の1万1千倍のエネルギーであった。また，1995年の阪神淡路大震災の350倍，10万人の犠牲者を出した関東大震災（1923年）の45倍の地震であった。

この地震によって発生した津波により福島第一原発は冷却装置の電源が失われた。原発は緊急停止しても崩壊熱（核分裂の結果生じた核分裂生成物が，放射崩壊する際に放出する熱エネルギー）を出し続け，燃料棒を冷やすことができなくなる。

2 福島第一原発事故の発生

3月12日に1号機，3月13日に3号機，3月15日には2号機で格納容器の圧力が異常に上昇したため，弁を開いて蒸気を放出（ベント）した。しかし，これは結果的に失敗し，高温化した燃料被覆材と水の反応で発生した大量の水素が原子炉建屋内に漏れ出し，1号機で3月12日，3号機で3月14日，2号機で3月15日に水素爆発を起こした。ベントと水素爆発の両方で大量の放射性物質が外部に放出される。また，水素爆発では建屋が破壊された。圧力容器，格納容器も損傷し，いわゆるメルトスルー（図7参照）の状況になった。さらに冷温停止中であった，4号機の使用済み核燃料を貯蔵するプールの水が沸騰して蒸発し，水素爆発と火災が起こった。4月12日，原子力安全・保安院は福島第一原発事故を国際原子力事象評価尺度で最高のレベル7とした（図3参照）。

3 「安全神話」の崩壊

今回の福島第一原発事故の原因を，政府と東京電力は津波による全電源喪失によるものであると発表している。しかし，日立で原子炉圧力容器の設計に携わっていた田中三彦氏は，東京電力が公表した文書やデータに基いて，福島第一原発1号機は，地震発生から12時間のうちに大量の冷却水が原子炉外へ消えたこと，格納容器の温度と圧力が地震直後から突然上昇し始めていることから，地震の揺れにより配管の破断や破損による冷却材（水）喪失事故が起きた可能性が大きいと論じている（石橋克彦編「原発を終わらせる」岩波新書）。

国会事故調査委員会もこの可能性を指摘している。もしこれが事実であるとすると，「きわめてまれな地震に対しても耐震性があり安全である」としてきた電力会社の主張は偽りであり，津波がこなくても地震の揺れだけでも原発事故が起きる可能性があることになる。いずれにしても，多重防護により，シビアアクシデント（過酷事故）にも対応できるとしてきた電力会社や政府の「安全神話」は今回の地震と津波により崩壊したといえるだろう。

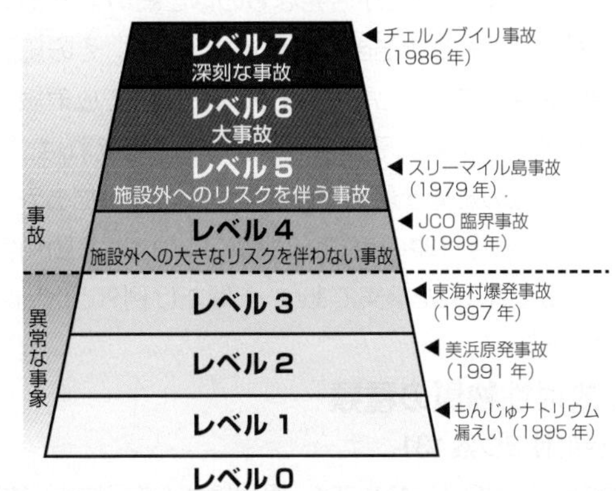

図3　原子力発電所事故の評価尺度（文科省資料）

○×で答えよう！　正誤問題にTRY✓　使用済み核燃料から取り出したプルトニウムを再利用して発電を行うのがプルサーマルである。

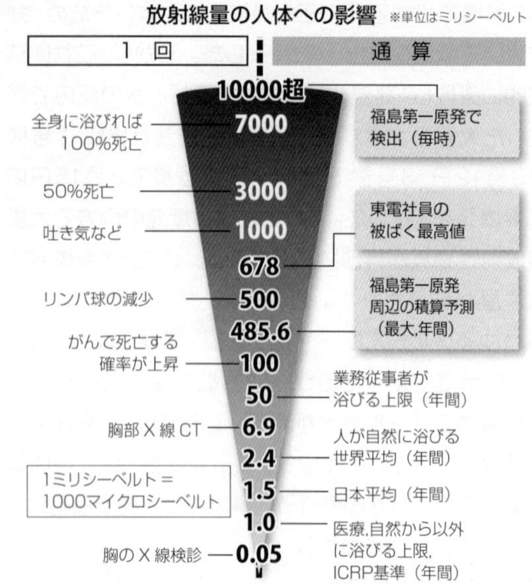

図4（文部科学省資料などより）

4. 放射能とはどのようなものか？

今回の福島第一原発事故で大気中に放出された放射性物質の量は，原子力安全・保安院によると37万テラベクレルから63万テラベクレルと推定され，チェルノブイリ事故の1割程度とされる(2011年4月12日の時点)。しかし，2011年8月の時点でも事故は終息しておらず，今後もさらに放出される可能性はある。また，上記の数値には，海に放出された放射性物質などは含まれていない。

ところで，放射能とはどのようなものであろうか。第1に人間の五感では感じることが出来ない。つまり見えない，臭いもしない，触ることもできないのでその存在を確認することはできない。第2にどんな手段を用いてもその毒性を消すことは出来ない。放射性廃棄物は何万年もの管理が必要となる。第3に放射性物質が出す放射線にあたると，生物の細胞（DNA）が傷つけられるため，良くも悪くも様々な影響が考えられる。

細胞の放射線感受性は，第1に細胞が未分化なものほど，第2に細胞分裂が活発なものほど高い。人間で考えれば子どもはまだまだ成長途中であり，その細胞分裂は活発である。したがって大人に比べて放射線の影響を受けやすい。そのような意味から考えれば，胎児は放射線の影響を最も受けやすいといえるだろう。さらに，放射線被曝の遺伝的影響については，動物実験ではよく知られた事実であり，人間だけ例外とはいえないだろう。

5. 放射性物質の種類

❶ 放射性ヨウ素131

甲状腺に取り込まれやすく，甲状腺がんを引き起こすといわれている。チェルノブイリ原発の事故後5年後くらいから，子どもたちの甲状腺がんが多発した。放射能の半減期は8日間と比較的短い。

❷ セシウム137

血液に溶け，発がん性があり，放射線を出し続ける時間が長い。半減期は30年である。これに土壌が汚染された場合，放射能汚染の影響は長期にわたる。

❸ストロンチウム90

骨に蓄積され，体外に排出されにくく，白血病の原因になる。半減期は29年である。

❹プルトニウム239

きわめて毒性が高く，長く体内にとどまるとがんを発生させる。半減期は実に2万4000年である。高速増殖炉で使用すればウランが5800倍にもなり，日本はエネルギーを2000年間心配することはないとされていたが，高速増殖炉は1995年に起きた「もんじゅ」の事故により実用化のめどはたっていない。

6. 広がる放射能の影響

❶避難指示区域の概念図

図5は2013年12月末に政府が設定した「避難指示区域」の概念図である。

「帰還困難区域」とは，年間積算線量が50ミリシーベルトを超え，5年間を経過しても年間積算線量が20ミリシーベルトを下回らないおそれのある地域。5年以上の長期にわたって居住が制限される。12年12月現在，福島県南相馬市，飯舘村，大熊町の一部が同区域に指定されている。

「居住制限区域」とは，放射線の年間積算線量が20ミリシーベルトを超えるおそれがあり，引き続き避難の継続を求める地域。除染を計画的に実施して，基盤施設を復旧し，地域社会の再建をめざす。

「避難指示解除準備区域」とは，放射線の年間積算線量が20ミリシーベルト以下となることが確実であると確認された地域。当面の間，引き続き避難指示が継続されるが，復旧・復興のための支援策を迅速に実施し，住民が帰還できるよう環境整備をめざす。

❷内部被曝への対応

放射線被曝には，外部被曝と内部被曝の2種類がある。「外部被曝」は体外から放射線を照射され被曝すること。これに対して「内部被曝」とは，食べ物・飲み物や埃などに含まれる放射性物質を飲食や呼吸，さらに皮膚を通じて体内に取り込んでしまうことで体内から被曝することである。（図6参照）

○×で答えよう! 正誤問題にTRY✓ 欧州における反原発の動きの一つとして，フランスでは，チェルノブイリでの大規模な原発事故をきっかけにして実施された国民投票の結果，原子力発電を計画的に廃止する決定があった。

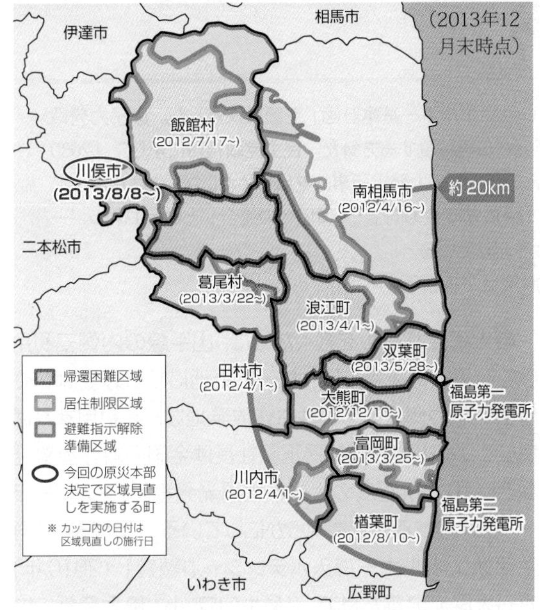

図5　避難指示区域の概念図（経済産業省資料より）

外部被曝は放射線を受けているときの被曝に限られるが，内部被曝は放射性物質が体内にある限り被曝し続けることになるので危険性は大きい。福島県だけではなく，関東・東北の各県の飲料水，野菜，魚，牛肉などが汚染され，出荷停止が相次いでいる。子どもを持つ親で，食物や校庭の土による内部被曝を心配する声が上がっている。また福島県内の公立の小中学校などでは，放射能で汚染された土を取り除く作業が行われているが莫大な費用がかかる上，汚染された土の保存場所も限られる。

内部被曝 —— 侵入経路

汚染された食べ物・空気中の塵・霧・皮膚の傷などから体内に入り，大きさにより呼吸器系・消化器系等のどこかに取り付く。
最終的にそこから血液を通り，核種により沈着しやすい臓器・骨・筋肉等に運ばれる。
体内に入ってから，排泄されるまで放射線を放射し(被曝)続ける。

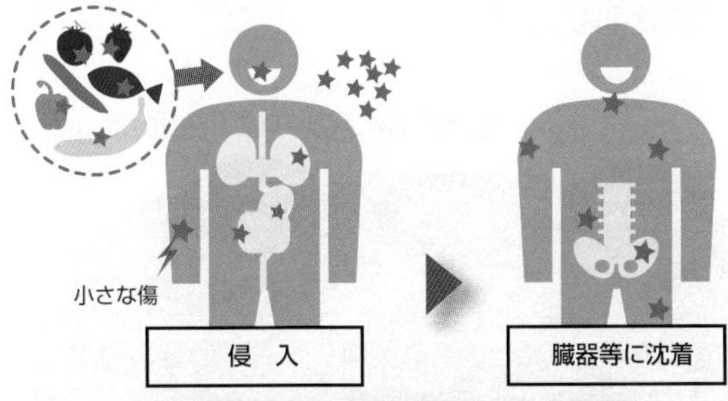

主な核種と沈着部位（生物学的半減期）

- **ヨウ素 131**・・・・・・甲状腺（約120日）・全身（約12日）
- **セシウム 137**・・・・・全身（約70日）
- **ストロンチウム 90**・・・骨（約50年）
- **プルトニウム 239**・・・骨（約50年）・肝臓（約20年）

※生物学的半減期は体内にとり込まれた放射性物質が，代謝や排泄などの生物学的な過程により体外に排出され，半減するものに要する時間のこと。

図6（ホームページ：市民の街　http://change2011.blog.fc2.com/）

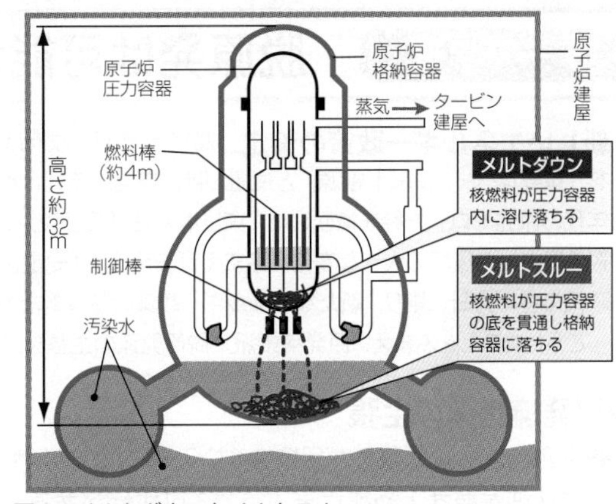

図7　メルトダウンとメルトスルー

3 生活への影響

土地を放射能によって汚染され，農業ができなくなった人々。セシウムに汚染された稲わらを牛に食べさせたために牛肉からセシウムが検出され，出荷停止になった人々。海が汚染されたために漁業ができなくなってしまった人々。警戒区域に会社があったために，会社が倒産し職を失ってしまった人々。放射能の危険からまったく観光客がこなくなってしまったホテルや旅館，観光地では働く人々。原発事故ははかり知れない損害を多くの人々に与え，その生活を破壊した。

7. これまで世界で起きた原発の大事故

スリーマイル島原発の事故　レベル5

1979年　アメリカのスリーマイル島原発の事故。

原子炉を冷やす冷却水がもれたことから，原子炉が空炊きとなる。ウラン燃料が溶けて，圧力容器の下に落ちるメルトダウンまで進んだ。

大爆発にはならなかったが，大量の放射能によって，付近一帯が汚染された。風下では，20km以内の20万人（推定）に退避命令が出た。

スリーマイル島原発の事故以後，アメリカでは現在に至るまで新しい原発は作っていない。

チェルノブイリ原発の事故　レベル7

1986年，チェルノブイリ原発から1300km離れたスウェーデンで，通常の100倍という異常に高い濃度の放射能が検出されたことから事故が発覚。

原子炉が暴走して爆発炎上し，炉心が溶けて，放射性希ガス，ヨウ素，セシウムなどが，計520万テラベクレル放出されたと報告されている。半径30km以内の11万6千人が避難した。

現在に至る影響としては，①25年以上たった現在も半径30km以内は人が住めない，②幼児・小児などの甲状腺がんの発生率が高くなった，などがあげられる。

テーマ学習　脱原発は可能か?

新しいエネルギー政策の策定　2014年4月，政府は新しい「エネルギー基本計画」を閣議決定した。原子力発電を「重要なベースロード電源」と位置づけ，安全が確認された原発から再稼働する方針だ。民主党政権時に示した「2030年代の原発ゼロ」方針を撤回した。東日本大震災及び東京電力福島第一原子力発電所事故をはじめとした，エネルギーを巡る国内外の環境の大きな変化を踏まえ，「安全性」，「安定供給」，「経済効率性の向上」，「環境への適合」というエネルギー政策の基本方針に則り，新たなエネルギー政策の基本的な方向性を示している。

こうしたことをふまえ，原発擁護派／脱原発派の主張を対比的に考えてみよう。

●原発擁護派の主張

❶原発を止めれば電気が足りなくなり，夏などには熱中症で体調を崩す人や死亡者まででる可能性がある。また電力不足によって，経済活動が停滞し，大規模停電になると社会的に混乱し事故により多数の犠牲者がでる場合もある。

❷原発は安定した大量の電力を供給することができる。これに対して太陽光や風力などの自然エネルギーは，天候や季節で電気をつくれない場合があるし変動が激しい。つまり質が悪くメインの電源になり得ない。

❸原発1基(100万キロワット)と同等の電力を得るためには東京にある山手線内の面積と同じ程度(67平方km)の広大な土地に太陽光パネルを取り付けなければならない。

❹原発の発電コストは最も安く経済的である。自然エネルギーの発電コストは，太陽光発電が原発の7～9倍であり，風力発電も2～5倍である。自然エネルギーの導入により，電力コストが増すと経済が減速し，工業立国日本は世界の中で相対的に競争力を失う。国民の平均給与も下がり，社会インフラも悪化する。

●脱原発派の主張

❶2011年の夏は前年同様異常な暑さで，地球温暖化が進行中であることを示したが，国民の節電努力により電力は十分足りているのであり，原発を止めても停電の心配はない(2011年夏の最大使用電力は，8月18日の4922万キロワット。当日の供給電力は5460万キロワットを確保)。

❷自然エネルギーは変動幅が大きい。しかし自然エネルギーの上に天然ガスや石炭火力を乗せ，さらに揚水発電を乗せる。将来的には蓄電池などを利用したスマートグリッドなども普及し，よりエネルギーコントロールは容易になる。

❸太陽光パネルを敷くために，山手線の内側で利用している土地をブルドーザーで更地にする必要はなく，屋根や壁や側壁あるいは耕作放棄地などを利用すれば良い。ソフトバンクの孫正義社長は全国の耕作放棄地などに10か所程度の大規模太陽光発電所(メガソーラー)を建設する方針を明らかにしている。環境省の「再生可能エネルギー導入ポテンシャル調査」(2010年)でも太陽光発電だけで，2億キロワット，風力発電にいたっては実現可能な陸上と浅い海で3～5億キロワットもあるとの評価だ。

❹自然エネルギーのコストは高いといわれるが，太陽光発電が，1キロワットあたり46円という政府のデータは10年も前のデータであり，現在ではヨーロッパでは安いものは20円，日本でも30円程度になっている。化石燃料は乱高下しつつも高騰してゆくリスクが高く，地球温暖化のリスクもある。原子力も，核廃棄物処理や事故リスク，安全強化などの問題を考慮し，さらには今回の福島第一原発事故のような事故補償を発電コストに上乗せすれば，とんでもない高コストになることは明らかである。太陽光発電や風力発電などは原子力発電と比較して小規模分散型の技術であり，これらはパソコンや携帯，液晶テレビと同様に普及すれば普及するほど性能が上がり，どんどん価格が下がっていくものである。しかも自然エネルギー燃料は無料であり，日本で自給可能である。

低炭素地域づくり(『環境白書』2013)

低炭素地域づくり
地域特性を生かした再エネ・省エネ・コンパクトシティや公共交通機関，未利用熱の活用等を通じて
○地域経済の活性化　○地域の防災性の向上
○生活の利便性・快適性の向上　○コミュニティの活性化
など，持続可能で活力のある地域づくりを実現

6 エネルギー効率と経済の関係

(NASA ホームページ)

解説 夜間の消費電力の多い国ほど光り輝いている「明るい地球」。それは，エネルギー消費と経済力を反映しているともいえる。人が住んでいないところは暗く，経済活動が活発な都市部が光り輝いている。わが国の場合，日本列島がはっきりわかるくらい，消費電力が多いことがわかる。まれに，日本海で光り輝いていることもあるが，これはイカ釣り漁船の集魚灯によるものである。アフリカの中南部が明るいのは焼き畑農業によるものである。そして，北朝鮮では，エネルギー不足が深刻なため，南の韓国と対比して真っ暗なことから，その経済状態をうかがい知ることができる。

7 再生可能エネルギーへの投資

世界の再生可能エネルギーへの投資金額の推移

(UNEP 資料)

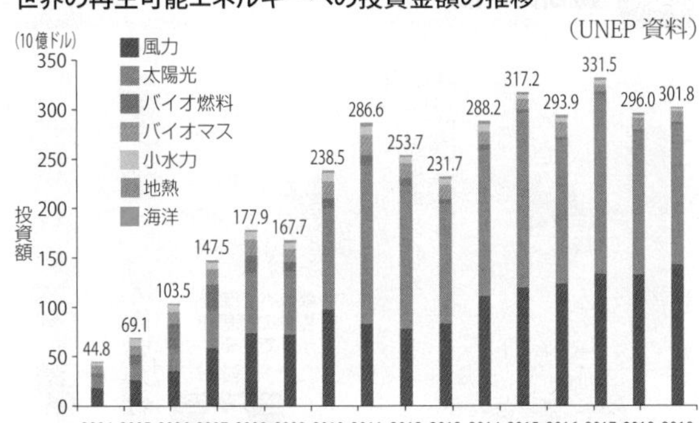

解説 「再生可能エネルギー」とは，自然の力で絶えず補給される太陽，風力，バイオマス，地熱，水力などから生成されるものをさす。既存の，安定供給ができるエネルギー（火力・水力など）と比較して，発電コストが高くなっており，かつ自然条件に左右されるなどの理由から，利用率が低いなどの課題がある。

近年，太陽電池製造技術開発においては，複数企業に競争させるなどの努力の結果，2000年の製造コストは各太陽電池で若干の違いはあっても140円／Wをほぼ達成した。その後も技術開発の努力を続けたことで，今日，一般家庭でも太陽光発電設備を設置できるほどに実用化されている。

8 過去と現在の二酸化炭素

大気中の二酸化炭素濃度

(WDCGG 資料)

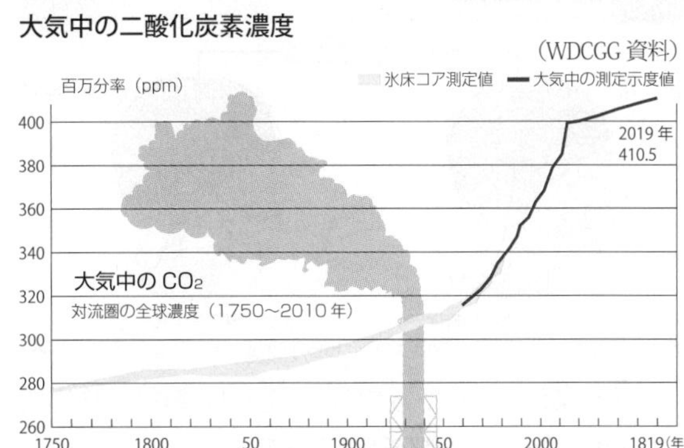

解説 IPCC（気候変動に関する政府間パネル）第5次報告書は「二酸化炭素の累積排出量と世界平均地上気温の上昇量は，ほぼ比例関係にある」とする新見解を加え，2013年9月スウェーデン・ストックホルムで報告された。化石燃料起源のCO_2など温室効果ガスのほとんどは，近代工業化社会の進展にあわせて排出され続けている。いったん排出された温室効果ガスは数10年間（CO_2は100年間）大気中に残留する。

Column エネルギー資源と人類

産業革命までは，水力（水車），風力（風車），家畜（牛・馬）などの自然の力をエネルギーとして活用してきた。産業革命により，エネルギーが多様化した。化石エネルギーを大量に利用することで，経済が発展してきた一方で，地球温暖化の問題が深刻化してくることとなった。

人口増加もエネルギーの利用と関連づけて考えられる。産業革命までは漸増であったが，産業革命期にヨーロッパで第1次人口爆発がおこった。食糧の増産が可能になったことによるところが大きい。第2次人口爆発は，第二次世界大戦後の医療の発達と公衆衛生の改善により，多産多死から多産少死へと移行したことによる。地球全体の人口は，今後ますます増加していくことが予測されている。エネルギー資源・食糧不足など，国ごとの格差がますます広がっていくことが懸念されている。

○×で答えよう! 正誤問題にTRY✓ 地球温暖化の主な原因としては，化石燃料の使用を起源とする硫黄酸化物排出量増大のほか，焼畑や大規模な森林伐採が挙げられる。

3 生命にかかわる現代の課題

TOPICS

生命倫理とは？

通称，ドナーカードといい，自分の意思をカードに表示することができる。ドナーとは臓器提供者のことで，臓器受容者をレシピエントという。

臓器提供意思表示カード
厚生労働省・(公社)日本臓器移植ネットワーク
このカードは常に携帯してください。
ドナー情報用全国共通連絡先 0120-22-0149
臓器移植に関するお問い合せ先：(公社)日本臓器移植ネットワーク
フリーダイヤル 0120-78-1069 http://www.jotnw.or.jp

《1．2．3．いずれかの番号を○で囲んでください。》
1．私は，脳死後及び心臓が停止した死後のいずれでも，移植の為に臓器を提供します。
2．私は，心臓が停止した死後に限り，移植の為に臓器を提供します。
3．私は，臓器を提供しません。
《1又は2を選んだ方で，提供したくない臓器があれば，×をつけてください。》
【心臓・肺・肝臓・腎臓・膵臓・小腸・眼球】
〔特記欄：　　　　〕
署名年月日：　　年　　月　　日
本人署名(自筆)：
家族署名(自筆)：

生命倫理学とは，bio（生命・生活）とethics（倫理学）の合成語であり，バイオエシックスという学問領域は1970年代にアメリカで成立した。

バイオエシックスには次の5原則があるという。

①成人で判断能力のある者は，②身体と生命の質を含む「自己のもの」について，③他人に危害を加えない限り，④たとえ当人にとって理性的にみて不合理な結果になろうとも，⑤自己決定の権利をもち，自己決定に必要な情報の告知を受ける権利がある。

（加藤尚武『生命倫理学を学ぶ人のために』より）

この原則では自己決定権がキーワードとなり，他人に危害を加えなければ，愚(おろ)かな行為を容認することとなる。果たして，この原則で課題はないのだろうか。

個別の事例に則り，自らに引き付けて生命の問題について考えてみよう。

1 脳死とは

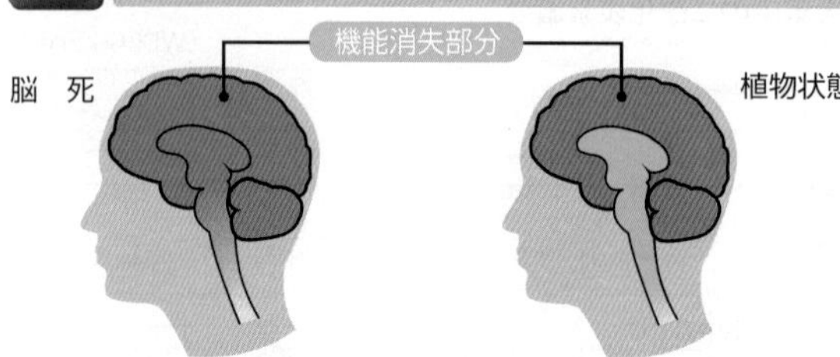

脳幹を含めた脳全体の機能が失われ，二度と元に戻らない

脳幹の機能が残っていて，自ら呼吸ができ，回復することもある

以下の条件がすべてあてはまり，それ以降6時間経過しても変化がないことを**脳死**と定義する。

- 深い昏睡(こんすい)状態である
- 瞳孔(どうこう)が開いたまま，対光反射(たいこうはんしゃ)がない
- 脳波(のうは)が平坦である
- 脳幹(のうかん)反射がない（刺激に反応しない）
- 自発呼吸がない

日本では，脳幹を含めすべての脳機能が停止した状態を脳死状態と考える。この状態では，現代医療では回復の手だてがなく，人工呼吸器を含めた生命維持装置によって心臓死の状態を免れている。また，よく似た意味として植物状態というのがあるが，植物状態とは大脳および小脳の機能は停止しているが，脳幹は機能している。よって自発呼吸はあり，状態や治療によっては回復の可能性がゼロではない。

2 臓器移植

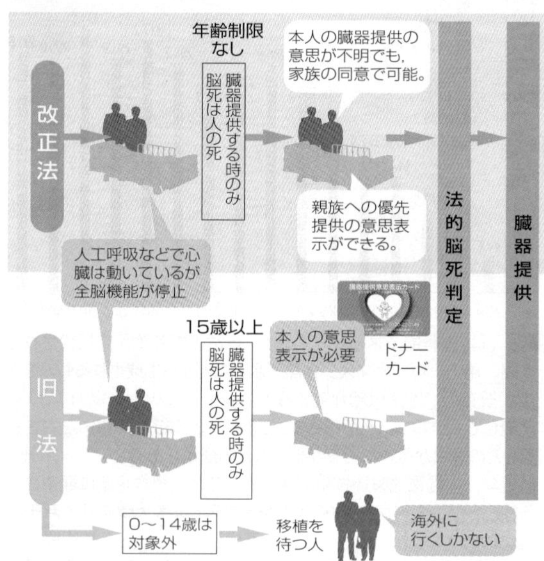

解説 図は，臓器移植の手続きを，改正前と後で比較したものである。1998年の旧法成立以後，何度も改正が叫ばれていた改正臓器移植法が，2009年7月13日成立した。2009年5月にWHO（世界保健機関）が示した海外での渡航臓器移植を制限する指針も関連して，改正の動きが急速に進んだともいわれる。衆議院では4つの案が出されたがA案が可決，参議院でもA案が可決された。改正法最大の争点は「臓器提供の年齢制限を撤廃するか」であった。いままでは，日本国内では15歳以下の子どもは国内での臓器移植が認められず，海外で臓器移植を受けるという方法しかなかった。この改正法によって，子どもへの国内での臓器移植がすすんでいる。

○×で答えよう！ 正誤問題にTRY✓ 本人が事前に臓器提供の意思を表示していれば，家族が提供を拒否した場合でも，本人の意思が優先され，脳死判定後は臓器提供が行われる。

3 脳死移植と臓器移植法をめぐる動き

1968年	8月	札幌医大で日本人初の心臓移植(和田移植)実施
1992年	1月	脳死臨調が「脳死は人の死」とする答申
1997年	6月	臓器移植法が設立
同年	10月	臓器移植法施行
1999年	2月	高知赤十字病院で法施行後発の脳死臓器移植
2005年	8月	自民・公明の有志議員がA・B案を提出(郵政解散で廃案に)
2006年	3月	A・B案を再提出
2007年	12月	民主・社民の有志議員がC案を提出
2008年	5月	国際移植学会が「イスタンブール宣言*」を採択
2009年	5月	世界保健機関(WHO)が「臓器売買の禁止と渡航移植の自粛」の採択を1年延長
	5月15日	自民・民主の有志議員がD案を提出
	5月27日	衆院厚生労働委員会がA～D案を集中審議
	6月5日	衆院厚生労働委員会で集中審議(2回目)
	6月16日	衆院本会議で討論
	6月18日	衆院本会議で採決**
	7月13日	参院本会議で可決，成立
2010年	5月	WHOが臓器移植に関する新指針***を採択
	7月17日	改正臓器移植法の全面施行
	8月	家族の同意に基づいた脳死判定と臓器移植(3例)
2011年	7月	改正法施行から1年で，54例の脳死臓器移植提供が行われた。

*「臓器取引と移植ツーリズムに関するイスタンブール宣言」という。移植ツーリズム（渡航移植）を回避するために，各国は自国民の移植ニーズに足る臓器のドナーを確保すべきであるとするもの。

** 採決には共産党を除いて党議拘束をはずして行った(衆議院も同様)

*** 海外に渡航し臓器提供を受ける「渡航移植」は，結果的に渡航先の国民が臓器移植を受ける機会を奪うとして自粛を要請。金銭目的での臓器提供や臓器そのものに対価を払う「臓器売買」の禁止を勧告。

（『読売新聞』2006.6.19 など）

解説 法改正後，2020年5月現在まで，脳死による臓器移植例は696例となっている。うち，15歳未満の小児からの移植例も38例ある。

4 再生医療の流れ

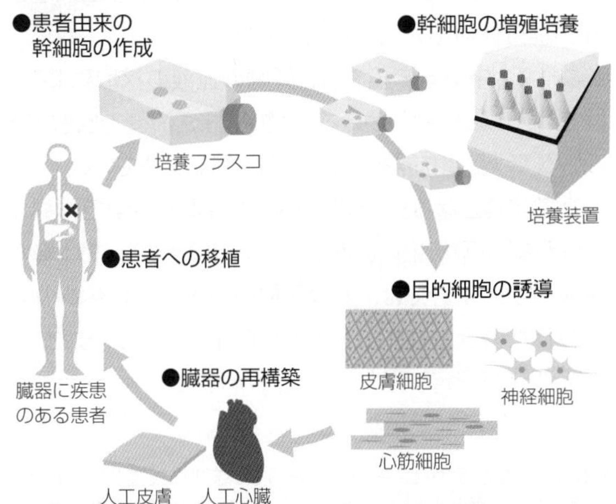

解説 再生医療とは病気や事故によって損傷や機能不全を起こした組織や臓器を，薬・人工素材・幹細胞などを用いて再生することを目指した医療方法の総称である。近年ではiPS細胞をはじめとする幹細胞(どんな細胞にも分化できる万能細胞)を患者自身の細胞からつくれるようになり，図のように幹細胞を大量に増殖させる培養装置の開発も進められている。

5 iPS細胞の発見

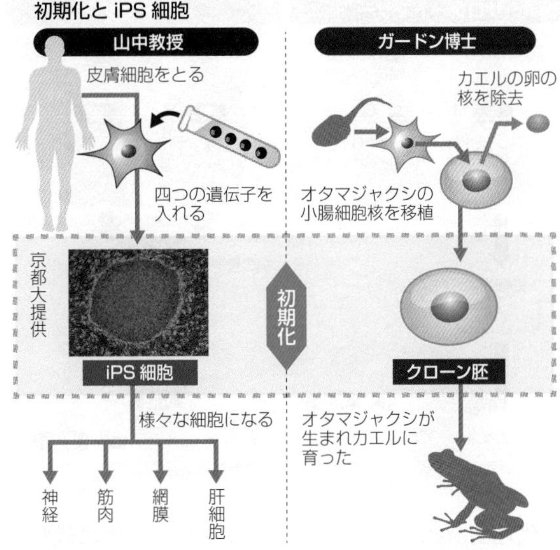

iPS細胞とは，induced Pluripotent Stem cell（人工的に多能性を持たせた幹細胞)の頭文字で，京都大学の山中伸弥教授が名付けた。それまでは「一度役割が決まった(分化した)細胞は，その前の状態には戻らない」と考えられていた。しかし，ガードン博士により，オタマジャクシの腸の細胞核をカエルの卵に入れ，これが再びオタマジャクシへと育ち，卵の中に，細胞核をまっさらな状態に戻すリセットボタンがあるらしいことがわかった。山中教授は2006年，マウスの皮膚の細胞に4種類の遺伝子を入れることで，あらゆる細胞になれる状態に戻す(**初期化**)ことに成功し，翌年には人間の細胞でも成功した。

Column 再生医療

iPS細胞やES（Embryonic Stem Cell）細胞は，どのような身体の組織や臓器の細胞にも分化することが可能であるため，「万能細胞」とも呼ばれ，再生医療への応用として期待されている。

ES細胞は，「胚性幹細胞」のことである。受精卵を使用するため，受精卵という「生命の始まり」を壊すことへの抵抗があり，また倫理上の問題があるのではという意見がある。また，他人の細胞であるために移植時には拒絶反応の懸念もある。一方，iPS細胞は，皮膚などの体細胞に遺伝子を入れてつくるので拒絶反応は抑制できるが，ガンを引き起こすウィルスを作製時に活用するため，安全性のリスクが懸念されている。今後はガン化させない研究が進められている。

再生医療は，今後の実用化に向けて大いに期待されるが，新技術にともなう技術的・倫理的な課題の解決がなされることが必要である。

○×で答えよう! 正誤問題にTRY✓ 臓器移植法は，臓器を提供することで対価を受け取ったり，臓器の提供を受けることで対価を支払ったりすることを禁じている。

6 代理出産・代理母

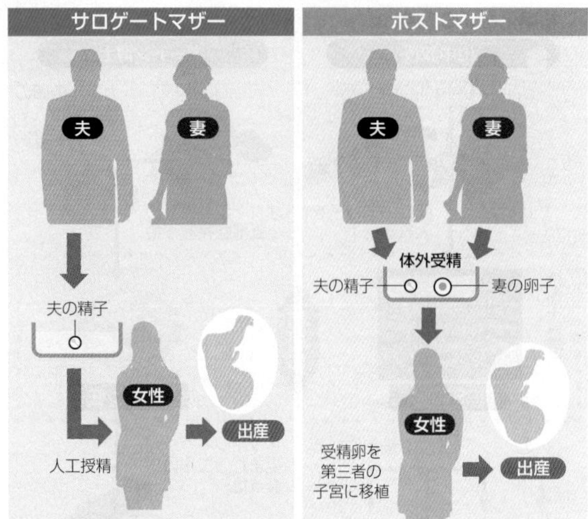

代理出産とは，妊娠や出産ができない女性に代わり，養育を希望している親に譲り渡すことを約束して妊娠，出産することである。代理出産には，人工授精型代理出産（代理母・サロゲートマザー）と体外受精型代理出産（借り腹・ホストマザー）の二通りがある。人工授精型代理出産ではこどもを引き取り育てたい男性の精子を代理母に人工授精し妊娠，出産する方法である。この場合には代理母は，生まれてくるこどもの出産の母であり，遺伝上の母でもある。従って依頼したカップルの父親のみが遺伝的な繋がりがある。一方，体外受精型代理出産では，依頼するカップルの精子と卵子を体外受精させて代理母に移植する方法である。代理母は出産の母であるが，遺伝上の母ではない。また，代理出産をするのは姉妹，母，友人だけではなく，アメリカやインドなどで容認されている第三者による商業契約に基づく代理出産がある。

1986年にアメリカでベビーM事件が起こった。これは商業契約に基づく人工授精型代理出産で，出産後に代理母が依頼人夫妻へこどもを引き渡すことを拒否した事件である。2年にわたる裁判を経て，こどもは「こどもの利益が最優先」とする判断により，依頼人夫妻へ渡された。ただし代理母には訪問権が許された。

ここには，依頼人夫妻と代理母との生殖医療における「南北問題」が見え隠れするのである。

解説 こどもが欲しい不妊カップルにとって，その思いは切実である。日本では「晩婚化」が進み「晩産化」という傾向になり，不妊の可能性が増し，不妊治療を受ける状況となっている。日本では商業的代理出産が認められないので「生殖ツアー」で海外へ行くカップルもある。しかし，不妊治療の現場では，当事者であるこどものことが見逃され，このようにして生まれたこどもの人生に対し，親としてどのように責任を果たすべきかが問われている。

7 出生前診断

出生前診断の種類

	従来の検査		新しい検査
	羊水検査	母体血清マーカー検査	新型出生前診断
方法	母親の腹に針を刺し，羊水を採取	母親の血液を採取	母親の血液を採取
安全性	300回に1回（0.3%）流産の危険性	流産の危険性はなし	流産の危険性はなし
精度	ダウン症，13番，18番の染色体異常が100%わかる	分かるのは異常のある確率のみ	ダウン症が99.1%検出できる。13番，18番の染色体異常も判断できる
検査時期	15〜18週	15〜21週	10〜22週
費用	10〜15万円	2万円前後	21万円

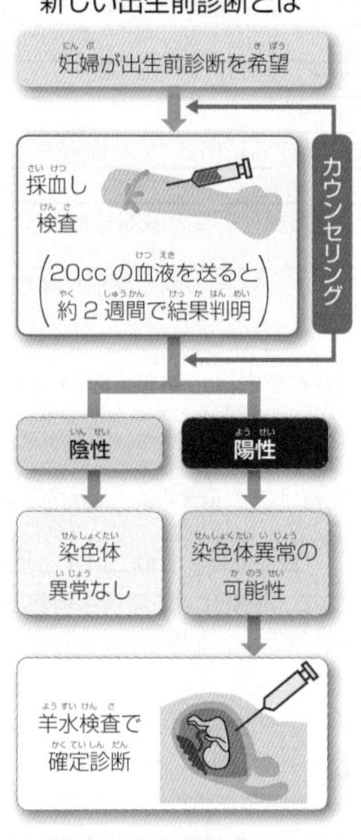

出生前診断とは，胎児を対象に，疾患の診断や胎児状態の評価を行うことである。高齢妊娠・出産の増加により出生前診断への関心が高まっている。

①超音波により胎児の状態を画像で見る「エコー検査」，

②妊婦の血液中のタンパク質を調べる「母体血清マーカー検査」，

③超音波検査や胎盤の組織を採取する「検査」，

④子宮内から羊水を搾取する「羊水検査」，さらに

⑤母体血中のDNAを診断する「母体血胎児染色体検査」がある。

これらの中で⑤の検査は，妊婦の血液の採取によるだけで，母体に負荷をかけることなく，また流産を回避できるため「新型出生前診断」と言われ注目を集めている。

高齢出産となると，胎児のダウン症などの染色体異常が分かる「新型出生前診断」を受診しようとする。日本産科婦人科学会指針では，対象を他の検査で染色体異常が疑われた場合や高齢妊婦などに限定している。また，日本医学会が認定した十分な遺伝カウンセリングが可能な施設でのみ行うことになっている。

解説 出生前診断は，十分な情報のないままに検査を受ければ生命の選別に繋がるという指摘がある。このことは優生思想に繋がる危険性があるということである。陽性反応が出たら，どのように対応すべきであるかが問われる覚悟が必要である。母体保護法の第14条第一項には「妊娠の継続又は分娩が身体的又は経済的理由により母体の健康を著しく害するおそれのあるもの」とあるように，検査結果で陽性となったとしても，そのことを理由に人工妊娠中絶をすることはできない。

○×で答えよう！ 正誤問題にTRY✓ 日本では，遺伝子による診断が技術的に可能となったので，出生前の胎児に遺伝性疾患の診断を行うことが義務づけられた。

8 安楽死・尊厳死

名古屋安楽死事件

（名古屋高等裁判所1962年12月22日判決）（山内判決）

【経緯】 脳出血で全身不随の父が，激痛を訴え「早く死にたい」「殺してくれ」と大声で叫ぶほどで，父の苦悶の様子に堪えられなくなった息子が，事情を知らない母をして父に毒薬入りの牛乳を飲ませて安楽死させた。この判決で「安楽死の６要件」が示された。

【判決】 この事件では下記⑤と⑥の要件を満たさないとして，被告人は嘱託殺人罪に。懲役１年執行猶予３年。

【安楽死の６要件】

①病者が，現代医学の知識と技術からみて不治の病に冒され，その死が目前に迫っていること。
②病者の苦痛が甚だしく，何人もこれを見るに忍びない程度のものであること。
③病者の死苦の緩和の目的でなされたこと。
④病者が意思を表明できる場合には本人の真摯な嘱託，または承諾があること。
⑤医師の手によることとするが，そうでない場合には，医師によりえないと首肯するに足る特別な事情があること。
⑥その方法が倫理的にも妥当なものであること。

安楽死：終末期の苦痛を取り除くため，医師などが患者の死期を早めること

積極的安楽死

患者を“死なせること”

苦しいので
すぐに
死なせて欲しい

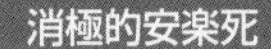

患者が“死ぬに任せること”

解説 **尊厳死**とは死が避けられない末期疾患になった患者が本人の明確な意思に基づいて，延命措置などを拒否することで，本人の尊厳を尊重するという考え方である。患者本人は「リビング・ウィル宣言書」に事前に署名捺印することで意思表示とみなされる。耐え難い苦痛から逃れるために，本人の意思の下に積極的方法で生命の短縮を図る**安楽死**とはまったく異なる。オランダでは2001年４月に安楽死が法制化されたが，現在の日本では，殺人または自殺ほう助ではないか，という意見が根強い。1991年の大学病院での安楽死事件で，担当医師が殺人罪で起訴された際の一審横浜地裁判決（1995年）で医師による積極的安楽死の許容条件を示した。（患者の耐えがたい肉体的苦痛／生命の短縮を承諾する患者の明確な意思表示／死が避けられず死期が迫っている／苦痛の除去などのため方法を尽くし，他に代替手段がない）。

Column 病と人間関係―日本人の病気観

日本は病気に寛容である。病気になって入院すると，休暇が長くとれる。入院中は家族だけではなく，親戚・友人・同僚が見舞いに訪れ，差し入れを持参する。病気が重ければ家族の一員が，看護役として部屋に寝泊まりする。また寝巻・下着・タオル・洗面具・箸・湯飲みなどの日用品を用意する。

これに対し，アメリカでは，健康で自立した個人の集団が社会であると考えられ，病人は一日も早く治り，回復し，自立した社会人になるべきであるとする。よって，入院すると灰色のガウンを着て，右腕には番号入りの腕輪をつける。アメリカの病院では，私物はほとんど不必要であるし，またその使用は一定の規制を受ける。手術後もすぐ運動を始め，早く退院させる。

9 ターミナル-ケア

ホスピスの定義

ホスピスとは，末期患者とその家族を家や入院体制のなかで，医学的に管理するとともに看護を主体とした継続的なプログラムをもって支えていこうというものだ。様々な職種の専門家で組まれたチームが，ホスピスの目的のために行動する。そのおもな役割は，末期ゆえに生じる症状（患者や家族の肉体的，精神的，社会的，宗教的，経済的な痛み）を軽減し，支え励ますことである。

（全米ホスピス協会）

ホスピスの７つの働き

親切なもてなし	H	ospitality
チームアプローチ	O	rganaized Care
症状のコントロール	S	ymptom Control
精神的な支え	P	sychological Support
個別性の尊重	I	ndividualized Care
コミュニケーション	C	ommunication
教　育	E	ducation

かつては多くの人が，家庭で家族に看取られ死を迎えたが，今では病院で医療器械に囲まれ孤独な死を迎える。そして，家族と亡くなっていく人が悲しみを共有する情緒的な側面が軽んじられ，臨終の場にいる体験が少なくなっている。このように，死はタブーとなり，私たちは死から引き離された生活をしている。ハイデガーは人間は「死への存在」であるといった。確実に誰にでも100％訪れる死を思うことは，まさに今ここにいる自分の生を考えることなのである。

また，主に末期ガンなどの病者が，生命の質（QOL）を重視し，残りの人生を有意義に過ごすことのできるホスピス（ビハーラ）がつくられ，病者の苦痛を除去し，精神的なケアを行っている。ホスピスの７つの働きにあるように，まず親切なもてなしで，医者・看護師だけではなく宗教家・理学療法士などのチームワークが必要である。そして，痛み・吐き気などの不快な症状をコントロールし，精神的なサポートをすることである。また，一人ひとりの病者の個性を尊重し，意思の疎通をはからなければならない。最後に，ターミナルケアやホスピスについて，医療従事者にしっかりと教育することである。

序編

10 生と死を考える映画

（映画『生きる』黒沢明監督 1952年）
主人公の渡辺勘治が，自分のつくった公園のブランコに揺られ，「命短し恋せよ乙女」と口ずさむ感動的なシーン。

解説 主人公である渡辺勘治は，無遅刻，無欠勤だけを取りえにし，定年を間近に30年間にわたり市役所で何もしないで生きてきた初老の役人である。しかし，病気や家族の問題をきっかけに初めて自分自身の生への欲望に目覚める。末期胃ガンであることが分かり，はじめて地域社会のために公園づくりに奔走し，完成した。そして，雪の降る寒い夜，公園に出かけ，人知れず倒れて死んだ。
人間にとって生きがいとは，何であろうか。そして，死を前にして，生きるとは何であろうか。

私の中のあなた（2009年 ワーナー） 13歳のアナは，白血病の姉ケイトのドナーとなるため，遺伝子操作を経て生まれてきた少女。アナから輸血や骨髄移植を受けてもケイトの病状は回復しない。ついに腎臓移植が必要となるが，アナは腎臓の提供を拒み，両親を相手取って訴訟を起こす。両親とアナは法廷で争う。

11 自己決定権とパターナリズム

医療の現場ではパターナリズムが支配的であった。

パターナリズムとは，**本人のためを思って，その人に対して為す干渉行為**のことである。医療現場では，医者は患者の利益になるという理由で，医者が患者にあれこれと干渉する。医者は「あなた（患者）の悪いようにはしない。すべてはあなたの為を思ってのことだ。黙って私（医者）に任せなさい」となる。このパターナリズムは，患者個人の「自己決定権」を侵害するものである。つまり，**自己の生命に関わることなのに，他人（医者）に任せて，自分自身が決めなくてもよいか**ということである。そのためには，患者の「知る権利」が保障されることが必要である。

日本病院会が明文化した患者の権利

患者の権利	原理
医療上，最適のケアを受ける権利	恩恵享受の原理
適切な治療を受ける権利	公正の原理
人格を尊重される権利	人権尊重の原理
プライバシーを保証される権利	守秘義務の原理
医療上の情報・説明を受ける権利	真実告知の原理
医療行為を拒否する権利	自己決定の原理
関係法規と病院の諸規則などを知る権利	

12 キュアとケア 〜 チーム医療 〜

キュア（cure）とは治療するという意味であり，ケア（care）とは世話する，配慮するという意味である。現代の医療は，キュアに偏重し，キュア中心の医療となり，病者へのケアが十分ではないという議論がある。

ケアとキュアは対立するものではなく，相互に協力し合い，一体となって医療を構成すべき関係にある。

現代では，病気を診るだけで，病者全体を診ることを忘れていると指摘がある。ここには，病者の自然治癒力を活かす，ホリスティックメディスン（全人的医療）の考え方もある。

また，一人の病者に対し，関係する医療の専門職が集まり，チームとしてケアに当たるチーム医療が推奨されている。従来の医療は，病者への医療ケアの内容を主治医が決定し，看護師などの専門職に指示するものであったが，近年は，病者の状態に応じて複数の医療関係者によるチームで医療サービスを提供するようになった。しかし，チーム内ではどの職種も，理念上は対等の立場であるが，法的には医療行為は医師の指示のもとで行うことが規定されているため，厚生労働省はチーム医療を推進するための見直し作業をおこなっている。

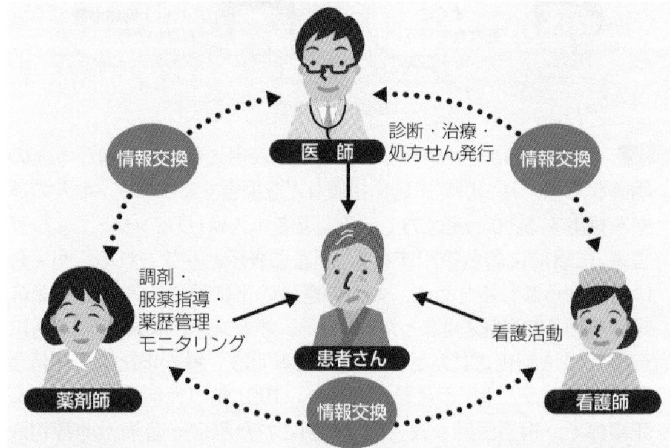

Column インフォームド-コンセント（説明と同意）

インフォームド-コンセントとは，正しい情報や知識を医者が患者に説明し，患者が同意することで治療が開始されるという考え方である。医者は患者に対し，病名や症状だけではなく，治療法や危険性，予後などについても平易なことばで説明しなければならない。

最近では，インフォームド-コンセント（チョイス）だけではなく，セカンド・オピニオンも行われるようになった。これは患者が担当医の説明だけではなく，他の医者からも説明を聞くことである。それによって，患者本人が自分で治療を選ぶ機会をもつことができる。

また，患者のカルテやレセプト（診療報酬明細）も患者本人の要求があれば原則として開示を認めるようになった。さらに患者には「知る権利」だけではなく，「知らないでいる権利」もある。病名告知は患者に応じて，慎重に行わなければならない。

○×で答えよう！ 正誤問題にTRY✓ 患者の生存権を尊重するために，担当の医者（主治医）以外の医師の診察を受けることをセカンド・オピニオンという。

13 バイオテクノロジー

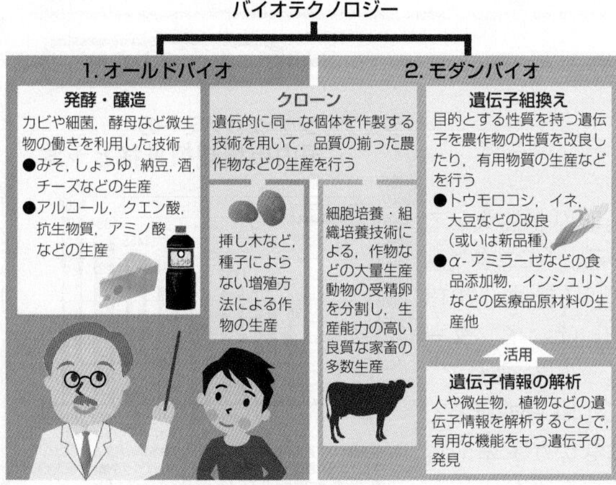

解説　バイオテクノロジーとは，「バイオロジー（生物学）」と「テクノロジー（技術）」の合成語である。生物の持つさまざまな働きを上手に利用し，私たち人間の生活や環境保全に役立たせようという技術。みそ，しょうゆ，納豆，チーズ，ヨーグルトなどの食品や抗生物質などの医薬品は，バイオテクノロジーで作られた製品である。このような昔ながらの「発酵」や「品種改良」をはじめ，現代の「遺伝子組換え」「クローン」などの先端技術まで，実にさまざまな技術がある。1972年に細胞融合技術が，また1973年に遺伝子組換えが開発され，さまざまな産業への発展などの可能性が期待され，「バイオテクノロジー」という言葉が使用されるようになった。

（一般財団法人バイオインダストリー協会作成資料）

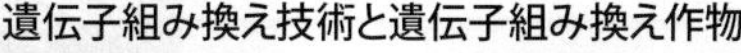

遺伝子組み換え技術と遺伝子組み換え作物

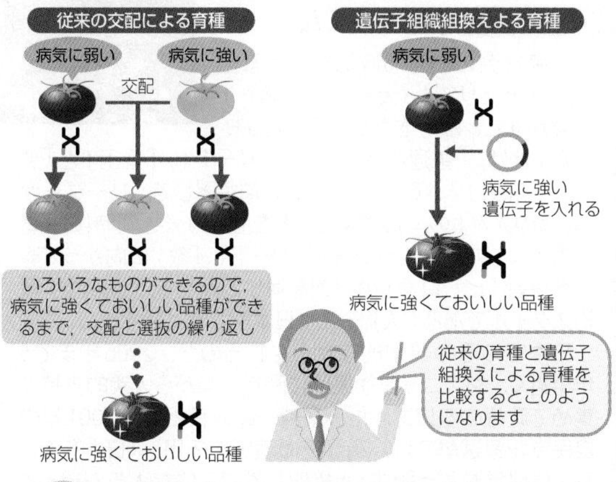

メリット　計画的・効率的な品種改良が可能となり，将来の食糧不足の救世主として期待されている

デメリット　人類全体にとって，まだほんの短い「食経験」しかない食品で，安全性が確立していない

現在の食料の 60%を輸入に頼っている日本は，輸出国に言いなりにならなければならない弱い立場にあり，輸入禁止，作付禁止などの強行策に出られない

（一般財団法人バイオインダストリー協会作成資料）

解説　遺伝子組み換え食品について日本では，輸入農作物について厚労省が安全性を確認しているが，きちんと判断できないのではないかと，その影響を危惧する声は多い。原料に遺伝子組み換え作物を使用した場合，その表示が義務づけられている。

遺伝子組み換え食品の一括表示

名　称	ポテトチップス
原材料名	ばれいしょ（遺伝子組み換え）、植物油、食塩、調味料（アミノ酸等）
内 容 量	00g
賞味期限	平成０年０月
保存方法	直射日光を避け、常温で保存すること
製 造 者	㈱○○製菓　熊本県○○市○○町○○

14 クローン技術は何をめざすのか？

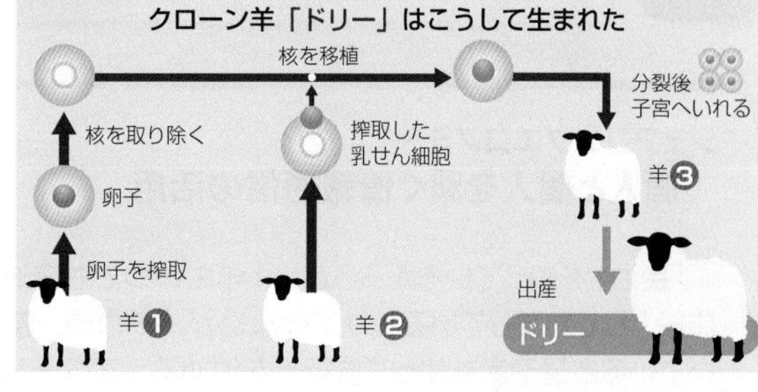

解説　1996年のクローン羊ドリーの誕生は，世界に大きな衝撃を与えた。一般の人々にはクローン人間誕生の可能性において，いわば「人間のコピー化」が実現してしまうということ。また，研究者には体細胞核移植（体細胞クローン）の技術がDNAメチレーションという遺伝子の「かぎ」を外し，皮膚（乳腺上皮）の細胞から１頭の羊を作ってしまえることである。ドリーは新生児に必要なタンパク質を含んだミルクが出るように遺伝子を組みかえた羊を大量生産する目的で作られた。母乳では育てられない未熟児のためのミルクの安定供給が研究のねらいであった。

ヒトクローンの研究目的は何であろうか。人間の尊厳を傷つけないことを前提に生殖補助医療や臓器移植あるいは再生医療においてクローン技術を適用することが考えられる。

「クローン人間」のしくみ

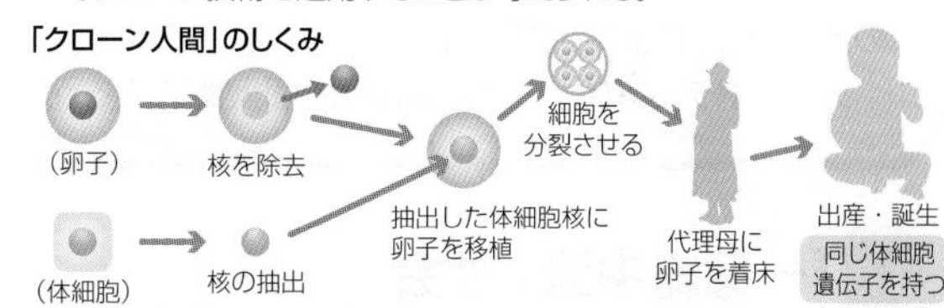

解説　科学技術の進歩により「クローン人間」を作製することも技術的には可能となったが，1997年にユネスコで「ヒトゲノムと人間に関する世界宣言」が採択された。日本では2000年に「ヒトに関するクローン技術等の規制に関する法律」が成立し，クローン人間の作製を罰則によって禁止している。第３条には「何人も，人クローン胚，ヒト動物交雑胚，ヒト性集合胚を人又は動物の胎内に移植してはならない」とある。

クローン技術のめざすもの

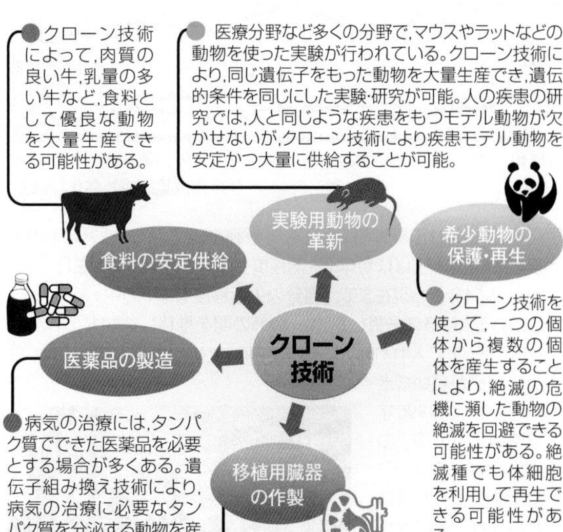

○×で答えよう！　正誤問題にTRY✓　日本では，トウモロコシなどいくつかの作物に関して，遺伝子組み換え作物の輸入が許可された。

4 情報にかかわる現代の課題

TOPICS

シェアリングエコノミー
個人と個人を繋ぐ情報通信の活用

「民泊」を知っているだろうか。1年中いつでも宿泊施設として営業しているわけではないが，その時，空いている部屋や家を使って旅行者を泊める，スペースを「シェア」（分け合う）する施設といえる。年間の宿泊日数は180日を超えないこととする規制がある（「民泊新法」，2018年施行）。インターネット上で，このシェア情報を共有して仲介する「Airbnb」（米，2008年）が登場し，「民泊」事業は一気に拡大した。

このように個人が持っている遊休資産（「スキル」なども含む）の貸出し等を，他の個人に仲介するサービスをシェアリングエコノミー（共有経済）と言う。「民泊」では[空き家・部屋などの活用による収入]と，[安い価格，特別な体験などを得られる宿泊]という双方のメリットがマッチングしている。

スマートフォンなどの普及により，個人間でのこうした取引が拡大している。「エニタイムズ」（日本，2013年）は，インターネットを介して，[プロに頼むほどではないが家事や習い事を誰かに頼みたい]という人と，[自分の時間やスキルを有効活用したい]という人を結びつけている。ご近所の人同士でスキルをシェアし，助け合うことができるサービスである。従来にはなかったマッチングを実現させることで，そこに新しい働き方の形が見えてくるとも言えよう。

（『情報通信白書』2017などより）

シェアリング・エコノミーの
国内市場規模推移と予測

（注）本調査では，音楽や映像のような著作物は共有物の対象としてない。また，市場規模は，サービス提供事業者のマッチング手数料や販売手数料，月会費，その他サービス収入などの売上高ベースで算出。

（矢野経済研究所『シェアリングエコノミー市場に関する調査』 2020.10.14 発表）

1 「一億総中流」社会

国民生活に関する世論調査（生活程度）内閣府　2019年6月実施まで

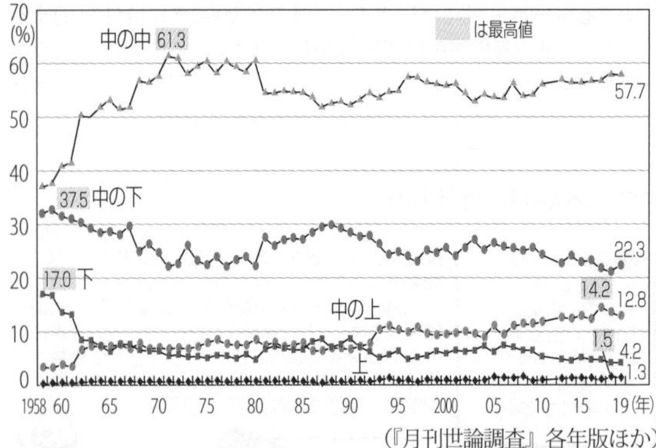

（『月刊世論調査』各年版ほか）

解説 内閣府（旧総理府）は，「もはや戦後は終わった」といわれた後の1958年からほぼ毎年「生活程度」に関する意識調査を行ってきた。1964年から現在まで，自分の生活程度を「中の中」とイメージしている人はほぼ一貫して50～60%の間を推移しており，「中の上」「中の下」まで入れれば，「一億総中流」という表現も誇張とはいえない状態が続いてきた。しかし，1996年以降は「中の中」の減少，「中の下」「下」や「中の上」の増加がみられ，近年は格差が拡大しそれが固定していく社会に変わってきているという指摘がされている。

Column ポピュリズム

大衆社会における政治を考えるとき，「ポピュリズム（大衆迎合主義）」を欠かすことはできない。「ポピュリズム」とは，「普通の人々」と「エリート」，「善玉」と「悪玉」，「味方」と「敵」の二元論を前提として，リーダーが「普通の人々」の一員であることを強調すると同時に，「普通の人々」の側に立って彼らをリードし「敵」に向かって戦いを挑む「ヒーロー」の役割を演じてみせる，「劇場型」政治スタイルである（大嶽秀夫『日本型ポピュリズム』）。

日本でのその典型的な例とされるのが，2006年まで5年半近く，マスコミを効果的に利用しながら大衆的支持を集めて政権の座にあった小泉純一郎元首相だ。2001年の自民党総裁選挙では，街頭での演説を多用し「日本を変える，自民党をぶっ壊す」と絶叫して国民的な人気を得ることで勝利し，2005年9月の総選挙では，郵政民営化を日本の「改革」のための最大のポイントとして唯一の争点とすることに成功し，それに反対した自党の政治家に「抵抗勢力」とのレッテルをはって公認せず，対抗馬の候補を「刺客」として擁立して，多くの国民の注目と支持を集め，大勝利をおさめた。いっぽう，「ポピュリズム」は，大衆に甘い期待を抱かせ，かつ長期的展望を無視して短期的な利益提供を散布する政治の意味でも使われる（同『小泉純一郎 ポピュリズムの研究』）。

また，近年の世界では，右傾化（保守化）が強まるとともにこのポピュリズムの広がりも示している（アメリカのトランプ大統領など）。「ポピュリズム」は，大衆社会が政治と結びつくところに生じるものであるが，われわれ国民が真の主権者として政治を築いていこうとする時，これを乗り越えていくことができるのだろうか。

○×で答えよう！ 正誤問題にTRY✓ 今日の大衆は，財産も教養もある存在であり，中流意識を抱いている。彼らの多くは批判力を持ち，もはやマス・メディアなどによって操られることはない。

2 大衆社会としての現代

大衆化のもたらしたもの　～オルテガ～

大衆の勝利と，それにともなう生活水準のすばらしい上昇とは，ヨーロッパにおいて，２世紀間による大衆の啓蒙的教育の進歩と，それと並行する社会の経済的繁栄ののちに，内的な原因によって生じたのである。……われわれは，平均化の季節に生きている。財産は平均化され，別々の社会階級のそれぞれの文化は均一化され，男女も均一化されている。それにまた，大陸間の差もなくなっている。ヨーロッパ人の生活はいまよりも低かったのであるから，この均一化によって，もっぱら利益を得たのである。　（オルテガ『大衆の反逆』中央公論社）

解説　ホセ＝オルテガ＝イ＝ガセット（1883～1955）は，世界恐慌ただなかの1930年に『大衆の反逆』を著し，18世紀の市民革命の時代から産業革命をへて，第一次世界大戦を体験した20世紀の現代において，ヨーロッパとアメリカ合衆国が「大衆」を産み出してきたことを詳述し，この「大衆」は下層階級の人々をのみ指すのではなく，「すべての差異，秀抜さ，個人的なもの，資質に恵まれたこと，選ばれた者をすべて圧殺する」「凡俗の精神」のことであり，「これをあらゆる場所に押しつけようとする」ことこそが「ヨーロッパの生命力の危機」であることを皮肉混じりで批判した。この批判は，21世紀初頭の大衆社会を考える上でも，いささかも古びていない。

他人指向型の人間　～リースマン～

他人指向型に共通するのは，個人の方向づけを決定するのが同時代人であるということだ。この同時代人は，かれの直接の知りあいであることもあろうし，また友人やマス・メディアをつうじて間接的に知っている人物であってもかまわない。……他人指向型の人間がめざす目標は，同時代人のみちびくがままにかわる。……

もちろん，「他人」が誰であるかは大いに問題だ。ここにいう他人とは個人の身辺の人びとであることもあるし，“上流”人であることもあろう。マス・メディアの匿名の声であるかもしれぬ。……ひとが自分をどうみているか，をこんなにも気にした時代はかつてなかった。

（リースマン『孤独な群衆』みすず書房）

解説　デイビッド＝リースマン（1909～2002）は，アメリカ合衆国が「繁栄の50年代」に入ろうとする頃に著した『**孤独な群衆**』の中で，歴史的段階に応じて人間は，伝統に服従し家族や血縁集団に依存する「**伝統指向型**」，自己の内面に従い個人の選択による人生の統御を感覚としてもつ「**内部指向型**」，そして資料文中の「**他人指向型**」の３類型をへると分析した。他人指向型の現代人は，思いやりや寛容の精神をもちながらも人間関係に敏感すぎて，孤独と不安を宿命的に背負わねばならないという。

権威主義的パーソナリティ　～フロム～

再び権威主義的性格の問題にかえろう。注意すべきもっとも重要な特徴は，力にたいする態度である。権威主義的性格にとっては，すべての存在は二つにわかれる。力をもつものと，もたないものと。それが人物の力によろうと，制度の力によろうと，服従への愛，賞賛，準備は，力によって自動的にひきおこされる。力は，その力が守ろうとする価値のゆえにではなく，それが力であるという理由によって，かれを夢中にする。……無力な人間をみると，かれを攻撃し，支配し，絶滅したくなる。ことなった性格のものは，無力なものを攻撃するという考えにぞっとするが，権威主義的人間は相手が無力になればなるほどいきりたってくる。

（フロム『自由からの逃走』創元社）

解説　エーリッヒ＝フロム（1900～80）は，「個人的自我を絶滅させ，たえがたい孤独感にうちかとうとする」大衆は，「自己の外部の，いっそう大きな，いっそう力強い全体の部分となり，それに没入し，参加」する，として，全体主義を批判した。すぐれた指導者の「決断」（カール＝シュミット）を待ち望む土壌は，現代の大衆社会にもみうけられる。

大衆の心理　～ヒトラー～

大衆の心理は，すべて中途半端な軟弱なものに対しては，感受性がにぶいのだ。女性のようなものだ。かの女らの精神的感覚は，抽象的な理性の根拠などによって定められるよりも，むしろ足らざるを補ってくれる力に対する定義しがたい，感情的なあこがれという根拠によって決せられるのだ。だから，弱いものを支配するよりは，強いものに身をかがめることをいっそう好むものである。大衆もまた哀願するものよりも支配するものをいっそう好み，そして自由主義的な自由を是認するよりも，他の教説の併存を許容しない教説によって，内心いっそう満足を感ずるものである。　（ヒトラー『わが闘争』平野一郎訳　角川文庫）

解説　大衆の心理をこのようにとらえていたヒトラーはまた，民衆集会における個人の状況について，「……もしかれが自分の小さい仕事場や，かれ自身まさしく小さいと感じている大工場から，はじめて民衆集会に足をふみいれ，そしてそこで同じ考え方をもつ幾千人もの人々にかこまれるならば……そのときかれ自身は，われわれが大衆暗示ということばで呼ぶあの魔術のような影響に屈服するのである。」と考えていた。そして，ナチスはさまざまなメディアや大衆集会を通じて活発な宣伝活動を行い，組織を強化し支持者を拡大させて議会での議席を増やしていくことで，権力を獲得し独裁体制を築いていった。

○×で答えよう！ 正誤問題にTRY✓　社会の習慣やしきたりをそのまま信奉し，そこから外れた行動をすることを極力避けようとする人間像を，リースマンは他人指向（志向）型と分類した。

3 IT革命とはなにか

20世紀末，IT(Information Technology／情報技術)革命という言葉が疾風のように日本列島を席巻した。

IT革命とは生産効率向上の話だけではない。それは生産体制を米国型のグローバル・スタンダードに合わせることで景気を回復させる特効薬だ，という見方は狭すぎる。IT革命においてさらに大切なのは，われわれ一般人の生活の質が抜本的に変わることだ。つまり社会的に見れば，「公＝生産者側」における量的変化ではなく，「公と私」とくに「私＝消費者側」における質的変化なのである。

IT革命によって，人間と人間を結ぶコミュニケーションの様式が変わっていく。これとともに，従来われわれの生きがいを支えてきた価値観も変わらざるをえない。ＩＴ革命とは，少なくとも世紀前半の３～５年にわたる，長期的な文明史的事件なのである。

（西垣通『IT革命－ネット社会のゆくえ－』）

解説 ダニエル＝ベルが1973年，「脱工業社会」と呼んだのは，まさに情報社会のことであったが，著者は「『公＝生産者側』のみ情報化されるのが情報社会であり」，「『公私』にわたる情報化，とくに『私＝消費者側』が情報化されるのがネット社会ということになる」として，日本製の用語である情報社会とＩＴ革命を区別している。そして，著者が「文明史的事件」としているのは，ケネス＝ボールディングが提唱した時代区分である「文明社会から文明後の社会への転換」にあたるということであろう。ＩＴが現在はCommunicationを加えてＩＣＴと表現されるようになったことも，その表れであるといえよう。

4 インターネットの利用状況

①インターネット利用人口の拡大

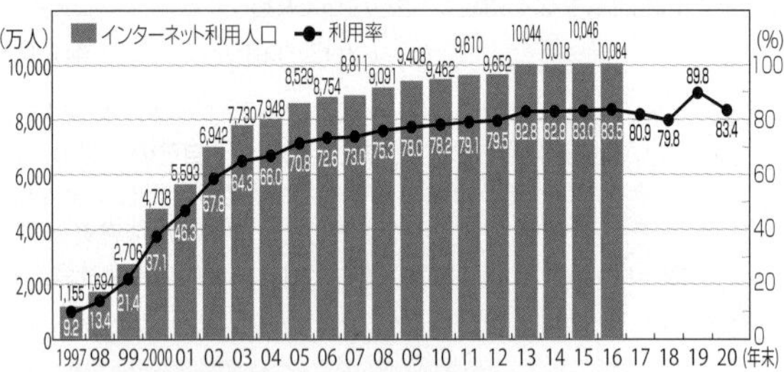

②世代別インターネット利用率の推移

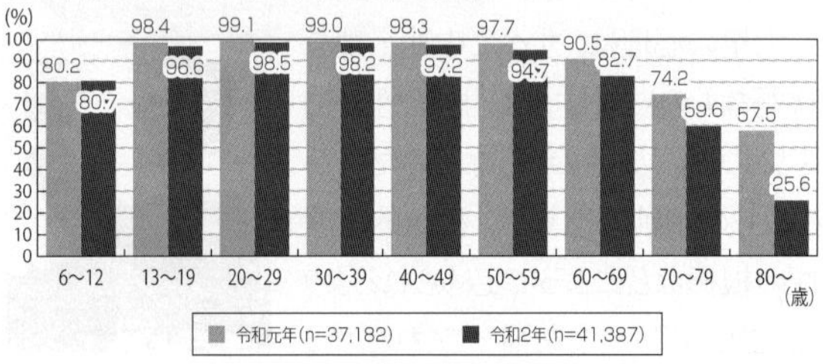

③世帯年収別インターネット利用率の推移

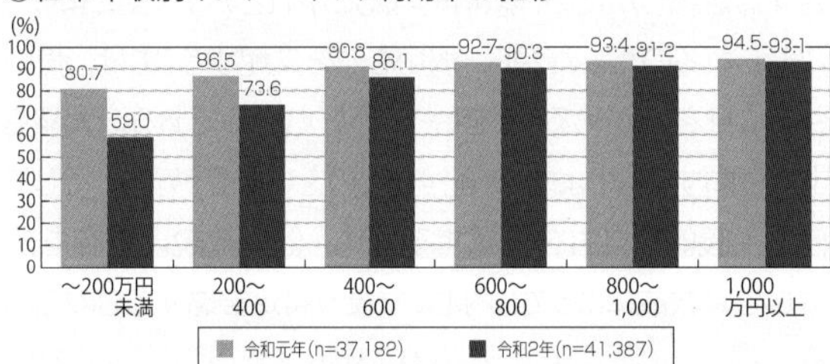

④情報通信端末の世帯保有率の推移

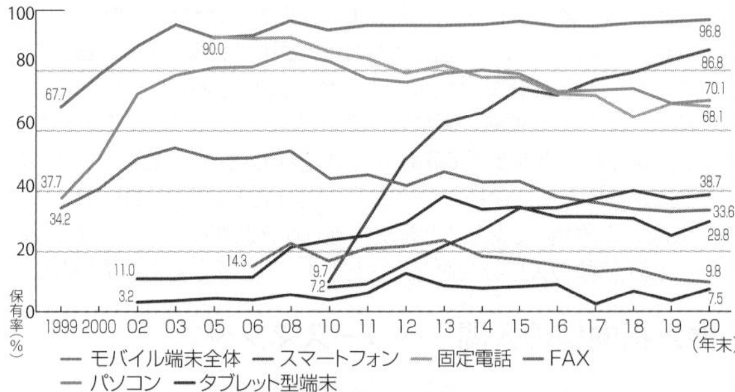

⑤世代別インターネット利用の目的・サービス

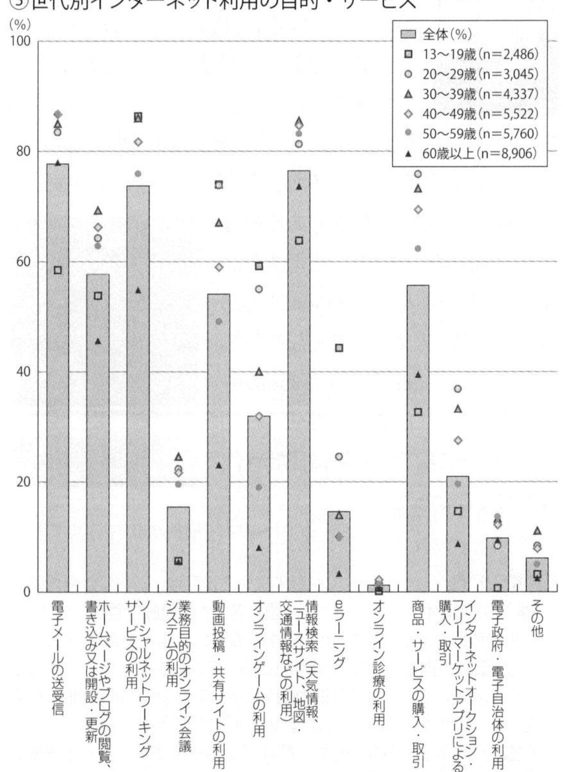

（①～⑤とも令和２年通信利用動向調査）

解説 インターネットはITの高度化に伴ってますます普及しているが，年代別には60歳以上の利用率が下落し，所属世帯年収別では400万円以下が８割を下回るなど，利用格差が存在している(②，③)。情報通信端末では，従来型の携帯電話からスマートフォンへ，パソコンからタブレット端末への移行が今後も急速に進むと予測されている(④)。利用している機能を年齢階層別にみると，「電子メールの送受信」や「情報検索」がほぼ全ての年齢層で高くなっている一方，「動画投稿・共有サイトの利用」などは年齢階層による差が大きくなっている(⑤)。

＊令和元年調査の調査票３の設計が一部例年と異なっていたため，経年比較に際しては注意が必要。

インターネットが普及し行政のオンラインサービスへの要求が高まったので，これに応えるために情報公開法が制定された。

テーマ学習　ビッグデータ

●ビッグデータとは

ビッグデータには，ツイッターやフェイスブックといったソーシャル・ネットワーキング・サービス（SNS）の投稿や，コンビニエンスストアのポイントカードやクレジットカードの利用履歴，気象データなどが含まれる。

例えば，ある人が電車で店に行き，ポイントカードを示してクレジットカードで買い物をしたとする。すると，ICカード乗車券に乗降者記録が残る。店舗を運営する会社は，ポイントカードをいつどこの店舗で利用したか，さらにクレジットカード会社は，何を買ったかなどの情報をも得ることが出来る。企業がこれらのデータを分析すれば，顧客の行動や購買パターンに合わせた効果的な宣伝や，商品の入荷などに活用できる。

こうしたデータは現在，1日に，新聞の朝刊数十万年分に相当する数百テラ（1テラは1兆）・バイト以上生みだされているという。（中略）ビックデータに注目が集まってきたのは，スマートフォンや処理能力が高いコンピューターの普及など，ITの進歩によって様々な種類の膨大なデータを収集・蓄積できるようになったことが大きい。（中略）

ビッグデータの分析には，大量のデータを分割して複数のサーバーで処理し，その結果をまとめるソフトが使われる。情報の一部を分析して全体の傾向を割り出す従来の分析方法に比べ，格段に詳しい情報が得られる。

（『読売新聞』2013.9.13）

●今後の課題

ビッグデータは，すでにさまざまに利用されているが，近年のAIの開発から大きな経済効果が見込まれ，同時に，私たちの生活にもさまざまな面で役立つと期待される。しかし，その一方で個人情報の保護という点で課題もある。

ビッグデータがプライバシーにかかわる，私生活の細部に関する情報が知らないうちに収集・利用される不快感から，ストーカーや詐欺などの犯罪につながる危険性，政府による個人の監視への懸念まで，さまざまである。わが国の現行の個人情報保護法では，個人情報を第三者に提供する場合は本人の同意が必要と規定されているが，Suicaの乗車履歴販売で問題になった乗降記録や位置情報などについては，規定されていない。

こうしたなか2018年に，欧州連合（EU）はネットプライバシーに関する個人情報保護を厳格化する新規則「一般データ保護規則」（GDPR）を施行した。翌年には，グーグルがこれに違反したとして5700万ドルの罰金支払いを命じられている。日本でも2020年5月に，個人情報の収集や管理に関する新たなルールとして，デジタルプラットホーム取引透明化法が成立した。

●データが価値を創り出すプロセス

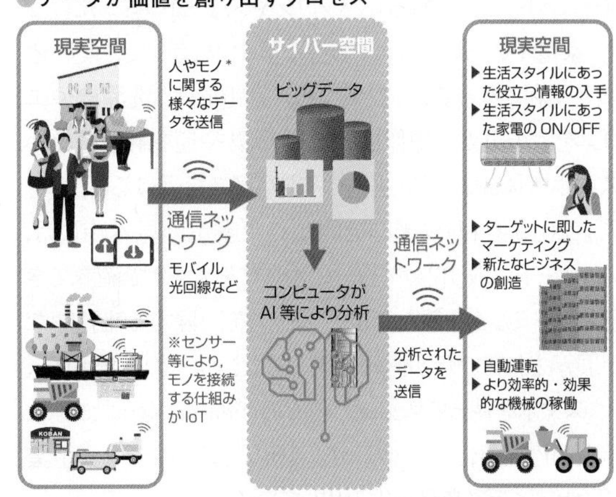

・超高速・多数同時接続・超低遅延の5Gにより，更に大量・多様なデータをリアルタイムで活用可能に
・準天頂衛星システムにより，位置・時刻に関するより精度の高いデータの活用が可能に

（『情報通信白書』2019）

●ビッグデータ活用のおもな目的と活用例

活用目的	活用例
顧客や市場の調査，分析	顧客データ，販売データ，SNSへの書き込みデータなどから消費傾向を分析し，顧客ニーズや企業への評価を把握する。 **→ポイントカードの利用から消費傾向などを割り出し，好みの商品の案内や、リピート率の高い商品の紹介をする。**
商品，サービスの品質向上	設備や製品にセンサーなどを取り付けて利用状況を収集し，故障や部品の交換時期などを予測する。それによってきめ細やかな保守とメンテナンスを行う。
業務の効率化	センサーなどを取り付けた業務機械の稼働状況や位置情報を収集し，そのデータを活用することによって，業務プロセスの効率化・最適化を行う。
基礎研究，学術研究	センサーなどから収集される大量データを有効活用するための研究開発を行う。 **→スマホの位置情報サービスなどのデータから，コロナ禍での人流の情報を吸い上げ，研究開発・情報提供に寄与**
在庫圧縮，最適供給	販売データや気象データなどから需要予測を行い，生産量と出荷量の調整を行う。またセンサーを取り付けた商品からリアルタイムに在庫状況を把握する。 **→スーパーなどでの仕入れや販売，回転寿司チェーンなどでの商品提供などに応用**

（https://www.finereport.com/jp/analysis/big-data-application/ ほか）

事例
①グーグルの電子メールのサービス「Gメール」は2004年に開始された。メールの中身をスキャンし，それに合わせた広告を表示すること，その広告マッチングの材料となる古いメールを1ギガバイト（現在は30ギガバイト）まで無料で保存できるということを特徴としていた。当時，「メールの中身を読まれている」というプライバシー侵害に抗議する声が強く，カリフォルニア州でこれを禁止する法律が成立一歩前まで進んだ。
②ＪＲ東日本が2013年7月，ＩＣ乗車券「Ｓｕｉｃａ（スイカ）」の利用者の乗車履歴（乗降駅，日時，性別など）のデータを日立製作所に販売し始めた。約4300万枚分で，個人が識別できないよう個人情報部分を削除して販売したという。ＪＲ東は，その後「利用者に事前説明すべきだった」と謝罪し，希望者は除外できるよう配慮して，あらためて販売するとした。

（海部美知『ビッグデータの覇者たち』など）

○×で答えよう！ 正誤問題にTRY✓　データを収集・蓄積する技術は近年向上しており，データの自動収集・蓄積も行われるようになっている。

5 IoT（モノのインターネット）

「IoT」とは,「Internet of Things」の頭文字で,「モノのインターネット」といわれる。パソコンやスマートフォンだけでなく，家電やいろいろなモノがネットにつながって，使い道が増え便利になっていくことをいう。家電では，洗濯機やエアコンを家の外から操作したり，体重計や運動靴とつないでスマホで体調管理や運動のアドバイスを受けることも可能だ。2015年1月に米国で開かれた家電の見本市には，スノーボードに取り付けて自分の滑り方をスマホで確認できる金具や，ミルクを飲んだ量やペースを記録する哺乳瓶（ほにゅうびん）などが展示されていた。情報を集めるセンサーの性能が良くなり，スマホを使ってネットとつなぐのが簡単になったことで，新商品が生み出しやすくなった。国内外のベンチャー企業が次々とアイデア商品を生み出している。

（『朝日新聞』2015.4.4.）

6 サイバー犯罪の検挙数の推移

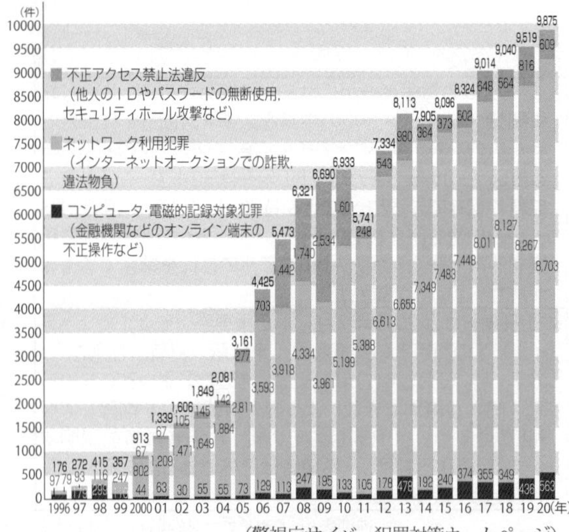

（警視庁サイバー犯罪対策ホームページ）

7 サイバー犯罪の大衆化

電子計算機使用詐欺
2018年8月から9月にかけて，仮想通貨関連サービスに使用するサーバに虚偽の情報を与え，同サービスの運営会社が管理する仮想通貨合計約1,500万円相当を移転させ，財産上不法の利益を得たなどとして，少年(18)を電子計算機使用詐欺罪等で検挙した。(2019年3月・警視庁)。
不正指令電磁的記録作成罪
地方公務員の男(49)は2016年2月，人の電子計算機における実行の用に供する目的で，スマートフォンの位置情報等を特定のサーバに送信するアプリケーションを作成し，男の元交際相手の女性が使用するスマートフォンに無断でインストールして実行可能な状態にした。同男を不正指令電磁的記録作成罪等で逮捕した。(2018年4月・徳島)。
特定商取引法違反（未承諾電子メール広告の提供の禁止）・詐欺
被疑者(サイト運営者・男・32歳)らは，運営する出会い系サイトを利用させる目的で，相手方となる者の承諾を得ていないにもかかわらず，当該使途にリンクされるURL等が表示された電子メール広告を送信するとともに，当該サイトにおいて実在しない登録会員に成りすまし，会員からメッセージ交換等のサイト利用料金をだまし取った。(2014年9月・北海道，警視庁)
不正アクセス禁止法違反
無職の男(22)は，2017年2月，掲示板サイトから不正に入手したID・パスワードを使用して，国内のインターネットオークションサイトへ不正アクセスし，オークションの商品売買を装って現金をだまし取った。同男を不正アクセス禁止法違反(不正アクセス行為)，詐欺罪等で検挙した。(2018年3月・和歌山)。
犯罪収益移転防止法違反
口座売買サイトの男らは，口座売買サイトや匿名掲示板に他人名義の口座を販売する旨の広告を出して顧客を募り，購入申込みをした者に提供するなどした。(2016年9月～12月・北海道，宮城，茨城，埼玉，千葉，神奈川，岐阜，愛知，京都，大阪，岡山，広島，香川，福岡，熊本)
著作権法違反
京都市の無職男性(39)が，2018年3月から4月までの間，インターネットオークションを利用して,(株)カプコンと(株)バンダイナムコエンターテインメントが著作権を有するゲームソフトウェアを記録媒体に無断複製して販売，著作権法違反(海賊版頒布)で逮捕された。(2019年11月・宮城県)

（『警察白書』各年版などより）

解説 サイバー犯罪（コンピュータ技術及び電気通信技術を悪用した犯罪）は急激に増加し,その形態もあまりにも多岐にわたる。警察庁がまとめたサイバー犯罪検挙数（資料6）の推移をみても,ネットワーク利用犯罪だけでなく,最近は不当なアクセス行為も急増しており，内容も資料7のように多岐にわたっている。また犯罪にまでは至らないにせよ,私たちも知らず知らずのうちに,著作権などの知的財産権を侵していたり,情報倫理違反の行為を犯してしまったりということはないだろうか。

Column 個人情報「過保護」状況

2005年の改正個人情報保護法の全面実施のあと，プライバシーの権利の保護のため次のようなことも起きるようになった。それぞれについてどう考えたらよいだろうか?

・学校のクラスごとの連絡網が廃止された。

・学校公開で児童，生徒の展示作品がすべて裏返しにされ，下駄箱の名前まで隠された。

・警察が犯罪の加害者，特に警察官の犯罪者の個人情報を公開しないということが問題になった。

○×で答えよう! 正誤問題にTRY✓ 日本では，他人のパスワードの使用等による不正アクセスが問題となっているが，その行為を禁止する法律は，制定されていない状況にある。

8 「正しい戦争」のつくりかた～情報操作

1992年に始まったボスニア・ヘルツェゴビナ紛争では，セルビア人がボスニアのムスリム人に対して行った，地域からの追い出しや虐殺が「民族浄化（エスニッククレンジング）」という言葉で西欧メディアでさかんに報道されて，「バズワード(マスコミでひんぱんに使用されるキーワード)」となった。それにより,「セルビア人＝悪・加害者，ボスニア＝善・被害者」というイメージが国際世論の中で定着し，その後の展開に決定的な影響を与えていったが，それはボスニア政府と契約を結んだアメリカのPR企業のキャンペーンによるところが大きかった。1999年のコソボ紛争でセルビア人によるアルバニア人の虐殺や人権侵害が繰り返し報道されたのも，同様だった(高木徹『ドキュメント戦争広告代理店　情報操作とボスニア戦争』より)。

1920年代から発展を続けてきたアメリカの広告産業が，ついに「情報」という武器を使って国際社会の舞台に進出し，戦争の行方さえも左右するようになったことが高度情報化社会の現実となった。

その後もアメリカのブッシュ政権とイギリスのブレア政権が，自ら参戦を決めたイラク戦争を正当化するために，大量破壊兵器の存在をねつ造したことで，この種の情報操作の専門企業のことが話題になった。

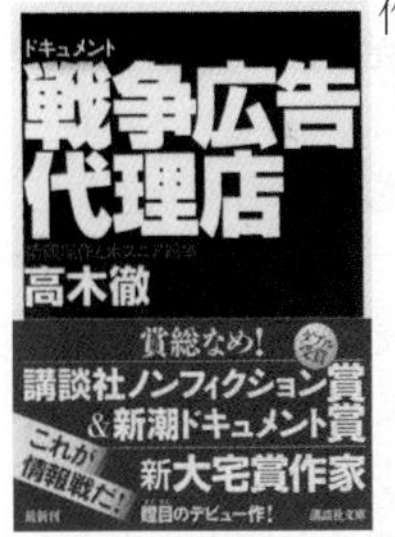

(高木徹『ドキュメント戦争広告代理店　情報操作とボスニア戦争』講談社文庫)

解説 戦争における情報操作は，湾岸戦争（1991年）の頃から指摘されている。現代のいわゆる大衆社会におけるメディアの役割については，十分認識しておくべきだろう。インターネットなどで流される情報も自分自身で分析・判断して（**メディア-リテラシー**をもって）活用しなければならない。

9 ネット依存 中高生93万人

厚生労働省が2017年度，全国の中学・高校103校，約６万４千人を対象にネット依存の危険度についての調査を行った。アメリカなどで使われている評価法を使い，８つの質問のうち５問以上にあてはまると「依存の疑いが強い」と分析した。

その割合は中学生の12.4％（前回6.0％），高校生の16.0％（9.4％）で，全国の中高生数で計算すると93万人と推計された。ネットで使用したサービスでは，男子はオンラインゲームが多く，女子はSNSの利用が多かった。ネット依存に関する８項目のうち，３～４項目に該当すると答えたネット依存予備軍である「不適応使用」の中高生は推計で161万人に上るとしている。

ネット依存の危険度がわかる質問項目
（８項目のうち，５項目以上に当てはまると，ネット依存の疑い）

□ネットに夢中になっていると感じているか
□満足のため使用時間を長くしなければと感じているか
□制限や中止を試みたが，うまくいかないことがたびたびあったか
□使用時間を短くしようとして落ち込みやイライラを感じるか
□使い始めに考えたより長時間続けているか
□ネットで人間関係を台無しにしたことがあるか
□熱中しすぎを隠すため，家族らにうそをついたことがあるか
□問題や絶望，不安から逃げるためにネットを使うか

（『朝日新聞』2018.9.1 など）

解説 資料にあるような日常生活や健康面への影響の他，対人的なコミュニケーション能力の形成などへの影響も懸念される。世界保健機構（WHO）が，オンラインゲームなどをやめられず，日常生活が困難になる「ゲーム障害」を精神疾患の一つとして位置付ける方針を示した。これにたいして，国立病院機構久里浜医療センターの樋口院長は，「治療体制の整備を急ぐ必要がある」と話している。

考えてみよう ネットを使った犯罪やネット心中

互いの顔も，住む街も知らない遠く離れた何人かがネットの掲示板や「裏サイト」などを通じて知り合い，いとも簡単に集団殺人を犯したり集団自殺したりするネット殺人やネット心中。2007年には，「闇サイト」で金目的の犯罪仲間を募集する書き込みを通じて知り合った30代から40代の男性３人が，名古屋市の路上で帰宅途中の31歳のＯＬを拉致して現金約62,000円とキャッシュカードなどを奪ったあと，ロープで首を絞めるなどして殺害するという痛ましい事件もおこった。

また，近年利用者が急増しているスマートフォン向け無料通信アプリ「LINE（ライン）」を使用した犯罪も増えている。「友達募集サイト」を使った犯罪の他，2013年６月には，LINEでの口論の末，LINEの仲間ではあるが被害者とは面識のない者も含む男女７人が，16歳の女子生徒を殺害した容疑で逮捕されるという事件も起こった。

一方，ネット心中による死者は，2005年は91人，2006年は56人におよんだ。「自殺系サイト」で心中「仲間」を募集する呼びかけに応じて見ず知らずの人たちが集まり，集団で自殺をするのであるが，自殺仲間となったあとも，互いのやりとりは決行手段などをめぐるものばかりで，感情的な交流はほとんどみられない。

死ぬということは，この上なく重い決断，行為であるはずなのに，この「軽さ」をどう考えればよいのだろうか。「自殺系サイト」には，自死のためのマニュアルが詳細に書き込まれているものもある。対策として，インターネット規制の必要性もいわれるが，表現の自由との関係以前に，自殺志願者をカウンセリングすることなどを目的として設けられた自殺予防サイトで知り合った人たちによる心中事件もあり，簡単ではない。

○×で答えよう！ 正誤問題にTRY✓ 情報化は，通信や情報のコストを引き下げ，経済効率を高めるが，他方で，情報にアクセスできない人々は不利になる。

5 青年期とは?

TOPICS

自分自身について	自分が 知っている 分かっている	自分が 知らない 分かっていない
他の人が 知っている 分かっている	**開かれた窓** 自分も他の人もよく知っている領域 open self	**見えない窓** 他の人は知っているが，自分は知らない領域 blind self
他の人が 知らない 分かっていない	**隠された窓** 自分ではよく知っているが，他の人は知らない領域 hidden self	**未知の窓** 自分も他の人も知らない領域 unknown self

ジョハリの窓

大人でもない，子どもでもない。

あなたが自分を「子どもだなあ」あるいは「大人だなあ」と思うのはどんなときだろう。自分のことだけでなく，他人のふるまいを見て感じることも挙げてみよう。「子どもだなあ」と思うときとは，「経済的に自立していない」とか「感情をうまくコントロールできない」などが挙がるだろうか。「大人だなあ」と思うときとは，「親とではなく友人と出かけるようになった」とか，「アルバイトをして給料をもらった」などの回答があるのかもしれない。

いずれにしても，高校生は子どもでもあり，大人でもあり，子どもから大人へ移行していく途中の存在であることが浮かび上がってくることだろう。

1 青年期の特徴

マージナル-マン（境界人/周辺人）

ドイツに生まれアメリカに渡った心理学者レヴィンが提唱。青年は，身体的には大人であるが，法的・社会的には子どもとみなされるように，子どもと大人の境界に位置する。

第二次性徴

男性のひげの発毛や声変わり，女性の乳房の発達など，青年期に著しく発達する男女の身体的な特徴のこと。同時に生殖器が生殖機能をもつようになる。これに対して，第一次性徴は生殖器の差である。

心理的離乳

アメリカの心理学者ホリングワースによる。青年期に，とくに親への依存から自立しようとすることを，乳児が幼児食へと移行するようすになぞらえたものである。

第二反抗期

青年期に起こる，大人の提示する価値観に対する反発で，ときに攻撃的・暴力的になることもある。第一反抗期は2～3歳ころに起こる，だだをこねることに代表される反発であり，いずれも自我意識の発達がもたらすものとされる。

2 第二の誕生

わたしたちは，いわば，二回この世に生まれる。一回目は存在するために，二回目は生きるために。はじめは人間に生まれ，つぎには男性か女性に生まれる。女を未完成の男と考える人たちはたしかにまちがっている。けれども外見的な類似を考えればそれは正しい。思春期にいたるまでは，男の子も女の子も，見たところ全然ちがわない。……

しかし男性は，一般に，いつまでも子どもの状態にとどまっているようにつくられていない。自然によって定められた時期にそこからぬけだす。そして，この危機の時代は，かなり短いとはいえ，長く将来に影響をおよぼす。

……これが私の言う第二の誕生である。ここで人間はほんとうに人生に生まれてきて，人間的なにものもかれにとって無縁のものではなくなる。……普通の教育が終わりになるこの時期こそ，まさにわたしたちの教育をはじめなければならない時期だ。

（『エミール』第４編　ルソー・今野一雄訳）

解説　フランスの思想家ルソーは，著書『エミール』のなかで，青年期に起こる身体的・精神的な変化を「第二の誕生」と表現した。ルソーの活躍した18世紀には，現代のように青年期という考え方は存在しなかった。思春期から青年になる時期にともなう課題が先駆的にとらえられている。ルソーはそれを「第二の誕生」といった。

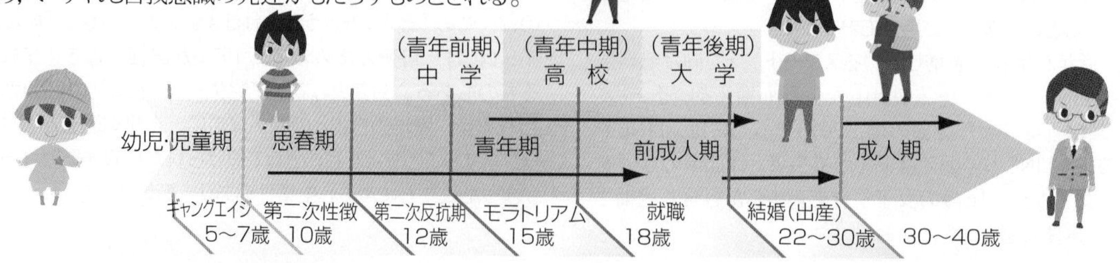

○×で答えよう! 正誤問題にTRY✓　子どもから大人への過渡期である青年期は，ここ数十年の間，日本社会では次第にその期間が長くなってきた。

3 青年期と社会

近代以前の社会では，子どもがある程度成長すると，大人への仲間入りをするための儀式が行われた。こうした儀式を**通過儀礼**（**イニシエーション**）という。

伊勢物語の初段にある「初冠」もこうした儀式に由来することばであり，現代の「成人式」もその名残である。このように，前近代においては子どもと大人の線引きは明確であったと言える。

現代	乳児期	児童期	青年期	成人期（老年期を含む）
近代	乳児期	児童期	青年期	成人期（老年期を含む）
前近代	乳児期	児童期	通過儀礼	成人期（老年期を含む）

これに対して，近代以降の社会では，とくに教育制度の発達によって，身体的には大人であるが社会的には子どもとみなされる時期が生じるようになったとされる。

ただし，青年期を，身体の発達をきっかけに，自分と他人との違いを意識したり，異性に対する興味がめばえたりする時期ととらえるならば，社会にそうした精神的な変化や葛藤がなかったと断じるのはいささか早計なことと思われる。とはいえ，近代以降の社会の変化が青年期という時期をあきらかなものにしたことは確かであろう。

ペンテコスト島の成人の儀式
「ナゴール」バヌアツ政府観光局©

バンジージャンプ

ペンテコスト島で毎年4月～5月のヤムイモの収穫の時期に合わせてやぐらを組んだ20m～30mもの塔の上から足首をつたで縛り，地表へ飛び降りる儀式が成人を迎える男性の儀式（「ナゴール」という）として村の勇敢な男達によって行われている。

Column ユング

スイスの精神分析家ユングは，フロイトの影響を受け，フロイトの提唱した無意識のさらに深い領域に，「**集合的無意識**」があるととらえた。これは個人を超えて人類に共通する無意識の層であり，これによって相互に関連の見られない離れた地域に類似する神話があることなどを説明しようとした。

4 フロイト

意識と無意識

オーストリアの精神分析家フロイトは，心を「**意識**」と「**無意識**」に分けて解釈しようと試みた。

意識と無意識という考え方は，勉強机に例えることができる。

机の上にあるものが意識であり，いま気にかけていることがらである。無意識とは，机の引き出しのようなものである。数学の勉強をしているときには英語の教科書は机の上にないが，必要になれば引き出しから取り出すことができる。

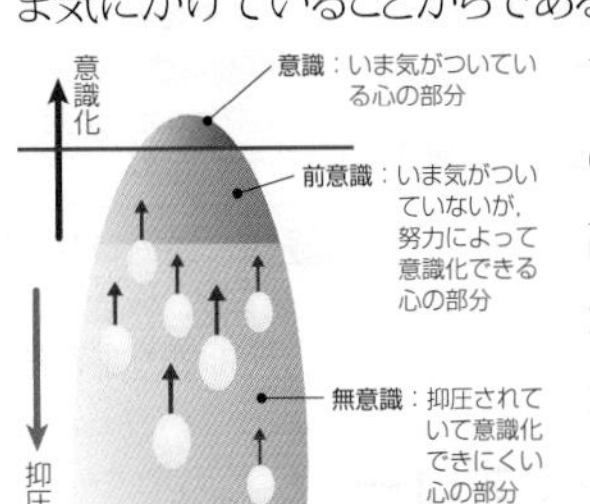

このように，意識化しようと思えば容易にできる領域を，無意識の中でも**前意識**とよぶ。さて，見たくないものや見られると具合の悪いものを引き出しの中に押し込めておいて，入れたことさえ忘れてしまったことはないだろうか。そんなとき，そういうものが引っかかって，引き出しの開閉に不都合を生じることがある。これと同じように，無意識の奥に抑圧した自分にとって不都合な経験の記憶が，ときに行為に影響するという。

自我

フロイトは，精神のあり方に着目し，「**イド（エス）**」・「**超自我**」・「**自我**」の三つから構成されるととらえた。イドとは，人間の本能的なエネルギーである。これに対して，超自我は大人から示された社会規範を内在化させたものである。自我は，この両者を調整して現実に適する行為を導く。これは，人間の発達と深く関わっている。生まれたての子どもは本能的な衝動に従って「やりたいこと」をするが，親からのしつけは「してはいけないこと」を示して衝動を抑えつける。親の言いつけに従っていた子どもは，やがて自分で両者の折り合いを付けたふるまいをするようになる。こうして，おおむね小学校入学以前くらいに三者はひとまず調和するのだが，青年期になると異性への関心の高まりとともに新たな欲求がめばえ，葛藤をもたらす。

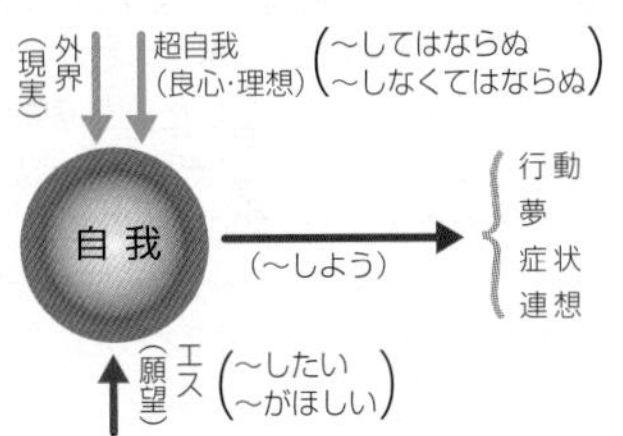

（前田重治『図説臨床精神分析学』誠信書房）

解説 フロイトは，身体的な異常がないのに歩けないなど，それまで不可解とされていた症状を，無意識の深層に抑圧した記憶が関係しているととらえることで理解しようとしたのである。また，自我についての考え方は，エリクソンらに大きな影響を与えた。

○×で答えよう！ 正誤問題にTRY✓ 時代や文化が変化したとしても，青年期の終わりの時期は変わらないとされている。

5 防衛機制

イドと超自我の対立は，「やりたいこと」と「してはいけないこと」の葛藤を引き起こし，心を不安定にする。自我は心を安定させようとしてさまざまな対応を試みる。これが防衛機制である。

防衛機制そのものは誰にでもあることであり，通常は無意識的に行われる。フロイトの分析を受け継いだ娘のアンナ=フロイトは，こうした自我のはたらきが性格形成や問題行動に影響しているととらえた。

かなえがたい欲求
不都合な体験 etc.
例：友人の彼女を
好きになった

合理的解決 ──→ 正直に友人に打ち明ける
理性的に欲求を解決する

近道反応 ──→ やつあたりをする・やけになる
欲求を衝動的に取り除く

失敗反応 ──→ ※場合によっては身体症状が出る
欲求不満を解決できない

防衛機制
思い出したくないこと・気まずいことを抑圧する
そのために…

合理化：もっともらしい理由で正当化する
彼女は性格が悪いに違いないからやめよう，と考える

同一視：優れた他者の特性を自分のものとする
テレビドラマの同じような境遇の人物に自分を重ねる

投影：抑圧した感情を相手のものと考える
自分が好きになったのではなく彼女が好意を寄せたと考える

反動形成：抑圧した感情と反対の行為をする
好きな相手に対して乱暴にふるまう

逃避：不都合な事態に直面するのを避ける
友人やその彼女に会わないようにする

退行：未熟な段階の行動や表現をする
小学生の読む漫画を読みふける

代償：欲求を実現可能な水準に下げる
恋愛をテーマにしたテレビゲームに熱中する

補償：欲求の衝動を別の方面に向ける
それまでサボりがちだった部活動に熱心に参加する

昇華：欲求を社会的に認められるかたちで実現する　恋愛をテーマにした小説を書く

解説　防衛機制は個々人によって用いられ方に傾向があり，性格の一部としてとらえることもできるが，大きな偏りがあったり，自ら振り返って客観的にとらえることができないほど強力にはたらいたりする場合には，病的な問題行動や対人関係の不和などをもたらしうるのである。

6 欲求階層説 〜マズロー

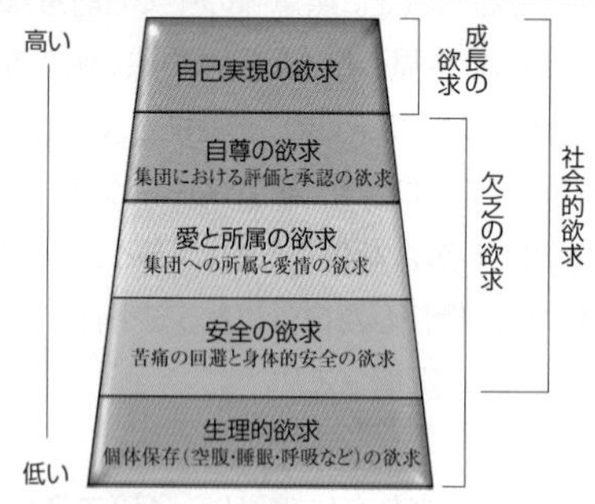

解説　アメリカの心理学者マズローは人間の欲求を5段階にわけ，下位の欲求がある程度満たされなければ上位の欲求が生じないとする欲求階層説を提唱した。生理的欲求から自尊の欲求までは，自分に欠けているからこそ求める「欠乏欲求」であるのに対し，自己実現の欲求は「成長欲求」であり，下位の4つを満たした者が，自己の能力を発揮してさらなる成長を望むものとされる。マズローは両者を質的に違うものととらえ，自己実現の欲求の段階に至る者はごく少数であるとしている。

7 葛藤 〜レヴィンの葛藤の3分類

葛藤の型	具体例	
接近（+）－接近（+）型 二つの好ましい欲求を選ぶ		見たいテレビ番組が同じ時間帯にある
接近（+）－回避（－）型 好ましいものと好ましくないものの欲求から選ぶ		テストでよい点数を取りたいが勉強はしたくない
回避（－）－回避（－）型 二つの好ましくない欲求を選ぶ		勉強はしたくないが親からお説教をされたくない

解説　葛（かずら）や藤（ふじ）などの蔓草がもつれ合うことから，相反する欲求が同時に生じて決めかねることを言う。ドイツに生まれアメリカに渡った心理学者レヴィンは，葛藤を3つに分類している。

8 パーソナリティ

パーソナリティは，個人の持つ行動や思考の特徴であり，一般に「人格」と訳され，その形成過程が分析されたり，類型化が試みられたりしてきた。

パーソナリティの構成要素は研究者によって異なるが，その形成については，遺伝的要因と環境的要因の相互が作用するとされている。

パーソナリティはアイデンティティと似ているようで異なるものである。ひとまず，「自分のパーソナリティを受け入れたり，場合によっては見直したりすることをとおして，自己を意味づけていくことが，アイデンティティの確立につながる」ととらえると，整合性が見られるだろう。

パーソナリティの類型

●ユング

精神的エネルギーが自分の外に向かうことを外向，自分に向くことを内向とし，どちらが優勢であるかによって外向型と内向型に分けられるとした。さらに，心の基本的機能として思考・感情・感覚・直感を挙げ，これらを組み合わせて8つの性格類型を提示した。

外向的思考型	内向的思考型
外向的感覚型	内向的感覚型
外向的感情型	内向的感情型
外向的直感型	内向的直感型

●シュプランガー

人間の生活の中でどのようなことに価値を置くかによって，6つに分類した。

理論人　経済人　審美人　社会人　権力人　宗教人

●オルポートの人格論

人間を単に個々の刺激－反応の要素の集まりとしてではなく，「自己」を中心とした一つの全体的な統一体として考えた。

好きな異性に対して，わざと意地悪く対応したり，冷たく接したりする。これは「昇華」の例である。

9 エリクソン　ライフサイクル論

エリクソンは人生を８つの段階にわけ，それぞれの発達課題を提起した。これらは，「成功」対「失敗」のかたちで示されるが，両者の対立をとおして「成功」の優位な状態で安定していることがめざされる。また，この発達課題は，それに示される対立がその時期に特に顕著になるもの，という意味を持っており，それぞれの課題は他の時期に無関係ではない。ゆえに，それを達成しなければ次の段階に進めないものでもなければ，一度達成されたら二度と直面しないものでもない。

解説　例えば【乳児期】には，全体として「信頼」が優位で安定していれば，課題は達成されていることになる（図参照）。また，【幼児期】では，しつけが，乳児期に養育者との基本的「信頼」が築かれていることが前提となると言えるし，青年期や成人期の課題に向き合ったときのつまずきが，乳児期や幼児期の課題の積み残しに起因していることも考えられる。

	1	2	3	4	5	6	7	8
Ⅰ 乳児期	信頼感 対 不信感							
Ⅱ 幼児期		自律性 対 恥・疑惑						
Ⅲ 遊戯期			自主性 対 罪悪感					
Ⅳ 学童期				勤勉性 対 劣等感				
Ⅴ 青年期					アイデンティティ 対 アイデンティティ拡散			
Ⅵ 成人期						親密性 対 孤立		
Ⅶ 壮年期							世代性 対 停滞期	
Ⅷ 高齢期								総合性 対 絶望

（『若者とアイデンティティ』児美川孝一郎）

乳児期：養育者との間に「基本的信頼」を築く。乳児が母親に抱かれると泣き止むように，自分の安心できる場所を得る。しかし，泣いても放っておかれるような場合には「不信感」がめばえる。

幼児期：排泄のコントロールができるなど，養育者からのしつけをもとに，欲求を抑えることのできる「自律性」がめばえる。うまくいかないと，それを「恥」と思ったり，成長できるのかという「疑惑」が生まれたりする。

遊戯期：しつけによって身についた規範に適応するように欲求をコントロールしながら，自分の意志で行動する「自主性」が育つ。うまく行動できないと「罪悪感」を感じる。

学童期：小学校に入るころから，友人や教師など，家族以外の人間関係が広がる。ここでは，「勤勉性」を発揮することで有能感や達成感を味わうが，それらが得られないと「劣等感」が生まれる。

青年期：それまでは周囲の大人をモデルとして同一視していたが，青年期になると自分について問いはじめ，ほかでもない自分，かけがえのない自分を見つけようとする。しかし，しばしば自分が何者であるかわからなくなる「アイデンティティ拡散」に陥ることもある。

成人期：安定した自分を保ちつつ，他者との「親密性」を築いていく。具体的には，社会人となった青年が，恋愛し，結婚するという過程で顕著になる。失敗すると「孤立」という精神的な危機に至る。

壮年期：「世代性（generativity）」はエリクソンの造語であり，次世代を育てるということであり，具体的には子どもの養育や部下の育成である。これがうまくいかないと，成人としての成熟が「停滞」することになる。

高齢期：自身の人生をふりかえり，よかったことも悪かったことも意味あることとして「統合」する時期である。それが得られないと「絶望」の感覚に陥ることになる。

Column　アイデンティティと青年期

アイデンティティ（「自我（自己）同一性」と訳される）とアイデンティティ拡散の対立は，青年期のみに起こって青年期に完結するものではない。ただ，青年期には身体の発達とともに，異性に対する興味がめばえたり，他者と自分の違いについて考えたりする。また，精神的な成熟により大人の示す価値観に対する疑問も生じてくる。こうしたことから，この対立が青年期にとくに顕著に見られるのである。エリクソンは青年期を，心理・社会的なモラトリアムと位置づけた。元来は経済用語で「支払いの猶予期間」のことであるが，転じて「大人としての義務や責任を猶予された期間」として用いられる。この時期には，その後に引き受けうるさまざまな役割を認めたり拒否したりする「役割実験」が行われるが，そのために社会が青年に比較的自由な時間を与えているととらえているのである。

○×で答えよう！ 正誤問題にTRY✓　「青年期は自己の『アイデンティティ』を模索する時期である」とはレヴィンの言葉である。

6 青年期の課題と若者文化

TOPICS

そうだ！嬉しいんだ生きる喜び
たとえ胸の傷が痛んでも

何の為に生まれて何をして生きるのか
答えられないなんてそんなのは嫌だ！
今を生きることで熱いこころ燃える
だから君は行くんだ微笑んで。

そうだ！嬉しいんだ生きる喜び
たとえ胸の傷が痛んでも。

嗚呼アンパンマン優しい君は
行け！皆の夢守る為

JASRAC 出 1712064-701

「アンパンマンのマーチ」の2番の歌詞には“何が君の幸せ～何をして喜ぶ～解らないまま終わる～そんなのは嫌だ！”とある。自分が何者かわからなくなることを「アイデンティティ拡散」とエリクソンは呼ぶが，かけがえのない自分を見つけ出そうともがく姿が重なるフレーズである。これらは，人生をかけて問い続けるテーマであるかもしれない。

「アンパンマンのマーチ」と青年期の課題

“何の為に生まれて～何をして生きるのか～”という歌詞の曲を，誰もが聞いたことがあるはずだ。哲学者の言葉でもロックミュージックでもない。国民的な絵本・アニメである「アンパンマン」の主題歌「アンパンマンのマーチ」の1フレーズである。

作者はやなせたかしさん。2013年に94歳でその生涯を終えたが，実は晩年に成功した人物である。漫画家を志して上京するも夢かなわず，「何のために生まれてきたのか」と自分に問いかけ続ける中で，「アンパンマン」が大ヒットするのは69歳の時である。

(フレーベル館，1975年)

社会心理学者の周囲の大人をモデルにしていた学童期から自分とは何かを問いはじめる青年期を経て，アイデンティティを確立することが発達課題であるとした。やなせさんは，アイデンティティの問題に直面し続ける中で「アンパンマン」を生み出したのかもしれない。

1 ハヴィガーストの発達課題

●ハヴィガーストの発達段階と発達課題

1．乳幼児期
2．児童期
3．青年期 (1) 同年齢の男女両性との洗練された新しい関係 (2) 自己の身体構造を理解し，男性または女性としての役割を理解すること (3) 両親や他の大人からの情緒的独立 (4) 経済的独立に関する自信の確立 (5) 職業の選択及び準備 (6) 結婚と家庭生活の準備 (7) 市民的資質に必要な知的技能と概念を発達させること(法律，政治機構，経済学，地理学，人間性，あるいは社会制度などの知識，民主主義の問題を処理するために必要な言語と合理的思考を発達させること) (8) 社会的に責任のある行動を求め，かつ成し遂げること (9) 行動の指針としての価値や論理の体系の学習，適切な科学的世界像と調和した良心的価値の確立(実現しうる価値体系をつくる。自己の世界観を持ち，他人と調和しつつ自分の価値体系を守る)
4．壮年初期
5．中年期
6．老年期

解説 エリクソンに先立って人間の発達段階と発達課題について研究したのが，アメリカの心理学者ハヴィガーストである。彼の提唱した課題は，エリクソンのそれとは異なり，具体的な複数の項目から成り立っており，身体的な成熟，社会や文化の要求，個人の価値観の形成という三つの観点から考察されている。

2 青年期を保障するもの

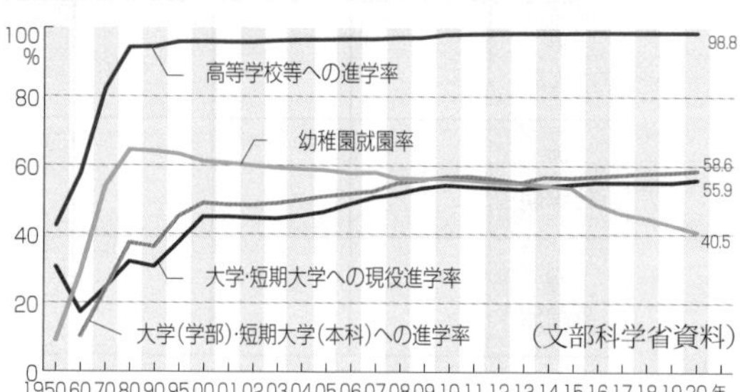

解説 前近代において，青年期がありえなかったのは，教育という社会基盤が十分保障されていなかったからである。働くことを猶予された上で，教育の場と機会が社会全ての者に保障されることによって，初めて青年期が現れるのである。

Column 高学歴化・少子化

青年期が，「身体的には大人であるが，精神的ないし社会的には子どもとみなされる期間」であるならば，青年期の終わりを，就学期間を終えて社会に出るときと考えることができる。近年，青年期が延長していると言われることの一因は，高学歴化の進行であろう。1950年ころにおよそ50%であった高校への進学率は，現在では100%に限りなく近づいている。また，現在の大学進学率はおよそ50%であるが，専門学校などを含めると高校生の70%以上が卒業後に進学している。

こうした高学歴化の背景に，どんなことが考えられるだろうか。社会で求められる知識や技能が高度化していることはもちろんであるが，産業構造の変化とともに，企業に勤めて給与を得る，いわゆるサラリーマンが増加してきたこともあるだろう。また，少子化によって一人の子どもにかけることのできる教育費が増加したことも一因と考えられる。

○×で答えよう！ 正誤問題にTRY✓ 「青年期の発達課題の一つは職業に就く準備をすることである」とはハヴィガーストの言葉である。

3 モラトリアム人間

エリクソンは青年期を，大人としての義務や責任を免除された期間として，**モラトリアム**と表現した。これを受けて，日本の心理学者**小此木啓吾**は，あえて大人になろうとしない若者の心理的傾向を「**モラトリアム人間**」として分析した。留年を繰り返して社会に出ようとしない大学生や，責任がのしかかることを避けてあえてアルバイトとして就職することなどが，モラトリアム人間の例として挙げられる。

こうしたことは，本人の自立という側面だけでなく，少子高齢社会となった現在の日本では，高齢者を支える労働力人口にある層がその役割を果たしていないとして問題視される。しかし，それを「甘え」や「逃避」として責めるばかりでは，状況は好転しない。そうした状況にある若者は，「社会人として自立しなければならないのはわかっている。しかし，自分が自立できるかどうかに自信がない」という葛藤を抱えているかもしれない。

カナダの心理学者**バンデューラ**の表現を借りれば，「やればできる」という結果期待があっても，「自分がそれをできる」という効力期待が伴わなければならないのである。このような自己効力感を得るためには，**成功体験**を積み重ねることが大切である。

解説 「千里の道も一歩から」ということわざがある。まず一歩めを踏み出さないことには何もはじまらない。しかし，千里を歩く覚悟を決めて一歩めを踏み出すことも勇気のいることだ。あなたが一歩めを踏み出せないでいるならば，少し先を行く身近な人を目標にしてみてはどうだろうか。また，あなたがそういう人を見かけたならば，一緒に歩こうと励ましてあげてほしい。そうした他者の励ましもまた，自己効力感につながるのだから。

このような若者たちの特徴としてつぎの五つがあげられる。①「お客様」意識をもち続けていつまでも社会に対して責任をとろうとしない。②将来の自分の可能性をつねに留保しておくために，特定の組織や集団にかかわることをさける。③アイデンティティの確立に際してさけられないはずの「あれか，これか」といった選択をさけて「あれも，これも」と欲ばるため，具体的な出来事に対して確固とした対応ができない。④社会によって責任を猶予されているという意識が薄く，あたかも権利であるかのように自己のおかれた立場を正当化する。⑤友人関係においても，社会に対しても一時的にしかかかわらない。彼らにとって，現在の自分は「仮のもの」であって「本当の自分」は常に未来のものとして大切に保存されているのである。

（小此木啓吾『モラトリアム人間の時代』）

4 今どきの若い者は？

「今どきの若者は」という表現は，時代を超えて使われているようだ。大人から見ると奇抜に見えるファッションに身を包み，場所はその時代によって変わるものの，「若者の聖地」とされる場所に集う。そうした光景が繰り返されていることからは，若者が常に既存の価値観とは異なるものに興味を示し，新しい文化を創造していっているとも考えられる。

また，ファッションや音楽などの流行を追うことによって，同時代をリードする人物に自分を重ね合わせる若者も多い。

さて，あなたは大人になったとき，その時代の若者に対して「今どきの若い者は」と言うのだろうか。

1950年代：既存の秩序に反発して奔放にふるまう若者が，石原慎太郎の小説「太陽の季節」（1955年）になぞらえ，「太陽族」と言われた。

1960年代：1964年の夏，銀座のみゆき通りに集った若者が「みゆき族」と呼ばれた。同年のオリンピック開催に伴い，風紀向上のために警察が補導に乗り出した。みゆき通りをぶらつく若者たち 1964年9月　東京・銀座

1970年代：女性向けファッション誌「an・an」「non-no」が創刊され，これらに掲載された観光情報をもとに旅行をする女性たちが「アンノン族」と言われた。

1980年代：原宿の竹下通りに若者が集い，路上で踊るなどして話題となった。流行の洋品店「ブティック竹の子」から「竹の子族」と呼ばれた。

1990年代：バブル期
ボディコンお立ち台
2000年代：ガングロファッション

解説 「実年者は，今どきの若い者などということを絶対に言うな。なぜなら，われわれ実年者が若かった時に同じことを言われたはずだ。今どきの若者は全くしょうがない，年長者に対して礼儀を知らぬ，道で会っても挨拶もしない，いったい日本はどうなるのだ，などと言われたものだ。その若者が，こうして年を取ったまでだ。だから，実年者は若者が何をしたか，などと言うな。何ができるか，とその可能性を発見してやってくれ。」と山本五十六（太平洋戦争中の日本海軍軍人）も言っている。

倫理編

○×で答えよう！ 正誤問題にTRY✓ エリクソンは，青年が大人としての社会的責任や義務の履行を社会から猶予されている期間のことを，心理・社会的なモラトリアムと呼んだ。

テーマ学習　若者が求めるもの　～君たちはどう思うか?～

倫理編

●若者の考え方についての調査

2017年に内閣府が15歳から29歳までの男女計10000人を対象に「仕事」などについての意識調査を行った。それによると，仕事については「収入を得るため」のものと考えている割合が最も高く，仕事を選ぶ上で「収入が多い」ことを重視する傾向もうかがえる。しかし，同じ調査で，40歳くらいになったときに「お金持ちになっている」と予想している人は少ない。それでも，40歳くらいの自分は「幸せになっている」だろうと考えている人は多い。

これを解釈するひとつの仮説は，「現代の若者は仕事で高収入を得ることだけが幸せとは，必ずしも考えていない」というものである。同じ調査のなかで，「仕事よりも家庭を大切にする」と答えた人が過半数におよんだことも，この仮説の妥当性を裏付けるものととらえられるだろう。

かつて，家庭をかえりみずに仕事に打ち込むことがひとつの美徳とされた時代があった。もちろん，そうしたことが日本の経済発展を支えたという一面はある。反面で，それが今日でも，家庭の事情で仕事を停滞させることを快く思わない風潮や，そうしたことに遠慮を感じざるを得ない状況を生み出している部分もある。

しかし，現在では家族のあり方が変化し，また男性も女性もそれぞれの能力を社会のなかで発揮していくことが求められている。男女雇用機会均等法や男女共同参画社会基本法が制定され，また男女ともに育児・介護休業が認められているが，こうした法律や制度の理念に賛同する人が多くならなければ，これらは形骸化してしまう。

そうした意味で，この調査に見られる若者像は肯定的にとらえられていると言えるだろう。君たちはどう考えるだろうか。

将来の自分の姿

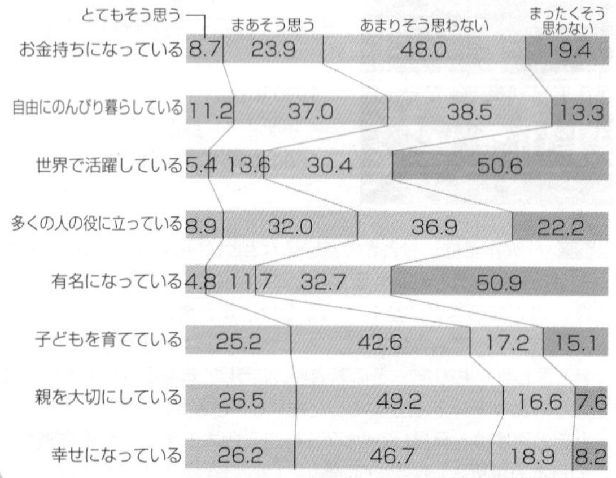

仕事の目的

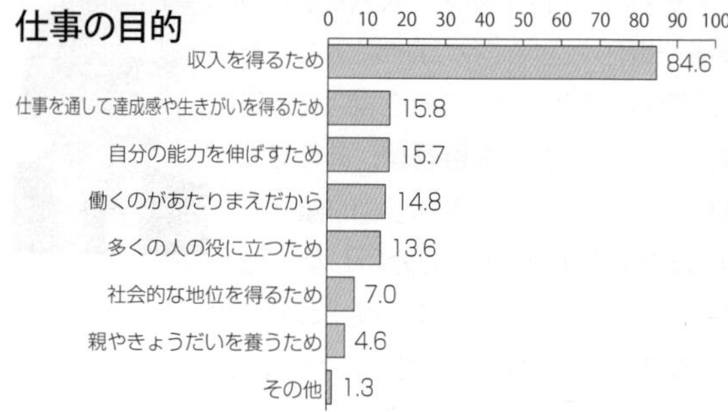

仕事を選ぶ理由

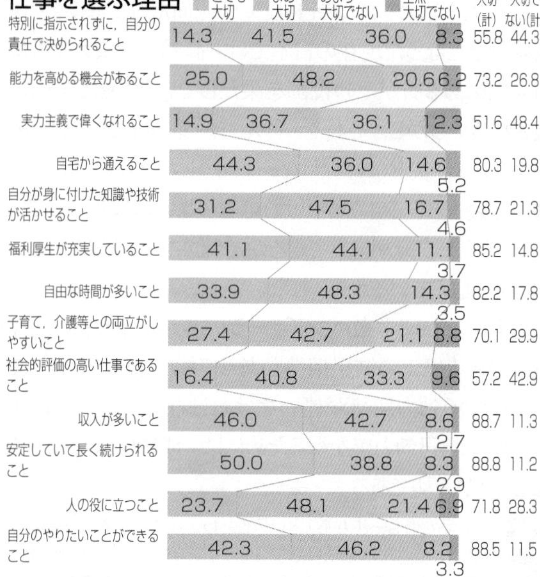

仕事と家庭のバランス

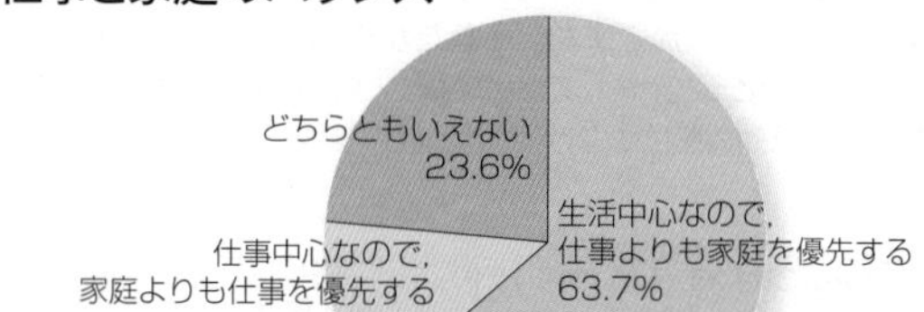

仕事と家庭との関係

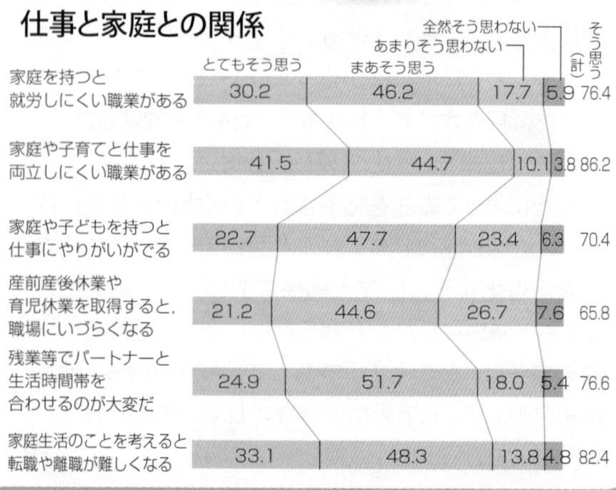

○×で答えよう! 正誤問題にTRY✓　青年期には自分の生き方の中心となる価値観を作る力量を獲得する。

5 若者文化の広がり

1983年に発売された家庭用ゲーム機「ファミリーコンピュータ」は，またたく間に人気を博し，アメリカやヨーロッパでも発売されるにいたった。次々とゲームのソフトウェアが発売され，人気のあるゲームを発売日に入手するために学校を休んで列に並んだとして，多くの小中学生，高校生が補導されたという事件も起きたほどであった。

1990年ころには，持ち歩きのできる携帯型のゲーム機も普及し，ラジオやテレビがその道を辿ったように，ゲーム機は一家に一台から一人一台のものになった。また，2000年ころには，いわゆるIT革命の進展とともに，家庭用ゲーム機をインターネット回線に接続し，ゲームによって作られる仮想世界で他人との交流ができるようになった。

現在では，家庭用コンピューターの普及とともにゲーム専用機そのものの販売台数は伸び悩んでいる部分もあるが，ゲームの人気は衰えていない。

解説 ファミコン世代が大人になってもゲームの世界に残留しているだけでなく，大人になってからゲームに参入している人もいることだろう。以前は「子どものおもちゃ」とみなされていたゲームが，現在では大人も楽しむものになっている。いずれにしても，子どもたちの文化が大人を巻き込んで広がっていくことがあることを示している事例である。

6 若者ことば 〜言語の破壊か創造か〜

「キモい」とか「なにげに」という表現が，ある程度認知されるようになった。本来の意味からすれば，「きもちわるい」「なにげなく」という否定の部分が大切なはずだが，そこが略されていて意味が通るのが不思議に思える。

こうしたことは，しばしば日本語の乱れとして批判される。たしかに，ことばを使ったコミュニケーションでは，話す・書く人と，聞く・読む人の間で意味や文法が共通のものであることが前提となるのだから，それを無視するわけにはいかない。その意味では，ことばの正しい使い方を学ぶことは，誤解を避け，相手に不快感を与えないために必要なことであるのは間違いない。

しかし，一方で，ことばは時代とともに変化するものであるという立場から，新しいことばの使い方を容認すべきとする意見もある。たとえば，「盛る」という表現は，化粧や髪型などを派手にすることを指して使われるようになり，さらには，話を大げさにすることにも使われるようになった。従来にはない用法ではあるが，使い手の意図は伝わってくるように思われる。

若者の会話から，さまざまなことばが作り出される。一時の流行で終わるものもあれば，一般に広まっていくものもある。それが「破壊」なのか「創造」なのかは，評価の分かれるところである。いずれにしても，社会のなかでの若者の位置づけを考えるきっかけを与えてくれる，身近な例のひとつであると言えるだろう。

Column 「プア充」という生き方

会社に縛られずにそこそこ働き，年収300万円ぐらいで自分の生活を充実させていく――宗教学者の島田裕巳はそうした生き方を「プア充」と名づけ，推奨している。

たしかに，こんにちでは食料品や衣料品などの低価格化が進み，所得が多くなくても生活ができる環境がある。また，映画館に行かずにDVDをレンタルして家で楽しむとか，ドライブではなくハイキングに行くとか，お金をかけずに楽しむ方法はいくらでもある。こうした生き方への是否はおくとしても，この提言を肯定的に受け止める若者はそれなりに存在することだろう。つまり，不況のなかで学生時代を過ごし，就職活動に苦労した世代が，たとえそれなりの所得があったとしても，それを消費に回さず蓄えておくことが賢明だという判断をしても不思議はないのである。

終身雇用や年功制賃金があたり前だった時代には，欲しいものを手に入れるためにローンを組むことにも抵抗はなかったかもしれない。しかし，こんにちではそうした雇用慣行が見直され，将来の収入の見通しが立てにくいのも事実である。そう考えると，収入の増加を望むよりも，現在の収入のなかで，できる限り無駄を省いた生活をしていくという，いわば消費活動のダウンサイジングが求められているのかもしれない。

一方で，消費活動に消極的な姿勢は自らの首を絞めることにつながるという指摘もある。消費の落ち込みは企業の利潤を減少させ，労働者の給与は抑えられる。企業が低価格の商品を提供するために，人件費の安い海外に生産の拠点を移せば，国内の雇用も縮小する。消費活動のダウンサイジングは，結果として所得の伸び悩みや雇用の不安定化を招くとも考えられるのである。

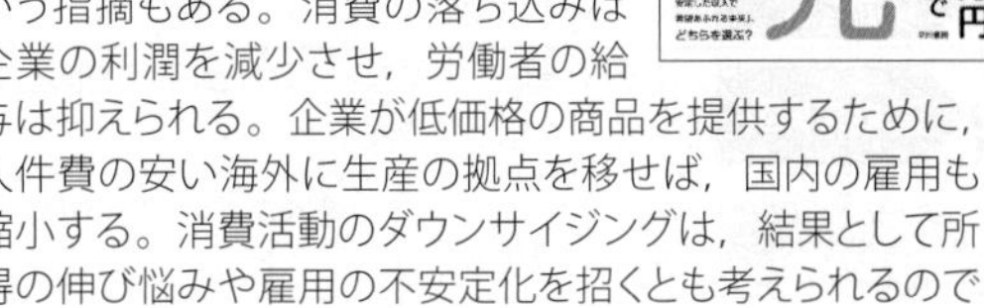

もちろん，消費活動に対してどのような姿勢をとるかは，若者だけの問題ではない。ただ，各人の価値観にもとづいた自由な活動の積み重ねが，総体として経済の動向を左右していることを考えると，わたしたちは好むと好まざるとに関わらず，社会とかかわり合って生きているということを再確認させられるのではないだろうか。

○×で答えよう! 正誤問題にTRY✓ 若者たちのアイデンティティの形成には，アニメやロックミュージックのようなサブカルチャーが影響を与えている。

7 働くことと社会参加

TOPICS

ボランティア活動

東日本大震災で泥出しのボランティア作業を行う高校生(2011年5月)

ボランティア活動は「個人の自発的な意思に基づく自主的な活動であり，活動者個人の自己実現への欲求や社会参加意欲が充足されるだけでなく，社会においてはその活動の広がりによって社会貢献，福祉活動等への関心が高まり，様々な構成員がともに支え合い，交流する地域社会づくりが進むなど，大きな意義を持つ」(厚生労働省ホームページより)という。

ボランティア活動は原則として自発性，無償性，利他性，先駆性の４つが挙げられる。1980年代以降になると無償性を柔軟に考え，実費の弁済や一定の謝礼を受ける有償ボランティアが受容されている。

日本では1995年1月17日に発生した阪神・淡路大震災を契機にボランティア活動が広まり，「ボランティア元年」と呼ばれた。その後，1998年には特定非営利活動促進法(NPO法)が制定された。

また，生徒や学生が自発的な意思に基づいて一定の期間，社会奉仕活動を体験するサービスラーニングがある。市民としての責任や，地域への貢献を育むことを目標とする。

1 フリーターの類型 やりたいことがない？

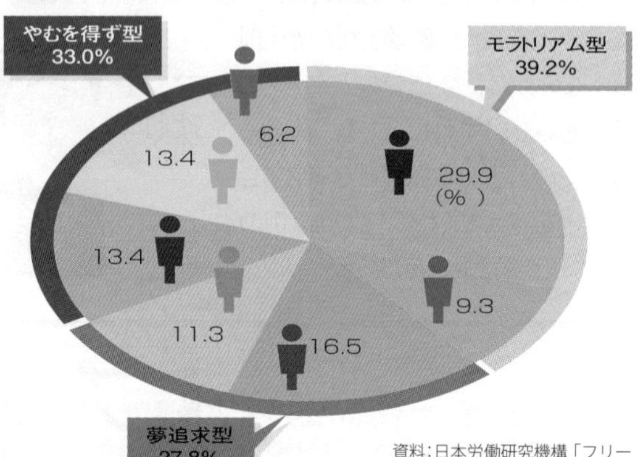

資料：日本労働研究機構「フリーターの意識と実態」

離学モラトリアム型	職業や将来に見通しを持たずに教育機関を中退・終了し，フリーターとなったタイプ
離職モラトリアム型	離職時に当初の見通しがはっきりしないままフリーターとなったタイプ
芸能志向型	バンドや演劇，俳優など，芸能関係を志向してフリーターとなったタイプ
職人・フリーランス型	ケーキ職人，バーテンダー，脚本家など自分の技能・技術で身を立てる職業を志向してフリーターとなったタイプ
正規雇用志向型	正規雇用を志向しつつフリーターとなったタイプ，特定の職業に参入機会を待っていたタイプ，および比較的正社員に近い派遣を選んだタイプ
期間限定型	学費稼ぎのため，または次の入学時期や就職時期までといった期間限定の見通しを持ってフリーターとなったタイプ
プライベート・トラブル型	本人や家族の病気，事業の倒産，異性関係などのトラブルが契機となってフリーターとなったタイプ

2 フリーターを考える

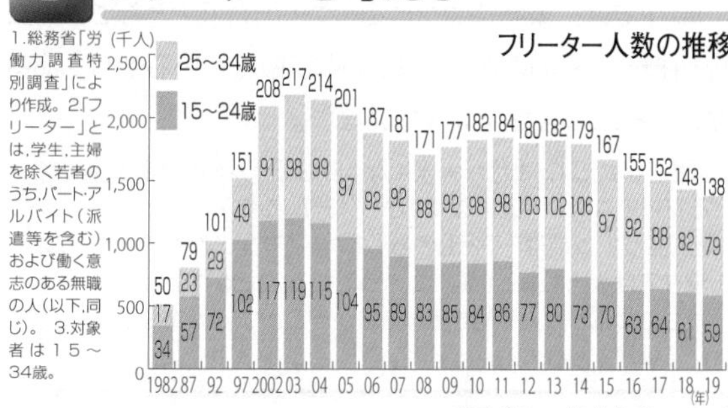

1.総務省「労働力調査特別調査」により作成。2.「フリーター」とは，学生，主婦を除く若者のうち，パート･アルバイト(派遣等を含む)および働く意志のある無職の人(以下，同じ)。 3.対象者は15～34歳。

(『子ども・若者白書』2020)

高校・大学を卒業後，正規社員として就職せずに，アルバイトをしながら生活する「フリーター」と呼ばれる若者が急増している。フリーターの類型をみると，「やりたいことがみつからない」という理由でフリーターをしている場合や，近年の不況で，やむをえずフリーターとなっている人など様々である。フリーターは労働条件が悪いだけではなく，若い時に身に付けるべき基礎的な職業能力がもてないという，労働力の質の低下も懸念されている。

解説 日本の完全失業率は，2002年の5.4%をピークに低下に転じ07年度は3.9%となったが，アルバイトやパートなどの「非正規社員」の割合が，全勤労者の３分の１をこえた。自由な労働時間の選択や特定の技能を生かせる側面もあるが，長引く不況で正規社員としての雇用をのぞむ労働者も増えている。企業は，不況の中で正規社員のリストラをすすめ，低コストで雇用調整が比較的容易な「非正規社員」にたよらざるをえない側面がある。とくに，卸売業・小売業・飲食店では従業員の４割以上がアルバイト・パートによって占められている。正規社員ではないので，労働条件が不利であり，雇用保険の対象外になるなどの問題が多い。

○×で答えよう! 正誤問題にTRY✓ 経済的自立を求める志向が強まり，大学を卒業した後に進学も就職もしない者の割合は減ってきている。

3 ニート(NEET)を考える –若年の雇用問題の解決に向けて

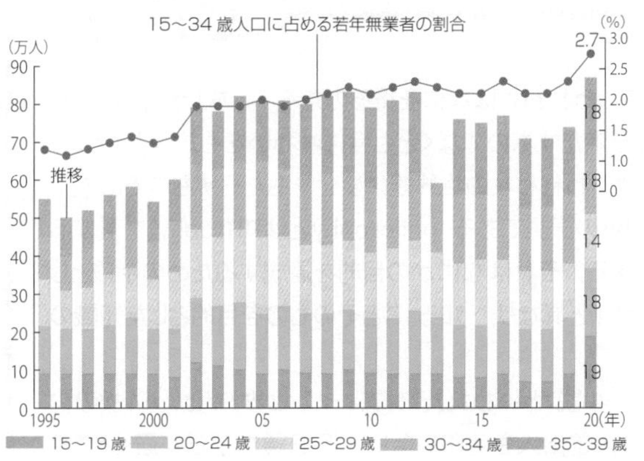

(『子ども・若者白書』2021)

ニートとは，“Not in Employment, Education or Training”（教育も職業訓練も受けていない無職の人)の略語である。内閣府の2017「子ども・若者白書」によると，2016年における15歳～34歳の若年無業者(ニート)は77万人となった。また,「自分の趣味に関する用事の時だけ外出し，普段は家にいる」という広義のひきこもりは54.1万人と推計された。若年層を中心に依然として厳しい雇用環境が続くなか，雇用の改善に加え，精神的なケアや社会とのつながりを支援する仕組み作りが必要と言えそうだ。

解説 完全失業率や非正規雇用率の高さ,若年無業者の存在など「学校から社会・職業への移行」が円滑に行われていないことが挙げられる。また,職業意識・職業観が未熟なこと,進路意識・目的意識が希薄なまま進学する者の増加など,若者の「社会的・職業的自立」に向けた課題がみられる。これらの原因・背景には,産業構造や就業構造の変化など社会全体を通じた構造的問題が存在しており,社会が一体となった対応が必要である。現在高校生にむけた「高等学校就職支援教員」(ジョブ・サポート・ティーチャー)やジョブサポーターなどの設置，その他ジョブカフェやトライアル雇用制度,農林漁業への就業促進などが取り組まれている。

浅草・羽子板市を前に最後の仕上げに忙しい「江戸勝水野」の職人さん（埼玉・春日部市）

全日空グループの女性パイロットたち(2009年3月)

4 地域における女性の活躍

【事例】特定非営利活動法人　わははネット(香川県)

■活動内容

地域ぐるみの子育てを実現するため,日曜パパひろば,子連れ父ちゃんはじめてのおつかいプロジェクト等,父親の育児への意識啓発のイベントや,結婚前の若者たちを対象に,小さな子どものいる家庭へホームステイ事業等を実施するなど,新しい子育て支援企画を多数実施。

■活動の経緯・特徴

代表者が出産した際,親同士が同じ悩みを話し合う場を持つことの必要性や地元に密着した育児情報の収集の難しさを痛感し,平成10年に育児サークルから発展させる形で会を発足させた。(中略)平成14年に,特定非営利活動法人わははネットとして香川県より認証を受け,その後,坂出市,高松市の委託により地元の商店街に,親子の憩いの広場「わははひろば」を開設,様々な事業を展開している。(中略)

■活動の効果

情報発信を通じて地域の子育て支援に大きく貢献しているほか,様々な主体と協働した事業を展開することにより,企業等を含め,地域全体の育児支援への関心が向上するなどの効果がみられている。(『男女共同参画社会白書』2008)

解説 1999年に「男女共同参画社会基本法」が制定された。この法律では,男女が社会の対等な構成員として,あらゆる分野の活動に参画する機会を確保し,男女が均等に利益を享受するとともに責任を担う男女共同参画社会を形成するための基本方針や理念を示している。なお,この法律に基づいて,政府は2005年に「男女共同参画基本計画(第2次)」を閣議決定し,12の重点分野を掲げた。その中には,仕事と生活の調和(ワーク・ライフ・バランス)を図る仕事と家庭の両立支援,多様なライフスタイルに対応した子育て支援の充実,地域社会への男女の共同参画の促進などを盛り込んでいる。

Column 労働形態を知ろう

■**正社員**：一般的には社員。期間を定めずに契約するもので，通常は定年まで勤務することが可能。

■**契約社員**：半年契約・1年契約など，雇用期間を定めて勤務する形態。

■**アルバイト・パート**：一般的には正社員に比べて，1週間の労働時間，または1ケ月の勤務日が少ない勤務形態。

■**派遣社員**：派遣会社と雇用契約を結び，派遣会社が紹介した企業などで，そこの指揮命令を受けて勤務する形態。

■**請負社員**：請負会社と雇用契約を結び，請負先である企業や工場などで勤務する形態。派遣とは違い，この場合の指揮命令は請負会社からになる。

倫理編

○×で答えよう! 正誤問題にTRY✓ 男女雇用機会均等法は，女性の時間外・休日労働を禁止している。

8 哲学について考える

TOPICS

知を愛すること

『ソフィーの世界』(日本放送出版協会 1995年)

学ぶことによって，われわれはなにを得るのだろう。ちょうど，鍋や釜はそれ自体が空腹を満たすものでなくとも食に味わいをもたらすように，「学ぶ」という行為は，われわれの世界観に変化をもたらすものである。

哲学はphilosophyの訳語である。philosophyとは知(sophy)を愛する(philo)ことを意味する。それはなにかの目的を達成するための手段としての知識である処世術と異なり，「知る」ことそのものを目的とした知識の探求である。

「哲学ファンタジー小説」といわれた『ソフィーの世界』では，14歳の少女ソフィーのもとに，差出人も消印もない，不思議な手紙が届くところから物語がはじまる。はじめの手紙には「あなたはだれ?」と，次の手紙には「世界はどこからきた?」とだけ書かれている。

人を哲学に導くものは，自分の住んでいる世界はどのように変化しているのだろう，とか，世界の根源はなんなのだろう，といった自然に対する驚きと，自分はなぜここにいるのだろう，自分はいったいなにものなのだろう，という自分に対する懐疑の気持ちであると言われる。

日常生活の中で，世界があるということ，そして自分がいるということは，ごくあたりまえのこととして見過ごされている。しかし，いざ考えてみると，ソフィーにつきつけられた問いに対する答えは容易に出てこないのではないだろうか。

1 ギリシャの自然哲学

哲学のはじまりは，紀元前6世紀のギリシャであるとされる。

イオニア地方のミレトスに生まれたタレス(右図)は「万物の根源は水である」という自然観を展開し，天文学においては紀元前585年の日食を予言した。それ以前には，自然物に霊魂が宿るとするアニミズムや，自然現象は神の営みであるとする神話的世界観で世界が説明されていた。それに対してタレスは人間の理性によって自然の本質を探究しようとしたことから，後世のアリストテレスはタレスを「哲学の祖」と称した。

また，タレスをはじめとする，自然界における万物の根源を探究の対象とした哲学を「自然哲学」という。

Column 自然哲学者

タレス
「万物の根源は水である」とした，「哲学の祖」とされる思想家。

ヘラクレイトス
事物の生成変化に着目して「万物は流転する」と唱え，根源的物質として「火」を挙げた。

パルメニデス
「有るもの」のみが存在すると唱え，事物の生成変化を否定した。

エンペドクレス
土・水・火・空気の四元素が，愛憎によって離合集散することで現象が生じると考えた。

デモクリトス
「アトム」という，それ以上分割することのできない根源的物質の存在を認めて原子論を展開した。

当時のギリシャでは，ポリスとよばれる都市国家が生活の基盤となっていた。ポリスは，丘の上の神殿とその眼下の広場(アゴラ)，それをとりまく住宅地，耕作地といった具合に同心円状になっており，広場が市民の社交の場になっていた。政治的には直接民主制がとられていたが，参政権があるのは「成人男子市民」であり，農耕作業は奴隷の労働とされていた。ゆえに市民層には自由な時間があり，さまざまな思索にふけることができたのである。ちなみに，英語のschoolの語源になったscholeは，ギリシャ語で「ヒマ」を意味する。

○×で答えよう! 正誤問題にTRY✓ ソフィストは，民会や法廷で人々を説得するための弁論術を特に重視した。

2 無知の知ーソクラテス

ギリシャでは，民主政治を通じて自然（フュシス）だけでなく人為（ノモス）への関心も高まった。この時代には，人びとに政治の知識や弁論の技術を教える職業教師が現れ，知者（ソフィスト）とよばれた。しかし，彼らは次第に詭弁家という性格を強め，ポリスは混乱した。

ソクラテスの友人カイレフォンは，デルフォイのアポロン神殿で「ソクラテスよりも賢い者はいない」という神託を受けた。ソクラテスはその真意を確かめるために，知者とされている人々と**問答**を繰り返した。

知者たちは各々の専門分野についての知識はもっていたものの，それだけではソクラテスが求める善美のことがらについて何かを知っているということにはならない。なのに知者たちはあたかもすべてを知っているかのように錯覚している。これに対して**ソクラテスは，自らが無知であるということを自覚している**。ゆえに，両者とも善美のことがらについては何も知らないが，それを自覚しているという点でソクラテスがまさっていることになる。

ソクラテスは神託の意味をこのように解釈し，デルフォイの神殿に刻まれた箴言である**「汝自らを知れ」**ということばをモットーとして，**自らの無知を自覚して謙虚に真理を探究すること**を説いた。

解説 彼は，人間の徳，すなわち人間そのもののよさを魂のよさととらえ，「魂への配慮」を説く。魂のよさは知恵を追い求めることによって実現されるもの（知徳合一）であり，知恵は実際の行為に結びつくもの（知行合一）でなければならない。そして，人間の幸福は徳を備えることによって実現されるもの（福徳一致）であると考えた。

human being

ソクラテス

（前 470 ころ〜前 399）

古代ギリシャの哲学者。頑強な肉体をもち，ペロポンネソス戦争に３度従軍している。無知の知の自覚をもとに，アテネ市民に知的探究をとおして魂をより善くせよと説いたが，政治的抗争のなかで告訴され，死刑の宣告をうけた。脱獄を勧める友人に対し，悪法といえどもそれを破ることは魂を汚すこととして，「ただ生きるより善く生きる」という自らの信念にもとづき，毒杯を仰いで刑死した。自身は著書を残さず，彼の思想はおもに弟子のプラトンの著作を通じて伝えられる。

3 イデア論ープラトン

プラトンは，現象界の事物を不完全なものであるとし，その根源としての**イデア**が存在すると考えた。

たとえば，数学で定義されている「直線」は，長さをもっていながら幅を持たない。しかし，われわれが書く直線は，どんなに細い筆記具をつかっても，拡大すれば必ず幅を持つのであり，定義どおりの直線は書くことができず，ただわれわれがそれを「考える」ことができるだけである。ではなぜそれを「考える」ことができるのかというと，われわれの魂はもともとイデアの世界である英知界に存在していたが，肉体と結びつくことによって現象界に存在するようになったのであり，ゆえに英知界で見たイデアを「想起する」ことができるとプラトンは考えた。

また，英知界のイデアをイデアたらしめる最高のイデアを「**善のイデア**」とし，人間はイデアを憧れ求める愛情をもつという。このことは，善美のことがらを追い求めることによって人間の徳が実現するというソクラテスの思想を受け継ぎ，発展させたものと見てよいだろう。

プラトンはさらに，魂を理性・意志（または「気概」）・欲望の３つに分け，これらがそれぞれ，知恵・勇気・節制の徳を得たとき，第四の徳としての正義が実現するとした。言い換えれば，理性が知恵をもつことで，意志を勇気あるものに，欲望を節制の効いたものにコントロールできたときに人間としての正義が実現するということである。また，国家を大きな魂ととらえた場合，理性・意志・欲望はそれぞれ統治者・防衛者・生産者の各階級に相当するとし，統治者が知恵を得て，防衛者を勇気あるものに，生産者を節制の効いたものに統制したときに国家の正義が実現するとした。ゆえに，統治者が身につけるべきは知恵であり，統治者が哲学をするか，哲学者が統治するかによってなされる哲人政治を理想とした。これは，ソクラテスを思い描いたものである。

human being

プラトン

（前 427 〜前 347）

ソクラテスの弟子。名門貴族の家に生まれ，政治家を志すが，師ソクラテスを刑死させたアテネの民主政治に絶望し，哲学の道に進んだ。のちに，アテネ郊外に学園アカデメイアを設立。学園の入り口に「幾何学を理解しない者は入学させない」と書いてあり，論理的思考力が重視されたといわれる。

倫理編

○×で答えよう！ 正誤問題にTRY✓ プラトンは，不変の本質から成るイデア界が感覚的な世界を超えた所に存在すると主張した。

4 形相と質料ーアリストテレス

プラトンがイデア論に基づく理想主義を唱えたのに対し，アリストテレスは現実主義の立場にたった。

彼によれば，現実の存在はプラトンのイデアにあたる本質としての**形相（エイドス）**と素材としての**質料（ヒュレー）**からなるが，形相は現実の事物のなかに存在すると考えた。

たとえば，「花の種」と「花」を考えた場合，プラトンのイデア論にもとづけば，「種のイデア」と「花のイデア」が別個にあることになり種から花への変化は説明されないが，アリストテレスは，種や養分を質料として花という形相が実現されたと考えた。また，質料としての種は，花という形相が実現する可能性をもった可能態であり，花はその形相が実現した現実態であるといえる。

また，人間の生活を享楽的生活・政治的生活・観想的生活の三つに分け，観想的生活を人間にとっての幸福な，かつ最高善の生活と位置づけた。人間の徳については，観想的生活によって実現される知性的徳と，それによって導かれる倫理的徳に分類した。倫理的徳とは，よい行為の繰り返しが性格となって身につくものであり，習性的徳，または性格的徳とも訳される。たとえば，アリストテレスにおいて倫理的徳の一つとされる勇気は，臆病と向こう見ずの間にあり，節制はケチと無駄遣いの間にあるのであり，その中庸は知性的徳にもとづく判断の繰り返しで得られる。

human being

アリストテレス
（前 384 ～前 322）

マケドニア王の侍医の子として生まれる。プラトンのアカデメイアに学び，アレクサンドロス大王の幼少期に家庭教師をした。学園リュケイオンを開き，弟子たちとともに回廊（ペリパトス）を散歩しながら哲学を講じたことから，ペリパトス（逍遙）学派と呼ばれた。研究領域は哲学，政治学，自然学，生物学など多岐にわたっており，万学の祖とされる。道徳論や国家論についても現実主義的であり，必然的なものとしての知性的徳とともに，習慣をとおして過不足の極端を避けた中庸を選びとる倫理的徳を重視した。「人間はポリス的生活を営む動物である」ということばに見られるように，ポリスと個人の結びつきを重視したところにも，ポリス社会を肯定する現実主義的な側面を見ることができる。

5 中国の思想ー諸子百家

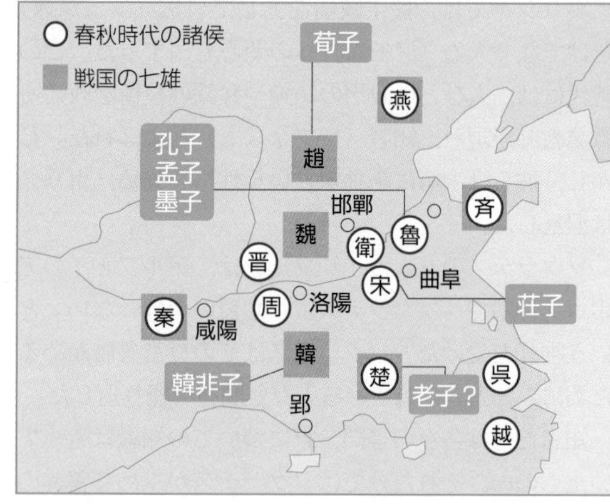

春秋戦国時代の中国と思想家

●おもな学派とその思想

儒家	主観的な仁と客観的な礼を中心とした修養
墨家	兼愛・非攻
法家	法治主義
兵家	実践的戦術
名家	弁論と論理
農家	農業社会の実現
縦横家	外交政策
陰陽家	陰陽五行説
道家	道（タオ）に従った生き方

解説 周王朝が崩れ，諸侯が互いに抗争した春秋戦国時代には，社会のあり方について考え，各国に政治的・戦略的な助言を与える思想家が活躍した。それらは，多くの思想家，数々の学派という意味で諸子百家と総称される。

human being

孔子
（前 551 ころ～前 479）

春秋時代の末期に魯の国に生まれる。周王朝の政治を理想とし，その原理とされた客観的・形式的なものである礼に，主観的・精神的な道徳性としての仁をそなえることを説いた。政治論としては，仁の徳を具えた君子がおさめる徳治主義を理想としたが，理想主義的であるとして諸侯に受け入れられることはなかった。『論語』は孔子の言行を弟子たちがまとめたものである。

子曰く，学びて時に之を習う，亦説（よろこ）ばしからずや。朋遠方より来たる有り，亦楽しからずや。人知らずして慍みず，亦君子ならずや。（学而）

○×で答えよう！ 正誤問題にTRY✓ アリストテレスの形相と質料は机の機能や構造と，机の素材となる木材の関係である。

6 仁と礼－孔子

孔子は，形式的かつ客観的な社会規範である礼を重視し，その精神的な裏付けとしての仁を説いた。仁についての言及は多様であり，一義的に定義されていないが，一般的には，肉親に対する親愛の情や敬意を根本とし，学問や修養によって身につけられる徳目を総合したものであると言える。

孔子の言行をまとめた『論語』のなかには仁に関連して，学ぶことや知ることについての言及が数多く見られる。これは，孔子が学ぶことによって仁の心を身につけた人格としての完成がなされると考えたことを示していると言えよう。

解説 さらに政治においては為政者に修己治人，すなわち修養によって有徳の人物となり，その徳に民衆を引きつけることを説き，徳治主義を唱えた。

7 儒家の思想－孟子・荀子

孔子の思想を受け継いだ**孟子**は，人間の本性は善であるとする**性善説**にもとづき，孔子の思想を理論化・体系化した。

孟子

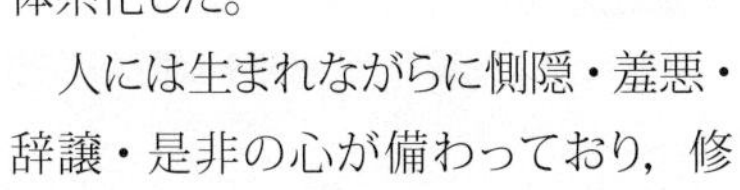

人には生まれながらに惻隠・羞悪・辞譲・是非の心が備わっており，修養によってそれらの心を発展させたところに仁義礼智の四徳が実現すると説いた。その際に広大な心で大局を見る浩然の気を養う必要性を説き，それを身につけた**大丈夫**を理想像とした。

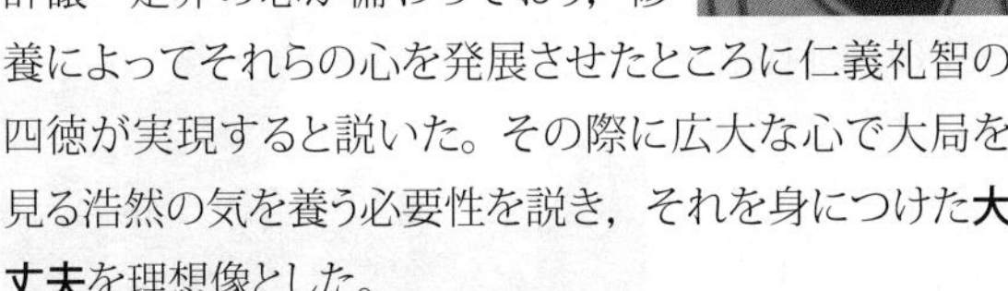

また，人間の基本的関係として父子・君臣・長幼・男女・朋友の５つを挙げ，それに応じた道徳的規範として**親・義・序・別・信**を対応させ，**五倫**とした。さらに，孟子が説いた修養の目的は，漢代の董仲舒によってまとめられ，四徳に信を加えた**五常**が，五倫とともに儒教の基本的徳目とされる。政治論については，孔子の徳治主義をおしすすめ，仁義に基づいた人民本位の王道政治を唱え，権力や武力によって人民を統治する覇道政治を退けた。ゆえに，暴政を行う君主は天命を喪失しているとして，易姓革命を肯定した。

孟子の思想を批判的に受け継いだのが**荀子**である。人間の本性を悪ととらえた荀子は，外的客観的規範である礼を重視し，修養によって礼を身につけることによって治安を維持しようとする**礼治主義**の立場に立った。政治論については，王道政治を理想としながらも，覇道政治を次善の策として消極的に肯定した。

荀子

8 老荘思想〈道家〉－老子・荘子

老子

老子は，儒家の説く仁義を自然のありかたに逆らった人為的なものとして退け，こざかしい人為を捨ててありのままに宇宙の根本原理に従うことを主張し，**無為自然**を説いた。人間においては，低きに流れつつも万物に恩恵を与える水のような生き方を理想とし，**柔弱謙下**を説く。さらに，こうした生き方は小国寡民の共同体において実現されるとした。

荘子

荘子は，人間が真善美聖といった価値基準をめぐって対立することを人為的な営みであるととらえ，**道**の立場に立てばすべてが等しい価値をもち，ありのままの存在が肯定されるという**万物斉同の哲学**を展開した。

そのために，心を虚にして天地自然と一体になる**心斎坐忘**の修養をとおして，真人となることを説いた。

解説 「道」のとらえ方 「朝に道を聞かば，夕べに死すとも可なり」といわれるように，「道」は儒家思想において人間の生きるべきありかたとして説かれた。これに対して，老子にはじまる道家思想では，万物を生成し，秩序づける根本原理に対して仮に与えられた呼称として「道」が用いられ，ときに無と同義にとらえられる。このため，儒家思想においては「みち」と読まれるのに対し，道家思想では「どう」または中国語読みで「タオ」と読まれている。

9 法治主義

荀子の弟子の李斯や韓非子は，外的規範としての礼に刑罰による強制力（人民への拘束）を持たせるた法治主義を説き，法家となった。この考え方では，王道政治は空想として退けられ，覇道政治による富国強兵が唱えられた。

戦国時代を統一した秦は李斯を宰相に招聘し，法治主義の立場を取った。同時に儒家思想を危険思想として退け，焚書坑儒を行った。

秦は中国の統一をなしとげたが，農民の反乱などがあいつぎ，わずかな期間で崩壊した。

韓非子

孔子の仁とは身分の上下や親疎の別によって差別することなく，すべての人が互いに対等に愛しあうことである。

9 宗教について考える

TOPICS

人生における宗教

人種や民族，文化圏の枠をこえて，広範囲に信仰されているキリスト教，イスラーム，仏教を世界の三大宗教とよんでいる。さらに，キリスト教はカトリックやプロテスタントなどに，イスラームはスンナ派やシーア派などに分かれる。また，特定の民族や地域でのみ信仰される，例えばユダヤ教，ヒンドゥー教，神道などは民族宗教とよばれる。その他にも，現代では新興宗教(新宗教)も存在する。

日本では，宗教(religion)という言葉は江戸時代の幕末になってから，訳語として使用された。本来の意味は「再び結びつける」ということである。宗教の定義は数多くあるが，現代では科学技術が進歩し，このように物質的に豊かになり，かつて治癒できない病気も治療できるようになったにもかかわらず，人々は心を病み，悩み苦しみ，祈りを求め，人間を超える自然に畏怖する。日本は，無宗教とも言われるが，そのことは無信仰ということではない。若者が，パワースポットで心が癒されることも，宗教と無関係とは言えないだろう。

ハローキティお守り（原宿　東郷神社）

受験シーズンの絵馬
受験シーズンになると，絵馬の裏に志望校を書き，神社に奉納し合格を祈願する受験生でにぎわう。とくに，学問の神様である菅原道真(すがわらみちざね)（菅公(かんこう)）をおまつりする天満宮は人気が高い。

1 イエスってどんな人？ ―キリスト教―

イエスはパレスチナ地方のベツレヘムで生まれ，ガリラヤのナザレで育った。母マリアは聖霊(神の力)によってイエスを身ごもったとされる。その夫ヨセフは大工であり，イエスもそのもとで他の兄弟たちと共に成長し，家業をついだと見られる。30歳の頃に家を出て，バプテスマのヨハネと呼ばれる宗教運動家のもとで，その運動に参加した。やがてヨハネが処刑された後，彼の運動から独立し，ガリラヤを中心とした地域で独特の宗教運動を展開したが，1～3年後に十字架上で処刑された。

イエスは人間が守るべき律法を，第一は「心をつくし，精神をつくし，思いをつくして，主なるあなたの神を愛せよ」とし，第二は「自分を愛するように，あなたの隣り人を愛せよ」という隣人愛の教えとした。

解説　キリスト教の母胎であるユダヤ教における神は，律法を守れぬ者を厳しく裁き罰する「義の神」「裁きの神」として恐れられていた。それに対し，イエスは単に「義の神」だけであるのではなく，「愛の神」でもあるとし転換を行った。このような転換から，キリスト教は民族宗教であるユダヤ教から，より普遍性の高い世界宗教への転換と脱皮が行われた。

2 山上の説教（垂訓(すいくん)）

（ブロッホ画）

あなたがたも聞いているとおり，「目には目を，歯には歯を」と命じられている。しかし，わたしは言っておく。悪人には手向かってはならない。**だれかがあなたの右の頬(ほほ)を打つなら，左の頬も向けなさい**。あなたを訴えて下着を取ろうとする者には，上着をも取らせなさい。だれかが，一ミリオン行くように強いるなら，一緒に二ミリオン行きなさい。求める者には与えなさい。あなたから借りようとする者に，背を向けてはならない。

あなたも聞いているとおり，「隣人を愛し，敵を憎め」と命じられている。しかし，わたしは言っておく。敵を愛し，自分を迫害する者のために祈りなさい。

（「マタイによる福音書(ふくいん)」5章38－42，44）

○×で答えよう！ 正誤問題にTRY✓　イエスは，当時の社会で嫌悪されていた徴税人や罪人と食事を共にするなど，当時のユダヤ教の社会規範に反してまでも，被差別者と共に生きようとした。

3 アガペーとは何？ ー迷える羊のたとえ

あなたがたの中に，百匹の羊を持っている人がいて，その一匹を見失ったとすれば，九十九匹を野原に残して，見失った一匹を見つけ出すまで捜し回らないだろうか。そして，見つけたら，喜んでその羊を担(かつ)いで，家に帰り，友達や近所の人々を呼び集めて，「見失った羊を見つけたので，一緒に喜んでください」と言うであろう。言っておくが，このように悔(く)い改める一人の罪人については，悔い改める必要のない九十九人の正しい人についてより大きな喜びが天にある。

（「ルカによる福音書(ふくいんしょ)」15章1-7）

解説 羊飼いは神に,群を離れた一匹の羊は人間にたとえられる。このように,無価値と思われるようなものにも注がれる,神の無償の絶対的愛をアガペーという。

Column ユダヤ教ー古代イスラエルの民族宗教

ユダヤ教は，宇宙万物を創造し，支配する人格神ヤハウェ（ヤーウェ）が，イスラエル人をみずからの民として選び，彼らを永遠の救いに導く約束をしたという。これを選民思想という。『旧約聖書』によれば，神の導きをうけたモーセに率いられエジプトを脱出したイスラエル人たちに，シナイ山でモーセを通じて神から「モーセの十戒」という律法が授けられた。律法にそむけば，ヤハウェは「裁きの神」として厳しい審判をくだす。

ヴァチカン　サンピエトロ寺院

ミケランジェロ「最後の審判」（ヴァチカン宮殿　システィナ礼拝堂）

倫理編

レオナルド＝ダ＝ヴィンチ『最後の晩餐』（ミラノのサンタ＝マリア＝デレ＝グラツィエ修道院の壁画） イエスが「この中に私を裏切る者がいる」といった瞬間をとらえ，弟子たちの驚きをあらわしている。

○×で答えよう！ 正誤問題にTRY✓ イエスは，神は律法を守った人だけを祝福するのではなく，無償の愛を万人に及していると教えた。

4 ムハンマドってどんな人？ーイスラームー

ムハンマド(570？～632)は，アラビアの商業都市メッカに生まれる。幼時に両親と死別し，貧しい叔父の家業を助けつつ，12歳のころから隊商に加わって各地を旅した。40歳頃，町はずれの洞窟で瞑想(めいそう)中「起きて警告せよ」という神の声を聞き，自らを神の使徒と自覚して人々に新しい教えを説きはじめた。**唯一絶対の神アッラーへの絶対服従，アッラーの前には人は平等であること，偶像崇拝の否定**を説く彼の教えは，大商人ら富裕層によって激しく迫害された。しかし622年の聖遷(ヒジュラ)後，メディナでイスラムの共同体(ウンマ)を組織した彼は，亡くなるまでにアラビア半島のほぼ全域を征服することになった。なお，イスラームの信者を**ムスリム**という。

ムハンマドは偶像崇拝を否定し，唯一神への絶対服従と信者の平等を説いてイスラームを創始した。彼に下された神の啓示を記録した書とされる『クルアーン(コーラン)』には，信者の守るべき信仰と宗教的義務が示されている。これを整理したものが「六信五行」である。

クルアーン(コーラン)

5 六信五行

六信

- **神**　アッラーとは全知全能，唯一絶対の創造主であり，あらゆる所に存在し，日月の巡りや四季の移り変わりからも知ることができる存在。あまりにも絶対的なので偶像化できない
- **天使**　神の使者であり，人間の善悪一切の行動を細かく記録して，最後の審判の日に証言する
- **啓(経)典**　神からの啓示を記録した書。ユダヤ教のモーセ五書，キリスト教の福音書も含む。『クルアーン』が最も完全なものだとされる
- **預言者**　神の啓示を人々に伝える者。ユダヤ教のアダム，ノア，モーセ，キリスト教のイエスなどを含む。ムハンマドは最後で最大の預言者とされる
- **来世**　やがて終末の日に最後の審判が行われ，信仰厚く宗教的義務をよく果たした者は天国へ，その反対の者は地獄へ送られることになる
- **天命**　すべての現象は神の意志によるものであり，神の恵みへの感謝の気持ちを忘れないで生きる者はよい報いが得られる

五行

- **信仰告白**　「アッラーの他に神はなく，ムハンマドはアッラーの使徒である」と唱えること
- **礼拝**　1日に5回，メッカに向かって神を拝すること
- **断食(だんじき)**　イスラム暦9月，日の出から日没まで一切の飲食を断つこと
- **喜捨(きしゃ)**　一種の救貧税と自発的な喜捨
- **巡礼**　生涯に一度，メッカに巡礼すること

6 イスラームの作法

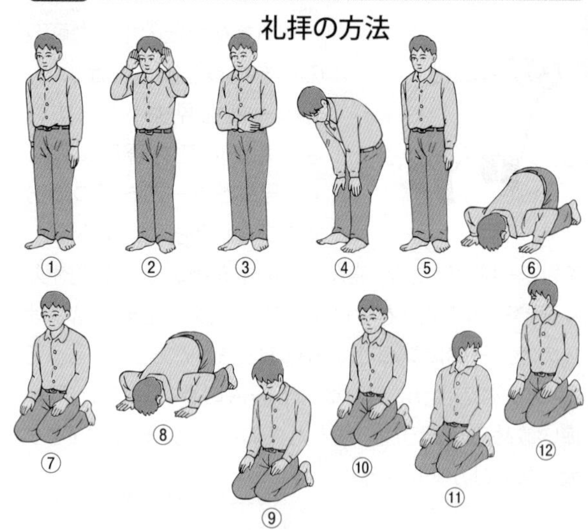

ウドゥー（小浄）の順序

解説 ムスリムは「清潔であることは信仰の半分を成就したことになる」という。礼拝は，身体をきれいに洗わなければ，行ってはならない。不潔なままで礼拝しても，その祈りは無効である。洗う順序も決まっている。それが，ウドゥーである。モスクには必ずウドゥーを行う水場がある。

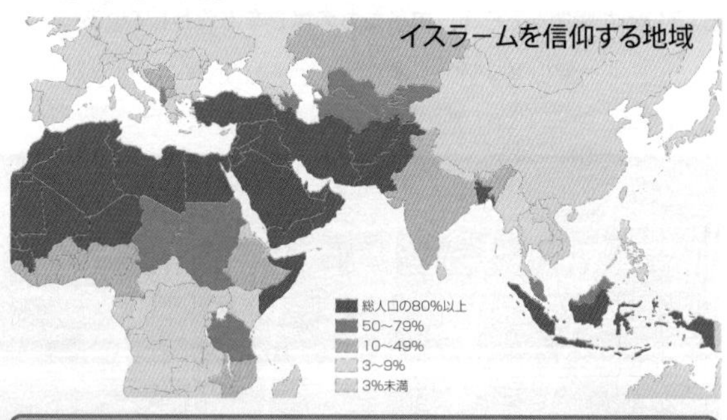

Column 人間は弱いものー現代のムスリムの人間観

「人間は，本来悪でも善でもないが，弱い存在ではある。したがって誘惑にまけやすくなるような状況をつくらないようにする。不特定多数の男女が肌をみせて接触していると，弱い人間のこと，乱れるにきまっているから，男も女も，手首，足首までの長い衣服をつけることにする。性的誘惑に対しては，男は，とくに弱いから，女は，髪の毛もおおうベールをつけて，弱き男性をまどわさないように協力する。」

（片倉もとこ『イスラームの日常世界』）

○×で答えよう！ 正誤問題にTRY✓ 『クルアーン』は，神の言葉そのものであるとされ，その教えを信じることは六信の一つに数えられている。

7 ブッダってどんな人？ ―仏教―

ゴータマ=シッダッタ
（463B.C. ～ 383B.C.）

ブッダ（仏陀）が説いた教えが，仏教である。ブッダとは「目覚めた者」という意味で，ゴータマ=シッダッタが悟りを開き，尊称された。また，シャカ（釈迦）というのは，現在のネパールのシャカ族の王子として生まれたからである。釈尊ともいう。35歳のときに悟りを開いたのちは，45年間にわたって各地で教えを説き，多くの信者や弟子を得た。80歳のときに，故郷に向かう途中で入滅した。

8 悟りにいたる道 ―四諦と八正道―

仏陀は，苦を除いて悟りにいたる道として，**四諦**（したい）（四つの真理）と**八正道**（はっしょうどう）の教えを説いた。

四諦とは，人生は苦であるという真理（**苦諦**（くたい）），人生の苦は煩悩の集まりからおこるという真理（**集諦**（じったい）），苦の原因をすべて滅した心静かな境地が涅槃（ねはん）であるという真理（**滅諦**（めったい）），苦を滅する方法は八正道であるという真理（**道諦**（どうたい））である。

また，悟りのためには，この四諦を深く見つめ，快楽と苦行という両極端を捨てた中道が必要だとした。

八正道		
	正見	正しい見解
	正思	正しい思惟
	正語	正しいことば
	正業（しょうごう）	正しい行為
	正命（しょうみょう）	正しい生活
	正精進（しょうじん）	正しい努力
	正念	正しい思念
	正定（しょうじょう）	正しい瞑想

仏教の伝播

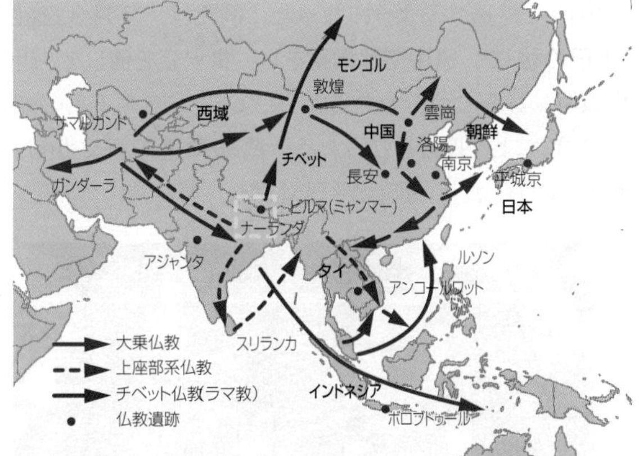

解説 日本への仏教公伝は538（552）年のことである。その後，仏教は日本文化に定着し，日常会話の中にも，本来は仏教の用語であったものが多い。また，茶道や華道をはじめとする伝統文化も，仏教の深い影響を受けている。落語も，寺院での説教話が，そのはじまりといわれている。

9 ブッダの教え ―縁起と四苦八苦―

縁起　すべてのものはひとりでは存在しない

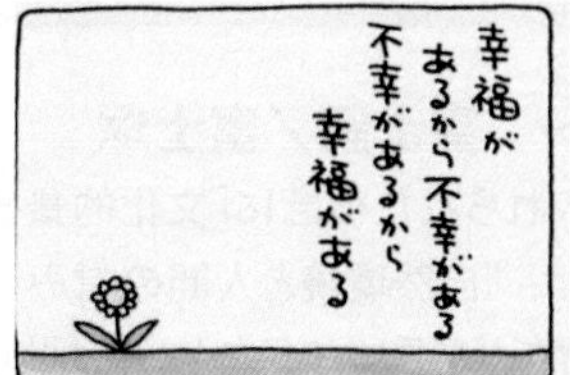

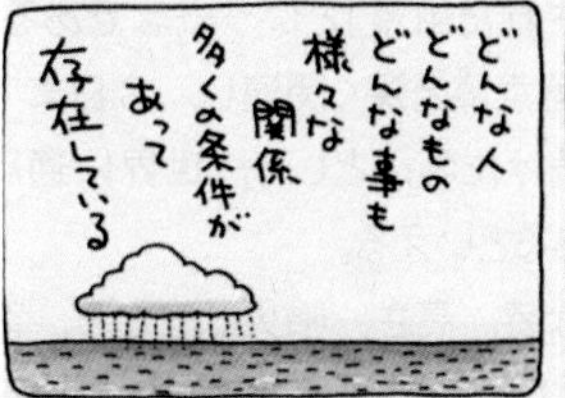

（小泉吉宏『ブッダとシッタカブッタ２　そのまんまでいいよ』メディアファクトリー）

四苦八苦

生きる苦しみ（生）

老いる苦しみ（老）

病む苦しみ（病）

死ぬ苦しみ（死）

愛しい人やものと別れるのは苦しい（愛別離苦（あいべつりく））

きらいな人やものと結びつけられるのは苦しい（怨憎会苦（おんぞうえく））

求めるものが得られないと苦しい（求不得苦（ぐふとくく））

得たものが満足できないと苦しい（五蘊盛苦（ごうんじょうく））

（小泉吉宏『ブッダとシッタカブッタ３　なんでもないよ』メディアファクトリー）

○×で答えよう！ 正誤問題にTRY✓　仏教は，外来宗教の一つであり，平安時代には「大乗仏教」と呼ばれる日本独自の仏教思想が成立した。

10 日本人の生活文化・伝統文化

信仰の山〜富士山〜　富士講／富士塚

世界文化遺産に取り入れられた概念に「文化的景観」がある。この文化的景観とは，「自然環境と人間の営みの中で，信仰や芸術・伝統的風習などが長い年月をかけて地域共同体と結びついた結果形成された風景」という概念である。富士山は，日本人の信仰や美意識と深く関連し，今日まで人々に畏敬され，感銘を与え続けた名山として，世界に通用する価値を持つ文化的景観であるといえる。

富士山は，その雄大な姿，高さ，噴火などから，富士山そのものがご神体として信仰されるようになった。平安時代には修行の場として修験者が足を運び，江戸時代になると，富士講と呼ばれた富士山を信仰する集団の活動が盛んとなり，登頂者が増加した。山頂まで行くことのできない人は，道中にまつられた浅間(せんげん)神社の境内にある富士塚に登った。

（右上）**鳥居から望む富士山**（山梨県新倉山浅間公園）
（右下）**富士塚**（品川区品川神社）　富士塚には富士山の山道に見立てた登り道があり，庶民の富士信仰を広めた。

1 きみは年中行事に参加している？

1月1日	正　月	初詣（はつもうで）
☆1月7日	人日（じんじつ）	七草粥（かゆ）
2月3日	節　分	立春の前日　豆まき
☆3月3日	上巳（じょうし）	桃の節句　雛（ひな）祭り
3月下旬	彼岸（ひがん）	春分の日　墓参り
4月8日	花祭り	釈迦（しゃか）の誕生日
☆5月5日	端午（たんご）	菖蒲の節供　菖蒲湯 武者人形　鯉のぼり
☆7月7日	七夕（しちせき）	牽牛(けんぎゅう)と織女(しょくじょ)の伝説 笹竹(ささだけ)に短冊(たんざく)を飾る
7月15日 （8月15日）	お　盆	先祖の霊を供養 盆踊り
☆9月9日	重陽（ちょうよう）	菊の節句　菊人形
9月下旬	彼　岸	秋分の日　墓参り
12月31日	大晦日 （おおみそか）	除夜（じょや）の鐘

☆は五節供（句）

一年間に，学校行事で体育祭・文化祭や遠足・定期テストなどがあるように，年中行事には**五節句**をはじめ，その地域の歴史や文化が育んだ伝統的なお祭りがある。観光化され，そのお祭りに多くの人々が参加したり，見に来たりするものもあるが，継承する若者が少なく，存続が危ないものもある。

日本の年中行事は，農耕社会と関係が深い。祭りが行われる特別な日が「ハレ」で，日常の日々を「**ケ**」という。

また，宮中の年中行事であった節供(せっく)なども，後に庶民の生活に浸透するようになった。例えば，3月3日は「**上巳(じょうし)の祓(はらえ)**」で，宮中では**禊祓**(みそぎはらえ)をし，曲水宴(きょくすいのえん)を催した。近世以降に雛祭りが行われるようになった。5月5日の端午節会(せちえ)には，邪気を払うため，菖蒲(しょうぶ)や蓬(よもぎ)を軒にかけ，薬玉(くすだま)を贈答したり，騎射が行われた。

歌川広重
『名所江戸百景
水道橋駿河台』

仙台七夕　仙台七夕祭りは，田の神を迎える行事であり，東北地方を昔から周期的に襲う冷害という悲惨な歴史を乗り越えようと，豊作の保障と保護を田の神に祈ったことが，この祭りを盛大なものにしてきた理由といえる。

○×で答えよう！正誤問題にTRY✓　「七五三」は，日本の通過儀礼における一つの例である。

2 通過儀礼を知っていますか?

宮参り
誕生後，氏神にお参りし，
氏子として承認をえる

七五三
11月15日に，氏神にお参りし，
子どもの健康と成長を祈願する

厄年（やくどし）
男25歳・42歳（大厄）・61歳
女19歳・33歳（大厄）・37歳
厄難（やくなん）にあうといわれ，忌み慎む

還暦
数え年61歳
60年で生まれた年の干支に還（かえ）る
赤い羽織を着る

宮参り
七五三

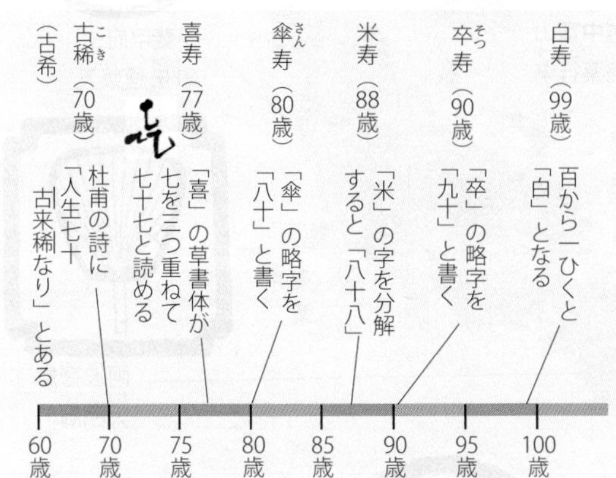

人生の節目や区切れに行われる，誕生，成人，結婚，死亡などの儀礼を通過儀礼という。子どもの成長にともなう通過儀礼には，宮参り，七五三，成人式などがある。近代以前は，大人になるための厳格な儀式を通過することで，その集団や地域から，大人の資格があると認められた。最近は青年期が長くなり，成人式がかつてのような厳格なものではなく形骸化している。通過儀礼は**イニシエーション**ともいう。

Column 君の干支はなに?
日本人と干支（えと）（「かんし」ともいう）との関わりは深い。正月には年賀状に，その年の干支を描いたり，家には干支の人形を置いたりする。また，干支占いや，年齢を尋ねるときに，干支を聞くことがよくある。

甲子園球場は，全国高校野球の開催地で，高校球児の憧れである。球場の名前の由来は，1924（大正13）年の甲子（きのえね）に建設されたからである。天皇の後継者争いである壬申（じんしん）の乱（672年）や，中国の辛亥革命（1911年）も同様である。

3 日本人て何だろう―日本人論―

志賀重昂（しげたか）『日本風景論』

札幌農学校出身の地理学者が日本の風土がいかに欧米に比べて優れているかを情熱的な文章で綴った。明治27年（1894）に刊行され，当時ベストセラーとなった。

和辻哲郎『風土』

風土をモンスーン型，砂漠型，牧場型に類型化し，日本はモンスーン型で，自然は雨を降らせ恵みをもたらすが，大雨や洪水や暴風などの暴威をふるう。人々は農耕を営み，自然に対して受容的，忍従（にんじゅう）的な性格になる。

ベネディクト『菊と刀』

西欧人の「罪の文化」に対し，日本人を「恥の文化」と特徴づけた。日本人にとっては，内という帰属集団を裏切るかどうか，ということが善悪の基準となり，それが恥という感覚としてあらわれる。

土居健郎（たけお）『「甘え」の構造』

「甘え」とは幼児が母親に依存する心性を原型とするもので，他人が無条件で，言わず語らずのうちに，自分の心情を察し，受け入れることを求める心性が，日本人にある。

中根千枝『タテ社会の人間関係』

日本の社会では，水平なヨコの関係よりも，上の命令に下が服従して集団の秩序を保とうとするタテの関係が強い社会構造となっている。

解説 日本とは何か，日本人とは何か，日本文化とは何か。こうした問いは，いつも日本人の心の中に絶えず流れ続けてきた。他の民族，国民にとっても同じであるが，とくに日本人はこの傾向が著しい。これらの日本人論を読んで，考えてみよう。

○×で答えよう! 正誤問題にTRY 「恥の文化」の欧米に対して，「罪の文化」の日本では，人々は内面的な罪の自覚に基づき行動する傾向が強い。

4 手仕事の日本—無名の職人の作品

元来我国を「手の国」と呼んでもよいくらいだと思います。国民の手の器用さは誰も気付くところであります。手という文字をどんなに沢山用いているかを見てもよく分かります。「上手」とか「下手」とかいう言葉は，直ちに手の技を語ります。「手堅い」とか「手並み」がよいとか，「手柄を立てる」とか，「手本にする」とか皆手に因んだ言い方であります。「手腕」があるといえば力量のある意味であります。それ故「腕利」とか「腕揃」などという言葉も現れてきます。

……

そもそも手が機械と異なる点は，それがいつも直接に心と繋がれていることであります。機械には心がありません。これが手仕事に不思議な働きを起させる所以だと思います。手はただ動くのではなく，いつも奥に心が控えていて，これがものを創らせたり，働きに悦びを与えたり，また道徳を守らせたりするのであります。そしてこれこそは品物に美しい性質を与える原因であると思われます。それ故手仕事は一面に心の仕事だと申してもよいでありましょう。

（柳宗悦『手仕事の日本』岩波文庫）

『手仕事の日本』で紹介されている日本各地の民芸品の一部

陸中衣川 雪下駄

羽後酒田 浜弁当

甲斐甲府 印伝煙草入

越中富山 売薬行李

京都 刷毛

備中勝山 置台

筑前福岡 菱足鋏

東京 筆

阿波徳島 大団扇

沖縄壺屋 茶碗

Column クールジャパンとジャポニズム

現代の漫画，アニメーション，ファッションなどの日本の文化は，海外で高い評価を得ている。このように，現代の日本の文化は世界に向けて発信し，新たな文化を形づくるとともに，大きな経済効果も生んでいる。また，日本の伝統工芸品なども，現代の感覚で，発信され，同様の効果をあげている。このような状況を「クールジャパン」と呼んでいる。

19世紀ころにも，フランスを中心にヨーロッパに見られた日本趣味が流行しこれを「ジャポニズム」という。幕末の日本の開国後，19世紀の万国博覧会への出品などを契機に，日本の美術品，とくに浮世絵版画が西洋の画家に注目された。歌川広重，葛飾北斎，喜多川歌麿などの浮世絵がゴッホなどの画家に絶大な影響を与えた。

解説 民芸の思想とは，名もなき民衆が，美しいものを作ろうという意識もなく，自分らしさを表現しようという個性もいまだうまれずに，あるがままの自然な姿で作り出した日常の道具こそ美しいという考えである。柳宗悦（1889～1961，右写真）が民芸運動の創始者であり，彼は学生時代には，武者小路実篤，志賀直哉らと雑誌『白樺』の創刊にも加わった。実用品や無名の職人の作品に美を見いだし，調査のために各地を旅行した。

○×で答えよう! 正誤問題にTRY✓ 日本では，宗教的な文化財が国宝の指定を受けた場合，国の所有物として国立の博物館に保管することが定められている。

日本の伝統と文化

●折る・包む・結ぶ

野口宇宙飛行士によって折られた宇宙鶴（2004年）

折紙は，紙を折りたたんで，色々な形を作る，日本の伝統的な遊戯である。紙を折ることは，儀式などで，古代から用いられていたが，遊戯的な折紙は，平安時代から始まったとされている。色紙などを使用し，多くの形が考案されてきた。“ORIGAMI”の名で，欧米にも親しまれている。折鶴を糸に通し，数多く連ねると千羽鶴となる。

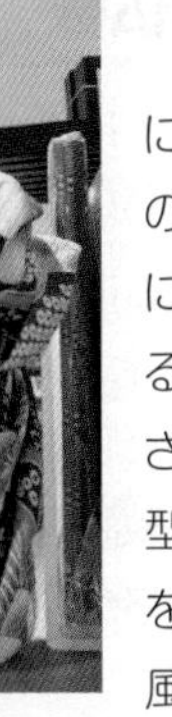

風呂敷は，古くは「ひらづづみ」，「ころもつつみ」と称していたが，江戸時代に，銭湯で入浴の時に，物を包んだり，身じまいのために敷いたりするようになり，「風呂敷」と呼ばれるようになった。大小さまざまの風呂敷があるが，大型のものは，唐草模様などを大きく染め抜いている。風呂敷には，折る，包む，持ち運ぶ，敷くなどの特性と機能美がある。

手拭いは，身体を拭ったり，かぶり物にしたりする布である。江戸末期には，鯨尺2.5尺となり，布地も麻から木綿に代わった。白無地から，手拭い染めが発達した。また，かぶり物として，鉢巻き，姉様かぶり，大尽かぶりなどがある。

●日本の伝統芸能

歌舞伎や落語などに比較すると，少しマイナーな日本の伝統芸能の一つに講談がある。演者は，高座に置かれた釈台と呼ばれる小さな机の前に座り，張り扇で，その机を叩いて調子を取りながら，主として「軍記物」や「政談」などの歴史に因んだ読み物を，聴衆に対して読み上げる。明治以前は講釈と言い，語り手を講釈師と言った。また，語る場所を釈場という。最近では，題材は歴史的なものばかりではなく，現代の事件なども取り上げる。また，夏には「怪談」がよく演じられる。

講談師　神田香織さん

講談の起源は，戦国時代の御伽衆と言われている。寄席演芸としては，江戸時代の大道芸の一つである辻講釈で，『太平記』などの軍記物に注釈を加え，調子を付けて聴衆に語った。宝永年間（1704～11）になると，常設小屋で上演されるようになり，講釈と呼ばれた。文政年間（1818～30）になると，話芸として確立していった。

落語との相違は，噺の最後にサゲ（落ち）がないのが特徴である。最近は，落語と講談の境界が曖昧になっているのが現状である。代表的な演目に，『清水次郎長伝』『赤穂義士伝』『名月赤城山』『四谷怪談』などがある。

日本の伝統芸能を継承する若者　狂言「蝸牛（かぎゅう）」を演じる太郎冠者（茂山宗彦）と山伏（茂山正邦）

蝸牛 祖父の長寿を祈って進上する蝸牛（かたつむり）採りを命じられた太郎冠者(かじゃ)は，蝸牛を見たこともないが，藪(やぶ)にいると聞いて，藪に行く。そこで寝ていた山伏(やまぶし)を蝸牛だと思いこみ，山伏に来て欲しいと頼む。そんな間の抜けた男をからかう山伏は，囃子物(はやしもの)の拍子に乗って行こうと囃させ，興じている所が見どころ。そこへ来た主人が，浮かれる2人を見て呆(あき)れ，あれは蝸牛ではない，山伏だと再三注意する辺りから盛り上がり，乗せられた太郎冠者は，何か憑(つ)いたように浮かれる。むきになった主人までが，遂に呪文にかかったようになり，3人とも浮かれ浮かれてゆく。観ている方も乗せられそうになる，奇妙で愉快な狂言。

11 日本の思想

TOPICS

日本の風土と外来思想の受容

伊勢神宮　内宮正宮（三重県伊勢市）

日本は，中国や朝鮮，インドさらには欧米の思想を積極的に受容しつつ，旧来の思想を捨て去ることなく保存し，日本独自の思想を形成した。

日本の国土は，大小の島々からなる島国である。温帯モンスーン気候に大半が属し，年間を通じて雨と日光に恵まれ，気温の年較差が大きく，四季の変化があり，移ろいゆく景物に対する人々の感覚を，繊細に鋭敏にした。また，夏のモンスーンにともなう高温多湿な気候が植物の生育に適し，古来，水稲栽培を中心とする生活を営んできた。このような日々の生活の営みや風土が，思索をめぐらす主体としての日本人にとって，大きな影響力をもったといえよう。日本では，人々に畏怖の念をいだかせるものは，善悪や貴賤の別を問わず，すべてが神であり，八百万神であった。神に対する心のありようとして重んじられたのが清き明き心（清明心）であった。それは，うそ偽りなく，何も包み隠さず，つくり飾るところのない心である。また，祭祀を妨害することは，共同体の秩序をおびやかす罪であり，罪が生ずると祓い（祓え）が行われた。また，穢れを取り除くために禊が行われた。

1 仏教伝来と聖徳太子（厩戸王）

日本に仏教が伝来したのは，6世紀，朝鮮半島の百済からである。仏教の受容に関する蘇我氏（崇仏）と物部氏（排仏）の対立を調停し，仏教を政治や生活上の原理として取り入れたのが聖徳太子である。

太子は，大陸文化の導入をはかるため，遣隋使を派遣したり，仏教興隆のため法隆寺などの寺院を建立した。「十七条憲法」には，その第二条で，仏・法・僧を敬うことが記され，第十条には人は皆凡夫（欲望にとらわれた人間）であることが説かれている。

法隆寺（奈良県）

2 奈良・平安仏教

仏教は国家の保護のもとに隆盛に向かった。8世紀はじめには，聖武天皇，光明皇后がともに仏教に帰依し，国ごとに国分寺，国分尼寺を建立し，総国分寺として東大寺を建立した。仏教は鎮護国家のための仏教としての性格が強かった。

平安時代になると，最澄や空海が出て新しい日本仏教を開いた。

最澄は，**天台宗**を開き，すべての人が平等に成仏できるという，涅槃経に説く，「**一切衆生悉有仏性**」（生きとし生けるものは，生まれながらに仏性があるから成仏できる）の考え方を示した。**空海**は，**真言宗**を開き，自己と仏が一体となり，この身のままで成仏できる**即身成仏**の考えを説いた。

最澄（伝教大師・767～822）　比叡山での修行を重視した。

空海（弘法大師・774～835）　民衆のための教育施設なども設立し社会事業に尽くした。

○×で答えよう！ 正誤問題にTRY✓　神道は，アニミズムの色彩を持ち，日本人の道徳や習慣の基本を形成してきたが，明治政府により国教としての統一聖典が整備された。

3 末法思想

平安時代中期になると，天災，疫病，戦乱などが相次ぎ，社会不安が広まった。このような中で，「仏陀入滅後1000年を過ぎると正法，像法の時代を経て，末法の世となり，教も修行も悟りもなくなる」という末法思想が流行した。現世を穢土，来世を浄土とする極楽浄土を説く浄土教が盛んになった。空也が京都で念仏をすすめ，源信は『**往生要集**』を著した。

4 鎌倉仏教の展開

平安時代後期以降の末法の世のなか，教理や修行を平易に説き，その後の日本仏教の原型をつくったのが，鎌倉仏教である。

法然（1133～1212）浄土宗の開祖。

法然は，末法の世ではただ，**南無阿弥陀仏と称え**て，仏の慈悲にすがる以外に救われる道はないという専修念仏を説いた。この阿弥陀仏の救済力に頼む信仰のあり方は，**他力信仰**と呼ばれる。この教えは，身分や地位を問わないという点で，広く武士や大衆の間に支持された。

親鸞（1173～1262） 浄土真宗の開祖。

この他力の教えをさらに徹底させたのが，弟子の**親鸞**である。親鸞は，念仏を称えること自体が阿弥陀仏の慈悲の力によるものだという絶対他力の考えをとった。また，自己の無力さを自覚した悪人の方が救われやすいとする**悪人正機**を説いた。

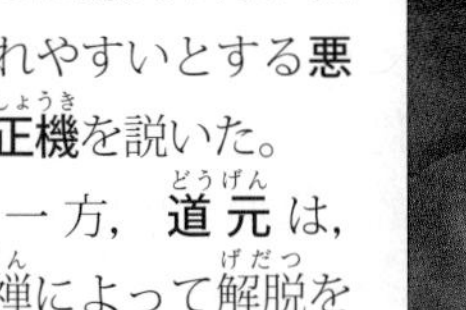

道元（1200～53） 曹洞宗の開祖。

一方，**道元**は，坐禅によって解脱を得る自力の信仰を追求した。我執を去るためには，ただひたすら坐禅を行い（**只管打坐**），それを行うこと自体が悟りとなる境地（**身心脱落**）を理想とした。

日蓮（1222～82） 日蓮宗の開祖。

さらに**日蓮**は，末法の世を救うことのできる経典は『法華経』をおいて他にないとして，**南無妙法蓮華経の題目**を唱える（**唱題**）ことによって，国家の救済が図られると説いた。

解説 仏教は，その後世俗化の道を歩むものの，一向一揆のように，民衆のエネルギーを結集する核となる一方で，仏教の教えに基づく説話や物語，随筆などが大量に著され，日本人の無常観や来世観の基礎を形づくることになった。

5 儒教の受容と日本化

儒教が日本に伝来したのは，仏教と同じく6世紀のことである。そして，聖徳太子の時代に儒教は，政治道徳として用いられた。人材登用のために作成された「冠位十二階」には，「徳仁礼信義智」という儒教の徳目が示されている。鎌倉時代になると，朱子学が伝えられたが，当時は仏教が優勢であり，大きな発展はみられなかった。江戸時代になると，幕府は，士農工商の身分制度を中心とする封建的な制度をつくりあげる思想として，儒学の朱子学を用いたので，儒教が大きな発展をみせた。

湯島聖堂での講義風景

6 藤原惺窩と林羅山－朱子学派

藤原惺窩（1561～1616） 近世儒学の伝統を開いた。

近世儒学の祖といわれる藤原惺窩は，仏教は人間世界の道理を滅ぼすものであるとし，仏教を捨て儒学の研究に向かった。

惺窩の門人の林羅山は，徳川家康に謁見し，その後家康の侍講となり4代将軍まで仕えた。羅山は，人間社会の人倫の道は，天地万物の理によって決定されていると考えた。すなわち，天地に上下の区別があるように，人間社会における身分・序列にも同様の秩序（上下定分の理）があるとした。

林羅山（1583～1657） 朱子学を江戸幕府の官学に導いた。

山崎闇斎（1619～82） 幕末の尊王思想に影響をあたえた。

この他に朱子学者では，新井白石や雨森芳洲のように幕政や外交に参与した者もあった。また，山崎闇斎は朱子学の理と日本神話の神との一致を説く，垂加神道を唱えた。

倫理編

○×で答えよう! 正誤問題に TRY✓ 仏教の出世間性に疑問を持った藤原惺窩は，還俗し，朱子学を人倫日常の実践の学として捉えて幕府に仕え，官学の祖となった。

7 素行・仁斎・徂徠–古学派

朱子学の解釈や普及が行われるにつれ，朱子や王陽明の注釈によらず，孔子や孟子の原典に忠実に学ぶべきだとする儒学研究の流れがおこった。これが古学派である。

山鹿素行（1622 ～ 85） 幕末の吉田松陰などに影響をあたえた。

山鹿素行は，武士の生きる道は戦場において勇敢に戦う道ではなく，威厳と寛大さを備え，農工商の模範となる武士としての道である，士道を説いた。

伊藤仁斎は，孔子や孟子の原典に直接あたることによって，彼らの根本精神は仁にあるとみなした。仁とは愛の徳，慈愛の心であり，仁の徳によって，人々の人間性豊かな結びつきが実現されると考えた。また，仁斎は「誠」を道の根本にある徳とみなした。

伊藤仁斎（1627 ～ 1705） 古義堂（京都・堀川）という家塾を開いた。

荻生徂徠は，『論語』や『孟子』以前の六経にあたることによって，道に対する独自の考えを深めた。徂徠の研究法は，古典の言葉をできるだけそのまま研究し，時代の精神から思想を理解しようとするもので，古文辞学と呼ばれた。徂徠は，道とは単なる人の生き方としての道徳ではなく，古代の先王が，安天下のために制作した治術であると説いた。道徳と政治を分離して考えようとする近代的なものの考え方の萌芽がみられる。

荻生徂徠（1666 ～ 1728） 柳沢吉保に仕え，幕政にもかかわった。

Column 大阪町人の学問所 ～懐徳堂～

大坂の豪商たちが出資して設立した学問所が「懐徳堂」である。ここに学んだ山片蟠桃は，合理的な思想を説いた。『夢の代』では，地動説に基づく宇宙観を説き，仏教や迷信を否定し，霊魂の存在を否定する無鬼論を説いた。また，富永仲基は加上の説により，『出定後語』では，大乗経典をブッダの教えであることを否定する大乗非仏説を展開した。

懐徳堂の碑（大阪市中央区）

8 国学の大成者—本居宣長

古学の運動に触発され，日本の古典を研究することによって，日本独自の道を見出そうとした運動が国学である。国学には，契沖，荷田春満，賀茂真淵，本居宣長，平田篤胤の５人の思想家が挙げられる。

本居宣長（1730～1801） 国学を大成した。主著『古事記伝』。

賀茂真淵は，『万葉集』を中心に古典を広く研究し，男性的でおおらかな気風「ますらをぶり」と，力強くありのままの「高く直き心」に古代の理想的な精神を見いだした。国学の大成者である本居宣長は，『源氏物語』の研究によって，文芸の本来の価値は，「もののあはれ」を知ることにあると考えた。また，宣長は，日本人の自然な心情や繊細な感覚を高く評価し，儒教や仏教の思想によって感化された心である漢意の排除を主張した。

9 石門心学

18世紀に入ると，経済力をつけてきた町人の中から，庶民の実生活に即した思想があらわれた。

石田梅岩（1685 ～ 1744）

石田梅岩は，朱子学や老荘思想，仏教などの教えも取り入れて，自らの商家での仕事の経験をもとに，身近な例を用いて庶民の生き方を説いた。士農工商は職分の区別にすぎず，商人の得る利益は武士の禄に匹敵するものだと考え，商いによる利益を肯定した。また，正直や倹約，勤勉といった禁欲的な倫理を町人の道であると説き，梅岩の一門は石門心学と呼ばれた。

10 万人平等社会ー安藤昌益

安藤昌益は，農民の生活を人間生活の基本として，万人が直耕する自然世を理想社会とした。昌益は，世界のあらゆる存在は，それが天地からなり人が男女からなっているように，相互に依存しあった存在である。ところが，人為的な制度ができると，耕作せずに収益を私物化する階層が登場し，自然に反する社会となる。人間にとっての理想の社会とは，万人が直耕し，衣食住を自給し，男女近隣が助け合う社会であると説いた。

○×で答えよう! 正誤問題にTRY✓ 本居宣長は，日本人は，古代の純粋な神道信仰に復帰し，天皇への服従に基づく民族意識に目覚めなければならない，と主張した。

11 天道と人道の調和―二宮尊徳

二宮尊徳(1787〜1856)

二宮尊徳は，江戸末期の農政家であり，疲弊した小田原藩領の立て直しなどに手腕を発揮した。尊徳は，農業を人間生活の根本であるとする考えから，天道と人道の調和を理想とした。

尊徳によれば，天道とは，作物を成長させたり干ばつや洪水をおこしたりするような，自然のもたらす平等な営みである。これに対し，人道とは水路を造ったり堤を造ることによって天道を補う人間の働きのことである。そして人道の根本を，倹約して他に譲る推譲，合理的な生活を設計する分度においた。また，天地や他者によってあたえられた恩に報いる報徳の思想を説いた。

12 洋学の思想―蘭学から洋学へ

江戸時代は，幕府の鎖国政策により，西洋との接触はきわめて限定されていた。こうした状況下で，長崎のオランダ商館を窓口として伝えられる蘭学は，新しい知識を求める人々に大きな影響をあたえた。

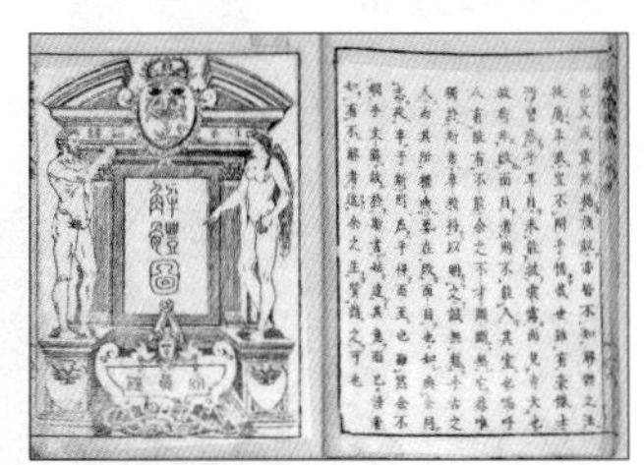
解体新書　1774（安永3）年刊行。2年間かけて翻訳した。

江戸の蘭学者であった前野良沢は，人体構造の正しい知識の普及を願い，杉田玄白らと，西洋医学書『ターヘル-アナトミア』を『解体新書』として翻訳・刊行し，その後の蘭学の発展に大きな功績を残した。

オランダ商館医師シーボルトに医学を学んだ高野長英は，渡辺崋山とともに尚歯会（蛮社）を結成し，西洋の科学だけではなく，世界情勢そのものにも目を向け，新しい視点から日本のあり方を考えようとした。

シーボルト(1776〜1866)

蘭学は，おもに医学や天文，地理学を中心としていたが，江戸末期になると，さらに広く西洋の学術全般への関心が高まってきた。蘭学をふくめた西洋への文化・科学技術全般に関する知識を，洋学とよぶ。洋学者たちの思想と知識は，やがて日本の近代化の原動力となった。

13 洋学者の思想

佐久間象山(1811〜64)

佐久間象山は，アヘン戦争で中国がイギリスに敗れたことに衝撃をうけ，東洋の道徳（和魂）と西洋の科学技術（洋才）のそれぞれの長所をとり入れて，国力を充実させるように主張した。

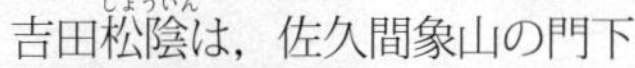

吉田松陰は，佐久間象山の門下で洋学を学んだが，のちに萩に松下村塾を開き，弟子を育成した。松陰は陽明学にもとづく忠節・誠を説き，「一君万民論」を唱え，藩の枠を超えて国民が忠誠を尽くす対象は天皇であると主張した。

吉田松陰(1830 〜 59)

14 近代の思想

福沢諭吉(1834 〜 1901)　慶応義塾大学を創設した。

明治政府は，西洋の制度や技術を取り入れ，近代国家の体裁を整え，日本の独立を守ろうとした。富国強兵や文明開化による近代化政策が推進された。その頃に，国民の思想的啓蒙に大きな役割を果たしたのが明六社であった。福沢諭吉は天賦人権論を説き，国民一人ひとりが「独立自尊」の精神を持つべきであると説いた。その後，自由民権運動が展開されると，中江兆民はルソーの『社会契約論』を翻訳し，フランス流の急進的な民主主義を説いた。

また，キリスト教が受容され，内村鑑三，新渡戸稲造らが活躍した。内村鑑三は，二つのJ（イエスと日本）に仕えることを念願し，無教会主義を唱えた。

一方では，開国当初に締結した不平等条約を改正するための欧化政策を批判し，徳富蘇峰，西村茂樹，三宅雪嶺などが，国家主義（ナショナリズム）や国粋主義を唱えるようになった。また，幸徳秋水に代表される社会主義思想家もあらわれた。

大正時代になると，西田幾多郎により日本における哲学的な思索が確立された。西田は主観と客観とを対立的に捉えるのではなく，主客未分の純粋経験を説いた。

○×で答えよう！ 正誤問題にTRY✓　福沢諭吉は，文明の根本にある自立の精神を内に保ち，自らの判断力を養い実利を窮めて文明社会を実現する人間を構想した。

12 西洋の思想

TOPICS

ルネサンス

聖母子像のルネサンスの前と後　左は13世紀の聖母子像(チマブーエ画)。右は15世紀の聖母子像(リッピ画)

ルネサンスは「文芸復興」と訳される。中世では人間が神の被造物とされ，神の絶対性のもとに抑圧，画一化されていたのに対し，14世紀から15世紀にかけて，キリスト教成立以前，すなわち古代ギリシャ・ローマの文化を再評価することをとおして人間性を回復しようとした人文主義運動がルネサンスである。

ここに並べられた二つの絵画を比較してみよう。ともに聖母子，すなわちイエスとその母マリアを描いたものである。中世の絵画が「多くの天使が聖母子を囲む」という構図になっているのは，これらの絵画が信仰の現れであったり，あるいは民衆に対するキリスト教の解説に用いられたりしたことによる。これに対して，ルネサンス期の絵画は，人間の母子の美しさや愛情がありのままに描かれている。

1 スコラ哲学

「スコラ」とは教会の付属学校を意味する。

スコラ哲学では，神の存在証明や，信仰上の真理と理性的真理との矛盾を解決することが研究の主題とされた。「哲学は神学の侍女」ということばは，学問や芸術は神のためにある，というスコラ哲学の姿勢を物語っている。中世では，神学部を頂点とする大学が組織され，下級学部においては「神の書いた二つの書物」である聖書と自然を読み解くための基礎教養が育成された。

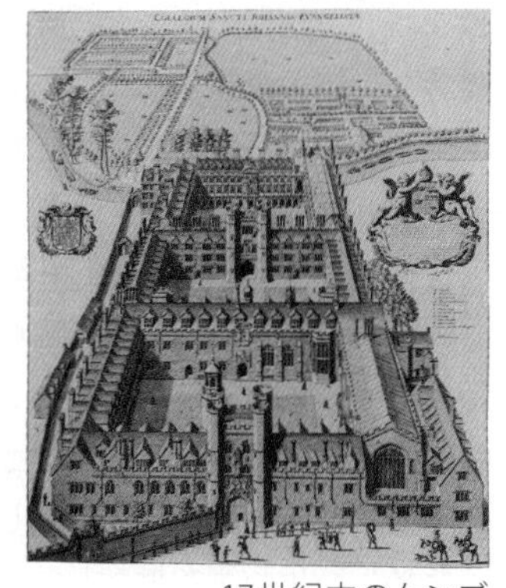

17世紀末のケンブリッジ大学セント・ジョンズ・コレッジ

- ●上級学部…神学・法学・医学
- ●下級学部…自由七学科

　理系四科(算術・幾何・天文・音楽)

　文系三科(文法・修辞・論理)

解説　スコラ哲学の時代を代表する思想家がトマス・アクィナスである。彼は，理性的に知り得た真理と信仰上の真理の対立を解決することを試み，信仰上の真理の優位性を前提として信仰と理性の調和を図った。

Column ダンテと神曲

ダンテ(1265～1321)

イタリアのフィレンツェに生まれた詩人。時代としては中世の人だが，神を賛美することを主題とする風潮のなかにあって，『新生』において恋人への愛をうたったり，教養人の共通語がラテン語の時代に，『神曲』をイタリア地方の方言であるトスカナ語で書いたりしたことから，ルネサンスの先駆者とされる。

愛に二種がある。一つは自然の愛，すなわち宇宙万物にそなわる自然な愛であり，もう一つは人の魂から出る愛，すなわち自由意志による理性的な愛である。

(ダンテ「神曲」，『世界教養全集38ダンテ』平凡社)

○×で答えよう! 正誤問題にTRY✓　トマス・アクィナスは信仰と理性の区別を体系的に論じて，信仰の優位のもとで両者の統合を試み，倫理思想に関しても自然的徳は神の恩恵によって完成されるとした。

2 西洋思想の流れ

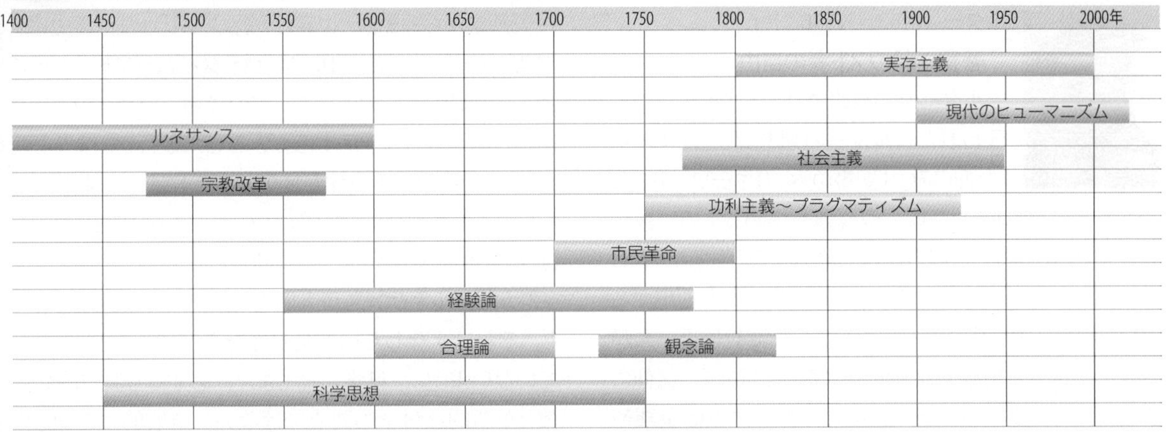

3 ルネサンスの思想ーヒューマニズム

human being

ピコ=デラ=ミランドラ
(1463～1494)

ルネサンスのヒューマニズム（人間中心主義）の考え方は，キリスト教の世界観・人間観をも大きく変えた。神によって人間の運命は定められているという考え方に対して，ピコは，人間の自由意志が人間のあり方を決定するものと考え，そのような人間の自由意志を「人間の尊厳」であると考えた。ここには「自由」を人間の本質として捉える新しい人間観が見てとれる。

human being

エラスムス(1466～1536)

オランダの人文学者。教会や教義にとらわれず聖書や古代の学説について，あらゆる文献を集めて研究した。初めてラテン語以外に訳された聖書（ギリシャ語）を出版し，当時の教会や聖職者の腐敗に対して痛烈に批判した。キリスト教会の改革には大きな影響をあたえた。主著に『痴愚神礼賛』。

human being

マキャヴェリ(1469～1527)

イタリアの政治学者。共和政主義者であったが，イタリアの分裂と混乱に悩み，祖国統一のための強くて賢明な君主を待望して『君主論』を著した。かれは，「君主」は国家経営上，目的達成のためには手段を選ばずにのぞむべきだと主張した。

human being

トマス＝モア(1478～1535)

イギリスの政治家。毛織物産業の活性化にともなって農地が羊の放牧地とされ，農民が土地を追われたことを，著書『ユートピア』で「羊が人を食う」と批判した。私有財産制のない理想社会の構想は，後の空想主義的社会主義に大きな影響をあたえた。

4 ルネサンス期の文学と美術

ルネサンスを代表する万能人

レオナルド=ダ=ヴィンチ
(1452～1519)

「モナ=リザ」や「最後の晩餐」を描いた画家として有名であるのみならず，建築，物理学，医学などにも精通した。ルネサンス期には，人間のもつ能力や可能性を十分に発揮した万能人が理想像とされたが，ダ=ヴィンチはその代表的人物とされる。

文 学

●**ペトラルカ**（1304～74：イタリアの詩人）
『カンツォニエーレ』

●**ボッカチオ**（1313～75：イタリアの詩人）
『デカメロン』

●**シェークスピア**（1564～1616）
『ヴェニスの商人』『ハムレット』『ロミオとジュリエット』

シェークスピア
描きだす喜劇・悲劇・史劇には，人間への深い洞察が見られる。イギリスを代表する劇作家。

美 術

●**ボッティチェリ**（1444～1519：イタリア）
「春」「ヴィーナスの誕生」

●**ミケランジェロ**（1475～1564：イタリア）
「最後の審判」「ダヴィデ像」

●**ラファエロ**（1483～1520:イタリア）
「アテネの学堂」「聖母子」

「春」ボッティチェリ

〇×で答えよう！ 正誤問題にTRY✓ エラスムスは，新たに『新約聖書』のギリシャ語原典を校訂・翻訳するとともに，痴愚の女神に託して当時の教会の堕落や神学者の聖書解釈の愚劣さを痛烈に風刺した。

5 宗教改革

ルター（1483 ～ 1546：ドイツ）

著書：『キリスト者の自由』

ルターの宗教改革は，ドイツにおいて行われた。ルターの思想は「恵みのみ」「信仰のみ」「聖書のみ」のキーワードでしめされる。聖ピエトロ寺院の改修費を集めるために教皇レオ10世が発行した贖宥状は，購入すると同時に本人のみならず，すでに死んでいるものの救済をも約束するという触れ込みで販売されていた。これに対して，「人が義とされるのは律法のおこないによるのではなく，信仰による」というパウロのことばをもとに，神の恵みは金銭や善行など人間からの働きかけに左右されないとルターは説く。そうした神の絶対性に対して，人びとはただ信仰するのみ（信仰義認説）である。さらに，その信仰のかたちは，各自が聖書に直接向き合うこと（聖書中心主義）であるとして，教会や司祭を否定（万人司祭説）するとともに，ザクセン公の保護下で聖書のドイツ語訳を完成させた。

カルヴァン（1509 ～ 64：フランス→スイス）

著書：『キリスト教綱要』

フランスに生まれ，スイスで宗教改革を展開したカルヴァンは，ルターの考えをさらにおしすすめ，神の絶対性を強調した。彼の思想の中心は，徹底した「予定説」である。人間が救われるか否かはあらかじめ神によって決定されており，これに対して人間は，自らの職業生活の充実をとおして，救われるか否かの確信を求めることができるのみである。職業が神によって定められているとする考え方はルターも持っていたが，カルヴァンは従来原罪に対する罰と考えられていた労働を，神の栄光を実現するためと再解釈し，神にあたえられた職業に従事することによって充実感が得られるならば，神は自らを適所に配置したということであり，それはすなわち神が自分に恵みを与えているにほかならないと考えた。こうしたカルヴァンの思想は，ルネサンス期の「万能人」に対して「職業人」という新しい人間観をもたらした。

また，こうした改革に対して，カトリック教会の内部からも従来のあり方を見直す運動が起こった。その代表的なものはイグナティウス=デ=ロヨラによるイエズス会の結成であり，この会が海外へ布教活動を展開していく過程でフランシスコ=ザビエルが日本をおとずれた。

解説　20世紀の社会学者マックス・ウェーバー（1864 ～ 1920）は著書『プロテスタンティズムの倫理と資本主義の精神』において，カルヴァンが利潤の追求を肯定したことにより経済活動が活性化し，資本主義が活性化したと指摘している。

6 科学革命

天動説から地動説への移行を，アメリカの科学史家トマス=クーン（1922 ～ 96）は「パラダイムシフト」ということばで説明した。科学では一定の枠組み（パラダイム）を前提に研究がすすめられるが，ひとたび行き詰まりを迎えると，その枠組み自体が変更（シフト）されなければならない。このようなパラダイムシフトがおこることを，クーンは「科学革命（scientific revolution）」と位置づけた。

しかし，ルネサンスが人間性を解放する運動であっても，それはすなわち神の絶対性を否定することを意味していないように，科学革命もまた，必ずしも保守的な宗教と革新的な科学の対立ではない。全般的にこの時代の科学は，現在のように物質相互の因果関係のみに着目するものでなく，むしろ神の創造した世界の真理を探究するこころみとして位置づけられていたことは指摘されなければならない。その意味では，コペルニクスもガリレイも，反宗教的な立場から地動説を唱えたものではない。

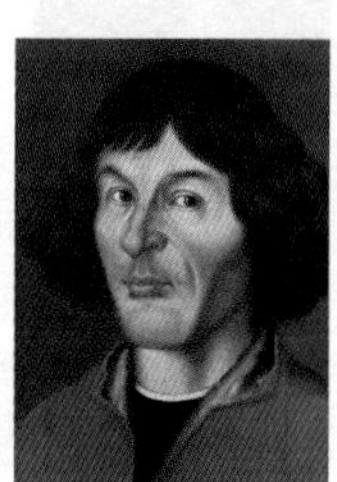

コペルニクス（1473 ～ 1543）

ポーランドの天文学者。地球を中心とする宇宙論に疑念を抱き，数学的理論をもちいて太陽を中心とした宇宙観，すなわち地動説を提唱した。しかし，この説に関する著書『天体の回転について』は，理論の完成から30年間，死の直前まで公表されなかった。

「ガリレオの宗教裁判」

ガリレオ=ガリレイ

（1564 ～ 1642）

イタリアの科学者。自作の望遠鏡を用いて地動説を裏付け，著書『天文対話』のなかでコペルニクスを擁護したが，宗教裁判にかけられ，自説の撤回を余儀なくされた。この際，「それでも地球は動く」とつぶやいたとされるのは，後世につくられたものとされるが，彼の心情をよく表したエピソードと言える。

解説　ガリレオの名誉回復がされたのは，20世紀末になってからである。ローマ教皇ヨハネ=パウロ2世（1920-2005）は，ガリレオ裁判のやり直しを行い，1992年に名誉回復を宣言した。また，2008年12月21日　ローマ教皇ベネディクト16世はガリレオらの業績を称え，初めて公式に地動説を認めた。

○×で答えよう！正誤問題にTRY✓　ガリレイは，望遠鏡による天体観測を行うとともに，振り子の実験などに基づいて物体運動の理論を展開し，近代科学の基礎を築いた。

7 「知は力」イギリス経験論ーベーコン

ベーコンは実験や観察をとおして個々の現象から一般的法則を導き出す「**帰納法**」を重視した。さらに，その際に妨げとなる人間の偏見や先入観を分析し，それをイドラとして退けた。

●イドラ

種族のイドラ	人間の感覚の誤り。錯覚や自然の擬人化。 →小説のトリックなど
洞窟のイドラ	個人の価値観を一般的なものと思い込んでしまうこと。独断。 →狭い洞窟から外の世界を見ていることの比喩
市場のイドラ	ことばの不適切な使用や行き違い。 →口コミによる偏見。市場は人がたくさんいる場所の比喩
劇場のイドラ	伝統や権威のもとで正しいとされていることを無批判に信じること。 →地球を中心に太陽が回るという天動説を教会の教えであるとして信じていること

解説 ベーコンにはじまる人間の感覚を重視し，経験されたものを認識の根源とする立場を経験論という。バークリやヒュームあるいは，社会契約論で知られるホッブズやロックにつながる。

human being

ベーコン

(1561 ～ 1626)

イギリス経験論の祖。ロンドンに生まれ，法律家，政治家として活躍するも，汚職事件で政界を退き，その後は研究と著作に専念した。神の存在や教会の権威を裏付けることを目的としていたスコラ哲学を批判し，学問は人間の生活を向上させることにつながらなければならないとして，「知は力」と説いた。

8 「方法的懐疑」大陸合理論ーデカルト

デカルトは万人が「良識」を平等に持っているとし，良識にしたがって理性的に推論されたものを真理として認めた。その際に，まず初めに真とされるものを，疑いうるものはすべて疑うという「**方法的懐疑**」によって見出そうとした。その結果「考える」という行為をしている主体としての自分の精神の存在は，いくら疑っても偽とすることができないと考え，「われ思う，ゆえにわれあり」と述べた。

●判断の規則

明晰・判明の規則	明証的に真と認められるもの以外は判断にとりいれないこと
分析の規則	問題をできるだけ多く，細かい小部分に分割すること
総合の規則	単純なものから複雑なものへと順序に従って考えること
枚挙の規則	全般にわたって数え挙げて再検証すること

human being

デカルト

(1596 ～ 1650)

フランスの哲学者。大陸合理論の祖。大学で法学や医学を学ぶが，スコラ哲学的な学問に失望し，「世界という大きな書物」に学ぶ旅に出て，一時は従軍も経験した。人間の理性を重視し，確実な真理から論理的に個々の結論を導く「演繹法」を学問の方法とした。また，方法的懐疑によって自己の精神の存在を確認するとともに，精神とは独立に存在する物体の存在を導き出した。この物心二元論において，物体の運動から霊的なものを排除し，ただ因果関係によって説明される自動機械としてとらえる機械論的世界観は，後世の科学的探究に大きな影響を与えた。

Column

モラリスト

デカルト以前に，人間の知に対する懐疑をこころみたのが**モンテーニュ**と言えるだろう。彼の著書『**エセー（エッセイ）**』は，『随想録』と訳される。今日，エッセイとは随想のことであるのは言うまでもないが，そもそも「エセー」はフランス語で「試み」の意味であり，随想に対して「試みに考えたこと」という位置づけをしたのは彼がはじめてである。彼はドグマ（教義や独断など，日常的に無批判に受け入れられていること）から自由な視点で人間の存在を考え直した。さまざまな試論のなかで，人間の感覚的知覚の不完全さや価値観の相対性に着目し，「**ク-セ-ジュ**（われ何をか知る）」と表現したところに，彼の自己省察に対する謙虚な姿勢がうかがえる。

デカルトと同様に，「考える」ことに着目したのが**パスカル**であるが，彼は必ずしも合理性に絶対の信頼をおいていない。宇宙は時間的・空間的に無限であると同時に，それ自体として目的を持たないから虚無である。その無限と虚無の間に不安定な人間の存在がある。しかし，人間は自らが「弱い」ということを「考える」ことができるところに人間の尊厳があるとして，「考える葦」と表現した。しかし，卑小な存在である人間がいくら合理的に考えたところで宇宙の無限と虚無の前には無力であることから，たとえ救われる確信が得られないとしても，宗教的思考と信仰に賭けることを説いた。

○×で答えよう! 正誤問題にTRY✓ 経験的事実から出発し，一般法則の確立を目指す。これは演繹法の考えかたである。

13 個人と国家

TOPICS

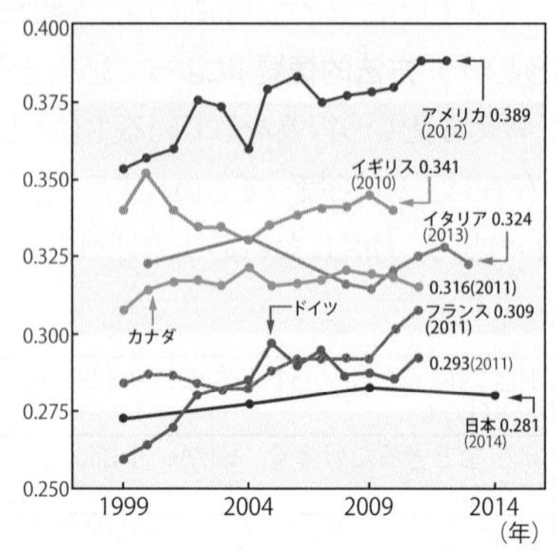

（総務省統計局「全国消費実態調査」2014 などより）

◎格差のある社会？

絶対王政が崩壊し，国民主権のもとで個人の権利が保障されるようになり，近代市民社会が成立した。そのもとで，経済活動の自由に基づく資本主義は，産業革命を経て大きく発展していった。

巨万の富を手にする者がいる一方で，今日の食事に困っている者がいることは不条理に思われる。しかし，懸命に働いて他人よりも豊かな暮らしをしたいと望む気持ちは，誰しも少なからず持っていることだろう。これらは，利益の追求を肯定した資本主義社会で不可避にあらわれる格差に関する問題である。こうした問題を念頭に置いたとき，どのような社会ないし国家が求められるのであろうか。

グラフのジニ係数で考えれば，0.3 以上の数値を示すと「格差」のある社会といわれる。こうした数値は指標の一つであり，社会を考えるための手がかりにすぎない。

1 革命を支えた思想ー社会契約説

ブルジョワ革命以前のヨーロッパ各国では，絶対王政を擁護するものとして，国王の権力は神が授けたものとする王権神授説が唱えられていた。これに対して，絶対王政が成立する以前の**自然状態**にさかのぼり，**個々人のあいだや個人と国家の取り決め**として社会や国家の成り立ちを説明する社会契約説が唱えられた。

解説 社会契約説では，自然状態のほか，人為的に定められた法に対して自然状態においても普遍的とされる自然法や，社会が成立する以前においても人間である以上当然のこととして保証される権利であるところの自然権についてどのようにとらえるかが諸思想家の相違を生んだ。

社会契約説の比較

	ホッブズ	ロック	ルソー
人間の本性	自己保存・利己的	理性的存在	自己愛と思いやり
自然状態	闘争状態	自由・平等	理想的状態
自然権	本能・欲求の充足	生命・自由・財産	自由・平等・平和
社会契約	主権者／法と剣・平和と安全・自然権の委譲・絶対服従／人民	政府／法・自然権の保障・自然権の信託・抵抗権／人民	政府／奉仕・一般意思（志）・任命／人民

human being

ホッブズ（1588～1679：イギリス）

人間が自己保存（平和で安全に生きる）を追求する自由を**自然権**と考えた（利己的に行動する人間）。自然状態において個々人がこの自己保存欲を満たそうとするために「**万人の万人に対する闘い**」となり，かえって自己保存が困難になるとした。そこで人々は絶対的な主権を持つ国家に自然権を委ねなければならないと説いた。このため，結果的には絶対王政を擁護することになった。 著書：『リヴァイアサン』など

ロック（1632～1704：イギリス）

ロックは人間の自然状態を，**自然法にもとづいた理性的な状態**とした。個々人の自然権は**生命・自由・所有**にあり，それを政府に信託することで，人々の間の紛争や問題を解決することを説いた。政府の持つ政治権力は人々の信託にもとづくものなので，為政者が民意を反映しない場合，人々はこの権力を取り戻すことができるとして**抵抗権を認めた**。ロックの思想は名誉革命を擁護し，のちのアメリカ独立革命にも影響を与えた。 著書：『市民政府二論』『人間悟性論』など

ルソー（1712～78：フランス）

ルソーは，自然状態にある人間は自己愛と憐れみの情にしたがって生きていたが，私有財産制のもたらす文明社会が不自由・不平等な状態を作り出したと考え，自由・平等・平和な自然状態に立ち返ることを説き，「**自然に帰れ**」と訴えた。これは，具体的には人間の自然本性に根ざした普遍的な意志であるところの一般意思（志）を法として制定し，その行使を政府にゆだねることであり，一般意思（志）そのものは分割も委譲もできないことから，個々人が主権者として政治に参加する直接民主制を理想とした。著書：『社会契約論』『エミール』など

○×で答えよう！ 正誤問題にTRY✓ ロックは，人間は，生命・自由・財産に対する権利を国家から与えられている，とした。

2 幸福(快楽)が目的 ー功利主義

「神の見えざる手」

アダム=スミス

(1723～90：イギリス)

功利主義に先立つ思想家として，アダム＝スミスが挙げられる。彼は，自由競争が成立している状態では，需要と供給のバランスによって価格が決定されるとして，これを「見えざる手」と比喩した。同時にこれは，個人が自由に利益を追求すれば，意図的にそれを目指さなくても，社会全体の富は適正に配分されることも含意されたものであった。こうした考え方からは，国家は市場に介入すべきではなく，国家の役割は治安の維持と国防に限定されるべきであるとする自由放任主義が導かれる。

「最大多数の最大幸福」

ベンサム

(1748～1832：イギリス)

ベンサムは，快楽や幸福を道徳的な善であるとみなし，それらは「強さ・永続性・確実性・遠近性・多産性・純粋性・範囲」の７つの基準によって量的に計算可能（**快楽計算**）であると考えた。さらに，社会の利益はこの計算によって得られた個々人の利益の総計であるとし，「最大多数の最大幸福」を道徳および立法の原理とした。そこで，個人の利己主義を制限するための外的な強制力として，物理的制裁，政治的制裁，道徳的制裁，宗教的制裁の４つを挙げ，とくに個人の幸福と社会全体の利益を一致させるための法律や政策として具体化される政治的制裁を重視した。

「満足した愚か者より不満足なソクラテス」

J.S. ミル

(1806～73：イギリス)

ミルは，ベンサムの思想に影響を受け，快楽や幸福を善とすることは受け継ぎながらも，快楽は計算によって量的に求められるような均質なものではなく，感覚的な快楽よりも知的な快楽のほうが質が高いとして，快楽に質的差異を認めた。さらに，功利主義を利他心に基づく道徳原理として位置付け，「なにごとも自分がしてほしいと思うことを他人に施すべし」というキリスト教の黄金律に功利主義道徳の精神を見てとった。ゆえに，個人の行為を制限するものとしては，ベンサムが挙げたような外的制裁ではなく，道徳にそむいたときに感じる精神的な苦痛としての内的制裁を重視した。

また，どんなに愚かな行為と思われても，他者に危害を与えない限り，個人の自由は尊重されるべきであるとする「他者危害の原理」を説いた。

3 ユートピアの建設 ー空想的社会主義

18 世紀後半に，イギリスではオーウェン，フランスではサン=シモンやフーリエが，資本主義を批判し，社会主義思想を展開した。これらの思想は，後世のマルクスやエンゲルスは，彼らの人道主義的な側面を高く評価しつつも，理想的共同体にいたる過程で社会科学的考察に欠け，具体的でないと批判し，**空想的社会主義**として退けた。これに対して，マルクスとエンゲルスは，社会構造や社会主義革命の歴史的必然性を論証することによって自らの学説を**科学的社会主義**と称した。

●オーウェン（1771～1858：イギリス）

小学校卒業後，ロンドンの店員奉公から身をおこして，イギリス最大の紡績工場の支配人となった。彼の経営する工場では，労働者のための厚生福祉施設や協同組合的店舗，あるいは世界初の幼稚園をはじめとする教育機関をおき，大成功をおさめた。さらに，理想社会のプランを実現しようとして渡米し，全財産をかけてニューハーモニー村という共同体を建設しようとしたが失敗に終わった。

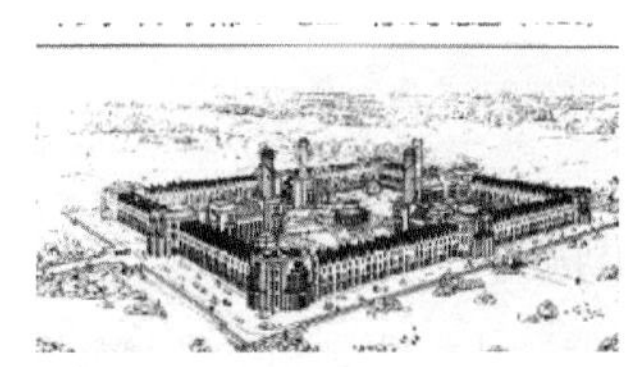

●サン＝シモン

(1760～1825：フランス)

フランスの貴族の出身で，アメリカ独立革命に従軍した。彼は，全国民の４％に過ぎない貴族や地主などの非生産者が実権をにぎっている状況を「逆立ちした世界」と批判し，資本家や科学者，あるいは労働者などの産業者が社会を管理し，支配しなければならないとした。さらに，労働と科学を基礎とした合理的な産業社会のなかで人類の解放が実現されると説いた。

●フーリエ（1772～1837：フランス）

フランスの豊かな商人の子として生まれるも，フランス革命の影響で破産し，仲買人の仕事をしながら思索活動を展開した。彼は資本主義の矛盾点をとくに商業にもとめてこれを批判し，農業を中心とした理想的共同体であるファランジュを構想した。

オーウェンがかかわったイギリスのニュー・ラナークの町（現在は世界遺産登録されている）

○×で答えよう！ 正誤問題にTRY✓ ベンサムは，最も多くの人に最も大きな幸福をもたらす行為が善であるとし，立法などの基準にすべきと主張した。

4 科学的社会主義

マルクス（1818～83：ドイツ）

ドイツの思想家，経済学者。エンゲルスとともに科学的社会主義を確立した。1848年の2月革命において，エンゲルスとの共著『共産党宣言』のなかで「万国の労働者よ，団結せよ」と呼びかけ，1864年に第一インターナショナルを設立。後世は，エンゲルスの援助のもと，執筆活動に専念。ヘーゲルやフォイエルバッハなどの思想をもとに，資本主義の分析を通じて共産主義に至る過程を説いた。著書：『経済学批判』『資本論』『経済学哲学草稿』など

エンゲルス（1820～95：ドイツ）

ドイツの裕福な紡績工場の経営者の家に生まれる。高校中退後，父を手伝いながら哲学や経済学を学ぶ。マルクスとともに弁証法的唯物論を基礎付け，科学的社会主義を打ち立てた。のちにマルクスを経済的に援助し，マルクスの死後は彼の遺稿を整理するとともに，社会主義運動を指導した。

著書：『空想から科学へ』など

Column 弁証法的唯物論

世界は矛盾・対立するものがより高次元のものへと統合されることによって変化すると考えたヘーゲルの世界観を応用し，ヘーゲルが認めたような世界精神を認めず，精神的なものの根源には物質的なものがあるとする唯物論の立場から歴史を解釈した。

物質的財貨の生産には，機械や建物といった物質的条件と労働の対象からなる生産手段と，そこで働く労働力が必要である。これを生産力という。また，生産手段をだれが所有するかを基礎として，そこに結ばれる関係を生産関係という。この生産力と生産関係をあわせて生産様式というが，これを下部構造すなわち土台として，そのうえに上部構造としての政治や文化が形成される（下図）。

この関係において，生産手段の発達や労働者の増大によって生産力は発展するが，生産関係は変化しにくいことから，矛盾が生じる。この矛盾は，生産手段をもつものが，それをもたないものを支配するという構造からなり，支配者階級と被支配者階級の階級闘争を生み，生産手段の所有関係を変更する社会革命に発展する。

こうして，歴史的には，原始共産制→奴隷制→封建制→資本主義という過程をたどってきた。資本主義社会においては，資本家と労働者のあいだに階級闘争が起きており，ここから社会革命をとおして社会主義，共産主義が実現するとマルクスは考えた。

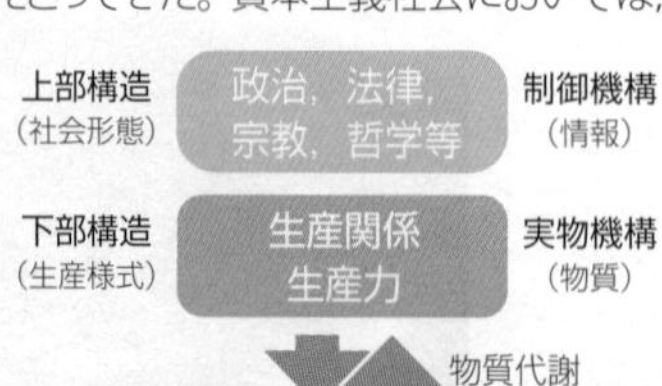

5 『資本論』を読む

労働の疎外（そがい）

マルクスは，フォイエルバッハの影響を受けて，人間を類的存在であるとした。これは，人間は個々に生命活動を行うだけの特殊的存在ではなく，それ自体が類として，すなわち道徳や人類愛などを意識できる普遍的な存在だということである。マルクスは労働を人間の本質とし，労働を通じて自己の本質を実現していく存在であると考えた。

ところが，資本主義社会では，人間にとって本質であるはずの労働が苦役となっていると指摘する。本来，労働の結果としてつくられた生産物は，生産者である労働者の所有物となるはずである。ところが，資本主義では，土地や工場など，利益を生産するための生産手段は資本家の私有物であり，生産手段をもたない労働者は自らの労働力を商品として資本家に提供することによって賃金を得る。このため，生産物が資本家の所有物となり，またそれは同時に商品となって売買の対象となる。こうして，労働力と労働によって生産される生産物は，同様に商品として対立することになり，このことをマルクスは「生産物からの疎外」とした。そのため，本来人間の本質であり，喜びであったはずの労働が苦役と化してしまうことから「労働からの疎外」が生じる。それによって，本来労働によって類的本質を実現していた人間が社会的連帯を意識することができなくなり，個々人が生存のための労働をするにとどまる特殊的存在になってしまうことによる類的存在からの疎外，さらに人間的本質を欠くことによって人間同士が対立しあう，「人間の人間からの疎外」という状況にいたるとマルクスは指摘した。

産業革命のころのロンドン市街

○×で答えよう！ 正誤問題にTRY✓ マルクスは『帝国主義論』を著すとともに，国際的な労働組合運動にも大きな影響を与えた。

テーマ学習　現代の経済学思想

●ロールズ（1921～2002：アメリカ）

ロールズはリベラリズムの思想家として知られる。リベラリズムは，単純に訳せば「自由主義」ということになるだろうが，ここでは「経済的弱者に自由な行為を保障する」という意味で自由が尊重されており，社会保障などの政策を充実させることが主張される。

ロールズは，社会契約説にいう自然状態を「原初状態」ととらえ直し，架空の話し合いの場を想定する。その話し合いでは，自分や他人についての個人的情報が「無知のベール」によって隠されなければならないとする。そこではまず第一の原理として，誰もが政治的・精神的に自由であるべきだということが認められる。さらに第二の原理として，社会的な不平等について，「最も不遇な立場にある人の期待便益を最大化すること」と「公正な機会の均等という条件のもとで，すべての人に開かれている地位や職務に付随するものでしかないこと」という条件を満たすべきであるとした。例えば，「特定の人だけにお金をあげる」のは不平等であるが，生活保護は不遇な立場の人を利するものであるから認められるのであり，特権的な地位の世襲は，その地位がすべての人に開かれていないのだから認められない，ということができる。「無知のベール」という前提にもとづけば，誰もが社会的に弱い立場になりうるのであるから，これらの原理は論理的に導かれるとともに，道徳的に裏付けられると説いた。

●アマルティア＝セン（1933～　：インド）

ロールズに影響を受けつつ，批判的に独自の立場を展開したのがセンである。センは，従来の経済学で想定されていた，自身の利益を最大にしようとするものという人間像を「合理的な愚か者」と批判した。人間には，自らの不利益を承知の上で，あえて他者に配慮する一面があることが見過ごされているという。

さらに，所得や富の平等を理想視する福祉のあり方を再検討し，「どのような生き方が可能になるか」という点に着目した「潜在能力アプローチ」を提唱した。例えば，コンピュータはインターネットで世界中の情報を集めるのに有用なものであるが，文字が読めなかったり目が不自由だったりする人にはその効用が実現されない。従来の福祉の考え方はコンピュータをすべての人に配るあり方だったのに対し，すべての人が効用の面で平等になることをめざすべきだと説くのである。

●ノージック（1938～2002：アメリカ）

リベラリズムが政府による積極的な福祉の向上を唱えるのに対し，それは個人の自由を制限するものであると反論するのがノージックらのリバタリアニズム（自由至上主義）である。

ノージックは，所有物に関わる所有の正当性を「エンタイトルメント」という語で表しており，これは「権原」と訳される。各人は自分の身体の所有者であり，自分の行為について自己決定することができる。同様に，正当に取得したものについては自己決定にもとづき自由に移転できる。だから，困っている人がいたとしても，その人に自分の所有物を分け与える義務はない。ゆえに，国家による所得の再配分は越権行為だと主張する。こうした立場からノージックは，国家の役割は盗みや暴力などによる所有権の侵害から国民を守ることに限られるとして，「最小国家」を主張した。

●サンデル（1953～　：アメリカ）

リベラリズムとリバタリアニズムは対立するが，個人の自由に重きを置く点では共通している。いずれも個人が「自由な自己決定の主体」であると主張するのに対し，サンデルはそれを「負荷なき自己」と批判した。人は家族や地域社会あるいは時代などにより，さまざまな人とかかわり合い，影響を受けている「状況に位置づけられた自己」であり，それらを完全に排除した自由な自己決定はあり得ないと主張する。このように，個人に影響を与える共同体を重視する立場をコミュニタリアニズム（共同体主義）という。

「人間はポリス的動物」と唱えた古代ギリシャの哲学者アリストテレスは，政治は善い生き方を学ぶものであり，市民に美徳を備えることが政治の目的であると説いた。サンデルはこれを再評価し，共同体に生きる人びとが共有する「共通善」を議論によって構築していくことと，政府が国民の美徳を育成していくことを説いた。

ここに挙げた思想家は，いずれも「正義」を問題として，個人と国家の関わりを説いている。リベラリズムとリバタリアニズムが個人の自由を尊重しているのに対し，コミュニタリアニズムでは共同体の善が重視される。また，リバタリアニズムが政府の役割を限定した最小国家を説くのに対し，リベラリズムとコミュニタリアニズムは富の再分配を国家の役割としている点では共通していると見ることができる。これらの思想を比較してみることは，わたしたちが個人と国家についてどうあるべきかと考える際の手がかりを与えてくれるだろう。

○×で答えよう!　正誤問題にTRY✓　『資本論』によれば，私的利益を追求する各個人の行動が，「見えざる手」の作用で，社会全体の利益の調和をもたらす。

14 個人の自由と責任

TOPICS

モダンタイムス―歯車になる人間？

日本国憲法に自由権が基本的人権として保障されているように，近代市民社会においては個人の自由が尊重される。そこで個人は，神の被造物でもなければ，絶対的な君主に支配される者でもない。しかし，同時に人間は，道徳や法などの社会規範にのっとって生きているということも，多くの同意を得ることである。自由が保障された近代市民社会において，社会規範に従って生きるとはどのようなあり方なのだろうか。

また，近代市民社会は資本主義の発展をもたらし，そのなかで人間は画一化し，没個性化していったと指摘される。そのなかで，いま，ここに存在するほかでもない「わたし」はどのような存在なのかということも問われてきた。

1 カント―ドイツ観念論

カント（1724～1804）

ドイツの哲学者。港町ケーニヒスベルグ（現ロシア領）で馬具職人の子として生まれ，敬虔（けいけん）なプロテスタンティズムの家庭で育つ。生涯のほとんどを生地ですごし，規律正しい生活ぶりは，散歩する彼を見て街の人々が時計を合わせたというエピソードからも見て取れる。

はじめ**合理論**の立場に立つが，ヒュームの経験論に影響を受け，**合理論と経験論の批判的に統合する認識論**を展開した。道徳哲学においては，意志の自律に人格としての自由と尊厳があるとし，それを国家に発展させて国際平和を説いた。国際連盟を構想したアメリカ大統領ウィルソンはカントの『永久平和論』に大きな影響を受けている。「これでよい」ということばを残して80歳で人生を終えた彼の記念牌（はい）には，『実践理性批判』の結びで彼が畏敬の念を感ずるものとしてあげた，「わが上なる星空と，わが内なる道徳法則」が刻まれている。

著書：『純粋理性批判』『実践理性批判』『判断力批判』（以上「三批判書」）『道徳形而上学原論』『永久平和論』

2 カントの道徳法則

たとえば，食べたいから食べるとか，寝たいから寝るということは，一見自由に思われるが，それは食欲や睡眠欲などの本能的なもの，すなわち自然法則に支配されているという点で自由ではないとカントは考えた。

われわれがなにかの行為をするときに，われわれにそれを命ずるものがある。これをカントは命法と呼び，２種類に分類した。ひとつは「もし他人の信用を得たいのならばうそをついてはならない」というように，他の目的に到達する手段としての行為を命ずる仮言命法であり，もうひとつは「うそをついてはならない」というように，なにかの手段としてではなく，それ自体がよいとされることを単刀直入に命ずる定言命法である。道徳にかなった命令は定言命法のかたちをとり，それは無条件で客観的であるから道徳法則である。

われわれは道徳法則に対して尊敬と義務の念をもって従う。しかしこれは，無条件に自らの意思に従うことであるから，自由である。カントは，このように自らを律することが人間の自由であり，この自律の自由こそが人間の尊厳あるところであると説いた。

解説 **道徳法則** なんじの意志の格率が，つねに同時に普遍的立法の原理として妥当しうるように行為せよ『実践理性批判』

人格主義 なんじの人格やほかのあらゆる人の人格のうちにある人間性を，いつも同時に目的としてあつかい，けっしてたんに手段としてのみ扱わないように行為せよ『道徳形而上学原論』

○×で答えよう！ 正誤問題にTRY✓ 人間が自らの意思で規範を定め，それに従う状態を，カントは自主と呼び，そこに人間の尊厳の根拠を求めている。

3 カントの善意志

頭の回転が速いとか，行動力があるとか，根気強いといったことがらは一般に善いとされる。しかし，完璧な犯罪の計画をたて，それをすぐに実行に移し，粘り強く金庫のかぎを開けようとする泥棒は善いとされるだろうか。これらの才能や気質が善いとされるのは，それをもちいる意志が善である場合である。そこでカントは善意志を無条件に善であるものとした。このようにカントの道徳哲学は，行為の結果としてなされることがらではなく，行為の動機を重視したことから動機主義といわれる。

Column 「目的の王国」

カントは自律の自由にもとづいて行為する主体を人格と呼ぶ。はさみを使って紙を切るといった場合，われわれは「紙を切る」という目的に対する手段としてはさみを用いているが，はさみは同じ性質をもったもので代用することができ，または新しいものを買ってくることもできる。しかし，人格は置き換えもできなければ価格をつけることもできない。このように人格の尊厳を説いたカントは，人間が互いの人格を目的として尊重する社会を理想とし，「目的の王国」と名づけた。さらに，国際社会において，これと同様に他国を尊重することによって世界平和が実現されると説き，後の国際連盟の成立に大きな影響を与えた。

倫理編

4 ヘーゲル－人倫

ヘーゲル（1770 ～ 1831）

ドイツの哲学者。カントにはじまり，フィヒテ，シェリングと展開されたドイツ観念論の完成者といわれる。チューリンゲン大学在学中にフランス革命がおこり，イエナ大学で無給の私講師をしていたときにナポレオンのドイツ侵攻がおこっている。ヘーゲルは馬上のナポレオンに世界精神のあらわれをみたという。

ヘーゲルの言う人倫とは，カントは意志の自律に基づく道徳法則にしたがって生きることを説いたが，ヘーゲルはこれを主観的な道徳であると批判し，個人の主観に基づく道徳は，現実の社会のなかで客観性を持つ道徳や法と止揚されなくてはならないと考えた。

すべてを精神のあらわれと考えたヘーゲルは，個人の精神として現れる主観的精神に対して，道徳や法などを客観的精神とした。この客観的精神についてみてみると，道徳は具体的であるが主観的であり，法は客観的であるが抽象的である。そこで，これらを止揚したところに，具体的であり客観的であるところの人倫があるが，それは具体的には家族，市民社会，国家の三段階を経て形成されるとした。つまり，家族は愛によって結ばれた共同体であるが，市民社会は独立した個人が欲望を追求する欲望の体系である。そこで，これらを止揚した国家において，共同体としての普遍性と，個々人の個別性が保たれるというのである。

著書：『精神現象学』『法の哲学』『歴史哲学講義』

5 ヘーゲルの絶対精神

歴史をひもとくと，歴史上の人物がある思いをもって社会を動かし，それが法や制度として結実していく過程が見てとれる。ヘーゲルはそれを，個人の主観的な精神が社会全体を包む客観的精神になったととらえる。さらに，そのようにさせる原動力として絶対精神を挙げ，歴史とは自由を本質とする絶対精神が姿を表していく過程であると説く。ここで「精神」と訳されている語は「Geist」であり，「霊魂」と訳したほうが，ヘーゲルの着眼点を理解しやすいかもしれない。

Column ヘーゲルの弁証法

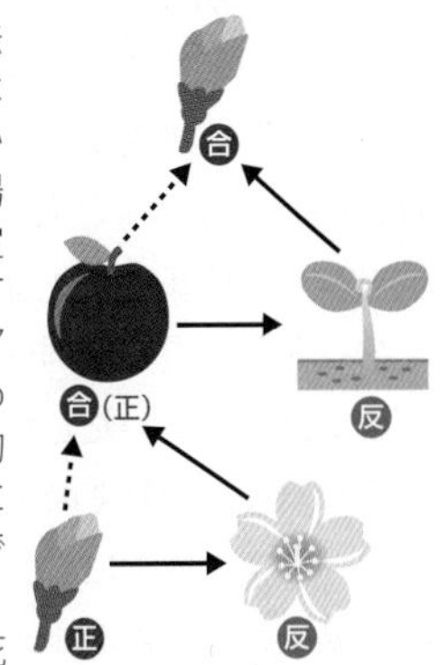

もともとは対話法や問答法の意味であるが，ヘーゲルはそれを哲学的論理として用いた。つまり，ある一つの立場を肯定する段階（テーゼ：定立）に対して，それを否定して別の立場があらわれた段階（アンチテーゼ：反定立）があらわれ，その矛盾・対立を発展的に解消してより高次の段階に統合（**止揚**）されるということである。

しばしば植物の「つぼみ→花→実…」という変化が例に挙げられる。つぼみがそのまま大きくなって完成となるのではなく，「つぼみでないもの」である花が現れる。花もまた完成形ではなく，「つぼみでも花でもないもの」として実がなる。逆に，実が必要ならば，はじめから小さな実ができてそれが大きくなればよいのだが，そうはいかない。つぼみにはつぼみの，花には花の，それぞれの必然性や妥当性がありつつ，それらが打ち消されて高次の段階に進む。

このように，世界は非連続的に発展していくというのがヘーゲルの見方である。

○×で答えよう！ 正誤問題にTRY✓ ヘーゲルは，国家は，市民社会的な個人の自立性と，家族がもつ共同性とがともに生かされた共同体であると考えた。

6 主体的に生きる一実存主義

「人間の尊厳とは何か」「人間はいかに生きるべきか」と問うたときの「人間」とはだれのことだろう。これらは，個々の人間に共通した一般的で抽象的な本質を問うもので，特定のだれかはいない。これに対して，現実に存在する「わたし」を，他とは区別された特別な存在として探究しようという立場を**実存主義**という。

歴史的背景からみると，科学技術の発達にともなって合理性が求められるなかで失われた人間性を回復しようとする思想であると言える。同じ問題に対して，マルクスが社会の変革を訴えたのに対して，実存主義では個々人が主体的に生きることを求めている。

キルケゴール ヤスパースら	神と人間の関係を重視する	有神論的実存主義
ニーチェ ハイデガー サルトルら	あくまで自己の価値実現を唱える	無神論的実存主義

解説 「実存」とは，一般に「現実存在」を意味する。今ここに，こうして在るというように現実的，具体的に存在する個々の存在である。

7 キルケゴール

キルケゴール
（1813～55：デンマーク）

デンマークのコペンハーゲンに生まれ，裕福な毛織物商の子として育つ。信頼していた父が少年時代に貧困から神を呪い，また家政婦とのあいだに子どもをもうけたという事実を知り，彼自身が「大地震」と語る大きな絶望におちいった。そのことから自らを例外者として意識し，普遍的な人間観ではなく「わたしがそのために生き，かつ死ねるような真理」としての主体的真理を探求した。そのなかで，欲望や情欲にもとづいて享楽にふける美的実存の段階にむなしさを覚えて絶望し，自らの判断と責任で倫理的に生きようとする倫理的実存へと移行するが，自分の無力さや罪深さに再び絶望を感じて，神の前に単独者として生きる宗教的実存の段階に至るという「実存の三段階」を説き，神の前に単独者として向き合うことに自己の実存をみた。

著書：『あれかこれか』『現代の批判』『死に至る病』

8 ニーチェ

ニーチェ（1844～1900：ドイツ）

ニーチェは19世紀末のヨーロッパを，すべてのものが無価値ととらえられ，「何のために」ということについての答えが欠如したニヒリズムの時代ととらえた。

その原因は，弱者が自らの状況を正当化するために謙遜（けんそん）や同情などを善として位置づけていること，具体的にはキリスト教の隣人愛の実践であるという。キリスト教道徳を，弱者の**ルサンチマン**（**怨恨**（えんこん））に満ちた奴隷道徳として退け，生の高揚（こうよう）やゆるぎない幸福観を求める君主の道徳を求めた。そして，人生は無意味なものが永劫回帰（えいごうかいき）するものであるが，にもかかわらず運命を愛し，より強大になろうとする生命力，すなわち力への意志を備えた超人となることを説いた。

著書：『悲劇の誕生』『ツァラトゥストラはかく語りき』

9 ヤスパース

ヤスパース（1883～1969：ドイツ）

科学技術の発展とともに，人間はさまざまな状況に対応できるようになった。しかし，それでもなお，死・争い・個々人が避けられない状況がある。こうした限界状況は，いかに理性的思考をもってしても避けることのできない状況である。このとき人間は，自らの有限性を自覚し，孤独に陥る。しかし，ここで個々の人間が見ている「部分」としての世界を越えた，全体としての世界をみている包括者と出会い，実存に至る。

また，孤独な現実存在としての人間は，自らの実存に目覚めると他者との交わりを持つようになる。それは，うわべの関係を求めるものではなく，ヤスパースが「愛しながらの戦い」と言うような，「実存的な交わり」にほかならない。

著書：『理性と実存』『哲学』『精神病理学総論』

キルケゴールは，外面的な善行や客観的に認識される真理ではなく，聖書に基づく個人の純粋な信仰を重んじる信仰義認説を提唱した。

10 ハイデガー

ハイデガー（1889～1976：ドイツ）

ハイデガーは人間を「現存在」ということばで言い表した。これは，「今ここに自分が存在する」ということを了解し，さらにそれを通じて「存在とはなにか」という問いを発することができるのは人間だけであるということを示している。さらに，自らを取り巻く世間，すなわち他者と密接なかかわりをもちながら存在しているという現存在のあり方を「世界内存在」と表した。

しかし，ややもすると現存在は日常生活の中では周囲と同化し，主体性をなくして本来のあり方を見失ってしまい，特定の何者とも言い難い世人，すなわち「ひと(das Man)」となってしまう。一般的な「ひと」となった現存在が本来のあり方に目覚めるのは，自らが「死への存在」であることを自覚したときだとハイデガーは言う。

解説 死はいつ訪れるかわからない。人間はだれでも死ぬということを知っていながら，日常生活の中ではそれを意識していない。死を自分のこととして受け止めたときに，自らの存在，すなわち自らの生を意識するのではないだろうか。

11 サルトル

サルトル（1905～1980：フランス）

例えば，ナイフは「切るためのもの」としてつくられる。これに対して人間は，生まれてから自分で何になるかを決める。つまり，「何であるか」よりも先に存在するのであり，このことをサルトルは「実存は本質に先立つ」と表現した。

人間は自由な存在であるが，自由であるがゆえにすべてを決定しなければならない，という不自由さをふくんでいる。サルトルはこれを「自由の刑」ということばで表した。

ここから，個人の自由な選択が必ず社会に影響を及ぼすことが論じられる。例えば，選挙にいかないというのは個人の選択であり，多くの場合何らかの集団が結束して行動しているものではない。しかし，投票率が低下すれば選挙の意義や有権者のあり方が考え直されることにつながる。つまり，個人が自分のこととして行った選択は，社会をその方向に動かそうとするものであり，それゆえに全人類に対して責任を負っている。これをサルトルはアンガジュマン(社会参加)と表現している。

Column 現代思想の思潮

●フランクフルト学派

1923年開設のフランクフルト大学附属研究機関「社会研究所」に参加した一連のメンバー（ホルクハイマー，アドルノ，フロムなど）によって形成された学派。おもにマルクスやフロイトに依拠しつつ哲学から社会学，経済学・心理学・文学など多方面からの知見を相互に関連させ，現代社会の解明をめざした。現実の人間疎外を生みだしたものを人間の理性そのもののあり方に求め，現代理性に対する徹底的な批判を加えたことが，この学派の大きな特徴である。

【ホルクハイマー】

（1895～1973，ドイツの哲学者）社会研究所所長に就任しフランクフルト学派の指導者ともなった。アドルノとの共著に『啓蒙の弁証法』がある。

【アドルノ】

（1903～69）フランクフルト大学の社会研究所一員として活躍。ホルクハイマーと並ぶフランクフルト学派の代表者。

●構造主義

ソシュールに端を発する近代言語学の方法を，レヴィ＝ストロースが未開社会の親族関係や神話の構造に応用して成果をあげて以来，1960年代フランスにおいて各分野に広がった思潮。他に，ルネサンス以降のヨーロッパ文化・社会を支配する構造を分析したミッシェル=フーコーらがいる。構造主義では，様々な意味や思想，行動を意味づけるのは西欧近代的な理性的存在である人間ではなく，社会や時代の枠組み・構造であるとする。

【レヴィ＝ストロース】

（1908～2009，フランスの文化人類学者）ブラジルでの民族調査を行い，文化人類学者との交流から，構造主義人類学の立場を創始。主著に『悲しき熱帯』などがある。

【フーコー】

（1926～84，フランスの哲学者）ポスト構造主義の代表的な存在。主著に『性の歴史』などがある。

解説 **サルトルとボーヴォワール** 結婚という個人的な行為の自由な選択も，実は社会的な「婚姻制度の選択」という意味で社会の他の構成員に対する責任を要求される。例えば今の日本において婚姻届を出して結婚するということは，一夫一婦制という婚姻制度や夫婦同姓という婚姻制度を肯定的に認めることになる。それは，そのような制度が社会的に肯定され存続し続ける力となり，その意味で社会や他者に対して責任を持つことになるというのである。実際，サルトルは生涯連れ添った事実上の妻ボーヴォワールとは法律的な婚姻関係を結んでいない。

○×で答えよう！ 正誤問題にTRY✓ 自分の行いを正当化する価値を自明のものとして見いだすことのできない状況について，サルトルは「人間は自律の刑に処せられている」と述べている。

15 生命の尊重

TOPICS

僕は医者だ。 ―ブラックジャックによろしく―

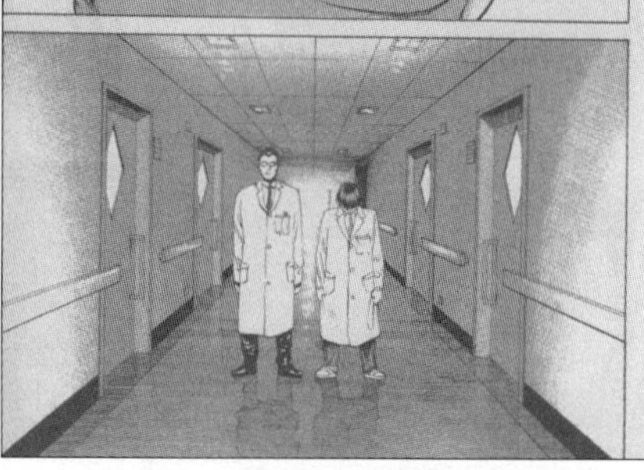

解説 斉藤栄二郎は，超一流といわれる永禄大学付属病院の研修医である。同大学医学部を卒業して，3カ月にして，初めて一人で患者を担当することになる。月収は，わずか3万8千円である。研修医である斉藤は，理想とはかけ離れた日本の医療の矛盾に苦悩しつつも，懸命に患者に向き合って日々を送る。

自宅で倒れ意識不明のまま75歳の老人が病院に運ばれた。回復の見込みがなかったが，教授が患者の家族から100万円を受け取ったので，翌日に手術を行った。しかし，容体が急変し心臓が停止したので，延命処置を中止し3日経過した。斉藤の必死の懇願で，再び延命処置を再開したが，やがて患者は亡くなった。

（佐藤秀峰『ブラックジャックによろしく』講談社　第1巻「第1外科編」生き返れ？）

1 生命への畏敬 ～シュバイツァー

シュバイツァーは，生きとし生けるものへの愛を説く「生命への畏敬」の倫理をかかげた。「生命への畏敬」とは，「私は生きようとする生命に取り囲まれた生きようとする生命である」という認識と自覚にたち，生きとし生けるものの生命をいつくしみ，大切にするという考え方である。そして，生命の本質は，「じゅうぶんに生き抜こうとすること」である。そして，このような願いは，私たち自身と同じように，すべての人間，すべての動・植物においても厳然と備わっている。わたしたちの倫理の根本は，自分自身の生命に対するのと同様の気持ちで，他の生命をいとおしみ，大切にしていくことなのである。

Column 現代のヒューマニズム

現代の代表的なヒューマニズムの思想家には，シュバイツァーやガンジーの他に，ロマン・ロラン(1866～1944)やラッセル(1872～1970)などがいる。

ロマン・ロランは，『ジャン・クリストフ』でノーベル文学賞を受賞し，反戦・反ファシズム運動を行った。また，ラッセルは，反戦平和，活動を続け，第二次世界大戦後は原水爆禁止運動を行った。

human being

シュバイツァー
(1875～1965)
A.Schweitzer

ドイツ領（のちフランス領）アルザスに牧師の子として生まれる。恵まれた環境に育ち，21歳の時に「30歳までは学問と研究に生きることが許されているが，その後は人間に直接奉仕する道を進む」と決意した。そして，30歳になると，赤道アフリカ地方の窮状と医師の不足を知り，医学部の学生となる。6年後，夫人とともにガボン（現ガボン共和国）のランバレネへ行き，私財をなげうって病院を建て，現地の人々への医療奉仕とキリスト教伝道に従事した。

「生命の畏敬」の理念から2度の世界大戦を批判し，「アフリカの聖者」と称された。1952年には，ノーベル平和賞を受賞し，その後も原水爆実験の中止を訴え続けた。主著に『水と原生林のはざまで』『文化と倫理』などがある。

○×で答えよう！ 正誤問題にTRY✓ 第二次世界大戦後，カナダのパグウォッシュで科学と国際問題に関する会議が開催され，科学者の平和に対する責任が問題にされた。

2 アヒンサー（不殺生）～ガンジー～

ガンジーの生命尊重の思想は，次のようなことばで語られている。

●アヒンサー　インド古来の思想であり，ガンジーの根本思想の一つで不殺生のこと。「不殺生」とは，殺生をしない，他の生命に危害を加えないことだけを意味するのではなく，邪念，虚言，憎悪，呪いなどによって直接，間接に苦しみをあたえないことを意味する。

アヒンサーに基づく徹底した非暴力・不服従運動を展開した。

●ブラフマチャリヤー　「自己浄化」と訳される。献身や奉仕を実践するためには，肉体と精神の両方の要求を満たすことはできないと考え，徹底した厳しい禁欲の誓いをたてた。

●サチャグラハ　「真理の把持」を意味する。宇宙の根源にある真理を把握し，その真理を自己の生き方や社会において実現することをいう。

この目標に向けて，肉体的節制をはじめとする厳しい禁欲を自己に課すブラフマチャリヤー（自己浄化）とアヒンサー（不殺生）の実践を説いた。

human being

ガンジー

（1869 ～ 1948）M.K.Gandhi

インドの名門政治家の息子として生まれる。ロンドン留学後，弁護士を開業，南アフリカで厳しい人種差別に接する。1915 年に帰国，スワラージ（自治・独立）・スワデーシー（国産品愛用）の綱領を掲げて反英独立運動の先頭に立ち，インドを独立に導いた。

独立運動に際しては徹底的な非暴力主義・不服従運動を貫き，宗教対立の和解や「不可触民」の差別廃止の運動に力を注ぎ，インド国民に「マハトマ（偉大な魂）」と親しまれた。しかし，狂信的なヒンドゥー教徒に暗殺される。主著に『インドの自治』『自叙伝』がある。

「塩の行進」
イギリス植民地政府による塩の専売に反対した抗議行動のこと。

3 レイチェル＝カーソン

"Silent Spring"by Rachel Carson, Boston, Houghton Mifflin Company (2002)

アメリカでは，春がきても自然は黙りこくっている。そんな町や村がいっぱいある。いったい何故なのか。……

散布剤，粉末剤，エアゾール（噴霧剤）というふうに，農園でも庭園でも森林でも，そしてまた家庭でも，これらの薬品はやたらと使われている。だが，《益虫》も《害虫》も，みな殺しだ。雨あられと毒をふりまき，だれも住めないようにしてしまう。鳥の鳴き声は消え，魚のはねる姿ももはや見られず，木の葉には死の膜がかかり，地中にも毒はしみこんでゆく。そして，もとはといえば，わずか，二，三の昆虫が邪魔なためだとは……。

こんなことがあっていいのだろうか。《殺虫剤》と人はいうが，《殺生剤》といったほうがふさわしくないのか。（『沈黙の春』）

human being

レイチェル＝カーソン

（1907 ～ 64）Rachel Carson

アメリカの海洋生物学者で，時事評論家。1962 年に『沈黙の春』を刊行し，当時大量に使用されていたＤＤＴ（殺虫剤）をはじめとする農薬が自然環境を破壊することを警告した。産業界からは，激しい攻撃を受けたが，環境問題に関する議論が湧き上がり，マス - メディアも取り上げるようになった。ケネディ大統領も化学物質がもたらす環境汚染問題の調査に乗り出した。『沈黙の春』は，1970 年の環境保護局設立の契機となり，アメリカの環境政策に重要な影響を与えた。

解説　日本では，水俣病患者や家族の壮絶な姿を記録した石牟礼道子『浄土』や，毒性物質の複合による人体の影響を訴えた有吉佐和子『複合汚染』などの著作がある。

奄美「自然の権利」訴訟の原告弁護団　1995 年，ゴルフ場予定地に生息する希少野生動物，絶滅危惧種のアマミノクロウサギ，アマミヤマシギ，オオトラツグミ，ルリカケスを原告として訴訟を起こし開発の撤回を要求する訴訟を起こした，日本ではじめての自然の権利訴訟。

倫理編

○×で答えよう！ 正誤問題にTRY✓　インド独立運動の指導者ガンジーは，武力の行使を最低限に抑え，可能な限り非暴力的な手段を使用すべきだと主張した。

4 よだかの星ー宮沢賢治

みにくいよだかは，みんなに嫌がられていた。鷹はみにくいよだかに対し，名前を変えなければ，つかみ殺すぞと，脅した。しかし，よだかが口を開けると，たくさんの虫が入ってくる。生きていくことにつらくなったよだかは，空に向かってどこまでも上昇し，息絶える。意識が戻ると，青い星となっていた。

賢治は，鷹に殺されるよだかが，多くの虫を食べて殺しているという，自然のなかでの食べて食べられる関係を指摘する。生命とは，お互いの生命を捧げあっているのである。

自然の動物は，自分の生命に必要な分だけを手に入れるだけで，むやみに他の生命を奪わない。人間だけが自分の生命を維持する以上に，食品・衣服・加工品を得るために大量の乱獲をし，絶滅した生物もあることに，気がつかなければならない。

また，宮沢賢治は「世界がぜんたい幸福にならないうちは個人の幸福はあり得ない」（『農民芸術概論綱要』）という。賢治は，個人と社会を対立的なものと考えるのではなく，個人だけの幸福を考えるのではなく，世界の幸福が同時に，その中の個人の幸福でもあることを目指した。

human being

宮沢賢治

（1896～1933）

岩手県花巻の富裕な商家の長男として生まれ，家庭の仏教的雰囲気の中で成長し，思春期に受けた法華経の感動を生涯持ち続ける。すべての生物の究極の幸福を理想としたが，零細（れいさい）農民の困窮を見るにつけ，家業や商業主義に疑問を抱くようになる。社会主義にも接近したが，自耕自炊の生活にとび込み，前近代的な東北農民の改革に奔走（ほんそう）した。

『春と修羅（しゅら）』『注文の多い料理店』『銀河鉄道の夜』などの作品がある。37歳で結核の悪化により亡くなる。

5 「I have a dream.」ーキング牧師

さてわが友よ，われわれは今日も明日も困難に直面しているが，私はそれでもなお夢を持つと申し上げたい。それはアメリカの夢に深く根ざした夢である。私はいつの日かこの国が立ち上がって，「われらはこれらの真理を自明のものとして承認する。すなわち，すべての人は平等につくられ……」というその信条を生き抜くようになるであろう，という夢を持っている。私はいつの日かジョージアの赤土の丘の上で，かつての奴隷の子孫と奴隷主の子孫とが，兄弟愛のテーブルに一緒に座るようになるであろう，という夢を持っている。

そして私は，私の四人の小さな子供たちがいつの日か，皮膚の色によってではなく，人格の深さによって評価される国に住むようになるであろう，という夢を持っている。私は今日夢を持っている。

（1963年8月28日，ワシントンでの演説）

1963年8月28日の「ワシントン大行進」における，「I have a dream.」と題される彼の演説（資料参照）にあらわれているように，彼の理想は黒人の地位を高めて白人に勝利することではなく，さまざまな人種がひとしく尊厳ある存在として共存することであった。

human being

M.L.キングJr.

（1929～68）（マーチン＝ルーサー＝キングJr）

アメリカ合衆国ジョージア州に牧師の子として生まれ，黒人差別の強いアラバマ州の牧師となる。モンゴメリーのバス‐ボイコット運動をはじめ，黒人公民権運動の指導者となった。インド独立の指導者ガンジーに強い影響を受け，非暴力主義をつらぬいて公民権法案の成立を勝ち取り，ノーベル平和賞を受賞したが，1968年，非暴力主義に反対する急進派の黒人に暗殺された。

○×で答えよう！ 正誤問題にTRY✓ 宮沢賢治は，報恩感謝の念仏で生きとし生けるものの極楽往生を目指した。

6 最大の貧しさは孤独ーマザー＝テレサ

慈善団体「神の愛の宣教者会」のマザーハウスに設置された等身大のマザー・テレサ像（右） インド・コルカタ（カルカッタ）

マザー＝テレサは，飢えや欠乏などの物質的な貧しさよりも，それらの人々の精神的な貧しさ，すなわち，だれからも相手にされず孤独を感じていることを強く問題視した。彼女の設立した施設は，たんに食料や衣料などの物質を与える場ではなく，かけがえのない一人の人間として接し，自分のことを気にかける人がいるという実感を与える場である。欠乏のなかにある人を理解するためには同じ生活をしなければならないと説いた彼女は，死の床にありながら特別な医療を拒否することで自らの信念をつらぬいた。

マザーは次のように語った。「この世の最大の不幸は，貧しさや病ではない。むしろそのことによって見捨てられ，誰からも自分が必要とされていないと感じることである」「神に対する私たちの愛は，どれだけの仕事をするかではなく，大切なことはその心です。」

human being

マザー＝テレサ

(1910～97)

現北マケドニア領のスコピエに生まれる。本名アグネス＝ゴンジャ＝ボジャジュ。18歳でアイルランドのロレット修道会に入りインドに派遣された。シスターとなってテレサと改名。カルカッタの女学校で歴史や地理などを教えたが，「貧しきものたちと共にあれ。貧しきもののために働け」という神の声を聞き，貧困者を救済する活動をはじめた。インド国籍を取得し，1950年に，慈善団体「神の愛の宣教者会」を設立し，このころから「マザー」とよばれる。この団体では，孤児院やハンセン病患者のための医療施設，そして見捨てられた病人を収容する「死を待つ人の家」などを設立した。1979年にノーベル平和賞を受賞。1997年9月5日に87歳で死去した。

7 ジョン＝レノン

1940年リヴァプール・ウールトン生まれ。ポール＝マッカートニーやジョージ＝ハリスンらとビートルズ（The Beatles）を結成。ビートルズ脱退後も，音楽を中心とした平和活動を展開する。1969年オノ＝ヨーコと結婚。1971年に「Imagine」を発表。その後，ベトナム戦争を批判するなどしてアメリカ政府から危険視される。1980年12月8日，熱狂的なファンに銃殺されてこの世を去った。

平和運動を展開し，人種差別，女性差別の撤廃をうったえたジョン＝レノンは，「Imagine」のなかで，国家や宗教の対立，あるいは貧富の格差を越えて，地上に生きる一人ひとりの人間として共存することを呼びかけている。

歌詞の最後の部分には，こうした理想を空想として退けることなく，一人ひとりが問題意識をもって取り組んでいくことによって世界が変化するという彼の思想がくみとれるのではないだろうか。

Imagine

Imagine there's no countries it isn't hard to do nothing to kill or die for no religion too imagine life in peace…	国境なんてないと思ってみよう 難しいことじゃない 殺したり　死んだりする理由などない 宗教もない
…you may say I'm a dreamer but I'm not the only one I hope someday you'll join us and the world will be as one	君はぼくを夢想家だと言うかもしれない でも　ぼくは一人じゃない いつか君も仲間になって そして世界が一つになればと願っている

解説 ジョンのソロ時代のアルバム『イマジン』のタイトル・ナンバーで，極めて人気が高い曲である。ジョンの願いは，いまだに叶えられていない。いろいろな和訳があるので，自分なりに訳してみよう。

○×で答えよう! 正誤問題にTRY✓ マザー＝テレサは，愛と奉仕の精神に基づき，貧困や病気で苦しむ人々の支援を行い，生命の尊さを説いた。

やってみよう法教育❶

法の意義と役割

憲枝さんの枕元で，目覚まし時計が鳴り響きました。

ベルを止めた憲枝さんは，寝ぼけ眼でいつものように顔を洗いに洗面所に行き，食卓について朝ご飯を食べ始めます。

憲枝さんの家では，朝食はテレビのニュースを見ながら食べることになっています。食べ終わった憲枝さんが，学校の用意をしに自分の部屋に戻ろうとすると，お母さんに声をかけられます。

憲枝さんは，時間を気にしながらも，食器を下げ，新聞を取ってきてから，制服に着替えます。着替えながら独り言を言いつつ，時間なので家を飛び出そうとします。

するとお母さんが無理難題をいいます。文句を言っても始まらないので，憲枝さんはゴミ袋を掴んでダッシュです。

時間は8時ちょうど。学校にはギリギリです。ところがゴミ置き場で，憲枝さんは立ち止まりました。ピアノの音がするのです。

憲枝さんが住んでいるマンションでは，**「朝9時までと夜9時以降は，ピアノなど音のする楽器は演奏しない」**と自治会で決めているのです。

2階に小さな子どもがいたことを思い出して，おばさんみたいな独り言を呟きました。

憲枝さんの学校は，家から歩いて駅まで5分，そこから電車で15分ほどの駅で降り，さらに学校まで徒歩10分かかります。

駅までの道は自動車が多いので，憲枝さんは右側通行を心がけています。赤信号を無視しながら，その横を同級生が自転車で抜かしていきます。

抜かされるときに，ぶつかりそうになった憲枝さんは少し怒ってしまいました。

駅に着くと，何と定期を忘れたことに気がつきました。憲枝さんは仕方なく，切符を買い電車に乗りました。今朝も電車は混んでいます。駅では「整列乗車にご協力下さい」とアナウンスがながれています。駅のホームではキチンと並んで電車を待ちます。

その日は，新聞を取りに行ったりしていたので，ギリギリになってしまいました。憲枝さんの高校は，遅刻には厳しいのです。校門には先生が立っていて，**「遅刻ギリギリだぞ，走れ!」** なんて叫んでいます。憲枝さんは走り出しました。

ギリギリに到着して教室に滑り込むと，隣の席の友人が

「1時間目の授業だから，今日までという約束で貸していた，ノートを返してね」

と言ってきます。

憲枝さんは心の中で叫びますが，これはもう **「あとの祭り」** です。

にこやかにノートを返します。

朝のホームルームが始まります。憲枝さんはクラスの号令係です。

先生が教室に入ってきました。すかさず憲枝さんは **「起立。礼。おはようございます。着席。」** と号令をかけます。

そして，いつもの一日が続いていきます。

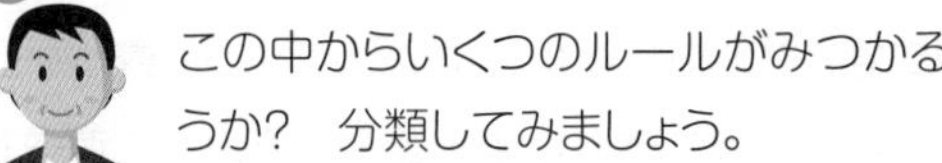
ケース1 は，ある高校生憲枝の1日です。

❶

この中からいくつのルールがみつかるでしょうか？　分類してみましょう。

①**マイルール**〈自分で決めていること〉⇒7時に起きる，朝食前に顔を洗う

②**家族とのルール**〈家族の間で決めていること〉⇒朝食はニュースを見ながら食べる，食べた食器は自分で下げる，新聞は憲枝が取りに行く

③**地域のルール**〈自治体の決まり〉⇒朝9時までと夜9時以降は，ピアノなど音のする楽器は演奏しない

④**地方自治体（市・町・村など）のルール**⇒ゴミ収集の時間

⑤**国のルール**〈法律で決められている〉⇒徒歩は右側，自動車・自転車は左側通行，赤信号は止まる，切符を買って電車に乗る

⑥**社会のルール**⇒電車には整列乗車する

⑦**学校のルール**〈校則など〉⇒制服を着て登校する，遅刻はしない

⑧**友人とのルール**⇒ノートは借りたら返す

⑨**クラスのルール**⇒係の仕事はキチンと果たす

いやいや，1時間目も始まっていないのに，こんなにたくさんのルールを守らなくてはいけないんですね。ビックリしましたか？　でも，実は細かく考えると，特に国や自治体のルールは，もっとたくさんあるのです。

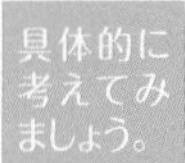

憲枝さんの住んでいるマンションを建てるときは，建築基準法などを守って建てたはずですし，エレベーターは定期点検を義務づけられているはずです。自動車を作るときはたくさんの安全基準をクリアしなくてはいけませんし，さらに自動車工場で働いている人たちのために労働法があります。電車に乗るときに切符が必要なのは，「契約」（＝「民法」）を守っているからですし，学校はちゃんと法律に基づいて運営されています。考えるだけで嫌になってしまいますね。

ではルールがなかったらどうなってしまうのでしょうか？

❶で取り上げげたルールがなかったら，憲枝さんは学校にたどり着けるか考えてみましょう。

①7時に起きないので，学校に遅刻するか欠席してしまう。

②ピアノの音がうるさいと，朝からご近所との喧嘩が始まり，学校に遅刻するか欠席してしまう。

③自分勝手に歩く歩行者，交通ルールを守らない自転車や自動車のために，交通は混乱し，交通事故に巻き込まれて学校にたどり着けない。

④切符を買わないで電車に乗ろうとする人，それを止めようとする駅員で駅は大混乱し，喧嘩に巻き込まれたり，怪我をして学校にたどり着けない。

⑤電車に整列乗車しないので，電車の運行が混乱したり，電車に乗れない人が続出し，学校に遅刻するか欠席してしまう。……

困りましたね。憲枝さんは学校にたどり着けない可能性が大きいですね。

「ルールがない社会」を考えると，「なるほど，ルールは必要なんだ」と納得できるのではないでしょうか？

では，ここでその確認をしてみましょう。

❶で取り上げたルールには果たしてルールを作る（守る）必要性があるのでしょうか。

①**マイルール**：憲枝さんが7時に起きる
⇒学校に遅刻しないため，朝食をちゃんと食べるため，家の仕事を少しはしていくため，など

②**地域のルール**：朝9時までと夜9時以降は，ピアノなど音のする楽器は演奏しない
⇒朝早く，または夜遅く楽器などを演奏すると，眠れない人が出たり，ゆっくり家で休息できない人が出て，ご近所のトラブルになるから，など

③**国のルール**：赤信号は止まる
⇒歩行者や自動車・自転車などの安全を確保するため，道路の混乱を避けて円滑な通行を確保するため，など

どうやらルールは必要なもののようですね。ルールの必要性が納得できたところで，「ルールの条件」をとは何か，考えてみましょう。

憲枝さんのクラスは，1時間目はロングホームルームの時間でした。新学期に入って初めてのロングの時間だったので，クラス会長が席替えの提案をしました。その提案に対して出た，いろいろな意見を参考に，「ルール作成上の注意」をまとめてみましょう。

意見

茂君：席替えは，やはり「くじ引き」でしょう!

敦子さん：「くじ引き」は反対!　一見公平に見えても目の悪い人なんかの配慮が出来ないでしょう。

雅之君：じゃあ，はじめに「目の悪い人」なんかは席を指定すればいいじゃないか。

健二君：ダメダメ，目の悪さが人によって違うから，席なんか指定できないよ。まあ，その人に席を選

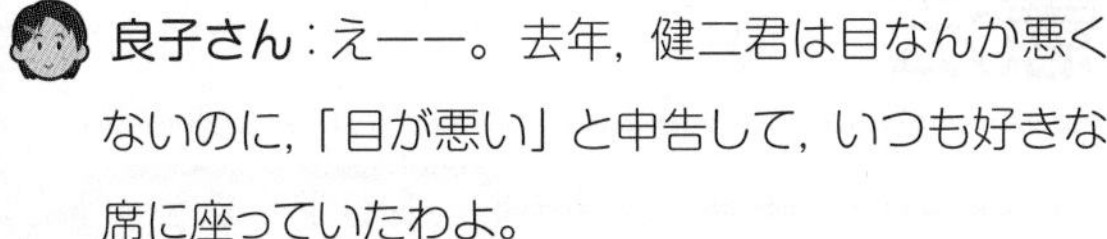

ばせるんだな。

良子さん：えーー。去年，健二君は目なんか悪くないのに，「目が悪い」と申告して，いつも好きな席に座っていたわよ。

浩君：じゃあ，席は自由ってのはどう?

碧さん：自由，てどんなものが自由なの?

和明君：明日の朝，早い者勝ちってのはどうだろう?

夕子さん：それって，一見平等だけど，おかしいわ! 家が遠い人が不利だもの。

栄一君：多数決にしよう!

伸吾君：だめだめ，僕が一番遠いんだ! 栄一は学校に一番近いじゃないか。多数決になったら僕が負けるのは目に見えているじゃないか。

淳也君：多数決の問題もあるけれど，ここで決めたら一年間同じルールで席替えするの? それも決めなくちゃダメだろう。だから，基準をはっきりしないとダメだと思うよ。

（以下論争は続く）

ケース2 からも分かる通り，ルールは，それぞれの主張や立場に違いがある時に，集団の中でそれを調整しようとするものです。ですから，特に利害対立がある時に，みんなが納得するようなものでないと，誰も守らなくなってしまいます。そのため，ルールの作成にはいろいろな条件が必要なのです。

ルール作成上の注意点

①平等であること
②正しい手続きで決められていること
③過度に自由を制約しないこと
④内容がはっきり示されていること
など

❹

マイルール，家族のルール，学校のルール，国家のルールなど，なぜ集団によってルールが違うのでしょうか，理由はなんでしょう。

その集団のメンバーが異なるためということが考えられます。それぞれの社会=集団によって合意される内容が異なるはずだからです。たとえば，あるマンションの自治会の規則では「ピアノは夜9時まで」となっているが，隣のマンションの自治会規則では「夜10時まで」となっていても，そのマンションに住む住民の合意があればよいはずです。ただし，ピアノの音が，マンションの外や隣の家に鳴り響くなどの場合は，また別の合意が必要でしょう。

まとめ

これから学んでいく日本国憲法には，基本的人権の一つとして「幸福追求権」=「個人が幸福を追求する権利」があります。そのような憲法の規定を持ち出さなくても，人間には「生まれながらにして，自分らしく生きる権利」があるということは，皆さんにとって自明のことですよね。

しかし，ロビンソン=クルーソーはいざ知らず，人間は一人では生きていけません。そのため，いろいろな集団=社会に属することになります。例えば，家族，自治会，地域，学校，部活動，スポーツクラブ，そして，その最大のものが「国家」です。

ここまでいろいろ考えてきたように，それぞれの集団に「ルール」が必要です。現代では人間はたくさんの集団に属しているため，ルールはたくさん必要になっているのです。そしてここが重要な点ですが，最大の集団である国家の「ルール」が「法律」なのです。このように考えると，法律だけですべてが規定されているわけではないことが分かります。

16 基本的人権の保障と憲法

TOPICS

はじめての政治哲学

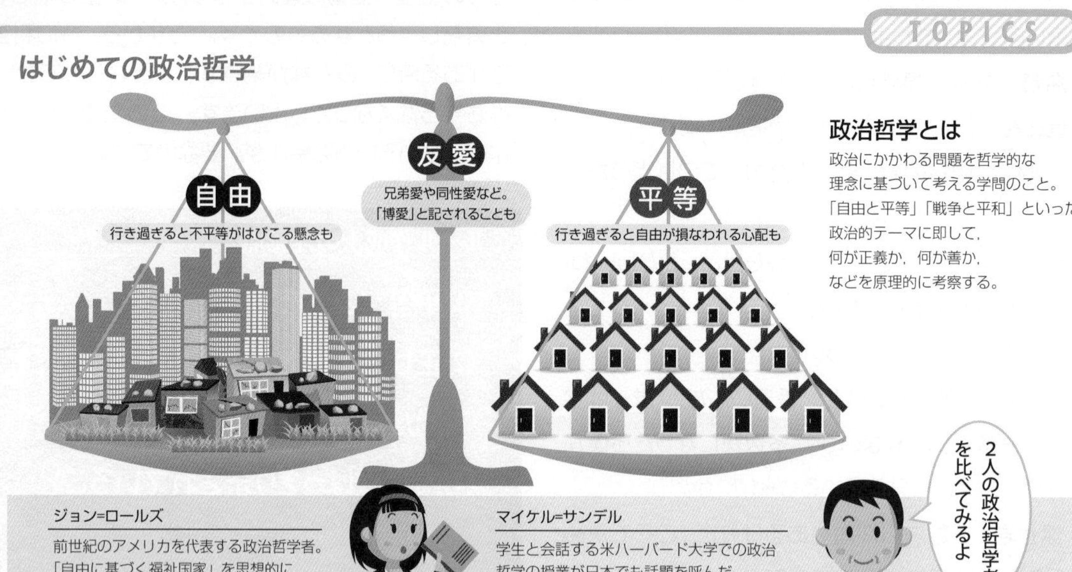

政治哲学とは
政治にかかわる問題を哲学的な理念に基づいて考える学問のこと。「自由と平等」「戦争と平和」といった政治的テーマに即して，何が正義か，何が善か，などを原理的に考察する。

ジョン=ロールズ
前世紀のアメリカを代表する政治哲学者。「自由に基づく福祉国家」を思想的に正当化する著書『正義論』が有名。

マイケル=サンデル
学生と会話する米ハーバード大学での政治哲学の授業が日本でも話題を呼んだ。ロールズとは違う正義論を展開。

自由主義は，リベラリズムという英語の日本語訳である。だとすると，自由主義的な考えを持つ者を，リベラル，もしくはリベラル派と呼んでもよさそうである。しかし，次のような会話を聞くと，どうもそう簡単にはいかないようである。

Ⓐ「経済的に困っていたり，障がいをもっていたりといった理由で社会的に恵まれない人々のために福祉をもっと充実させる，というのがリベラルな政策の特徴である。女性や外国人などを積極的に支援してあげるのは，いかにもリベラルな政策だという印象がある。」

Ⓑ「リベラルというのは自由主義的だということだから，色々な規制をできるだけ撤廃して，税金もなるべく軽くして，個人や民間企業が自由に活動できるようにするという政策が自由主義的だと言える。小さな政府というスローガンは典型的に自由主義的だと思うけど。」

みなさんはどちらの考えが「リベラル」だと思いますか？　現代の日本ではⒶの言うような意味でリベラルという言葉を使うことが多いが，そこで使われる「リベラル」という名称は，もっぱらアメリカの民主党を念頭において使われる用語である。ところがヨーロッパでは，Ⓐのような政策は社会民主主義的と称されることが多く，リベラル，もしくはリベラリズムというのは，どちらかというとⒷの言うような意味で使われる場合が多いのである。

1 法の支配と法治主義

人の支配

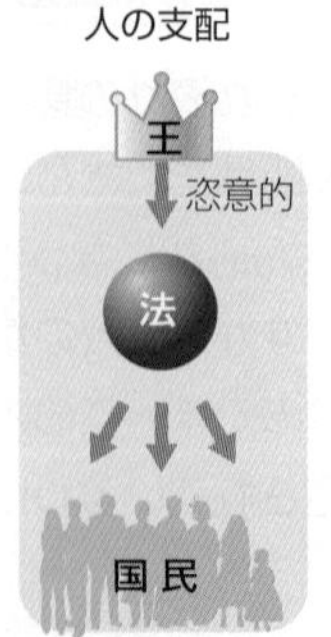

国家権力によって恣意的に定められた法により統治される。

法の支配

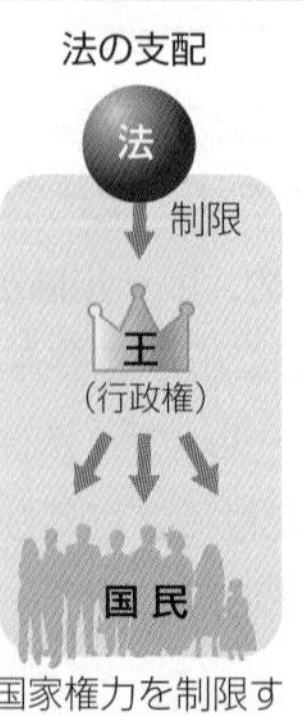

国家権力を制限する法により統治される。

法治主義

法によって統治されている。

解説　「法の支配」は，恣意的な「人の支配」に対抗してイギリスで発達した民主主義の原理である。17世紀はじめ，国王ジェームズＩ世の干渉に対して，裁判官エドワード=コークは13世紀の法学者ブラクトンの言葉「王といえども神と法の下にある」を引用してこれをいさめた。王権（行政権）は法によって制限され，司法によって裁かれるべきものであるという考え方である（コークは後に権利請願を起草したことでも知られる）。アメリカの判例で確立した違憲法令審査権は，こうしたイギリスにおける法の支配を徹底させるものといえる。一方，法治主義はヨーロッパ大陸で発達した概念で，法の内容より，「法律にもとづく支配」という形式を重視する傾向がある。

エドワード=コーク

○×で答えよう！ 正誤問題にTRY✓　王権神授説は，「国王は君臨すれども統治せず」という考え方の基礎になった。

2 民主政治の発達と人権保障のあゆみ

年代	国	事項
1215	英	マグナ-カルタ(大憲章) 貴族らが国王に不当逮捕の禁止や課税に関する同意を認めさせる
1628	英	権利請願 チャールズⅠ世に同意なき課税の禁止や人身の自由を認めさせる E.コーク起草
1642～49	英	清教徒革命 王権神授説にたつチャールズⅠ世を処刑 共和制の実現
1651	英	『リヴァイアサン』/ホッブズ 社会契約説の立場から絶対王政を擁護
1679	英	人身保護法 王による不当な逮捕の禁止 裁判を受ける権利の保障
1688	英	名誉革命 復活した王政で専制を強めたジェームズⅡ世を議会が追放 議会優位を確立
1689	英	権利章典 権利請願を発展 名誉革命後即位したウィリアムⅢ世とメアリⅡ世が承認
1690	英	『市民政府二論』/ロック 抵抗権を唱えて名誉革命を正当化 権力分立の必要を説く
18世紀前半	英	議院内閣制が確立 ウォルポールが首相となり下院の信任に基づく行政権行使が確立
1748	仏	『法の精神』/モンテスキュー 立法・司法・行政の三権分立を唱える
1762	仏	『社会契約論』/ルソー 英の議会制を批判し直接民主制と一般意志に基づく社会契約を主張
1775～83	米	アメリカ独立革命(独立戦争) イギリスの植民地支配に参政権などを求めて対抗
1776	米	バージニア権利章典 人権宣言と人民主権に基づく統治を規定 初の人権宣言を含む初の成文憲法
1776	米	アメリカ独立宣言 ジェファソン起草 独立を人権保障のための社会契約,抵抗権で正当化
1789~99	仏	仏 フランス革命 絶対王政を倒し自由・平等・博愛の理念を掲げて社会を変革 各国に影響
1789	仏	フランス人権宣言 人権の不可侵・国民主権・権力分立・抵抗権など民主政治の原則を明記
1791	米	合衆国憲法修正10ヶ条 信教・言論の自由や残虐な刑罰の禁止などを合衆国憲法に追加
1803	米	違憲法令審査権が判例上確立 法の支配を徹底させ人権保障をより確実にする制度
1837~48頃	英	チャーチスト運動 労働者階級の組織的な政治運動で普通選挙権などを要求
1848	英	「共産党宣言」/マルクス・エンゲルス
1863	米	奴隷解放宣言 南北戦争中にリンカンが発表 65年に合衆国憲法修正第13条として結実
1863	米	ゲティスバーグ演説/リンカン 民主主義の原則を簡潔に表現した有名な演説
1874	日	民撰議院設立建白書 憲法制定と議会開設を求め自由民権運動が始まる
1889	日	大日本帝国憲法制定 プロシア憲法を参考に君主権が強大なドイツ型立憲主義を採用
1893	NZ	ニュージーランドで世界初の婦人参政権
1911	英	議会法 下院の優越が確立
1917	露	ロシア革命 レーニン指導 初の社会主義革命
1919	独	ワイマール憲法 初めて社会権的基本権を保障 男女平等の普通選挙
1925	日	普通選挙法 25歳以上の男子に普通選挙権
1925	日	治安維持法 天皇制や資本主義体制の変革を求める活動を取締まる治安立法 後に範囲を拡大
1941	米	4つの自由 ローズベルト大統領が反ファシズムの立場から表明
1946	日	日本国憲法公布 国民主権・基本的人権の尊重・平和主義が三大原則

3 民主政治の原則

①**基本的人権の保障**:人間は生まれながらに権力によっても侵すことのできない権利を持つ。この保障こそが民主政治の目的

◎**18世紀的基本権**:自由権・平等権

バージニア権利章典第1条(1776年)

フランス人権宣言第1条(1789年)

◎**20世紀的基本権**:社会権

ワイマール憲法第151条,159条(1919年)

②**国民主権**:国の方針を最終的に決める権限を国民が持つこと → 君主主権を倒した市民革命の成果として確立

バージニア権利章典第2条(1776年)

フランス人権宣言第3条(1789年)

③**権力分立**:権力を分割し,お互いに「抑制(よくせい)と均衡(きんこう)」の関係におくことで権力の濫用(らんよう)から人権を守るための制度

◎**ロック『市民政府二論』**(1690年)

立法権と執行権の二権分立

◎**モンテスキュー『法の精神』**(1748年)

立法権,行政権,司法権の三権分立として定式化

◎**フランス人権宣言第16条**(1789年)

④**法の支配**:権力の行使が人権を保障する法の制限のもとに行われる原則 恣意的な人の支配を否定し,イギリスで発達

マグナ-カルタ第39条(1215年)

権利章典第1条(1689年)

※法の支配は法の内容を重視するが,ドイツで発達した法治主義は法に基づく権力行使という形式を重視

⑤**代表民主制**:(間接民主制 代議制 議会制民主主義もほぼ同義)

◎**主権者である国民が選挙で代表を選び政治を行う制度**

(直接民主制は政治決定を国民が直接行う制度)

※直接民主制を現代国家で全面的に採用することは困難

→日本は代表民主制の補完目的で地方自治等に採用

4 憲法とは

①分類
欽定(きんてい)憲法と民定憲法
制定したのが君主か,国民かによる分類
例:大日本帝国憲法は欽定憲法
硬性憲法と軟性憲法
改正手続きが一般の法律より厳格か否かによる分類
例:日本国憲法は硬性憲法
成文憲法と不文憲法
文字で書かれた憲法典であるかどうかによる分類
例:イギリスは不文憲法
②内容
基本的人権の保障(国家の目的)と統治機構(目的を達成するための手段)が近代的憲法の二本の柱

政治編

○×で答えよう! 正誤問題にTRY✓ 主権概念を初めて体系的に論じたのはマキャヴェリであった。

5 権利章典　1689年　イギリス

（1）国王は，王権により，国会の承認なしに法律の効力を停止し，または法律の執行を停止し得る権限があると称しているが，そのようなことは違法である。

（4）大権に名を借り，国会の承認なしに，国会がみとめ，もしくはみとむべき期間よりも長い期間，または国会がみとめ，またはみとむべき態様（たいよう）と異なった態様で，王の使用に供するために金銭を徴収することは，違法である。

（5）国王に請願することは臣民の権利であり，このような請願をしたことを理由とする収監または訴追は，違法である。

（9）国会における言論の自由及び討議または議事手続きは，国会以外のいかなる裁判所，またはその他の場所においても，これを非難したり問題としたりしてはならない。

（10）過大な保釈金を要求してはならない。過大な罰金を科してはならない。また，残虐（ざんぎゃく）で異常な刑罰を科してはならない。

解説　専制的なジェームズⅡ世が追放された名誉革命後，オレンジ公ウィリアムと妻メアリが共同でイギリス王になるにあたり，議会の要請で認めた法律。大憲章や権利請願の流れを引き継いで財産権や人身の自由を保障し，議会における言論の自由などについても規定する。王権に対する議会の優位を確立し，民主政治の発展に大きな意義をもつ。イギリスは不文憲法の国だが，権利章典は憲法としての意味を持つ法律の一つに位置づけられている。

6 バージニア権利章典　1776年6月　アメリカ

フランクリン（左端）とジェファソン（隣）

（1）すべて人は生来ひとしく自由かつ独立しており，一定の生来の権利を有するものである。これらの権利は人民が社会を組織するに当たり，いかなる契約によっても，人民子孫からこれをあらかじめ奪うことのできないものである。

（2）すべて権力は人民に存し，したがって人民に由来するものである。行政官は人民の受託者でありかつ公僕（こうぼく）であって，常に人民に対して責任を負うものである。

（3）政府というものは，人民，国家もしくは社会の利益・保護及び安全のために樹立されている。あるいはそう樹立されるべきものである。…

解説　独立戦争中に採択された世界初の成文憲法であり，世界に先駆けた人権宣言と統治機構の条文からなる。バージニア憲法ともいう。

7 アメリカ独立宣言　1776年　アメリカ

われわれは，つぎの真理を自明なものと認める。すべての人は平等に創られていること。彼らは，その創造者によって，一定の譲るべからざる権利を与えられていること（自然権）。それらの中には，生命，自由および幸福の追求が数えられること。そうして，これらの権利を確保するために，人びとのあいだに政府が設けられ，その正当な権力は，被治者の同意にもとづくこと。どんな形態の政府でも，この目的に有害なものとなれば，それを変更または廃止して新しい政府を設け，その基礎となる原理，その組織する権力の形態が，彼らの安全と幸福をもたらすに最もふさわしいと思われるようにすること（抵抗権）は，人民の権利であること。

解説　独立戦争（独立革命）のさなかにジェファソンが起草し，東部13植民地による第2回大陸会議で採択された。政府の目的が，平等，生命，自由および幸福追求などの自然権を確保するためであること，目的に反した政府に対して人民は抵抗権を留保することなど，ロックの社会契約説の強い影響がみられる。ここに掲げられた民主主義の精神はフランス革命に大きな影響を与えた。

8 フランス人権宣言　1789年　フランス

左の女神は旧制度を象徴する鎖を断ち切り，右の女神は理性の光を照らしている。（「フランス人権宣言」の板絵）

（1）人は，自由かつ権利において平等なものとして出生し，かつ生存する。社会的差別は，共同の利益の上にのみ設けることができる。

（2）あらゆる政治的団結の目的は…自然権を保全することである。これらの権利は，自由・所有権・安全および圧政への抵抗である。

（3）あらゆる主権の原理は，本質的に国民に存する。

（4）自由は，他人を害しないすべてをなし得ることに存する。

（16）権利の保障が確保されず，権力の分立が規定されないすべての社会は，憲法をもつものではない。

（17）所有権は一の神聖で不可侵な権利であるから，何人も適法に確認された公の必要性が明白にそれを要求する場合で，かつ事前の正当な保障の条件の下でなければ，これを奪われることがない。

解説　正式名称は「人及び市民の権利宣言」である。起草者の一人である貴族出身のラファイエットはアメリカ独立戦争に義勇兵として従軍した英雄でもあった。個人の自由と平等，所有権，圧政への抵抗権を自然権と規定し，それらの保障が政治の目的であることと国民主権の原理を宣言している。18世紀末に成立した全17条のこの文書は，フランスの啓蒙思想と，イギリス，アメリカの市民革命の理論の集大成であり，「憲法の世紀」ともいわれる19世紀以降相次いで制定された成文憲法に大きな影響を与えた。

〇×で答えよう！ 正誤問題にTRY✓　アメリカ独立宣言（1776年）には，社会権の保障がうたわれていた。

9 ワイマール憲法

1919年　ドイツ

ワイマール憲法の成立　国民議会で1919年8月11日承認

第109条　1　すべてのドイツ人は，法律の前に平等である。

2　男子および女子は，原則として同一の公民権を有し，および公民としての義務を負う。

第151条　1　経済生活の秩序は，すべての者に人間たるに値する生活を保障する目的をもつ正義の原則に適合しなければならない。この限界内で，個人の経済的自由は，確保されなければならない。

第153条　1　所有権は，憲法によって保障される。その内容およびその限界は，法律によって明らかにされる。

3　所有権は，義務を伴う。所有権の行使は，同時に公共の福祉のためにすることを要する。

第159条　1　労働条件および経済条件を維持し，かつ，改善するための団結の自由は，各人およびすべての職業について，保障される。この自由を制限し，または妨害しようとするすべての合意および措置は，違法である。

第161条　1　健康および労働能力を維持し，母性を保護し，かつ，老齢，虚弱および，生活の転変にそなえるために，国は，被保険者の適切な協力のもとに，包括的保険制度を設ける。

（高木・末延・宮沢編『人権宣言集』岩波文庫）

Column　ワイマール憲法の制定

市民革命の成果として18世紀に確立された人権は，革命を押し進めた市民（ブルジョワジー）の利益，特に財産権（所有権）の保障に力点が置かれていた。自由権を中心とするこの時代に確立した人権を18世紀的基本権ともいう。経済的自由の保障のもとで資本主義経済は発達したが，貧富の差は拡大し，法の下の平等は形式的に保障されていたものの，現実社会の不平等は解決されなかった。

第一次世界大戦に敗北したドイツ共和国で1919年に制定された憲法がワイマール憲法である。所有権には限界があり義務を伴うこと，経済的自由は人間たるに値する生活を保障するための原則の範囲内でみとめられることなど18世紀的基本権の限界が明記された。また生存権や労働者の団結権など社会権と呼ばれる新しいタイプの人権が保障された。社会権を20世紀的基本権ともいう。

人権保障の歴史でワイマール憲法は大きな意味を持つ。しかし，皮肉なことに当時最も民主的な内容をもったこの憲法のもとで勢力を強めたナチス・ドイツの独裁により1933年に効力を失った。

10 世界人権宣言と人権関連条約

人類社会のすべての構成員の，固有の尊厳と平等で譲ることのできない権利とを承認することは，世界における自由，正義及び平和の基礎であるので，

人権の無視と軽侮（けいぶ）とは，人類の良心をふみにじった野蛮行為を生ぜしめ，一方，人間が言論と信仰の自由および恐怖と欠乏からの自由とを享有する世界の到来は，一般の人々の最高の願望として宣言されたので，

人間が専制と圧迫に対する最後の手段として反逆に訴えることを余儀なくされてはならないものであるならば，人権が法の支配によって保護されることが大切であるので，……すべての人民とすべての国が達成すべき共通の基準として，この世界人権宣言を，公布する。

第1条　すべての人間は，生まれながら自由で，尊厳と権利について平等である。人間は，理性と良心を授けられており，同胞の精神をもって互いに行動しなくてはならない。

第2条　①　何人も，人種，皮膚の色，性，言語，宗教，政治的その他の意見，国民的もしくは社会的出身，財産，生出もしくはその他の地位のような，いかなる種類の差別もうけることなく，この宣言にかかげられているすべての権利と自由とを享有することができる。

第3条　何人も，生存，自由，および身体の安全を享有する権利を有する。

第7条　すべての人は，法の前に平等であり，また，いかなる差別もうけることなく，法の平等な保護をうける権利を有する。…

解説　第二次世界大戦の反省をふまえて国境を越えた人権保障が世界平和の基礎であるとの見地から，各国の人権保障の基準として採択された。1966年には法的拘束力を持つ国際人権規約が採択されるなど，人権の国際的な保障は20世紀後半以降の大きな潮流となっている。

年		事　項
1948	国連	**世界人権宣言**　人権保障の国際的な基準を示す
1948	国連	**ジェノサイド条約**　集団殺害を国際法上の犯罪として処罰の対象に
1951	国連	**難民条約**
1965	国連	**人種差別撤廃条約**　皮膚の色や民族・種族に基づく差別の撤廃
1966	国連	**国際人権規約**　世界人権宣言を条約化して法的拘束力を持たせる
1979	国連	**女子差別撤廃条約**　女子差別の撤廃　日本は批准にあたり男女雇用機会均等法などを制定
1989	国連	**子どもの権利条約**　教育に関する権利の他，言論の自由など市民的自由も保障
1989	国連	**死刑廃止条約**　日本は批准していない
1997	国連	**対人地雷禁止条約**　米・露・中などの国は参加していない

政治編

○×で答えよう！　正誤問題にTRY✓　第一次世界大戦後のワイマール憲法にはじめて登場した社会権の規定は，国家の役割の変化を端的に物語るものである。

テーマ学習

代議制と直接民主制～住民投票は「民主主義の誤作動か?」

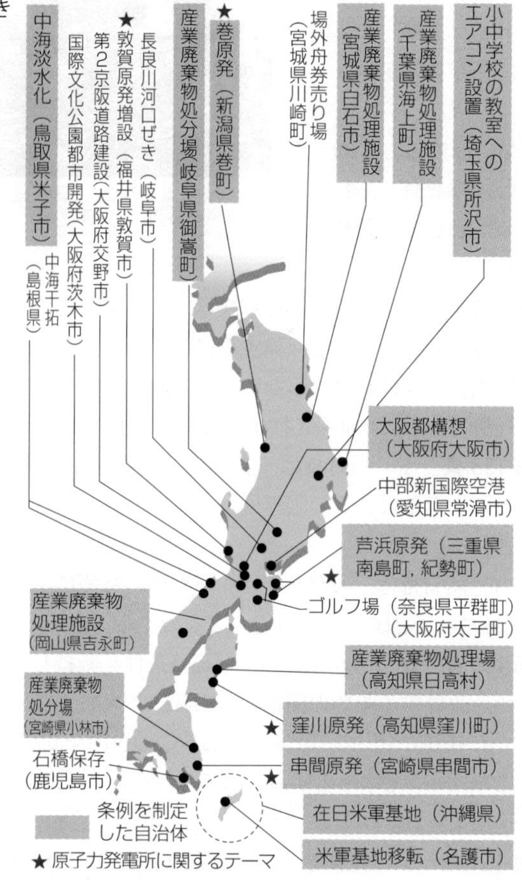

住民投票条例制定の動き

●「住民投票」の盛り上がり

1996年8月，新潟県巻町で原子力発電所建設の賛否を問う住民投票が行われた。環境破壊が懸念される開発事業に対して，地域住民が直接請求で住民投票条例の制定を求める活動は80年代から徐々に高まってはいた。しかし，条例が実際に制定されて投票にまでいたったのは初めてだった。この後，まさに堰（せき）を切ったように各地で住民投票が行われ始めている。投票率も，国政選挙などに比べて一般に高く，80%台になることもまれではない。

日本国憲法の前文が冒頭で「日本国民は，正当に選挙された国会における代表者を通じて行動し」と述べるように，憲法は代議制（間接民主制）を基本としている。憲法改正の国民投票，最高裁判所裁判官の国民審査，地方特別法の制定に対する住民投票と，直接民主制的制度も採用しているが，全体としてみれば代議制を補完する制度としての色彩が強い。地方自治法は直接請求権を保障しているが，たとえ直接請求の成果として制定された住民投票条例でも，その結果には法的拘束力はない。

ではなぜこれほどまでに住民投票が注目をあびるのか，逆にいえば，代議制への信頼が揺らいでいるのだろうか。

●「代議制」に対する揺らぎ

先ほどの巻町の例でいえば，住民投票では原発建設反対が54%だったのに対して，巻町の町議会では建設推進派が多数を占めていた。この背景には，選挙で勝ち抜くために，建設業界や農業団体など，資金と票に直結する組織をもつ団体の支持を得ることが不可欠な現実がある。しかし，そうして選ばれた代表者は，地域で生活する多くの住民の意志を十分に代表しているとは限らない。

投票率の低下に現れているように，代議制に対する信頼の低下は，地方自治と国政の別を問わない。集団の利益の代表として代議制が機能する限り，民意と乖離（かいり）する危険性は常にひそんでいる。代議制に内在する問題を重くうけとめた上で，あるべき制度について考える必要があるだろう。

吉野川可動堰をめぐる徳島市の住民投票で「反対」が9割以上を占めたとき，当時の建設大臣は投票結果を「民主主義のもとでの誤作動」と表現した。しかし，民主主義をきちんと作動させるためには，代議制と直接民主制をどのように組み合わせて実施すべきかについて，建設的に議論することこそが必要なのではないだろうか。

●あるべき「民主政治」の姿は

住民投票という方法にも，もちろん問題がある。

一つは，論点を極端に単純化して，YesかNoかの二者択一をせまる点だ。政治の本来の働きは，さまざまな利益を調整するところにある。しかし，そうした議論の積み重ねや調整の可能性を無視して，投票だけで性急に結論を求めることは，いわば民主政治の自殺になるだろう。

また，住民にとって身近な問題であればあるほど，広い観点に立って冷静に判断するのではなく，エゴイズムや情緒的な判断に流されてしまう危険性もある。

この点で，専門知識を持つ人や住民の意見を幅広く参考にしながら，開かれた議論をじっくり時間をかけて深められるならば，代議制の長所もまた再認識すべきだろう。

同時に，住民投票を通じて地域住民が身近な問題を進んで解決しようとする気運を高め，その結果について住民自身が責任を負うという成熟した自治の意識が形成されるならば，それは決して否定すべきものではない。

要は，どのような制度にも欠点があるということをふまえたうえで，制度の長所をどうすればいかせるか，運用に工夫を凝らすことではないだろうか。

政治編

〇×で答えよう! 正誤問題にTRY✓ 「草の根の民主主義」という言葉は，古代ギリシャのアテネにおける自由民による直接民主制についていわれたものである。

11 民主主義と独裁

民主主義では，絶対の権力を人民が握っている。そういうかたちの，絶対の国家主権が存在する。民主主義と独裁主義とのあいだには，その絶対の権力を，みんなが握っているか一人が握っているかという違いしかない。それをヒトラーが握ったのが，ナチスドイツ。民主主義的なワイマール共和国からヒトラーのような独裁者が登場したように，民主主義は状況次第で，いつでもいわゆる独裁制に転化しうるわけです。…

…そういう不安定な制度なのであって，それを自覚することが，民主主義を健全に運営するための第一歩になります。…

…民主主義は決して能率がいいとは言えない。独裁制のほうがさっさとものごとが決まったりする。また，意志決定の質が高いともかぎらない。…

にもかかわらず，それを承知で，私が民主主義を支持するのは，それがもっとも強力な正当性を持つシステムだからです。すべての人びとが，「この決定は自分たちの決定である」と確信できるメカニズムになっている。自分の決めたことに文句を言う人はいないでしょう。だから正当性がゆるがない。

（橋爪大三郎『政治の教室』PHP 新書より）

Column 裁判傍聴のすすめ

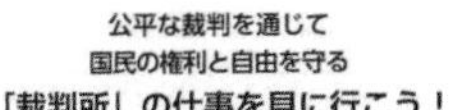

各地の裁判所ウェブサイトの見学・傍聴案内コーナーなどから探してみよう。（政府広報オンラインより）

裁判官は「その良心に従ひ独立してその職権を行う」ことが憲法に定められている。しかし，司法権も国民の信託によるものであるから，その民主的統制には服さなければならない。最高裁判所裁判官の国民審査は，国民が直接司法に参加できる制度である。また，2009年度から実施された「裁判員制度」は，国民の司法参加によって健全な市民感覚が裁判に反映され，国民の司法に対する理解・支持が深まることが期待されている。裁判員は選挙人名簿からくじで選ばれるから，将来，裁判員に選定される人もいることだろう。裁判というと，何か堅苦しく恐ろしいような印象を持つ人もいるかもしれない。そういう人には，ぜひ裁判の傍聴をすすめたい。憲法に裁判の公開が定められているとおり，裁判は誰でも傍聴することができる。写真撮影や携帯電話は制限されるが，メモを取ることなども自由である。刑事裁判に見られる検察官の鋭い追及や，弁護士の活躍，関係者の表情の一つひとつに，身が引き締まる思いがすることだろう。国民審査に限らず裁判員制度，裁判の傍聴などはすべて，司法権の民主的な運用に私たち国民が直接参加する機会といえる。

12 リンカン ーゲティスバーグ演説

87 年前，われわれの父祖（ふそ）たちは，自由の精神にはぐくまれ，すべての人は平等につくられているという信条に献げられた，新しい国家をこの大陸に打ち建てました。…

ここで戦った人々が，これまでかくも立派にすすめてきた未完の事業に，ここで身を捧（ささ）げるべきは，むしろ生きているわれわれ自身であります。それはこれらの名誉の戦死者が最後の全力を尽くして身命を捧げた，偉大な主義に対して，彼らの後を受け継いで，われわれが一層の献身を決意するため，これらの戦死者の死をむだに終わらしめないように，われらがここで堅く決心するため，またこの国家をして，神のもとに，新しく自由の誕生をなさしめるため，そして**人民の，人民による，人民のための政治**を，地上から絶滅させないためであります。

（高木八尺・斉藤光訳『リンカーン演説集』岩波文庫）

解説　ゲティスバーグは南北戦争最大の激戦地である。ここを国立墓地にする記念式典でリンカンが行った3分ほどの短い演説はあまりにも有名である。想像してみて欲しい。拡声器もない広場で，詰めかけた多くの群衆を前に戦死者をいたみ，戦いの意義，つまりは貴い犠牲の上に守り育てるべき民主主義の本質を語らねばならない。凝縮された言葉"The government of the people,by the people,for the people"はこうして生まれたのだ。国民主権に基づく民主政治の原理をあらわすこの一節は日本国憲法前文に受け継がれている。探してみよう。

13 三権分立 ーモンテスキュー『法の精神』

…権力を持つ者はすべて，それを濫用（らんよう）する傾向があることは，永遠の体験である。…

人が権力を濫用しえないためには，事物の配列によって権力が権力を阻止（そし）するのでなければならぬ。…

同一人，または同一人の執政官団体の掌中（しょうちゅう）に立法権と執行権（行政権）が結合されているときには，自由はない。なぜなら，同じ君主あるいは同じ元老院が暴政的な法律を定め，それを暴政的に執行するおそれがあり得るからである（独裁制）。

（井上尭裕訳『世界の名著ー法の精神』中央公論社）

解説　「権力は腐敗する。絶対的権力は絶対的に腐敗する」とは，イギリスの歴史家・政治家アクトンの有名な言葉である。民主政治は，三権分立制のように，複雑で一見非効率な政治のしくみを必要とする。その根底には，国民の権利を侵害する危険を秘めた権力への不信があることに注意しよう。権力分立を説いた思想家はロックなど他にもいるが，三権分立として定式化したのがモンテスキューである。それを具体化する政治制度としては，大統領制や議院内閣制などさまざまな形態がある。

政治編

○×で答えよう！ 正誤問題にTRY✓　モンテスキューは，権力の濫用を防ぐためには，立法権・執行権・司法権の三権の分立が必要である，とした。

17 世界の政治制度

TOPICS

大統領と首相ってどう違う？

政治の権限を握るのは？（2021年7月時点）

	元首			
アメリカ		権限 バイデン大統領		ハリス副大統領
フランス		権限 マクロン大統領		カステックス首相
ロシア		権限 プーチン大統領		ミシュスティン首相
台湾		権限 蔡英文総統		頼清徳副総統
中国		権限 習近平国家主席		李克強首相
ドイツ		シュタインマイアー連邦大統領		権限 メルケル首相
イギリス		エリザベス女王		権限 ジョンソン首相

私たちは社会の中でさまざまな制度に囲まれて生きています。子どもが生まれれば出生届を出し，結婚の時には婚姻(こんいん)届を出す（社会制度）。また，キリスト教徒であれば洗礼(せんれい)を受け，20歳になれば成人式に出る（宗教・文化的制度）。選挙の時には投票をし，そこで選出された議員が国会で国のあり方を議論する（政治制度），といったように。

このように私たちは，社会の中で共同生活が円滑(えんかつ)に営まれるよう，人々の関係を構造づける公式のルールや，同意の手続き，行動の規準などを作り出すと同時に，それらに縛(しば)られながら生きているのです。これらのさまざまな制度のうち，政治の世界における制度＝政治制度はどのように研究されているのでしょうか。

政治制度を勉強するにあたって，まず必要なことは，その制度がどのようになっているのかということを見てみることです。その国の基本的な原理を規定する憲法や，選挙制度，議会制度，議会と執行機関の関係（議院内閣制や大統領制など），行政機構の仕組みとしての官僚制，中央政府と地方政府の関係など，現代の国家が共通して持っている政治制度は，国によって違いがあるものです。これらの政治制度の違いを勉強してみましょう。

（ヨーロッパの選挙制度についてはp.159参照）

Column 大統領制と議院内閣制

議院内閣制であるイギリスでは，首相をはじめ行政権を担う内閣のメンバーは全員国会議員から選ばれる。2009年，伝統的に上院におかれていた最高裁判所は独立した機関になったものの，違憲立法審査権は持たない。

これに対して大統領制をとるアメリカの場合は，行政権を担う大統領はもちろん，内閣を構成する各省の長官も議会に議席を持たない。大統領は間接選挙によって国民から選出され，議会に責任を負わないので議会から不信任されることはない反面，議会を解散する権限も持たない。法案を提出する権限もない。裁判所の違憲立法審査権が判例によって確立している点も，イギリスとの大きな違いである。

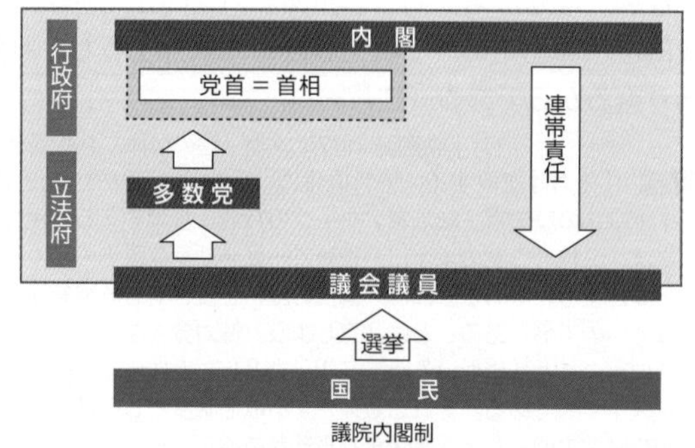

議院内閣制

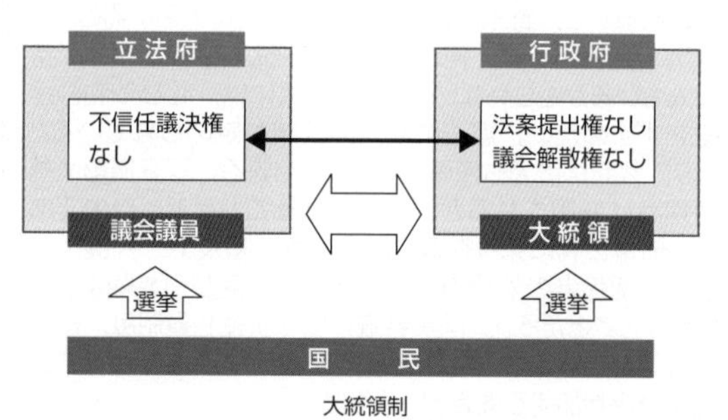

大統領制

○×で答えよう! 正誤問題にTRY✓ ドイツでは，二大政党のいずれかによる単独政権が続いている。

1 イギリスの議院内閣制度

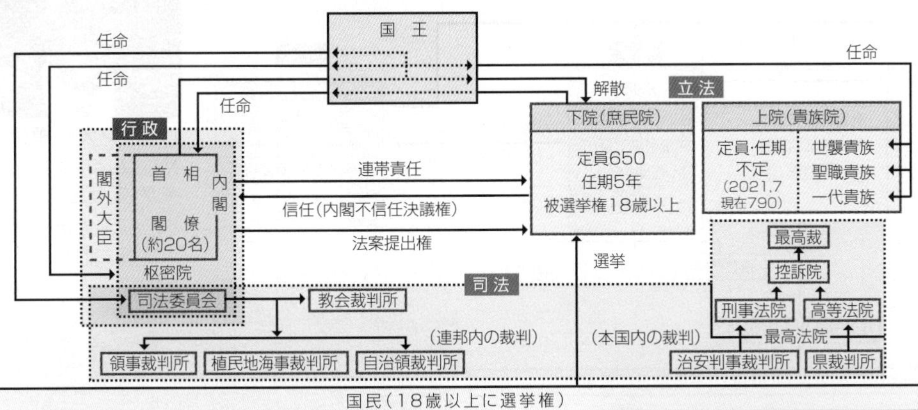

ジョンソン首相
イギリス保守党党首。EU離脱を実現。

2 イギリスの政治機構の特色

特色	立法権と行政権が融合した議院内閣制，立憲君主制，不文憲法など。いずれも民主政治を求める歴史のなかで形成された。
憲法	統一した憲法典がなく，マグナ - カルタや権利章典などの法律や判例，慣習が憲法としての役割を果たす不文憲法。 普通の法律と同じ手続きで改正できる軟性憲法。
元首	国王　政治的な実権を持たないため「君臨すれども統治せず」と表現される。
立法	上下両院の二院制。上院議員は任命制，下院議員は小選挙区制で選出。1911 年の議会法で下院優位の原則が確立。下院に内閣不信任決議権がある。上院に最高裁判所が置かれる。
行政	下院の第一党の党首が首相に任命され，首相が国会議員のなかから大臣を指名して内閣を構成する。内閣は下院の信任を基礎に行政権を行使し，下院に対して連帯責任を負う。

Column イギリスの司法制度改革

イギリスは民主政治の母国の一つだが，同時に伝統的な制度が残る国でもある。その象徴が，内閣の法務大臣，上院の議長，司法権のトップを兼務し，三権に関与する大法官だった。国内やEUから三権分立を明確にすべきだとの批判が強く，1997年就任した労働党のブレア首相は司法制度改革を進めた。皮切りは大法官の服装だった。胸まで届くカツラと豪華なガウン，タイツという中世風の姿で上院議長を務めてきたが，背広で良いことにしたのだ。2003年に大法官府が改組され，2005年には上院議長の議員による互選制を導入，2007年には法務省が創設され下院議員が大法官に任命された。大法官の呼び名は残ったが，権限は大幅に縮小された。従来のイギリスでは最高裁判所は上院に置かれ，呼び名も"House of Lords"上院(貴族院)常任上許委員会とよばれていたが，2009年10月には議会から独立した最高裁判所(Supreme Court)が発足し，司法制度改革は区切りをつけた。2005年憲法改革法には，行政を担う大臣は司法権の独立を尊重すること，上院議長の互選，最高裁を設置して上院の司法権限を移すこと，最高裁判所裁判官任命委員会を新たに設けること，など改革の大枠が定められている。不文憲法の国イギリスだが，実質的には憲法の大きな改正にあたるだろう。

3 議院内閣制の成立

それまで国王は，みずから任命した大臣に国の統治に当たらせていたが，やがて大臣たちは王の控えの間の「小さな部屋」(内閣)に集まって合議するようになった。そして大臣たちの中で経験や年齢によって指導的地位にあるものが，「第 1 の大臣」(首相)と呼ばれるようになった。当時の議会には，血縁や人的関係で集まったトーリー党，ホイッグ党と呼ばれる二つの党派があったが，国王は議会で優勢ないずれかの党派から大臣を任命するようになった。このようにして国王は議会を大臣にたいして従順にしようとしたのであるが，やがて逆に，議会で優勢な党派の指導者が首相になり，首相が大臣を任命するようになる。それとともに，国王の大臣任命権は名目だけの権利となってしまった。こうして，いわゆる議院内閣制が成立する。

18 世紀の半ば，フランスの法律家モンテスキューはイギリスの現実の観察にもとづいて「法の精神」を書いた。そこで，イギリス人の自由の秘密は執行権(国王)，司法権(貴族)，立法権(平民)の三権が分立していることにあると述べたことは，よく知られていることと思う。しかし，モンテスキューが観察した当のイギリスにおいては，執行権の担い手として内閣が生まれ，内閣の執行権と議会の立法権は分立するのではなく逆に融合しつつあったのである。

(河合秀和『比較政治・入門』有斐閣アルマ55)

政治編

○×で答えよう! 正誤問題にTRY✓ イギリスでは，与党が組織する内閣に対し，野党も政権交代を視野に入れて「影の内閣(シャドー・キャビネット)」を組織する。

4 アメリカの大統領制

違憲法令審査権

立法 / 連邦議会

下院	上院
各州の人口に比例して選出	各州から2名ずつ選出
任期2年	任期6年
定員435名	定員100名
被選挙権25歳以上	被選挙権30歳以上

教書送付権
法案拒否権

高官任命同意権
条約締結同意権
弾劾権

行政：大統領
間接選挙で選出
任期4年
三選禁止

独立機関　各省　大統領府

連邦判事任命権（上院の同意が必要）

司法：連邦最高裁判所 長官と判事8名
連邦巡回控訴裁判所
連邦地方裁判所

大統領選挙人538名

選挙

国民（18歳以上に選挙権）

バイデン大統領（民主党）　2020年の大統領選挙で，共和党候補のトランプ前大統領を破り大統領に就任。

選挙人の各州への配分

2020年大統領選挙　2020年末に1期めの任期満了をむかえる共和党のドナルド・トランプ大統領と，民主党のジョー・バイデン元副大統領の間で選挙が行われた。11月の一般有権者による選挙で，バイデン氏が過半数の大統領選挙人を確保し，第46代大統領に就任した。また，カマラ・ハリス氏（写真：P.94）は，アフリカ系・アジア系，女性として初の副大統領となった。

5 アメリカの政治機構の特色

特色	国民が選挙で行政の長を選ぶ大統領制。 独立性が高い州が統合した連邦制 (United States)。
憲法	1787年，フィラデルフィアの憲法制定会議で制定。厳格な三権分立制，連邦制，強大な大統領制などを定める，国家としては最古の成文憲法。権利章典は1791年に追加。
立法	二院制で上院がやや優位。上院は大統領の最高裁判事や高官の任命と条約締結に同意権，大統領を含む公務員に対し弾劾権を持つ。上院議長は副大統領。下院は予算先議権を持つ。
大統領	国の元首にして行政府の最高責任者であり，軍の最高司令官。官吏任命権，議会への教書送付権，法案拒否権など権限は強大だが，法案の提出権や下院の解散権はない。
行政府	大統領府はホワイトハウス中心に補佐官と専門的な政策機関からなり大統領を補佐。各省の長官から構成される内閣は大統領の諮問機関。このほか60以上の独立行政機関がある。
司法	判例で裁判所の違憲法令審査権が確立している。連邦裁判所以外に，州ごとに州憲法に基づく裁判所制度がある。
その他	共和党と民主党の二大政党制。 モンテスキューが主張した三権分立が徹底して制度化されており，強大な大統領制のもとでも抑制と均衡が機能している。

Column　大統領制の特色（アメリカ）

大統領は，立法部の上下両院議員とは異なる選挙方法で全国単一選挙区から選ばれており，議会にたいしては責任を負わない。他のすべての先進国では，首相は議員の中から選ばれ議会にたいして責任を負うのと対照的である。大統領は，議会で野党が多数を占めても，あるいは自分の政策の中心と見なされる法案が議会で否決されても，そのために辞職することはない。また大統領は議会を解散する権限を持たない。大統領のもとには国務長官をはじめ多くの閣僚がおり，その全体はイギリスにならって内閣と呼ばれているが，他の国と異なって閣僚には連帯責任が無く，個々に大統領にたいして同僚としてではなく下僚として責任を負う。閣僚はもちろん議員をかねることはできない。（河合秀和「比較政治・入門」有斐閣アルマ55）

6 アメリカ大統領の権限と選挙

大統領はアメリカただ一つの全国民から選ばれる公職であり，したがって全国民を代表して行動することが期待されている。…大統領は形式的には各州の選挙人（その人数は各州の上下両院議員の数と同じ，選挙方法は州によって異なる）によって選挙されるが，各選挙人はどの候補者に投票するかをあらかじめ表明しており，その選挙人は一般有権者の投票によって選ばれる。したがって形式的には間接選挙ではあるが，実質的には一般投票による直接選挙であり，ほとんどの有権者は大統領は国民が直接に選挙するものと意識している。　（河合秀和『比較政治・入門』有斐閣）

解説　大統領候補は共和党と民主党のそれぞれの党員投票で選ばれ，本選挙に立候補する仕組みになっており，副大統領候補は大統領候補者が指名することになっている。4年に一度，11月第一月曜日の翌日となる火曜日に一般投票が行われ，18歳以上の有権者が州ごとに「選挙人（全国で538人）」を選び，選挙人が大統領を選ぶ間接選挙である。ただし，選挙人は事前に投票する候補者を誓約しており，実質的には直接選挙といえる。

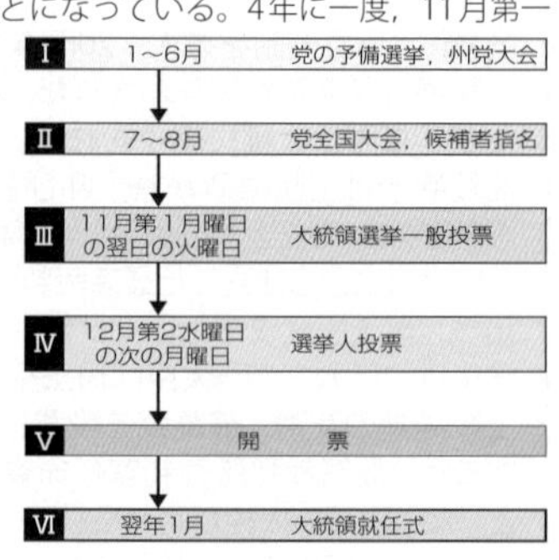

○×で答えよう！ 正誤問題にTRY✓　アメリカでは，各州2名ずつの議員からなる上院が置かれ，条約締結についての同意権など，重要な権限が付与されている。

7 中国の権力集中制

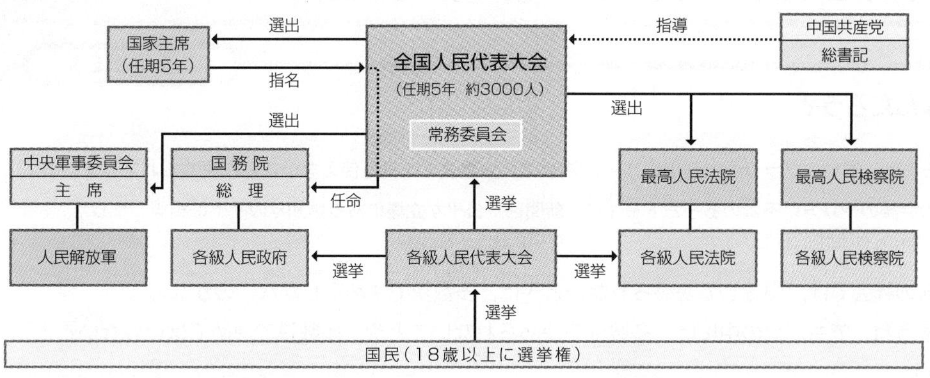

習近平国家主席（シーチンピン）
2013年の全人代において国家主席に選出された。2018年には2期目の国家主席として政権運営をすすめている。

8 中国の政治機構の特色

特色	国家権力が人民代表大会に集中する権力集中制を採用。社会主義体制で，共産党が国の活動全般に指導力を持つ。
憲法	1982年制定。第1条で「人民民主主義独裁の社会主義国家」と規定。改革開放路線にそって88，93，99年に部分改正。
元首	国家主席　全国人民代表大会で選出され，任期5年。連続2期まで。共産党のトップである総書記が兼務することも多い。
立法	全国人民代表大会(全人代)　一院制の最高の国家権力機関であり，すべての権力が集中する(権力集中制)。地方や軍の代表約3000人で構成される。常設機関として常務委員会がある。
行政	国務院　行政の最高機関で，国務院総理(首相)は国家主席の指名に基づき全国人民代表大会が任命。閣僚は首相が指名。
司法	人民法院　最高裁にあたる最高人民法院は全人代に責任を負い，各級の人民法院は各級の国家権力機関に責任を負う。
その他	中国共産党が指導的政党と規定されており，事実上の一党制。統帥権(軍の指揮権)は中央軍事委員会にあるが，実質的には構成員がほぼ共通している共産党中央軍事委員会がもつ。

中国13億人の頂点に立つ7人
(政治局常務委員)

●番号は序列

1 **習近平**（シーチンピン）(64)　中国共産党総書記，国家主席
2 **李克強**（リーコーチアン）(62)　首相
3 **栗戦書**（リージャンシュー）(67)　中央弁公庁主任
4 **王洋**（ワンヤン）(62)　副首相
5 **王滬寧**（ワンフーニン）(62)　中央政策研究室主任
6 **趙楽際**（ジャオルォジー）(60)　中央組織部長
7 **韓正**（ハンジョン）(63)　上海市党委書記

中国共産党の組織
総書記 1人
政治局常務委員7人
政治局員25人
中央委員・中央委員候補
400人
党員8,900万人

解説 中国共産党は，2017年10月，習近平国家主席を党トップの総書記とする2期目の体制が発足した。新たな最高指導部(政治局常務委員)＝チャイナセブンと呼ばれる7人が選出され，より習氏の一強体制が強固になった。21世紀半ばまでの目標として，「社会主義現代化強国」が打ち出され，政治・経済，教育や文化にいたる，党の指導の強化をその方針としている。

9 人民代表大会

形式的には，村から省に至る各級の人民会議があり，中央には全国人民会議(注：全国人民代表大会のこと)がある。議員は，下部の組織から上級へと選ばれていく。全国人民会議の議員は約3000，任期は5年である。旧ソ連の場合と同じく，議員数はあまりに多く，会期はあまりに短く，実質的な審議は行われていない。1988年と89年の会期ではじめて活発な論議が行われ，委員会の議席を争って選挙が行われ，政府提案の議題で反対票がいくつか投じられて，民主主義の微風が吹いたかに思われたが，1989年6月の天安門広場事件以降はふたたび純然たる形式的機関に返っている。理論上は，155名の委員からなる全国人民会議常務委員会が最高の機関であり，その議長が中国の国家元首(国家主席)である。しかし国家主席の権力が党と軍隊を掌握することに依拠していることはいうまでもない。

(河合秀和『比較政治・入門』有斐閣アルマ55)

解説 共産党一党独裁体制の中国では，長年，毛沢東や鄧小平らカリスマ的指導者が，圧倒的な権力を背景に後継者を指名してきた。しかし党内から革命第1世代が姿を消す中，個人への権力集中を避ける集団指導体制に移行。習・新体制は，新中国になって初めて集団体制下の指導部交代となった。最高指導者となった習総書記は，毛沢東から数えて「第5世代」の指導者グループにあたり，就任演説では「よりよい生活へのあこがれを満たすことが，我々の目標だ」と述べた。世界第2の経済大国になった中国だが，貧富の格差は広がり，汚職や政治腐敗，環境破壊などを背景に各地で住民の抗議デモが相次ぐ。習氏の演説は，経済成長優先の中で生じたひずみを意識したものと受け止められた。習体制は2020年までに国内総生産(GDP)と，個人の所得を倍増させる目標を掲げるが，企業家や共産党幹部といった既得(きとく)権層に集まる富を，農民や労働者にも行きわたらせる経済改革ができるかが課題となる。

政治編

○×で答えよう! 正誤問題にTRY✓　旧ソ連では，権力分立とは異なる考え方に基づいて，全人民を代表する合議体にすべての権力を集中させるしくみをとっていた。

18 日本国憲法の制定と基本原理

政治編

TOPICS

立憲主義ってなんだろう？

（弱小陸上部のトモキは，学校のグラウンド利用のルール決めで，多数決で1日も使えないことに決められてしまいました。ルール決めの会議のやり方に不満のあったトモキは，新聞部で公平な立場にある物知りのサヤに相談しました。）

トモキ「民主主義の社会では，議論して決められないときは，多数決で決めるしかないのかな。」

サヤ「確かにそうね。でも，世の中には，多数決で決められないことや，多数決で決めてはいけないことがあるのよ。」

トモキ「多数決でも決められないことって，どういうこと？」

サヤ「たとえ多数決でも，誰かの命を奪うことや個人の権利を認めないようにすることはできないの。この考え方を立憲主義というのよ。」

トモキ「え？　立憲主義って何？」

サヤ「国の政治は基本的には多数決にもとづいてつくられているけど（国政選挙等）。そうすると，多数の勢力が暴走して国民の誰かの人権を侵害することもある。そうした暴走をさせないために，国に守らせる原理として憲法がつくられたの。つまり，国の政治は憲法によってしばられているのよ。このことが立憲主義よ。」

トモキ「あれ？　憲法って国民が守るものじゃないの？」

サヤ「まったく逆よ！　憲法は国民が国家に守らせるためにつくったの。日本国憲法の第99条になんて書いてあるか知ってる？」

トモキ「天皇又は摂政及び国務大臣，国会議員，裁判官その他の公務員は，この憲法を尊重し擁護する義務を負ふ。」

サヤ「憲法を守る人についての規定だけど，そこに国民は入ってる？」

トモキ「あ！　入ってないや。」

（『法むるーむ　高校生からの法律相談』より抜粋，一部改訂）

1 東洋大日本国国憲按　植木枝盛

第1条　日本国ハ日本国憲法ニ循テ之ヲ立テルコトヲ持ス

第2条　日本国ニ一立法院一行政府一司法庁ヲ置ク

第5条　日本ノ国家ハ日本各人ノ自由権利ヲ殺滅スル規則ヲ作リテ之ヲ行フヲ得ス

第9条　日本聯邦ハ日本各州ニ対シ其州ノ自由独立ヲ保護スルヲ主トスヘシ

第42条　日本ノ人民ハ法律上ニ於テ平等トナス

第43条　日本ノ人民ハ法律ノ外ニ於テ自由権利ヲ犯サレサルヘシ

第45条　日本ノ人民ハ何等ノ罪アリト雖モ生命ヲ奪ハ（「レ」が脱字）サルヘシ

第46条　日本ノ人民ハ法律ノ外ニ於テ何等ノ刑罰ヲモ科セラレサルヘシ又タ法律ノ外ニ於テ鞫治セラレ逮捕セラレ拘留セラレ禁錮セラレ喚問セラルヽコトナシ

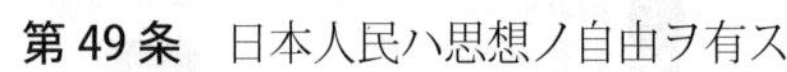

第49条　日本人民ハ思想ノ自由ヲ有ス

第50条　日本人民ハイカナル宗教ヲ信スルトモ自由ナリ

第65条　日本人民ハ諸財産ヲ自由ニスルノ権アリ

植木枝盛

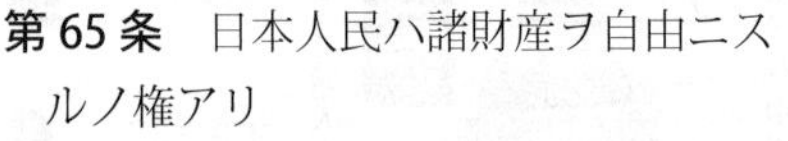

解説　自由民権運動が全国的な広がりを見せる中で，さまざまな立場の人たちが，それぞれあるべき国のかたちを思い描いて作った憲法を私擬憲法という。起草当時20歳代半ばだった自由党左派の植木枝盛が作成した憲法案には，自由権を幅広く保障し，抵抗権，革命権を明記するなどの急進的な要素と，皇帝（天皇）に兵馬ノ大権（統帥権）を認めるなどの君主制的な要素が併存している。死刑の廃止や連邦制の採用など，今日の私たちの目からしても斬新な内容も盛り込まれている。戦後，彼の研究者でもあった鈴木安蔵らが起草した憲法研究会の憲法草案要項は，GHQにも大きな影響を与えた。「まわり道をたどって」植木の思想が日本国憲法に反映されたと歴史家の家永三郎は述べている。

〇×で答えよう！ 正誤問題にTRY✓　大日本帝国憲法では，信教の自由や言論の自由に関する規定はなかった。

2 大日本帝国憲法下の政治機構

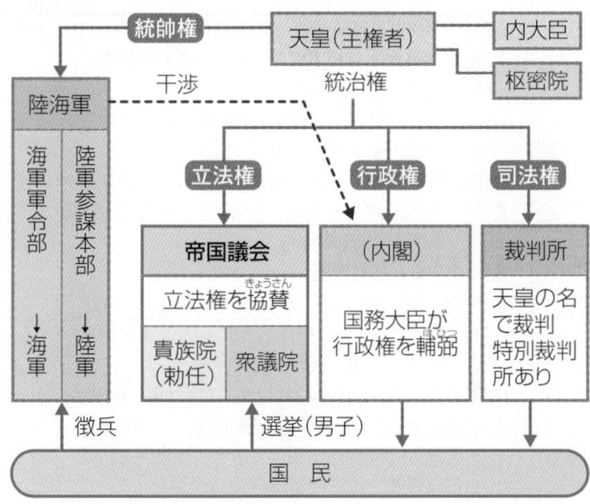

解説 大日本帝国憲法の特徴は外見的立憲主義にある。議会を設置し司法権を独立させるなど近代国家の体裁は整えたが，実質は神聖不可侵とされた天皇が統治権を総攬する(一手に握る)しくみになっていた。また，天皇のもつ統帥権(軍の最高指揮権)は議会も国務大臣も干渉できないと解されていて，軍部の独走をゆるす原因となった。

3 天皇機関説 —美濃部達吉の貴族院演説

「私の著書に於いて述べております る見解…所謂機関説ともうしまするのは，国家それ自身を1つの生命であり，それ自身に目的を有する恒久的の団体，即ち法律学上の言葉を以て申せば，1つの法人と観念いたしまして，天皇は此法人たる国家の元首たる地位に在まし，国家を代表して国家の一切の権利を総攬し給い，天皇が憲法に従って行わせられまする行為が，即ち国家の行為たる効力を生ずると云うことを言い現すものであります。…ややもすれば絶対無制限なる万能の権力が天皇に属していることがわが国体の存するところであると言う者があるのでありまするが，私はこれをもってわが国体の認識において，大いなる誤りであると信じているものであります。」

解説 1935(昭和10)年，憲法学者で貴族院議員でもあった美濃部達吉が，右翼や軍部から攻撃されていた天皇機関説について弁明した演説の一部である。「統治権そのものは法人である国家に属し，天皇はその最高機関として統治権を行使する」と大日本帝国憲法を立憲主義的に解釈する天皇機関説は，大正デモクラシー期には最も有力な憲法学説として確立していた。政党内閣制を基礎づける理論であり，国体の名を借りて軍部や官僚が絶対的な権力を持つこととはあいいれない学説であった。美濃部の反論にもかかわらず，天皇機関説問題を内閣を攻撃するために利用する政党の動きもあったことから，政府は「国体明徴声明」をだして天皇機関説を誤りと断定するに至り，美濃部は貴族院議員を辞職する。これ以後，治安維持法が強化され，思想統制が徹底して進められていく。

4 大日本帝国憲法体制の歩み

専制政府の出現	1868	五箇条の誓文（明治維新）
	71	廃藩置県
	73	征韓論争→西郷ら下野，徴兵令公布
	74	民撰議院設立の建白（国会開設を要求）
	77	西南戦争　士族反乱の収束
自由民権運動	80	国会期成同盟結成→自由民権運動の高揚
	81	国会開設の詔　自由党の結党
	82	軍人勅諭
	84	秩父事件･福島事件(82)など自由民権運動の激化
自由党解党	85	内閣制度の制定
	87	保安条例公布→自由民権運動の衰退
	89	大日本帝国憲法発布（伊藤博文らが起草）
明治憲法体制の確立	90	第1回帝国議会　民党の抵抗　教育勅語発布
	94	日清戦争（～95）おこる　国権主義の台頭
	98	隈板内閣（大隈重信・首相，板垣退助・内相の初の政党内閣）→4か月で崩壊
	1900	治安警察法公布→大衆運動の弾圧 軍部大臣現役武官制の採用
	01	社会民主党の結党（初の社会主義政党）→禁止
	04	日露戦争（～05）おこる
	06	日本社会党の結党（初の合法的社会主義政党）
	10	韓国併合　大逆事件（社会主義の弾圧）
大正デモクラシー	12	美濃部達吉，天皇機関説発表 第1次護憲運動 → 藩閥政府への攻撃
	13	軍部大臣現役武官制の緩和
	14	対ドイツ宣戦布告（第一次世界大戦への参戦）
	16	吉野作造，民本主義を提唱
	18	米騒動　原敬内閣成立（本格的政党内閣）
	19	普選運動おこる
	20	日本初のメーデー→労働・農民運動の高揚
	22	日本共産党の結党
	24	第2次護憲運動→政党政治の確立
	25	治安維持法公布　衆議院議員選挙法の改正（普通選挙制の導入）
ファシズム体制	30	統帥権干犯事件　軍の圧力強まる
	31	満州事変おこる
	32	5.15事件→政党政治の終焉
	35	天皇機関説の排撃（国体明徴）運動　美濃部達吉の貴族院議員辞職
	36	2.26事件　軍部大臣現役武官制の復活
	37	日中戦争おこる
	38	国家総動員法の公布
	40	日独伊三国同盟締結　大政翼賛会の発足（政党の解体）
	41	太平洋戦争開始
	45	日本，ポツダム宣言を受諾　無条件降伏

5 治安維持法

第1条 国体ヲ変革シ又ハ私有財産制度ヲ否認スルコトヲ目的トシテ結社ヲ組織シ又ハ情ヲ知リテ之ニ加入シタル者ハ10年以下ノ懲役又ハ禁錮ニ処ス

1928年　緊急勅令により改正

第1条 国体ヲ変革スルコトヲ目的トシテ結社ヲ組織シタル者又ハ結社ノ役員其ノ他指導者タル任務ニ従事シタル者ハ死刑又ハ無期若ハ5年以上ノ懲役又ハ禁錮ニ処シ情ヲ知リテ結社ニ加入シタル者又ハ結社ノ目的遂行ノ為ニスル行為ヲ為シタル者ハ2年以下ノ懲役又ハ禁錮ニ処ス

治安維持法反対集会

解説 普通選挙制の実施にあわせて制定され，後に勅令によって最高刑が死刑になった。天皇制や資本主義体制の変革をめざす思想・運動を取り締まったが，拡大解釈により宗教活動や自由主義的思想まで弾圧の対象になった。

政治編

○×で答えよう! 正誤問題にTRY✓ 大日本帝国憲法では認められていた天皇の緊急勅令を出す権限が，日本国憲法では否定された。

6 ポツダム宣言

6〔軍国主義の除去〕 吾等ハ無責任ナル軍国主義カ世界ヨリ駆逐セラルルニ至ル迄ハ平和，安全及正義ノ新秩序カ生シ得サルコトヲ主張スルモノナルヲ以テ日本国国民ヲ欺瞞シ之ヲシテ世界征服ノ挙ニ出ツルノ過誤ヲ犯サシメタル者ノ権力及勢力ハ永久ニ除去セラレサルヘカラス

8〔領土の制限〕「カイロ」宣言ノ条項ハ履行セラルヘク又日本国ノ主権ハ本州，北海道，九州及四国並ニ吾等ノ決定スル諸小島ニ局限セラルヘシ

9〔軍隊の武装解除〕 日本国軍隊ハ完全ニ武装ヲ解除セラレタル後各自ノ家庭ニ復帰シ平和的且生産的ノ生活ヲ営ムノ機会ヲ得シメラルヘシ

10〔戦争犯罪人の処罰・民主主義的傾向の復活強化〕 吾等ハ日本人ヲ民族トシテ奴隷化セントシ又ハ国民トシテ滅亡セシメントスルノ意図ヲ有スルモノニ非サルモ吾等ノ俘虜ヲ虐待セル者ヲ含ム一切ノ戦争犯罪人ニ対シテハ厳重ナル処罰ヲ加ヘラルヘシ日本国政府ハ日本国国民ノ間ニ於ケル民主主義的傾向ノ復活強化ニ対スル一切ノ障礙ヲ除去スヘシ。言論，宗教及思想ノ自由並ニ基本的人権ノ尊重ハ確立セラルヘシ

12〔占領軍の撤収〕 前期諸目的カ達成セラレ且日本国国民ノ自由ニ表明セル意志ニ従ヒ平和的傾向ヲ有シ且責任アル政府カ樹立セラルルニ於テハ連合国ノ占領軍ハ直ニ日本国ヨリ撤収セラルヘシ

解説 アメリカ，イギリス，中国（のちにソ連が加わる）が発表した，日本に無条件降伏を勧告する共同宣言で，非軍事化，基本的人権の確立，民主主義的傾向の復活強化など，戦後処理に関する基本方針が示された。

7 大日本帝国憲法と松本案の比較

大日本帝国憲法	松本案（おもな内容）
第3条 天皇ハ神聖ニシテ侵スヘカラス	天皇ハ至尊ニシテ侵スヘカラス
第5条 天皇ハ帝国議会ノ協賛ヲ以テ立法権ヲ行フ	天皇ハ帝国議会ノ協賛ヲ以テ立法権ヲ行フ
第11条天皇ハ陸海軍ヲ統帥ス	天皇ハ軍ヲ統帥ス
第31条本章ニ掲ケタル条規ハ戦時又ハ国家事変ノ場合ニ於テ天皇大権ノ施行ヲ妨クルコトナシ	（削除。次の規定を設ける）日本臣民ハ本章各条ニ掲ケタル場合ノ外凡テ法律ニ依ルニ非スシテ其ノ自由及権利ヲ侵サルルコトナシ
第55条国務各大臣ハ天皇ヲ輔弼シ其ノ責ニ任ス	国務各大臣ハ天皇ヲ輔弼シ帝国議会ニ対シ其ノ責ニ任スル
第57条司法権ハ天皇ノ名ニ於テ法律ニ依リ裁判所之ヲ行フ	司法権ハ天皇ノ名ニ於テ法律ニ依リ裁判所之ヲ行フ

解説 政党や民間の研究団体などを含めて戦後発表された憲法改正案はいくつかあるが，政府が作成した松本案は明治憲法に最も近い保守的なものであった。新聞がその内容をスクープすると国内から批判の声があがっただけでなく，GHQに憲法草案作成を決断させる契機ともなった。

8 日本国憲法の制定過程

年	月日	事項
1945	7.26	◇ポツダム宣言発表
	7.28	鈴木貫太郎首相ポツダム宣言を黙殺と発表
	8.6	◇広島に原子爆弾投下
	8.8	◇日ソ中立宣言を破りソ連対日宣戦を布告
	8.9	◇長崎に原子爆弾投下
	8.10	国体の護持を条件にポツダム宣言受諾を決定
	8.11	◇究極の政治形態は日本国民の自由意志によるとアメリカ政府回答
	8.14	**ポツダム宣言受諾**
	8.15	「終戦の詔書」 天皇の肉声によるラジオ放送
	10.11	◇マッカーサー，幣原内閣に五大改革を指示し憲法の自由主義的改正を示唆
	10.27	憲法問題調査委員会（松本委員会）第一回総会
	12.26	憲法研究会「憲法草案要綱」発表
1946	1.1	天皇「人間宣言」 詔書で自らの神格性を否定
	2.1	毎日新聞，憲法問題調査委員改案をスクープ
	2.3	◇マッカーサー，三原則を示しGHQ案作成を指示
	2.8	**政府，憲法改正要綱（松本案）をGHQに提出**
	2.13	**◇GHQ，松本案を拒否しGHQ案を政府に手交 政府とGHQの間で憲法案をめぐる交渉**
	2.22	**閣議でGHQ案受け入れを決定**
	2.26	◇極東委員会第1回会合（ワシントン）
	3.6	政府，GHQ案を手直し「憲法改正草案要綱」発表
	4.10	衆議院議員総選挙（20歳以上男女の普通選挙）
	4.17	政府，「日本国憲法草案」発表
	6.20	**政府，第90回帝国議会に憲法改正案を提出**
	8.24	**憲法改正案，衆議院本会議で修正可決**
	10.6	憲法改正案，貴族院本会議で修正可決
	10.7	衆議院，貴族院の回付案を可決
	11.3	**日本国憲法公布**
1947	5.3	**日本国憲法施行**

9 第90帝国議会*における主な修正

前 文	国民の総意が至高なものであることを宣言し→主権が国民に存することを宣言し
第1条	（象徴天皇の地位は）日本国民の至高の総意に基く→主権の存する国民の総意に基く
第9条	①日本国民は，正義と秩序を基調とする国際平和を誠実に希求し，（追加） ②前項の目的を達するため，（追加）
第25条	①すべて国民は健康で文化的な最低限度の生活を営む権利を有する（追加）
第27条	①すべて国民は，勤労の権利を有する。 →すべて国民は，勤労の権利を有し，義務を負ふ。
第66条	②内閣総理大臣その他の国務大臣は，文民でなければならない（追加）

＊日本国憲法制定時の国会

解説 第1条の「日本国民の至高の総意」という表現は，GHQ案に明記されていた「人民主権」を政府があいまいな表現に書き換えた部分であったが，国会の審議を通じて国民の代表者の手で改めて明文化された。第25条の生存権など重大な修正が行われたところに注目したい。

○×で答えよう！ 正誤問題にTRY✓ ポツダム宣言は，平和主義と民主主義に加えて，基本的人権の確立を要求していた。

10 天皇制存続に関するGHQの意図

マッカーサーのアイゼンハワーあて電報 〔1946年1月25日〕

…天皇を告発するならば，日本国民の間に必ずや大騒乱を惹(ひ)き起こし，その影響はどれほど過大視してもしすぎることはなかろう。天皇は，日本国民統合の象徴であり，天皇を排除するならば，日本は瓦(が)解(かい)するであろう。…

…すべての統治機関の機能が停止し，開化した営みの大部分がとまり，そして，地下運動による混乱・無秩序状態が山岳地域や辺地でのゲリラ戦に発展していくことも考えられなくもない。…占領軍の大幅増強が絶対不可欠となるであろう。最小限にみても，おそらく100万の軍隊が必要となり，無期限にこれを維持しなければならないであろう。

（山極・中村編『資料日本占領1　天皇制』大月書店）

アメリカにおけるギャラップ社世論調査「戦後，日本国天皇をどうすべきであると考えますか？」

（1945年6月初旬）

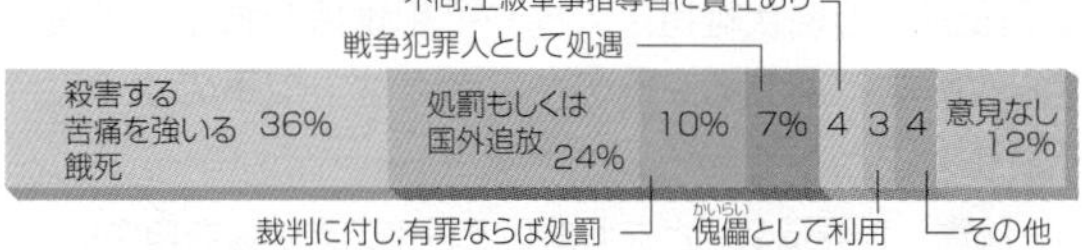

解説 終戦当時，アメリカ国内だけではなく，ソ連やオーストラリアなど連合国内部にも天皇の戦争責任を問う声が強かった。マッカーサーは，日本の占領を円滑に進めるために天皇制の存続が望ましいと考えていた。そのため，憲法問題の方針が決定される極東委員会が機能し始める前に，連合国が受け入れられるかたちで天皇制を存続させた憲法草案が日本国民の名で出されることを強く望んだ。GHQが改正を急がせた背景にはこのような事情もあった。

11 憲法改正の手続き

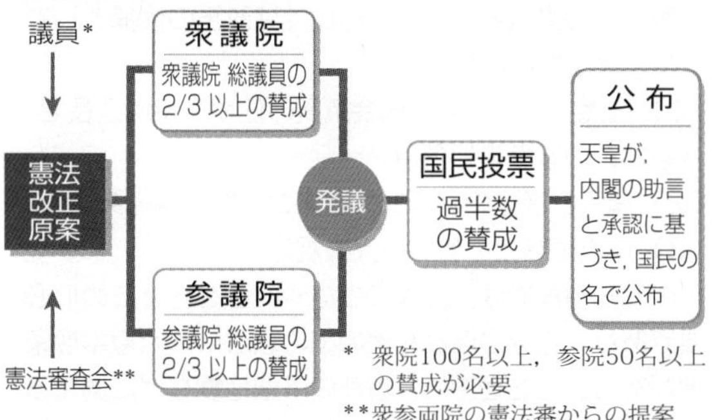

* 衆院100名以上，参院50名以上の賛成が必要

**衆参両院の憲法審からの提案

解説 日本国憲法は，普通の法律に比べて特に厳格な手続きが求められる硬性憲法である。主権者である私たち国民の投票で，過半数の賛成を得ることも条件である。

12 憲法に対する世論調査

憲法改正案に対しての世論調査

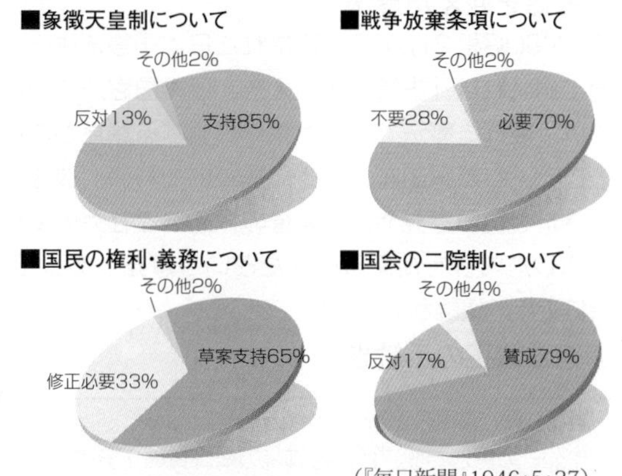

（『毎日新聞』1946・5・27）

解説 象徴天皇制と国民主権，戦争放棄，基本的人権の保障など日本国憲法の基本原理は，旧憲法の原則の根本的な変更であったにもかかわらず，国民の圧倒的な支持を得ていたことがわかる。

現行憲法についての世論調査

今の憲法は全体として…

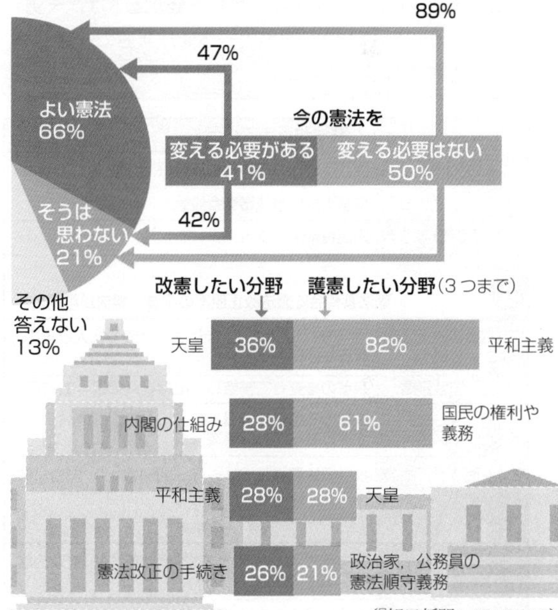

（『朝日新聞』2017.5.12）

解説 いまの憲法は全体として「よい憲法だと思う」は66%であり，「そうは思わない」の21%の3倍を占めている。日本にとって，現行憲法があったことが「よかった」と思っている人も年代差にかかわらず，9割だった。

いまの憲法を「変える必要がある（改憲賛成）」とした人は41%，「変える必要はない（改憲反対）」とした人は50%だった。「よい憲法」と答えた人のなかで，改憲反対だったのは89%。改憲賛成の人たちには，「よい憲法」とする人が47%，「（よい憲法）そうは思わない」とする人が42%と割れた意見となった。憲法の果たしてきた歴史的役割と，将来に向けての役割とを分けて考えている人が一定数いる可能性がある。

改憲項目や護憲項目について見てみると，「天皇」の項目がどちらにもあげられており，天皇退位にかかわる動きに対する配慮がみられる。また，護憲項目の「平和主義」や「国民の権利や義務」などについては，多くの人からの支持がある。

政治編

○×で答えよう! 正誤問題にTRY✓ 日本国憲法の改正には，衆参各院の総議員の3分の2以上の賛成により国会が発議し，国民に提案し，その承認を経ることを必要とする。

テーマ学習 憲法改正を考える

①古稀を迎えた憲法

1946(昭和 21) 年に公布された日本国憲法は，人間に例えれば「古稀」を迎えた。日本国憲法については，優れた憲法であると高く評価する意見がある一方で，わが国固有の価値に基づいたものに改正すべきだという意見や，環境権の保障など社会の変化に応じた内容を加えるべきだという意見もあって，特に近年，議論が活発になっている。

②憲法改正の手続き

第 96 条［改正の手続，その公布］

1　この憲法の改正は，各議院の総議員の 3 分の 2 以上の賛成で，国会が，これを発議し，国民に提案してその承認を経なければならない。この承認には，特別の国民投票又は国会の定める選挙の際行はれる投票において，その過半数の賛成を必要とする。

2　憲法改正について前項の承認を経たときは，天皇は，国民の名で，この憲法と一体を成すものとして，直ちにこれを公布する。

憲法改正までの流れ

これまでの流れ	2007年5月	憲改手続きを定めた国民投票法が成立
	8月	衆参両院に憲法審査会設置
	2010年5月	国民投票法が施行
		憲法審査会で憲法改正原案の審査，議決が可能に
国会で審議	憲法改正原案提出	衆院の100 人以上，または参院の 50 人以上の賛成が必要
	国会審議	衆参の審査会で審議し，出席委員の過半数で可決
	本会議採決	衆参とも議員の「過半数」に引き下げ検討 ※得られなければ廃案
	憲法改正案の発議	投票日は発議後 60 ～ 180 日以内で，国会が議決
国民が判断	国民への周知期間	憲法改正案の内容や賛成・反対意見，投票方法などを国民に知らせる
	国民投票の実施	投票権は 18 歳以上で，テーマごとに賛成か反対の文字を○で囲む
	開票	有効投票総数の過半数の賛成で承認 ※得られなければ廃案
	憲法改正	天皇が直ちに公布

日本国憲法は一般の法律よりも改正手続きが厳格な硬性憲法である。その発議には「各議院の総議員の三分の二」以上の賛成が必要だ。近年，改正に前向きな国会議員の割合が高まっているが，そのなかにもさまざまな意見があるので，改正案をまとめ上げ発議に至ることは相当に困難だ。

ここで改正に必要な手続きである国民投票について整理してみよう。

- 投票権者は 18 歳以上の日本国民 (ただし，平成 30 年 6 月 20 日までは 20 歳以上の国民)
- 改正案は関連する事項ごとに分けて発議する
- 国会発議後は，60 ～ 180 日間ほどの期間を経た後に国民投票を行う
- 投票は改正案ごとに賛成か反対かの二者択一方式
- 有効投票数の過半数で憲法改正案は成立
- 最低投票率は定めない

この法律には法律家などから次のような批判がある。

- 最低投票率を定めていないので，投票率が低ければ少数の国民の賛成で憲法が改正されてしまうおそれがある。
- 最短で 60 日という周知期間は，国民が改正案を理解し十分に議論を深めるためには短すぎるのではないか。

などである。

③憲法改正の争点

これまでに行われてきた日本国憲法の改正論議は，その党派性や立場によって様々である。自衛隊の国軍化（合憲化），交戦権の否認，徴兵制の復活，天皇制の元首化などから，自衛隊の廃止，天皇制の廃止，そして護憲派の現状維持，人権や平和維持を強化する護憲的改憲などがある。その主な考えは，以下のように分類することができる。

- 論憲：世界情勢などを考慮して将来の憲法像を自由に議論しようというもの
- 創憲：勝手な解釈を許さない基本法を創造的につくりあげていこうとするもの
- 加憲：現憲法に環境権などの新しい理念を加えるというもの
- 活憲：憲法をより具体的に活かしていこうというもの
- 修憲：現状に適したように憲法を修正していこうというもの
- 護憲：現在の憲法を遵守して維持していこうというもの

④憲法改正についての世論の動向

衆議院の憲法審査会で，自民党は改正の候補として 3 つの項目を示した。

（1）自然災害発生時，国会議員の任期を特別延長できるなどの緊急事態条項

（2）歳入と歳出のバランスを保つ，財政規律条項

（3）環境権などの新しい人権規定

中でも自民党は，国民の生命や財産を守るために必要であり，世界のほとんどの国の憲法には緊急事態条項があることを理由に，首都直下型地震などに備えるための条項の検討を急ぐべきだと主張している。これに対し，野党の意見は改正に賛成する党と反対する党があり，意見が分かれている。

○×で答えよう! 正誤問題にTRY✓ 日本国憲法は，憲法改正のための国民投票では，投票した国民の過半数の賛成を要求している。

Column 衆議院選挙（2021年）憲法改正をめぐる各党の立場

約70年前，現在の「日本国憲法」が施行された。三大原則は「国民主権」「基本的人権の尊重」「平和主義」。これまで，改正されることがなかった憲法。選挙の争点として，憲法第９条を中心に各党の立場を整理しよう。

> 改正に賛成・前向きなのは，「自民党」「日本維新の会」「国民民主党」。自民党と連立政権を構成している「公明党」はどちらかといえば慎重な立場。一方,反対なのは「共産党」「立憲民主党」「社民党」となっている。

●各党の主張

「**自民党**」は時代の要請に応えられる憲法を制定するため力を尽くすとしている。「国民主権」「基本的人権の尊重」「平和主義」の基本原理は堅持し，①自衛隊の明記②緊急事態対応③参議院の合区解消④教育充実の４項目を掲げて，憲法改正への取り組みをさらに強化すると主張している。

「**公明党**」は９条１項，２項は堅持，自衛隊明記は慎重に議論するという立場をとり，自民党とは温度差がある。憲法制定時には想定されなかった新しい理念や，憲法改正でしか解決できない課題が明らかになれば必要な規定を付け加える「加憲」を検討すべきであるとしている。

「**日本維新の会**」も改正に前向きで，非常事態に対処するため政府の権限を一時的に強化する「緊急事態条項」を新たに憲法に設けることのほか，教育の無償化，統治機構改革の追記を検討する。政府や行政による恣意的な憲法解釈を許さないよう，憲法裁判所を設置することも提案している。しかし第９条に関しては明確な立場を表明していない。

「**国民民主党**」は新たな時代に即した人権の保障を憲法で定めるため，国会で建設的な憲法論議を進めるとしている。「日本維新の会」同様，第９条についてははっきりした意志を表していない。

「**共産党**」は，自民党の改憲案に反対し，断念に追い込むという立場をとる。前文を含む全条項を厳格に守り，平和的・民主的条項の完全実施を求める。

「**立憲民主党**」は国民の権利拡大に寄与する観点から憲法論議を進めるとしているが，自衛隊の明記については憲法の基本原理に反するので反対している。

「**社民党**」は憲法は変えるべきでないという立場である。憲法の理念を暮らしに生かすことが最優先であると主張し，2015年に成立した安保法案は違憲であるとして，廃止を目指している。

今回の選挙結果から，今後，国会での改憲に向けた議論が進められていくのかもしれない。各党の主張を主権者の立場から検証し，判断していく必要があるだろう。

（jiji.com 2021.10.19，NHK選挙Web2021.10）

憲法改正をめぐる各国の制度

	憲法制定年	過去の改正件数	発議の方法	改正の決議	備考
日本	昭和21（1946）	0	衆議院・参議院の総議員の3分の2以上の賛成	国民投票による過半数の賛成	国会の定足数は3分の1であるが，憲法改正の発議には，総議員の3分の2以上の賛成が必要である。
アメリカ	1787	6	連邦議会の上下両院の3分の2以上の賛成 または 3分の2以上の州議会の発議に基づき連邦議会が招集する憲法会議による提案	4分の3以上の州議会の賛成 または 4分の3以上の州の憲法会議の賛成	改正前の条文を削除せず，改正後の条文を付加するため，改正ではなく修正と呼ばれる。連邦議会の定足数は過半数。
イギリス	―	―	―	―	不文憲法のため，他国と比較できない。
フランス	1958	24	首相の提案を受けた大統領 または 首相の提案を受けた国会議員	上下両院の過半数の賛成の後国民投票による過半数の賛成 または 上下両院合同会議の有効投票の5分の3の賛成 または 国民投票による過半数の賛成	国民投票による過半数の賛成のみで成立する方法は，通常の法律の制定方法を憲法に拡大して適用したもの。

（国立国会図書館資料等より作成，2019年２月現在）

○×で答えよう! 正誤問題にTRY 憲法改正の国民投票制度について，その投票権者の資格や投票の手続きは，憲法に定められている。

19 日本国憲法の人権保障ー平等権ー

TOPICS

大学入試とアファーマティブ・アクション（積極的是正措置）

4年制大学への進学率は，男子生徒57.1%，女子生徒51.1%で男子生徒の方が高い。特に，理数系大学（学部）への女子生徒の入学率は低い。また，理系の女性研究者は全体の15.3%しかいない。そこで，大学内の「リケジョ」（理系女子）を増やしたいと大学側が判断し，入試に女性優遇措置を設けるというのはどうだろうか。

実際に，大阪府の私立大学では，公募の推薦入学試験に「女子加算」を設けている。募集要項に「女子に対し，全学部において，一定の点数を加算して判定します」と，優遇制度を記載している。

また，2012年には福岡県の国立大学が理学部数学科の定員について「後期日程 定員9人のうち5人を女性枠とする」と発表し，批判が相次ぎ撤回をしている。

これらは，性別による差別を禁止し（憲法14条1項），ひとしく教育を受ける権利を保障（憲法26条1項）している憲法に反しないかが問題になる。

アメリカやスウェーデンでは，男女共同参画の観点から理工系など女性の少ない大学の学部で，入学に当たって女性のための優先枠や奨励金などを設けるという措置をとっている。平等なのか，逆差別なのか，あなたはどう考えますか。

（『男女共同参画白書 平成29年版』などより）

1 日本国憲法が保障するおもな人権

（ ）内は日本国憲法の条数を示す。

分類		内容	公共の福祉
総則的規定		●人権の永久不可侵性 （11，97） ●人権保持の責任，人権の濫用の禁止 (12) ●個人の尊重，幸福追求権の保障 (13)	
平等権		●法の下の平等 (14) ●家庭生活における両性の本質的平等 (24) ●選挙権の平等 (44)	●一般原則としての公共の福祉(12,13)
自由権	精神の自由	●思想･良心の自由 (19) ●信教の自由 (20) ●集会･結社・表現の自由 (21) ●学問の自由 (23)	●一般原則としての公共の福祉(12,13)
自由権	人身の自由	●奴隷的拘束・苦役からの自由 (18) ●法の正当な手続きの保障 (31) ●被疑者の権利 (33～35) ●拷問・残虐刑の禁止 (36) ●刑事被告人の権利 (37～39)	●一般原則としての公共の福祉(12,13)
自由権	経済の自由	●居住・移転・職業選択の自由 (22) ●財産権の不可侵 (29)	●経済の自由についての公共の福祉(22,24)
社会権		●生存権 (25) ●教育を受ける権利 (26) ●勤労の権利 (27) ●勤労者の団結・団体交渉・団体行動権(28)	●経済の自由についての公共の福祉(22,24)

基本的人権を確保する権利	参政権	●公務員の選定・罷免権 (15) ●最高裁判所裁判官の国民審査権 (79) ●地方特別法の住民投票 (95) ●憲法改正の国民投票 (96)
基本的人権を確保する権利	請求権	●請願権 (16) ●国家賠償請求権 (17) ●裁判を受ける権利 (32) ●刑事補償請求権 (40)
新しい人権		●プライバシーの権利 ●環境権 ●知る権利 ●自己決定権など
国際的人権保障		●世界人権宣言(1948年採択) ●国際人権規約(1966年採択) ●人種差別撤廃条約(1965年採択) ●女子差別撤廃条約(1979年採択) ●子どもの権利条約(1989年採択) など

解説 総則的規定は，憲法の規定するすべての人権に妥当する人権の基本的性格について定めている。とくに幸福追求権は，憲法に列挙されていない新しい人権の根拠となる包括的基本権と解されている。憲法には，多様で広範な人権が規定されているが，新しい人権の主張や様々な条約による人権の国際的保障など，人権保障は大きな広がりをみせている。

○×で答えよう！正誤問題にTRY✓ 「個人の尊厳と両性の本質的平等」を定める日本国憲法の制定に伴い，民法が改正され「家」制度は廃止された。

2 公共の福祉

公共の福祉の２つの意味	
①人権の内在的制約としての原理	
12,13 条の公共の福祉	すべての人権には，他者の人権を侵害してまで行使できないという制約が内在している。
②人権の政策的制約としての原理	
22,29 条の公共の福祉	経済の自由については，社会的・経済的政策上の見地から，積極的な制約が認められる。

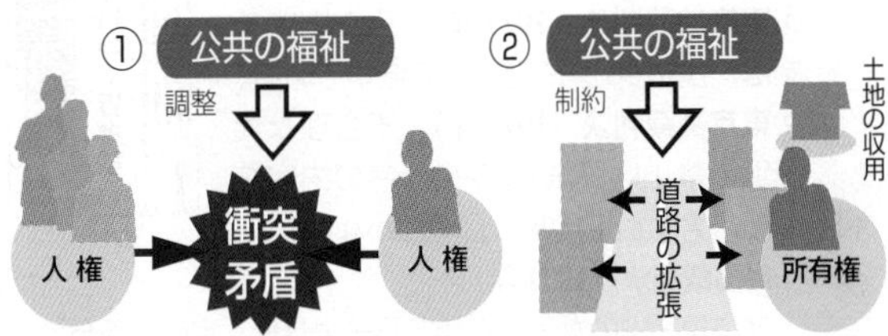

解説 人権の行使には，他人の人権との関係でおのずと一定の制約が内在している。これが人間相互の衝突や矛盾を調整する①人権の内在的制約としての公共の福祉である。しかし，経済の自由の行使については，社会的・経済的政策の展開，国民生活の安全や秩序の維持，経済の調和のとれた発展などを確保するため，より積極的な制約が認められている。これが②人権の政策的制約としての公共の福祉である。しかし，人権保障の基礎にある「個人の尊重」の理念からすれば，《公共の福祉＝個人の利益に優先する「国家や社会全体の利益」》と考えるべきではない。

Column 外国人の人権保障

人権が，人が生まれながらにもっている権利とされる以上，「権利の性質上日本国民のみをその対象としていると解されるものを除き」人権保障は，日本に在留する外国人にも等しく及ぶ(1978年の最高裁判決)。ただ，この問題を考える際に注意しなければならないのは，一口に外国人といっても，観光旅行で一時的に日本に滞在する外国人，仕事や留学のために比較的長期間在留する外国人，日本を生活の本拠とする永住外国人など，さまざまな立場の違いがあることである。これらをひとくくりにして，外国人の人権保障を語るのは，適当ではない。

定住外国人にも地方選挙権
最高裁判決
「憲法上、禁止されていない」
法整備あれば可能
訴え自体は棄却

1995 年最高裁は，外国人のうち永住者などに，法律で，地方公共団体に関する選挙権（地方参政権）を付与する措置を講じることは，憲法上禁止されていない，という判断を示した。

在留外国人数の割合（2020 年末現在）

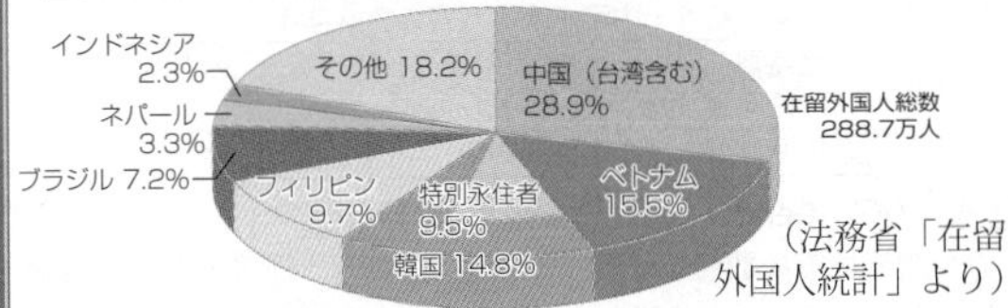

（法務省「在留外国人統計」より）

解説 第二次世界大戦以前から日本に居住し，サンフランシスコ平和条約の発効(1952年)にともなって日本国籍を離脱した後も，日本に在留している台湾・朝鮮半島出身者とその子孫，韓国・朝鮮人籍の人に特別永住者が多いことは，戦前の日本の植民地支配の歴史と深い関わりがある(中国には台湾を含む)。

3 だれの人権が保障されるのか？

法人などの団体

報道の自由　取材する記者

選挙権や生存権など自然人（人間）にだけ保障される人権は別として，憲法の人権規定は，性質上可能な限り国内の法人にも適用される（八幡製鉄政治献金事件の最高裁判決，1970 年）。例えば，宗教団体は信教の自由（第 20 条）をもち，報道機関は報道の自由(第 21 条)をもつ。また，団体の活動が，団体を構成するメンバーの権利を侵害することにならないかにも注意を要する。

子ども（未成年）

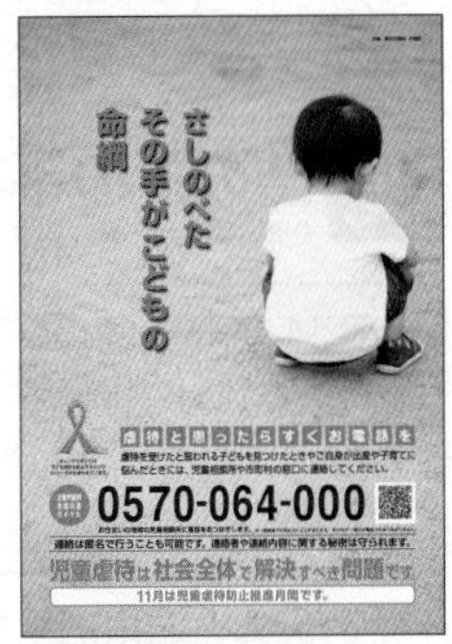

児童虐待防止ポスター

一般に子どもは精神的・肉体的に未発達で，大人（成年）と比較して十分な判断能力をもたないことから，保護の対象とされたり，一定の人権が制約されることもある。しかし，未成年といっても，その年齢や発達段階に応じて人権を制約すべきであって，未成年という理由だけで，人権を一律に制約することは許されない。子どもの権利条約は，子どもを人権の享有主体として位置づけ，その最善の利益を確保するよう定めている。

法律と年齢　（□ 高校生の間に得られる法律上の能力）

年齢	事項
胎児	不法行為による損害賠償請求（民 721 条），相続能力（民 886 条），受遺者たる資格（民 965 条）
0 歳以上	司法上の権利能力（民 1 条の 3）
13 歳以上	性行為への同意（刑 176，177 条）
14 歳以上	刑事責任能力（刑 41 条）
15 歳以上	遺言能力（民 961 条），養子縁組同意能力（民 797 条）
16 歳以上	婚姻（女性）（民 731 条），普通二輪・原付免許（道交 88 条 1 項），民事訴訟証人宣誓能力（民訴 201 条 2 項）
17 歳以上	児童福祉法の適用上限年齢（同法 4 条）
18 歳以上	死刑可（少年 51 条 1 項），婚姻（男性）（民 731 条），普通免許（道交 88 条 1 項），銃砲刀剣所持許可（銃刀 5 条 1 項），**選挙権（公選 9 条）**
19 歳以上	サッカーくじ購入（スポーツ投票 9 条），大型免許（特例）（道交 88 条 1 項）
20 歳以上	民事成年（民 3 条），飲酒（未成年者飲酒禁止法 1 条），喫煙（未成年者喫煙禁止法 1 条），大型免許（道交 88 条 1 項），帰化（一般）（国籍 5 条 1 項）

＊下線の項目は，2022 年 4 月 1 日より 18 歳以上の欄に移動する　（『目で見る憲法（第 3 版）』）

解説 人権の享有主体について，一定の資格を与えたり能力を認めるとき，法律上一定の年齢に達したことを要件とする例がみられる。

公共の福祉という考え方は，しばしば，基本的人権を制約する根拠として用いられてきた。

4 私人間における人権保障

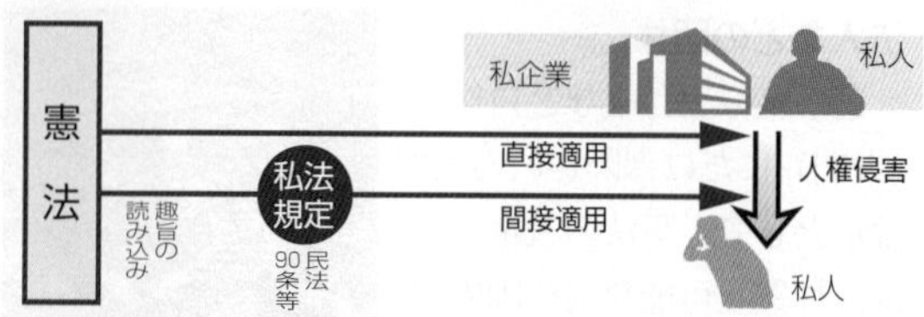

直接適用説	憲法の人権規定が，私人間にも直接適用される
間接適用説	憲法の人権規定の趣旨が，民法 90 条（公序良俗）など私法の一般条項を介して，適用される

＊判例や通説は間接適用説の立場である

解説 憲法による人権保障は，もともと国家権力による不当な侵害から国民を守るためのものである。しかし人権は国民と国民との間（私人相互間）で侵害されることも少なくない。現代社会では企業その他の私的団体（社会的権力）が，国民の人権を侵害する事例も増えた。そこで私人間における人権侵害にも，憲法の人権保障を直接的・間接的に及ぼすべきだと考えられるようになった。

5 法の下の平等の意味

第 14 条〔法の下の平等〕
① すべて国民は，法の下に平等であつて，**人種，信条，性別，社会的身分**又は**門地**(もんち)により，政治的，経済的又は社会的関係において，差別されない。

①法の内容と適用の平等

法の内容の平等	国会が国民を差別するような法律を作ってはならない
法の適用の平等	行政機関や裁判所が法律を適用するにあたって国民を差別してはならない

②形式的平等と実質的平等

形式的平等	すべての国民を法律上等しく取り扱い，各人に機会の平等を保障する
実質的平等	形式的平等により生じる結果の不平等を解消するために，特定の国民を法律上優遇し，機会を得る条件の平等を保障する

解説 平等原則は，何よりも人はそれぞれ違うからこそ，平等に取り扱われなければならないという形式的平等を要請する。その上で合理的理由がある場合に限り，取り扱いの違いが許される。

Column 国民の義務

憲法は国民の義務として，①保護する子どもに普通教育を受けさせる義務（第26条），②勤労の義務（第27条），③納税の義務（第30条）を定めている。また，国は統治権の作用として，憲法で禁止されていない限り，法律によって，これら以外の義務を国民に課すことができる。

6 性別による差別

①日産自動車男女別定年制事件

事件の概要	それまでの勤務会社が日産自動車株式会社へ吸収合併された際，「男子 55 歳，女子 50 歳の定年」を定める同社の就業規則により退職を命じられた女性従業員が，雇用関係存続の確認を求めた。
争点	定年について男女間に年齢差をもうけることは，不合理な差別にあたるか。
判決	**①東京地裁判決（1973 年）** 男女別定年制は，民法 90 条に違反して無効である。 **②東京高裁判決（1979 年）** 不合理な性差別の禁止は民法 90 条の公序の内容をなし，男女別定年制に合理性がない。 **③最高裁判決（1981 年）** 就業規則中の女子の定年を男子より低く定めた部分は，もっぱら女子であることのみを理由とした性別のみによる不合理な差別にあたり，民法 90 条に反し無効とし，会社側の上告を棄却(ききゃく)した。

男女の定年差別無効
日産自の上告棄却
最高裁初の判断

民法第 90 条 公の秩序又は善良の風俗に反する法律行為は無効とする。

解説 日産自動車は，一審判決後定年を男60歳，女55歳に延長，さらに二審判決後，女子の定年を60歳に引き上げ不平等を解消した。現在では，事業主が募集・採用，配置・昇進，定年・解雇について，労働者が女子であることを理由として，男子と差別的取り扱いをすることは，男女雇用機会均等法で禁止されている。なお，判決は，私人間の人権保障について，間接適用説をとった。

②女性の社会参加度＜ GGI（ジェンダーギャップ指数）＞

順位	国名	スコア
1	アイスランド	0.892
2	フィンランド	0.861
3	ノルウェー	0.849
4	ニュージーランド	0.840
5	スウェーデン	0.823
11	ドイツ	0.796
16	フランス	0.784
23	イギリス	0.775
30	アメリカ	0.763
63	イタリア	0.721
81	ロシア	0.708
102	韓国	0.687
107	中国	0.682
120	**日本**	**0.656**

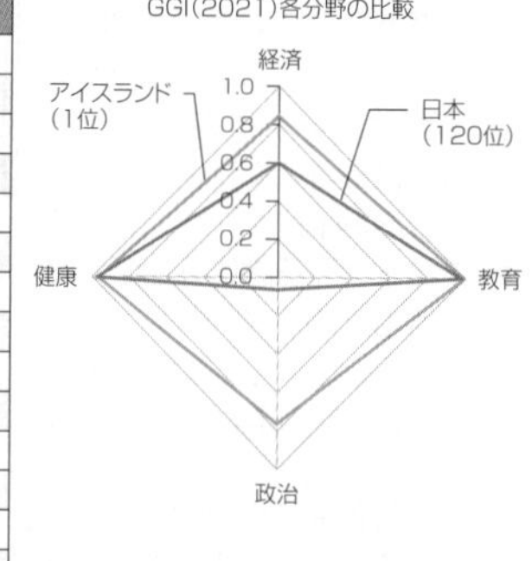

（内閣府男女共同参画局資料 2021）

経済分野	労働力率，同じ仕事の賃金同等性，所得推計，管理職に占める比率，専門職に占める比率
教育分野	識字率，初等・中等・高等教育の各在学率
政治分野	国会議員に占める比率，閣僚の比率，最近 50 年の国家元首の在任年数
健康分野	新生児の男女比率，健康寿命

解説 GGI（Gender Gap Index）は，世界経済フォーラムが各国の男女間の格差を数値化しランク付けしたもの。経済・教育・健康・政治分野のデータから算出され，0が完全不平等，1が完全平等を意味し，性別による格差を示す。日本では，2015年８月に，女性管理職の割合に数値目標の設定などを義務づける「女性活躍促進法」が成立した。政府は，「2020年までに指導的地位に女性が占める割合を30%にする」目標を掲げている。

＊世界経済フォーラムとはジュネーブに本部を置く非営利財団。「世界の現状の改善」に向けて取り組み，年次総会の「ダボス会議」には各国首脳，財界人，国際機関の長，科学者・研究者などが参加する。

○×で答えよう! 正誤問題にTRY 「男らしさ」「女らしさ」は個人の行動様式だけでなく，物事の感じ方や考え方にも影響を与える。

7 社会的身分による差別

①尊属殺重罰規定違憲判決

事件の概要	14歳から15年間にわたって，実の父親に夫婦同様の関係を強いられてきた被告人は，職場の同僚との結婚を望んだところ，父親に監禁・虐待されたため，思いあまって，酒に酔って寝ていた父親を絞殺し，自首した。
争点	尊属殺を普通殺(刑法199条)より重く罰する刑法200条の規定は，法の下の平等に反しないか。
判決	**①宇都宮地裁判決（1969年）** 刑法200条を違憲無効とし，199条を適用して，心神耗弱や情状を酌量の上，刑を免除。 **②東京高裁判決（1970年）** 刑法200条を適用して無期懲役とした上で，最大限に減軽し，懲役3年6か月の実刑判決。 **③最高裁判決（1973年）** 尊属殺に関する刑法200条の法定刑は普通殺に関する「199条の法定刑に比し著しく不合理な差別的取扱いをするもの」と認め，刑法200条を違憲無効とし，199条を適用して懲役2年6か月，執行猶予3年を判決。

最高裁、初の違憲判決
「尊属殺重罰」の判例変更
親殺し三件、減刑
「法の下の平等」に違反
十四―一の大差
刑法改正、早急

解説 最高裁が法律の規定を違憲と判断した初めての判決。15名の裁判官の判断は，14対1であった。8人の裁判官は尊属殺が，「通常の殺人に比して一般に高度の社会的道義的非難を受けて然るべきであるとして，このことを処罰に反映させていても，あながち不合理であるとはいえない」とし，尊属殺を特に重く罰すること自体は不合理な差別ではないが，200条の刑の加重の程度が極端であって，目的達成の手段として不合理であるため，違憲であるとした。また6人の裁判官は，200条の刑の加重自体が違憲であるとした。この違憲判決以降，200条の適用はなく，1995年の刑法改正で尊属殺規定（下記）は削除された。

刑法第199条（普通殺） 人ヲ殺シタル者ハ死刑又ハ無期若シクハ3年以上ノ懲役ニ処ス（当時）
第200条（尊属殺） 自己又ハ配偶者ノ直系尊属ヲ殺シタル者ハ死刑又ハ無期懲役ニ処ス（当時）

解説 直系尊属とは，父母・祖父母のように直線的に連なる血縁者のうち，自分より前の世代にある者をいう。子・孫などの直系卑属と対になる。尊属殺は，自己または配偶者の直系尊属を殺害すること。

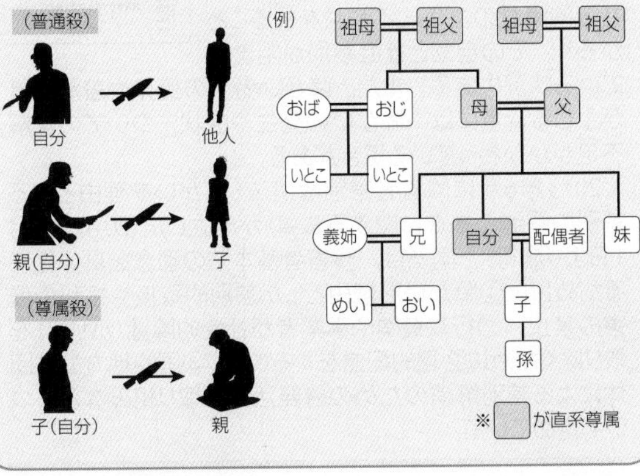

（普通殺） 自分 → 他人
親(自分) → 子
（尊属殺） 子(自分) → 親

（例）
祖母　祖父　祖母　祖父
おば　おじ　母　父
いとこ　いとこ
義姉　兄　自分　配偶者　妹
めい　おい　子
孫
※　が直系尊属

②国籍法違憲判決

事件の概要	結婚していない日本人の父とフィリピン人の母10組の間に生まれた子ども10人（8～14歳）が，出生後父から認知を受けたことを理由に法務大臣宛に国籍取得届を出した。しかし，両親の婚姻を要件とする国籍法3条1項の規定を満たしていないとされた。そこで，同規定は不合理な差別で，法の下の平等を定めた憲法第14条に反するとして，日本国籍を有することの確認を求めた。
争点	出生後認知を受けた非嫡出子（結婚していない男女の子ども）の国籍取得について，父母の婚姻を要件とすることは，憲法第14条に違反しないか。
判決	**①東京地裁判決（2005年）** 父母の婚姻を国籍取得の要件とする国籍法の規定は，法の下の平等に反し違憲。 **②東京高裁判決（2006年）** 国籍法の規定について，日本人の父が認知をすれば非嫡出子も国籍を取得できると解釈することは，裁判所が立法することになり，許されない。 **③最高裁判決（2008年）** 出生後に父から認知されても，父母が婚姻していないことを理由に日本国籍を認めない（父母の婚姻を国籍取得の要件とする）国籍法の規定は，憲法第14条に違反するとし，10人全員に日本国籍を認めた。

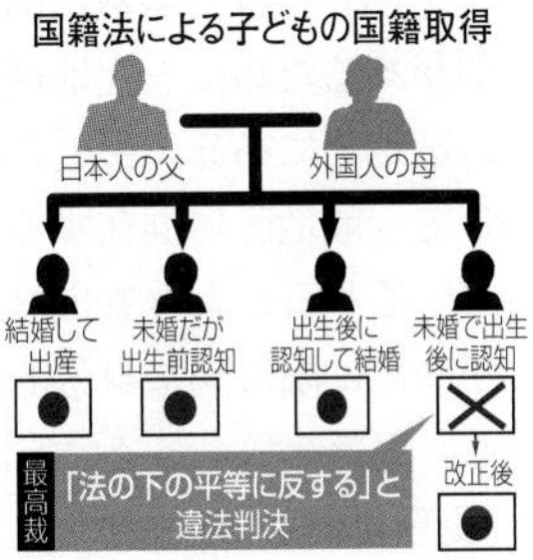

国籍法による子どもの国籍取得
日本人の父　外国人の母
結婚して出産　未婚だが出生前認知　出生後に認知して結婚　未婚で出生後に認知
改正後
最高裁 「法の下の平等に反する」と違法判決

解説 国籍法では，日本人の父と外国人の母の間に生まれた子どもの日本国籍は，出生前に父母が結婚していたり，父が胎児の認知をした場合は出生時に取得できる。次に，出生後でも父が認知するとともに父母が結婚した場合は（嫡出子となり）取得できる。しかし，出生後の父の認知だけで，諸事情で父母が結婚しない（できない）場合は，（非嫡出子のままであるから）取得できなかった。判決では，このことが憲法第14条が定める「法の下の平等」に反するとされた。判決後2008年12月に国籍法は改正された。認知があれば，父母の婚姻は関係なく届け出で日本国籍を取得できる。

Column 成年被後見人の選挙権制限訴訟

【事件の概要】 原告（50歳）は，ダウン症で知的障がいをもち，2007年に後見開始の審判（民法7条）を受けて成年被後見人となった（後見人は父親）。しかし，公職選挙法11条1項①により選挙権を失った。そこで，同規定は，選挙権の保障を定めた憲法第15条と44条，法の下の平等を定めた憲法第14条に違反し無効であるとして，国を相手に，原告が衆参の議員選挙において投票することができる地位にあることの確認を求めた。

成年後見 選挙権なし「違憲」
ダウン症の原告、勝訴

【判 決】 東京地裁 2013年3月14日 選挙権は議会制民主主義の根幹をなすもので，一定の年齢に達したすべての国民に与えられる。そのため，「やむを得ない」と認められる事由がない限り制限できない。後見人が必要かどうかは「財産管理の能力」で判断され，「選挙権行使の能力」とは異なる。趣旨の異なる成年後見人制度を借用して，成年被後見人から一律に選挙権を奪うことが「やむを得ない」とはいえない。よって，**成年被後見人は選挙権を有しないとした公職選挙法11条1項①は，憲法に違反し無効。**

○×で答えよう! 正誤問題にTRY✓ 個人の多様な個性や価値を最大限尊重することが求められるので，人は皆同じであるとする平等原則は，否定されざるを得ない。

8 部落差別（同和問題）

①同和対策審議会（同対審）答申（1965）より

いわゆる同和問題とは，日本社会の歴史的発展の過程において形成された身分階層構造に基づく差別により日本国民の一部の集団が経済的・社会的・文化的に低位の状態におかれ，現代社会においても，なおいちじるしく基本的人権が侵害され，特に近代社会の原理として何人にも保障されている市民的権利と自由を完全に保障されていないという，最も深刻にして重大な社会問題である。

その特徴は，多数の国民が社会的現実としての差別があるために一定地域に共同体的集団を形成していることにある。最近この集団的居住地域から離脱して一般地区に混在するものも多くなってきているが，それらの人々もまたその伝統的集落の出身なるがゆえに陰に陽に身分的差別のあつかいをうけている。集落をつくっている住民は，かつて「特殊部落」「更新部落」「細民部落」など蔑称でよばれ，現在でも「未解放部落」または「部落」などとよばれ，明らかな差別の対象となっているのである。

②人権教育・啓発に関する基本計画（2002）より

同和問題は，我が国固有の重大な人権問題であり，その早期解消を図ることは国民的課題でもある。そのため，政府は，これまで各種の取組を展開してきており，特に戦後は，3本の特別立法に基づいて様々な施策を講じてきた。（中略）これらの施策等によって，同和問題に関する国民の差別意識は，「着実に解消に向けて進んでいる」が，「地域により程度の差はあるものの依然として根深く存在している」（平成11年7月29日人権擁護推進審議会答申）ことから，現在でも結婚問題を中心とする差別事象が見られるほか，教育，就職，産業等の面での問題等がある。

解説 部落差別解消に向けた国の取り組みは，同対審答申に基づいて，2002年まで33年間にわたって特別立法による施策によって行われた。特別対策としての同和行政が終了したことをうけ，その後の同和問題に関わる差別意識解消に向けた取り組みは，ほかの差別問題とともに，人権教育・啓発推進法（2000年）により進められることになった。しかしながら，結婚における差別，差別発言，差別落書き等の事象は依然として発生しており，法務省の人権擁護機関は，このような人権侵害に対し，人権相談・人権侵害事件の調査・処理を通じて，その被害の救済や予防を図っている。

9 民族差別ーアイヌ民族に対する差別ー

二風谷（にぶだに）ダム裁判

事件の概要	北海道日高支庁平取町の二風谷ダム建設をめぐり，アイヌ民族である地権者2人が，アイヌ民族の遺跡・祭祀場などが収用対象地になっており，民族の文化を考慮しない土地収用は，土地の適正利用を収用の要件とする土地収用法に違反するとして，北海道収用委員会を相手取り，土地収用裁決の取り消しを求めた。
争点	アイヌ民族の聖地に行われるダム建設は，先住少数民族としての存在と尊厳を否定するものか。
判決	**札幌地裁判決（1997年）** 国は，先住少数民族であるアイヌ民族独自の文化に最大限の配慮をしなければならないのに，必要な調査を怠り，本来最も重視しなければならない諸価値を不当に軽視ないし無視して事業認定したのであるから，それに基づく収用裁決は違法である。しかしすでに，ダム本体は完成していることから，北海道収用委員会の収用裁決を取り消すことは公共の福祉に適合しないので，請求を棄却する。

二風谷ダム建設は違法
「アイヌ民族に配慮欠く」
ダム完成 取り消し請求は棄却
札幌地裁判決

解説 1997年にアイヌ文化振興法が成立し，アイヌの人々の民族としての誇りの重要性を認めるまで，日本政府は北海道旧土人保護法（1899）により，アイヌの人々を「旧土人」の蔑称で呼び，日本人（和人）との区別を明確化してきた。判決は，政府がアイヌ民族を先住民族と認めないなかで，アイヌの人々を先住民族と認定し，国際人権規約や憲法第13条に言及しつつ，土地収用について，裁量権を逸脱した違法があるとした。北海道に住むアイヌ民族の人口はおよそ24,000人で，日高支庁にはその38%が居住する。2008年6月，アイヌ民族をとりわけ北海道に先住し文化の独自性を有する民族と認め，政府に総合的施策を促す国会決議が行われた。これを受けて，政府は「アイヌ民族が先住民族である」との認識を初めて表明。2019年には「アイヌ民族支援法」が施行した。

Column 障がい者の社会参加

「すべての障害者は，社会を構成する一員として，社会，経済，文化その他あらゆる分野の活動に参加する機会を与えられるものとする」（障害者基本法3条）と規定しているが，現実には，障がいのある人々は，様々な物理的・社会的障壁のために不利益を被ることが多く，その自立と社会参加が阻まれている状況にある。また，障がい者への偏見や差別意識が生じる背景には，障がいの発生や症状についての理解不足がかかわっている場合がある。

2013年6月に障害者差別解消法（障がいを理由とする差別の解消の推進に関する法律）が成立した（2016年4月1日より施行）。同法は，障害者基本法の理念を具体化するために，①障がいを理由とした差別的取扱や権利の侵害の禁止，②行政機関や事業者が社会的障壁（バリア）を取り除くために合理的配慮をすること，③国や地方公共団体による差別解消のための啓発活動の取り組みなどについて定めている。

〇×で答えよう! 正誤問題にTRY✓ 日本は民族的・文化的均質性が高いため，封建時代の身分制度が廃止された後は，女性に対する差別を除けば，生まれや文化の違いを理由とする差別はほとんどなかった。

10 在日外国人に対する差別

日立就職差別事件（朴訴訟）

朴訴訟、日立が敗訴

横浜地裁

在日朝鮮人の日本名使用

解雇理由にはならぬ

判決

採用通知で成立

悲鳴、強盗走らす

事件の概要 在日朝鮮人である朴鐘碩（パク・チョンソク）さんは，1970年6月，横浜市にある日立製作所ソフトウエア工場の従業員募集に応募，筆記・面接試験を受け採用通知書を受け取った。在日朝鮮人なので，求められている戸籍謄本は提出できないことを会社に電話で連絡したところ，「一般外国人は雇わない方針だ」と即座に解雇を言い渡された。その後，再三にわたり交渉したが，誠意ある態度は示されなかった。そこで，この解雇処分は在日朝鮮人を唯一の理由としたもので無効であるとして，同年12月に横浜地裁に提訴した。

争点 民間企業による国籍を理由とした採用拒否・内定取り消しは違法か。

判決 横浜地裁判決（1974年）

労働契約は採用通知書を出した時点で成立している。在日朝鮮人がおかれている歴史的社会的背景を考えると，出生以来使用している日本名を使用したからといって企業が解雇する理由にはならない。しかも，本件の解雇は原告が在日朝鮮人であることを決定的理由としているので，労働基準法第3条に抵触し，民法第90条（公序良俗）にも反し無効であると述べ，日立側の主張を退けた。

解説 在日韓国・朝鮮人は，日本人と違って大企業にはほとんど就職できず，零細企業や個人企業で働き，その職種も肉体労働や販売などがおもで，労働条件も悪いことが多い。なお，外国人による犯罪の増加や強制退去者の再入国防止のため2007年出入国管理及び難民認定法が改正され，11月20日から外国人（外交特権を有する者，政府招待者，特別永住民，16歳未満の者を除く）は，入国審査にあたって原則として，両手の人差し指の指紋採取と顔の写真撮影が義務化された。

11 感染症患者に対する差別

ハンセン病国家賠償訴訟

ハンセン病隔離は違憲

熊本地裁判決

人権、著しく侵害

国に18億円賠償命令

国会も法の廃止怠る

事件の概要 1907年制定の法律「癩予防ニ関スル件」に始まり，1996年の「らい予防法」廃止まで，90年に及ぶ国の隔離政策のなかで，療養所への入所を強制され，一般社会から隔離された元ハンセン病患者ら127人が著しく人権を侵害されたとして，1998年，熊本地方裁判所に国家賠償請求の訴えを起こした。同様の訴訟は東京，岡山地裁でも起こされた。

争点 国が政策としてハンセン病患者を療養所に強制的に隔離したことの是非。

判決 熊本地裁判決（2001年）

遅くとも1960年の時点において，ハンセン病は隔離政策を用いなければならない疾患ではなくなり，すべての療養所入所者及び患者について隔離の必要性が失われた。隔離政策はハンセン病患者及び元患者に対する差別・偏見の作出・助長に大きな役割を果たしたのであって，国には「らい予防法」の廃止まで隔離政策の抜本的な変換を怠った国家賠償法上の違法性及び過失がある，として総額18億2380万円の支払いを国に命じた。

解説 判決を受け，国側は世論や厚生労働大臣の「法律問題よりも人権問題」との主張を重視して控訴を断念し，2001年以降，熊本，岡山，東京で次々と和解が成立した。ハンセン病は1873年にノルウェー人のハンセンが発見した「らい菌」による感染症である。わが国では不治の病と考えられ，感染者を終生隔離するという，厳しい政策がとられた。しかし，「らい菌」の感染力は弱く，感染しても発病する可能性は極めて低い。治療法が確立した1960年代以降は世界的に在宅治療が主流になったが，国内では1996年の「らい予防法」廃止まで隔離政策が続けられた。現在も，療養所入所者の多くは，高齢化やこれまでの長期間にわたる隔離などで家族との関係を断たれ，社会復帰が困難な状況にある。

Column 税法上の結婚差別？

未婚の親 自治体が救済

保育料・家賃に「みなし寡婦控除」

1県11市，国の動き待たず

結婚の有無によって生まれた子の相続分に違いを設けた（嫡出でない子の相続分を嫡出子の半分とする）民法の規定について，最高裁は「法の下の平等に反する」と違憲判決を下した（2013年9月4日→p.104）。しかし，同じ一人親家庭でも，結婚歴の有無によって課税や保育料などに負担が生じる国の制度に，未婚の一人親家庭が苦しんでいる。

寡婦控除は，所得税法で定める所得控除の一つで，1951年に戦争で夫を失った妻の支援のために設立された（1981年に父子家庭にも拡大）。離婚や死別で一人親となったときの経済的配慮として措置されたものである。

保育料や公営住宅の家賃は，収入から所得控除などを差し引いた所得に応じて決まる。だが，所得税法は未婚の一人親を寡婦控除の対象としていないことから，税金に加え保育料や公営住宅の家賃も重い。そこで，自治体の中には，保育料などに寡婦控除を「みなし適用」して減額するようになったところもある。児童扶養手当の支給や母子及び寡婦福祉法は，未婚の一人親も対象にしている。

「みなし適用」に踏み切った自治体は，「子は親を選べない」「未婚の一人親世帯と何ら変わりない」など，多くが制度の矛盾をあげている。一方，適用していない自治体は，「所得税法上の『寡婦』の定義に従う」「市の負担が増える」などとしている。

2011年度の厚生労働省調査によると，母子家庭のうち，未婚の母の割合は7.8%（夫との死別は7.5%），20歳未満の子を育てる一人親家庭は推計で約10万世帯に上るという。（『朝日新聞』2013.9.22）

○×で答えよう！ 正誤問題にTRY✓ ハンセン病患者に対する隔離政策が人権侵害であると判断した2000年代の裁判所の判決を受けて，らい予防法は廃止された。

20 日本国憲法の人権保障ー自由権ー

TOPICS

改正組織的犯罪処罰法(「共謀罪」法)

「共謀罪」法案で指摘される違憲性

憲法の条文(抜粋)	違憲と指摘される根拠
13条 幸福追求の権利は,最大の尊重を必要とする 個人情報を守る「プライバシー権」の根拠条文ともされる	共謀を立証するため市民生活を監視する捜査が横行しかねない
19条 思想及び良心の自由は侵してはならない 心の中で何を考えても構わない「内心の自由」を保障	外からは分からない合意内容を処罰するため,国家が内心に立ち入ることに
21条 集会,結社その他一切の表現の自由は保障する 自分の思想や主張を,外に向かって自由に発表する権利	米軍基地建設反対などの市民活動が処罰対象になりかねない
31条 法律の手続きによらなければ刑罰を科せられない 何をすれば処罰されるのか,あらかじめ法律で示しておく	犯罪実行前の合意を処罰するため,処罰対象が不明確

「組織的犯罪処罰法」要旨

<処罰される行為> 組織的犯罪集団が,対象となる277の犯罪を2人以上で計画すること。ただし,集団の誰かが資金・物品の手配や場所の下見などの準備行為を実行することが必要。

<罰則> 対象犯罪のうち10年を超える懲役・禁錮の刑が定められている罪は5年以下の懲役か禁錮。その他は2年以下の懲役か禁錮。

改正組織的犯罪処罰法が2017年6月15日に成立,7月11日に施行された。犯罪を計画段階から処罰する「共謀罪」の趣旨が盛り込まれている。この法律では,277種類の犯罪(対象犯罪)については,「組織的犯罪集団」が計画し,資金を集めるなど実行のための「準備行為」をしたときに,捜査機関の取り締まりの対象になると定めている。犯罪になる範囲が広がることで犯罪者側への心理的な抑止効果もある一方,憲法が保障する内心や思想の自由(19条)などに踏み込むおそれがあり,人権制約を与えかねないと批判を受けている。

日本の刑事法では,実行された犯罪の行為を前提とした既遂(犯罪を行うこと)や未遂を処罰していたが,これが大きく転換されることになった。

重大な犯罪にあたる行為を「団体の活動」として実行しようと共謀すると,実際に行動を起こさず,頭で考えているだけでも罰するという「共謀罪」を新設する法案は,2003年から3回にわたり国会に提出されたが,いずれも廃案になっていた。今回の改定により,2020年の東京オリンピック,パラリンピックをひかえ,「国際組織犯罪防止条例」の扱いを含め捜査における適法性を検証していくべきであろう。 (「東京新聞」2017.4.23などより)

1 思想・良心の自由ー三菱樹脂訴訟ー

第19条〔思想及び良心の自由〕
思想及び良心の自由は,これを侵してはならない。

事件の概要	大学を卒業したTさんは,三菱樹脂(株)に就職したが,3か月の試用期間が終了する直前,入社面接試験の際,学生運動に関係していたことを隠していたとして,本採用しない通告を受けた。そこで,本採用拒否は,憲法14,19条に違反し無効だと,訴えを起こした。
争点	思想・信条の自由(19条)による差別に当たるか。私人相互間に憲法上の権利保障が及ぶか。
判決	① **東京地裁判決(1967.7.17)** 本採用拒否は解雇権の濫用である。 (原告勝訴) ② **東京高裁判決(1968.5.12)** 信条による差別の禁止は,憲法14条,労基法3条で定められている。入社試験の際,政治的思想,信条に関係ある事項を申告させることは,公序良俗に反して許されない。 (原告勝訴) ③ **最高裁判決(1973.12.12)** 憲法は,思想,信条の自由や法の下の平等を保障すると同時に,22条,29条等で財産権の行使,経済活動の自由をも保障している。企業者は雇用の自由を有し,思想,信条を理由として雇入れを拒んでも違法とはいえない。本採用の拒否は雇入れ後の解雇にあたり,信条を理由とする解雇は労働基準法3条違反となる。(破棄差し戻し)

解説 本件は和解が成立し,Tさんは1976年に職場復帰した。ちなみに公立高校の入学考査の面接では,「支持政党」や「尊敬する人」など,思想・信条にかかわる事項は尋ねないことになっている。

2 信教の自由ー剣道実技拒否訴訟ー

第20条〔信教の自由〕
③ 国及びその機関は,宗教教育その他いかなる宗教的活動もしてはならない。

事件の概要	公立の工業高等専門学校に在籍していた,エホバの証人の信者である生徒が,宗教上の理由で必修科目である体育の剣道の実技への参加を拒否したことで,2年連続原級留置となった。そのため,学則に基づき退学処分を受けた。そこで,退学処分の取り消しを求めて,生徒本人と両親が訴えを起こした。
争点	宗教的中立をとる公教育の場で,個人の信教の自由はどこまで配慮されるのか。
判決	**最高裁判決(1996.3.8)** 信仰上の真摯な理由から剣道実技に参加できない学生に対し,レポートの提出等代替措置をとることは,20条3項の政教分離の原則に違反しない。 (原告勝訴)

解説 原告の生徒は,5年遅れで2年次に復学した。なお,エホバの証人である患者が信教の自由に基づいて,輸血を拒否できるか否かが争われた事件で,最高裁判所は,患者の治療拒否権は人格権の一内容として尊重されるべきとした(2000.2.29)。

○×で答えよう! 正誤問題にTRY✓ 日本国憲法に規定されている自由権は,精神的自由,政治参加の自由,人身の自由の三つに大別することができる。

3 信教の自由と政教分離ー違憲判決ー

第20条〔信教の自由〕
① 信教の自由は，何人に対してもこれを保障する。いかなる宗教団体も，国から特権を受け，又は政治上の権力を行使してはならない。

■愛媛玉ぐし料訴訟

事件の概要	愛媛県は1981年から86年にかけて，靖国神社や護国神社の例大祭やみたま祭りに玉ぐし料・供物料等として合計166,000円を公金から支出した。これに対し，住民が知事らを相手取って住民訴訟を起こした。
争点	両神社への玉ぐし料の支出は，宗教的活動か。この支出は，憲法89条に違反するか。
判決	**最高裁判決（1997.4.2）** 玉ぐし料の奉納は，宗教的活動にあたり，違憲である。（13人の多数意見。2名の裁判官の反対意見あり）

■空知太神社訴訟

事件の概要	北海道砂川市が市有地約1500m² を空知太神社に無償で提供していることに対して，住民らが神社施設の撤去と土地の明け渡しを求めた。
争点	これは憲法20条1項が禁止する宗教団体に対する特権の付与に当たるか。憲法89条に違反するか。
判決	**最高裁判決（2010.1.20）** 社会通念に照らして総合的に判断すると違憲である。（9人の多数意見。1名の裁判官が合憲判断）

解説 最高裁は，愛媛玉ぐし料訴訟で，津地鎮祭訴訟で示された目的効果基準を厳格に適用した。宗教的行為に当たるか否かは，その行為の目的（宗教的なものか，世俗的なものか）と効果（特定の宗教を助長するものか否か）で判断するというものだ。空知太神社訴訟では，一般人の目から見て特定の宗教に便益や援助を与えていると評価されるかどうかで違憲の判断がなされた。

■政教分離をめぐる訴訟

訴訟	争われた行為	判決
津地鎮祭訴訟	津市が市立体育館の起工にあたり，神道に則り地鎮祭を行い，費用（7,663円）を公金から支出。市議会議員が市長を訴えた。	1967.3 津地裁 合憲 1971.5 名古屋高裁 違憲 1977.7 最高裁 合憲 起工式は宗教的活動にはあたらない。（裁判官5名が反対）
自衛官合祀訴訟	殉職した自衛官の遺族の意志に反して，自衛隊県連が県護国神社へ合祀した。遺族が「信教の自由」や「政教分離の原則」に違反するとして国と県連を訴えた。	1979.3 山口地裁 違憲 1982.6 広島高裁 違憲 1988.6 最高裁大 合憲 合祀の申請は県連の単独で行われ，国は補助的であるため「政教分離」には違反しない。
箕面忠魂碑訴訟	箕面市が，忠魂碑を，代替地を買って移設し，その敷地を市遺族会に無償で貸与したことと，市の教育長が慰霊祭に参列したことに，住民が訴訟を起こした。	1982.3 83.3 大阪地裁 違憲 1987.7 大阪高裁 合憲 1993.2 最高裁 合憲 本件忠魂碑は，記念碑として一般に認識されており，宗教施設に該当しない。慰霊祭への参列も宗教的活動にはあたらない。
靖国神社参拝訴訟	2001年に小泉首相が，公用車を使い，「内閣総理大臣」と記帳し，靖国神社に参拝した。	各地で訴訟が起こされ，高裁でも判断がわれた 2005.9.29 東京高裁 合憲 2005.9.30 大阪高裁 違憲 2006.6.23 最高裁 憲法判断をせず

4 表現の自由と報道

第21条〔集会・結社・表現の自由，検閲の禁止，通信の秘密〕
① 集会，結社及び言論，出版その他一切の表現の自由は，これを保障する。
② 検閲は，これをしてはならない。通信の秘密は，これを侵してはならない。

■博多駅テレビフィルム提出命令事件

事件の概要	デモ隊と機動隊との衝突の様子を撮したテレビフィルムを，裁判所が証拠として提出するように命じたことに，放送局が特別抗告した。
争点	取材・報道の自由は，憲法で保障されるか。裁判所によるフィルムの押収は，憲法21条違反か。
判決	**最高裁判決（1969.11.26）** 報道のための取材の自由は21条の精神に照らし，十分尊重に値する。しかし，公正な刑事裁判の実現のため，取材の自由がある程度制約を受けてもやむをえない。（原告敗訴）

解説 国民の知る権利を保障するため，報道機関の報道の自由，さらに，取材源の秘匿を含んだ取材の自由が保障されることは重要である。

5 表現の自由と教科書ー教科書裁判ー

事件の概要	家永三郎氏が執筆した高等学校教科書「新日本史」が，文部省（現文部科学省）の検定で不合格あるいは条件付合格処分を受けたことに対し，1965年から3回にわたって，処分の取り消しと国家賠償を請求した。
争点	教科書検定制度は，表現の自由・教育の自由を侵害し，憲法21条②の禁止している検閲にあたるか。
判決	**■第二次訴訟東京地裁判決（1970.7.17）** 教師の教育の自由は保障される。教科書検定制度は違憲とはいえないが，運用を誤ると表現の自由を侵害する。本件不合格処分は検閲に該当し，教育基本法に違反する。（最高裁で差し戻され，高裁で原告敗訴） **■第三次訴訟最高裁判決（1997.8.29）** 教科書検定制度それ自体は学問の自由などを侵害せず検閲にもあたらない。裁量権の範囲を逸脱した見過ごせない誤りとして4カ所を違法とし，国に40万円の賠償を命じた。

解説 32年間にわたって争われた家永訴訟は，教育行政の在り方と日本の歴史認識について，人々の関心を喚起した。教科書検定そのものは違憲とされなかったが，検定制度の運用の見直しが進められ，その影響は大きかったといえる。

Column 靖国神社とは？

国事殉難者（軍人や軍属）ら約247万の霊が合祀されている神社で，戦前は国家神道の象徴だった。1978年，東京裁判で平和に対する罪に問われた東条英機らA級戦犯がひそかに合祀されていたことが発覚した。それから，首相の参拝に対して，中国や韓国，東南アジア諸国が批判するようになったのである。

政治編

○×で答えよう! 正誤問題にTRY✓ 宗教団体が，大学を創設し，運営することは，政教分離の原則に違反する。

テーマ学習　表現の自由を考える－最近の動向から－

●児童ポルノの規制

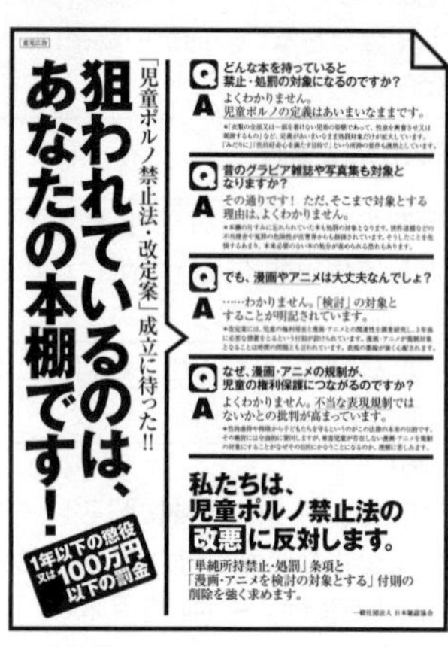

2014年，児童買春・児童ポルノ禁止法が，10年ぶりに改正された。18歳未満の少年少女のわいせつな写真や映像を自己の性的好奇心を満たす目的で所持していると，1年以下の懲役または100万円以下の罰金となる。これまで法律で禁じていたのは児童ポルノの製造や販売で，単純所持は奈良県などが条例で禁じていただけだった。今回の改正にあたっては，雑誌協会や劇作家協会，漫画家などが「表現の自由が侵される」と反対したこともあり，漫画やアニメ，CGなどは単純所持規制の対象外とされた。

解説　D.H.ロレンスの『チャタレイ夫人の恋人』の翻訳本はわいせつ文書にあたるかが争われた事件で，最高裁(1957.3.13)は，性秩序を守り，性道徳を維持するためのわいせつ規制は公共の福祉により認められるとした。一方，児童ポルノについては，国際的に規制が厳しくなっている。わが国も，2005年に「子どもの売買，買春，ポルノに関する子どもの権利条約選択議定書」を批准した。

●ビラ配り

『自衛官・ご家族の皆さんへ　イラク派兵反対！
いっしょに考え，反対の声をあげよう！』

2003年のイラク攻撃後の自衛隊のイラクへの派遣に関して，立川の防衛庁官舎の各戸の新聞受けにビラを配った市民団体のメンバー3人が住居侵入罪に問われた。一審では，「商業ビラよりも政治ビラは民主社会で重要であるし，刑事罰に値しない」と無罪だったが，二審で有罪となり，最高裁(2008.4.11)は「表現の自由の行使でも，管理権者の意思に反して立ち入ることは，管理権を侵害し，私的生活の平穏を害する」として，上告を棄却した。

解説　法学者からは抗議声明が出された事件である。この事件の被告は75日間拘置されたが，アムネスティインターナショナルが，日本初の「良心の囚人」に認定した。共産党のビラを葛飾区の分譲マンションのドアポストに投函した事件でも，最高裁(2009.11.30)は有罪を支持した。ピザの宅配などの商業ビラは罪に問われないのか？　防犯やプライバシーの意識の高まりの中でのビラまきという表現行為が注目されている。

●ヘイトスピーチ

「本邦外出身者に対する不当な差別的言動の解消に向けた取組の推進に関する法律」（ヘイトスピーチ対策法）が2016年6月，成立した。特定の民族や人種に対する憎悪をあおる表現をヘイトスピーチというが，この法律では，外国出身者で適法に居住している人への差別的言動を対象にしており，アイヌの人々や不法滞在者に対する差別につながってしまうのではとの心配の声もある。また，国などの啓発活動についての責務が規定されているものの，ヘイトスピーチを行った人に対する罰則等はない。

「差別撤廃　東京大行進」(2013年9月，東京) ヘイトスピーチ（憎悪表現）の広がりを懸念する市民らによって行われた。

解説　わが国では2000年代半ばに在日韓国・朝鮮人を標的にした団体が結成され，その後大々的に東京の新大久保や大阪の鶴橋などでデモや街宣活動を展開するようになった。2014年最高裁は，人種差別条約で禁じる人種差別に当たるとして損害賠償を命じた。国連人種差別撤廃委員会は，日本政府に対して2014年，ヘイトスピーチを規制する法律の制定を勧告したが，国内では，正当な言論を委縮させ，表現の自由を制限する恐れがあるとの反対意見もあった。
　ドイツなどヨーロッパ諸国では，ホロコーストの事実を否定したり，差別的発言をしたりすることに対して，懲役や罰金刑を科す厳しい規制が行われている。

●ブログの炎上

お笑いタレントのブログに，本人が過去の殺人事件の犯人であるかのような中傷が数百件書き込まれる（いわゆる「炎上」）事件が続き，2009年，警視庁は特に悪質な書き込みをした19人を名誉棄損の疑いで書類送検した。

解説　インターネットでは，誰でも情報を発信できることから新たな問題が発生している。インターネット上の掲示板「2ちゃんねる」へのやぶ医者等の書き込みで名誉を傷つけられたとする動物病院医師が，掲示板の管理者に損害賠償と書き込みの削除を求めた事件で，最高裁(2005.10.7)は管理者責任を認めた。完全匿名掲示板では，加害者の特定が物理的に困難なため，管理者が書かれた内容の真実性と公益性の立証責任を負うとしたのである。インターネット上でも，他人のプライバシーや名誉などを侵害する表現の自由には制約があるのである。

6 人身の自由と刑事手続きの流れ

★成人が事件を起こした場合

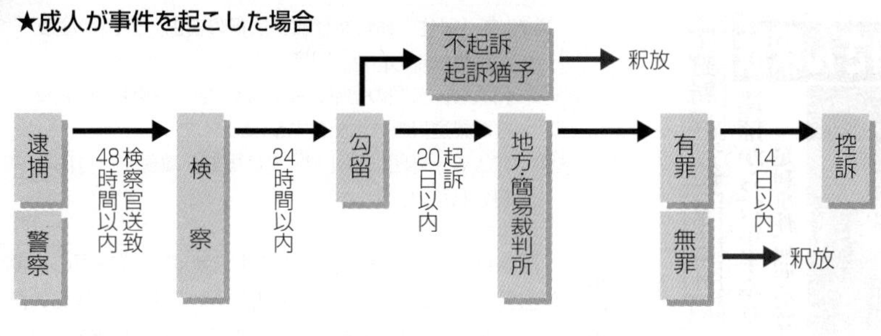

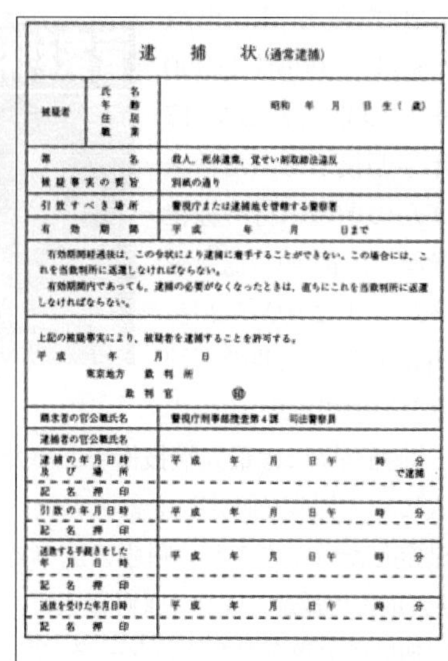

逮捕状（通常逮捕）

被疑者 氏名 年齢 住居 職業	昭和 年 月 日生（ 歳）
罪名	殺人，死体遺棄，覚せい剤取締法違反
被疑事実の要旨	別紙の通り
引致すべき場所	警視庁または逮捕地を管轄する警察署
有効期間	平成 年 月 日まで

有効期間経過後は，この令状により逮捕に着手することができない。この場合には，これを当裁判所に返還しなければならない。
有効期間内であっても，逮捕の必要がなくなったときは，直ちにこれを当裁判所に返還しなければならない。

上記の被疑事実により，被疑者を逮捕することを許可する。
平成 年 月 日
東京地方 裁判所
裁判官 印

請求者の官公職氏名	警視庁刑事部捜査第4課 司法警察員
逮捕者の官公職氏名	
逮捕の年月日時及び場所	平成 年 月 日午 時 分 で逮捕
記名押印	
引致の年月日時	平成 年 月 日午 時 分
記名押印	
送致する手続きをした年月日時	平成 年 月 日午 時 分
記名押印	
送致を受けた年月日時	平成 年 月 日午 時 分
記名押印	

少年事件の場合

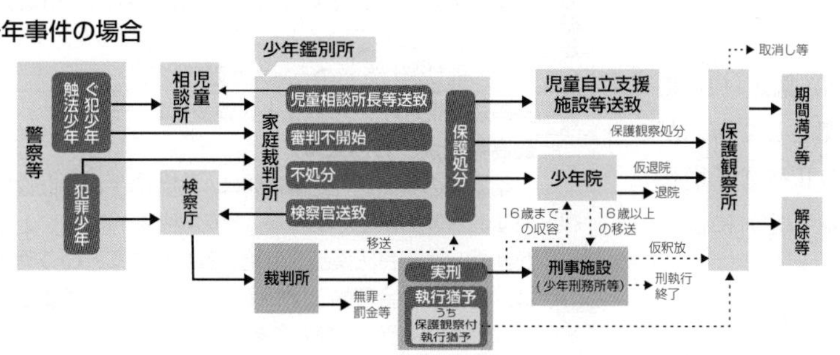

《逮捕》 刑事事件で逮捕されると，警察の留置場などに抑留され，取り調べを受ける（最長で23日間）。捜査機関に犯人として特定された人を被疑者というが，別件逮捕（軽微な事件についての逮捕状で逮捕した後，重大な事件について取り調べられる）は，自白偏重の見込み捜査で問題だともいわれている。被疑者には，黙秘権が保障されている。

《送検》 警察での捜査の後，事件は検察官に送られ，検察による取り調べが行われる。

《起訴》 検察官が，有罪証拠が充分で，被疑者に刑罰を科すのが相当と判断した場合，訴えを起こされ，裁判が始まる。拷問や脅迫による自白は証拠とはされないし，不利益な証拠が自白のみの場合は，有罪とならない。裁判では，被告人と呼ばれる。無罪の推定（「疑わしきは被告人の利益に」）により，通常，人が疑問を抱かない程度に犯罪の存在が立証された場合に，有罪となる。

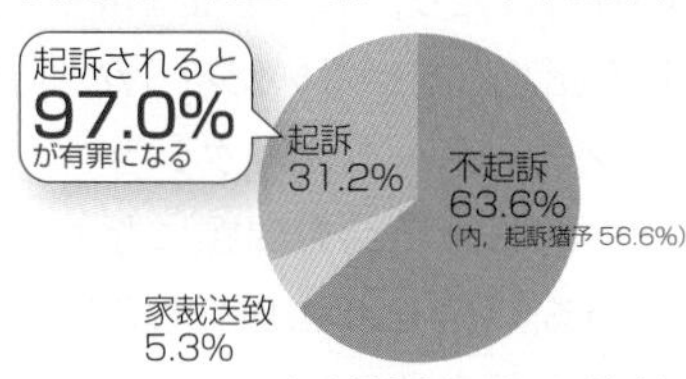

（司法統計などより算出）

解説 20歳未満の者による犯罪は，少年法によって，まず，すべて家庭裁判所に送られる。家裁では，少年審判が開かれ，非行事実が認められると，保護処分となる（ただし，14歳以上で刑事処分が相当と認められると，検察官に送致される）。

また，少年審判は非公開で行われ，本人と特定できるような記事等の掲載が禁止されている。少年は未熟で，環境による影響を受けやすく，また，立ち直る可能性があることを十分配慮しているのである。少年法は2000年と07年（08年に一部）改正され，厳罰化がすすんだ。

第18条〔奴隷的拘束及び苦役からの自由〕
何人も，いかなる奴隷的拘束も受けない。又，犯罪に因る処罰の場合を除いては，その意に反する苦役に服させられない。

第31条〔法定の手続の保障〕
何人も，法律の定める手続によらなければ，その生命若しくは自由を奪はれ，又はその他の刑罰を科せられない。

第36条〔拷問及び残虐刑の禁止〕
公務員による拷問及び残虐な刑罰は，絶対にこれを禁ずる。

7 人権擁護機関

（2021年1月1日現在）

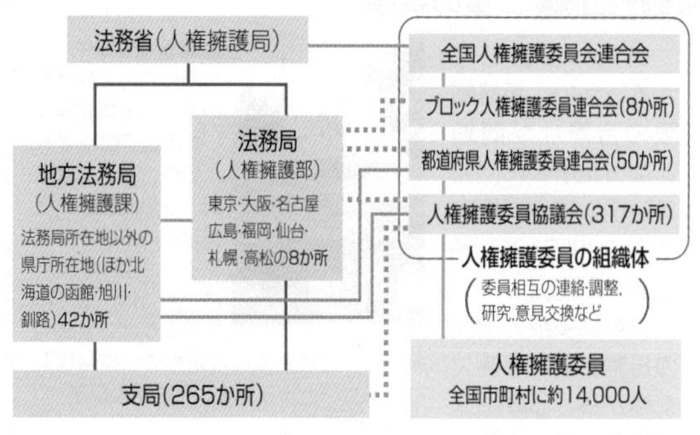

（法務省人権擁護局 HP）

解説 国の機関として人権擁護に取り組んでいる法務省人権擁護局，その地方支分部局である法務局，地方法務局及び支局と，法務大臣が委嘱する人権擁護委員とを合わせて，「法務省の人権擁護機関」と呼んでいる。法務省及び法務局は，人権擁護委員が組織する人権擁護委員連合会及び人権擁護委員協議会と協力して，様々な人権擁護活動を行っている。

政治編

○×で答えよう! 正誤問題にTRY✓ 罪刑法定主義の下では，裁判官が，被告人の事情や犯罪の動機を考慮して判決を下すことはできない。

8 えん罪（無実の罪）

菅家利和さん釈放
下野新聞
逮捕から17年半ぶり
足利事件、無罪公算
電子号外

2009年6月，東京高検は，足利事件（1990年）の犯人として17年半服役していた菅家さんの刑の執行の停止を認め，釈放した。菅家さんには，2010年3月，再審公判で無罪の判決が言い渡された。

逮捕当時には最先端技術であったDNA鑑定（1000人に一人程度を特定）を最大の物的証拠として有罪が確定した菅家さんが，科学の進歩でより正確さを増したDNA再鑑定（4兆7000億人に一人を特定）によって無罪の公算をかちえたケースである。

なぜ，やってもいない事件を自白してしまったのか。「刑事たちの取り調べが厳しい。髪の毛を引っ張ったり，足をけられたり。『白状しろ，早くしゃべって楽になれ』と言われた。抵抗しきれなかった」菅家さんは追及的・強圧的な取り調べで自白してしまったと告白している。

この事件と同様に，2007年には富山でも服役後に真犯人が現れ，無罪となったケースがあった。2003年の志布志選挙違反事件では，逮捕された12人全員が無罪と分かった。2011年には，布川事件（茨城の強盗殺人事件）で無期懲役確定後，仮釈放になっていた桜井さんと杉山さんの再審無罪が確定した。

解説 えん罪の温床として，代用監獄（代用刑事施設）での取り調べの問題が指摘されている。そこで，警察・検察の取り調べを全面的に録画／録音する「捜査の可視化（かしか）」について2011年から試行された。

Column 二重の基準

公衆浴場法事件
知事の許可を受けないで公衆浴場を経営したとして起訴された事件。被告人は当初，許可制自体が職業選択の自由に違反すると主張したが，最高裁では，すでに許可を受けた公衆浴場から一定の距離には新規の公衆浴場を許可しないとする規定（距離制限規定）の違憲を主張した。

営業の自由を考えるうえで，距離制限の合憲性が問題となった事件に，公衆浴場法事件（最高裁判決 1955.1.26）がある。最高裁は，公衆浴場は多数の国民の日常生活に必要欠くべからざる厚生施設であって，必要かつ合理的な規制であるから合憲とした。

最高裁は，自由権に対する制限について，「**二重の基準**」を適用している。**明白かつ現在の危険**という，厳格な基準でしか表現の自由が規制できないのに対し，合理性の基準で経済的自由は制限できるとして，立法府である国会の判断を尊重している。

政治編

9 営業の自由 ―薬事法距離制限違憲訴訟―

第22条〔居住・移転及び職業選択の自由，外国移住及び国籍離脱の自由〕
① 何人も，公共の福祉に反しない限り，居住，移転及び職業選択の自由を有する。
② 何人も，外国に移住し，又は国籍を離脱する自由を侵されない。

事件の概要	原告は，医薬品の販売業を営むための営業許可の申請を広島県知事にしたが，薬事法とそれに基づき薬局の配置基準を定めている条例（既設店舗から約100mの距離を保つ）に反しているとして不許可となった。そこで，処分の取り消しを求める訴えを起こした。
争点	薬事法の規定は，憲法22条に違反しているか。
判決	**最高裁判決 1975.4.30** 薬事法の薬局適性配置規制は，国民の生命及び健康に対する危険の防止であるが，その規制を行わないと薬局が乱立し，不良医薬品が供給されたりするという理由では，必要かつ合理的とはいえない。よって，薬事法の規定は憲法に違反し，無効である。（原告勝訴）

10 財産権の保障 ―知的所有（財産）権―

第29条〔財産権〕
① 財産権は，これを侵してはならない。
② 財産権の内容は，公共の福祉に適合するやうに，法律でこれを定める。（③略）

形のないモノでも，発明（特許権）やデザイン（意匠（いしょう）権），著作物（著作権）などは知的財産として保護されるべきである。しかし，高度情報化社会の今，これら知的財産権の侵害が危惧されている。自分でつくったHPにキャラクターを無断で貼り付けたり，ヒット曲を取り込んだりしていないだろうか？インターネットオークションでの海賊版出品も問題になっている。2002年に成立した知的財産基本法では，知的財産の創造，保護，活用を推進していくことがうたわれている。

©Nintendo・Creatures・GAME FREAK・TV Tokyo・ShoPro・JR Kikaku
©Pokémon

著作権管理ビジネスは，大きな利益を生み出している。知的財産権に関わる事件の控訴審として，東京高裁に，知的財産高等裁判所が設置されている（2005年）。

著作権	**著作者人格権**（公表するかどうか，作品の内容を変えさせない権利）
	著作権（上映・展示・演奏，複製権） ・著作者の死後70年保障 ・実演家などは著作隣接権をもつ

○×で答えよう! 正誤問題にTRY✓ 罪刑法定主義の下でも，新たな法律によって刑罰を定めれば，法律制定以前の行為をさかのぼって処罰することができる。

テーマ学習 死刑制度を考える

映画『デッドマン・ウォーキング』では，死刑囚が最期に「人を殺すことは間違っています。そのためにあなたがたはぼくを死刑にするのです。市民だろうと，国だろうと，政府だろうと同じです。殺すことは間違っています」と言い，処刑台に横たわる（原作ヘレン＝プレジャン『デッドマン・ウォーキング』徳間文庫,1996）。

日本では，現在18の犯罪の最高刑が死刑であるが，世界では死刑廃止国が増えている。死刑制度とは，刑罰とは何か考えてみよう。

●死刑の執行

刑事訴訟法によると，死刑は，原則として裁判で刑が確定してから6か月以内に，法務大臣が命令し，その日から5日以内に執行される。実際は，死刑確定者は数年から10年以上も拘置所で過ごすことが多い。執行の日を，本人は当日まで知らない（現在，死刑が確定している者は110名である〈2020年12月〉）。なお，2010年の刑訴法改正で，最高刑が死刑の殺人罪などは公訴時効が廃止された。

＊2011年，2020年の執行数は0件。

年次	執行数
1990～92	0
1993～95	15
1996～98	16
1999～2001	10
2002～04	5
2005～07	14
2008～10	24
2012	7
2013	8
2014	3
2015	3
2016	3
2017	4
2018	15
2019	3

●死刑存置論と死刑廃止論

〔死刑存置(ぞんち)論〕

- 人を殺した者が，その生命を奪われるのは，公平性からいっても当然。
- 凶悪犯罪の被害者や遺族の感情から，死刑は必要。
- 死刑には，特別な威嚇(いかく)作用があり，犯罪の防止に役立つ。
- 死刑に代わりうる刑罰がない。
- 世論も支持している。
- 死刑判決を受け再審無罪となったのは昔のことで，現在は，厳正に執行されている。

〔死刑廃止論〕

- 死刑は，残虐(ざんぎゃく)な，人道主義に反する刑罰である。
- 死刑は国家による殺人で，人命尊重主義から許されない。
- 死刑には，特別の犯罪抑止効果はない。
- 犯罪者の教化・矯正(きょうせい)の可能性を奪う刑罰である。
- 誤判の可能性があり，間違って執行されるととりかえしがつかない。
- 生命を奪う極刑なのに，適用に一貫性がなく，不公平。
- 刑務官などの人間性を無視するものである。
- 死刑廃止は，国際的な潮流となっている。

解説 死刑は残虐な刑罰かとその合憲性が争われた裁判で，最高裁判所は，「生命は尊貴である。一人の生命は，全地球よりも重い。死刑は，まさにあらゆる刑罰のうちで最も冷厳な刑罰であり，またまことにやむを得ざるに出ずる窮極(きゅうきょく)の刑罰である。それは言うまでもなく，尊厳な人間存在の根元である生命そのものを永久に奪い去るものだからである。」が，「一般に直ちに残虐な刑罰に該当するとは考えられない。」と述べた（1948.3.12）。一方，国連自由権規約委員会は，2008年，日本政府に対して死刑制度廃止を勧告した。

●国際的な動向

❶国際条約

国際人権規約　市民的及び政治的権利に関する国際規約

（1966国連採択→1979日本批准）

第6条　生命に対する固有の権利

1　すべての人間は，生命に対する固有の権利を有する。この権利は，法律によって保護される。何人も，恣意的にその生命を奪われない。

2　死刑を廃止していない国においては，死刑は，犯罪が行われたときに効力を有しており，かつ，この規約の規定及び集団殺害犯罪の防止及び処罰に関する条約の規定に抵触(ていしょく)しない法律により，最も重大な犯罪についてのみ科することができる。この刑罰は，権限のある裁判所が言い渡した確定判決によってのみ執行することができる。

死刑廃止条約（第二選択議定書）

（1989国連採択→1991発効※日本は未批准）

第1条　死刑の廃止

1　何人も，この選択議定書の締約国の管轄内にある者は，死刑を執行されない。

2　各締約国は，その管轄内において死刑を廃止するためのあらゆる必要な措置をとらなければならない。

❷死刑廃止国の広がり（2020.12月現在）

死刑全廃止国	１０８か国
法律上または事実上死刑廃止国	１４４か国
死刑存置国	５５か国

（Amnesty International のホームページより）

解説 2018年には，世界の3分の2を超える142か国が事実上死刑を廃止しており，死刑の執行があったのは20か国だった。アメリカは29州と連邦が死刑を存置しており，21州が死刑廃止州である。フランスでは，2007年に憲法を改正し，死刑廃止を明記した。

Column 司法の国際化と死刑

1996年には死刑廃止国はたった26か国だったが，現在，世界の半数を超える国々がすべての犯罪に対して死刑を廃止，3分の2以上の国々が事実上死刑を廃止している。アメリカは29州と連邦が死刑を存置しており，2019年には22人が処刑された。死刑廃止を明記した条約である米州条約議定書には南北アメリカの13か国が，平時における死刑の廃止をうたった欧州人権条約第6議定書には46か国が，あらゆる状況下における死刑廃止をうたった同条約第13議定書には43か国が批准している（2012年7月現在）。

●死刑と世論

2019年に行われた世論調査（1572人対象）では，「死刑もやむを得ない」と容認した人が80.8%，「死刑は廃止すべきである」と回答したのは9.0%と，日本では死刑存置派が多数派である。英独仏やフィリピンでは，死刑廃止時の世論は，廃止派を存置派が上回っていた。

政治編

○×で答えよう！ 正誤問題にTRY✓ 憲法は残酷な刑罰を禁止しており，最高裁判所は，死刑制度がこれに当たる疑いが強いと判断したため，死刑執行の一時停止を命じている。

21 日本国憲法の人権保障ー社会権ー

TOPICS

ビッグイシューと生活保護

2003年に大阪で販売が開始された雑誌『日本版ビッグイシュー』が，創刊16周年を迎えた（もともとイギリスで1991年に始まった活動である）。これまで，15都道府県で867万冊を売り上げた雑誌は，他の雑誌とは違う特徴がある。それは，1冊450円のうち230円が，販売員であるホームレスの収入になるということである。1,911人のホームレスが販売し，うち203人が自立を果たした（2019年9月現在）という。

このところ日本では，生活保護受給者が増えており，206万人を超えた。60人に一人は生活保護を受けている計算だ。生活保護制度は，生存権保障のための保護を行うとともに，自立を助長するための制度だが，なかなか自立できない人が多い。そんななか，ビッグイシューは，家を失った人に仕事を提供し自立を応援する社会的企業（Social Business）としての成功例といえるだろう。雑誌は売れなければ，つまり，買う人がいなければホームレスの人の収入にはならない。この16年間で売り上げを伸ばせたのは，社会のなかで，弱者に対する自立支援に共感する人が増えたともいえるだろう。

月刊誌『ビッグイシュー』の日本版を売るホームレスの男性（東京・新宿駅南口）

政治編

1 生存権 ー「人間裁判」といわれる朝日訴訟

事件の概要	重症の結核患者であった朝日茂さんは，国立岡山療養所に入所し，生活保護法による医療扶助（ふじょ）と生活扶助（最高月額600円）を受けていた。その後，35年間も音信不通だった実兄から月額1500円の仕送りを受けることになったのだが，市社会福祉事務所長は生活扶助を打ち切り，600円を日用品費として朝日さんに渡し，残りの900円を医療費の一部に当てるという保護変更決定を行った。これに対し，朝日さんは，県知事・厚生大臣（現厚労大臣）に対して不服申し立てを行ったが，却下（きゃっか）された。そこで，その却下処分の取り消しを求めて，1957年に行政訴訟を起こした。
争点	生活扶助の金額が，憲法25条の「健康で文化的な最低限度の生活を営む」に足りるものか否か。
判決	**①東京地裁判決（1960.10.19）** 原告勝訴（厚生大臣の処分取り消し） 厚生大臣の生活保護基準では，療養に必要な果物などの補食もとれず最低限度の生活水準に達していない。 **②東京高裁判決（1963.11.4）** 一審判決の取り消し（朝日さんの請求，認められず） 月額600円という基準は少ないが，厚生大臣の処分を違法とまではいえない。 **③最高裁判決（1967.5.27）** 訴訟は終了（生活保護受給権は一身専属的な権利なので，朝日さんの死亡により訴訟は終わった） なお，念のため憲法25条①は，すべての国民が健康で文化的な最低限度の生活を営めるように国政を運営すべき事を国の責務として宣言したもので，直接個々の国民に具体的権利を付与したものではない。生活保護基準の設定は，厚生大臣の裁量にゆだねられている。

第25条〔生存権，国の社会的使命〕
① すべて国民は，健康で文化的な最低限度の生活を営む権利を有する。
② 国は，すべての生活部面について，社会福祉，社会保障及び公衆衛生の向上及び増進に努めなければならない。

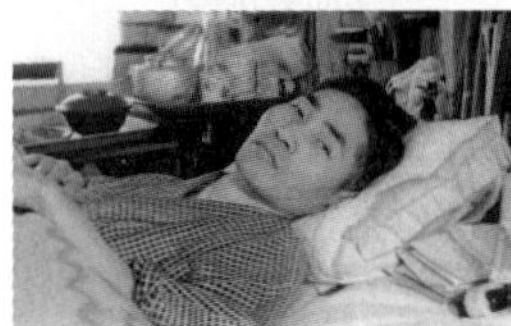

●当時の生活保護基準（年間数量）

肌着（0.5枚）	パンツ（1枚）
タオル（2本）	足袋（1足）
ぞうり（2足）	ちり紙（12束）
理髪料（12回）	新聞（12部）
切手（12枚）	等で計算

解説 「この訴訟は，人間の生きる権利，生命の尊厳を守り通す事を主張するものです…」と語った朝日茂さん（写真）。最高裁は，憲法25条がプログラム規定説であるとの立場をとり，朝日さんの主張は退けられた。しかし，この裁判は社会の注目を集めた。そして，日用品費の基準額は，1961年には47％も引き上げられ，さらに1967年には2700円と大幅増になった。2013年5月に，生活保護の受給が158万世帯（過去最高），215万人を突破し，財政上の問題にもなっている。

Column クーラーはぜいたく品？貯金はだめ？

1994年の盛夏，埼玉県桶川（おけがわ）市の79歳の女性が倒れて入院した。この人は，生活保護を申請したとき，市によってクーラーを取り外されていたのだ。生活保護受給者は，クーラーや車を所有してはいけないのか？現在は，70％の普及率があるものは認めるという基準が柔軟に判断され，通勤用の車の所有など認められている場合がある。

また，生活保護受給者は貯金などしてはいけないのか？

2004年，最高裁は娘の高校進学のために，生活保護費を切りつめ，積立ていた学資保険の満期金を理由として，生活保護費を減額した処分は違法とする判決を下した。「高校進学は自立に有用である」ので，生活保護費からの学資保険の積立が認められることになったのである。

○×で答えよう！ 正誤問題にTRY✓ 厚生大臣の定める生活保護基準の合憲性が争われた朝日訴訟で，最高裁は原告の訴えを退けたが，これをきっかけに生活保護行政が改善された。

2 教育を受ける権利・学習権

第 26 条〔教育を受ける権利，教育の義務〕
① すべて国民は，法律の定めるところにより，その能力に応じて，ひとしく教育を受ける権利を有する。
② すべて国民は，法律の定めるところにより，その保護する子女に普通教育を受けさせる義務を負ふ。義務教育は，これを無償とする。

教育を受ける権利

教育基本法
人類社会の平和と進歩
個人の知的人格的発達
学習権
条件整備の義務
国
教育の自由
教育の自由
教師
子供
親
教育権の主体

(『図解による法律用語辞典』自由国民社)

解説 教育基本法は，教育の機会均等，義務教育，教育行政などについて規定した「教育憲法」ともいわれる法律である（1947年制定）。安倍政権は「教育再生」の一環として2006年，改正教育基本法を成立させた。前文で「公共の精神を尊」ぶことや「伝統の継承」が明記され，第２条の教育の目標に「我が国と郷土を愛する態度」を養うことが盛り込まれた。愛国心の指導と評価などがどのように運用されるかが注目されている。

3 請願権ー君も請願できるー

第 16 条〔請願権〕
何人も，損害の救済，公務員の罷免，法律，命令又は規則の制定，廃止又は改正その他の事項に関し，平穏に請願する権利を有し，何人も，かかる請願をしたためにいかなる差別待遇も受けない。

解説 未成年者でも，外国人でも，在監者でも，国会や裁判所，地方公共団体などに，集めた署名を提出するなど平穏に請願することができる。請願権は，国家の行為を期待するもの（国家機関には実行義務はないが）であると同時に，参政権的な性質もある。

4 国家賠償請求権

第 17 条〔国及び公共団体の賠償責任〕
何人も，公務員の不法行為により，損害を受けたときは，法律の定めるところにより，国又は公共団体に，その賠償を求めることができる。

明治時代の旧郵便法を引き継いだ郵便法をめぐる裁判で，最高裁判所は，郵便局員の送達ミスで生じた損害について，国の賠償責任の範囲を極めて狭く制限している郵便法の規定には違憲・無効の部分があるとした（2002.9.11）。その後，国会は郵便法を改正した。

解説 大日本帝国憲法下では認められていなかった権利で，憲法17条に基づき，1947年に国家賠償法が制定され，認められるようになった。公務員の違法行為や，国や地方公共団体が管理している営造物（河川や道路，建物など）の安全管理ミスで国民が損害を受けたとき，その賠償を求めることができる。

5 刑事補償請求権

主な刑事補償の例

事件名	身体拘束日数	補償金総額
島田事件	12,668 日	119,079,200 円
免田事件	12,599 日	90,712,800 円
松山事件	10,440 日	75,168,000 円
財田川事件	10,412 日	74,966,400 円

解説 大日本帝国憲法にはなかった権利である。初の死刑確定者に対する再審無罪判決を受けた免田栄さんは，24歳から58歳までを獄中で過ごした。金銭的な補償はされても，過ぎ去った時間は取り戻せない。足利事件で17年半拘束された後再審無罪となった菅家利和さんには，2011年，刑事補償金約8000万円が支払われた。

6 法意識の浸透に向けて

第 32 条〔裁判を受ける権利〕
何人も，裁判所において裁判を受ける権利を奪はれない。

買い物に行く母親が同じくらいの子どもがいる近所の家に預けたが，子ども達はため池で遊び，預けた家の子は溺（おぼ）れ死に，預かった家の子は無事だった。…預けた親が訴訟提起し，津地裁で 500 万円あまりの損害賠償認容判決を得た（1983.2.25）。被告は控訴したが，この判決が報道されると，特に原告に対し嫌がらせ等がなされ，訴えを取り下げざるを得なかった。……この事件での世間の反応として多かった「恩を仇（あだ）で返すとはなにごとか」という反応は，法意識が社会に浸透していないことを露呈（ろてい）するものといえる。（記念講演「法化社会と法律家の役割」新堂幸司）

政治編

○×で答えよう! 正誤問題にTRY✓ 日本国憲法が保障する生存権は，教育を受ける権利や労働基本権とならんで，社会権的基本権と呼ばれている。

22 新しい人権と保障の広がり

TOPICS

難民選手団とオリンピックの「人権尊重」

2016年夏，リオデジャネイロオリンピックが開催され，史上初となる「難民選手団」が入場し，歓迎を受けた。内戦が激化する南スーダンから隣国ケニアに逃れたローズ・ナティケ・ロコニエン選手は，陸上女子800メートルに出場した。予選通過はならなかったが，「『競技に集中する自由』を与えてもらったことに感謝しています」と述べている。スポーツをすることが，感謝すべき「自由」であること，その権利が保障されない状態があることを考えたことはあるだろうか。

難民は増え続け7080万人（2018年統計）と過去最高に達している。母国から出場できない海外アスリート10人が地域混合チームとして出場を果たしたことは，難民の勇気と忍耐の証であり，「人権の保障」の広がりを体現したものといえるだろう。

（「朝日新聞」2016.8.22 などより）

入場する難民選手団　シリア出身の水泳選手２人，コンゴ民主共和国出身の柔道家２人，エチオピア出身のマラソン選手１人，南スーダン出身の中距離離走者５人の構成。なかには難民キャンプで選抜テストを受け，夢の切符をつかんだものもいる。（リオデジャネイロ・ブラジル，2016年）

政治編

1 プライバシーの権利

―「石に泳ぐ魚」出版差し止め訴訟―

事件の概要　芥川賞作家の柳美里（ユウミリ）さんが月刊誌に発表したデビュー小説「石に泳ぐ魚」をめぐり，知人の女性が，登場人物のモデルとして，顔の障害や身内の逮捕歴等を公表され，プライバシーの権利が侵害されたとして，柳さんと出版社を訴えた。

争点　プライバシーの権利の侵害にあたるか。表現の自由との関係はどうか。

判決　**最高裁判決　(2002.9.24)**
小説の発表により，公的立場にない女性の名誉，プライバシー，名誉感情が侵害された。小説が出版されれば，女性の精神的苦痛が増加し，重大で回復困難な損害を被らせる恐れがあるとして，単行本化や戯曲・映画化等の差し止めと，総額130万円の慰謝料の支払いを認めた東京高裁判決（2001.2.15）を支持した。

解説　最高裁が，人格権に基づいて，小説の出版差し止めを初めて認めた判決である。表現の自由に基づき書かれた，芸術性・文学性が高い作品でも，個人の人格的尊厳を侵してはならない。

地裁レベルで初めてプライバシーの権利を認めた「宴のあと」（三島由紀夫の小説）事件（東京地裁1964.9.28.）では，プライバシーの権利を「私生活をみだりに公開されないという法的保障」ととらえていた。

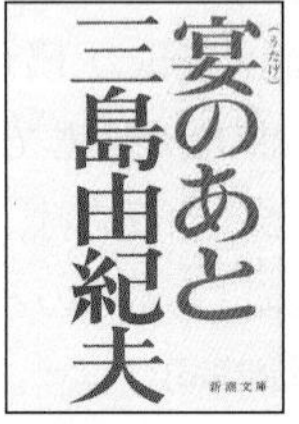

「宴のあと」　政治家と料亭の女将との出会いから破局までの実際を題材にしたモデル小説。これに対して政治家はプライバシーの侵害を理由に謝罪広告と損害賠償を請求し提訴した。

2 個人情報保護法

ケース１　まったく心当たりのないＤＭが届いたら…

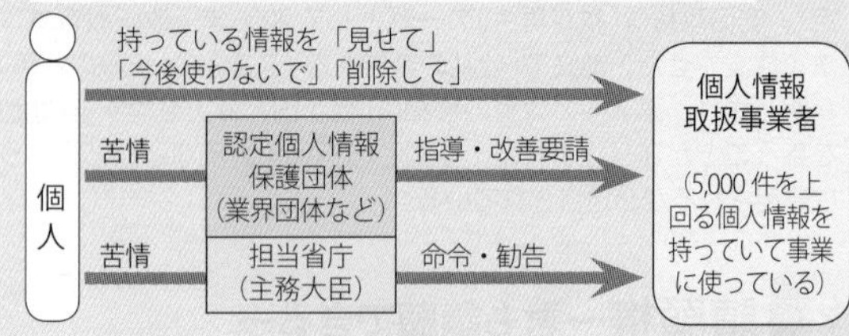

ケース２　行政機関が持つ情報を確認するには…

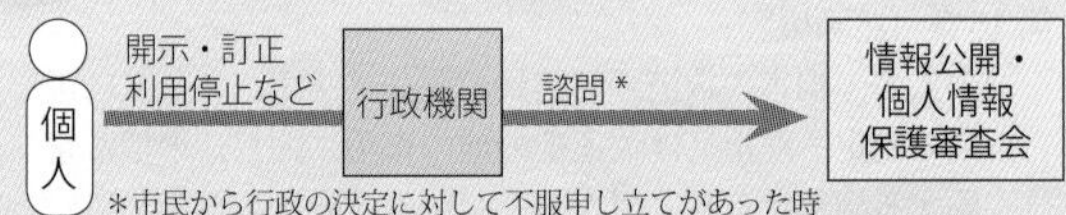

（『朝日新聞』2003. 5.24）

解説　行政機関の保有する電子計算機処理に係わる個人情報保護法（1988年制定）により，公務員の個人情報の不正利用や漏えいについては罰則があったが，民間企業は規制されていなかった。2003年に，個人情報を取り扱う民間企業も規制する個人情報保護法が成立した。マイナンバーの適用に際して法改正され，個人情報保護委員会が2016年1月より設置された。

住民基本台帳ネットワークシステム

2002年から始まった，国民の基本４情報（氏名・生年月日・性別・住所）に11桁の番号を割り当て，オンラインで一元管理する仕組みが住基ネットである。マイナンバーが施行されても併存することになっている。

解説　パスポートの発給や年金受給などの本人確認事務等に利用されている。ネット犯罪が多発する中，プライバシーの侵害の恐れがあるとして，接続を拒否していた自治体もある。

○×で答えよう！ 正誤問題にTRY✓　新しく主張されるようになったプライバシーの権利は，憲法に明記されていないので，この権利を侵しても，人権侵害とは言えない。

3 知る権利ー情報公開(開示)請求権ー

「行政機関の保有する情報の公開に関する法律」(2001年4月施行) 未成年者でも，外国人でも行政機関が保有する情報の開示請求を認めている。国民が能動的に情報を得ることが可能になり，政府の説明義務 (アカウンタビリティ) がより果たされるといえる。

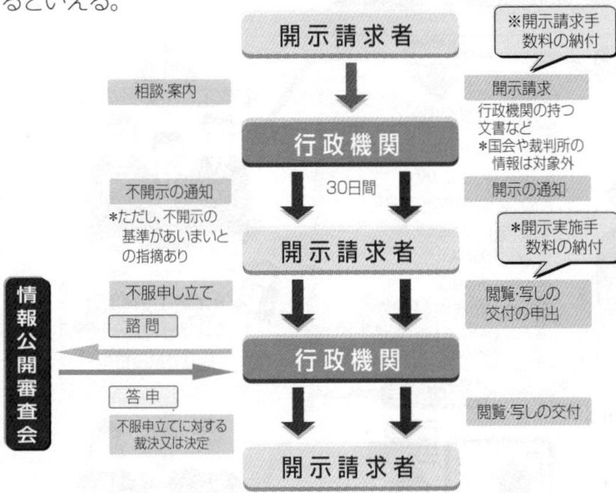

解説 情報公開制度はこれまで地方公共団体が先行しており，1998年にはすべての都道府県と政令指定都市で情報公開条例が制定されていた。情報公開法には「知る権利」が明記されていない。

マイナンバー法の成立(2013年5月24日)

平成25 (2013) 年，第2次安倍内閣において「行政手続における特定の個人を識別するための番号の利用等に関する法律 (マイナンバー法)」が成立した。同法では12ケタの個人番号の名称を「マイナンバー」とし，2015年秋から，全国民，法人及び長期滞在の外国人に番号を付与し，氏名・住所・生年月日・性別・マイナンバーを記載したカードを発行すること，平成28 (2016) 年から，社会保障・税・災害対策の行政手続きで，利用されることになった。また，改正法の成立で，2018年から預金口座にも番号を適用することが可能となった。2021年3月からはマイナンバーカードを健康保険に適用できるなど，コスト削減や不公平の是正が期待される一方，個人情報漏えいや番号の不正取得などが懸念されている。

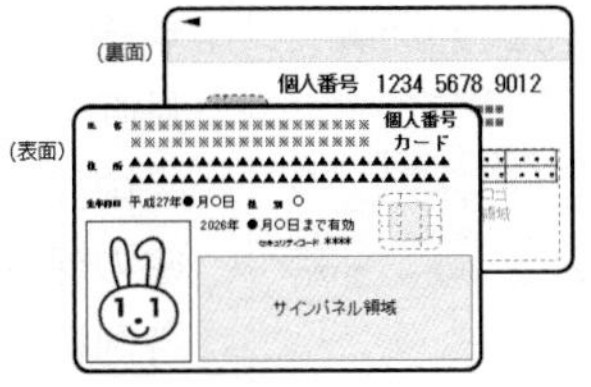

Column 肖像権 ～著作権管理の現状～

自分の姿，顔などを無断に撮影されたり，描かれたり，公表されたりしない権利を肖像権という。ホームページ作成の時など，友達や他人の写真や似顔絵を勝手に使うのはダメ。芸能人や有名人の写真等を使うと，さらに経済的な価値を含めたパブリシティ権を侵害することになるから要注意！

(社) 日本芸能実演家団体協議会，(社) 日本音楽事業者協会，(社) 音楽制作者連盟

4 知る権利ー外務省公電漏えい事件ー

事件の概要	沖縄返還交渉に関する極秘電信文の内容が，衆議院予算委員会で暴露されたことから，電信文を漏らした事務官とそれを入手した新聞記者が秘密漏えいの罪で起訴された。
判決	**最高裁判決** (1978.5.31) 真に報道の目的であり，手段・方法が相当であれば，正当な業務行為であり，報道のための取材の自由も十分尊重に値する。しかし，本件の取材行為は不相応なもので違法である。(事務官も新聞記者も有罪)

解説 最高裁は，国民の知る権利に奉仕する報道・取材の自由は尊重すべきとしたが，一方で保護されるべき秘密文書があることを認め，報道の自由の限界を示した。

5 アクセス権ーサンケイ新聞事件ー

事件の概要	自由民主党がサンケイ新聞に，共産党を批判する意見広告を出したことに対して，共産党が新聞社に，無料で同一スペースの反論文の掲載を求めた。
争点	憲法憲法第21条に基づく反論権は認められるか。どうかが争点となった。
判決	**最高裁判決** (1987.4.24) 反論権の制度は確かに，名誉やプライバシーの保護に資するものがある。しかし一方，民主主義社会において極めて重要な新聞等の表現の自由に対し重大な影響を及ぼす。具体的な成文法なく，反論文掲載請求権を認めることはできない。

解説 マスメディアへのアクセス権の一つである反論権について，最高裁は法律がないので，認められないとした。

●忘れられる権利

いつまでもインターネット上に残っている個人情報を，個人の意思で削除することができる権利。

2011年，フランスの女性が，自分の名前で検索すると30万を超えるサイトに過去の自分の映像が出てくることから，検索大手のグーグルに対し削除を求める訴訟を起こし，勝訴したことで注目されるようになった。その後，2016年にはEUデータ保護規則で「削除権 (消去権)」として保障されている。一方で，知る権利や表現の自由を侵害すると主張する声もある。

日本では，自分の名前で検索すると表示される，過去の逮捕に関する記事の削除を求めてグーグルを訴えた事件で，最高裁は2017年，検索結果自体を「表現」ととらえ，検索サービスには「今の社会で重要な役割がある」とした。そして「検索サービスの役割と，プライバシーを比べてみて，プライバシーを守ることの方が，明らかに大事な場合」削除できる，という考え方を示した。今回は，犯した罪が児童買春であり，最高裁は「社会的に強い非難の対象」とし，検索結果は「削除できない」とした。「忘れられる権利」という表現はしなかったが，ネット上の個人情報の削除について，一つの指針となっている。

政治編

○×で答えよう! 正誤問題にTRY✓ 知る権利は，情報を公開するよう公権力に対し要求する権利であるから，請求権の側面を持つ。

政治編

テーマ学習　特定秘密保護法の概要

2013年12月6日，安全保障の機密情報を漏らした公務員らへの罰則を強化する特定秘密保護法が，参議院で自民，公明両党の賛成多数で可決，成立した。そしてほぼ1年後の2014年12月10日に法が施行された。

特別秘密
防衛
外交
特定有害活動（スパイ活動）の防止
テロ活動の防止
指定期間は5年
・5年単位で延長可能，最長60年
・人的な情報源に関わる情報など7項目は例外的に延長可能
取り扱い・管理
指定
指定（第三者機関のチェックなし）
［適性評価］
スパイ活動やテロとの関係
犯罪や懲戒の経歴
情報取り扱いの違反歴
薬物の乱用と影響
精神疾患
飲酒の節度
信用状態など経済状況
※家族や同居人の氏名，生年月日，国籍，住所も含む
民間業者
公務員
警察職員
官僚ら
漏らしたら…
最高で懲役10年および1000万円以下の罰金
そそのかしたとみなされたら…
最高で懲役5年
取材・調査
国民の知る権利
報道・公表
フリーライター
新聞記者
市民団体

特定秘密保護法とは　日本の安全保障に関して，国が特に秘密が必要な機密情報（①防衛，②外交，③スパイ活動防止，④テロ防止に関する情報）を閣僚らが「**特定秘密**」として指定し，これを漏えいした公務員らに10年以下の懲役など厳罰を科すもの。特定秘密として指定したものは5年間で更新することができる。上限は60年間。ただし例外規定が設けられるので，機密が永久に開示されない恐れもある。

この法律の特徴は，罰則規定が厳しくなっていることだ。公務員でも民間でも特定秘密を漏らした人には，最高で懲役10年および1000万円以下の罰金が科せられる。現行の国家公務員法の守秘義務違反は懲役1年以下，自衛隊法違反でも懲役5年以下である。また，新聞記者や市民団体のメンバー，フリーライターなどが機密情報を入手しても，漏えいをそそのかしたとみなされた場合は最高で懲役5年が適用される。

例えば，家庭での特定秘密に関わる会話を，その後，誰かに話したとすると，それでも家宅捜索が実行される可能性がある。

特定秘密保護法の運用基準・政令の概要表

特定秘密の対象	防衛（19項目）	自衛隊の訓練，演習，情報収集活動の運用や計画
		自衛隊の潜水艦や航空機，センサーなどの仕様や性能など
	外交（17項目）	外国政府との領域保全などの交渉，協力方針
		外国人の入国の禁止や制限の方針など
	スパイ活動防止（10項目）	核兵器や化学製剤の輸出入防止のための計画
		外国政府から提供された情報など
	テロ防止（9項目）	重要施設，要人などに対する警戒警備の計画
		外国政府と協力して実施する措置など
秘密を指定する行政機関	19機関＝国家安全保障会議，内閣官房，内閣府，国家公安委員会，金融庁，総務省，消防庁，法務省，公安審査委員会，公安調査庁，外務省，財務省，厚生労働省，経済産業省，資源エネルギー庁，海上保安庁，原子力規制委員会，防衛省，警察庁	
監視機関	内閣官房	内閣保全監視委員会＝各省庁の次官級で構成
	内閣府	独立公文書管理監＝特定秘密の管理状況を検証・監察
		情報保全監察室＝約20人で構成。管理監の下で業務

監視機関の設置と法の運用

2014年10月14日には，法の運用基準で，恣意的に特定秘密に指定しないようにチェックする，2つの監視機関設置を盛り込んだ閣議決定を行った。ただ，この2つの機関とも，政府内部の機関であることや，権限が曖昧（あいまい）なことなどから，十分なチェックが行えるのか，疑問が残っている。

運用基準は，特定秘密指定対象の防衛，外交など4分野をより具体化した（表参照）。防衛分野が最も多く19項目。同時に「必要最小限の情報を必要最低限の期間に限り指定する」との留意事項を盛り込み，拡大解釈を禁じた。また，報道や取材の自由に十分配慮するとし，国民の「知る権利」を「十分尊重されるべきだ」という記述を明記した。基準は法施行5年後に運用状況を検討し，見直すとしている。

国民の知る権利と国家機密の保護については，主要各国にも対応する法制度があるが，日本とは異なり，第三者機関が政府の機密管理を監視している。日本では「原則60年以内」とする指定期間も，最長25年で自動解除される米国（スパイ防止法）などに比べても長い（イギリスは20年，ドイツは30年）。

（『東京新聞』2013.11.22，共同通信配信2014.10.14など）

通信傍受法は通信の秘密を侵害していない？
組織的犯罪を予防・鎮圧するため，捜査機関は傍受令状に基づき，電話やメールなどを傍受できるとする法律が，2000年から施行されている。国会での審議の際にも，憲法21条②の通信の秘密を侵害するのではないか，プライバシーの権利の侵害ではないかとの議論があった。君はどう思う？

6 環境権ー大阪空港公害訴訟ー

事件の概要

大阪空港付近の住宅（大阪府豊中市，1990年ごろ）

大阪国際空港の離発着コース直下の住民らが，航空機の騒音・振動・排気ガスによって被害を受けたとして，国に対し，夜間（午後9時から翌朝7時まで）の空港使用の差し止めと，過去及び将来の損害賠償を求めた。

争点

公共性ないし公益上の必要性のある事業の差し止めは認められるか。

判決

① **大阪地裁判決（1974.2.27）**

人格権にもとづき，午後10時から翌朝7時までの差し止め請求を認めた。また，過去の損害賠償を認めた。

② **大阪高裁判決（1975.11.27）**

「個人の生命，身体，精神および生活に関する利益は，各人の人格に本質的なものであって，その総体を人格権という」と述べ，人格権に基づく差し止め請求を認めた。午後9時以降の飛行機の発着禁止を含む住民らの請求を全面的に認めるものだった。

③ **最高裁判決（1981.12.16）**

住民らの差し止め請求は「不可避的に航空行政権の行使の取消変更ないしその発動を求める請求を包含(ほうがん)することとなる」ため不適法とし，夜間の飛行差し止めを認めない逆転判決だった。住民らには過去の損害賠償は認めた。

解説　この裁判は，騒音公害裁判の先例となった。その後の，名古屋新幹線訴訟（名古屋高裁1985年），厚木基地訴訟（最高裁1993年），横田基地訴訟（1993年），新横田基地訴訟（2002年）などでも，過去の損害賠償は認めるが，将来分は認めず，差し止め請求は退ける結果となっている。また，これまで環境権そのものを認めた最高裁判決はない。

■国立マンション訴訟

事件の概要

東京都国立市の大学通りに建設中の14階建てのマンション（高さ最高点43.65m）に対して，周辺住民らが景観保護のため，上層部の撤去と慰謝料を求めた。

争点

景観利益は保護されるものか。

判決

最高裁判決（2006.3.30）

良好な景観に近接する地域内に居住する者が有する景観の恵沢を享受する利益は法律上保護に値する。
本件のマンションの建設は景観利益を違法に侵害する行為には当たらない。

7 環境権　ー嫌煙権ー

「たばこの煙は健康にも悪いし，嫌だ！」そう思った人々が公共の空間における喫煙の制限を求めているのが嫌煙権である。日本では，1978年に新幹線ひかりに禁煙車両を求める署名運動が起こり，注目されるようになった。2003年5月からは健康増進法が施行され，官公庁やデパート，駅などでは全面禁煙が進められている。また，2018年7月に同法は改正され、望まない受動喫煙を防止するためのルールができた。同年，WHO総会で，たばこ規制枠組み条約が採択された（2005年2月発効，2020年6月現在 締約国182)。この条約は，健康危害の警告表示を包装面の30%以上とすること，5年以内にたばこ広告を禁止すること，未成年者が自動販売機から入手できないようにすることなどを盛り込んでいる。

解説　2002年10月に，東京都千代田区の生活環境条例が，全国ではじめて路上禁煙地区での歩きたばこ・ポイ捨てを禁止し，違反者には2万円以下の過料を定めた。
千代田区の路上喫煙禁止のマーク(右)

健康増進法で決められたルール

（2020年4月1日より改正健康増進法が施行）

■鞆の浦景観訴訟

解説　広島県鞆(とも)の浦(うら)（写真）では，歴史的景観保全を主張する住民らによる埋め立て工事差し止め請求が，2009年，広島地裁で認められた。広島県は判決を不服として控訴していたが，2012年には最終的に，架橋工事を撤回し終結した。行政に差し止めを命じたという判決は全国初。

○×で答えよう! 正誤問題にTRY✓　環境権は，日本国憲法第13条の幸福追求権を根拠に主張されている。

政治編

8 自己決定権

法も公認、同性結婚式！ ■オランダ

オランダで世界初の同性間の結婚を認める法律が発効した1日、アムステルダムで4組のカップルがそろって挙式した。市議会の本会議場で愛の誓いを交わしたあと、みんなでウエディングケーキに入刀した＝写真、ロイター。

（『朝日新聞』2001.4.2）

解説 憲法13条を根拠に主張されているものに，自己決定権がある。自分の生命や身体のことを自分で決めていいのだろうか。家族を持つ権利は？ 子どもを持つ権利は？ これらは，生命科学の進歩が著しい現在，大きな問題となっている。また，もっと身近な所では，髪型や服装などのライフスタイルに関する決定も含まれるという考えもある。

政治編

性的少数者の権利

LGBT（レズビアン，ゲイ，バイセクシュアル，トランスジェンダー）の権利が注目される出来事が続いている。2015年5月には，アイルランドで国民投票をへて，「婚姻は性別を問わない2人による」との文言が憲法に明記されることとなった。6月には，アメリカ連邦最高裁判所が，全州で同性婚を認める（それまで13州で禁止していた）判断をし，注目された。このように，2001年以降，同性婚を認める国は増え，20か国超となっている。日本では法的には認められていないものの，東京都渋谷区が2015年4月から同性カップルに対して，「パートナーシップ証明書」を発行し，夫婦と同等の扱いをするよう促す条例を施行，複数の自治体が同様の条例を制定している。これを受け，携帯電話などで家族割引が適用されたり，一部企業で家族手当が支給されたりしている。世界各地で，レインボーフラッグ（左写真）を掲げて，性的少数者の権利拡充を求めるデモや集会が行われている。

Column NGOと人権保障

1961年に誕生したアムネスティ-インターナショナルは，国連の経済社会理事会の特別協議資格を持ち，世界に280万人を超える会員をもつNGOとして，良心の囚人（政治・宗教・人権問題などで捕らえられている人々）の釈放等の活動を行っている。また，ビアフラ内戦を機にフランス人医師によって設立されたMSF（国境なき医師団）は，天災・人災・戦争により援助を必要とする人々に緊急医療援助を行う一方で，現地の人権侵害の状況を告発し，世論にアピールすることも行っている。現在，難民や環境，人権問題などの解決にあたり，UNHCR（国連難民高等弁務官事務所）やUNICEF（国連児童基金）などの国連機関と各国政府，そして多くのNGOの連携・協力が不可欠となっている。

9 国際的な人権保障—子どもの権利条約

子どもの権利条約は，1989年11月20日，第44回国際連合総会において満場一致で採択されました。…日本がこの条約を批准したのは，1994年4月22日，世界では158番目の締約国になりました。

…スウェーデンは，子どもの権利条約が国連で採択されて半年後にこの条約を批准しました。そして，NGOと協力し，子どもたちが読むためのブックレットやポスター，パンフレットをつくり，子どもたちに広める活動を始めました。…5～8歳用のブックレットは，こんな言葉で始まります。「こどもはみんなだいじ。わたしもだいじ。ぼくもだいじ。」このようなブックレットが，ひとりひとりの子どもたちに配られ，5歳からの権利教育が行われているのです。

（中野光・小笠毅『ハンドブック子どもの権利条約』岩波ジュニア新書（1996））

解説 国連の児童の権利に関する委員会は，1998年，婚姻(こんいん)最低年齢の男女同一化やメディアの有害な影響からの保護措置，児童のプライバシーに対する配慮などを日本に対して勧告した。また，この条約は18歳未満の子どもを保護対象としてだけでなく権利の主体と認めているのが特徴で，史上最多の196か国が加盟しているが，アメリカは未加盟である（2015年10月現在）。

開発途上国では，最新の国際的な推計によると，20～24歳の女性の3分の1以上が18歳になる前に結婚をしているか，それに類した関係にある。（ユニセフ『世界子供白書』2015）

7月12日は「マララ・デイ」

マララ・ユスフザイさんの誕生日を記念して国連が名づけたのが，この「マララ・デイ」だ。彼女は，女性の教育・就労権を認めないタリバン支配下のパキスタン北部で，少女でも教育を受ける権利があることを主張し学校に通っていたのだが，2012年10月，通学バスに押し入った武装集団により頭を撃たれ，重傷を負った。その後奇跡的に回復し，16歳の誕生日に，女性の権利と子どもが教育を受ける権利について国連で演説を行った。

彼女は言う。「教育には平和が欠かせない。平和と繁栄のために，すべての政府に全世界の子どもたちが無償で義務教育を受ける権利を確実に保障してほしい。先進国には，途上国の少女たちが教育を受ける機会を拡大するため支援してほしい。」そして，少年少女の皆さんに呼びかけた。「1人の子ども，1人の教師，1冊の本，1本のペンで世界は変えられる。本とペンを武器に世界を変えよう」と。

グローバル化する世界にあって，人権の国際的な保障は欠かせない。一人一人が人権の課題に目を向け，人権の抑圧に対して闘う強さをもちたい。

女子が教育を受ける権利を訴えて武装勢力に頭を撃たれたマララさん(16)がニューヨークの国連本部で演説（2013.7.12）

○×で答えよう！ 正誤問題にTRY✓ 尊厳死の権利，安楽死の権利も人格権の一つであるが，わが国では，現在は合法化されていない。

テーマ学習　「女性の権利」について考える

男女共同参画社会の実現が21世紀の最重要課題と言われている今，女性の権利について考えてみよう。

●女性の働きやすい，暮らしやすい社会へ

女子差別撤廃条約（1979年採択）批准のため

・国籍法の改正（1985年施行）
　父系主義　→　父母両系主義
・男女雇用機会均等法（1986年施行）
　定年・解雇等の差別禁止
・高校家庭科の男女共修（1994年実施）

女性の社会進出の進行により

・育児休業法（1992年施行）→p.243参照
　→育児・介護休業法の完全実施へ（1999年）
　1歳（半）未満の子の育児のための休暇（男女労働者）
　要介護家族の介護のための休暇（男女労働者）
・男女雇用機会均等法・労働基準法の改正（1997年）
　募集・採用・配置・昇進での差別禁止
　女性の深夜労働の禁止規定の削除
・男女雇用機会均等法改正（2006年）→p.243参照

育児・介護休業法の改正（2005年，2010年施行）

・男女共同参画社会基本法（1999年）
　「男女が，互いにその人権を尊重しつつ責任も分かち合い，性別にかかわりなく，その個性と能力を十分に発揮することができる社会」その実現のための施策の策定と実施は国の責務とし，内閣府に男女共同参画会議が置かれた。

解説　厚生労働省は，2002年，固定的な性別による役割分担意識にもとづく男女労働者間の事実上の格差解消のための企業の積極的な取り組み（ポジティブ・アクション）が，女性の能力を最大限生かすためには不可欠であるとする提言を発表した。

●女性の保護

(1) セクシュアル-ハラスメント（性的嫌がらせ）の禁止

改正男女雇用機会均等法に，事業主のセクハラ防止義務が盛り込まれた（1999年施行）。セクハラには，働きづらくさせる環境型と，職場の地位の上下関係を利用した対価型がある。2019年5月には**女性活躍・ハラスメント規制法**が成立。パワハラ・セクハラ・マタハラを「行ってはならない」と明記した。

(2) ストーカー規制法（2000年施行，2016年改正）

恋愛感情やそれによる恨みから
つきまとい　又は　ストーカー行為
（待ち伏せ・監視・交際要求・乱暴な行動・しつこいメール・連続した電話・汚物の送付・性的嫌がらせ等）

↓

警察署＊に被害を訴え出る

↓

警察署長などが警告を出す　公安委員会が聴聞，
禁止命令を出す１年ごとの更新も可能に

↓

禁止命令違反‥‥２年以下の懲役
　又は200万円以下の罰金
告訴‥‥１年以下の懲役又は100万円以下の罰金

＊2000年からのストーカー相談件数の総数は30万件を超えた。殺人事件をきっかけに，迷惑メールを繰り返し送ることも禁止する改正法が成立した。

(3) DV防止法（2001年施行，最終改正2019年）

「配偶者からの暴力の防止及び被害者の保護に関する法律」

配偶者からの暴力（精神的暴力，性的暴力を含む）や脅迫で生命・身体が危険

↓

配偶者暴力相談支援センター等　または
警察へ通報（発見者・医師など）
被害者の申し立て

↓

被害者の保護命令
（配偶者・元配偶者・同居あるいは元同居の交際相手につきまといや電話，メールを禁じる，住居から退去させる）
被害者の子への接近禁止命令

↓（＊2019年の改正で児童虐待と関連するDV被害者の適切な保護が明記された。）

禁止命令違反‥‥１年以下の懲役

解説　ストーカー規制法，ＤＶ防止法ともその保護対象者は女性に限らない。しかし，女性の被害者が多いのはなぜか。内閣府男女共同参画局は，「民間企業で働く女性の約2/3が年収300万円以下」「家事・子育て・介護が女性の役割とされ，仕事と家庭の両立が困難」という状況が，女性が家庭内暴力から逃れ，安全に暮らすことを困難にしているとしている。ジェンダー（社会的性差）について考えてみよう。

女性に対する暴力をなくす運動ポスター（男女共同参画局）

●リプロダクティブ・ヘルス／ライツ
（性と生殖に関する権利）

・子どもを産むか産まないか／いつ，何人産むか

1994年のカイロ国際人口会議では，人口の安定化と持続可能な開発のために，すべての女性個人とカップルがこのことを決定できるとした。妊娠・出産等に関する自己決定権と考えられる。発展途上地域では女性の地位向上の観点から主張されるのに対し，先進国では生殖補助医療が進歩しており，女性の権利としての側面もある。

Column　同姓規定

家族の在り方をめぐる二つの訴訟で，最高裁は夫婦別姓を認めない民法の規定を「合憲」と判断した。女性だけ6か月間の再婚禁止期間を定めた規定は，100日を超える部分を「違憲」とした。

民法における「夫婦同氏」の規定（第750条「夫婦は，婚姻の際に定めるところに従い，夫又は妻の氏を称する」）と，女性のみに「再婚禁止期間」を定めた規定（第733条1項「女は，前婚の解消又は取消しの日から六箇月を経過した後でなければ，再婚をすることができない」）が憲法に反するかどうかが争われた。1996年，法制審議会が「選択的夫婦別氏の導入」や「再婚禁止の100日間への短縮」を盛り込む答申をだしている。国際的には，夫婦同氏制度も再婚禁止期間も廃止されてきている。

23 日本の平和主義

TOPICS

ノーベル平和賞と憲法九条

ノーベル平和賞は，アルフレッド・ノーベルの遺言により創設された。平和賞以外に，物理学賞，化学賞，生理学・医学賞，文学賞，経済学賞がある。

この平和賞の候補に，戦争の放棄を定めた「憲法９条」が上がっている。神奈川県の主婦が思いつき，2013年に署名を呼びかけたことに端を発し，大学教授などが推薦した。平和賞の選考は，ノルウェーが国際紛争解決の仲介に積極的だったことから，ノルウェー国会の任命したノーベル賞委員会が決めている。この委員会が推薦を受理したのが2014年であり，以後，毎年推薦している。

現在は，「憲法９条にノーベル平和賞を」実行委員会（事務局・神奈川県）が中心となり，活動をしている。一方で，2015年9月，集団的自衛権の行使を容認する安全保障関連法案が成立するなど憲法９条の平和主義をめぐる状況は激変している。

また，憲法９条の他にも，被爆者らでつくる日本原水爆被害者団体協議会（日本被団協）も平和賞の候補となっている。戦後70年の節目をこえて，戦争の放棄や核兵器の問題など，日本だからこそ訴えられることがある。（『朝日新聞』2016.10.8 などより）

核兵器禁止条約の締結に尽力した核兵器廃絶キャンペーン（ICAN）

2017 年のノーベル平和賞を受賞。日本の被爆者団体をはじめとする市民による反核・平和運動団体も参加してきた。

2020 年 10 月には核兵器禁止条約の批准国・地域が 50 を超え，発効の要件が整った。2021 年 1 月に同条約は発効されるが，被爆国である日本はアメリカとの安全保障に関わっていることから署名していない。また，批准国には核兵器保有国は含まれていない。

政治編

1 戦争の惨禍

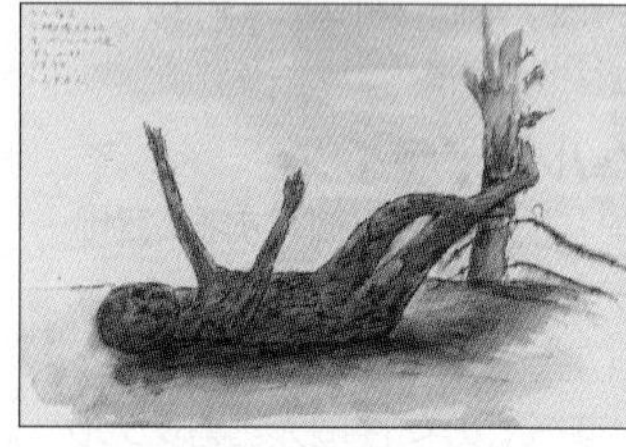

8/9，西練兵場の土手の上で黒こげになった幼児をみた。足は焼木にからまり，手は助けを求めるように天を指してのびていた。（現代出版『ヒロシマ・ナガサキ』より）

1945 年８月，広島と長崎に原子爆弾が投下された。熱線と爆風，それによる火災，さらには放射能の影響で，20 万人以上が亡くなった。また，日本の植民地だった朝鮮から強制的に連行され労働に従事していた多数の朝鮮人や中国人，アメリカ軍捕虜（ほりょ）などの外国人被爆者もいた。原爆だけではない。日本の 150 か所にも及ぶ都市が空襲を受けたほか，沖縄でも３か月の戦闘で 20 万人以上が亡くなった。

一方，日本は，アジア諸国に大きな傷跡を残した。それが今日も戦後補償の問題として争われている。強制連行，慰安婦（いあんふ），恩給問題などである。（→p.284 参照）

2 平和憲法 ～「あたらしい憲法のはなし」～

いまやっと戦争はおわりました。二度とこんなにおそろしい，かなしい思いをしたくないと思いませんか。…

そこでこんどの憲法では，日本の国が，けっして二度と戦争をしないように，二つのことを決めました。その一つは，兵隊も軍艦も飛行機も，およそ戦争をするためのものは，いっさいもたないということです。これからさき日本には，陸軍も海軍も空軍もないのです。これを戦力の放棄といいます。「放棄」とは「すててしまう」ということです。しかしみなさんは，けっして心ぼそく思うことはありません。日本は正しいことを，ほかの国よりさきに行ったのです。世の中に，正しいことぐらい強いものはありません。もう一つは，よその国と争いごとがおこったとき，けっして戦争によって，相手をまかして，じぶんのいいぶんをとおそうとしないということをきめたのです。

…これを戦争の放棄というのです。…

『あたらしい憲法のはなし』の挿し絵

解説 これは，1947年に当時の文部省から発行された中学１年向けの新憲法解説書である。日本国憲法の施行にあたっては，街頭での紙芝居など，周知活動が活発に行われた。

○×で答えよう! 正誤問題にTRY✓ 「憲法９条の下，日本は自衛権を有していないため，集団的自衛権を行使することはできない」というのが憲法９条に関する日本政府の公式の立場である。

3 憲法第９条に対する政府解釈の変化

1945　ポツダム宣言受諾

吉田首相の衆議院答弁（1946）

戦争放棄に関する憲法草案の規定は，直接には自衛権を否定しては居りませぬが，第９条第２項に於いて一切の軍備と国の交戦権を認めない結果，自衛権の発動としての戦争も，また交戦権も，放棄したものであります。

1950　朝鮮戦争勃発

警察予備隊発足（定員 75,000 人）

吉田首相の参議院答弁（1950）

警察予備隊の目的は全く治安維持にある。それが，再軍備の目的であるとかはすべて当たらない。従ってそれは軍隊ではない。

1951　サンフランシスコ平和（対日講和）条約調印

日米安全保障条約締結

1952　警察予備隊を保安隊へ改組（定員 110,000 人）

・憲法第９条２項は，目的の如何を問わず「戦力」の保持を禁止している。

・上記「戦力」とは，近代戦争遂行に役立つ装備と編成を備えたものである。

・第９条２項にいう「保持」とは，わが国が保持の主体である。そこでアメリカ駐留軍は，アメリカが保持する軍隊であるから第９条とは無関係である。

1954　日米相互防衛援助（ＭＳＡ）協定締結

防衛庁設置法制定→防衛庁設置

自衛隊法制定→自衛隊発足（定員 152,115 人）

自衛隊についての政府統一見解（1954）

第９条は，独立国としてわが国が自衛権を持つことを認めている。したがって自衛隊のような自衛のための任務を有し，かつその目的のため必要相当な範囲の実力部隊を設けることは，なんら憲法に違反するものではない。

自衛隊の海外出動を為さざることに関する決議（参議院 1954）

本院は，自衛隊の創設に際し，現行憲法の条章と，わが国民の熾烈なる平和愛好精神に照らし，海外出動は，これを行わないことを，茲に更めて確認する。右決議する。

1957　国防の基本方針を閣議決定

核兵器についての政府統一見解（1957）

攻撃的性格を持つ核兵器を，わが国が自ら持つことは，憲法の容認するところではない。

1960　日米安全保障条約改定（新日米安全保障条約）

1965　アメリカ，ベトナム戦争本格介入

1971　非核三原則を国会決議

「戦力」に関する政府統一見解（1972）

戦力とは文字通り戦う力である。憲法第９条第２項が保持を禁止しているのは，自衛のための必要最小限度を超えるものである。

「専守防衛」に関する政府統一見解（1972）

専守防衛とは相手から武力攻撃を受けたとき初めて防衛力を行使し，その防衛力行使の態様も自衛のための必要最小限度にとどめ，また保持する防衛力も自衛のための必要最小限のものに限るなど，憲法の精神に則った受動的な防衛戦略の姿勢をいうもの。我が国の防衛の基本的な方針。

1991　湾岸戦争→自衛隊の掃海艇（そうかいてい）をペルシャ湾へ

ペルシャ湾への海上自衛隊派遣に関する見解（1992）

正式停戦が成立し，湾岸に平和が回復した状況の下で，わが国船舶の航行の安全を確保するためであり，武力行使の目的をもつものではなく，憲法の禁止する海外派兵に当たるものではない。

1992　ＰＫＯ協力法制定→自衛隊をカンボジアへ

外国での武器の使用に関する政府統一見解（1992）

例えば，自己又は自己と共に現場に所在する我が国要員の生命又は身体を防衛するために必要な最小限の「武器の使用」は，憲法第９条第１項で禁止された「武器の行使」には当たらない。

1995　新防衛計画の大綱を閣議決定

1997　新ガイドライン（日米防衛協力のための指針）策定

1999　周辺事態法などガイドライン関連法制定

2001　同時多発テロ勃発

テロ対策特別措置法制定

集団的自衛権に関する政府見解（2001）

我が国が国際法上集団的自衛権を有していることは，主権国家である以上当然であるが，集団的自衛権を行使することは，憲法第９条の下において許容されている範囲を超えるもので許されない。

2003　米英，イラク攻撃

武力攻撃事態対処法など有事関連３法制定

イラク復興支援特別措置法制定

弾道ミサイル防衛（ＢＭＤ）システムの導入に関する政府見解（2003）

今回我が国が導入するＢＭＤシステムは，あくまでも我が国を防衛することを目的とするものであって，我が国自身の主体的判断に基づいて運用し，第三国の防衛のために用いられることはないことから，集団的自衛権の問題は生じません。

2004　自衛隊のイラク派遣→多国籍軍への参加

国民保護法など有事関連７法制定

集団的自衛権と憲法についての政府解釈（2006）

日米同盟がより効果的に機能し，平和が維持されるようにするため，いかなる場合が憲法で禁止されている集団的自衛権の行使に該当するのか，個別具体的な例に即し，よく研究していく。

2007　防衛庁が防衛省に格上げ

2008　補給支援特別措置法制定

2009　海賊対処法制定

2011　自衛隊初の海外拠点をジブチに開設

2014　防衛装備移転三原則を策定

集団的自衛権の行使容認を閣議決定

外国における武器の使用について閣議決定

2015　安全保障関連法制定

解説　憲法第9条の解釈の中心は「戦力」の概念である。近年の政府見解は，①自衛力とは「自衛のための必要最小限度の実力」で，②自衛力の行使は，防衛目的に限られ，実力の限界は国際情勢や軍事技術の進歩で流動するので，具体的に示すことはできず，③自衛隊は国会が制定した自衛隊法に基づいて設置したので合憲だ，というものである。政府は，次第に憲法の条文とは関係のない「自衛のため」という言葉を使って，自衛隊を合憲化していった（解釈改憲）。近年は，憲法改正論議の中で，第9条，特に第2項をかえて自衛隊を憲法上位置づけるかどうかが注目されている。

政治編

○×で答えよう！　正誤問題にTRY✓　「戦力の保持は憲法９条により禁止されているが，自衛隊は自衛のための必要最小限の実力にすぎず，憲法９条にいう戦力には該当しない」というのが憲法９条に関する日本政府の公式の立場である。

4 憲法第９条をめぐる裁判

	事件の概要	判決要旨	解説
砂川事件	1957年，東京の砂川町（現在の立川市）で米軍の使用する立川飛行場の拡張に反対する学生，労働者が，政府の測量に反対してデモを行った。そのうちの一部が立ち入り禁止域内に入り，日米安保条約３条に基づく行政協定にともなう刑事特別法２条違反で起訴された。	■東京地裁（「伊達判決」）1959.3.30 ＜一部無罪＞ 米軍の駐留は違憲で，被告人は無罪である。 米駐留軍は，憲法第９条２項によって保持を禁じられた戦力に該当する。 ■最高裁（跳躍上告）1959.12.16 ＜破棄差戻し＞ **憲法が禁じている戦力は，わが国が指揮権，管理権を行使しうる戦力**で，外国の軍隊は該当しない。 安全保障条約は，高度の政治性を有し，司法裁判所の審査には原則としてなじまない。	最高裁判所は，わが国の固有の権能として自衛権を認めたうえで，在日米軍は憲法が禁じる戦力にあたらないとした。日米安保条約については，**統治行為論**を採用し，「一見極めて明白に違憲無効であると認められない限りは，裁判所の司法審査権の範囲外」として，憲法判断を避けた。  立川基地拡張の中止を訴える地元砂川町の女性たち（1957年）
長沼ナイキ基地訴訟	1968年，北海道夕張郡長沼町の馬追山に，航空自衛隊の地対空ミサイル（ナイキ）基地を建設するため，防衛庁が「水源涵養保安林の指定」の解除を求めて認められたことに，地元の住民らが処分の取消を求めて訴訟を提起した。	■札幌地裁（「福島判決」）1973.9.7 ＜原告勝訴＞ **自衛隊は規模・装備・能力の点からも，憲法第９条に違反している。**よって，「保安林解除処分」は「公益上の理由」を欠き違法である。 ■札幌高裁　1976.8.5　＜原告敗訴＞ 引水施設などの代替施設の完成により，原告住民の不利益は解消し，**訴えの利益は消滅した。**自衛隊は，一見明白に侵略的とはいえず，**統治行為に属し司法審査の対象とはならない。** ■最高裁　1982.9.9　＜原告の上告棄却＞	自衛隊の合憲，違憲について，最高裁判所は，**憲法判断を回避**した。 また，第一審では，平和的生存権を認めたのに対し，控訴審では，「裁判規範として，なんら現実的，個別的内容をもつものとして具体化されているものではない」と，認めなかった。
百里基地訴訟	1958年，茨城県の航空自衛隊百里基地の建設をめぐり，土地所有権を国と基地反対派の住民が争って訴えた民事裁判。反対派の住民は，憲法第９条違反，平和的生存権侵害の土地売買の行為は無効であると主張した。	■水戸地裁　1977.2.17　＜国側勝訴＞ 自衛隊は規模・編成から見て明らかに違憲とはいえない。国の行為は，土地売買という私的行為で，自衛隊が合憲・違憲かは無関係。 ■東京高裁　1981.7.7　＜控訴棄却＞ ■最高裁　1989.6.20　＜上告棄却＞ **憲法第９条は，本件のような私法上の行為には直接適用されない。**	この裁判は，31年間という長期裁判であることと，自衛隊の合憲，違憲論を初めて正面から最高裁に持ち込んだ点で注目された。しかし，最高裁は，自衛隊の合憲性についての**憲法判断を回避**した。

解説 牧場経営者が陸自の射撃演習を中止させようと通信連絡線を切断した恵庭事件では，札幌地裁は憲法判断を行わなかった（1967年）。このように，裁判所の憲法判断回避の傾向は定着したといえるが，その背景には，自衛隊は増強される一方で，国民の間にも自衛隊の存在が既成事実として定着してきたこともある。もし裁判所が自衛隊の違憲判決を下した場合，予想される混乱は自衛隊発足時とは比べものにならないほど大きく，司法判断をしにくくする構造ができつつある。2008年，イラク特措法に基づく航空自衛隊のバグダッドへの空輸活動は憲法第9条1項に違反するとの判断が，名古屋高等裁判所であった。

法改正でできるようになること

集団的自衛権
日本
密接
集団的自衛権による反撃 ③
Y　①武力攻撃　X
Y国　②個別的自衛権による反撃　X国
密接な関係にある他国（Y国）への武力攻撃が発生。日本の存立が脅かされ，国民の権利が根底から覆される明白な危険がある場合に限り，一緒に反撃する

集団安全保障
【後方支援】
他国の軍隊　自衛隊
これまで禁じてきた戦闘行為が将来行われる恐れのある地域で，自衛隊が他国の軍隊に物資補給などをする

【駆けつけ警護】
武装勢力　①襲撃　•民間NGO　•他国のPKO要員　②出動　自衛隊
離れた場所で他国のPKO要員らが襲われた時，自衛隊が駆けつけて武器を使って守ることが可能に

グレーゾーン事態
【離島占拠への対処】
日本の離島に武装集団が不法に占拠してきた場合
離島を占拠した外国の武装勢力に対処するため，手続きの迅速化。自衛隊の武器使用拡大も検討

2015年9月，自衛隊法などの10法を一括改正する「平和安全法制整備法」と他国軍の後方支援を随時可能にする「国際平和支援法」が成立した。2014年，政府が憲法解釈を変更する閣議決定を行い，集団的自衛権の行使を容認する憲法解釈の変更をしたことをふまえた改正である。これにより，日本が武力攻撃されていなくても，密接な関係にある国が攻撃を受けた場合で，存立危機事態の際，必要最小限度の武力行使ができることとなる。また，自衛隊の活動範囲も広がり，米軍など他国軍への後方支援（たとえば空中給油や弾薬提供など）が，日本周辺に限らず可能になる。

5 シビリアン-コントロール（文民統制）

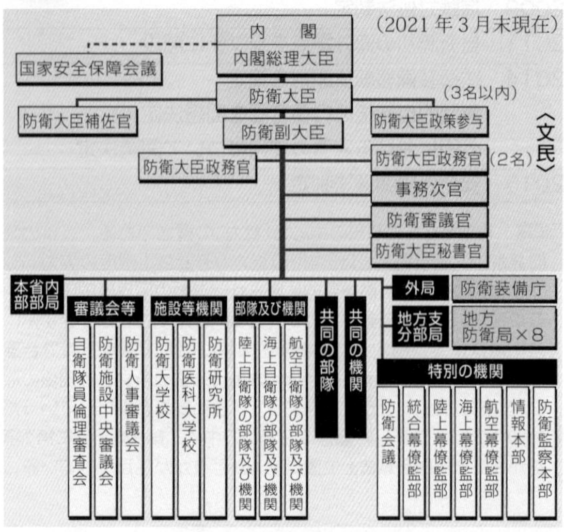

解説 「文民」について，政府は，①旧陸海軍の職業軍人の経歴を有する者で軍国主義的思想に深く染まっていると考えられるもの　②自衛官の職に在る者　以外の者と解している。

○×で答えよう! 正誤問題にTRY✓ 憲法第９条では，自衛隊についての規定が明記されている。

6 自衛隊法と自衛隊の任務

自衛隊法　〔1954.6. 公布　2021.6 最終改正〕

第1条　この法律は，自衛隊の任務，自衛隊の部隊の組織及び編成，自衛隊の行動及び権限，隊員の身分取扱等を定めることを目的とする。

第3条①　自衛隊は，我が国の平和と独立を守り，国の安全を保つため，直接侵略及び間接侵略に対し我が国を防衛することを主たる任務とし，必要に応じ，公共の秩序の維持に当たるものとする。

② 自衛隊は，…武力による威嚇又は武力の行使に当たらない範囲において，次に掲げる活動であって，別に法律で定めるところにより自衛隊が実施することとされるものを行うことを任務とする。

一　我が国周辺の地域における…我が国の平和及び安全の確保に資する活動

二　国際連合を中心とした…国際社会の平和及び安全の維持に資する活動

第7条　内閣総理大臣は，内閣を代表して自衛隊の最高の指揮監督権を有する。

第8条　防衛大臣は，この法律の定めるところに従い自衛隊の隊務を統括する。…

第76条　①　内閣総理大臣は，我が国に対する外部からの武力攻撃が発生した事態又は武力攻撃が発生する明白な危険が切迫していると認められるに至つた事態に際して，我が国を防衛するため必要があると認める場合には，自衛隊の全部又は一部の出動を命ずることができる。この場合においては，武力攻撃事態等における我が国の平和と独立並びに国及び国民の安全の確保に関する法律第九条の定めるところにより，国会の承認を得なければならない。

②　内閣総理大臣は，出動の必要がなくなつたときは，直ちに，自衛隊の撤収を命じなければならない。

自衛隊・防衛問題に関する世論調査（2018年1月実施）（内閣府　世論調査）

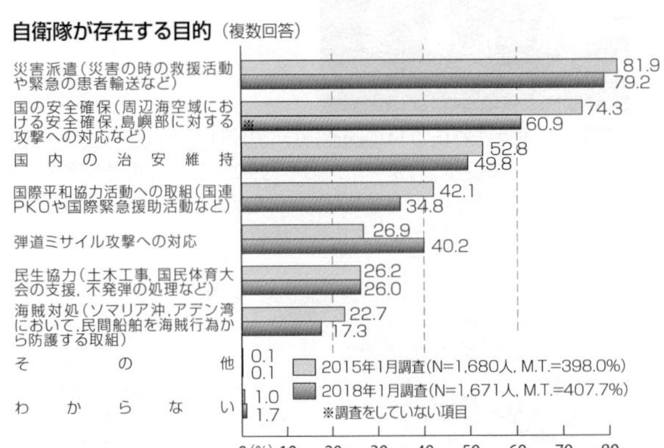

解説　災害派遣活動について，79.2%が「今後力を入れていく面」と回答している。また，東日本大震災では，最大時には10万人を越える体制で，人命救助，輸送支援，生活支援，原発への放水などを行った。

7 防衛計画とわが国の防衛力

国家安全保障戦略（2013 閣議決定）

日本の安全保障をめぐる環境の変化を背景に，1957年に閣議決定された「国防の基本方針」に変えて策定された。

1　我が国の能力・役割の強化・拡大
2　日米同盟の強化
3　国際社会の平和と安定のためのパートナーとの外交・安全保障協力の強化
4　国際社会の平和と安定のための国際的努力への積極的寄与
5　地球規模課題解決のための普遍的価値を通じた協力の強化
6　国家安全保障を支える国内基盤の強化と内外における理解促進

国家安全保障会議

緊急事態に迅速・適切に対処するため，内閣に国家安全保障会議が設置され（2013），その事務局である国家安全保障局が内閣官房に新設された（2014）。

新防衛計画の大綱（2018年閣議決定）

背景：東アジアの近隣諸国，中国の台頭によるパワーバランスの変化。安全保障環境の緊張が高まっている現状をふまえ，国民・領土・領海・領空を守るための「実効的な防衛力」を示す。抜本的な防衛力の強化と自衛隊の役割の拡大を明記

↓

◎ 2019年から2023年までの5年間中期防衛力整備
◎「多次元統合防衛力」を基本概念とする
：陸・海・空自衛隊の一体的運用と現代の戦闘における宇宙・サイバー・電磁波といった新領域の防衛力のこと

防衛関係費の推移　（『日本国勢図会』2021/22）

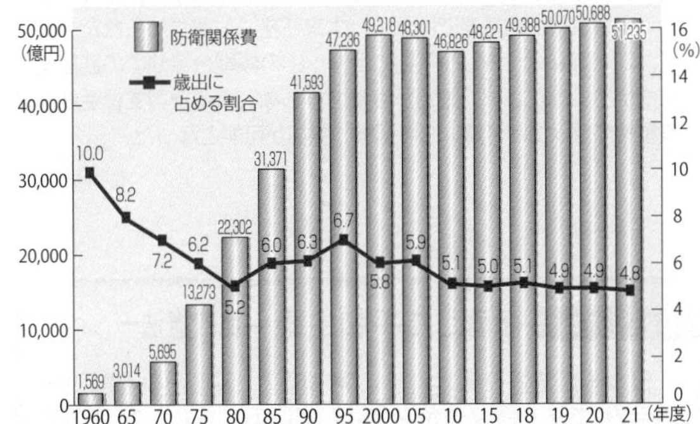

国防支出の諸外国との比較　（『日本国勢図会』2021/22）

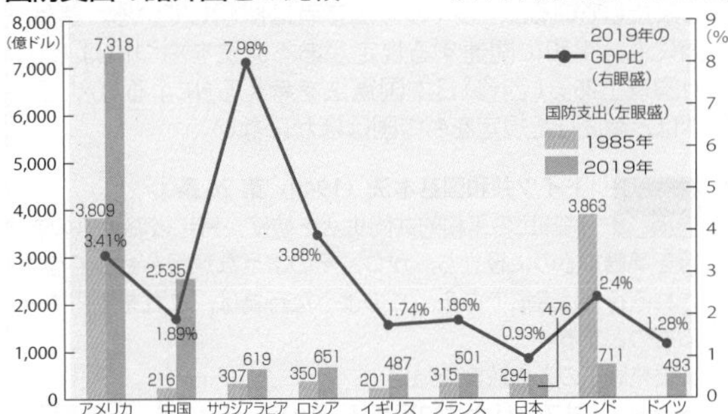

解説　自衛隊の定員は現在約25万人(現員23万人)である。また，戦闘機(F-15J/DJは一機121.5億円) 285機(航空自衛隊)や，潜水艦(一隻504億円) 16隻(海上自衛隊)，戦車(90式は1両9.6億円) 850両(陸上自衛隊)などの装備をもっている。2013年初め，自民党政権は，防衛計画の大綱の見直しを行った。領土をめぐる争いや北朝鮮のミサイル発射など，我が国を取り巻く安全保障環境の変化の中で，防衛費増加，集団的自衛権の行使容認など防衛政策は大きな転換点にある。

○×で答えよう！ 正誤問題にTRY✓　ある国による違法な侵略をやめさせるために多国籍軍が形成されたら，自衛隊はそれに参加し，武力を行使することができる。

政治編

8 国際貢献と自衛隊

政治編

国際連合平和維持活動等に対する協力に関する法律（PKO 協力法）

〔1992. 6. 公布・2019. 4. 最終改正〕

第１条　この法律は，国際連合平和維持活動，人道的な国際救援活動及び国際的な選挙監視活動に対し適切かつ迅速な協力を行うため，国際平和協力業務実施計画及び国際平和協力業務実施要領の策定手続，国際平和協力隊の設置等について定めることにより，国際平和協力業務の実施体制を整備するとともに，これらの活動に対する物資協力のための措置等を講じ，もって我が国が国際連合を中心とした国際平和のための努力に積極的に寄与することを目的とする。

■ PKO ５原則

1. 武力紛争の当事者間の停戦の合意
2. PKO 活動への地域及び紛争当事者が受け入れに同意
3. 紛争当事者に偏（かたよ）ることなく中立的に実施
4. 上記前提が崩れた際日本独自の判断で撤退及び中断
5. 武器使用は身体・生命にかかる非常時に限定

解説 1991年の湾岸戦争では“顔の見えない協力”と称されたことをふまえ，1992年にPKO協力法を成立させた。これにより，国連の要請のもと，自衛隊を海外で活動させることが可能になった。この法律は，1998年と2001年に改正され，国際的な選挙監視活動への参加と，武器使用基準の緩和，PKF（平和維持軍）本体業務への参加凍結（とうけつ）が解除された。2007年からは改正自衛隊法により，国際平和協力活動は，付随的業務ではなく，本来任務に位置づけられた。そして，2015年には，PKO５原則のうち，①の停戦合意や⑤の武器使用についても改正され，国連が直接関与しない人道復興支援活動や治安維持や駆けつけ警護にも自衛隊の参加が可能となった。

Column 徹底した平和主義ー比較憲法ー

日本国憲法第９条は，その第１項で「国際紛争を解決する手段」である侵略戦争を禁止している。また，第２項で戦力の放棄と交戦権を否認していることから，自衛戦争をも禁止していると，多くの憲法学者は解釈している。諸外国にも，平和に関連する規定がある憲法をもつ国は120カ国以上ある（西修『日本国憲法を考える』による）が，日本ほど徹底した規定をもつ国はほかにない。

ドイツ共和国基本法（1949）第 26 条①

諸国民の平和的共同生活を妨げ，特に侵略戦争の遂行を準備するのに役立ち，かつ，そのような意図をもってなされる行為は違憲である。このような行為は，これを処罰するものとする。

＊侵略戦争のみの放棄を規定

コスタリカ共和国憲法（1949）第 12 条

①常設制度としての軍隊は廃棄される。警備及び公共秩序の維持のために必要な警察隊が設置される。②大陸協定によるか，もしくは国の防衛のためにのみ，軍隊を組織できる。いずれの場合も，軍隊は文民の権力に服する。

＊大陸協定によれば軍隊はもてるのだが，すでに 50 年以上も軍隊を設置していない国として，注目されている。

■ PKO 協力法に基づく国際貢献（p.175 参照）

自衛隊の部隊が参加した PKO

カンボジア（1992 ～ 93）　モザンビーク（1993 ～ 95）
ゴラン高原（1996 ～ 2012）東ティモール（2002 ～ 04，2007 ～ 08）
ネパール（2007 ～ 11）スーダン（2008 ～ 11）ハイチ（2010 ～ 13）東ティモール（2010 ～ 12）南スーダン（2011 ～）エジプト（2019 ～）

自衛隊の部隊が参加した人道的な国際救援活動

ルワンダ難民救援（1994）
東ティモール避難民救援（1999 ～ 2000）
アフガニスタン難民救援（2001）
イラク難民救援（2003）イラク被災民救援（2003）
インドネシア地震被災民救援（2006）
ハイチ地震，パキスタン洪水被災民救援（2009）
ニュージーランド南島地震被災民救援（2011）

- 国際平和協力業務
  - 国際平和維持活動
    - 平和維持隊本体業務
      - ①　武力紛争の停止の遵守状況，軍隊の再配置・撤退，武装解除の監視
      - ②　緩衝地帯の駐留，巡回
      - ③　武器の搬入・搬出の検査，確認
      - ④　放棄された武器の収集，保管，処分
      - ⑤　紛争当事者が行う停戦線等境界線の設定の援助
      - ⑥　紛争当事者間の捕虜交換の援助
    - 平和維持隊後方支援業務
      - ⑦　医療（防疫上の措置を含む）
      - ⑧　輸送，通信，建設等
    - 自衛隊の部隊等の実施の対象とならない業務
      - ⑨　選挙，投票の公正な執行の監視，管理
      - ⑩　警察行政事務に関する助言，指導，監視
      - ⑪　⑩以外の行政事務に関する助言，指導
  - 人道的な国際救援活動
    - ⑫　被災民の捜索・救出・帰還の援助
    - ⑬　被災民に対する食料，衣料，医薬品等生活関連物資の配布や医療
    - ⑭　被災民を収容するための施設，設備の設置
    - ⑮　被災民の生活上必要な施設，整備の復旧，整備のための措置
    - ⑯　紛争により被害を受けた施設や自然環境の復旧等

現地の子どもたちと話をする女性自衛官。

解説 日本はこれまで14の国連PKOにのべ1万人以上の要員を派遣してきた。2017年5月までに，のべ約4,000名の自衛官が南スーダンに派遣された。しかし，常時9,000人以上を派遣しているパキスタン，バングラデシュなどに比べて極めて少ない。

○×で答えよう! 正誤問題にTRY✓　PKOへの参加条件として，「受け入れ国の同意」や「停戦合意の成立」や「中立的立場の厳守」などがある。

テーマ学習 「沖縄」を考える

●命どぅ宝（命ある者は尊厳を保障されなければならない）

1945年3月26日，米軍の列島上陸に始まった沖縄戦は，約3ヶ月続いた。米英軍は548,000人の兵員を投入し，「鉄の暴風」といわれた激しい攻撃を行った。守備軍として戦った日本軍兵士のなかには，鉄血勤皇隊（現在の中高生の年齢の男子）も含まれていた。また，ひめゆり学徒隊（現在の高校生の年齢の女子）のように，暗く湿ったガマ（壕）のなかで，負傷者の治療や世話にあたった者もいた。しかし，集団自決や戦闘などで多くの住民が死亡，戦没者は20万人を超えた。

沖縄戦での集団自決 ―日本軍の強制はなかったのか―

2008年度用の高校日本史の教科書の検定で，文部科学省は意見をつけ，7つの教科書の記述を削除・訂正させた。

申請本：なかには日本軍に集団自決を強制された人もいた。

検定後：なかには集団自決に追い込まれた人々もいた。

そのことが公開された後，沖縄では「日本軍の強制がなかったことになってしまう」として批判の声が高まり，2007年9月，11万人を超える県民大会が開催された。これをうけて，文部科学省は訂正申請をやりなおさせた。

最終結果：また，軍・官・民一体の戦時体制のなかで，捕虜になることは恥であり，米軍の捕虜になって悲惨な目にあうよりは自決せよ，と教育や宣伝を受けてきた住民のなかには，日本軍の関与のもと，配布された手榴弾などを用いた集団自決に追い込まれた人々もいた。

●本土復帰はしたけれど…

1952年サンフランシスコ平和条約が発効すると，沖縄はアメリカの施政権下におかれた。1958年からはドルが通貨として使われ，1965年から本格化したベトナム戦争では，多くのB52爆撃機が沖縄の米軍基地から飛び立っていった。ジェット機の事故や米兵による事件を契機に，祖国復帰運動が盛り上がり，やっと1972年5月15日に本土復帰が実現したが，かつて強制的な接収で基地とされた土地は返ってはこなかった。83施設，278km²（那覇市の面積の7倍）を日米安保条約に基づき，アメリカに提供したのである。

●沖縄の米軍基地の現状

沖縄の米軍基地

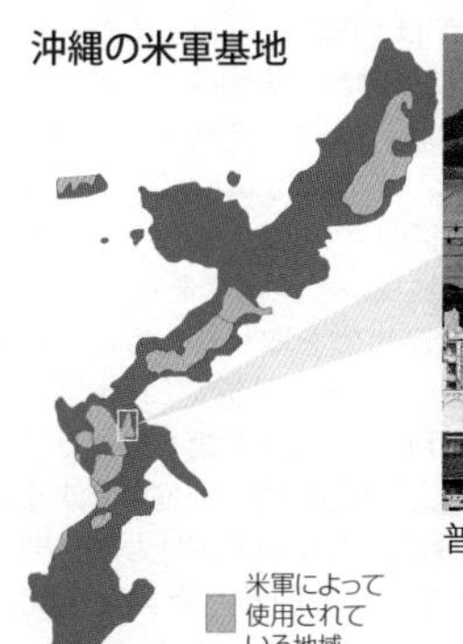

普天間飛行場

現在でも，在日米軍施設・区域の約74％（233km²）が，面積では日本のわずか0.6％を占めるにすぎない沖縄に集中している。また，嘉手納町では83％が米軍基地で占められている。

米軍人が犯罪を犯しても，身柄が米軍にある場合は起訴するまで容疑者を拘束できない。

公務外の米軍人の事件・事故に対する見舞金（慰謝料）の支払いは米軍しだい。

沖縄県広報課作成『沖縄からのメッセージ』（1995年発行）より転載

●基地の整理・縮小と日米地位協定の見直し

米軍基地が人口の多い沖縄本島の中部に集中していることもあり，産業振興の妨げになっていることや，戦闘機の離着陸時の騒音問題，演習による事故，環境破壊が指摘されている。また，1995年に起こった米兵による暴行事件をきっかけに，日米安保条約6条に基づく在日米軍地位協定の見直しを求める声が強まり，85,000人の県民総決起集会も開かれた。

1996年9月には条例に基づく県民投票が行われ，「日米地位協定の見直しと沖縄の基地の整理縮小」に賛成する票が89.1%を占めた。

また，在日米軍再編協議の最終報告では，在沖海兵隊を2014年までにグアムに移転することが明記されたが，その後の見直しで，2020年代の前半に移転が開始される予定となった。日米地位協定に関しては，米軍による事件について，被疑者段階での日本側への引き渡しの義務化などは認められていない。

●普天間基地移設問題

2006年，普天間飛行場の移設先について，日米両政府は沖縄県内の名護市（辺野古崎）にV字型滑走路を建設することに合意した。2009年の総選挙では最低でも県外に移設することを唱え沖縄の負担軽減を主張，民主党が政権を獲得した。その後，移転先が見つからず，2011年6月の日米合意では，やはり辺野古崎にV字型滑走路2本を建設する案に戻った。しかし，2014年の県知事選では辺野古移設反対派の翁長氏が当選，衆院選小選挙区でも反対派が当選した。2016年12月，辺野古への基地移設をめぐって，辺野古の埋立て承認の取り消しを撤回しない翁長知事の対応を違法とし，国が訴えた訴訟で，最高裁は県の上告を棄却し，国の勝訴が確定した。

●沖縄の未来

沖縄は，かつて琉球王朝の時代には，アジア諸国との貿易で栄えた。現在はその地理的魅力（キーストーン）から在日米軍基地があるのだが，「国際都市形成構想」を策定し，発展を目指している。わが国の平和と安全を考える上で，一人当たりの県民所得が227万円と最下位（東京は535万円，2016年度），失業率は2.7%と高い（東京は2.3%，2019年）。沖縄の発展を置き去りにしてはならない。

政治編

○×で答えよう！ 正誤問題にTRY✓ 沖縄がアメリカから日本に返還されたのは，日本が国連に加盟する前のことである。

24 国際平和と日本の安全保障

TOPICS

Jアラートと国民保護

突然，テレビ画面に「国民保護に関する情報　ミサイル発射…建物や地下に避難して下さい。」と表示されたら，あなたはすぐに行動できるだろうか。

2017年8月29日，避難を呼びかける「Jアラート」（全国瞬時警報システム）が12道府県に流された。北朝鮮の弾道ミサイル発射を受け，2007年の運用開始以来，初めて広域を対象とした放送となった。（沖縄は2回，広域は2回の合計4回，2017年9月時点）

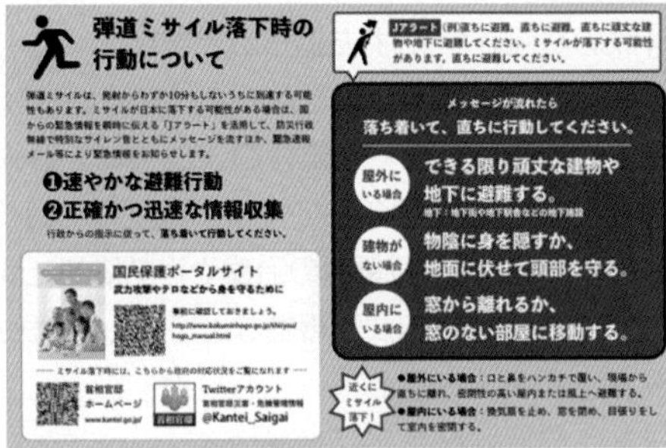

「弾道ミサイル落下時の行動について」
（内閣官房「国民保護ポータルサイト」）

Jアラートによる国民保護情報は武力攻撃や大規模テロなどが迫ってきているときに，関係する地域住民に注意を呼びかけるものである。内閣官房からJアラートを運用する消防庁を通じ，発信される。

一刻を争う事態において，「国民保護サイレン」を流して，住民や外出中の者に警報を速やかに伝達し，屋内退避や避難をさせることになっている。平和であることが最も良いことであることは間違いないが，いざという時の国民の保護がどうなされるのかを知るとともに，その手段が十分であるかも考える必要がある。

（『朝日新聞』2017.9.15 などより）

政治編

1 日米安全保障条約 (1960.6.23)

【日米安保条約　各条文の概要】

第１条：国際紛争の平和的手段による解決
第２条：両国間の経済的協力の促進
第３条：個別及び相互協力による防衛力の維持・発展
第４条：両国間協議（日本国・極東で脅威が生じた場合）
第５条：日本領域で，日米いずれかに対する武力攻撃に対し，共通の危険に対処するよう行動
第６条：アメリカ軍の日本の施設及び区域の使用可
第10条：10年後，いずれの国も条約終了の意思通告が可

第６条の交換公文：在日アメリカ軍の重要な配置変更，装備の重要な変更，並びに日本から行われる戦闘作戦行動のための基地としての日本の施設・区域の使用は，日本政府との事前協議の対象とする。

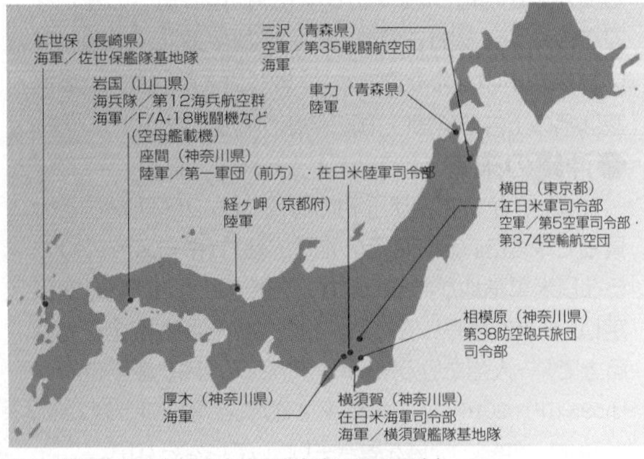

在日米軍兵力の分布(本土のみ)(2020.3現在)

日米安全保障条約への動きとその後

1951　（旧）日米安保条約…サンフランシスコ平和条約締結と同時，米軍の駐留継続・米軍へ基地の提供

1960　（新）日米安保条約…１月調印→５月衆院通過→大規模な抗議行動→６月自然成立
：日米共同軍事行動　日本並びに極東での安全維持のため米軍へ基地を提供　10年の期限(自動延長可)
→日米共同防衛体制の強化，日本が戦闘に巻き込まれる可能性
→核の持ち込み疑惑…非核三原則（1968 佐藤首相 1971 衆院採択）・事前協議制(安保６条交換公文)

1978　日米防衛協力のための指針（ガイドライン）…日米間の協力，共同作戦や演習→思いやり予算（在日米軍の経費負担）

解説　旧安保条約は，アメリカ軍が日本国内に駐留することを認めていたものの，アメリカの日本防衛義務が不明確なこと，日本の自主性がないことなどに対する批判も出て，政府・与党内に改定論が強まった。そこで，1960年，岸内閣は新日米安全保障条約を調印した。条約の承認をめぐる国会の審議の過程で，院内外で激しい反対があった。自民党単独採決で衆議院を通過した30日後33万人の徹夜のデモ隊が国会議事堂を取り巻く中，新安保条約は自然成立した。同時に成立した日米地位協定(日本国とアメリカ合衆国との間の相互協力及び安全保障条約第６条に基づく施設及び区域並びに日本国における合衆国軍隊の地位に関する協定)では，アメリカの船舶・航空機の出入りやアメリカ軍の調達物品の免税や裁判権などについて定めている。新安保条約は1970年以降自動延長されている。

〇×で答えよう！ 正誤問題にTRY✓　1960年に改定された日米安保条約は，日米双方が共通の危険に対処するため共同行動をとることを規定した。

2 非核三原則と在日米軍

非核三原則
「核兵器を　持たず　つくらず　持ち込ませず」

1971年に衆議院本会議で採択されてから，国是(こくぜ)として堅持(けんじ)している。しかし，核積載可能な米艦船が，日本に寄港する際，核装備をはずしていないことから，「持ち込ませず」が守られていないとして，「非核2.5原則」とも批判される。

解説　ちなみに1960年の安保改定時に，核搭載船の寄港を容認するとの密約があったとされる。日本は1976年にＮＰＴ（核拡散防止条約）を批准したため，非核兵器国として核兵器の製造や取得が禁じられている。

3 思いやり予算(在日米軍駐留予算)

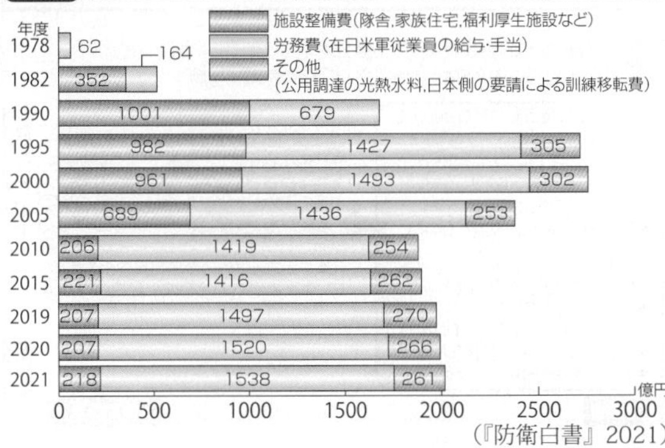

(『防衛白書』2021)

解説　急激な円高ドル安を背景として，1978年から，在日米軍の駐留に係わる経費を日本が負担するようになった(特別協定に基づく)。財政事情の悪化から，2001年度から減額されているものの，ほかにも，市町村に交付する基地交付金や米軍再編にかかる訓練移転費などを負担している。

嘉手納基地(沖縄)

平和安全法制の主要事項の関係

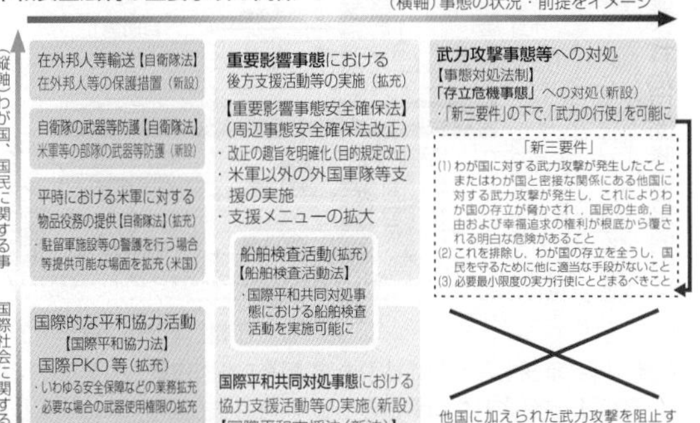

(注) 離島の周辺地域等において外部から武力攻撃に至らない侵害が発生し，近傍に警察力が存在しない等の場合の治安出動や海上における警備行動の発令手続の迅速化は閣議決定により対応（法整備なし）

4 ポスト新冷戦時代―新ガイドライン

冷戦後の日米安保体制の強化

1996　日米安全保障共同宣言（日米安保体制の再定義）
…アジア・太平洋地域の安定と繁栄へ

1997　日米防衛協力のための指針（新ガイドライン）‥
日本の軍事的役割の拡大・強化

1999　ガイドライン関連法（周辺事態法･改正自衛隊法･改正日米物品役務相互提供協定）

2015　日米防衛協力のための指針（ガイドライン）見直し
日米防衛協力の「切れ目のない」実現，宇宙・サイバーも含めた協力の拡大

2016　平和安全法制整備法（国際平和協力法・重要影響事態法・自衛隊法など（10法）と国際平和支援法の施行

1996年の日米首脳会談で，「日米安全保障共同宣言」が発表された。不安定性・不確実性を抱えるアジア太平洋地域の平和と安全の維持のため，21世紀も日米のパートナーシップが極めて重要であるとしたものだ。これを受け，ソ連を仮想敵国としていたガイドライン（1978年）の見直しが行われ，翌97年，日米両国は「日米防衛協力のための指針」（新ガイドライン）を策定した。平素からの日米協力のほか，日本に対する武力攻撃が差し迫っている場合及び攻撃がなされた場合の共同対処行動と，日本周辺事態での協力について盛り込まれた。

ミサイル、三陸沖に着弾
北朝鮮が2段式「テポドン」
日本全土を射程内に
政府が厳重抗議

上記1998年のミサイル発射実験のあと，2006年7月にも北朝鮮は7発の同実験を行い，10月には核実験実施を発表した。

■周辺事態安全確保法

1999年，ガイドライン関連法が制定された。北朝鮮の核開発疑惑など，朝鮮半島の動向が注目されているのを受け，「周辺事態」への対応をまとめたものである。

政府は，周辺事態に際して，自衛隊による後方地域支援（給水，給油，食事の提供，輸送など），後方地域捜索救助活動，船舶検査活動を行える。上記の活動の実施前に，国会の承認を得なければならない。
国は，地方公共団体や民間に協力を依頼できる。

■重要影響事態法

2015年の法改正で，日本周辺に限っていた対象地域や支援内容を拡大した。

放っておいたら日本への武力攻撃の恐れがある状況の時，米軍や外国の軍隊を後方支援する。これまでは認めていなかった弾薬の提供や戦闘準備中の戦闘機への給油もできる。また，緊急の必要がある場合は，国会の承認は事後でも可能。

政治編

○×で答えよう! 正誤問題にTRY✓　アメリカ軍が日本に駐留する代わりに，日本の自衛隊をこれ以上増強しないことが求められた。

5 ポスト9.11時代の日本の防衛政策

米中枢に同時テロ

貿易ビル 国防総省にハイジャック機

大統領府・国務省も標的

数千人規模の死傷者

アメリカ本土が史上初めて攻撃された2001年9月11日の同時多発テロを，アメリカは「戦争行為」とよび，テロリズム根絶に向けた行動へと向かわせた。その現れが，アフガン攻撃（同年10月～12月），イラク攻撃（2003年3月～5月）である。日本も同盟国として対応を迫られ，大きな政策転換をした。

■テロ対策特別措置法―show the flag―

同時多発テロの後，日本政府は20日間のスピード審議でテロ対策特別措置法を成立させ，アメリカの支援に乗り出した。初めて自衛隊を戦時に国外へ派遣させることが可能になったのである。

> 法律の概要
> ・自衛隊は，米軍などの活動を支援
> ・公海上や戦闘行為が行われていない外国で活動
> ・武器の使用は限定的（自己や同僚隊員，管理下に入った被災民などの防護のためにのみ可）
> ・基本計画（閣議決定）の国会での承認は，自衛隊派遣後20日以内

解説 この法律に基づき，インド洋に補給艦（米英など11か国の艦艇に給油）や護衛艦（輸送や護衛，情報収集）が派遣された。2002年から派遣されたイージス艦は，高性能レーダーで数百km以上先までとらえ，同時に20個もの目標物を迎撃できる艦で，米艦船とのデータリンクシステムを通じて情報を共有できる。自衛隊が提供した情報をもとに米軍がミサイルを撃ち落としたら，憲法の禁じている「集団的自衛権の行使」になるのではないか，また，「非戦闘地域」の定義があいまいではないかと，批判された。時限立法だったが，延長され続け，2007年11月期限切れとなった。その後，インド洋での活動を復活させるための補給支援特別措置法が，衆議院の2/3以上の再可決により成立し，2008年から施行された補給活動は同法が失効した2010年1月に終了した。

■イラク復興支援特別措置法―boots on the ground―

米英軍による攻撃終了後のイラクへの自衛隊派遣を認めるイラク復興支援特別措置法が，2003年7月，与党3党の賛成多数で成立した。国連の枠組みの外で，初めて，相手国の同意なしの自衛隊派遣が可能になったのである。

> 法律の概要
> ・自衛隊は，「非戦闘地域」で活動
> ・イラク国民への人道・復興支援および治安維持活動に当たる米英軍などへの後方支援活動
> ・武器の使用は限定的（自己や同僚隊員，管理下に入った被災民などの防護のためにのみ可）
> ・基本計画の国会での承認は，自衛隊派遣後20日以内

解説 米英のイラク攻撃の大義だった大量破壊兵器が見つからない中で，イラク復興支援特別措置法は強行採決された。イラクでは，ブッシュ米大統領が戦闘終結宣言をし（2003.5.1.），フセイン元イラク大統領が拘束・処刑（2006.12）後も，兵士や外国人の殺害や誘拐，国連事務所や警察，市場などへの爆弾テロやパイプラインの破壊などが続いた。イラクへの主権移譲後も，民族・派閥間の対立は続いた。2010年8月の米軍の戦闘部隊撤退までの米軍の戦死者は4,416人（民間人は含まれず）となった。

> **同時多発テロ（2001.9.11）後の日米安保体制と自衛隊**
> 2001　テロ対策特別措置法
> →自衛隊（イージス艦など）をインド洋へ派遣
> 2003　有事関連3法（武力攻撃事態対処法・改正自衛隊法・改正安全保障会議設置法）
> →有事（日本への武力攻撃・攻撃予測事態）における内閣総理大臣への権限集中
> 2003　イラク復興支援特別措置法
> →国連の枠組み外での初めての派遣
> →　2004　多国籍軍への参加
> 2004　有事関連7法（国民保護法など）
> →有事における住民の安全な避難のしくみ・米軍や自衛隊への物品・役務の提供など
> 2008　補給支援特別措置法　→インド洋における給水・給油業務継続
> 2009　海賊対処法
> →ソマリア沖のアデン湾での日本や他国の船舶の護衛　→2011　ジブチに海上自衛隊拠点を開設

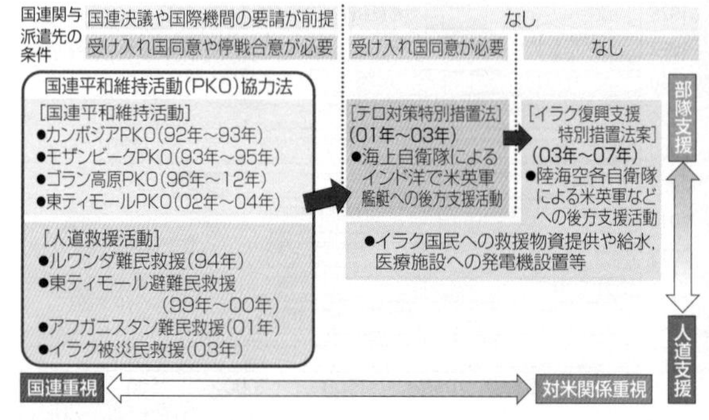

（『朝日新聞』2003.7.26）

■多国籍軍への参加

2004年6月，イラクが主権を回復し，イラク暫定政府の下に，多国籍軍が駐留するという国連安保理決議が採択された。これを受け，政府は，イラク復興支援特別措置法に基づいた自衛隊の活動を，主権移譲後のイラクにおける多国籍軍の中で行うことを閣議了解した。自衛隊が初めて多国籍軍に参加することになったのである。

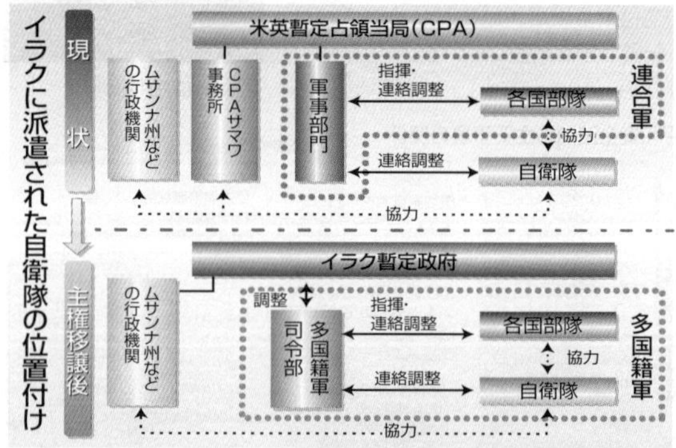

（『朝日新聞』2003.7.26）

解説 国会承認もなく決定された自衛隊の多国籍軍への参加に関して，政府は「統合された司令部の下で，同司令部の指揮下にはいるわけではなく，連絡・調整を行う」と述べている。2006年6月，政府はイラクにおける陸上自衛隊の撤退を決定し，7月25日，921日間の復興支援活動が終了した。のべ約5,600人の隊員により，公共施設の補修，給水活動，医療支援活動が行われた。航空自衛隊は，2008年までの5年間に821回の輸送活動を行った。現在はODAによる支援が続いている。

6 有事法制─備えあれば憂いなし─

防衛庁制服組が検討（三矢研究）を初めて40年目の2003年，北朝鮮の核開発疑惑などから脅威を感じる人が増えたことを背景に，武力攻撃事態対処法など有事関連3法が成立，翌年国民保護法を含む有事関連7法が成立した。武力攻撃が発生したあるいは武力攻撃が予測される場合に，個別的自衛権を使って国を守る手順が示されたのである。

2015年の改正武力攻撃事態法では，集団的自衛権の行使容認により，その内容が大きく変わった。

■武力行使の新3要件

① 密接な関係にある他国への武力攻撃が発生し，日本の存立が脅かされ，国民の生命，自由及び幸福追求の権利が根底から覆される明白な危険がある（存立危機事態）

② 我が国の存立を全うし，国民を守るために他に適当な手段がない

③ 必要最小限度の実力行使にとどまる

自衛隊の活動はこう変わる		
集団的自衛権	他国軍への後方支援	PKOなどの人道復興支援
これまでできたこと		
行使できず	朝鮮半島有事で米軍に	停戦合意後の施設整備や医療支援
新たにできること		
日本への武力攻撃がなくても武力行使が可能に。他国に攻撃が発生し日本の存立が脅かされる事態が認定されることが条件。	日本周辺以外でも活動する他国軍にも	襲撃された外国部隊らを防護する駆けつけ警護
	他国軍への弾薬の提供や，戦闘現場に向かう他国軍機への空中給油。	住民保護など治安維持
今後もできない		
敵基地の攻撃など，他国の領域内での武力行使	戦闘現場での後方支援	紛争が続いている段階での部隊派遣
外交努力など他に手段がある時点での武力行使	武器の提供	当初から戦闘行為を想定した任務
課題		
認定基準があいまい	活動地域が急に戦闘現場になる恐れ	隊員の安全確保

7 海賊対処法

2009年3月，防衛大臣がアデン湾（ソマリア沖）に護衛艦を派遣するための海上警備行動を発令した。同年6月には，国会の事前承認なしで，自衛隊が自国船，外国船を護衛するため，警戒・監視活動をすることを認めた「海賊対処法」が成立した。

その後，2009年6月に，「海賊対処法」が成立した。この法律では，国会の事前承認なしで，自衛隊が外国船をも護衛するため，警戒・監視活動をすることを認めており，武器の使用範囲も拡大している。そのため，憲法第9条に違反しているのではないかとの批判がある。

約30か国が軍艦などを派遣したことで，2009年から2011年まで年2000件を超えていた海賊行為は，2016年には2件まで減少した。

Column 在日米軍再編

2006年，日米両国は基地の共用や司令部の移転などで日米同盟を強化すること，沖縄県の負担軽減を主な内容とする在日米軍再編最終報告に合意した。普天間飛行場は基地機能を分散化すること，在沖縄海兵隊8000人とその家族9000人を2014年までにグアムに移転することが決められた。ただし，グアム移転にかかる費用（移転先の整備費用を含む）の59%（約7,100億円）は日本持ちである。その後，移転費のカットなどで海兵隊の移転は先延ばしされているが，2020年までに4,700人をグアムに，2026年までに2,700人をハワイに移転する予定が2013年に発表された。まだまだ沖縄の負担軽減には課題が山積みである。

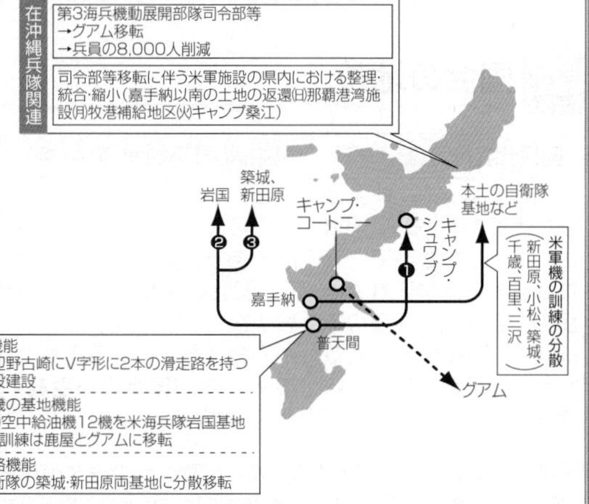

○×で答えよう！ 正誤問題にTRY✓ 現行の日米安全保障条約は，日本の領土と極東の安全を確保する目的でアメリカ軍が日本に駐留することを認めている。

25 国会と立法権

TOPICS

国会の勢力図(2021年11月現在)

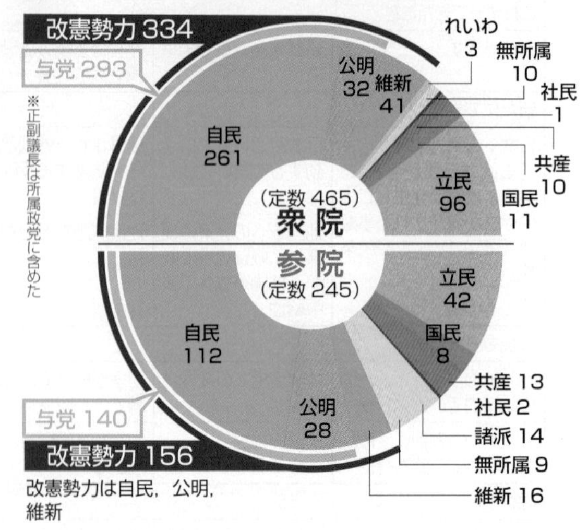

改憲勢力は自民，公明，維新

2021年10月31日に第49回衆議院議員総選挙の投開票が行われ，小選挙区289，比例代表176の465議席を争った。2017年の前回選挙以来4年ぶりで，任期満了10月21日直前の10月14日に解散，17日公示，31日投開票という短い日程での総選挙となった。

自民・公明の与党は，解散前の305議席から293議席に減らしたものの，公明党単独では3議席を増やし，コロナ対策や経済政策に一定の信任が得られたとの見方もある。野党は，立民と共産などが共闘して，小選挙区での候補者を一本化するなど政策選択をわかりやすく演出したものの，与党候補に競り負けた。共闘に加わらなかった維新の会や国民民主党は得票を伸ばした。

政治編

1 日本の統治機構

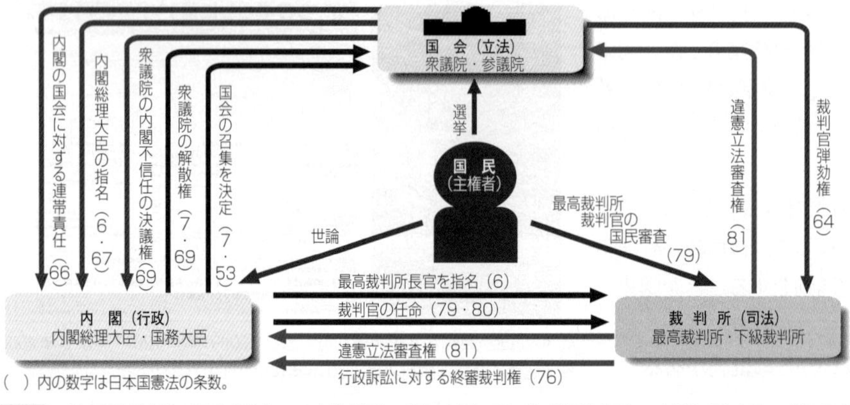

( )内の数字は日本国憲法の条数。

日本国憲法は，主権者である国民を直接代表する国会を国権の最高機関とし，内閣が国会に対して連帯して責任を負うイギリス型の議院内閣制を採用するとともに，裁判所に違憲立法審査権（法令審査権）を認めるアメリカ型の司法制度により，人権保障の強化をはかっている。

解説 日本国憲法は，国会は「唯一の立法機関」（第41条）であり，「行政権は，内閣に属する」（第65条），「すべて司法権は，最高裁判所及び法律の定めるところにより設置する下級裁判所に属する」（第76条）と規定し，三権分立制を採用している。

2 国会の地位

国民代表機関(第43条)	国権の最高機関(第41条)	唯一の立法機関(第41条)
国会の両議院は「全国民を代表する議員」で組織される。したがって，議員は自分の選挙区など国民の一部を代表するのではなく，国民全体の利益を考えて行動しなければならない。	国会が国の政治機構のなかで最高の地位を占める機関であるという意味ではなく，国会は主権者を直接代表するという意味で，国政の中心的地位を占める重要な機関である(**国会中心主義**)という趣旨である。	国の立法は国会が独占し，国会以外の機関による立法は認められない(**国会中心立法の原則**)。また，国会による立法は，国会以外の機関の関与なしに行われる(**国会単独立法の原則**)。

中央塔
議員控室
衆議院本会議場
参議院本会議場
議長室
中央広間
衆議院正玄関
中央玄関
参議院正玄関

解説 主権者である国民を直接代表する国会は，憲法で国政を行う上で中心的役割をはたす機関として位置づけられており，立法権をはじめとする重要な権限を行使するのである。

三権が互いに抑制と均衡を図る仕組みとしては，内閣不信任決議，最高裁判所長官の指名などがある。

3 国会の組織

（2021年　第204回国会（常会）現在）

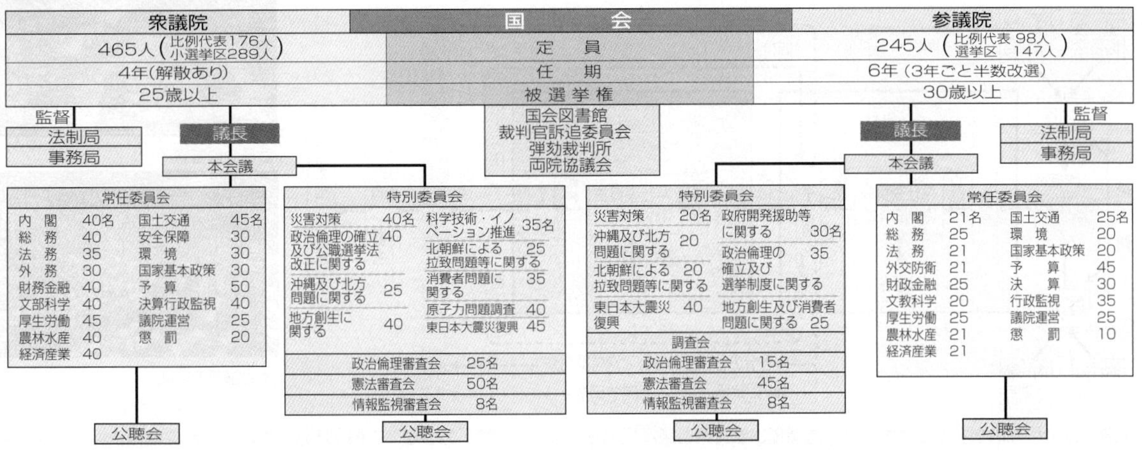

解説　国会は議員定数，任期，被選挙権，選出方法の異なる衆議院と参議院の二院によって構成されている(**二院制・両院制**)。議員は必ずどれか1つ以上の常任委員会に所属しなければならない。本会議は衆議院・参議院それぞれの議員が全員で構成する会議であり，各議院の意思決定機関であるが，国会の審議は効率化を目的に，委員会を中心に行われる(**委員会中心主義**)。

4 国会と各議院の権限

（　）内は憲法の条数

衆議院	国会	参議院
議院が単独で行使する権限	両議院が共同で行使する権限	議院が単独で行使する権限
議長等役員の選任 (58Ⅰ)	憲法改正の発議 (96)	議長等役員の選任
議院規則の制定 (58Ⅱ)	弾劾裁判所の設置(64)	議院規則の制定
議員の懲罰 (58Ⅱ)	財政の監査・統制 (83～91)	議員の懲罰
議員の資格争訟の裁判 (55)	衆議院の優越	議員の資格争訟の裁判
議員逮捕の承諾・釈放要求(50)	内閣総理大臣の指名(67)	議員逮捕の承諾・釈放要求
国政調査権 (62)	予算の議決 (60)	国政調査権
国務大臣の出席要求 (63)	条約の承認 (61)	国務大臣の出席要求
衆議院のみの権限	法律案の議決 (59)	参議院のみの権限
予算先議権 (60)		参議院の緊急集会 (54Ⅱ)
内閣信任・不信任決議権(69)		

解説　国会の権限は両議院が共同して行う権限で，両議院の議決が一致したときに国会の意思が成立する。両議院の召集，開会および閉会は同時に行われる(同時活動の原則)が，各議院はそれぞれ独立してその権限を行う(独立活動の原則)。

Column 両院協議会

両議院の議決が異なった場合に，その妥協を図るために設けられる協議機関。各議院で選挙された各10人の委員で構成され，予算の議決，条約の承認，内閣総理大臣の指名については必ず開催される。

法律案の議決については任意的である。そのため55年体制の下では開かれることはなかったが，1994年1月の政治改革関連4法案の審議に際して41年ぶりに開催された。当初は不調に終わったものの29日に成案が得られ，4法案は続く衆参両院本会議で採決され，賛成多数で可決，成立した。

両院協議会で多数派が異なる国会では，両院の決議は異なる傾向にあり，両院協議会が開催されても，不調に終わっている。

5 国会の種類

種類	回数	召集要件	会期	主な議題
常会(通常国会)	毎年1回	1月中に召集	150日間	翌年度予算の審議など
臨時会(臨時国会)	不定	内閣または，いずれかの議院の総議員の4分の1以上の要求	両議院一致の議決による	予算・外交その他，国政上臨時に必要な議事
特別会(特別国会)	不定	衆議院が解散された後，総選挙の日から30日以内	同上	内閣総理大臣の指名など
参議院の緊急集会	不定	衆議院の解散中に，国に緊急の必要が生じた場合，内閣が求める	不定	国政上緊急に必要な議事*

*次の国会開会後，10日以内に衆議院の同意が必要。

解説　会期とは，国会が召集により開会してから閉会するまでの期間で，国会はこの期間に限って活動能力をもつ。会期の延長は，常会は1回，臨時会と特別会は2回まで行うことができる(国会法第12条)。

6 衆議院の優越

（　）内は憲法の条数

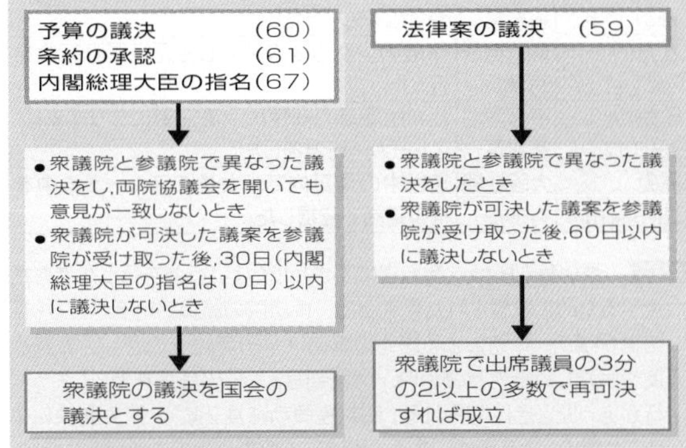

解説　憲法は，一定の事項について，両院の議決が異なった場合，両院協議会を開いても意見が一致しないときには，衆議院の議決が優先することを定めている。

○×で答えよう! 正誤問題にTRY✓　国会議員は，その職を全うすることが保障されなければならないので，在任中，逮捕されることはない。

政治編

7 法律の制定過程

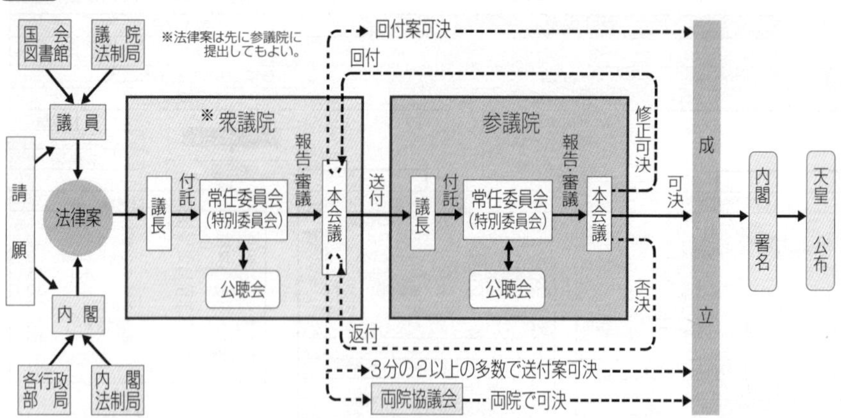

委員会の審議

本会議での審議

解説 国会に提出される法律案には，内閣提出法律案と議員提出法律案の2種類があるが，内閣提出法律案のほうが件数も多く，成立率も高い。提出された法律案は，衆議院の議長が適切な委員会に付託し，審議が行われる。委員会で採決された法律案は，本会議に回されて採決される。可決された法律案は参議院に送付され，同様に審議されて本会議で採決される。参議院も可決すれば法律として成立する。参議院で修正可決した場合は，衆議院に回付され，衆議院が同意すれば法律として成立する。参議院が否決した場合には，衆議院が出席議員の3分の2以上の多数で再可決するか，両院協議会を開いて成案を得たのち，両院で成案が可決されると法律として成立する。

8 弾劾裁判所

弾劾裁判所の様子（内部）

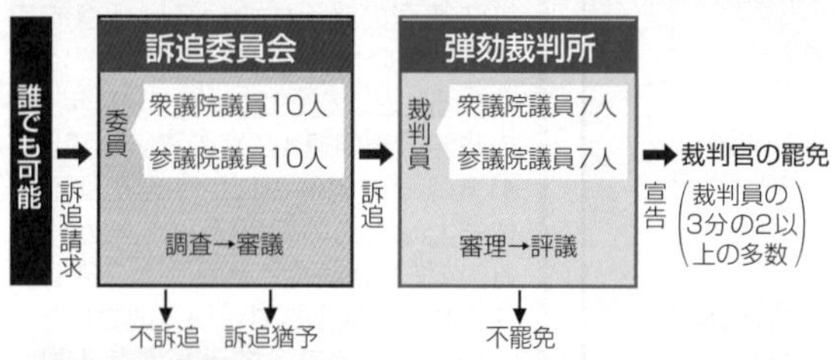

判決日	裁判官	訴追理由
罷免 1956.4.6	帯広簡裁判事	あらかじめ署名した“白紙令状”を多くつくり，書記官に発行させた。
罷免 1957.9.30	厚木簡裁判事	調停事件の申立人から酒食供応を受け，その後この事実のもみ消しを図った。
罷免 1977.3.23	京都地裁判事補	三木首相にかけられた謀略電話の録音テープを新聞記者に聴かせた。
罷免 1981.11.6	東京地裁判事補	担当する破産事件の管財人からゴルフセットや背広をもらった。
罷免 2001.11.28	東京地裁判事	14歳の少女ら３人に対して児童買春行為を行った。
罷免 2008.12.14	宇都宮地裁判事	裁判所職員の女性に，第三者になりすまし，ストーカー行為をした。
罷免 2013.4.10	大阪地裁判事補	走行中の電車内で，女性のスカートの中を携帯電話で盗撮した。

解説 弾劾裁判所は，裁判官にふさわしくない行為を行った者を罷免するために設置された裁判所で，両議院の議員で組織される（憲法第64条）。弾劾による罷免の事由は，①職務上の著しい義務違反や甚だしい職務怠慢の時，②裁判官としての威信を著しく失う非行があったときに限られる（裁判官弾劾法第2条）。罷免判決により，弁護士となる資格も失う。判決に不服申立はできない。

罷免判決の宣告から5年を経過すると，本人からの申請で，資格回復の裁判を行うことができ，資格回復の決定によって失った資格が回復される。

9 国政調査権

憲法は国会が広く国政に関する権能を行使することができるように，各議院に国政調査権を認め，証人喚問や記録の提出を求める権限を与えている（第62条）。

具体的な手続きは，議院証言法に規定されているが，出頭，証言または書類提出を求められた者が，正当な理由なくこれを拒否したり，偽証を行うと，刑罰が科される。

証人喚問

姉歯氏喚問
「木村側も違法性認識」
耐震偽装「98年から」
「支店長，一切関与せず」

(2005.12.14)

解説 国政調査権は国政全般を調査の対象とするが，その対象や方法については，権力分立制や人権尊重の原理から制約があると考えられる。例えば，裁判の内容の当否を批判する調査や，犯罪捜査に重大な支障をおよぼすような方法による調査はできない。

10 本会議の定足数と表決数

憲法は，国会の本会議の定足数（議事を開き，審議を行い，議決をなすために必要とされる最小限必要とされる出席者数）と表決数（意志決定を行うのに必要な賛成表決数）について定めている表決において可否同数のときは，議長が決する（第56条）。

通常の議案	総議員の1/3以上　出席者の過半数
憲法で定めた特別の議案	総議員の1/3以上　出席者の2/3以上 資格の争訟・秘密会・議員の除名・衆議院の再議決
憲法改正の発議	総議員の2/3以上　出席者の2/3以上

※委員会の定足数は委員の半数以上，議事は過半数で決定する（国会法第49・50条）

○×で答えよう! 正誤問題に TRY✓ 国会は，国務大臣を弾劾することができる。

11 国会議員の権限

国会議員

発議権	議題となるべき議案の発議（衆議院で20人参議院で10人以上の賛成が必要）
質問権	内閣に対して質問を行う（内閣は7日以内に答弁）
質疑権	議題となっている議案について口頭で疑義をただす
討論権	議題となっている議案について賛否の討論を行う
表決権	議案について賛否の表決を行う

解説 国会議員は，所属する議院の構成員として，本会議や委員会などの議院や国会の活動に参加する権限をもつ。

12 国会議員の特権と身分保障

特権	歳費特権 (49)	一般国家公務員の最高額以上の歳費 (国会法 35)
	不逮捕特権 (50)	会期中は逮捕されない (院外の現行犯である場合およびその院の許諾がある場合を除く)(国会法 33)
	免責特権 (51)	院内での演説・表決について，院外で責任を問われない
身分保障	議席を失う場合	①任期が満了の場合 (45･46) ②衆議院の解散 (衆議院議員のみ)(54) ③資格争訟の裁判による場合 (55) ④除名の議決があった場合 (58) ⑤被選挙資格を失ったとき (国会法 109) ⑥当選無効の判決が出た場合

国会議員が受け取る歳費･諸手当（数字は 2021 年 6 月現在)

歳　　費（税込み）	月額 129 万 4000 円
期末手当（税込み）	年間 約 624 万円
文書通信交通滞在費（非課税）	月額 100 万円
立法事務費（会派手当）	月額 65 万円
その他	ＪＲ無料パスあるいは東京と選挙区間の航空券（月に片道８回分）支給 秘書３名（１名は政策秘書）の国費支給 議員会館，議員宿舎，公用車の利用など

解説 国会議員は，国民の代表として国政を行う上で重要な権限を行使する。国会議員の特権は，その自由で独立した活動を保障するために定められたものである。歳費は国会議員の勤務に対する報酬である。国会議員の任務を考えたとき，その内容や多寡については賛否が分かれるところである。2010年8月には歳費自主返納法が成立した。

Column 「国会のねじれ」って?

国会のねじれ (「ねじれ国会」) とは，衆議院と参議院で与野党の議席数が逆転した状態をいう。マスコミの造語で，2007年の参議院選挙による逆転国会から，この用語が報道でよく使われるようになった。

ねじれの状態は2010年の参議院選挙後，2012年の衆議院選挙後にも生じ，2013年7月の参議院選挙で自民党が大勝するまで続いた。この間，両院の決議は異なることが多く，「決められない政治」とも揶揄(やゆ)された。

しかし，憲法の両院協議会や「衆議院の優越」の定めは，「二院制をとる以上，ねじれ状態が生じることを憲法が想定していることの帰結」だと考えられよう。してみれば，ねじれ状態が生じることを当然として，与野党間でコンセンサスを得る工夫と努力を行うことこそが大切であろう。

13 国会の1年

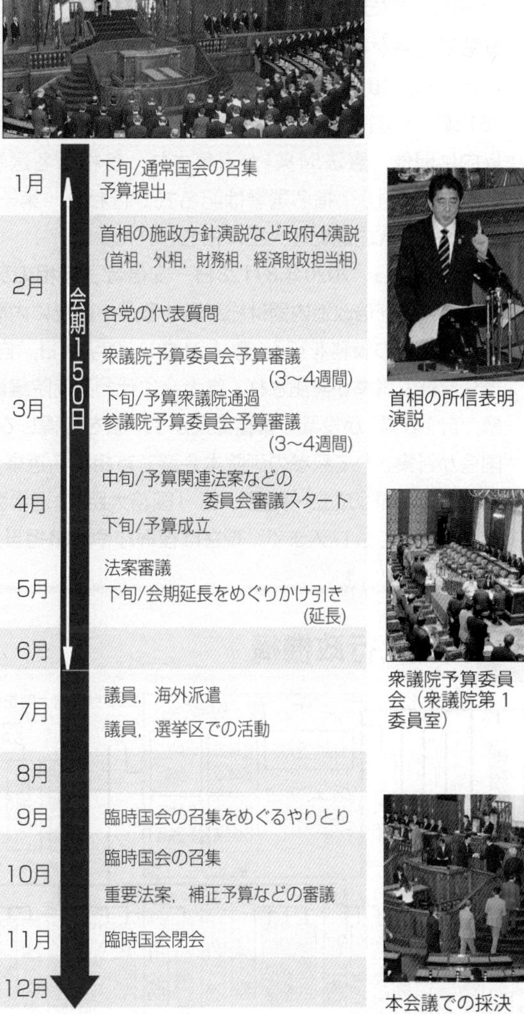

解説 「会期150日」は，常会の会期である。常会の延長や臨時会・特別会が行われると，国会はほぼ年間を通して活動していることになる。

Column 党首討論

国会活性化法(1999年)により，イギリス議会の「クエスチョン・タイム」を参考に，2000年から国会に与野党間の党首討論の場が設けられた。党首討論では，野党党首と首相が1対1の対面方式で，国家の基本政策にかかわる議論を展開する。国会の会期中週1回45分間，水曜日の午後3時から国家基本政策委員会で行われ，運営は，与野党間の合意により，衆参の両委員会が合同審査方式で行う。ただし，首相が衆議院または参議院の本会議，予算委員会や重要議案審査の委員会に出席するときには行われない。時間が短く，議論がかみ合わないまま終わることもある。

○×で答えよう! 正誤問題にTRY✓ 国会審議に際して，議員は，公務員の政治的中立性の原則により，官僚が把握している情報を用いることはできない。

26 内閣と行政権

TOPICS

内閣の誕生

解散総選挙から　2021年10月14日，第205回臨時国会で衆議院解散（憲法７条）が行われ，10月31日には総選挙が実施された。投開票の結果，自民党は単独で261議席を獲得し第一党となった。11月10日に第206回特別国会（総選挙後30日以内に開催，憲法54条）が召集され，首相指名選挙（首班指名選挙）が行われた（憲法67条①）。指名選挙は記名式で行われ，第一党である岸田文雄自民党総裁が，第101代内閣総理大臣に指名された。

2021年11月10日に発足した第二次岸田内閣

首相辞任から　2020年8月28日，安倍晋三首相の辞任が発表された。これを受けて，第４次安倍改造内閣は総辞職するが，新たに内閣総理大臣が任命されるまでは引き続きその職務を行う（憲法71条）。9月14日，自民党総裁でもあった安倍氏の後任を選ぶ選挙が実施され，党大会に代わる両院議員総会で，所属国会議員（394票）と47都道府県連代表（各３票，計141票）が投票。菅義偉氏が377票を獲得して第26代自民党総裁に選ばれた。9月16日には，第202臨時国会が召集されて衆参の両院本会議で首相指名選挙が行われ，自民党の菅総裁が第99代首相に選出された。同日中に菅内閣が成立・発足した。「国務大臣」は過半数を国会議員から選ぶこと（憲法68条①）となっていて，原則14人，多くても17人まで。現在は復興庁や五輪担当，万博担当が追加され，原則17人，最大20人まで。

1 内閣と行政機構

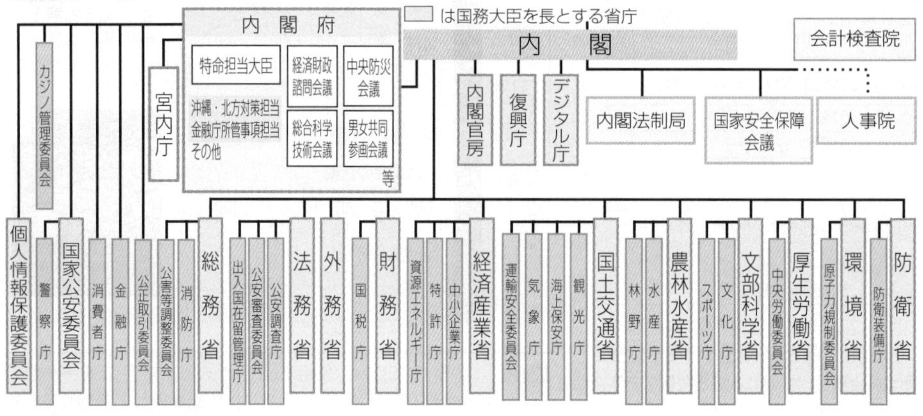

解説　憲法上，行政権は内閣に属するとされている（第65条）ので，国の行政事務はすべて内閣の責任で行われる。しかし，これは具体的な事務をすべて内閣が自ら行うというのではなく，内閣の下に設置された各省庁や委員会などが分担・管理・遂行するということである。1999年に中央省庁等改革関連法が成立し，中央省庁は2001年1月から，現在の1府12省庁に再編成された。

2 内閣の組織

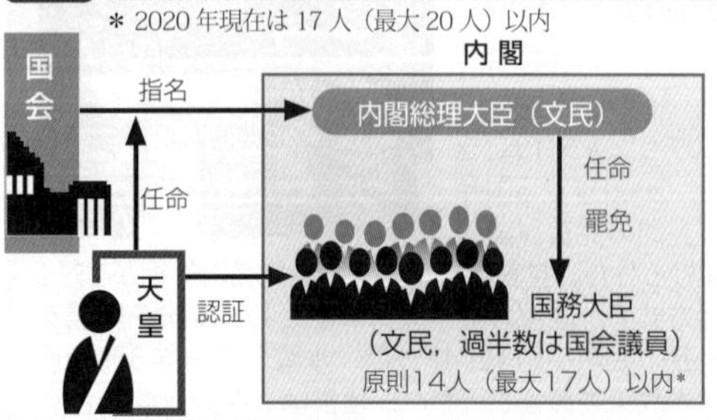

解説　国会で内閣総理大臣の指名を受けた議員は総理大臣官邸で国務大臣の選考を行う（組閣）。これが終わると，宮中で内閣総理大臣を任命する親任式と国務大臣の認証式が行われる。その後，首相官邸で，内閣総理大臣から各国務大臣に辞令が交付され，初閣議が行われる。

中央官庁街（東京都千代田区）

永田町と霞が関には，国会議事堂や首相官邸をはじめ中央官庁が集まっている。このあたりを歩いてみると，政治をもっと身近に感じることができるだろう。

○×で答えよう！ 正誤問題にTRY✓　内閣総理大臣は，内閣を代表して議案を国会に提出し，国会に出席して発言することができる。

3 議院内閣制

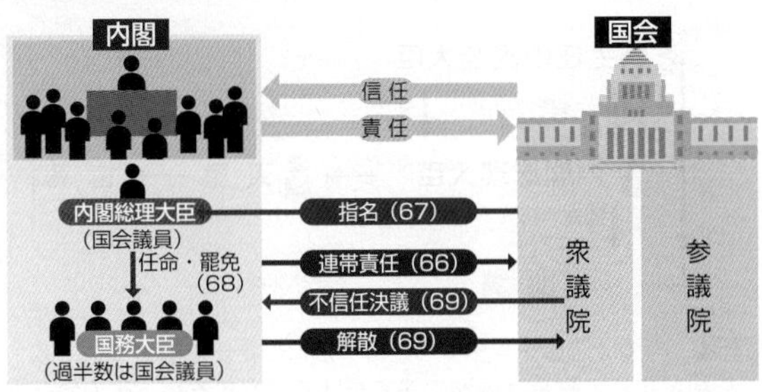

解説 議院内閣制は，議会（立法府）と政府（行政府）の分立を前提に，内閣が議会の信任にもとづいて存立し，議会に連帯して責任を負う政治制度である。18～19世紀にかけて，イギリスで自然発生的に成立した。日本国憲法は次のような規定があり，議院内閣制が採用されている。

- 内閣総理大臣は国会議員から指名される （第67条）
- 国務大臣の過半数は国会議員でなければならない （第68条）
- 内閣の国会に対する連帯責任 （第66条）
- 衆議院が内閣不信任決議権をもつ （第69条）

内閣に対する国会の責任追及は，各議院の国政調査権（憲法第62条）や内閣総理大臣その他の国務大臣が，国会議員の質問や質疑に応じること（同第63条）などによって行われる。

4 内閣の総辞職

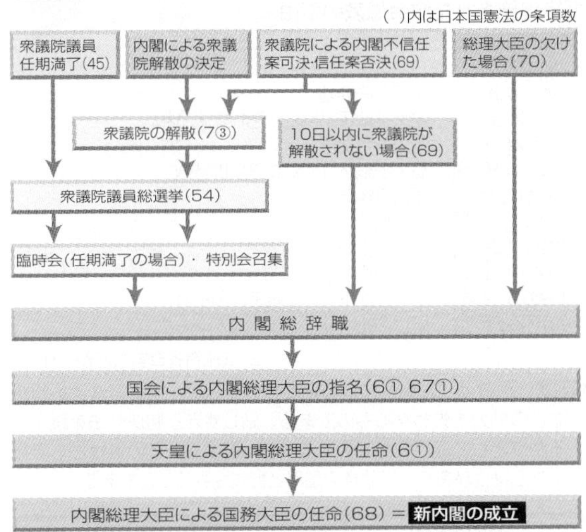

解説 内閣の総辞職とは，内閣総理大臣以下内閣構成員の全員が同時に辞職することである。内閣はいつでも総辞職することができるが，憲法上，一定の事由が生じた場合には総辞職しなければならない。

Column 職務執行内閣（総辞職後の内閣）

総辞職した内閣は，「あらたに内閣総理大臣が任命されるまで」（憲法第71条）引き続きその職務を行わなければならない。これは，一時的にせよ行政が停滞することを防ぐためである。

総辞職後の内閣は，新たな内閣総理大臣の任命とともに消滅するのであるから，行政の継続性を確保するための日常的な事務処理を行うことにとどまるべきものであり，新規の政策の実現に積極的に取り組むようなことは差し控えるべきものとされている。 （首相官邸ＨＰなど）

5 衆議院の解散

衆議院の解散は内閣が行う。解散は4年の任期が終了する前に，衆議院議員全員の資格を失わせる行為で，議院内閣制の特徴の一つである。 （★は69条解散）

年月日	内 閣	呼 称
1945.12.18	幣原	終戦解散
47. 3.31	第一次吉田	新憲法解散
48.12.23	第二次吉田	なれ合い解散 ★
52. 8.28	第三次吉田	抜き打ち解散
53. 3.14	第四次吉田	バカヤロー解散 ★
55. 1.24	第一次鳩山	天の声解散
58. 4.25	第一次 岸	話し合い解散
60.10.24	第一次池田	安保解散
63.10.23	第二次池田	所得倍増解散
66.12.27	第一次佐藤	黒い霧解散
69.12. 2	第二次佐藤	沖縄解散
72.11.13	第一次田中	日中解散
76.12. 9	三木	ロッキード解散＊
79. 9. 7	第一次大平	増税解散
80. 5.19	第二次大平	ハプニング解散 ★
83.11.28	第一次中曽根	田中判決解散
86. 6. 2	第二次中曽根	死んだふり解散
90. 1.24	第一次海部	消費税解散
93. 6.18	宮沢	政治改革解散 ★
96. 9.27	第一次橋本	行政改革解散
2000. 6. 2	第一次 森	神の国解散
03.10.10	第一次小泉	マニュフェスト解散
05. 8. 8	第二次小泉	郵政解散
09. 7.21	麻生	追い込まれ解散
12.11.16	野田	近いうち解散
14.11.21	第二次安倍	アベノミクス解散
17. 9.28	第三次安倍	国難突破解散
21.10.14	岸田	

（『朝日新聞』など）
＊任期満了によるもので，本来の解散ではない。

解散時のバンザイ（2005.8.8）

解説 解散には，①内閣の助言と承認により，天皇が国事行為として行う解散（憲法第7条）と，②衆議院の内閣不信任案の可決または信任案の否決の際に内閣が行う解散（憲法第69条）の2つがある。現在では，第7条にもとづいて内閣が解散を行うという慣行が成立している（第69条にもとづく解散は4回あるが，内3回の解散詔書には，「日本国憲法第7条により，衆議院を解散する」と書かれている）。

6 閣議

内閣がその職権を行うのは，内閣総理大臣が主宰する閣議による（内閣法第4条）。すべての国務大臣が参加し，非公開で行われ，決定は全員一致である。

解説 閣議は，ふつう火曜日と金曜日の午前中に首相官邸にある閣議室で開かれる（定例閣議）。国会開会中は，国会内の閣議室で行う。必要に応じて開く臨時閣議や，一堂に会することなく書類を持ち回って全大臣の署名をとる持ち回り閣議も行われる。

○×で答えよう！ 正誤問題にTRY✓ 内閣は，衆議院で不信任の決議案が可決された場合でなくとも，自らの判断で衆議院の解散を決定することができる。

7 内閣の権限

権　限	条文	内　容
法律の執行・国務の総理	73 ①	目的にかなった法律の執行を行い，行政の事務一般を統括・管理する。
外交関係の処理	73 ②	重要な外交関係に関する事務を処理。（通常の外交事務は外務大臣が主管）
条約の締結	73 ③	国家間の文書による合意を締結。
官吏に関する事務の掌理	73 ④	内閣の支配下にある公務員に関係する事務を処理する。
予算の作成	73 ⑤	予算を作成し，国会に提出する。
政令の制定	73 ⑥	憲法や法律を実施する命令を制定する。
恩赦の決定	73 ⑦	刑罰を失効させる等の決定を行う。
天皇の国事行為への助言と承認	3 7	天皇の国事行為の実質的決定権は，内閣が有する。
国会の召集 参議院の緊急集会の要求	7 54	国会の召集を行う（臨時会は第53条）。衆議院の解散中，国に緊急の必要があるとき，参議院議長に請求する。
最高裁判所長官の指名	6	内閣の指名に基づいて天皇が任命する。
その他の裁判官の任命	79 80	長官以外の最高裁判所の裁判官と下級裁判所の裁判官を任命する。

解説　内閣は，行政権の中枢として，憲法第73条に列挙された事務の行政に関わる広範な権限をもつ。また，国会に対する権限や裁判所に対する権限も行使する。

8 条約の締結

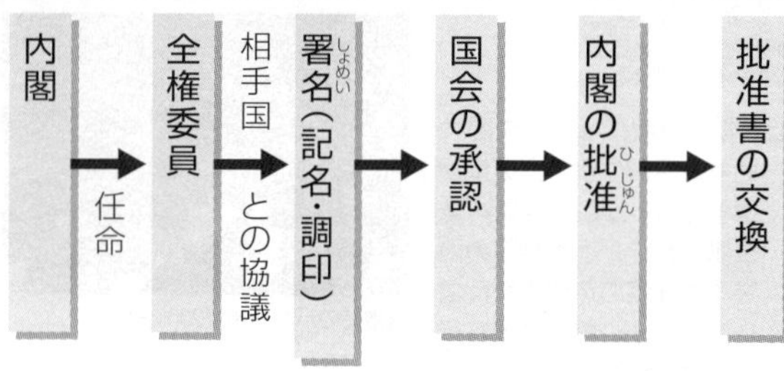

解説　条約は国家間の文書による合意であり，協定，議定書，憲章など名称のいかんを問わない。条約締結は内閣の権限であるが，まず，内閣の任命した全権委員（全権委任状を付与された代表者）が相手国と交渉を行い，条約文を作成し署名（記名調印）する。その後に内閣が批准を行い，相手国と批准書の交換を行うことにより条約が発効する。多国間条約については，すべての国の批准が困難なこともあり，ある一定割合の国や特定の国が批准すれば発効することが多い。

条約締結に必要な国会の承認は，原則として批准の前に行われる。条約の締結に対する国会の承認については，衆議院の優越が認められている（P.135参照）。

2013年10月10日，水銀の輸出入などを国際的に規制する「水俣条約」が採択された。署名する岸田外相。

9 政令の制定

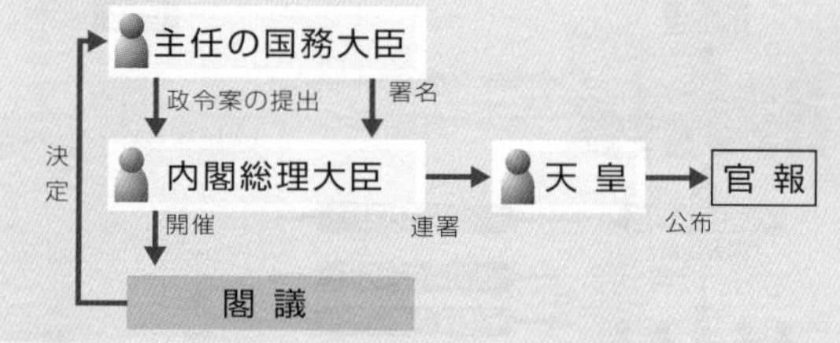

解説　内閣は法律を実施するためや法律の委任にもとづいて政令を制定する。政令は内閣の決定だけで成立するが，その執行責任を明らかにするため，政令には，主任の国務大臣の署名と内閣総理大臣の連署が必要とされる（憲法第74条）。

10 恩赦の種類

種類	内　容	政令恩赦	個別恩赦
大赦	政令で罪の種類を定めて行い，刑の言い渡しや起訴の効力を失わせる	○	
特赦	特定の者について，刑の言い渡しの効力を失わせる		○
減刑	刑や刑の執行を軽減する	○	○
刑の執行免除	刑の執行を免除する		○
復権	刑の言い渡しで喪失した資格を回復する	○	○

＊政令恩赦は政令で一律に，個別恩赦は特定の者に対して行われる

戦後実施された政令恩赦の事由

1945.10.17	第二次世界大戦終局
1946.11. 3	日本国憲法公布
1952. 4.28	平和条約発効
1952.11.10	皇太子殿下（明仁親王）立太子礼
1956.12.19	国際連合加盟
1959. 4.10	皇太子殿下（明仁親王）御結婚
1968.11. 1	明治百年記念
1972. 5.15	沖縄復帰
1989. 2.24	昭和天皇崩御
1990.11.12	即位の礼
1993. 6. 9	皇太子殿下（徳仁親王）御結婚
2019.10.22	即位の礼

（法務省資料などから作成）

解説　恩赦は，裁判所による刑の言い渡しや，検察官による起訴などの効力を失わせるものである。厳しすぎる判決や法を緩和する制度として成立したものであるが，選挙違反者の復権として行われる場合が多く，恩赦権の濫用と批判されることもある。

Column 首相の動静

（『読売新聞』2014.2.7）

安倍首相の一日　6日

【午前】7時17分、官邸。同18分、世耕官房副長官。8時56分、国会。9時、参院予算委員会。11時56分、官邸。同57分、太宰府天満宮の西高辻信良宮司ら「梅の使節」。

【午後】0時54分、国会。1時、参院予算委。5時9分、官邸。同54分、国会。6時1分、参院本会議。同49分、参院の山崎議長、輿石副議長、岩城光英議運委員長、与野党各会派にあいさつ回り。麻生副総理兼財務相、菅官房長官、世耕副長官ら同行。7時、官邸。同1分、報道各社のインタビュー。8時58分、東京・富ヶ谷の私邸。

新聞の政治面には毎日，前日の内閣総理大臣（首相）の行動が掲載されている。朝から夜まで，分刻みでどんな会合に出席し，誰と食事を取ったかまでもわかる。連日追ってみると，首相が何を重視して行動しているかやその時々の政治課題を読み取ることができる。

○×で答えよう！ 正誤問題にTRY✓　法律案は，衆議院に先に提出しなければならない。

11 内閣総理大臣の権限

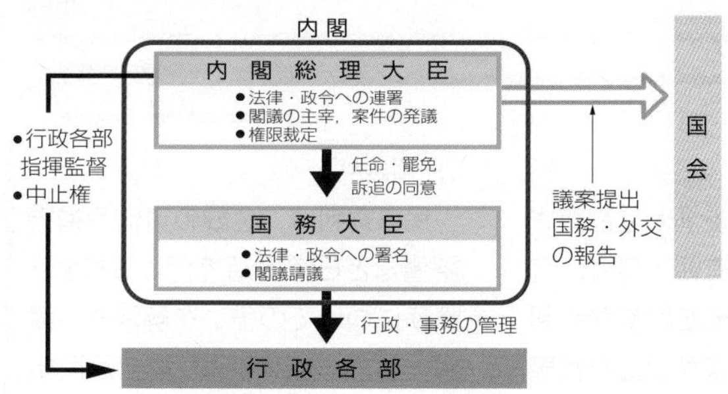

解説 内閣総理大臣は，内閣の一体性と統一性を確保するために諸種の権限をもち，指導力を発揮する。内閣の国会への議案提出権や行政各部に対する指揮監督権も，内閣総理大臣が「内閣を代表して」行使する。

図中の中止権とは，内閣の方針が決定するまで行政各部の処分や命令を中止させる権限である。

12 独立行政委員会

おもな委員会	職務内容	職務の性質
公正取引委員会	独占禁止法の運用	中立性の確保，専門知識に基づく公正な処理，慎重な手続き
国家公安委員会	国の公安に係わる警察運営等	中立性の確保
公害等調整委員会	公害紛争の調整等	専門知識に基づく公正な処理，関係行政機関間の適切な調整
中央労働委員会	労働関係の調整等	労使間の相対立する利害の調整
人事院	国家公務員の勤務条件の改善・人事行政	中立性の確保

解説 独立行政委員会は，戦後の民主化の過程で，中立的な立場で公正な行政を行うことを目的に，アメリカの制度にならって導入された。内閣の所轄にあるが，①職務の性質上内閣から独立して活動を行う，②職務執行のため裁決や審決などの準司法的権限や規則の制定などの準立法的権限をもつ，③合議制の行政機関であるという特徴をもっている。

Column ロッキード事件に見る職務権限

ロッキード事件は，1976年，アメリカの航空機製造会社が，日本の航空機会社へ航空機を売り込むため，日本政府高官へ200万ドルを送ったことが判明した疑獄事件。前首相と元運輸大臣が刑法の受託収賄罪で逮捕・起訴された。この事件で最高裁は，首相（内閣総理大臣）の職務権限について，次のように判示した。

内閣総理大臣は，憲法上，内閣法上の地位及び権限に照らすと，閣議にかけて決定した方針が存在しない場合でも，少なくとも内閣の明示の意志に反しない限り，…**行政各部に対し随時，その所掌事務について一定の方向で処理するよう指示・助言などの指示を与える権限を有する**ものと解する…。したがって，内閣総理大臣が運輸大臣に対し，…航空機の選定購入を勧奨するよう働きかけることは，運輸大臣に対する指示として，収賄罪の職務行為に当たる。（1995年2月22日判決）

14 副大臣

副大臣は，国会活性化法（1999年）により従来の政務次官を廃止して設けられたポストで，内閣府と各省に置かれる。通常，国会議員が充てられ，任命は内閣が行う。各省の大臣の命をうけて政策や企画に参画し，大臣不在の場合にはその職務を代行する。国会答弁に立つ機会もあり，政策決定システムを従来の官僚主導から政治主導するのがねらいである。省庁の縦割り行政を廃するため，省庁間の政策調整を行う副大臣会議（写真）も設置された。

解説 国会活性化法により，各省庁に副大臣とともに大臣政務官（通常，国会議員が充てられる）が置かれることとなった。大臣政務官は，「特定の政策・企画に参画」して大臣を補佐するが，大臣の職を代行しない点で副大臣と異なる。従来の官僚システムとの関係がスムーズにいかないなどの課題もあり，「政」と「官」の新しい関係を構築できるのか，新体制の意義が問われている。

13 内閣総理大臣の危機管理に関する権限

解説 内閣総理大臣は，迅速な対処を要する国家の緊急事態に際して，法律上広範な権限を有する。

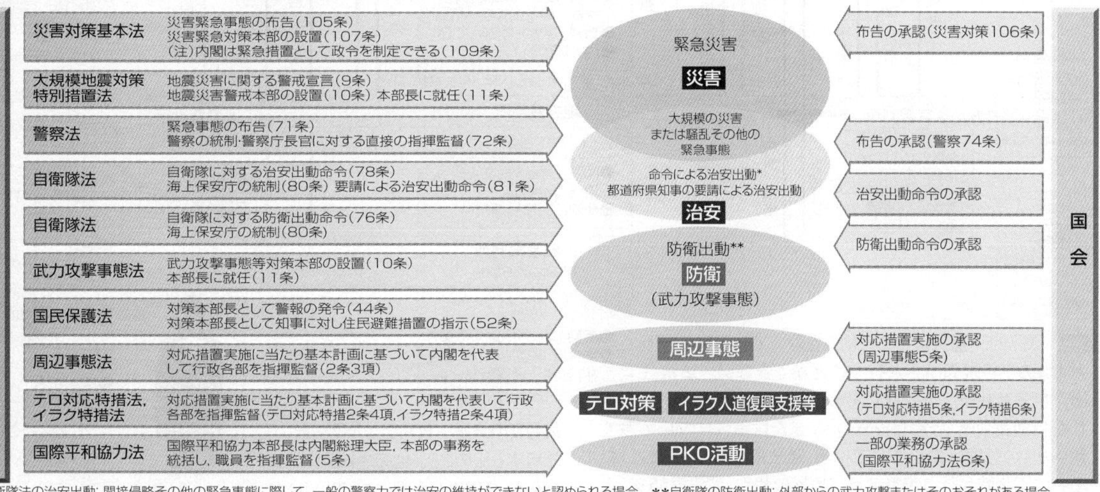

*自衛隊法の治安出動: 間接侵略その他の緊急事態に際して，一般の警察力では治安の維持ができないと認められる場合　**自衛隊の防衛出動: 外部からの武力攻撃またはそのおそれがある場合

（『目で見る憲法第3版』より）

〇×で答えよう! 正誤問題にTRY✓ 衆議院本会議における法律案・予算案の可決には，特別の定めのある場合を除き衆議院の総議員の過半数の賛成を必要とする。

27 裁判所と司法権

TOPICS

裁判はこう始まる！

Aは，交差点の赤信号を見落とし，青信号で横断中のBをはね，全治6か月のけがを負わせた。

このようなとき，加害者Aの責任を問うため，あるいは被害者Bの被った損害（治療費や慰謝料など）を救済するために，どのような裁判が始まるのだろうか。

＊なお，民事裁判の一種に**行政裁判**がある。これは，国や地方公共団体などの行政機関の違法・不当な処分に対して，被害の回復を求める裁判である。

【刑事裁判】

刑事裁判は，罪を犯して起訴された人（被告人）の有罪・無罪，有罪の場合はどんな刑を科すかを判断する裁判。**検察官**が公益を代表して起訴を行い，裁判所に刑罰を求める。**被告人**は弁護人（弁護士）を依頼し，その援助を受けることができる。

【民事裁判】

民事裁判は，金銭の貸借や損害賠償など日常生活で起こる権利・義務についての争いを解決する裁判。私人の訴えにより裁判が開始される。訴えた人を**原告**，訴えられた人を**被告**といい，代理人（弁護士）を選任することができる。

政治編

1 日本の裁判制度

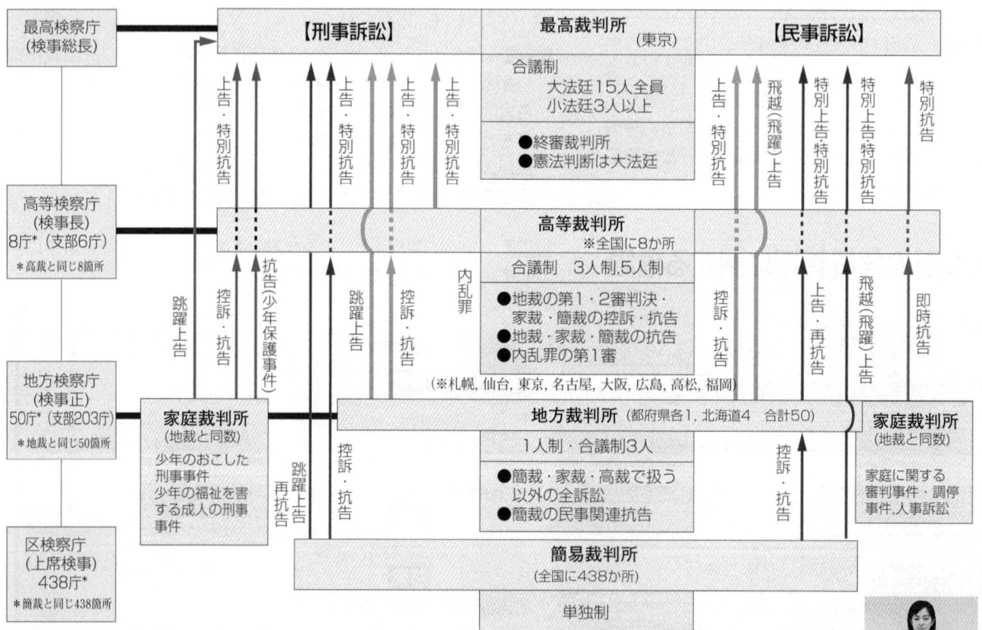

解説 裁判は，憲法に定める例外を除いて，最高裁判所と4つの下級裁判所しか行うことができない。軍法会議，皇室裁判所，行政裁判所など明治憲法下で設けられた特別裁判所（特別な身分の人，または事件について裁く裁判所）の設置は禁止されている（憲法第76条）。例外とは，国会の両議院が行う議員の資格争訟の裁判（憲法第55条）と弾劾裁判所が行う裁判官の弾劾裁判である（憲法第64条）。

裁判官の法服　裁判官が法廷において着用する服のこと。他の色に染まることがなく，公正さを象徴して，黒い色になっている。

用語の説明

- **控訴**　第一審判決に対する上訴。
- **上告**　第二審判決に対する上訴。
- **特別上告**　民事事件で高等裁判所が上告審として下した判決に，違憲を理由として最高裁判所に不服申し立てすること。
- **跳躍上告**　刑事事件の第一審の判決に対して，控訴を経ずに直接最高裁判所に申し立てる上告。また民事事件で地方裁判所や簡易裁判所の第一審判決に対して，控訴を省略して行われる上告（民事事件では「飛越上告（飛躍上告）」というのが通例）。
- **抗告**　裁判所の決定・命令に対する上訴。
- **特別抗告**　他に不服申し立て手段のない裁判所の決定・命令に，違憲を理由として最高裁判所に上訴すること。

裁判官は，公正な裁判を行うことができるように，他の国家機関からの干渉を受けずに裁判を行うことが保障されている。

2 司法権の独立

（ ）内は憲法の条数

司法権の独立

裁判所の独立　裁判所が他の国家機関から圧力や干渉を受けない

- 司法権は最高裁判所と裁判所に属する(76 I)
- 裁判所の自律権
- ·最高裁判所の規則制定権(77 I)
- ·最高裁判所の裁判官指名権(80 I)

裁判官の独立　裁判官が良心に従い独立して裁判を行う

- 裁判官は憲法と法律にのみ拘束される(76 Ⅲ)
- 裁判官の身分保障(78, 7Ⅱ)
- 裁判官に対する経済的保障(79 Ⅵ, 80 Ⅱ)

解説　司法権の独立は，①全体としての裁判所が，政治的部門から独立して活動することができるという裁判所の独立と，②実際に裁判を行う裁判官が，他の何者からも圧力や干渉を受けないという裁判官の独立を内容とする。また，裁判所の自律権は，裁判所の独立を強化し，裁判官の身分保障や経済的保障は，裁判官の地位が脅かされないことで，裁判官の職権行使の独立を確保しようとするものである。

3 司法権の独立をめぐる事件

事例	内容
大津事件 1891年 (行政権からの独立)	訪日中のロシア皇太子が警備の巡査に斬りつけられ，負傷した事件。外交関係を憂慮した政府は，外国皇太子にも日本の皇族に対する罪を適用して，死刑判決を下すよう，大審院長（現在の最高裁長官にあたる）児島惟謙（こじまいけん）（写真）に申し入れた。しかし児島は，政府の圧力に屈することなく，法の正しい適用を行うよう担当裁判官たちを説き，結局被告人は無期懲役となった。
浦和事件 1949年 (立法権からの独立)	母子心中を図り子ども3人を殺害したが，自分は生き残った母親（浦和充子）の被告事件について地方裁判所が懲役3年執行猶予3年の判決を下したところ，参議院法務委員会が量刑が軽すぎるとの決議を行った。最高裁は，個々の具体的事件の事実認定や量刑の当否を調査・批判することは，国政調査権の範囲を超え，司法権の独立を侵害すると強く抗議した。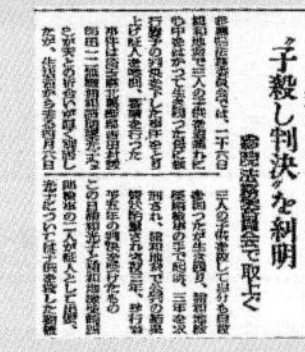
平賀書簡事件 1969年 (司法権内部での独立)	札幌地裁で長沼ナイキ基地訴訟を担当していた福島重雄裁判長に対して，当時の平賀健太札幌地裁所長が，国側の主張を尊重すべき旨の書簡を送ったことが判明した事件。札幌地裁の裁判官会議は，これを裁判に対する干渉にあたると判断し，厳重注意処分とした。その後，平賀所長は最高裁の注意処分を受け，東京高裁へ異動となった。

解説　裁判の公正を保つためには，裁判所の外部からはもちろん，裁判所の内部からも具体的事件の担当裁判官に対して不当な圧力や干渉が加えられてはならないのである。

4 裁判官の任命

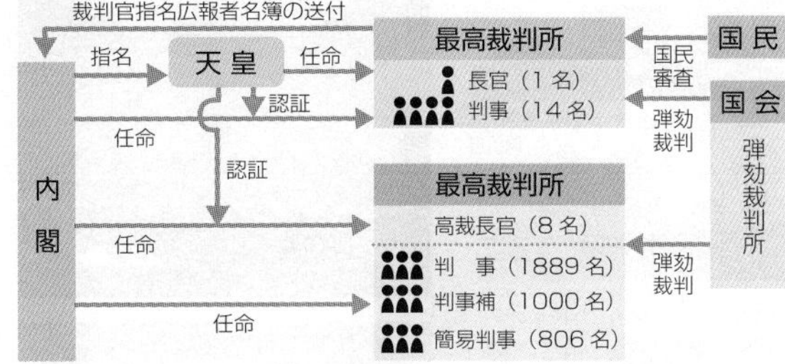

解説　最高裁長官は，内閣の指名に基づいて天皇が任命する。その他の最高裁判事は，内閣で任命（憲法第6条）し，天皇が認証する。裁判所法は「識見の高い，法律の素養のある」満40歳以上の者としているが，5人までは法律家である必要はない（第41条）。下級裁判所の裁判官は，最高裁の指名した者の名簿によって，内閣が任命する（憲法第80条）。高等裁判所長官の任命は，天皇の認証事項である。

5 最高裁判所裁判官の国民審査

投票用紙

注意（ちゅうい）
一　やめさせた方がよいと思う裁判官については，その氏名の上の欄に×を書くこと。
二　やめさせなくてよいと思う裁判官については，何も書かないこと。

×を書く欄							
裁判官の氏名	小池（こいけ）裕（ひろし）	戸倉（とくら）三郎（さぶろう）	山口（やまぐち）厚（あつし）	菅野（かんの）博之（ひろゆき）	大谷（おおたに）直人（なおと）	木澤（きざわ）克之（かつゆき）	林（はやし）景一（けいいち）

見本

（東京都選挙管理委員会提供）

審査結果（2017年10月22日実施）

氏名	無印	×
小池　裕	5,008万3,865票	×468万8,017票
戸倉三郎	5,046万8,175票	×430万3,842票
山口　厚	5,042万3,434票	×434万8,553票
菅野博之	5,037万7,132票	×439万4,903票
大谷直人	5,041万3,894票	×435万8,118票
木澤克之	5,037万6,858票	×439万5,199票
林　景一	5,068万2,354票	×408万9,702票

（無印は免職を否とするもの，×は免職を可とするもの）

（総務省資料）

解説　国民審査は，最高裁裁判官の選任に対して民主的コントロールをおよぼすことが目的。罷免を可とすべき裁判官に×印をつける方法で行われる。現在まで罷免された裁判官は1人もいない。

6 裁判官の身分保障

（ ）内は憲法等の条数

●裁判官が辞めなければならない場合
①定年（最高裁・簡易裁判所は70歳，他は65歳）（裁 50）
②裁判で心身の故障のため職務を行えないと決定されたとき（78）
③弾劾裁判で罷免の宣告を受けたとき（78）
④国民審査で罷免されたとき（最高裁のみ）（79）
⑤任期（10年）の終了，再任可（下級裁判所のみ）（80）

●行政機関による裁判官の懲戒処分の禁止（78）

●定期・相当額の報酬の保障とその減額の禁止（80）

解説　裁判官の職権の独立を確保するためには，裁判官が安心して職務を行うことができるよう，その身分をしっかり保障しておくことが必要である。裁判官は，憲法に定められた事由以外で罷免されることはないし，裁判官の懲戒（戒告または1万円以下の科料）は，裁判所の裁判によって行われる。

政治編

○×で答えよう！　正誤問題にTRY✓　大津事件は，明治政府の圧力に抗して，裁判所がロシア皇太子暗殺未遂犯を通常の殺人未遂罪で裁いた事件である。

7 三審制と最高裁判所

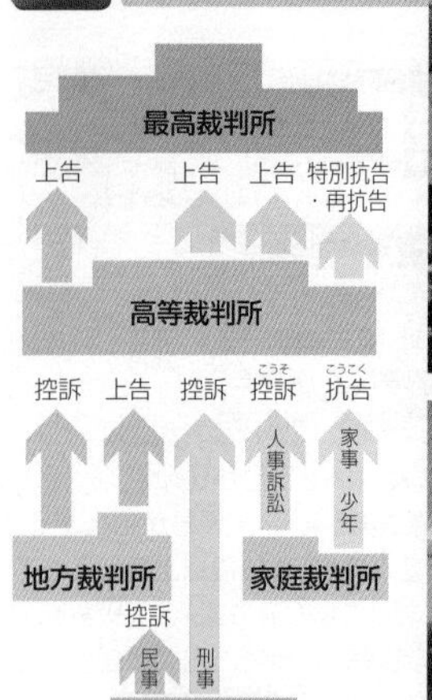

解説 裁判は，国民の権利保障を慎重に行うために，通常3回まで受けられるしくみ(三審制)になっている。控訴・上告が行われなければ，原判決(一つ前の段階の裁判で下された判決)が確定する。控訴審では，裁判所は第一審と同様の方法で事実認定を行うが，上告審の裁判所は，原則として原判決で認定された事実に拘束され，法律問題に関する審理のみを行う。

最高裁判所は，終審裁判所として裁判の最終的判断を下す。最高裁判所においては，事件は通常5人の最高裁判所判事で構成される3つの小法廷で審理されるが，憲法問題を含むような事件については，15人全員の最高裁判所判事で構成される大法廷が審理する。

8 裁判公開の原則

もし，自分が事件の当事者として裁判を受ける立場になったとき，裁判が誰も見ていない密室で行われるとしたらどうだろうか？

多くの人が，裁判が本当に公正に行われるだろうかと，不安になるであろう。また，非公開の裁判では，判決に対する信頼も損なわれてしまう。テーマ学習(P.146)の写真にもあるように，法廷後方には傍聴席が設けられており，誰でも傍聴することができる。裁判は一般市民に公開されるのである。

○○地方裁判所　刑事部　公判開廷予定表（＊は傍聴券が必要です。新＝第一回公判　判＝判決公判）

部係	合単	法廷	裁判官	時間	いわゆる事件名	罪名	被告人名	他名	備考
1	単	3		10		道交			新
		1		1・30		覚せい剤			判
3	単	2		10		暴行		1	
	合	4		1・30	△連続殺人事件	殺人			＊

○○地方裁判所事務局総務課　広報係

裁判の事件表

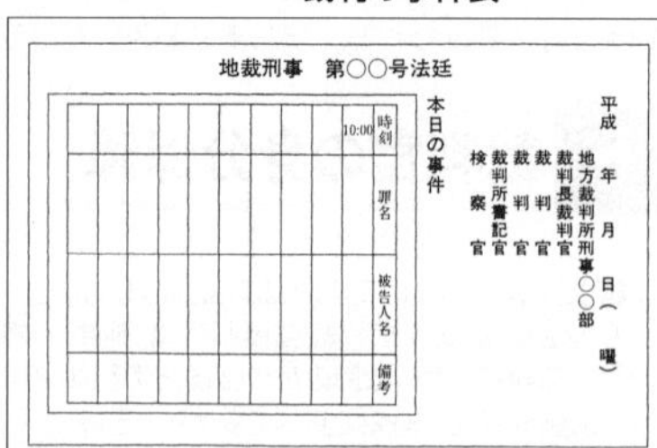

解説 裁判の公正を確保するためには，裁判の公開が必要である。公開されるのは，対審(裁判官の面前で行われる当事者の主張)と判決である。裁判所の法廷後方には傍聴席が設けられており，誰でも傍聴できる。ただし，プライバシー保護など一定の理由がある場合には，裁判官の全員一致で，対審は非公開にできる(憲法第82条)。

9 再審

再審事件名	判決確定	罪名	刑罰	再審の結果
免田事件	1952	殺人	死刑	1983年無罪確定
財田川事件	1957	強盗殺人	死刑	1984年無罪確定
松山事件	1960	強盗殺人 放火	死刑	1984年無罪確定
島田事件	1960	殺人	死刑	1989年無罪確定
足利事件	2000	殺人	無期懲役	2010年無罪確定

解説 再審は，有罪判決確定後に，事実関係の認定に誤りが発見されたこと等を理由として行われる事件の再審理で，えん罪者を救済するための手続きである。再審の理由は，刑事訴訟法で，有罪判決をうけた者に対して無罪等を言い渡すべき「明らかな証拠をあらたに発見したとき」(第435条)など具体的に列挙されている。1975年に，最高裁が「有罪認定に対して合理的な疑いのあることを示せば明らかな証拠にあたる」(白鳥決定)と判断するまで，再審は狭き門であった。

足利事件の無罪判決に喜ぶ菅家さんら（2010年3月26日）

10 検察審査会

検察審査会の審査の流れ

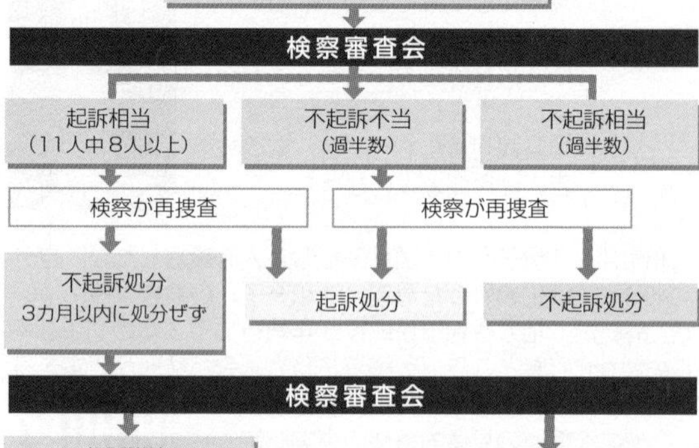

解説 検察審査会制度は，選挙権を有する国民の中からくじで選ばれた11人の検察審査員が，検察官が被疑者(犯罪の嫌疑を受けている者)を不起訴にしたことの当否を審査する制度。

被害者などからの申立てや職権で審査を開始し，審査が終わると，①起訴相当(起訴すべきである)，②不起訴相当(さらに詳しく捜査すべきである)，③不起訴相当(不起訴は相当である)との議決を行う。①には8人以上，②③には6人以上の賛成が必要で，審査過程は非公開である。

①の議決に対し，検察官が不起訴処分にした場合や一定期間内に処分しない場合，再度審査し，起訴議決(起訴すべきであるとの議決)をすると，その議決は強制力をもち，裁判所が指定した弁護士が検察官に代わって公訴を提起(強制起訴)することになる。

検察審査会は，抽選によって選ばれた有権者によって構成され，検察官の不起訴処分の是非について審査する。

11 最高裁判所の違憲判決

違憲とされた法律・行為（判決年月日）	根拠となる憲法条文	違憲の理由	判決後の措置
刑法200条の尊属殺重罰規定（1973.4.4）	14条〔法の下の平等〕	尊属殺は普通殺に比べ法定刑が著しく重く，不合理な差別である。	判決以降，検察は200条で起訴せず，国会は1995年に同条を削除。
薬事法6条の薬局開設の距離制限規定（1975.4.30）	22条〔職業選択の自由〕	距離制限は必要で合理的な規制といえず，営業の自由に違反する。	国会は1975年中に63条を削除。
公職選挙法の別表第1等の衆議院議員定数配分規定（1976.4.14）1：5の格差（1985.7.14）1：4.4の格差	14・44条〔議員・選挙人の資格と法の下の平等〕	議員1人あたりの選挙人の数に格差があり，投票価値の不平等を招いている（選挙は有効）。	国会は1986年に格差を1：3以内に是正。しかしその後格差は拡大した。
森林法186条の共有林分割制限規定（1987.4.22）	29条〔財産権の保障〕	持分価額による共有林の分割請求制限は不合理で財産権を侵す。	国会は1987年中に186条を削除。
愛媛県の玉串料公費支出（1997.4.2）	20条・89条〔政教分離，公金支出の制限〕	愛媛県による靖国神社への玉串料と公金支出は政教分離原則に違反する。	知事に支出相当額を県に返還するよう命ず。提訴以降，県は公費支出を中止。
郵便法68条，73条の損害賠償制限規定（2002.9.11）	17条〔国の賠償責任〕	郵便局の過失の程度によって国の損害賠償責任を免除・制限する規定には合理的根拠がない。	国会は2002年中に国の賠償範囲を拡大した郵便法の改正を行った。
公職選挙法付則8項の在外投票制限規定（2005.9.14）	15条・43条・44条〔普通選挙，議員・選挙人の資格と法の下の平等〕	在外日本人の選挙権を衆参両議院の比例代表選挙に限定することには合理的理由がない。	国会は2006年に選挙区選挙にも投票できるよう，法改正を行った。
国籍法3条1項の国籍取得要件規定（2008.6.4）	14条〔法の下の平等〕	出生後認知された未婚の日本人父と外国人母の子について，両親の婚姻を国籍取得の要件とすることには合理的理由がない。	国会は2008年12月に，両親の婚姻は国籍取得の要件としないとする旨の法改正を行った。
北海道砂川市が，市有地を神社へ無償提供したこと（2010.1.20）	20条・89条〔政教分離，公金支出の制限〕	砂川市が市有地を無償で空知太(そらちぶと)神社に使わせていることは，政教分離を定めた憲法に違反する。	市は宗教施設を1か所に集約し，その敷地を有償で貸与する方針を発表した。
民法900条第4号但書の非嫡出子の法定相続分規定（2013.9.4）	14条〔法の下の平等〕	非嫡出子の法定相続分を嫡出子の2分の1とすることには，合理的な根拠がない。	国会は2013年12月に法改正を行い，非嫡出子の相続分を嫡出子と同等にした。
民法第733条1項の再婚禁止期間規定（2015.12.16）	14条〔法の下の平等〕	女性のみに6か月の再婚禁止期間を求めるのは，現代では必要なく過剰で違憲	2016年6月8日，民法は改正され，再婚禁止期間が100日に短縮された

解説 **違憲法令[立法]審査権**　憲法の最高法規性と基本的人権を保障するためには，憲法に違反する権力の行使を審査し，無効とするしくみが必要である。憲法第81条は，具体的事件を審理する中で，「一切の法律，命令，規則又は処分が憲法に適合するかしないかを決定する」権限（違憲法令[立法]審査権）をすべての裁判所に与えている。最高裁判所は，この権限を持つ終審裁判所であることから，「憲法の番人」と呼ばれる。

しかし，最高裁判所においても，「高度に政治的な国家行為については，その性質上，裁判所の司法審査の対象とはならない」という統治行為論を採用して，憲法判断を回避したことがあり，「司法消極主義」の現れだ，との批判がある。

Column 法テラス

法テラスって，どんなところ？

法トラブルに直面した時，自治体，弁護士，司法書士，警察，支援団体など，相談窓口がバラバラなために必要な情報にたどり着けない，経済的に余裕がなく相談できない，近くに専門家がいないなどの理由から，法律の専門家の助けを得られない問題があった。そんな時，どこでも誰でも法的なトラブルの解決に必要な情報やサービスの提供を受けられるようにしようという構想のもと，成立した総合法律支援法にもとづき，2006年4月10日に，政府の全額出資によって設立された。正式名称は，日本司法支援センターで，通称・法テラス。

「法テラス」とは，「法で社会を明るく照らす」「日当りの良いテラスのように皆様が安心できる場所にする」という意味の愛称で，本部は東京で，地方裁判所の本庁所在地に50の地方事務所がある。

法テラスって，何をしているの？
～法テラスの主な業務～

①情報提供

生活上の法的なトラブルに対し，解決に役立つ情報を無料で案内する。誰でも，何回でも匿名で利用できる。悩みを抱えている本人が，一人で電話をかけるのが難しい場合は，家族や友人，サポートする方からの電話も受付可能。

②民事法律扶助

経済的に余裕のない方を対象に無料法律相談を行い，必要な場合には審査の上，弁護士・司法書士費用等を立て替える。さらに2018年1月からは，認知機能が十分でない方に対する資力にかかわらない法律相談制度などを拡充。

③国選弁護等関連業務

国選弁護等に関する弁護士との契約，国選弁護人等候補の指名及び裁判所への通知，国選弁護人等に対する報酬・費用の支払いなどに対応。

④司法過疎対策

身近に法律家がいない地域（司法過疎地域）に法律事務所を設置。スタッフ弁護士（法テラスに勤務する弁護士）が常駐し，法律相談，民事裁判の代理や刑事弁護等あたる。

⑤犯罪被害者支援

相談窓口の案内，利用できる法制度などの情報を無料で提供し，個々の状況に応じて，犯罪被害者支援の経験や理解のある弁護士の紹介を行う。また，被害者参加人のための国選弁護制度や被害者参加旅費等支給制度の事務も行う。さらに，2018年1月からはＤＶ・ストーカー・児童虐待の被害に対する法律相談制度を新設。

（「ほうてらす」2018.8，vol.43より）

○×で答えよう！ 正誤問題にTRY✓　裁判員制度の導入に伴って重視される裁判を受ける権利は，日本国憲法に個別具体的に規定されていない「新しい人権」である。

政治編

テーマ学習　国民の司法参加―もしも裁判員になったら―

●裁判員制度とは?

裁判員制度は，国民の中から選ばれた6人の裁判員が刑事裁判に参加し，3人の裁判官とともに，被告人が有罪か無罪か，有罪であれば，どのような刑にするのかを決定する制度である。2009年5月から実施され，2021年6月末までに14,193人の被告人に判決が言い渡されている（有罪13,755人，無罪127人，公訴棄却·移送等311人）。

国民が刑事裁判に参加することで，様々な知識や経験を持つ国民の視点や感覚が審理に反映される。犯罪について，一般市民がその常識に照らして「疑問の余地はない」と確信して初めて有罪になるというしくみによって裁判に対する国民の理解が深まり，司法への信頼が高まっていくことが期待されているのである。

●裁判員制度を行う裁判所は?

裁判員裁判は，地方裁判所のすべての本庁50か所（県庁所在地と函館・旭川・釧路）と一部の地方裁判所の支部10か所（立川・小田原・沼津・浜松・松本・堺・姫路・岡崎・小倉・郡山）で行われる。

裁判員は，その住居地を管轄する各地方裁判所で行われる裁判員裁判に参加することになる。

●裁判員裁判の対象となる事件は?

裁判員裁判は，「死刑又は無期若しくは禁錮に当たる罪」や「故意に犯罪行為で被害者を死亡させた罪」に関する事件など，国民の関心の高い一定の重大な犯罪事件の第一審を対象に行われている。2020年に裁判員裁判の対象となった事件（1,005人）は刑事裁判の第一審事件全体（65,934人）の1.5%であった。

裁判員やその家族に危害が加えられる恐れがあり，裁判員の関与が非常に難しいような例外的な事件については，裁判官だけで裁判を行うことができる。

資料1

罪名別新受人員	2010年	2012年	2013年	2014年	2015年	2016年	2017年	2018年	2019年	2020年
総数	1,797	1,457	1,465	1,393	1,333	1,077	1,122	1,090	1,133	1,005
強盗致傷	468	329	342	321	290	224	253	281	222	304
殺人	350	313	303	302	303	255	278	250	255	217
現住建造物等放火	179	128	141	136	162	124	105	115	100	97
傷害致死	141	146	136	131	107	103	96	82	71	57
覚せい剤取締法違反	153	105	105	129	58	67	102	96	252	77
(準)強姦致死傷	111	124	121	91	104	75	65	47	55	47
その他	395	312	317	283	309	229	223	219	178	206

（裁判員制度ホームページより）

裁判員裁判罪名別終局人員（2019）

98.5%　1.5
裁判員裁判対象事件以外の事件 65,934人　裁判員裁判対象事件1,005人

21.6%　30.2　9.7　9.0　5.7　23.9
殺人 217人
強盗致傷 304人
現住建造物等放火 97人
(準)強制わいせつ致死傷 90人
傷害致死 57人
その他 240人

刑事裁判

①裁判員（6人）②裁判官（3人）③裁判官書記官　④検察官
⑤弁護人　⑥被告人

●誰が裁判員に選ばれるのか?

裁判員は，20歳以上の有権者（衆議院議員の選挙人名簿に登録された人）の中からくじによって無作為に選ばれる。2019年の場合，裁判員は5,718人（補充裁判員1,919人）で、裁判員になる確率は有権者の約17,750人に1人（約0.01%）であった。

法律上，国会議員，都道府県知事，市町村長，司法関係者（裁判官・検察官・弁護士等），自衛官など就職禁止事由のある者や該当する事件の関係者など不適格事由のある者などは裁判員になることができない。

裁判員に選ばれたら原則として辞退できないが，70歳以上の人や学生・生徒，重い病気や家族の介護・養育などやむをえない事由がある場合などには辞退が認められる場合がある。

資料2

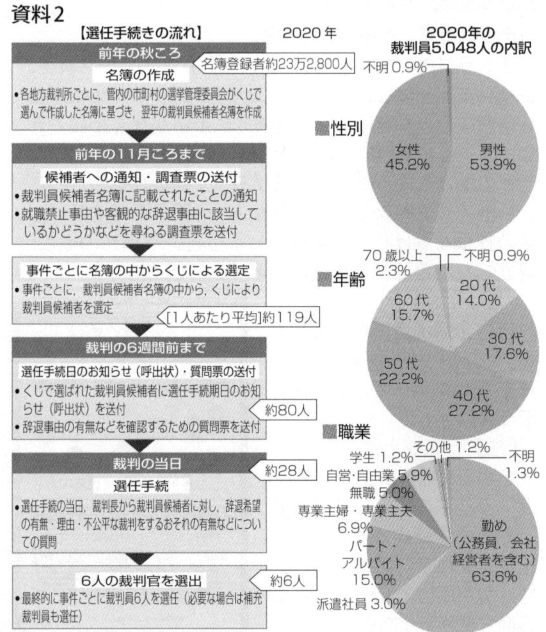

○×で答えよう! 正誤問題にTRY✓　裁判員裁判では，死刑の判決を下すことはできない。

資料3

裁判員が参加する裁判の流れ

起訴（検察官の公訴提起）

検察官　ある人が罪を犯したと判断した検察官が，処罰を求めて裁判所に訴えを起こす。

公判前整理手続

検察官　弁護人　裁判官　公判の審理を充実させるために裁判官・検察官・弁護人で，事件の争点と証拠をあらかじめ整理し，審理の計画を立てる。

刑事裁判の流れ

裁判官3人　裁判員6人

冒頭手続（公開法廷）
●被告人の確認（人定質問）
●検察官が起訴状を朗読
●被告人，弁護人の陳述

審理（公開法廷）
●証拠調べ手続（証拠書類，証人等）
●弁論手続
・検察官の意見・求刑
・弁護人，被告人の意見

評議（非公開評議室）
裁判員と裁判官で話し合い，有罪・無罪や刑の内容を決める。

判決宣告（公開法廷）
●裁判長による判決の言渡し

裁判員の仕事：公判に出席する → 評議・評決を行う → 判決宣告に立ち会う

審理・評議の状況
（2020年の裁判員経験者に対するアンケートより）

審理内容の理解のしやすさ
理解しやすかった 70.7%　普通 26.9%　理解しにくかった 1.8%　無回答 0.5%

評議における議論の充実度
十分に議論ができた 76.0%　わからない 17.2%　不十分であった 5.6%　不明 1.2%

裁判員はどんな仕事をするのか？

審理　**公判に立ち会う**
裁判官と一緒に，公開の法廷での刑事裁判の審理（公判）に出席し，被告人質問や証人尋問などの証拠調べ手続や検査官や弁護人の主張を聞く弁論手続に立ち会う。裁判員も必要な質問や尋問ができる。

評議　**評議を行う**
評議室で，裁判官とともに証拠調べの結果をもとに事実を認定し，被告人が有罪か無罪か，有罪の場合どのような刑にするかを議論（評議）し，決定（評決）する。評議を尽くしても意見の一致が得られなかったときは，評決は多数決で行われる。

判決　**判決宣告に立ち会う**
評議の結果に基づき裁判官が判決書作成し，裁判長が法廷で判決宣告を行う。裁判員はここに立ち会い，その役割を終える。

【評議における多数決の方法】

裁判官と裁判員の全員が議論を尽くしても，意見が一致しない場合は，多数決で結論を決める。

多数決では，裁判員の意見は裁判官と同じ重みをもつ。ただし，裁判員だけで被告人に不利な判断（有罪か無罪かを決める場面では，有罪の判断）をすることはできず，不利な判断を行う場合には，裁判官と裁判員の双方の意見を含んでいなければならない。無罪の判断は，裁判員だけの多数決で行うことができる。

【多数決の例】

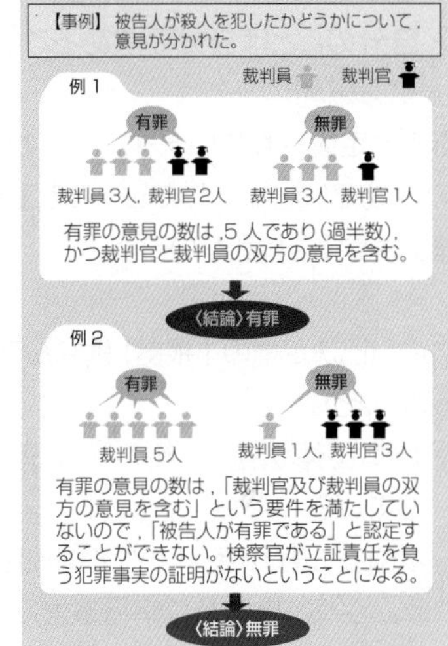

●裁判員制度の課題は？

2009年にスタートした裁判員制度は，2019年5月21日で丸10年を迎え，裁判員経験者からは，判決に「市民感覚が反映された」との声が多く上がっているが，いくつかの課題も浮かび上がっている。

①対象となる事件

・覚せい剤密輸事件はあまりに非日常的で，市民感覚で，市民は意見を言いにくい。
・性犯罪は「同じ女性として考えると，被害者にとって，裁判員に被害を知られるのは耐えがたいと思う」
・死刑の多数決はプロの裁判官にゆだねたい。被告人の生命にかかわる判決に市民が巻き込まれては困る。

②裁判員の心のケア

・死刑判決の被告人のことが，しばらく頭から離れなかった。
・証拠調べで見た写真などで，裁判員が心的障害を負うケースがあった。

③守秘義務の範囲

・守秘義務の対象・内容が時間の経過とともに曖昧になってくる。
・夫にも話せないのは精神的につらい。

●裁判員の守秘義務とは？

裁判員には，一定の守秘義務が課され，その違反に対しては罰則（6か月以上の懲役または50万以下の罰金）が定められている。

その理由としては，①評議で述べた意見が後に公にされるとすれば，裁判員は，後に非難されることを恐れて率直に意見を言うことができなくなる，②事件記録には被害者や事件関係者のプライバシーに関する情報が記載されていることがある，③裁判内容を話すことによって，裁判員が非難や報復にあう危険がある，④裁判内容を話すことで，判決に対する誤解が生じたり，裁判の信頼が損なわれたりする，などがある。

国民が刑事裁判に参加するおもな国の制度

	アメリカ（陪審）	フランス（参審）	ドイツ（参審）
対象事件（刑事事件）	被告人が否認している事件で陪審裁判を選択した場合	一定の重大犯罪（被告人の選択権はない）	原則全ての事件（被告人の選択権はない）
構成	○裁判官1名 ○陪審員12名	○裁判官3名 ○参審員9名	地裁○裁判官3名 ○参審員2名
選任方法	選挙人名簿等により無作為抽出された候補者のなかから，当事者が質問手続により選出	選挙人名簿に基づき抽選で参審員候補者の開廷期名簿を作成。事件ごとにこの名簿から抽選で選出者	市町村が作成した候補者名簿に基づき，区裁判所の選考委員会が選任
任期	事件ごと	開廷期（数週間）	5年間
評決方法	全員一致が必要	裁判官と参審員をあわせた2/3以上の特別多数決	裁判官と参審員をあわせた2/3以上の特別多数決
評議権限	陪審員のみで評議，評決を行う	裁判官と参審員はともに評議し，評決及び量刑を行う	裁判官と参審員はともに評議し，評決及び量刑を行う

政治編

○×で答えよう！ 正誤問題にTRY✓　裁判員制度では，有権者から選ばれた裁判員と職業裁判官の合議で事実認定のみを行い，量刑は職業裁判官が決定する。

やってみよう法教育❷

自己決定権をテーマに，紙上ディベートをしてみよう！

ここでは，これまでの知識を使いながら，「自己決定権」について掘り下げて考えたいと思います。いろいろな視点から考えてみましょう。

❶

まず「自己決定権」とはどのような権利でしょうか。その定義を思い出してみましょう。

⊙自分のことは自分で決めることが出来る権利

などと定義されています。なにか当たり前の定義でしたね。しかし，この「自己決定権」は重要な権利なのです。

❷

この自己決定権の「根拠」はなんでしょうか。確認してみましょう。

⊙日本国憲法第13条の幸福追求権が根拠となっている。

日本国憲法第13条「すべて国民は，個人として尊重される。生命，自由及び幸福追求に対する国民の権利については，公共の福祉に反しない限り，立法その他の国政の上で，最大の尊重を必要とする。」

自己決定権の根拠は，日本国憲法第13条の「幸福追求権」です。この幸福追求権は，思想の自由や職業選択の自由など，個別の人権を包括する一般的な権利の規定と考えられています。ですから，「プライバシー権」や「環境権」などいわゆる新しい人権は，この第13条を根拠に主張されているのです。

❸

では，どのようなことを「自分で決めたい」か，具体的に考えてみましょう。

⊙結婚相手，就職先，住むところ……

「結婚相手」とか「就職先」などは，自分で決められないものではありませんか?

そうなんです。「自分で決めたいこと」ですが，いろいろ制限がかかって決められないこともあるのです。

❹

自分で決めたいが，決められないことを，具体的にあげてみましょう。

⊙医療方針，喫煙・飲酒，尊厳死・安楽死，冬山登山，遊泳禁止地区……

身近なものでも，たくさんありますね。「自己決定権」があるのに自由に決められないものが，こんなにたくさんあるのです。驚きましたか?

❺

自己決定権があるのに，なぜ制限されるのでしょうか。その根拠を考えましょう。

⊙誤った選択をして，不幸になることが明らかな人の自己決定を，国家が見過ごしてはならないから。思い込みや情報不足などで，「正しい選択」に本人が行き着かないことがあるから。本人が「正しい」と考えていることから一歩離れてみて，はじめて客観的に「正しい」かどうか考えることができるから，など

現代国家は「福祉国家」を理念としていますから，このような干渉が認められているのでしょうか?　とりあえずここでは，このような**「国家の干渉」**を**「パターナリズム」**と呼ぶことにしましょう。

❻

国家の干渉は，すべての人に同じように行われるものなのでしょうか。具体的に考えてみましょう。

⊙自己決定とは「自分のことは自分で決める」のだから，「自分で決める能力」が必要。その「能力」を持たない人などに強い干渉が行われる。自己決定するために必要な情報を持っていない人などには強い干渉が行われる，など

当たり前のことですが，人間はみな同じではありませんから，国家の干渉には「強い干渉」と「弱い干渉」があります。

❼

国家はどのような人に「強い干渉」をするのでしょうか。また，具体的な干渉の例を挙げてみましょう。

⊙「決定できる能力がない人」や「決定できる能力が疑われる人」には強い干渉が正当化される。具体的には，未成年者や重度の知的障害がある人が考えられる。干渉例として，年齢制限，後見人制度などが考えられる，など

ここまでわかれば，あなたは自己決定権の「プロ」と言ってよい知識を持ったことになります!

ここからは「紙上ディベート」で，さらに議論を深めてみましょう。

【紙上ディベート】

1 手順（時間など変更は可）

1 6人グループで集まって座ります。

2 1人1枚，テーマを書いた用紙を配付します。

テーマは次の6種類がそれぞれ書いてあります。

①シートベルトは事故の際，生命を守るものなので，シートベルトをしていない運転者には，懲役1年以内の刑罰を科す。
②信仰上の理由で，輸血を拒否している患者に対して，生命の危険があるので治療の一環として輸血を行った。このような治療行為は許されるか。ただし，法律で「医師は患者の生命を救わなくてはならない」と定められており，違反すると医師の免許が剥奪される。
③国家が国民の生命を守るために，刑法に「決闘禁止罪」を盛り込み，最高刑を無期懲役とした。
④台風が近づいて危険なので，サーファーを含むすべての人に，「遊泳禁止」の指示を出し，違反した場合は懲役2年以内の刑罰を科す。
⑤治癒不可能な病気に冒され，回復の見込みがなく，死が避けられない末期状態にある人が，治療行為の中止を求めても医師が治療を続行した。このような治療行為の続行は許されるか。ただし，法律で「医師は患者の生命を救わなくてはならない」と定められており，違反すると医師の免許が剥奪される。
⑥国家が国民の財産を守り，労働の義務を果たさせるために，刑法に「賭博禁止罪」を盛り込み，最高刑を無期懲役とした。

3 自分の用紙に書いてある「テーマ」について，

①その国家介入の「目的」は正しいか，理由をつけて答える。

②その国家介入の「手段・方法」は正しいか，理由をつけて答える。

③上記①②の正しさの「根拠」や「資料」を調べて記入する。

以上を5分間で行い，用紙を隣の生徒に渡す。

4 隣の生徒から回ってきた用紙に書いてあるテーマに対して，3 と同じように意見や根拠などを考えて記入して，隣の生徒に渡す。ただし，用紙に書いてあった意見などは参考にしてもよいが，あくまで自分の意見を書くこと。

5 用紙が一周し，はじめの用紙が手元に帰ってきたら，他の生徒の意見を参考に，「最終的な意思決定」を記入する。

6 各班で，1人ずつ自分の「最終的な意思決定」を発表する。ただし，他の生徒の意見から参考にした点，他の意見に対し反論すべき点などをはっきりさせて発表する。

政治編

2 用紙の例

テーマ：信仰上の理由で，輸血を拒否している患者に対して，生命の危険があるので治療の一環として輸血を行った。このような治療行為は許されるか。ただし，法律で「医師は患者の生命を救わなくてはならない」と定められており，違反すると医師の免許が剥奪される。			
	この国家介入の「目的」は正しいか，理由をつけて答えること。	この国家介入の「手段・方法」は正しいか，理由をつけて答えること，改善策でもよい。	教科書や資料集で，自分の意見の「根拠」や「資料」を探してみよう。
1	許されない。信教の自由は精神的な自由で，その個人の個性を決定づける最も大切にされなくてはならない人権だから。また，命は救われても信仰が侵され，その人はそのあとずっと悩むだろうから。	医師の仕事は，人の生命を救う仕事だから，このような法律を作ると治療を続行してしまうと思う。だから，法律に「患者さんの同意を得た範囲で」との言葉を入れる。	最高裁判所が，人格権の一環として輸血拒否を尊重すべきと判決している。
2	許される。信仰の問題は重要だが，例えば，生まれたときから同じ宗教団体に属し，他の考え方を知らないできた場合を考えると，授業で学んだとおり，許される可能性が大きい。	正しい輸血を拒否した患者さんが，例えば裁判を起こしたとき，医師が「このような法律がある」と反論できないと，医師の立場がなくなるから。	宗教法人といえども，要件にあわなければ取り消すことが出来ると法律に書いてある。
3	以下3人目が書いていく。		

まとめ 紙上ディベートは同じテーマでいろいろな意見を知ることが出来ます。他の人の意見を読んで「なるほど，そんな考え方もあるのか」「このような根拠から考えられるのね」など，自分の意見にも取り入れられるものがあると思います。

法律は「こうしなさい」と，人の行動を規制することが多いのですが，なぜ規制するかというと，その問題に対していろいろな立場や意見があることが多いからなのです。ですから，はじめから「法律ありき」ではなく，社会のいろいろな現象を多面的に考え，自分の意見をはっきり述べると同時に相手の意見を公平に聞き，お互いの意見を調整したり合意して，よりよい法律（ルール）を作り上げていくことが大切です。法律や社会を考える時に，このような態度を持ってもらいたいと思います。

28 行政の民主化・効率化

TOPICS

官僚の組織

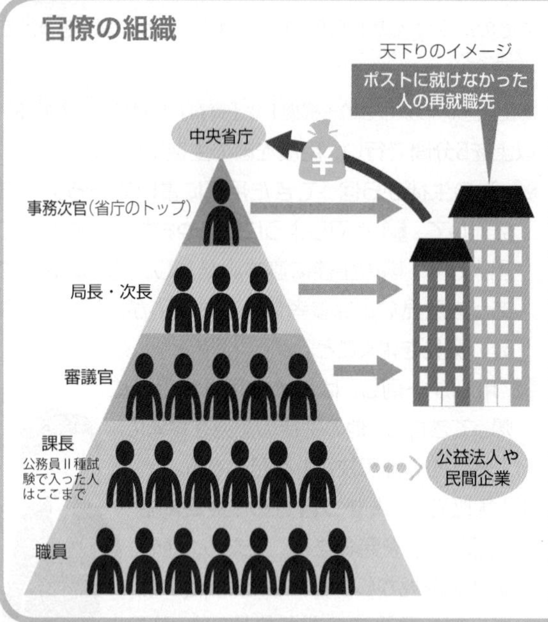

「官僚」の組織である「官僚制度」はいつごろからできたのだろうか。官僚とは，中央省庁のなかで，一定以上の地位についている国家公務員のことでる。

国の組織を動かしていくためのこの制度は，明治政府が当時のドイツの制度を参考につくったといわれる(開校当時の帝国大学はこの人材育成が目的で開校されたので，無試験で採用されていた時代もあった)。「キャリア官僚」といわれる人たちは，公務員I種試験に合格した幹部候補生たちであり，中央省庁の主要なポストをおさえていく。こうしたキャリア官僚たちのトップに立つのが各省庁の「事務次官」ただ1人であり，この地位をめざして，同じ年に試験に合格したキャリアたちはしのぎを削る。この出世レースがピラミッドの構造となるのである。レースから脱落する者，自ら辞める者などが，地方や外郭団体，民間企業などに異動していくことで，この構図が成り立ち，「天下り」につながることもある。

1 議員立法と内閣提出法案

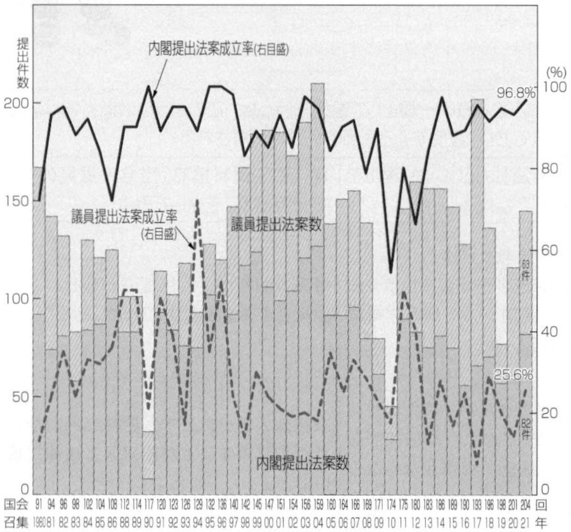

(内閣府資料より)

解説 内閣提出法案が，提案された数でも成立率でも議員立法を圧倒している。内閣提出法案の原案は各省庁で作成され，必要に応じて関係省庁や与党との調整，審議会への諮問，公聴会での意見聴取などを経て，最終的には内閣法制局の官僚による審査を経て法律案となる。これが閣議で決定されると国会に提出される。行政機能が拡大するにつれ，法律案の作成には，ますます高度な専門知識が必要になっている。議会が法律を制定し，それに基づいて行政事務が行われることが原則ではあるが，実際には，専門知識を有し行政事務に精通した官僚の手を借りて法律が作成される，という「逆転現象」が広く見られる。行政国家化が象徴的に現れた例といえるだろう。議会のリーダーシップの確立は，難しい課題である。

2 行政の民主化の方法

国政調査権	憲法第62条で保障された衆参両議院が国政について調査する権限で，証人の出頭や記録の提出を求めることができる。司法権の独立の尊重などの限界はあるが，行政を監視して民主化をはかるための有力な手段である。地方議会に認められた事務調査権も同様の趣旨といえる。
行政委員会	戦後アメリカから導入された合議制の行政機関で，高い公平性や専門性のために一般の行政機関からある程度独立しており，準立法的・準司法的権能をもつ。 人事院や公正取引委員会，地方自治体の教育委員会や選挙管理委員会などがある。
情報公開制度	政府や地方自治体など行政機関が持つ情報を開示させる制度。行政のあり方を国民の監視のもとに置くという意味で，行政の民主化にとって不可欠の制度である。1982年の山形県金山町に始まり，全国の多くの地方自治体が情報公開条例を制定した。政府は1999年に情報公開法を制定したが，不開示とされる情報の範囲などをめぐり，残された問題も多い。
オンブズマン	国民の苦情をうけて，中立的な立場から行政機関を調査し，必要な措置を講ずる官職。スウェーデンに始まり，約30か国が導入している。日本では1990年に川崎市が導入し，以後いくつかの地方自治体で条例化されている。日本各地で地方自治体の監視を行っている「市民オンブズマン」はNPOであり，公的機関ではない。

○×で答えよう! 正誤問題にTRY✓ 行政を民主化する上で，衆議院のみがもつ国政調査権の活用は有効である。

3 国家公務員の数と種類

公務員には，国家公務員と地方公務員がおり，国家公務員は，一般職の国家公務員と特別職の国家公務員に分けられる。一般職の国家公務員には原則として国家公務員法が適用されるのに対し，特別職の国家公務員には，その性格から国家公務員法が適用されない。特別職の国家公務員には様々な職があるが，国家公務員法に定める成績主義の原則(競争試験による採用などの原則)などを適用することが適当ではない政治的な国家公務員(内閣総理大臣，国務大臣など)や，三権分立の観点や職務の性質から国家公務員法を適用することが適当ではない公務員(裁判官，裁判所職員，国会職員，防衛省の職員など)がいる。

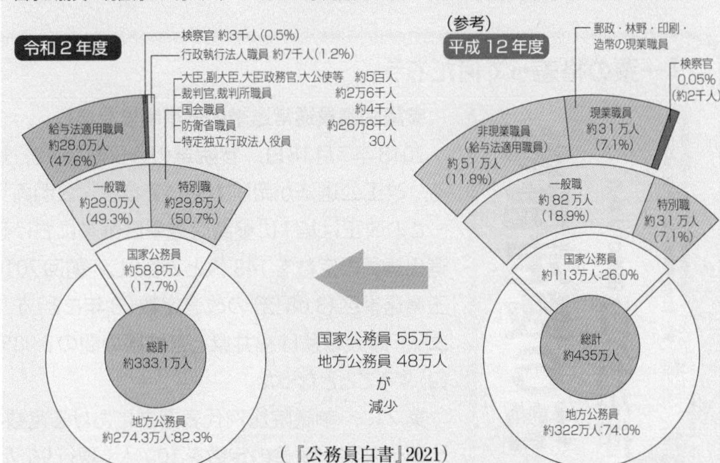

(『公務員白書』2021)

4 内閣人事局と国家公務員制度改革法

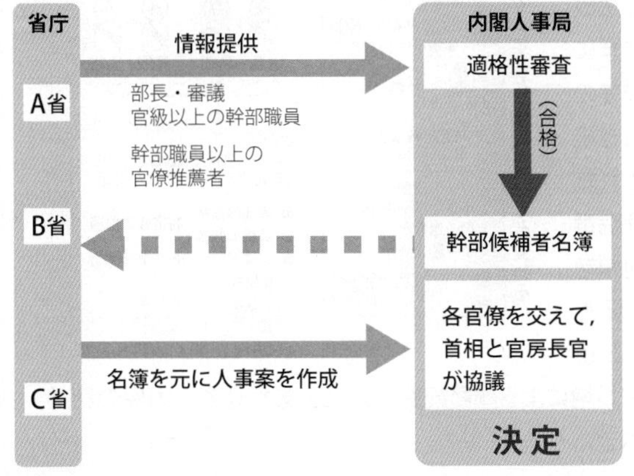

●国家公務員制度改革法の概要

国家公務員制度改革法では，これまでの人事院や総務省が行ってきた採用試験や人員の管理などを，新たに2014年5月30日に設置された「内閣人事局」に移行，いわゆるキャリアといわれる幹部公務員(約600人)の人事は，各担当大臣と総理大臣，官房長官が実績などを参考に，協議して決めるとした。これにより1回の試験だけでキャリアが決まるキャリア制度が改革されることとなった。さらに，現在60歳の職員定年の段階的引き上げや再任制度の拡大，大臣による大臣補佐官の起用なども盛り込まれた。

Column 行政改革推進会議の設置

第２次安倍政権は2012年12月に事業仕分けを行う「行政刷新会議」と，全閣僚が参加する「行政改革実行本部」を廃止した。かわって，2013年1月から，政府を挙げて行革を進めるため全閣僚が参加する意思決定機関「行政改革推進本部」を内閣官房に設置した。

この会議は，行政改革推進本部の下，行政改革に関する重要事項の調査審議等を実施するため，内閣総理大臣を議長として，関係閣僚，有識者からなる。

2013年11月には，年末の予算編成をにらんで，有識者が各府庁の事業を公開で議論する「事業点検」を行った。13～15日の３日間で，対象は17分野55事業(2014年度概算要求額12兆55億円)。民主党政権の「事業仕分け」と似た手法で，安倍政権版の事業仕分けともいえる。

その後，2013年度からは「行政事業レビュー(レビュー)」の作業が毎年実施されている。各府省自らが，原則全ての事業について，予算が最終的にどこに渡り(支出先)，何に使われたか(使途)といった実態を把握し，その過程を国民に向けて公開しつつ事業の内容や効果の点検を行う。その結果を予算の概算要求等に反映させる，いわば「行政事業総点検」である。これによって2019年度の65の事業については，廃止２，抜本的改善21，一部改善42という結果となった。

令和２年秋の年次公開検証（「秋の行政事業レビュー」）の地方開催における協力団体の公募について

令和２年２月
内閣官房行政改革推進本部事務局

秋の行政事業レビュー地方開催公募とは

政府では毎年秋、各省と有識者が、一般の傍聴者参加やインターネット生中継の下、各省の事業について無駄や改善すべき点がないか議論する「秋の行政事業レビュー」を実施しています。
国の取組をより身近に感じていただくため、本年も、東京に加え地方においても、行政事業レビューを開催いたします。
本公募では、当該地方開催にあたり、会場の提供や広報の他、同時開催イベントなど効果的・効率的な開催に向けた企画・提案も含めて、ご協力いただける団体を公募します。

公募対象
・道府県及び市町村(東京都以外)
・国公私立大学(同上)

公募期間
令和２年２月１４日～同年４月１４日

開催予定日
令和２年１１月上旬～中旬のうち１日

レビュー対象事業
対象事業は１０月末頃決定予定

東京～地方会場をテレビ会議で接続！
昨年開催された「広島レビュー」の様子

解説 「内閣人事局」の設置については，官邸の協議により600人もの職員の査定が可能なのか，その基準はどのようなものか，再任制度の拡大は新たな天下り先の拡大となるのではないか，公務員に実績主義は適しているのかなど，問題点が指摘されている。

また，官邸主導の人事は，公務員の人選を官邸が任意に行うことができ，政府の意向に従う官僚が優遇される恐れがある。一方，人事院も温存され，内閣は人事院の意見を尊重するという規定が追加されており，実質的な官邸主導なのか，責任の所在が不明確になるのではという疑問も残されている。

○×で答えよう! 正誤問題にTRY✓ 行政の効率化と財政コスト削減を目的に，中央省庁等改革基本法により，１府22省庁が１府12省庁に改められた。

29 選挙と政党政治

TOPICS

「一票の格差って何だろう」

参院定数6増 成立
来夏から適用 自公が押し切る

自民党などが提出した改正公職選挙法が18日、衆院本会議で自民、公明両党の賛成多数で可決、成立し

法案に反発。伊達忠一参院議長にあっせんを求めた

賛成に転じた。衆参の審議時間は計9時間15分だった。

（『朝日新聞』2018.7.19）

参議院議員通常選挙の選挙制度見直し

2018年7月18日，参院選の「一票の格差」是正を巡り，定数を６増やして248とする，改正公選法が衆院本会議で自民，公明両党の賛成多数により可決，成立した。

この改正は第1に参議院選挙区選挙における格差の縮小をめざして，参議院選挙区選出議員の定数を148人と2増とし，前回2016年の参院選で最も格差の大きかった埼玉県選挙区（3.08倍）の改選定数（３年ごと）を１人増やした（定数は8に）。この改正により，最大格差は福井県と宮城県の間の2.985倍に縮小（2015年国勢調査日本国民人口）することとなった。

第２に，参議院比例代表選挙における定数の増加と特定枠制度の導入を決定した。比例代表選出議員の定数を100人（現行96人）とし４増に。また，特定枠制度の導入によって，全国的な支持基盤を有するとはいえないが国政上有為な人材，あるいは民意を媒介する政党がその役割を果たす上で必要な人材が当選しやすくなるようにした。

2019年の参議院議員通常選挙から適用された。

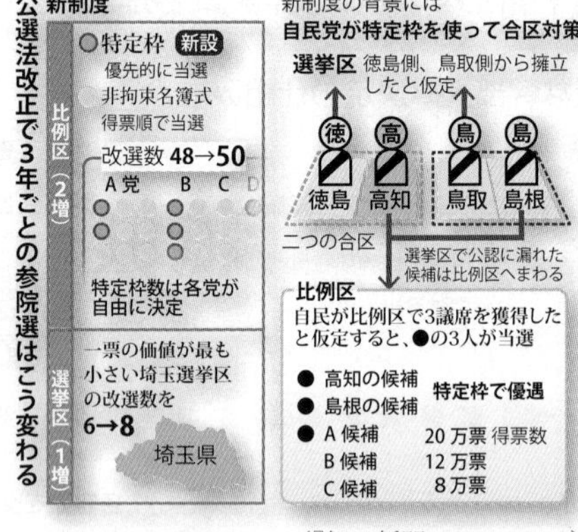

（『朝日新聞』2018.7.19）

参議院議員の定数増は必要か？

そもそも今回の選挙制度改正は，2015年8月の公職選挙法改正の際に示された「2019年に行われる参議院議員の通常選挙に向けて（略），選挙区間における議員一人当たりの人口の較差の是正等を考慮しつつ選挙制度の抜本的な見直しについて引き続き検討を行い，必ず結論を得る」（改正法附則第７条）とされたことに基づいたとされる。そうした意味では，2016年の参院選の格差3.08倍は，最高裁は違憲状態とはいえないという判断を示しており，今回2019年にむけた格差是正を急ぐことが必要だったかどうか疑問の声もある。「特定枠」に至っては前回の改正によって合区となった地域への救済策という指摘もあり，定員増による議員歳費の増加とあわせて，国民の利益を守る国会議員をどのように選ぶのか，改めて考えてみるべきだろう。

1 政党政治の形態

	長　所	短　所	代表的な国
二大政党制	①政権が安定しやすい ②政権の交代が容易である ③政治責任の所在が明確になる ④与野党が相互に牽制しあえる ⑤争点が明確になり有権者が判断しやすい	①国民の多様な意思を反映できない ②政策が大きく異なると政権交代によって政策の一貫性が失われる（実際には政党間に大きな政策の差がなくなる傾向がある）	アメリカ（民主党・共和党） イギリス（労働党・保守党） ※イギリスでは自民党が一定の議席を持ち純粋な二大政党制ではない
多党制	①国民の多様な意思を政治に反映できる ②連立政権によって政治腐敗を防止できる ③連立の組み替えによる政権交代が可能	①連立政権によって政局が不安定になる ②失政の責任の所在が不明確になる ③少数党の発言権が強くなることがある	フランス，イタリア ドイツ（二大政党に近い） 日本（一党優位型）
一党制	①長期にわたり政権が安定する ②強力な政策運営が可能 ③政策の一貫性が保ちやすい	①国民に選択の余地がない ②独裁によって権力の腐敗を招きやすい ③民主的な政権交代が不可能	中華人民共和国，北朝鮮 ※中国は複数政党制だが，事実上共産党の一党制

解説 政党政治の形態は一応上のように分類できるが，各国の文化や選挙制度とも関係しながら実際にはさまざまな形態がある。例えば，多党制といっても小党分立に近いものもあれば，二大政党と複数の小党という場合もある。また，それぞれに長所・短所があるので，どの形態がよいと決めつけられるものでもない。

小選挙区制は，小政党にも議席が配分される可能性が高い選挙区制度で，民意を議席に反映させるが，小党分立をもたらす。

2 戦後の政党

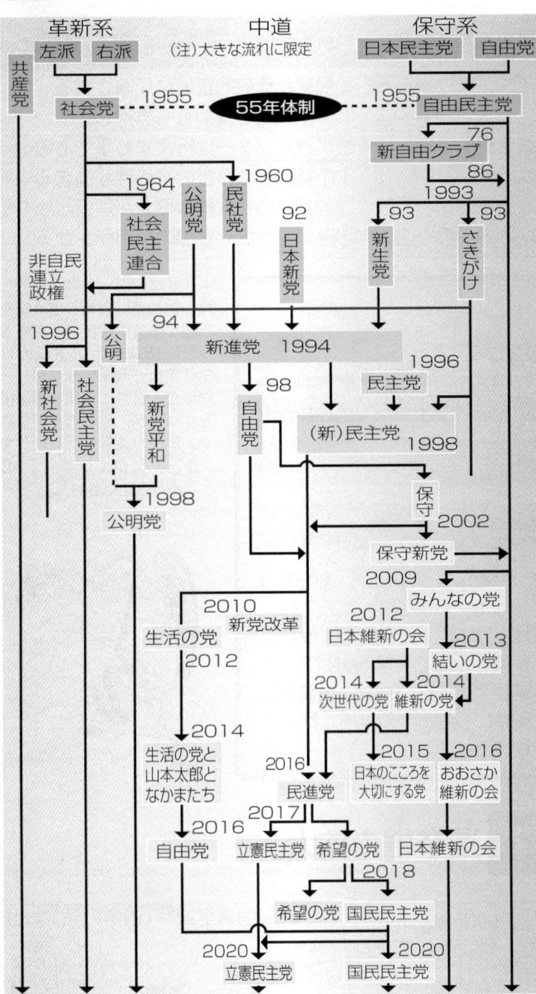

3 政治資金のルール

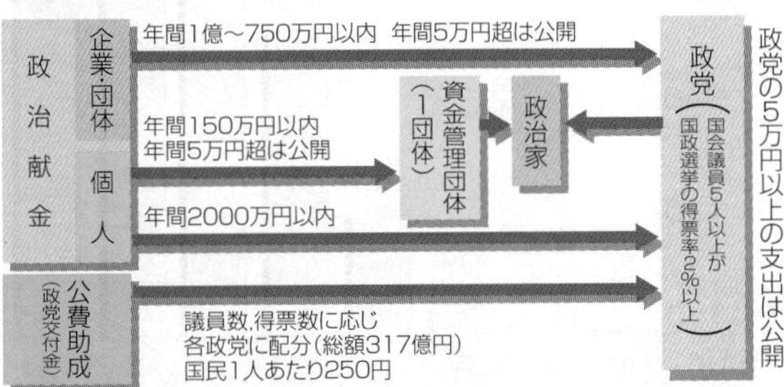

解説 政治資金の流れを公開して政治活動の公正を確保し，民主政治の健全な発達をはかる目的で政治資金規正法が制定された。制限する規制ではなく，悪いところを正す規正であるのはそのためだ。「金権腐敗」政治への国民の強い怒りを背景に，政治資金規正法は改正されてきた。1994年改正では，政治家個人への献金が禁止され，政党への献金も管理が強化された。同時に政党助成法が制定され，一定の条件を満たす政党に対して税金から政党交付金を支出することになった。1999年改正では，政治家の政治資金管理団体への企業・団体からの献金が禁止され，個人献金に限定された。こうして政治資金の流れを個々の政治家から政党中心へ変える改革が進んだ。2007年の事務所費問題を受けて，2008年の改正では，国会議員関係政治団体に関して，1円以上の領収書公開などが義務づけられた。

○×で答えよう! 正誤問題にTRY✓ 日本では，政党への企業・団体献金は，法律により禁止されている。

4 現在のおもな政党

自由民主党：総裁　岸田文雄

1955年の保守合同で結成された，自由主義（資本主義）体制の維持発展・親米的な外交路線・憲法改正などをかかげる保守政党。わが国最大の政党で，農漁村部中心に厚い支持基盤を持つ。2009年総選挙で敗北し，下野したが，2012年に政権与党に返り咲いた。

公明党：代表　山口那津男

1964年に創価学会を支持基盤に結成された。55年体制の左右対立に距離をおき，福祉や平和の重視をかかげる。90年代半ばに新進党に合流するなどしたが，解党後は再び公明党として結集した。創価学会の固い組織票がある都市部で特に強い支持を集める。現在，自民党と連立して，政権与党として活動している。

立憲民主党：代表　枝野幸男

2017年10月，民進党衆議院議員が保守主義をかかげる希望の党へ合流を進めるなか，めざす理念や政策が異なる民進党のリベラル系議員である枝野幸男が結成を宣言，10月3日に結党。立憲主義を守り，共生社会の実現，改革を先送りしない未来への責任をはたすことなどを綱領としてかかげた。2020年9月に，国民民主党と合流して，新たに結党した。

国民民主党：代表　玉木雄一郎

2017年9月，東京都議会の地域政党「都民ファーストの会」が国政進出する形で，小池東京都知事に近い議員が中心となって結成された。立憲主義と民主主義に立脚し，寛容な改革保守政党をめざすとしている。国政の「しがらみ政治」からの脱却，現実的な外交・安全保障政策，税金の有効活用（ワイズ・スペンディング）の徹底などを綱領としてかかげた。2020年9月に，立憲民主党と一部が合流したが，新たに結党された。

日本共産党：委員長　志位和夫

1922年結成。戦前は非合法化され弾圧を受けた歴史を持つ。科学的社会主義をかかげる。日米安保条約の破棄，大企業中心から国民生活中心への経済政策の転換，自衛隊縮小などを主張。政党助成制度に反対し，交付金の受け取りを拒否。

日本維新の会：代表　松井一郎

憲法を改正し首相公選制や一院制の実現をめざすとともに，東京一極集中から地方分権への移行をめざす政党。元大阪市長の橋下徹氏が大阪府知事のときに結党した地域政党「おおさか維新の会」と理念を同じくする全国政党。2016年の参議院選挙において，元みんなの党代表の渡辺喜美氏が合流した。

解説 政党や議員がホームページを開設することがあたり前になった。単に主張を述べるだけではなく，有権者の声に耳を傾ける双方向コミュニケーションを模索（もさく）している現れである。

5 選挙区制度の比較

	小選挙区制（選挙区の定員１名）	大選挙区制（選挙区の定員複数名）	比例代表制（得票率に応じ議席配分）
長所	①候補者をよく知ることができる ②大政党に有利で政権が安定する ③選挙区が小さく選挙費用が少ない	①少数派も代表を出す可能性がある ②死票が少ない ③新人が当選の機会を得やすい	①民意が比較的正確に反映される ②中小政党の候補者も当選しやすい ③ゲリマンダーは行えず公平である
短所	①少数意見が政治に反映されにくい ②地域的な視点が優先されやすい ③＊ゲリマンダーの危険がある	①選挙費用がかさむ ②小党乱立による政局不安定の危険 ③同一政党内の戦いは派閥の一因に	①小党乱立の弊害の可能性が高まる ②政党中心で候補者個人が埋没しがち ③選挙区が広く多額の費用がかかる

Column 選挙区制度による得票率と議席数の関係

◎議席数100の議会を持ち，Ａ党～Ｄ党の４政党が活動する小国を想定しよう。

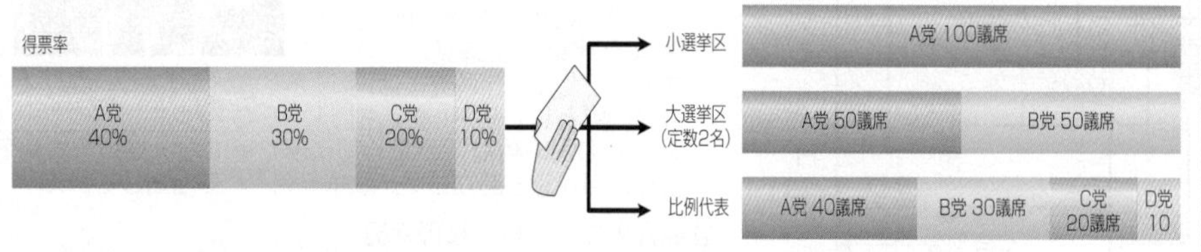

得票率が同じ場合でも，選挙制度によって結果がまるで違ってしまうことに注意したい。もちろん実際には，これほど極端な結果にはならないだろう。

例えば，Ａ党が農村部，Ｂ党，Ｃ党が都市部に支持基盤がある場合，大選挙区の例では農村部でＡ党が２名の候補者を出して議席を独占したり，反対に都市部でＢ党とＣ党で議席を分け合うことがありうるだろう。そうした要素があれば，小選挙区制の例ではＡ党が75議席，Ｂ党が25議席というような結果になるかもしれない。一般的に，小選挙区制は二大政党につながりやすく，比例代表制は多党制になりやすい傾向があるといわれる。

＊ゲリマンダーとは，自分の党の候補者に有利なように不自然な形で選挙区を変更すること。1812年，アメリカのマサチューセッツ州のゲリー知事が，自党に有利な選挙区を作ったが，その形が不自然で，伝説の火トカゲ（サラマンダー）に似ている（下図）ところから造語された。

6 選挙の四原則

普通選挙（⟷制限選挙）	性別や財産で差別せず一定の年齢になれば全員が選挙権を得る制度
平等選挙（⟷不平等選挙）	投票できる票数や１票の価値において全ての有権者が平等である制度
秘密選挙（⟷記名選挙）	有権者がどのような投票を行ったか公開されず，責任を問われない選挙
直接選挙（⟷間接選挙）	有権者本人が，代理人を介さずに直接候補者に票を投じる制度

解説 このほか，「自由選挙」を加えて五原則ということもある。自由選挙とは，立候補者の事前審査を行って，立候補を制限されることがない選挙で，社会主義国や宗教国家では認められていない原則である。

ネット選挙 インターネットやＳＮＳなどを使った選挙活動が2013年夏の参院選から始まった。

7 選挙権の拡大

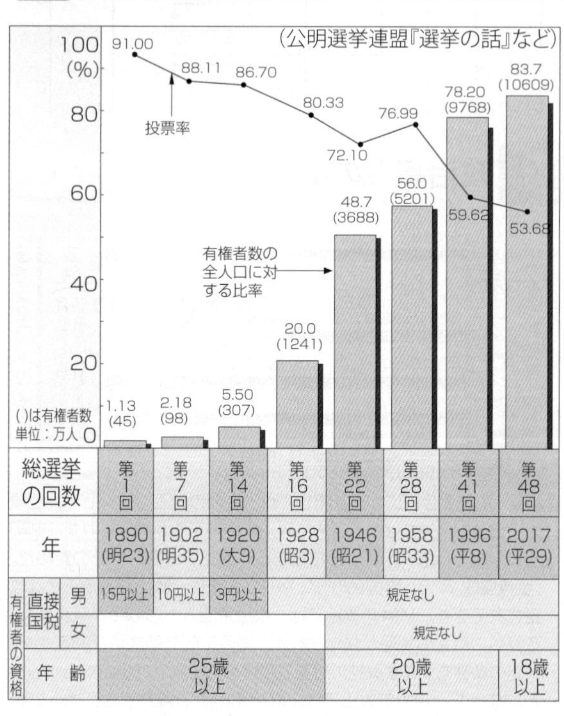

総選挙の回数		第1回	第7回	第14回	第16回	第22回	第28回	第41回	第48回
年		1890（明23）	1902（明35）	1920（大9）	1928（昭3）	1946（昭21）	1958（昭33）	1996（平8）	2017（平29）
有権者の資格 直接国税	男	15円以上	10円以上	3円以上	規定なし				
	女					規定なし			
年齢		25歳以上				20歳以上			18歳以上

解説 2015年の改正公職選挙法により，2016年から選挙権年齢が「18歳以上」に引き下げられることとなった。（→p.6参照）

○×で答えよう！ 正誤問題にTRY✓ 小選挙区制の下では，議会の過半数を単独で占める政党が誕生しやすいことから，政権が安定するといわれている。

8 主要国の普通選挙の確立年

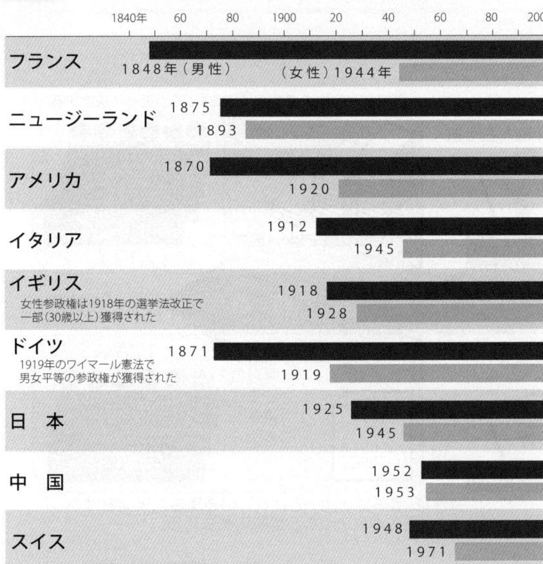

解説 欧米諸国といえども,身分や収入,人種や性別による制限選挙から普通選挙に移行した歴史は,そう古いものではない。特に女性参政権(かつては婦人参政権といった)が認められるようになるのは,男子普通選挙よりも後のことが多く,妻は夫に従うものという考え方が,洋の東西を問わず一般的であったことがうかがえる。

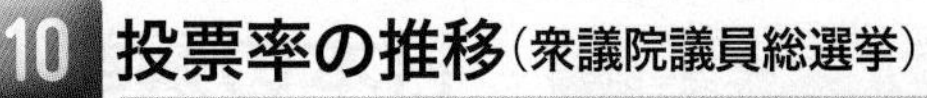

10 投票率の推移(衆議院議員総選挙)

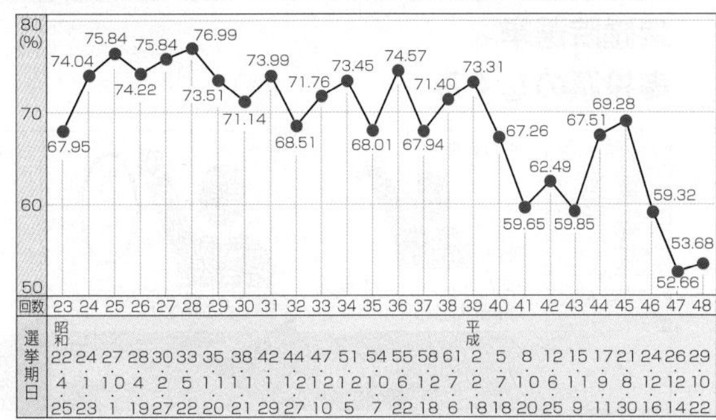

Column 違憲判決と事情判決の法理

裁判によって選挙が無効とされた場合には，やり直し選挙を行わなければならない。しかし，これまで国政選挙が無効となって再選挙が行われたことはない。これは行政事件訴訟法にある「事情判決の法理」に基づいたものである。「事情判決の法理」とは，公益に重大な障害が生じる事情がある場合には無効を回避することができるという考え方で，選挙が無効になると影響が大きすぎるという理由からである。しかし，この法理は行政機関の行為の取り消しを求める訴訟で使われるべきものであって，選挙の無効を求める訴訟に転用されるべきではないと疑問を呈する声が法律家の中でも出されている。

政治編

9 一票の格差

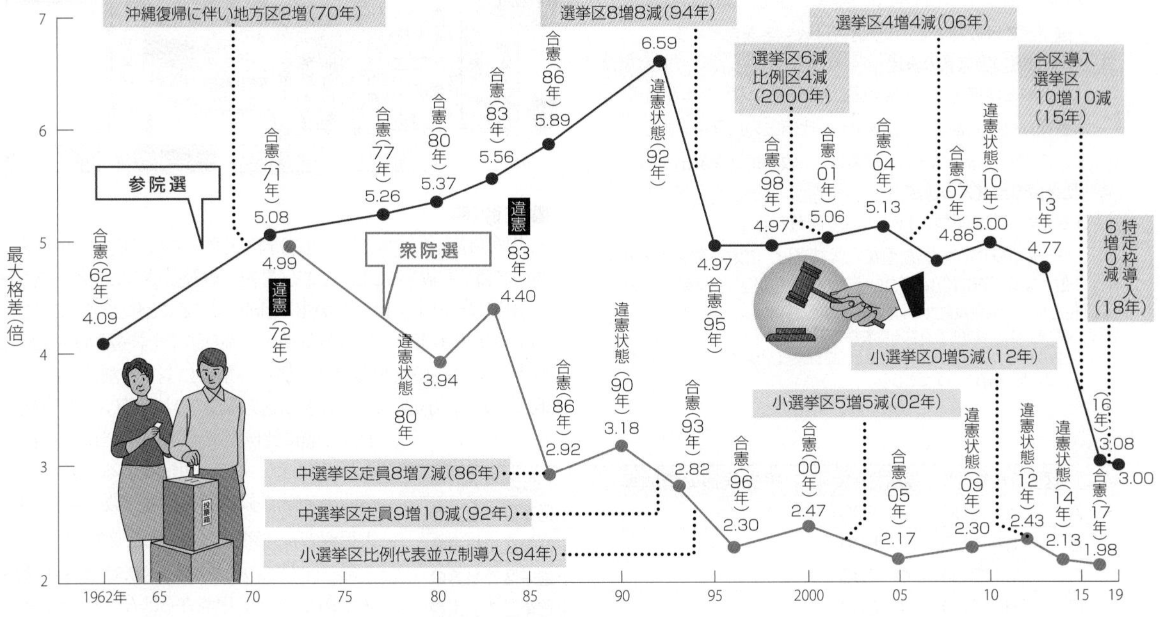

近年の定数不均衡是正訴訟

衆議院	2014年12月 第47回総選挙 2.13倍	2015年 11月25日 大法廷 「違憲状態」(14人中9人の多数意見，合憲2人，違憲3人)	2009年の2.30倍，12年の2.43倍に続き，3回連続して「違憲状態」となった。12年の選挙後に0増5減の公職選挙法改正を行い，格差は縮小されたが，抜本的な対策がとられていないことが今回の判断材料とされた。国会は立法府としてこの司法判断への早急な対応が求められる。(→p.158)

参議院	2019年7月 第25回選挙 3.00倍	2020年 11月18日 大法廷 「合憲」(15人中10人の多数意見。3人が「違憲」，1人が「違憲状態」)	16年の選挙から，一票の格差を0.08ポイント縮めた国会の取り組みの是非が問われた。18年の法改正では格差の是正が大きな進展を見せているとは言えないとした。その上で，投票率の低下などの弊害を指摘されながら合区を保ち，格差をわずかに改善させた点は評価した。

○×で答えよう! 正誤問題にTRY✓ かつて最高裁判所は一票の格差を違憲とした判決で，選挙自体は有効とし，選挙のやり直しは命じなかった。

日本の選挙制度

衆議院選挙

●投票のしくみ

＊得票数が同数の場合は，くじによって当選者を決定する。

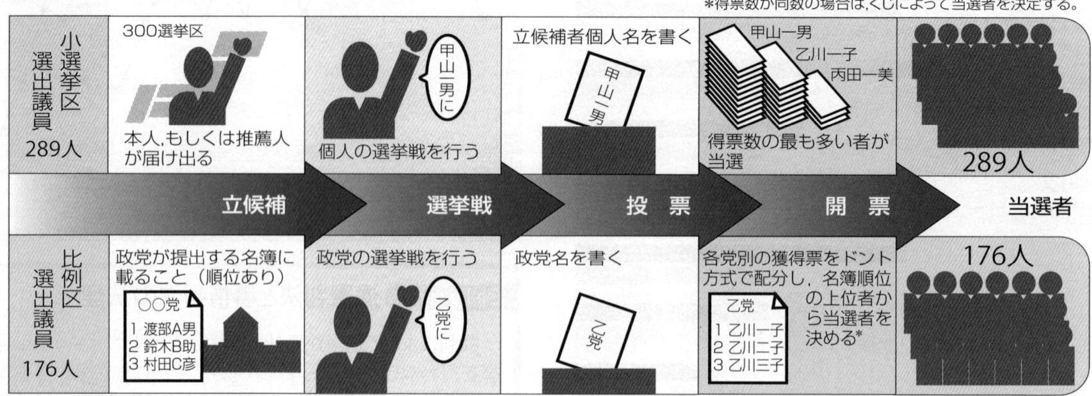

(注)小選挙区候補が比例区候補になることもできる。(重複立候補)

(注)名簿順位が同一とされている重複立候補者は，惜敗率によって当選順位を決める。

●小選挙区比例代表のしくみ

1.　立候補の届け出

- 立候補者は，小選挙区立候補者・比例区立候補者・重複立候補者の三種類
- 政党に所属しない候補者は，比例区に立候補することはできない
- 比例区の立候補者には，政党の定めた当選順位がつけられる
- 重複立候補者同士は，順位を同一順位にすることができる

2.　投票

- 投票は選挙区と比例区とに一票ずつ，合計二票投じる
- 選挙区では候補者名，比例区では政党名を自署する

3.　小選挙区の当選人の決定

- 小選挙区候補者は，各選挙区ごとに一位になった者が当選※1
- 重複立候補者が当選した場合は，比例区の当選権を失う
- 重複立候補者が落選した場合は，惜敗率※2を算出する

4.　比例区の当選人の決定

- 各党の得票に基づき，ドント式で配分する
- 同一順位のつけられた重複立候補者は，惜敗率の高い者が上位となる当選順位に基づいて，上位から当選者を確定する※3

※1：法定得票数（有効投票数の6分の1）に満たない場合は当選できない
※2：惜敗率とは，「自分の得票数÷当選者の得票数」
※3：重複立候補者の小選挙区での得票が法定得票数（10分の1）×100（%）に満たない場合は当選できない

●選挙区割り
（小選挙区 289 人）

北海道 8（北海道12）／東北 13（青森3，秋田3，岩手3，山形3，宮城6，福島5）／北陸・信越 11（石川3，富山3，新潟6，長野5）／北関東 19（茨城7，栃木5，群馬5，埼玉15）／南関東 22（千葉13，神奈川18，山梨2）／東京都 17（東京25）／東海 20（岐阜4，静岡8，愛知15，三重4）／近畿 28（福井2，滋賀4，京都6，大阪19，兵庫12，奈良3，和歌山3）／中国 11（鳥取2，島根2，岡山5，広島7，山口4）／四国 6（香川3，徳島2，愛媛4，高知2）／九州 20（福岡11，佐賀2，長崎4，大分3，熊本4，宮崎3，鹿児島4，沖縄4）

●惜敗率

衆議院議員総選挙では，小選挙区選挙の立候補者を比例代表選挙の名簿にも載せることができる(重複立候補)。さらに，各小選挙区に出馬した候補の比例名簿順位を同じにすることもできる。このとき，選挙後に当選者を決定する基準になるのが，「当該選挙区における有効投票の最多数を得た者に係る得票数に対する割合」である惜敗率である。小選挙区で落選した候補者のうち，惜しい戦いをした者から順に比例区で当選(復活当選)させることができるようになる仕組みである。

惜敗率＝(当該候補者の獲得票数÷当選者(最大得票者)の獲得票数)×100(%)

ある比例区のなかにA～Jまで10の小選挙区があるとする。甲党からはA～Jにそれぞれa～jが立候補し，全員が甲党の比例名簿順位の1位に登録されたとしよう。甲党のライバル乙党からもA～Jの選挙区にそれぞれア～コが立候補している。選挙の結果，甲党のa～dは小選挙区で当選し，比例区選挙では甲党に2名の当選が振り分けられたとする。

惜敗率

小選挙区	1位得票数	2位得票数	甲党候補の惜敗率	当落状況
A	a　500	ア　400		小選挙区で当選●
B	b　600	イ　500		小選挙区で当選●
C	c　700	ウ　600		小選挙区で当選●
D	d　600	エ　300		小選挙区で当選●
E	オ　500	e　300	(300÷500) ×100 = 60%	落選 ●
F	カ　600	f　300	(300÷600) ×100 = 50%	落選 ●
G	キ　700	g　500	(500÷700) ×100 = 71%	落選 ●
H	ク　500	h　400	(400÷500) ×100 = 80%	復活当選 ●
I	ケ　600	i　500	(500÷600) ×100 = 83%	復活当選 ●
J	コ　700	j　400	(400÷700) ×100 = 57%	落選 ●

○×で答えよう! 正誤問題にTRY✓　重複立候補を避けるため，衆議院の小選挙区に立候補した候補者が同時に衆議院の比例代表名簿に登載されることは禁止される。

参議院選挙

●投票のしくみ

＊得票数が同数の場合は，くじによって当選者を決定する。

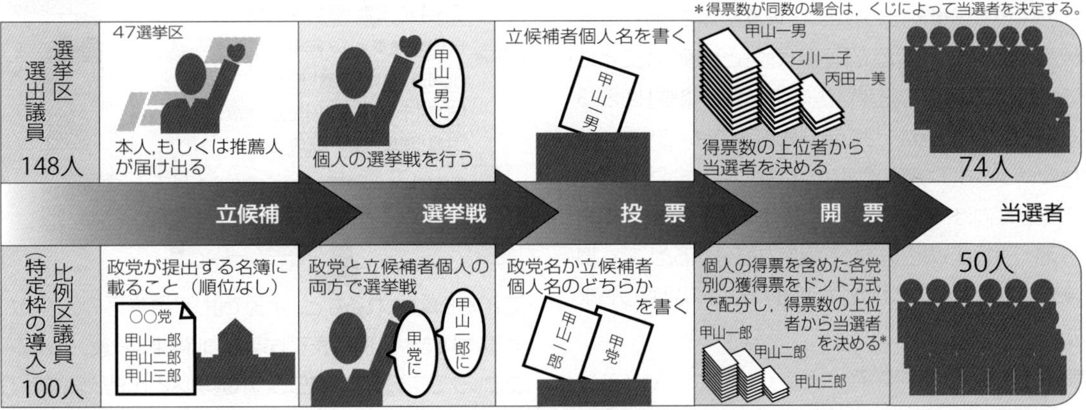

候補者名簿を提出できる政党は 1.所属国会議員が5人以上，2.直前の国政選挙での得票率が4%以上，3.「選挙区」「比例代表」合わせて候補者が10人以上，のいずれかを満たしていなければならない。

特定枠の導入　比例区では「特定枠」として，優先的に当選させる候補者を名簿に記載する拘束名簿式の方法が導入される。選挙の際は，特定枠に記載されている候補者が上位となり名簿順に当選（拘束名簿式）する。その他の名簿記載者は，その得票数の最も多い者から順に当選（非拘束名簿式）となる。

●選挙区割り

（選挙区148人）

※各選挙では定数の半数ずつ改選されます。

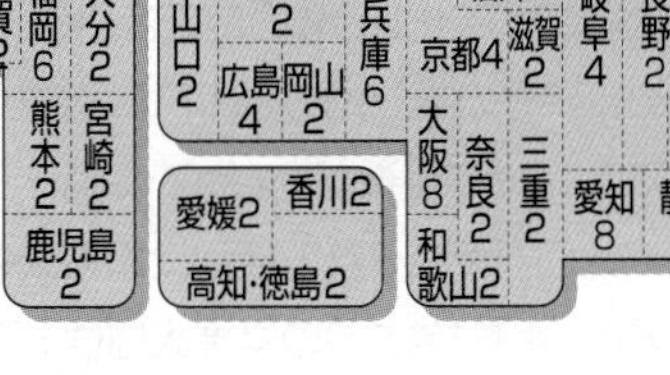

●選挙区比例代表のしくみ

1.　立候補の届け出

- 立候補者は，選挙区立候補者・比例区立候補者の二種類
- 政党に所属しない候補者は，比例区に立候補することはできない
- 比例区の立候補者は，立候補時点では順位を定めない

2.　投票

- 投票は選挙区と比例区とに一票ずつ，合計二票投じる
- 選挙区では候補者名，比例区では候補者名または政党名を自署する

3.　選挙区の当選人の決定

- 選挙区候補者は，各選挙区ごとの定数以内に入った者が当選※1

4.　比例区の当選人の決定

- 各党の比例区候補者の得票と党に対する得票を合計し，ドント式で配分する
- 候補者名で投じられた票の多い者を上位とする
- 当選順位に基づいて，上位から当選者を確定する

※1：法定得票数（有効投票数を定数に除した数の6分の1）に満たない場合は当選できない

●ドント方式

比例代表選挙で各政党の得票に応じて議席を配分する方法の一つで，ベルギーの法学者ドントが考案した。日本では衆議院と参議院の比例代表選挙で採用されている。その方法は，以下のとおりである。

1．各政党の得票数を1，2，3，…と整数で順に割り，商を求める。
2．求めた商の大きい順に，議席を定数まで配分する。

4つの政党A，B，C，Dに10議席を割り振る例で考えてみよう。

政党		A	B	C	D
得票数		10000	8500	6000	3500
商と議席配分	除数1のとき	10000･･･ ①	8500･･･ ②	6000･･･ ③	3500･･･ ⑥
	2のとき	5000･･･ ④	4250･･･ ⑤	3000･･･ ⑧	1750
	3のとき	3333･･･ ⑦	2833･･･ ⑨	2000	1167
	4のとき	2500･･･ ⑩	2125	1500	875
配分議席数		4	3	2	1

解説　参議院は，一回の通常選挙で定数の半数が改選されるため，各選挙区（都道府県）ごとの議員定数は，必ず偶数になっている。このため，人口が最も多い東京都と，最も少ない鳥取県では，人口は約20倍も差があるのに，議員定数は4倍しかなかった。これを解消するためには，総議席数を極端にふやすか，二つ以上の県で一つの選挙区をつくるか，二回の通常選挙で一人の議員を選出する県をつくるしかない。1983年に比例区選挙が実施される以前は，「全国区」の選挙が行われ，全国的知名度の高い人物が議員になることができたが，比例区に変わってからは，参議院の政党化が進み，二院制の意義が失われたとの指摘もある。

○×で答えよう! 正誤問題にTRY✓　公職選挙法では，選挙運動期間中の戸別訪問は，候補者が公約を有権者に直接説明するための機会として認められている。

テーマ学習　衆議院議員定数の是正とアダムズ方式

◆衆議院議員選挙の改革

衆議院議員選挙制度の改革は，最高裁が2009年以降の衆議院選挙を3回連続で「違憲状態」と判断したことによる。前回2014年の選挙区選挙の「1票の格差」は2.13倍だったが，2015年11月の最高裁判決では，2倍を判断の目安としており，違憲状態との判断となった。さらに格差の是正に向け，最高裁は各都道府県に無条件で1議席を与え，それから人口に応じて議席を配分するという，現在までの定数配分のやり方「1人別枠方式」の見直しも求めた。

衆院選１票の格差と最高裁判断

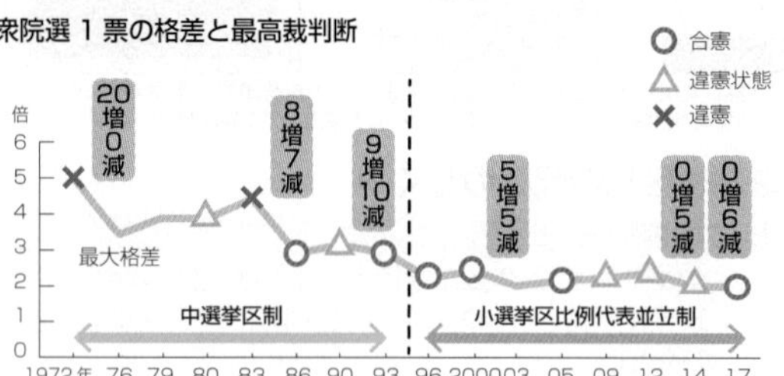

これを受けて，衆院選挙制度調査会は，議席配分の方法として①都道府県間の1票の格差ができるだけ小さく，②都道府県ごとの議席の変動が小さい，などの基準を設けて検討し，アダムズ方式による議席配分が望ましいとの答申を2016年1月にだした。

◆衆議院区割りの見直し

この答申をもとに，2016年5月，改正公職選挙法が成立した。この改正法により，衆議院議員の定数は10人削減され，衆議院小選挙区選出議員の選挙区間における人口較差の是正措置（2倍未満）について，各都道府県の区域内の選挙区の数を2020年以降，10年ごとに行われる国勢調査の結果に基づき，いわゆるアダムズ方式で配分することとされた。

アダムズ方式導入は２段階で進む		
2016年	4月28日	自公が提出した公選法改正案など関連法案が衆院通過
	5月20日	衆院選挙制度改革関連法案が成立
	（半年程度）	〈15年簡易国勢調査をもとに「0増6減」などとし，区割り審が新たな区割り策定。定数も10減〉
17年	1月～	通常国会に新区割りの関連法案を提出
	6月19日以降	区割り法が公布，7月19日から施行。その後の衆院選は新たな定数と区切りで実施
		➡①「0増6減」などの見直し完了
	10月22日	新区割りでの衆院選実施
20年		国勢調査
21年		20年国勢調査公表を踏まえ「アダムズ方式」で見直し
22年以降		新たな定数と区割りで選挙実施
		➡②アダムズ方式による全面見直し完了

それまでの間は，速やかな議員定数の見直しが求められ，2017年6月には衆議院区割り法が成立し，右上図の通り，小選挙区で6県の定数を各1減じて「0増6減」されるなど，全国で計97選挙区の区割りが見直された。比例代表でも東北，北関東，近畿，九州の4ブロックで定数を各1減らし，小選挙区と比例代表を合わせた衆院の定数は465で，戦後最少になる。2014年の衆院選で最大2.13倍だった「1票の格差」は，2020年の見込み人口で最大1.999倍に是正された。

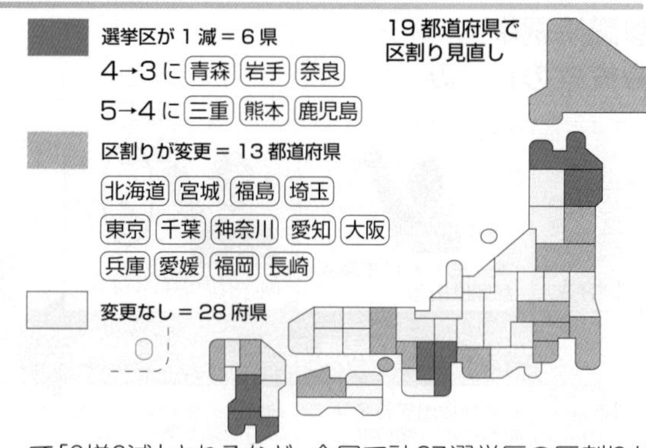

◆2022年から採用されるアダムズ方式とは

議員定数を人口に比例して配分するための計算方法の1つ。18～19世紀のアメリカで州と人口が増えるなか，下院の定数を各州にどう配分するかが問題となり，第6代大統領を務めたアダムズ氏が1830年代に提唱した方式である。ポイントは「小数点以下」の扱い。

定数を人口比例で配分するには，総人口を総定数で割って定数1当たりの基準人口を出し，その値で各州の人口を割って定数を求める。その際，小数点以下の端数が出るが，その端数の扱いによって定数が変わってくる。

例えば，定数10を人口がそれぞれ14万人と3万人の2つの州に割り振る場合，定数1当たりの基準人口は1.7万人。単純計算なら定数は8.2と1.8になるが，実際は8と2か，9と1にしなければならない。小数点以下を一律に切り上げるのがアダムズ方式だ。切り上げると，先の例は定数が9と2になり，総定数の10を超えてしまう。そこで総定数内に収まるよう基準人口を調整する。当初は1.7万人としたが，これを1.8万人で計算し直せば7.8と1.7。切り上げて8と2となる。

アダムズ方式のイメージ

10議席を配分する場合	A県	B県
人口は計17万人 1議席あたりの人口1.7万で割る	14万人	3万人
	8.2議席	1.8議席
小数点以下を切り上げ	9議席	2議席 →合計10議席にならない
10議席になるよう割る数を調整。この場合1.8万で割る	7.8議席	1.7議席
小数点以下を切り上げ	8議席	2議席 →合計10議席に

こうしたアダムズ方式が最善の策かどうかも含め，選挙制度のあり方については，不断の努力での見直しが求められている。

政治編

○×で答えよう！ 正誤問題にTRY✓ 平等選挙の原則には，各有権者が投じる一票の価値が同等であることが含まれる。

テーマ学習　ヨーロッパ各国の選挙と選挙制度

◆イギリス下院総選挙

ー イギリスの選挙制度と日程 ー

イギリス総選挙は下院議員の650議席を争い，全国650の選挙区からそれぞれ1人が選出される単純小選挙区制となっている。総選挙は5年ごとに実施される。前回の選挙は2017年6月に行われたが，イギリスのEU離脱をめぐって行き詰まったジョンソン政権は前倒しで総選挙を実施するための法律を議会で成立させた。

有権者は事前に登録が必要である。基本的に，投票日当日に18歳以上で，有権者登録を済ませている英国市民なら，投票できる。イギリスでは若者よりも高齢者の方が投票率が高い。しかし今回，総選挙が発表されてから期日までに有権者登録をした310万人のうち，3分の2が35歳未満だった。さらに，25歳未満の登録者が100万人以上いた。総選挙の投票日は伝統的に木曜日とされており，2019年は12月12日の午前7時から午後10時であった。

2019年のイギリス総選挙　EUからの早期離脱を訴え，2019年7月に首相に就任したジョンソン氏は，政権基盤を固めるため，下院の解散・総選挙に踏み切った。選挙はEUからの離脱が最大の争点となった。離脱期限が3度延期されるなど混乱が続いたことで，有権者に早期の事態収拾を望む声が高まったことが保守党に有利に働いた可能性がある。結果は保守党が過半数(326)を大きく超える365議席を獲得した。解散前の298議席から67議席上積みし，サッチャー政権下の1987年以来の歴史的な大勝となった。

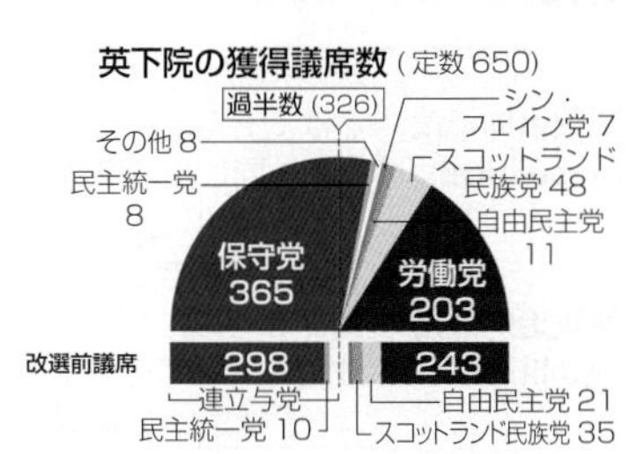

◆フランス大統領選挙，国民議会総選挙

ー フランスの大統領選挙 ー

フランスの大統領選挙では，18歳以上のフランス国籍を持つ者はだれでも被選挙資格を持つ。投票の仕組みは単記2回投票制で，第1回投票のみで選出されるには，絶対多数（有効投票総数の50%+1票）を得る必要がある。どの候補者も絶対多数を得られなかった場合は，上位2人の候補者の間で第2回投票が行われる。その結果，単純多数（最も多数の票）を得た候補者が当選となる。

2017年の大統領選　4月23日の1回目の投票で閣僚経験者の共和党のフィヨン氏や社会党のアモン氏，左派党のメランション氏の3名が敗北し，中道系独立候補のエマニュエル・マクロン元経済産業デジタル相と，難民受け入れ反対を主張する極右政党・国民戦線のマリーヌ・ルペン氏が第2回投票に臨んだ。5月7日の第2回投票結果は，マクロン氏が66.1%，ルペン氏が33.9%で，39歳のマクロン氏がフランス史上最も若い大統領として当選した。

ー フランスの国民議会選挙 ー

フランス国民議会選挙は5年に一度実施され，大統領選の翌月に毎回行われている。577議席全議席を1選挙区1人選出の小選挙区制で改選。1回目投票で過半数を得た候補者がいない場合，得票率12.5%以上を獲得した候補者が2回目投票に進む。この2回投票制では，勝ち上がる候補者の顔ぶれ次第で有権者の行動が変わる。

2017年の国民議会選挙　6月11日に1回目投票が行われ，決選（第2回）投票は18日即日開票された。マクロン大統領率いる新党「共和国前進」が系列政党とあわせて全議席577の6割に当たる350を獲得。マクロン氏は安定した政権基盤で，公約の労働法の改正や外交課題の欧州連合（EU）の結束強化に取り組む。

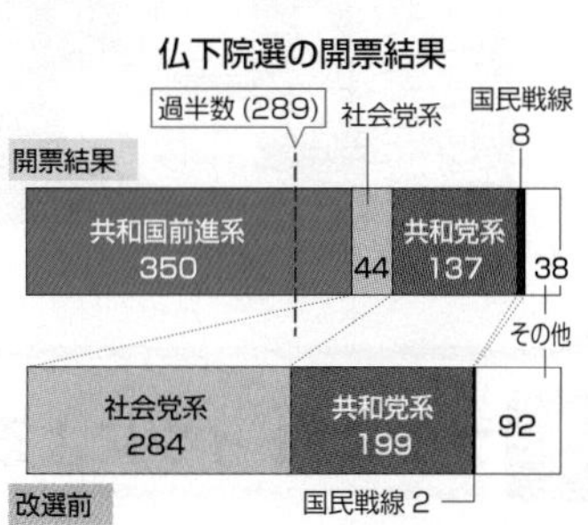

(注)仏内務省発表，開票率100%，国民議会総議席数は577

◆ドイツ下院総選挙

ー ドイツの選挙制度と日程 ー

ドイツの下院にあたる連邦議会の選挙は4年に1度行われる。政権は連邦議会の多数派で形成される。選挙権は18歳以上で小選挙区と比例代表の選挙となる。有権者は比例代表では政党に，小選挙区では候補者にそれぞれ投票する。各党の議席は，比例代表での得票に基づいてすべての議席が配分される。「超過議席」が認められているため議員の数は定数の598を上回るのが普通で，2021年の選挙では最終的に740議席となった。

2021年ドイツ総選挙　9月26日に投開票された総選挙は，16年間首相を務めて政界から退くメルケルの後任を選ぶこととなった。中道左派の社会民主党が28.4%，保守のキリスト教民主・社会同盟が26.8%の議席を獲得する接戦となった。ショルツ財務相の社会民主党とラシェット党首率いるキリスト教民主・社会同盟はいずれも単独過半数には届かなかった。環境保護政党の緑の党が第3党に躍進した。地球温暖化問題への意識の高まりを追い風に2017年の前回と比べ最も得票率を伸ばした政党となった。前回の総選挙で台頭した極右政党ドイツのための選択肢は議席を減らした。

独下院の各政党の獲得議席数

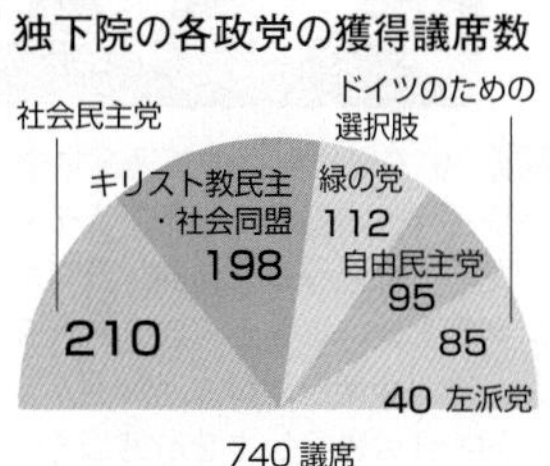

政治編

30 世論とメディアの役割

TOPICS

メディア-リテラシー

(『朝日新聞』2011.7.30)

ツイッターなどのソーシャル-メディアの普及がマス-メディアの報道・取材手法に変化をもたらしている。日本国内において，ソーシャル-メディアの可能性を，報道機関や人々に強く印象付けたのは，2011年の東日本大震災であった。混乱の中，より早く，きめ細やかな情報を交換するため，多くの市民がアクセスをした。膨大な一次情報が流通する場が生まれ，報道機関にとっては取材源にもなった。一方で，デマやうわさも流れ，情報を取捨選択して発信する報道機関の役割が改めて問われる機会にもなった。

今，改めて「メディア-リテラシー」の重要性が問われている。新聞記事に書かれているように情報を正しく受け止めるために，ひとつの情報だけを信じ込むのではなく，いくつかの情報を集めて，複数の「目」を持つことが重要である。

政治編

1 ナチス-ドイツによる情報操作

宣伝はすべて大衆的であるべきであり，その知的水準は，宣伝が目指すべきものの中で最低級のものがわかる程度に調整すべきである。それゆえ獲得すべき大衆の人数が多くなればなるほど，純粋の知的高度はますます低くしなければならない。……宣伝におよそ学術的教授の多様性を与えようとすることは，誤りである。大衆の受容能力は非常に限られており，理解力は小さいが，そのかわりに忘却力は大きい。……あれもこれもとりいれようとするとすぐさま効果は散漫になる。というのは，大衆は提供された素材を消化することも，記憶しておくこともできないからである。

(ヒトラー『わが闘争』平野一郎訳，角川文庫)

解説 いち早く男女の普通選挙権を保障するなど当時最も民主的なワイマール憲法体制下でナチスは権力を奪取し，独裁体制を築いた。その過程で，新聞，ラジオ，映画などのメディアを最大限に利用した。ヒトラー自身も大衆を酔わせる演説技術に長けていた。彼が大衆をどのように見ていたかがうかがえる資料である。情報操作の恐ろしさを自覚していなければ，私たちも誤った情報に踊らされる危険がある。

2 政治的無関心

脱政治的態度 (depolitical)	政治によって自分の欲求や期待を実現することはできない，と幻滅している。「誰が当選しても同じ」と選挙を棄権することがある。ただし，政治に全く関心がないわけではない。
無政治的態度 (apolitical)	学問や芸術などに没頭し，政治は自分とは無関係なもの，くだらないものと見なしている。政治についての知識も乏しい。選挙に行こうなどとは思いもよらない。
反政治的態度 (antipolitical)	現在の政治制度が自分の価値と対立して相いれないと感じて否定的な態度をとる。選挙の意義も認めないので，当然投票はしない。

解説 近代以前の社会では，政治に対する無知や権威に対する畏怖(いふ)から権力者に従う伝統型無関心が見られたが，現代ではラスウェルの類型(上表)のような現代型無関心が多い。複雑化した政治社会に無力感を抱き私的な生活に逃避する傾向は，若い世代にも広く見られる。主権者が政治への関心を失えば，民主政治は崩壊し，やがてその代価を支払わなければならない。

Column 第四の権力

マス-メディアを，「第四の権力」と呼ぶことがある。内容的には二通りの意味合いがある。一つはマス-メディアの権力監視に焦点を当てた考え方である。立法，行政，司法の三権から距離を置いたマス-メディアの影響力に期待する意味合いで呼ぶ。もう一つは，文字通り，立法・行政・司法の三権に匹敵するだけの大きな影響力を政治や社会に対して行使するものとして呼ぶ場合である。国家権力を批判する立場にありながら自らも権力化する可能性をもつマス-メディアの二面性を「第四の権力」という言葉は象徴しているのである。

○×で答えよう! 正誤問題にTRY✓ 政治権力や諸団体の情報提供者が，マスメディアを利用して世論操作を図ろうとすることは，あり得ることだ。

テーマ学習　メディアが作った戦争美談

●イラク戦争と報道

2003年3月20日に始まったイラク戦争ほど，リアルタイムかつ大量に報道された戦争はかつてなかった。開戦前のイラクによる大量破壊兵器開発・配備疑惑に始まって，米軍の精密爆撃で破壊される施設，砂煙をあげて疾走する軍事車両，「解放」を喜び米英軍を歓迎するイラク市民の姿などが繰り返し報道された。各国メディアは米英軍と行動をともにして情報を送り続けたほか，イラク各地に残ったジャーナリストもこれに加わった。だが，私たちは戦争の本当の姿を見ていたのだろうか。

イラクが極秘裡に開発・配備し臨戦態勢にあると報道され，戦争を正当化する根拠となった大量破壊兵器は，大規模な捜索でも発見されず，2004年には存在しないと結論づけられた。また，歓迎されたはずの米英軍に対する攻撃が後を絶たない。このような状況から，イラクについての報道がはたして客観的なものであったのか，戦争を正当化するために事実の誇張(こちょう)や歪曲(わいきょく)があったのではないか，という疑問の声が高まった。開戦後，負傷して捕虜となった陸軍第507歩兵中隊のジェシカ=リンチ上等兵（当時19）の救出報道の検証を通じて，マス-メディアの問題点を考えてみよう。

●救出報道

救出翌日の4月3日，ワシントン-ポスト紙は，捕虜になったリンチ上等兵が，「弾の尽きるまで銃を撃ち」「勇敢(ゆうかん)に敵を殺し」「敵弾で負傷しても戦い続けた」—と生々しく伝えた。ポスト紙や他のメディアは特殊部隊の救出作戦も，「集中砲火に反撃し」「上等兵が収容されていた病院へ突っ込んだ」決死行と，臨場感たっぷりに伝えた。このころ戦争の先行きは不透明だった。短期決着の楽観ムードは失望感に変わり，ラムズフェルド国防長官は批判にさらされていた。閉塞感(へいそくかん)を背景に，リンチ上等兵は一夜でヒロインになった。米コロンビア大学の調査では，救出から2週間で，同上等兵の名は米主要紙上に919回登場。フランクス前中央軍司令官の639回をはるかにしのいだ。（中略）しかし，センセーショナルな救出物語は，実は軍内部の匿名(とくめい)情報源が提供した「作られた美談」だった。

ワシントン-ポスト紙は4月20日，同社の報道を「戦争のプロパガンダ」「ハリウッド気取り」と疑問視する読者の指摘を，紙面オンブズマン，マイケル=ゲトラー氏の署名記事で紹介した。その指摘で，同紙は米軍関係者や，上等兵が収容されていた病院を取材。その結果を6月17日に検証記事として掲載。多くの新事実を示して初期の報道を修正した。

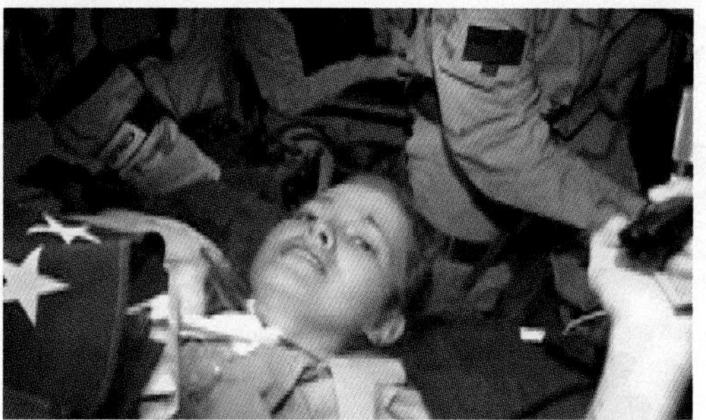

4月2日，米特殊部隊によって救出されたジェシカ=リンチさん=米国防総省提供（カタール・ドーハ）

▼リンチ上等兵救出をめぐる誇張報道例

初期報道①	リンチは弾が尽きるまで応戦した
→修正報道	銃は故障していて撃てなかった
初期報道②	リンチは収容されたイラク側の病院でまともな手当をされなかった
→修正報道	イラク人負傷者以上の手厚い看護を受けた
初期報道③	米特殊部隊は激しいイラク側の攻撃を受けながら，リンチを救出した
→修正報道	攻撃は全くなく，誰も抵抗しなかった

（修正報道はワシントン・ポスト紙による）

米陸軍は7月に作成した報告でリンチ上等兵のけがは戦闘ではなく，味方トラックの衝突によるものだと認めた。だが多くの疑問には答えていない。それればかりか，同上等兵は捕虜(ほりょ)になってから救出されるまでの間記憶を失っている，と公式に発表している。

●戦争とメディア

「米軍当局はメディア対策を研究してきた。導き出されたのは，メディアの排除ではなく，積極的に取り込む手法だ。戦場から映像を即時に世界に流すことが可能になったが，そこに落とし穴があった。従軍記者が見られるのは局部にすぎないのに，迫真(はくしん)映像や人間ドラマに飛びつく傾向を逆手にとられ，戦争の全体像を見失った。（中略）民主主義社会で市民はどんな戦争が行われているのか知る権利がある。メディアは軍事をきちんと勉強し，政府や軍との信頼関係を構築するとともに，世界の報道機関が連携して情報統制への対抗策を真剣に研究する必要がある。」（軍事評論家　江畑謙介）

2003年11月，ジェシカ=リンチさんの伝記が出版され，彼女自身がテレビのインタビューに答えた。イラクの病院で手荒い扱いを受けた覚えはないことや，女性の看護師が子守歌を歌ってくれたことを回想し，救出を感謝しつつも「軍は私を（イラク戦争の）シンボルに使った。それは間違いだった」などと述べた。

（『朝日新聞』2003.8.5. など）

政治編

31 地方自治とその課題

TOPICS

政令指定都市・熊本市

くまモンのブランド力　熊本県では，九州新幹線の開通（2011年）にあわせて，県独自のキャラクターとしてくまモンを開発した。その愛くるしい表情やしぐさが人気を呼び，全国各地でイベントに登場するなど，地域の活性化に大きく貢献している。また，ツイッターやフェイスブックなどのSNSでも積極的に情報を発信している。衣類や雑貨などさまざまな関連商品が販売されており，その販売額（経済効果）は300億円以上ともいわれる（2013年，経済産業省調査）。

2012年4月1日，熊本市が全国で20番目の政令指定都市に移行した。新たな政令指定都市の誕生は2010年の相模原市以来２年ぶりで，九州では北九州市，福岡市に次いで３番目となる。

都市計画や保健，福祉，教育などの分野で権限を持てる政令指定都市には地域の実情に応じた建設的な街づくりを進めていく成果が期待されるが，経済基盤の弱体化や都市基盤の老朽化，高齢化，犯罪の多発化などの課題も多い。

「政令市」「指定市」とも呼ばれる政令指定都市は，人口の集中や産業の蓄積でニーズが多様化した大都市が主体的に行政に関われるよう，都道府県から一定の権限・財源を委譲するが，道府県と同等の行政能力も持つことが求められているため，実際の対象はおおむね100万人前後の大都市に限られてきた。最近では「平成の大合併」を加速させるため，人口の要因が70万人程度にまで緩和されている。

政治編

1 民主主義の学校

「…けれどもここでは，小地域における自治が，自由国の市民に必要な能力の形成をさずけたその一般的な功績について一言しておこう。それは共同の問題に関する共同の利益，及び公共的義務ならびに個人的義務の自覚を市民に与え，これを適格公正に処理せんとする関心をもたせた。…第二に地方的制度は他人のためだけではなく，他人と一緒に能率的に働き得るような教育を人に付与する。…地方自治は民主政治の最良の学校，その成功の最高の保証人なりと言う格言（かくげん）の正しいことを示すものである。」（ブライス『近代民主政治』）

「…自由な人民の力が宿るのは自治体においてである。自治的な制度の自由に対する関係は小学校が学問に対して持つ関係と同じである。自治的な制度は，自由を人民の手のとどくところにおく。自治的な制度は，人民に自由を平和的に行使することをおぼえさせ，自由を用うることに習熟させる。…」（トックビル『アメリカの民主政治』）

2 日本国憲法が定める地方自治

憲法第92条〔地方自治の基本原則〕　地方公共団体の組織及び運営に関する事項は，地方自治の本旨に基いて，法律でこれを定める。

団体自治
憲法第94条〔地方公共団体の権能〕
　地方公共団体は，その財産を管理し，事務を処理し，及び行政を執行する権能を有し，法律の範囲内で条例を制定することができる。

住民自治
憲法第93条〔地方公共団体の機関，その直接選挙〕２項
地方公共団体の長，その議会の議員及び法律の定めるその他の吏員は，その地方公共団体の住民が，直接これを選挙する。

地方特別法の住民投票
憲法第95条

具体化

地方自治法
第５章〔直接請求権〕

解説　**団体自治**　地域を基礎に設けられた団体が，国から独立して地域の課題を処理すること。フランスやドイツで発達した概念。

住民自治　地域の課題をその地域の住民の意思に基づいて処理すること。イギリスやアメリカで発達した概念。

地方特別法の住民投票　１つの地方公共団体のみに適用される特別法は，法律の定めるところにより，その地方公共団体の住民の投票において過半数の同意を得なければ，国会は，これを制定することができない。

○×で答えよう！ 正誤問題にTRY✓　日本国憲法は直接民主制を否定しているため，住民投票制度が法律・条例で採用された場合，違憲となる。

3 地方自治のしくみ

A. 日本国憲法下の地方自治

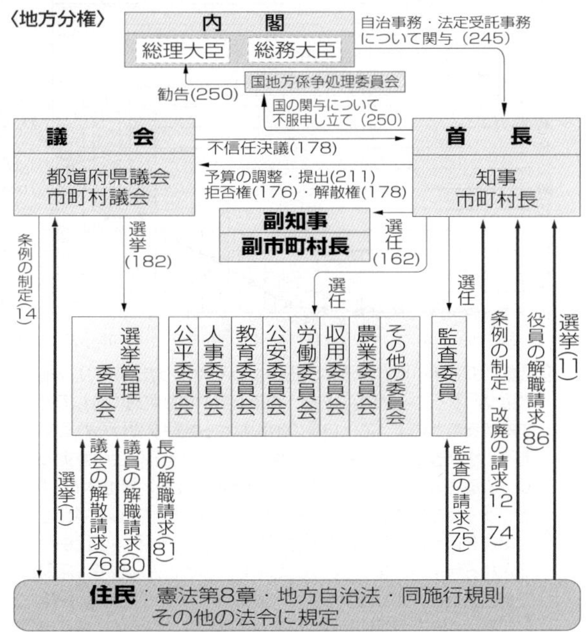

（　）内の数字は地方自治法の条数をあらわす

B. 大日本帝国憲法下の地方自治

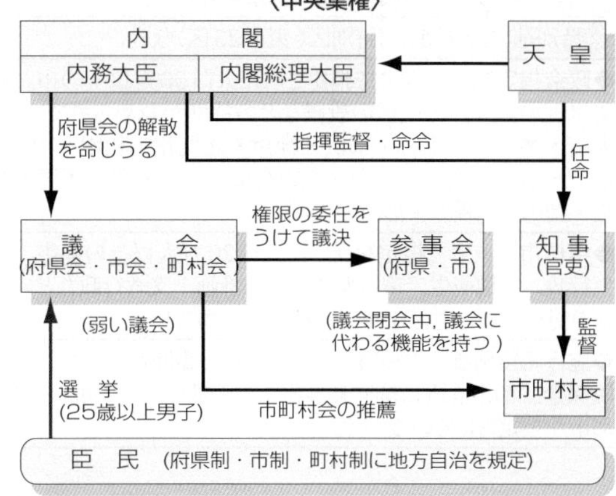

解説　大日本帝国憲法には地方自治の規定がなかった。府県知事は選挙で選ばれるのではなく，内務省の官吏が天皇から任命されて中央から派遣された。市町村長は上級機関の監督下にあり，議会の権限も弱かった。日本国憲法は1つの章(第8章)を設けて地方自治を保障し，地方自治法の制定によって住民が直接地方自治に参加する道が開かれた。

4 直接請求制度

（　）内の数字は地方自治法の条数をあらわす

請求の種類	必要署名数	請求先	取り扱い
条例の制定・改廃の請求(74)	有権者の50分の1以上	首　長	首長は20日以内に議会にかけて，その結果を公表
監査の請求(75) ※1		監査委員	監査結果を公表し，首長・議会に報告
議会の解散(76,79,85)	有権者の3分の1以上 ※2	選挙管理委員会	住民投票にかけて，過半数の同意があれば解散
議員・首長の解職(80～85)			住民投票にかけて，過半数の同意があれば解職
主要公務員の解職(86～88)		首　長	議会にかけて，3分の2以上の出席で4分の3以上の同意があれば解職

※1　財務に関する監査については，別に住民監査請求(242条)がある
※2　有権者総数40万人以下についてはその3分の1，同40万人超80万人以下についてはその6分の1，同80万人超についてはその8分の1を乗じた数を，おのおの合算した数である。

5 地方公共団体の仕事

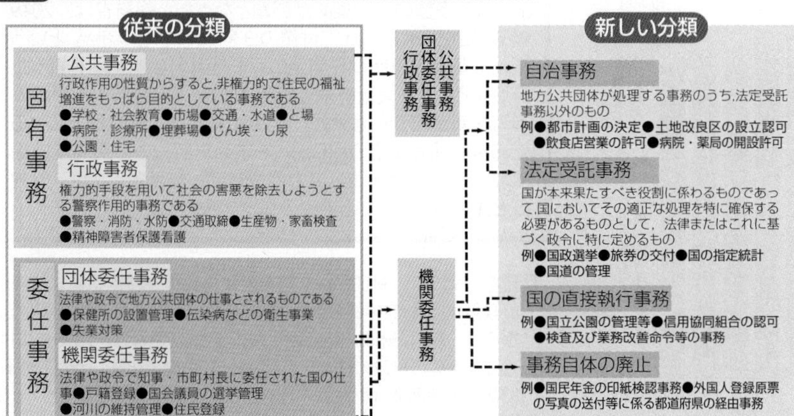

解説　1999年に制定された地方分権一括法は，地方自治法をはじめ日本の法律の約3分の1にあたる475の法律を一括改正するものだった。これにより国と地方自治体の関係は「上下・主従関係」から「対等・協力関係」に転換するとされた。
ポイントは
①地方自治体を国の下部機関化するとの批判があった機関委任事務を廃止し自治事務と法定受託事務に整理
②国地方係争処理委員会の設置
③地方への権限委譲と規制の緩和
④市町村合併の推進　などである。

6 直接民主主義的制度の分類

イニシアティブ（国民〈住民〉発案）	条例の制定・改廃請求，監査請求
レファレンダム（国民〈住民〉投票）	地方特別法に対する住民投票
リコール（国民〈住民〉解職）	首長などに対する解職請求，議会の解散請求

解説　さまざまな直接請求制度が用意されていることは地方自治の大きな特徴だ。住民が身近な地域の政治に直接参加し，アイディアを出し合うことは，民主主義が健全に育つための土台になる。なお，憲法が定める最高裁判所裁判官の国民審査はリコール，憲法改正の国民投票はレファレンダムの一種といえる。

○×で答えよう！ 正誤問題にTRY✓　住民は有権者の署名を一定数集めることで，条例の制定・改廃や首長の解職を請求することができる。

7 地方公共団体の種類

①普通地方公共団体	都道府県(1都1道2府43県), 市町村(政令都市を含む)
②特別地方公共団体	特別区(東京23区)など

◆**政令指定都市**　政令で指定された人口50万以上の市。事務処理の拡大, 行政区の設置などの特例が認められている。大阪・名古屋・京都・横浜・神戸・北九州・札幌・川崎・福岡・広島・仙台・千葉・さいたま・静岡・堺・新潟・浜松・岡山・相模原・熊本の20市

◆**中核市**　政令で指定を受けた人口20万人以上の都市。民生行政, 保健衛生, 環境保全, 都市計画, 文教行政などの事務を処理する。現在62の都市が指定されている。

◆**施行時特例市**　中核市に準じた事務の範囲が移譲され, 環境保全, 都市計画に関する事務などを処理する。現在23の都市が指定されている。

8 地方公共団体の財源

2019年度 総額　103兆2459億円

一般財源　59.1%　｜　特定財源　40.9%

地方税　39.9%　｜　地方交付税 16.2%　｜　国庫支出金 15.3%　｜　地方債 10.5%　｜　その他 15.1%

地方譲与税等 ほか3.0%

自主財源　地方税を中心とする,自主的に賦課徴収できる財源

依存財源　国から公布されたり割り当てられたりする,自治体の裁量の幅がせまい財源

(『地方財政白書』2021)

解説　地方分権一括法により自治事務が拡大し仕事量は増大したが, 自治体の自主財源は少ないのが現状である。地方財政の中核をなす地方税が歳入の3割から4割にすぎないため,「三割自治」と呼ばれることがある。

9 国が負担する地方の借金

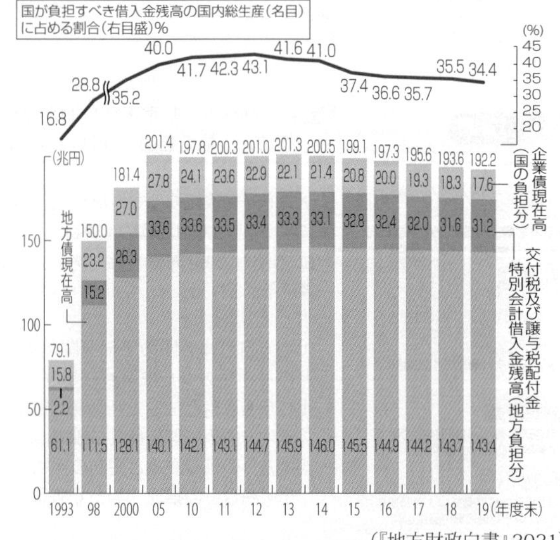

(『地方財政白書』2021)

10 ふるさと納税

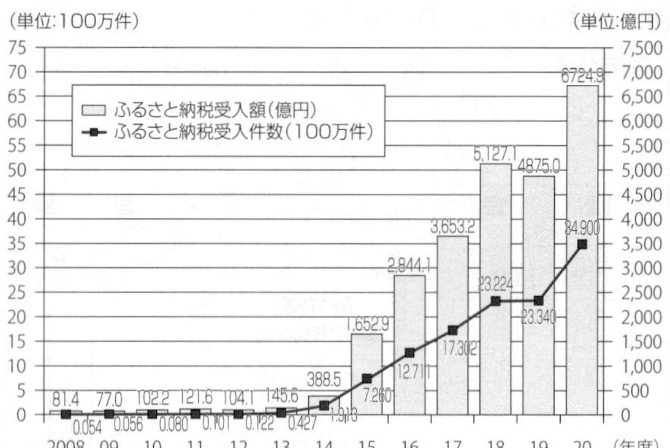

解説　2008年, 地方税法の改正によって始まった「寄附金税額控除制度」が「ふるさと納税」であり, 都道府県や市区町村に対して寄附金を納めることによって, 自身の納税額から控除を受けられる制度である。総務省ではこの制度の意義を, 税に対する国民の意識の高まり, ふるさとなどを応援したいという地域支援, 自治体間の競争, という3点をあげている。一般的に自治体に寄附をした場合は, 確定申告を行うことでその寄附金額の一部が, 所得税や住民税から控除される仕組みとなっている。しかし, ふるさと納税では原則として自己負担額の2,000円を除いた全額(上限額の設定有)が控除対象となる。手続きが面倒な確定申告も, 納税先の自治体に特例申請を提出するだけで済むため, 節税対策としての評価が高まった。

ふるさと納税の現状

2019年に総務省が「返礼品」についての厳格なルールを定めたことで, 多くの自治体が特産品を売り出すために知恵を絞っている。自治体同士が協力し「共通返礼品」を設定できる制度を積極的に活用するケースもある。また,「地域を応援したい」という, 本来の理念に沿った動きも広がりつつある。特に豪雨などの災害発生時は, 被害が大きかった市町村への寄附が集中した。

(日本経済新聞 2021.9.25)

Column　ふるさと納税の課題

制度開始の2008年度は寄附金額約81億円, 利用件数約5万件だったが, 多くの自治体が寄附への返礼品に工夫を凝らし, 2018年度には約5,127億円, 約2,322万件にまで拡大した。しかし, 自治体間の競争が加速し, 過度な返礼品による多額の寄附集めが問題となった。総務省は, 2019年6月から「返礼品は寄付額の3割以下で地場産品」という新たな基準の新制度を開始し, また過剰な返礼品を扱った自治体として, 大阪府泉佐野市や和歌山県高野町などの4市町を新制度から除外した。2020年6月, 泉佐野市による総務省の除外決定の取り消しを求めた訴訟で, 最高裁は除外取り消しを判断した。これを受けて, 総務省は7月, 除外自治体4つをふるさと納税の指定対象とした。

解説　1955年に制定された地方財政再建促進特別措置法により, 財政再建団体(赤字額の割合により判断)として自主再建をはかるとなると, 厳しい財政再建計画を実行することとなる。2009年に「地方公共団体の財政の健全化に関する法律(健全化法)」が施行され, 旧法の再建団体は財政再生団体として財政の健全化を図っている(現在の再生団体は夕張市)。

○×で答えよう! 正誤問題にTRY✓　「三位一体の改革」の一環として, 地方自治体の自主性を高めるため, 国から地方へ交付される地方交付税の総額が増やされた。

11 平成の大合併

◆大合併を進めるわけ

総務省は地方分権を進めるための財政基盤の強化や，高齢化や多様化する住民ニーズへの対応などをその理由としている。しかし最大の理由は，国と地方の財政状況が極めてきびしいために，行政の効率化が緊急課題になっていることだろう。逆に，地域の実情に応じたきめ細かなサービスをどう確保するか，地域の伝統や文化，地域の一体感といった目に見えない価値をどうやって継承するかなど，課題も多く残されている。

市町村数の変遷

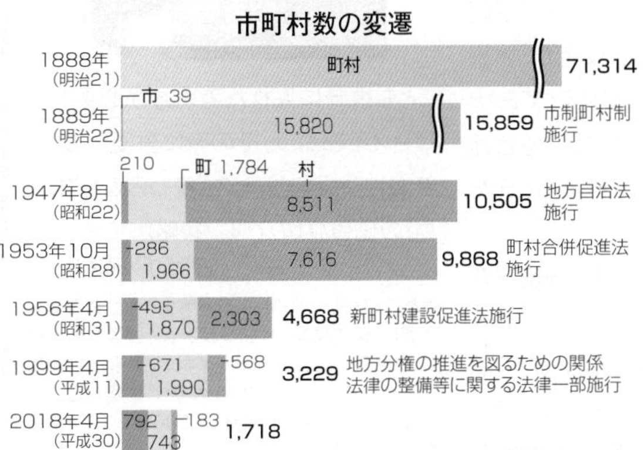

（総務省ＨＰなど）

Column 住民投票条例とその実際

全国で初めて中学生が参加した住民投票が11日，長野県平谷村（塚田明久村長）で行われた。合併の是非を問うもので投票資格を12歳まで引き下げた。中学生は25人のうち24人が投票。全体の投票率は88.49%だった。即日開票の結果，合併賛成が7割以上を占め，同投票条例によって村長は「投票結果を尊重する」ことになった。

この日，投票所の村役場を訪れた同村唯一の中学校，平谷中の生徒は皆，緊張した表情。2年の坂元杏衣さん(13)は「合併に賛成した。村の伝統が失われるかもしれないが，友達が増えた方がいい」。1年の小松葉子さん(12)は「合併に反対した。村財政などの資料を基に友達や先生たちの話を聞き，このまま村で存続することは可能と思った」と話した。

同村は人口610人(11日現在)と県内最少で，中学生，高校生を含む当日投票資格者は530人。投票は合併先を絞らず「合併する」「合併しない」の二者択一とした。

住民投票は，塚田村長が「小さな村の在り方に中学生の意思も反映させたい」と昨年12月，村議会に条例案を提案し，可決された。村長は模擬議会など計3回の勉強会を開き，中学生にも村の現状などを説明していた。

（「毎日新聞」2003.5.11）

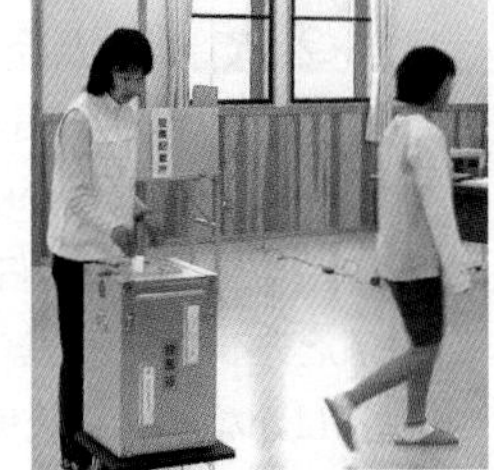

長野県平谷村　周辺自治体との合併に関する住民投票に際して，投票資格を12歳まで（中学生以上）引き下げた。2003年5月11日に住民投票が実施され，投票する中学生。

政治編

テーマ学習 国家戦略特区と地方創生

「国家戦略特区」は，安倍政権が掲げるアベノミクスの成長戦略として，“世界で一番ビジネスをしやすい環境”を作ることを目的に，地域や分野を限定することで，大胆な規制・制度の緩和や税制面の優遇を行う規制改革制度である。2013年度に関連する法律が制定され，2014年5月には東京圏や関西圏など6地域が指定を受けた。特区を通じた規制緩和は国からのトップダウンで進められるため，スピード感をもって対応される。

さらに2014年5月，日本創成会議が2040年までに全国の「896自治体に消滅の可能性」があると発表し，政府に大きな衝撃を与えた。2040年までの人口予測により896自治体(50%弱)が「若い女性が半分以下に減少」して消滅可能性都市となり，うち「人口規模が1万人以下」の自治体は523(30%弱)にのぼるとした。

これを受けて安倍政権は，地方活性化を促し，地域社会の形成と人材創出を進める施策をまとめた。これが「地方創生」であり「地方創生特区」の指定となった。これは国家戦略特区と同様に，首相肝いりの政策である。地方創生特区には2015年8月に3地域（愛知県，宮城県仙台市，秋田県仙北市）および，2016年1月に3地域（広島県・愛媛県今治市，千葉市，北九州市）が指定され，自治体同士の連携を含め，特区としては，10区域（平成31年3月現在）である。

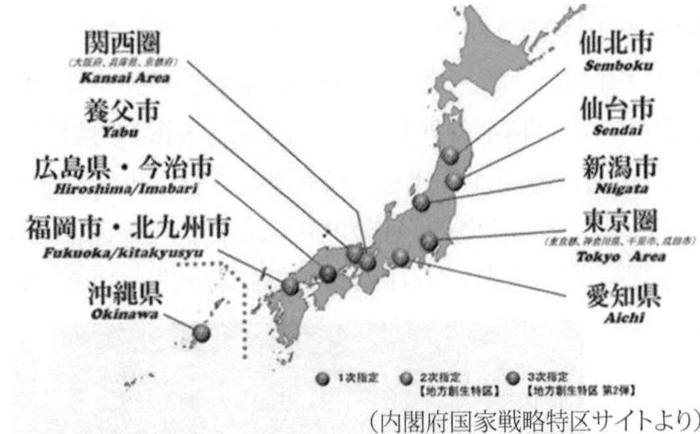

（内閣府国家戦略特区サイトより）

各特区の推進事業

- 東京圏　神奈川県・千葉市・成田市などを含めて国際ビジネス拠点を形成
- 養父市　高齢者による耕作放棄地の再生、高付加価値の革新農業の構築
- 関西圏　大阪府・兵庫県・京都府では、健康・医療分野における国際的イノベーション拠点を形成

○×で答えよう! 正誤問題にTRY✓　地方分権が求められるのは，使途が特定されている国の補助金に代えて，地方公共団体が自主的に事業を行える財源を増やすためである。

32 主権国家と国際法

TOPICS

ソフトパワーとしての国際法　小和田恆・前ICJ所長に聞く

―法の支配よりも力がものを言うのが国際社会の現実ではないでしょうか。

確かに「自分の利益は自分で守る」という国がないわけではありません。この問題は，今日の国際社会における「ソフトパワー」の重要性の議論に通じるところがあるでしょう。武力に象徴されるむき出しの力でなく，文化も含めた総合力で勝負をする発想です。その中で，「法の支配」を尊重する価値観は特に重視されてきています。

日本にとって，こうした発想は特に重要です。今日の世界では，日本の国益は，武力だけでは守れないからです。武力に頼る外交姿勢ではなく，「日本は国際法をきちんと守る」国だと強調することこそが，国益にかなっていると思います。同様の考えは国際社会でも次第に広がっています。

―外務次官として日本の国益を背負っていた立場から，ICJ判事となって，何か考えが変わりましたか。

基本的な考えは変わりません。もちろん「国益を守る」のが外交です。ただ，「国益」というときに国とはそもそも何か。本来「国」とは「政府」ではなく「国家」であり，そこに暮らす一人ひとりの国民の綜合体としての「国民国家」として発展してきたのです。

また，国益の「益」も複雑な内容を含んでいます。「明日損しないこと」と「10年先に大きな利益を期待すること」との間でどちらを選択するか。一概には言えませんが，目先の利害だけでなく長期的なことも視野に入れた考え方が必要だとは言えるでしょう。その時に重要なのは，普遍性や原則といった「変わらぬもの（不易）の価値」なのです。（後略）

（聞き手・国末憲人）

おわだ・ひさし　1932年新潟県生まれ。外務省に入省し，条約局長，外務事務次官，国連主席大使などを歴任。並行して30年にわたり東京，早稲田，ハーバード，コロンビア各大学で教壇に立つ。2003年にICJ判事に就任し，2009～12年に所長。万国国際法学会会長。

（『朝日新聞』2013.3.17）

1 ウェストファリア体制

16世紀のヨーロッパでは，それぞれの国は固有の「領土」によって分断されてはいなかった。神聖ローマ帝国には，大小あわせて350もの領邦がひしめき，1人の領主が複数の領地を治めるケースも稀ではなかった。また，ローマ教皇を頂点とするキリスト教も大きな影響力を持っていた。

ヨーロッパ全土を巻き込む宗教戦争となった三十年戦争（1618～1648年）を終結させるために締結されたウェストファリア条約は，教皇権や皇帝権を弱体化させ，領邦諸侯は自国の法律制定や外交交渉にあたる「主権」を獲得した。こうして，各国が領土も主権も確定され，ヨーロッパ国際政治はこれら平等な各国からなるという「ウェストファリア体制」が成立した。（村田晃嗣他『国際政治学をつかむ』有斐閣より）

解説　ウェストファリア体制の初期には，近代的な意味での「国民」という意識は存在しなかったが，その後，18～19世紀にかけてのヨーロッパでは，宗教や言語，歴史などの民族としてのアイデンティティを共有する「国民」という概念がそれぞれの国で定着するようになり，「国民国家」が形成されていった。
現在では，「国民（nation）」は，「その国の構成員（国籍をもつ人）」，「民族」などさまざまな意味をもち，国によって重視される部分が異なっている。また，「国家」と「民族」のずれが多くの紛争の原因にもなっている。

2 現代の国際社会

ウェストファリア体制では，諸国家が唯一の主要なアクターであったが，現代の国際体系では，国家以外に，政府間組織，トランスナショナルな組織，超国家組織と呼ばれる組織が，主要なアクターとして台頭している。

政府間組織というのは，複数の政府の代表によって構成される組織で，国際連盟・国際連合が典型的なものである。トランスナショナルな組織というのは，政府代表を含まない民間の団体で複数国にまたがって組織されるもので，営利活動を目的とするものが多国籍企業であり，宗教団体，労働団体，学術団体，NGOなど非営利活動を目的とするものもある。超国家組織とは，複数の国家によって構成されながら，構成する国家を超越する政治的権威をもつに至った組織のことで，現在までのところ完全なかたちの超国家組織は現れていないが，EUはかなりの程度その性格を備えている。（加茂利男他『現代政治学』有斐閣）

○×で答えよう！ 正誤問題にTRY✓　自国の要求を受け入れさせるために，他国の領海内に軍艦を派遣し，圧力を加えることは主権侵害にならない。

3 国家の領域

(1 海里＝ 1,852m)

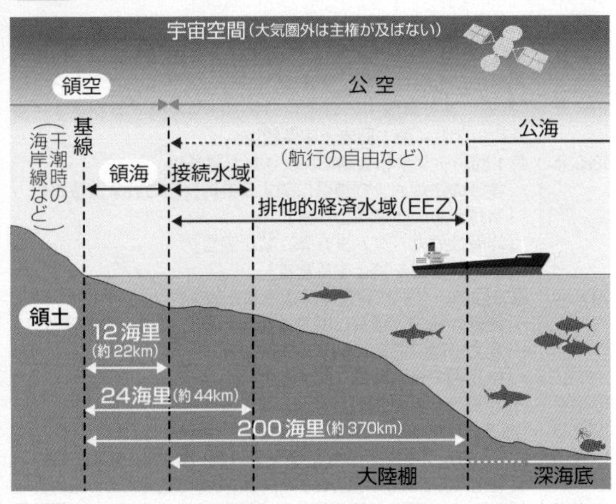

解説 2国間の排他的経済水域が重なる場合には，両国の領海からの中間地点までを排他的経済水域とする。わが国と韓国の間では，「暫定水域」を設け，共同で資源管理を行うことで合意。

領域の中心は領土であり，領海と領空がこれに付属する。領海はその幅が1982年に採択された国連海洋法条約で12海里と規定された。海洋は国際的に次の3つに分類される。

領　海	沿岸国の主権が及ぶ海域であり，他国船がその海域を航行するためには，その沿岸国が定める無害通航に関する法令の遵守が必要である。領海の基線から12海里（約22km）以内の海域。
排他的経済水域	海底と地下の資源に関して，沿岸国に経済的な管轄権が与えられているが，他国船の航行に対しては自由通行となっている海域。領海の外側において，領海の基線から200海里（370km）以内の海域。
公　海	特定の国家の主権に属さず，各国が自由に航行できる海域。

※この他に，沿岸国が密輸や不法入国を取り締まる権利を有する**接続水域**がある。領海に接続して領海線から12海里外側まで設定可能。

Column 国際法と国内法のちがい

	国際法	国内法
主体	国家が典型 国際機構，個人＊	個人
立法	国家間で締結	議会で制定
司法	国際司法裁判所 (ただし，当事国の同意がある場合)	裁判所 (強制管轄権あり)
執行	なし	警察などによる強制あり

＊国連には，加盟国や専門機関と条約を締結する権利が認められ，個人も人権裁判所などで当事者資格をもつ。

解説 国際法は，「世界政府」のような強大な権力をもつ中央の統治機構がないため，その強制力や執行には限界がある。

4 国家の三要素

① 国民（人民）…国家を構成する人（国籍を有する人）
② 領域　　　　…領土・領空・領海
③ 主権　　　　…最高独立性

主権の3つの意味

①国家権力そのもの

立法・司法・行政など，国家が統治を行うための権力を総称する。

<例>日本国憲法第41条「国会は国権の最高機関であつて，国の唯一の立法機関である。」

②国家権力の最高独立性

国家権力が国内的に最高であり，対外的に独立していること。

<例>日本国憲法前文「…自国の主権を維持し，他国と対等関係に立たうとする各国の責務であると信ずる」

③国政における最高決定権

国内における最高権力。国の政治のあり方を最終的に決定する権力のこと。

<例>日本国憲法前文「…ここに主権が国民に存することを宣言し，この憲法を確定する。」

解説 16世紀フランスの政治学者ボーダンは，主著『国家論』の中で主権の概念を最初に理論づけた。主権は国家権力であり，絶対恒久の権力と規定し，神と自然法の他はいかなる制限も受けないものだとした。また，国家秩序維持のためには主権が必要だと説き，国王の権力を擁護した。

5 国際社会の拡大

年	会議・国際機構	参加国数（うちAA諸国）
1899	第1回ハーグ平和会議	26（5）
1907	第2回ハーグ平和会議	44（5）
1920	国際連盟原加盟国	42（7）
1945	国際連合原加盟国	51（12）
1960	国際連合加盟国	99（48）
1990	国際連合加盟国	159（93）
2000	国際連合加盟国	189（111）
2014	国際連合加盟国	193（113）

解説 国家を基本的な構成単位とする国際社会は，19世紀から20世紀にかけて拡大してきた。国際紛争平和的処理条約やハーグ陸戦条約が採択された第1回ハーグ平和会議では，参加国26のうち，アジア・アフリカ（ＡＡ）諸国はわずか5（日本，中国，オスマン，ペルシャ，シャム），非ヨーロッパが2（アメリカとメキシコ）であった。第2回会議は，ラテンアメリカ諸国が大量に参加したため，参加国44に激増している。1960年には新しく独立したアフリカ諸国が大量に国連に加盟したため，ＡＡ諸国は激増した。その後も，新たに独立を果たしたＡＡ諸国の加盟が相次ぎ，現在では加盟国の過半数がＡＡ諸国である。

6 国際政治と国内政治のちがい

	国　際　政　治		国内政治
構　成	主権国家中心	一部国際機関	国　民
規　範	統一的規範なし	国際法	国内法
立法機関	統一的機関なし	国際会議など	議　会
行政機関	統一的機関なし	国連・国際機構	政　府
司法機関	強制的機能なし	国際司法裁判所	裁判所
警察権限	統一的組織なし	国連平和維持軍等	あ　り

政治編

国際編

○×で答えよう! 正誤問題にTRY✓ 国連海洋法条約では，領海は12カイリ，排他的経済水域は200カイリまでとされている。

7 国際法の父 グロチウス

グロチウス

戦争を行うためにも，また戦争中においても，同じように守らなければならない諸国間に共通な法が存在することは，きわめて確実である。したがって，わたくしとしては，この問題について著述を行わなければならない多くのまた重要な理由があると思う。なぜなら，ひろくキリスト教世界を通じて，蛮行さえもが恥としなければならないような，戦争に対する抑制の欠如がみられるからである。きわめて些々たる理由で，あるいは，まったく理由なしに，武器に訴えることが行われている。そして，ひとたび武器がとられるや，もはや，神の法も人の法もまったく無視され，あたかも，どのような犯罪を犯しても差支えない錯乱状態が公然と法令によって許されたかのような有様を呈している。　（『戦争と平和の法』岩波書店）

解説　グロチウスは，オランダの法学者で，22歳の時，オランダ東インド会社から意見を求められたのをきっかけに「海洋自由論」を著した。35歳の時，国内の政争に巻き込まれ投獄の憂き目にあったが脱獄し，パリに亡命した。三十年戦争の悲惨さを目のあたりにしたグロチウスは，『戦争と平和の法』を出版して，戦時といえども各国が守るべき規範が存在することを自然法の考え方から説き，「国際法の父」と呼ばれるようになった。

8 国際法の分類

慣習国際法と条約

慣習国際法 （国際慣習法） （不文国際法）	国家間で行われてきた慣行が，法として認められるようになったもの すべての国を拘束する （例）公海自由の原則，外交官の特権など ※すでに条約化されているものも多い
条約 （成文国際法）	明文化した文書による国家間の合意（協定，協約，議定書，宣言などの名称のものも含む） 二国間条約と多数国間条約がある 条約締結国のみを拘束する

平時国際法と戦時国際法

平時国際法	戦時以外に適用される国際法
戦時国際法	戦争状態において適用される法 ＊交戦法規：交戦国間に適用される ＊中立法規：交戦国と中立国の間を規律する

解説　慣習国際法（国際慣習法・不文国際法）は，国際社会における慣習が法的に認められたもので，成文の形式をとらず，すべての国を拘束する。成文化されているものも多い。一方，条約（成文国際法）は，条約締約国のみを拘束し，条約・協定・議定書・宣言などの種類がある。

9 戦時国際法

署名年	戦争法主要条約名
1856年	「海戦に関するパリ宣言」…海上における捕獲原則や封鎖の要件などを規定<パリ宣言>
1864年	「戦地にある軍隊中の負傷兵の状態改善に関するジュネーヴ条約」など<第1回赤十字条約>
1899年	第1回ハーグ平和会議で採択された諸条約 ・「陸戦の法規および慣習に関する条約」初の戦争法法典化 ・「気球からの空爆禁止宣言」 ・「炸裂性弾丸（ダムダム弾）禁止宣言」 ・「毒ガスなどを禁止する宣言」
1907年	第2回ハーグ平和会議で採択された諸条約 ・「陸戦の法規・慣習に関する条約」（第1回会議の内容改定） ・「武力行動の開始に関する条約」 ・「中立国の権利義務に関する条約」など
1925年	「化学戦および細菌戦の禁止に関するジュネーヴ条約」
1929年	「捕虜の状態改善に関するジュネーヴ条約」
1949年	「ジュネーヴで採択された被災者保護のための4つの条約 ・「戦地にある軍隊の傷者および病者の状態改善のための条約」 ・「海上にある軍隊の傷者・病者および難船者の状態改善のための条約」 ・「捕虜の待遇に関する条約」 ・「戦時における文民の保護に関する条約」を改善・追加。
1954年	武力紛争の際の文化財の保護のための条約

①陸戦ノ法規慣例ニ関スル条約 1907年署名 1910年発効

第23条【禁止事項】　特別ノ条約ヲ以テ定メタル禁止ノ外，特ニ禁止スルモノ左（下）ノ如シ。

イ　毒又ハ毒ヲ施シタル兵器ヲ使用スルコト

ロ　敵国又ハ敵軍ニ属スル者ヲ背信ノ行為ヲ以テ殺傷スルコト

ハ　兵器ヲ捨テ又ハ自衛ノ手段尽キテ降ヲ乞ヘル敵ヲ殺傷スルコト

ニ　助命セサルコトヲ宣言スルコト

ホ　不必要ノ苦痛ヲ与フヘキ兵器，投射物其ノ他ノ物質ヲ使用スルコト

②捕虜条約（捕虜の待遇に関する1949年8月12日のジュネーヴ条約　第3条約）1949年調印 1950年発効

第13条「人道的待遇，復仇の禁止」　捕虜は，常に人道的に待遇しなければならない。抑留国の不法の作為又は不作為で，抑留している捕虜を死に至らしめ，又はその健康に重大な危険を及ぼすものは，禁止し，且つ，この条約の重大な違反と認める。特に，捕虜に対しては，身体の切断又はあらゆる種類の医学的若しくは科学的実験で，その者の医療上正当と認められず，かつその者の利益のために行われるものでないものを行ってはならない。また，捕虜は，常に保護しなければならず，特に，暴行又は脅迫並びに侮辱並びに公衆の好奇心から保護しなければならない。捕虜に対する報復措置は，禁止する。

③文民条約（戦時における文民の保護に関する1949年8月12日のジュネーヴ条約　第4条約）1949年署名　1950年発効

第16条　傷者，病者，虚弱者及び妊産婦は，特別の保護及び尊重を受けるものとする。各紛争当事国は，軍事上の事情が許す限り，死者及び傷者を捜索し，難破船その他重大な危険にさらされた者を救援し，並びにそれらの者を掠奪及び虐待から保護するために執られる措置に便益を与えなければならない。

解説　戦争については，第一次世界大戦前の無差別戦争観の時代に，戦争を規律し，戦時の交戦国の行為を規制するため，多くの条約が締結された。①は戦争法の主要規程を含む重要な文書である。第二次世界大戦後は，戦争の違法化が進むなか，②③は，国際的武力紛争における捕虜の取扱いや文民保護などを定めている。

○×で答えよう! 正誤問題にTRY✓　国際法の父グロチウスは，その著書『戦争と平和の法』のなかで，平和のための国際的な組織の必要性や常備軍の廃止を訴えた。

10 国際司法裁判所（ICJ）

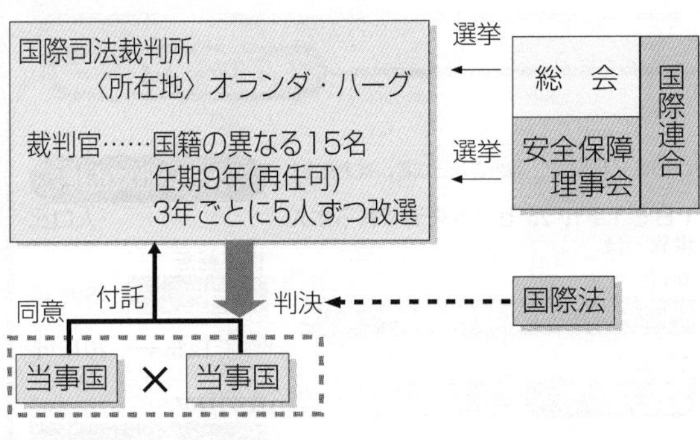

勧告的意見の手続き

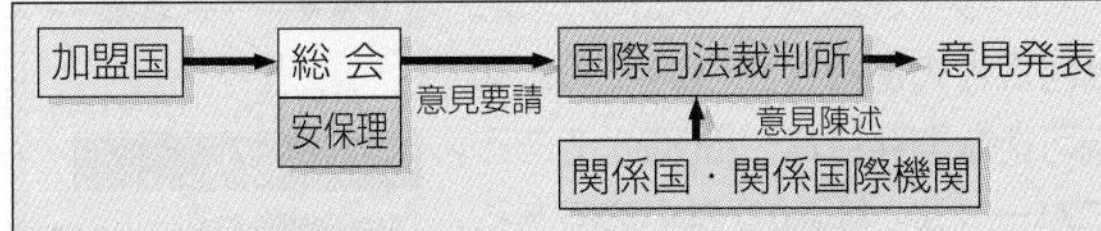

解説 国連の主要機関の一つである。裁判は，①国のみが当事者となる（個人は当事者になれない），②紛争当事国の双方が国際司法裁判所での紛争解決に合意していることが必要である，③判決は一審のみ，というかたちで行われる。2017年7月の時点で，それまでに出された判決が126件，係争中の裁判が17件である。また，国家間の紛争に対する判決とは別に，国連総会や安保理をはじめとする国際機関の要請により，いかなる法律的問題についても勧告的意見を出すことができる。1947年から2017年までに26件の勧告的意見が出され，核兵器による威嚇・核兵器の使用の合法性に対する勧告的意見など，国際社会に大きな影響を与えたものもある。

12 条約の締結手続

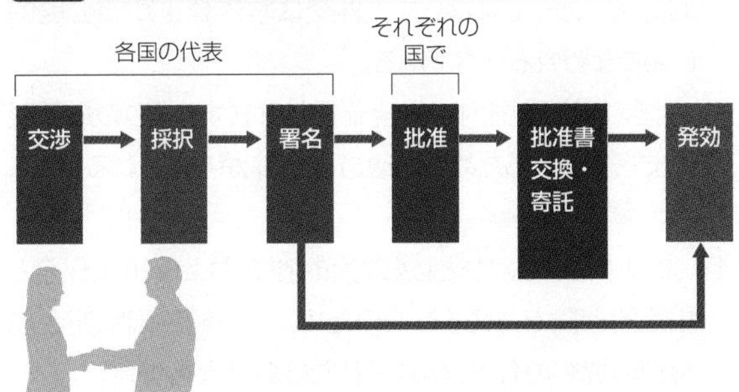

解説 採択は，参加国すべての同意が必要（国際会議では3分の2以上の多数決による）。署名は，条約文を確定する行為。批准は，国家が条約に拘束されることへの同意を，国家元首などの権限ある機関が表示する行為。民主的なコントロールを行うため，立法府（議会）の承認が必要とされることが多い。政治性が小さい条約などは，署名だけで発効するものも多い（署名発効条約）。

11 国際刑事裁判所（ICC）

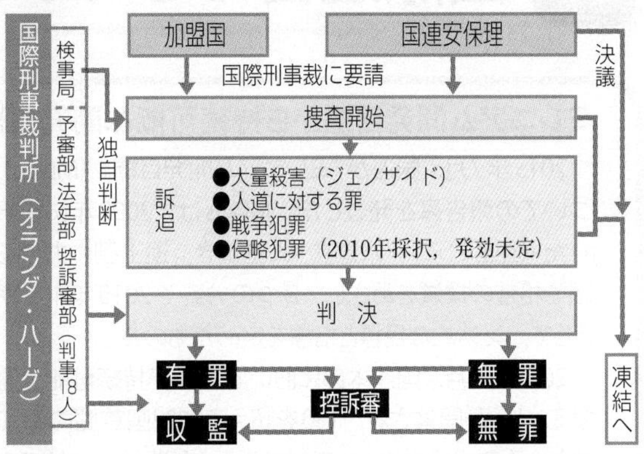

解説 国家犯罪を犯した個人を訴追・処罰するための国際刑事裁判所は，1994年に国連総会が国際法委員会へ常設国際刑事裁判所設置草案の作成を勧告し，1998年のローマ外交会議で設立条約が採択されたことにより成立。紛争の中であっても放置できないような個人の非人道的な行為を，国際社会全体にとって深刻な犯罪として罰することが目的である。2007年10月に日本も加盟した。

①批准国より選出された18名の裁判官により構成される。

②起訴が承認されたら，容疑者への逮捕状が発給され，5人の判事が裁判を行うため召集される。

③刑は罰金刑か有期刑に限られ，終身刑が最高刑で死刑は科されない。

④裁判権を行使するにあたり，条約当事国の主権や国内裁判所における刑事裁判権行使との調整が必要。

13 勢力均衡と集団安全保障

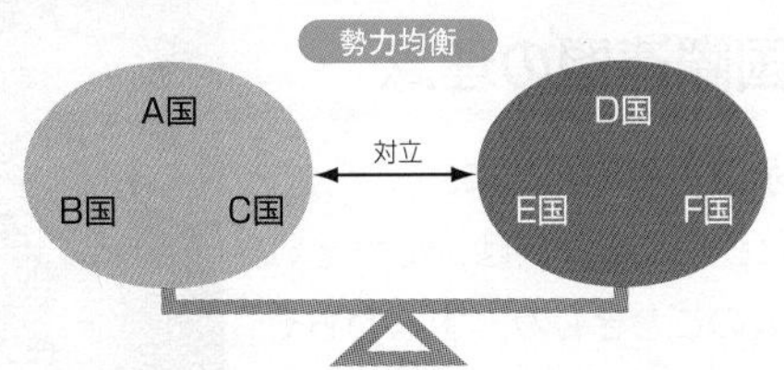

※A～Fの国のうち,A～CとD～Fがそれぞれ同盟を結びお互いの軍事的な協力関係を強化する中で,A～CとD～Fの同盟間の軍事力のバランスを保ち，紛争を解決しようとする考え方。

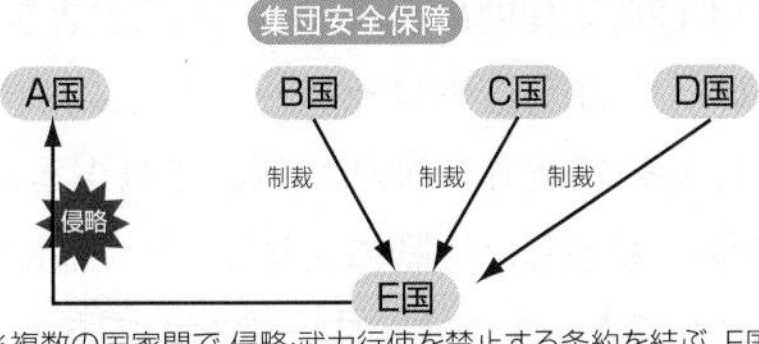

※複数の国家間で,侵略･武力行使を禁止する条約を結ぶ。E国がA国を違法に侵略した場合,すべての国への侵略とみなして共同で制裁する。

解説 勢力均衡では，軍備増強に歯止めがかからなくなり，また同盟関係が拡大していくことで，どこか1カ所で始まった戦争が連鎖的に広がっていく危険性がある（第一次世界大戦前の三国同盟・三国協商と，第一次世界大戦の勃発）。国際連盟・国際連合で採用された集団安全保障は，理想的ではあるが，グローバルな集団安全保障は実際には確立されたとはいえず，地域的・部分的な安全保障にとどまっている。

政治編

国際編

○×で答えよう! 正誤問題にTRY✓ 国際法の解釈について国家間で対立が生じた場合には，国連総会による解釈が正式の解釈とされている。

33 国際連合のしくみと役割

TOPICS

ミレニアム開発目標から持続可能な開発目標へ

2015年7月，国連が「ミレニアム開発目標」（MDGs）についての報告書を発表した。MDGsは，2000年に採択された「国連ミレニアム宣言」に基づき，途上国における貧困や格差の撲滅をめざし，8つの分野で2015年末を期限として，具体的な目標と指標を定めたものだ。

2015年9月，国連本部において，「国連持続可能な開発サミット」が開催され，150を超える加盟国首脳の参加のもと，その成果文書として「持続可能な開発のための2030アジェンダ」が採択された。アジェンダは，地球上の「誰一人取り残さない」持続可能で多様性と包摂性のある社会の実現のため，2030年を年限とする国際目標をかかげた。この目標が，「持続可能な開発目標」（SDGs）である。

SDGsは発展途上国のみならず，先進国自身が取り組むユニバーサル（普遍的）なものである。2019年に国連が発表した報告書によると，極度の貧困は大幅に減少し，5歳未満児の死亡率は2000年から2017年の間に49%低下した。このように世界各地で進展がみられるが，2030年までにSDGsを達成するには，取り組みのスピードを速め，規模を拡大しなければならない。そのため，2020年1月，SDGs達成のための「行動の10年」（Decade of Action）がスタートした。

MDGsの成果 報告書から抜粋，推定値含む

1日を1ドル25セント未満で暮らす人　世界では

90年	19億2600万人
15年	8億3600万人

大きい地域格差　人口比

地域	1990年	2015年	
世界格差	36%	12%	
東アジア	61%	4%	急減
サブサハラ	57%	41%	微減

いまも4割以上の人が極度の貧困状態

MDGsでは「極度の貧困状態の人を90年比で半減させる」という目標は達成されたが，現在でも1日の生活費が1.25ドル未満の人が8億人以上いる。この極度の貧困状態の人はサハラ砂漠以南のアフリカに多い。

（外務省，国連広報センターホームページなどより）

世界と日本のSDGs達成度（達成スコア）

目標	日本	高所得国（日本含む）	低所得国
1	98.9	99.0	19.2
2	74.1	68.0	47.4
3	94.1	91.2	42.3
4	99.7	96.3	45.7
5	58.7	73.7	46.0
6	84.8	72.6	47.7
7	93.5	93.2	27.3
8	86.8	83.0	59.4
9	90.4	91.6	12.2
10	76.8	67.5	59.5
11	76.6	85.5	53.3
12	69.0	58.4	91.8
13	68.5	62.3	89.0
14	52.3	59.5	66.1
15	64.8	67.7	63.7
16	90.4	79.9	46.5
17	65.5	69.2	49.1

（各目標については p.287 参照）

（SDGs進捗レポート2020より「ムンディ」2020.08）

1 国際連盟の理念

カント『永遠平和のために』

国家としての諸民族は，それぞれが一個人のごときもの，すなわちその自然状態においては，（すなわち，外的法則から拘束されていない場合には）互いに併存しているだけで既に互いに害を加え合うごときものと考えられてよい。だから彼等はそれぞれ自己の安全のために，そこにおいて彼等の権利が保証され得るがごとき，公民的体制に類似した体制に入ることを，他に対して要求することができ，また要求すべきなのである。これは恐らく国際連盟というべきものであろう。

（『永遠平和のために』岩波文庫）

解説　71歳のカントは，バーゼルの平和条約に再び戦争を誘発する要因が含まれていると考え，永遠の平和の理念を述べた。彼は，常備軍を全廃することなど主権国家の戦争の権利を徹底的に批判し，各国家の自立性を認めた自由な連合で平和を維持することを説いている。カントは第一次大戦後の国際連盟や今日の国際連合の理念をすでに18世紀において提案していた。

2 国際連盟の構想

ウィルソンの「14か条の平和原則」（抄）

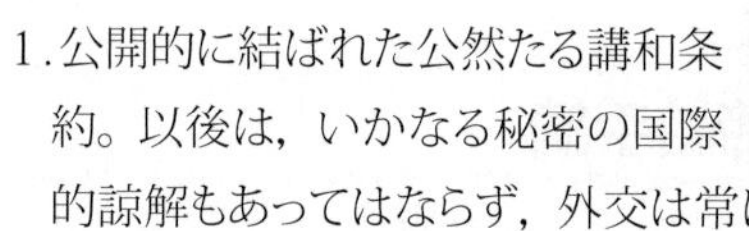

1. 公開的に結ばれた公然たる講和条約。以後は，いかなる秘密の国際的諒解もあってはならず，外交は常に公正かつ公開的におこなわれるべきである。

4. 各国の軍備を国内の安全確保と両立する限りの最低限にまで縮小するために，適当な保障が与えられるべきこと。

14. 大国小国ともにひとしく政治的独立および領土保全と相互的保障を与える目的のために，一般的国際連合が特別の協約のもとに組織されなければならない。

解説　1918年，アメリカの大統領ウィルソンが議会への年頭教書で発表した原則であり，アメリカ主導の新秩序構築の意志を示している。国際連盟はこの構想にもとづいて1919年のパリ講和会議で結成されたが，モンロー主義（孤立的な外交政策）をとる議会・上院の反対でアメリカは参加できなかった。

○×で答えよう！ 正誤問題にTRY✓　第一次世界大戦後に設立された国際連盟は，米ソ両大国の対立から機能がマヒしてしまうことが多かった。

3 国際連盟規約

署名　1919年6月28日（ベルサイユ）
発効　1920年1月10日（解散　1946年4月19日）

締約国は

戦争に訴えざるの義務を受諾し，各国間における公明正大なる関係を規律し，各国政府間の行為を律する現実の基準として国際法の原則を確立し，組織ある人民の相互の交渉において正義を保持し且つ厳に一切の条約上の義務を尊重し，以って国際協力を促進し，且つ各国間の平和安寧を完成せむがため，

ここに国際連盟規約を協定す。

第3条〔連盟総会〕

1 連盟総会は，連盟国の代表者を持って之を組織す。

3 連盟総会は，連盟の行動範囲に属し又は世界の平和に影響する一切の事項をその会議において処理す。

4 連盟国は，連盟総会の会議において各一箇の表決権を有するべく，且つ三名を超えざる代表者を出すことを得。

第12条〔国交断絶に至る虞のある紛争〕

1 連盟国は，連盟国間に国交断絶に至る虞のある紛争発生するときは，当該事件を仲裁裁判若しくは司法的解決又は連盟理事会の審査に付すべく，且つ仲裁裁判官の採決若しくは司法裁判の判決後又は連盟理事会の報告後三月を経過するまで，いかなる場合においても，戦争に訴えざることを約す。

2 本条による一切の場合において，仲裁裁判官の判決又は司法裁判の判決は，相当期間内に，連盟理事会の報告は，紛争事件付託後六月以内に之をなすべし。

第16条〔制裁〕

1 第12条，第3条又は第15条による約束を無視して戦争に訴えたる連盟国は，当然他の総ての連盟国に対して戦争行為を為したるものと看過す。他の総ての連盟国は，之に対し直ちに一切の通商上又は金融上の関係を断絶し，自国民と違約国国民との一切の交通を禁止し，且つ連盟国たると否とを問わず他の総ての国の国民と違約国国民との間の一切の金融上，通商上又は個人的交通を防遏すべきことを約す。

2 連盟理事会は，前項の場合において連盟の約束擁護のため使用すべき兵力に対する連盟各国の陸空又は空軍の分担程度を関係各国政府に提案するの義務あるものとす。

4 連盟の約束に違反したる連盟国については，連盟理事会に代表せらるる他の一切の連盟国代表者の連盟理事会における一致の表決を以って，連盟より之を除名する旨を声明することを得。

解説　世界最初の国際平和機構として設立された国際連盟であったが，①総会・理事会ともに議決は全会一致制を採用したため有効な決定が行いにくい，②制裁手段として非軍事的制裁しかない，という欠陥をかかえていた。さらに，アメリカの不参加や日本，ドイツなどの途中での脱退，ソ連の除名などもあり，第２次世界大戦の発生を防ぐことができなかった。

4 国際連合成立の歴史

大西洋憲章	1941.8
アメリカ大統領ローズヴェルト，イギリス首相チャーチルの会談全般的で恒久的な安全保障機構の樹立など，連合国側の戦後構想をまとめた	
モスクワ外相会談	1943.10
アメリカ，イギリス，ソビエト連邦外相と中国大使が，戦後世界に国際的な平和機構を樹立することに合意	
ダンバートン・オークス会議	1944.8～
アメリカ・イギリス・ソビエト連邦・中国が，国連憲章の草案を作成	
ヤルタ会談	1945.2
アメリカ大統領ローズヴェルト，イギリス首相チャーチル，ソビエト連邦のスターリンの会談 安全保障理事会で用いられる投票制度（大国の拒否権）の合意	
サンフランシスコ会議	1945.4～6
国連憲章を採択　→1945.10.23　国際連合が正式に発足	

5 国際連合憲章

（→p324参照）

署名　1945年6月26日（サンフランシスコ）
発効　1945年10月24日

第4章　総会

第18条〔表決〕

1.総会の各構成国は，1個の投票権を有する。

2.重要問題に関する総会の決定は，出席し且つ投票する構成国の3分の2の多数によって行われる。重要問題には，国際の平和及び安全の維持に関する勧告，安全保障理事会の非常任理事国の選挙，経済社会理事会の理事国の選挙，第86条1cによる信託統治理事会の理事国の選挙，新加盟国の国際連合への加盟の承認，加盟国としての権利及び特権の停止，加盟国の除名，信託統治制度の運用に関する問題並びに予算問題が含まれる。

3.その他の問題に関する決定は，3分の2の多数によって決定されるべき問題の新たな部類の決定を含めて，出席し且つ投票する構成国の過半数によって行われる。

第7章　平和に対する脅威，平和の破壊及び侵略行為に関する行動

第39条　安全保障理事会は，平和に対する脅威，平和の破壊又は侵略行為の存在を決定し，並びに，国際の平和及び安全を維持し又は回復するために，勧告をし，又は第41条及び第42条に従っていかなる措置をとるかを決定する。

第41条　安全保障理事会は，その決定を実施するために，兵力の使用を伴わないいかなる措置を使用すべきかを決定することができ，且つ，この措置を適用するように国際連合加盟国に要請することができる。（略）

第42条　安全保障理事会は，第41条に定める措置では不十分であろうと認め，又は不十分なことが判明したと認めるときは，国際の平和及び安全の維持又は回復に必要な空軍，海軍又は陸軍の行動をとることができる。（略）

○×で答えよう！ 正誤問題にTRY✓　国際連盟では，総会・理事会ともに全会一致制が採用されていたため，議決が困難だった。

6 国際連合とその役割

1. 総会（General Assembly） 2020年9月現在の加盟国＝193か国

1. 構成 ………全加盟国の代表による　2. 投票権…各国1票　3. 組織…主要委員会(6)，常設・手続委員会・その他の総会下部機関
4. 表決 ………重要事項を除く一般の事項の表決は，単純多数。重要事項（平和と安全保障に関する勧告，新加盟国の承認，予算事項）の表決は3分の2以上の多数
5. 通常総会 …通常会期は毎年9月の第3火曜日から開会
6. 特別総会 …安全保障理事会の要請，加盟国の過半数の要請，過半数の同意を得た1加盟国の要請のうちいずれか
7. 緊急特別総会…常任・非常任の別なく安保理の9か国の要請，加盟国の過半数の要請，過半数の同意を得た1加盟国の要請のうちいずれかによる。24時間以内に招集される
8. 任務と権限…●国際の平和と安全の維持にかかわる協力・軍縮・軍備規制についての勧告
●国際法の発達・法典化，人権の実現，国際協力の推進を勧告　●国連予算の審議・承認，分担金の割当て
●各理事会の理事国を選挙で選出，国際司法裁判所裁判官の選出，安保理の勧告による事務総長の任命
●紛争や国連に影響を及ぼす問題・国連憲章の範囲内の問題について審議，勧告は安保理審議中を除いて可能

2. 安全保障理事会（Security Council） ［現在の非常任理事国］

1. 構成 ………5常任理事国（中国，フランス，ロシア，イギリス，アメリカ）と10非常任理事国（2年ごとに5か国を改選。改選は地域バランスの原則に基づいて行われ，アジア・アフリカ地域から3か国，東欧，南米・カリブ海地域から各1か国が選出）
2. 決定手続き…各理事国1票で15理事国のうち9理事国の賛成が必要
3. 拒否権 ……実質事項の決定には，常任理事国すべての賛成が必要（大国一致の原則）。常任理事国に拒否権有り
4. 任務と権限…●事務総長の任命を総会に勧告　●総会とともに国際司法裁判所の裁判官の選出　●国際の平和と安全の維持
●紛争の調査・解決法の勧告　●軍備規制のための方式の立案　●侵略行為の確認
●侵略の防止，阻止のための経済制裁など非軍事的措置実施の勧告　●侵略国への軍事行動

3. 経済社会理事会（Economic and Social Council）

1. 構成 ……… 54か国で構成　2. 任期 … 3年，毎年任期を終えた18か国を選出　3. 表決… 各理事国1票制，単純多数で決定
4. 会期 ……… ニューヨークとジュネーヴで毎年2か月ずつ開会
5. 補助機関 … 1 機能委員会（8）女性の地位・人口開発・社会開発・麻薬・統計・持続可能な開発などの委員会
2 地域委員会（5）
3 常設委員会（3）
4 専門機関
6. 任務と権限… ●国際経済，社会問題などに関し国連や加盟国に対して政策立案　●人権の尊重と順守の促進
●国際的な経済，社会，文化，教育，保健，その他の関連分野の調査・報告・勧告を行う
●専門機関の活動を調整すること　●理事会が取り扱う事項と関連がある非政府機関（NGO）と協議するなど

4. 信託統治理事会（Trusteeship Council）

1. 構成 ……… アメリカと安保理常任理事国としての中国，フランス，ロシア，イギリスの計5カ国
2. 会期 ……… 毎年半ばに年次会議を開会，必要に応じて特別会議（1994年より活動停止）
3. 任務と権限… ●信託統治地域住民の生活向上と自治あるいは独立の達成を促進する
●信託統治地域について，施政国による報告，協議，統治地域からの請願の検討，特別視察などを行う

5. 国際司法裁判所（International Court of Justice）

6. 事務局（Secretariat） ［現在（2021.7）の事務総長　アントニオ＝グテーレス］

1. 構成 ……… 事務総長（Secretary-General）と2万5000人を超える国際公務員による
2. 事務総長 選出… 安保理の勧告により総会が任命　**任期**　5年　**役割**…国際の平和と安全についての問題の安保理への注意喚起，国際紛争の調停役
3. 任務と権限… ●国連業務の遂行，計画や政策の実施　●国政問題の研究，演説文書の通訳・翻訳，報道機関への情報提供など

7 国連加盟国の推移
（外務省資料）

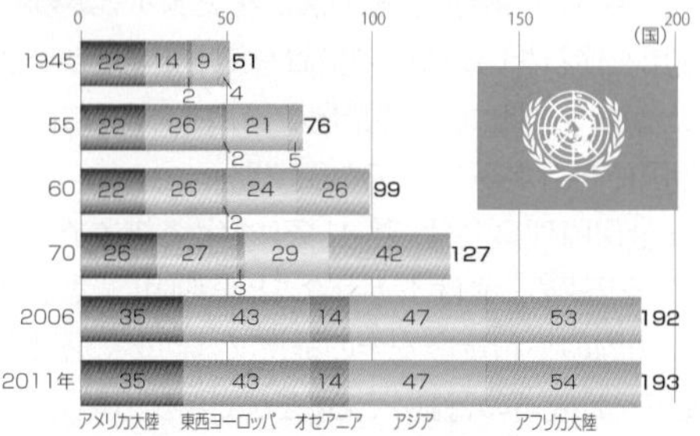

解説 加盟国数の推移を見てみる。国際連合は，1945年に51か国の原加盟国でスタートした。その後，1955年にイタリア，1956年に日本が加盟した。1960年の前後には，アフリカ諸国が多く加盟している。1973年に東西ドイツが加盟し，第二次大戦の敗戦国のすべてが加盟を終えた。1991年，南北朝鮮が同時加盟を果たした。この90年代はじめの時期は，ソ連の解体をうけて，バルト三国や東欧諸国の加盟が相次いだ。2002年にスイス・東ティモールが加盟し，2006年，セルビア・モンテネグロの分離・独立，2011年には南スーダンが独立し加盟したことで現在193か国となっている。国連加盟への申請は，事務総長に対して行い，その後，安保理審査委員会での審査を経て，安保理が採択する。安保理の可決後，総会の3分の2の賛成をもって加盟が認められる。

○×で答えよう! 正誤問題にTRY✓　安全保障理事会が決定したことは，兵力提供の命令のような軍事的措置への協力を含めて，すべての加盟国を拘束する。

- ◆国連人権理事会

- ◆国連貿易開発会議（UNCTAD）
- ◆国連薬物犯罪事務所（UNODC）
- ◆国連環境計画（UNEP）
- ◆国連開発計画（UNDP）
- ◆国連人口基金（UNFPA）
- ◆国連児童基金（UNICEF）
- ◆国連人権高等弁務官事務所（OHCHR）
- ◆国連難民高等弁務官事務所（UNHCR）
- ◆国連訓練調査研修所（UNITAR）
- ◆国際連合大学（UNU）
- ◆国連世界食糧計画（WFP）
- ◆国連人間居住計画（UN-HABITAT）
- ◆国連国際婦人調査訓練研修所（INSTRAW）

- ◆国連パレスティナ難民救済事業機関（UNRWA）

(2021年末まで) エストニア，ニジェール，セントビンセントおよびグレナディーン諸島，チュニジア，ベトナム
(2022年末まで) インド，アイルランド，ケニア，メキシコ，ノルウェー

- ◆軍事参謀委員会◆国連休戦監視機構（UNTSO/1948）
- ◆国連兵力引き離し監視隊（UNDOF）
- ◆国連レバノン暫定隊（UNIFIL）
- ◆国連ルワンダ支援団（UNAHIR）
- ◆旧ユーゴスラヴィア国際刑事裁判所など

〈地域委員会〉
- ・ヨーロッパ経済委員会（ECE/ジュネーヴ）
- ・ラテンアメリカ・カリブ経済委員会（ECLAC/サンチアゴ）
- ・アジア太平洋経済社会委員会（ESCAP/バンコク）
- ・西アジア経済社会委員会（ESCWA/ベイルート）
- ・アフリカ経済委員会（ECA/アジスアベバ）

〈常設委員会〉
1. 計画調整委員会
2. 非政府組織（NGO）委員会
3. 政府間機関交渉委員会

- ◆国際電気通信連合（ITU）
- ◆世界気象機関（WMO）
- ◆万国郵便連合（UPU）
- ◆世界知的所有権機関（WIPO）
- ◆国際労働機関（ILO）
- ◆国際通貨基金（IMF）
- ◆国際復興開発銀行（世界銀行）（IBRD）
- ◆国際開発協会（第2世界銀行）（IDA）
- ◆国際金融公社（IFC）
- ◆多国間投資保証機関（MIGA）
- ◆世界保健機関（WHO）
- ◆国連教育科学文化機関（UNESCO）
- ◆国際海事機関（IMO）
- ◆国連食糧農業機関（FAO）
- ◆国際農業開発基金（IFAD）
- ◆国連工業開発機関（UNIDO）
- ◆国際民間航空機関（ICAO）
- ◆世界貿易機関（WTO）（1995年1月発足）

世界銀行グループ（IBRD・IDA・IFC・MIGA）

- ◆国際原子力機関（IAEA）
（国連の支援のもとに設立。毎年総会へ報告。必要に応じて安保理及び経済社会理事会へも報告。）

8 国際連盟と国際連合

	国際連盟 (League of Nations)	国際連合 (United Nations)
本部	ジュネーヴ（スイス）	ニューヨーク（アメリカ）
加盟国	原加盟国42か国 米国不参加，ソ連加盟遅延，日・独・伊脱退	原加盟国51か国 米・英・仏・中・ソ（ロ）の五大国を含む193か国が加盟
主要機関	総会，理事会（英・仏・伊・日の常任理事国）事務局，常設国際司法裁判所 国際労働機関	総会，安全保障理事会（米・英・仏・中・ソ（ロ）の常任理事国と10非常任理事国）経済社会理事会，信託統治理事会，事務局，国際司法裁判所
表決手続	総会・理事会：全会一致制	総会：多数決制（重要事項は2/3以上） 安全保障理事会：5常任理事国を含む9か国の多数決（常任理事国には拒否権）
制裁措置	経済封鎖（通商・金融上の関係断絶，交通の禁止）	経済制裁のほか，安保理による軍事行動も可能

解説 国際連盟・国際連合ともに，地球規模の集団安全保障のための国際機構であるが，成立過程や加盟国，表決手続や制裁措置などに違いがあり，国際連盟はその制度上の欠陥もあって第二次世界大戦の勃発を防げなかった。なお，国連を表す英語United Nations は，第二次世界大戦で日本やドイツなど枢軸国と戦った「連合国」の意味で，連合国主体で創設されたことを表している。軍事的色彩が強いため日本では政治的配慮から「国際連合」と訳されたという。

9 国連分担金の推移

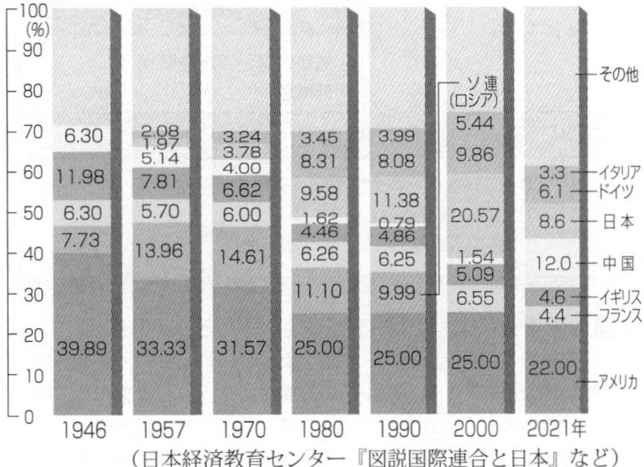

（日本経済教育センター『図説国際連合と日本』など）

解説 国連の通常予算をまかなうための費用は，加盟国が経済力に応じた分担率に従って分担金を支払うことになっている。分担金比率は，国民総所得を基礎にして，3年ごとに見直される。日本とアメリカで3割強を負担していることになるが，そのアメリカをはじめ，分担金を滞納している国は多く，国連の財政難の最大の理由となっている。国連憲章では，滞納金額が過去2年間の分担金の総額以上となった場合には，投票権を失うと規定している。しかし，実際には滞納国への制裁は行われていない。

政治編

国際編

○×で答えよう! 正誤問題にTRY✓ 国連創設から現在に至るまで，安保理の常任理事国の数には変化はないが，非常任理事国の数は増やされた。

10 国連による集団安全保障制度

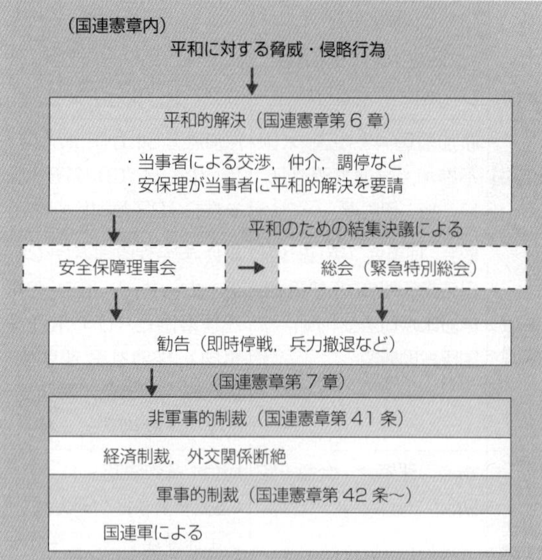

（国連憲章外）
紛争当事国が ①停戦に合意
②PKO 派遣に合意

国連平和維持活動（PKO）

中立国が自発的に提供した要員からなる部隊を編成
・中立性を維持
・自衛の場合以外は武力行使を行わない
・受入れ国の国内問題には干渉しない

平和維持軍（PKF）	停戦監視団
・安保理か総会が派遣決定 ・平和的解決や巡回 ・自衛のための軽武装	・安保理の停戦勧告の実行を監視し，違反を報告 ・非武装
	選挙監視団
	・選挙の適正実施を監視 ・非武装

複合型 PKO

・従来の PKF と停戦監視団，選挙監視団に加え
・様々な支援を混合した PKO
例：国連カンボジア暫定統治機構

解説 国連憲章は，武力紛争が発生したときの対処策として，仲介・調停などの平和的解決（第６章）と，非軍事的・軍事的措置（第７章）を規定している。ただ，憲章にもとづく本来の国連軍はまだ一度も編成されたことがない。それに代わって行われているのが，国連平和維持活動（ＰＫＯ）である。この活動は，憲章に明確な規定はなく，第６章と第７章の間に位置することから「６章半活動」といわれている。ＰＫＯに対しては，1988年にノーベル平和賞が贈られた。ＰＫＯは，東西冷戦の終結後には内戦の解決のために設立される場合などが増えたため，単なる停戦監視などにとどまらず，人道活動の支援，選挙の実施，戦後復興の支援など，複合的な役割を担うようになった（第２世代のＰＫＯとよばれる）。なお，1992～93年には，国連憲章第７章にもとづき自衛の範囲を超える武力行使を認めるＰＫＯも，ソマリアなどに派遣されたが（第３世代のＰＫＯ），失敗に終わった。

11 国連緊急特別総会

会期 年月	内　容	招集要請国 （拒否権行使国）
第１会期 1956.11	スエズ問題。英・仏・イスラエル軍のスエズ即時撤退要求決議案採択。	安保理 （英・仏）
第２会期 1956.11	ハンガリー問題。ソ連軍の即時撤退とハンガリー難民救済決議案採択。	安保理 （ソ連）
第３会期 1958.8	レバノン・ヨルダン問題。アラブ提出の自主解決と米・英軍早期撤退決議案採択。	安保理 （米・ソ）
第４会期 1960.9	コンゴ問題。国連を通さない軍事援助の停止を求めたＡＡ諸国決議案を採択。	安保理 （ソ連）
第５会期 1967.6	中東問題。イスラエルによるエルサレム旧市街の一方的併合を非難する決議採択。	ソ連 （なし）
第６会期 1980.1	アフガニスタン問題。ソ連軍など外国軍隊即時撤退を求める決議案採択。	安保理 （ソ連）
第７会期 1980.7	パレスティナ問題。イスラエル軍の全占領地区から無条件撤退要求の決議採択。	セネガル （米）
第８会期 1981.9	ナミビア問題。ナミビア不法占拠・弾圧を続ける南アフリカ共和国への非難決議案採択。	ジンバブエ （米・英・仏）
第９会期 1982.1	イスラエル制裁問題。シリア領ゴラン高原併合を無効とし制裁決議採択。	安保理 （米）
第10会期 1997.4	イスラエル住宅地問題。東エルサレムでのユダヤ人入植計画を非難する決議採択。その後，2009 年まで休会しながら継続している。	カタール （米）

解説 安保理は，アメリカ，イギリス，ロシア（旧ソ連），フランス，中国の五大国に拒否権があるため，機能停止することがある。朝鮮戦争の際にもソ連の拒否権によってそうなったため，国連総会で**「平和のための結集決議」**（1950年）が採択された。それは，五大国の拒否権行使で安保理が責任を果たせない場合には，総会が３分の２の多数決で，加盟国に武力行使を含む措置を勧告でき，また，総会が会期中でない場合には，安保理の７か国（現在は９か国）の要請，加盟国の過半数の要請などで24時間以内に**緊急特別総会**を招集することができるとするものである。緊急特別総会は，上の表のように，過去10回開催された。

12 安全保障理事会常任理事国の拒否権行使回数

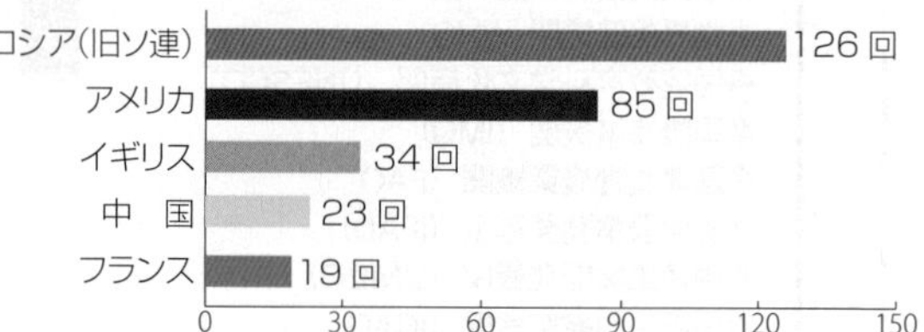

解説 戦後の東西冷戦の中で，1950年代から60年代にかけてはソ連が，1970年代から80年代にはアメリカとイギリスが拒否権を行使することが多かった。そのため，冷戦の時代に安保理は，平和に対する脅威（きょうい）の存在などの認定やそれに対する強制措置の決定という機能を十分に果たすことができなかった。

○×で答えよう！ 正誤問題に TRY✓ 国連の通常予算の半分以上は日本とアメリカの２か国による分担金で占められており，日本の国連に対する財政的な貢献は極めて大きい。

13 現在活動中の国連平和維持活動

	名称	派遣期間
❶	国連休戦監視機構（UNTSO）	1948.6～現在
❷	国連インド・パキスタン軍事監視団（UNMOGIP）	1949.1～現在
❸	国連キプロス平和維持隊（UNFICYP）	1964.3～現在
❹	国連兵力引き離し監視隊（UNDOF）	1974.5～現在
❺	国連レバノン暫定隊（UNIFIL）	1978.3～現在
❻	国連西サハラ住民投票監視団（MINURSO）	1991.4～現在
❼	国連コソボ暫定行政ミッション（UNMIK）	1999.6～現在
❽	国連コンゴ民主共和国安定化ミッション（MONUSCO）	2010.7～現在
❾	国連アビエ暫定治安部隊（UNISFA）	2011.6～現在
❿	国連南スーダン共和国ミッション（UNMISS）	2011.7～現在
⓫	国連マリ多面的統合安定化ミッション（MINUSMA）	2013.4～現在
⓬	国連中央アフリカ多面的統合安定化ミッション（MINUSCA）	2014.4～現在

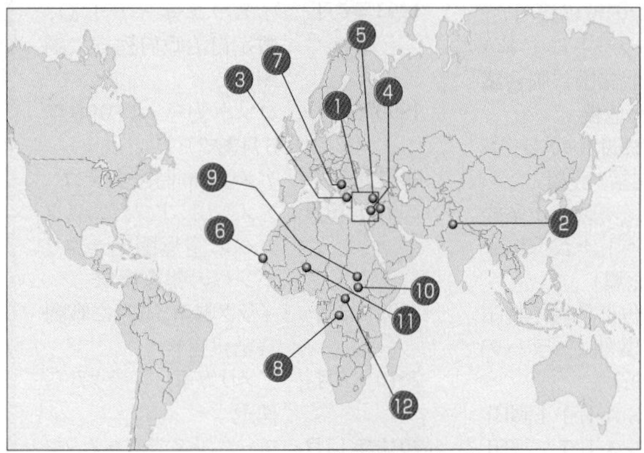

（『世界国勢図会』2021/22ほか）

解説 日本は，1988年に政務官（国連職員として派遣された一般職国家公務員）を初めて国連の平和維持活動に派遣した。その後，92年の国連平和維持活動等協力（PKO等協力）法の制定で，92年6月のカンボジアへの自衛隊を含む要員の参加を皮切りに，モザンビークなどに派遣している。シリア・ゴラン高原の国連兵力引き離し監視軍（UNDOF）への自衛隊の参加は96年からで，中東地区で初めてである。

14 国連の活動の規模の推移

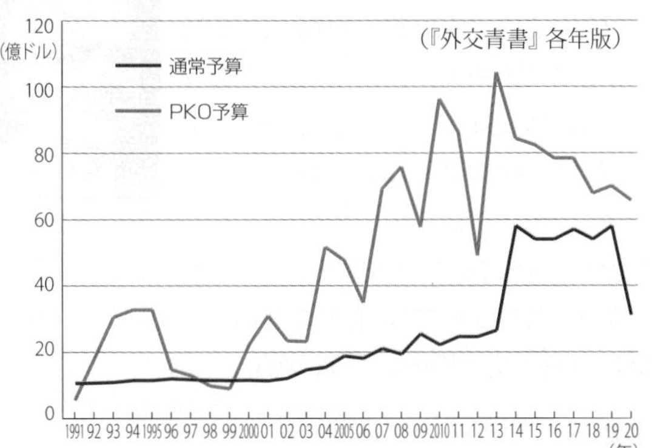

15 国連改革

●安保理改革

グローバル化の流れの中で，安保理の扱う分野は著しく拡大しているが，安保理の基本的構造は国連創設当時から変化していない。そのため安保理の改革が大きなテーマとなり，2005年に創立60周年を迎える国連の抜本的な改革を行うことをめざして，2003年にアナン事務総長により「ハイレベル委員会」が設置され，安保理改革も模索(もさく)された。しかし，2005年9月に開催された国連「世界サミット」では，安保理改革についての合意は得られず，その後も日本はG4（日本，インド，ドイツ，ブラジル）の一員として取り組んでいるが，進展は見られない。

加盟国の多くは，安保理の改革自体は必要と考えており，日本，ドイツ，インドなどの国々やアフリカなどを代表する国が安保理の常任理事国になることに賛成する声も少なくない。だが，常任理事国の増加による自国の影響力低下をおそれる現常任理事国や，近隣国の常任理事国入りにより地域内での力関係が変化することを懸念する国などもあるため，安保理改革の実現は簡単ではない。

●財政改革

資料9に示したように，各国の国連分担金が算出されているが，問題は，右表のようにアメリカを筆頭として多額の滞納金があることである。（2012年10月時点では8.6億ドル，うちアメリカが7.4億ドル）まさに国連財政は危機的状況にある。そのような中にあり，日本は分担率第3位であり，PKOの分担率はもっと高い。それにもかかわらず発言権を認められていない状況がある。

滞納額（総額7億8,787万ドル）の割合

国名	延滞額の割合(%)
アメリカ	87.7
メキシコ	6.3
ベネズエラ	0.9
イラン	0.6
ハンガリー	0.6
その他	3.9

（国連広報センター資料 2011.8現在）

●日本の安保理常任理事国入りについて

賛成 87.7%	無回答 3.2%	反対 9.1%

（内閣府「外交に関する世論調査」2020年10月より）

賛成の理由

・非核保有国で平和主義を理念とする日本が加わることが世界の平和に役立つ … 24.6%
・世界における日本の地位からすると，世界の平和構築のために積極的に参画していくべきだ … 24.4%
・日本は国連に多大な財政的貢献を行っているのに，重要な意思決定に加われないのはおかしい … 21.0%

反対の理由

・安保理常任理事国にならなくとも，経済・社会分野や環境問題などの非軍事的分野で十分な国際貢献を行っていける … 27.1%
・安保理常任理事国になれば，国連の軍事活動に積極的に参加しなければならなくなる … 21.8%
・安保理常任理事国になると，国連に対し，これまで以上の財政的負担を負わなければならなくなる … 19.4%
・世界の紛争解決に安保理は無力だ … 15.9%

Column 敵国条項の削除

第二次世界大戦後の国連設立当時には，日本は旧敵国という規定をされた。1995年の総会決議では既に「死文化している」と決定されているが，削除されずに未だに国連憲章にあること自体問題であるとして，同条項の削除に向けてわが国は取り組んでいる。

○×で答えよう！ 正誤問題にTRY✓ 平和維持分野での国連の機構を強化するため，安全保障理事会の常任理事国の数を増やそうとする動きがある。

34 国際政治のあゆみ

TOPICS

戦後国際政治年表

1939年9月	ドイツ軍のポーランド侵攻 第二次世界大戦の始まり
1941年12月	日本，真珠湾攻撃 太平洋戦争の始まり，アメリカの第二次大戦への参戦
1945年2月	ヤルタ会談
1945年5月	ドイツの無条件降伏
1945年7月17，8月2日	ポツダム会談
1945年8月6日	広島に原子爆弾
1945年8月9日	長崎に原子爆弾 ソ連の対日参戦
1945年8月14日	日本政府，ポツダム宣言の受託決定
1945年9月2日	日本政府，降伏文書調印
1946年3月	英チャーチル首相による鉄のカーテン演説
1947年3月	米トルーマン・ドクトリンの発表
1947年6月	米マーシャル・プランの提唱
1947年10月	ソ連を中心にコミンフォルム結成
1948年6月	ソ連:ベルリン封鎖（49年5月解除）
1949年1月	コメコン結成（1991年6月解散）
1949年4月	ＮＡＴＯの結成
1949年5月	西ドイツ，10月東ドイツの独立
1950年6月	朝鮮戦争（1953年7月まで）
1955年4月	バンドン会議（アジア・アフリカ会議）の開催
1955年5月	ワルシャワ条約機構の誕生（1991年7月解体）
1955年7月	米英仏ソによるジュネーブ4巨頭会談
1956年2月	フルシチョフによるスターリン批判
1956年10月～11月	ハンガリー動乱
1961年8月	ベルリンの壁構築
1961年9月	ベオグラードにて第1回非同盟諸国首脳会議
1962年10月	キューバ危機
1963年8月	米ソ首脳間ホットライン（直通電話）設置 部分的核実験停止条約
1965年2月	米，北ベトナムへ爆撃開始（北爆）
1968年7月	核拡散防止条約の調印
1968年8月	チェコ事件（プラハの春の挫折）
1972年5月	米ソ，ＳＡＬＴ１調印
1979年6月	米ソ，ＳＡＬＴ２調印
1979年12月	ソ連，アフガニスタンへの軍事介入
1980年9月	イラン・イラク戦争
1985年3月	ソ連，ゴルバチョフ書記長就任
1987年12月	米ソ，ＩＮＦ全廃条約調印
1989年11月	ベルリンの壁崩壊
1989年12月	マルタ会談，冷戦終結の確認
1990年8月	イラクのクウェート侵攻
1990年10月	東西ドイツ統一
1991年1月～3月	湾岸戦争
1991年6月～	ユーゴスラビア内戦勃発
1991年12月	ソ連崩壊
1992年4月	ボスニア内戦（1995年12月まで）
1993年8月	イスラエル・ＰＬＯ，暫定自治政府樹立に調印
1998年2月	コソボ紛争 （1999年6月まで）
2001年9月	アメリカ同時多発テロ
2001年10月	アメリカ，アフガニスタンへの空爆開始＝タリバンへの報復攻撃
2003年3月	イラク戦争（5月に戦闘終結宣言）
2010年8月	アメリカ軍，イラクから撤退
2010年12月～1月	チュニジアでジャスミン革命
2011年1月～2月	エジプト革命 ムバラク大統領の辞任
2011年2月～10月	リビアで内戦→独裁者カダフィは殺害
2011年5月	アメリカ，ビンラディン殺害

1 ヤルタ会談とヤルタ体制

解説 第二次世界大戦中の1945年2月，米英ソの最高指導者はクリミア半島のヤルタに集まり，今後の作戦と，戦争終了後の国際社会について話し合う。そこで，ソ連の対日参戦，ドイツの分割占領を決定する。戦後の冷戦時代の米ソの勢力分けを「ヤルタ体制」というが，これはヤルタ会談での合意をもとにしたからである。

2 チャーチルの「鉄のカーテン(フルトン)」演説

チャーチル

いまやバルチック海のシュテッテン(シュチェチン)からアドリア海のトリエステまで，一つの鉄のカーテンがヨーロッパ大陸を横切っておろされている。このカーテンの背後には，中部及び東部ヨーロッパの古くからの首都がある。ワルシャワ，ベルリン，プラハ，ウィーン，ブダペスト，ベオグラード，ブカレスト，ソフィア，これらすべての有名な都市とその周辺の住民たちは，ソ連の勢力圏内に入っている。

（『世界の歴史』中央公論社）

解説 イギリスのチャーチル元首相が，1946年にアメリカのフルトンにあるウェストミンスター大学で行った，ソ連についての演説。東欧諸国の社会主義化が進む中で，ソ連を中心とした社会主義陣営の閉鎖性を指摘した演説で，東西冷戦のはじまりともいわれる。

○×で答えよう! 正誤問題にTRY✓ アメリカでは，トルーマン-ドクトリンが発表され，マーシャル国務長官が，ヨーロッパの復興と経済自立の援助計画を打ち出した。

3 戦後ドイツの分断と統一

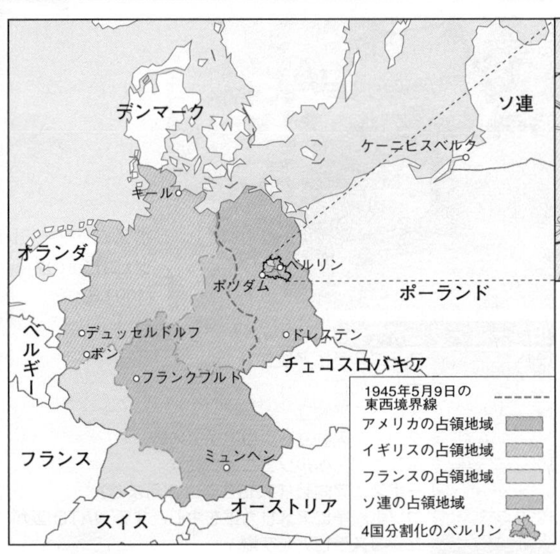

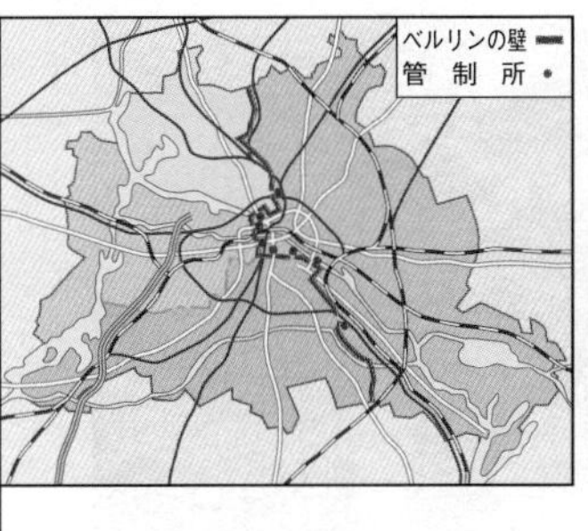

↑ベルリン空輸　ベルリン封鎖に対して物資を西ベルリンに運ぶ(1948年6月)

解説　ヤルタ会談によりドイツは，アメリカ・ソ連・フランス・イギリスの4連合国に占領される。また，首都ベルリンも4か国に分割占領された。また，1945年8月のポツダム会談では，東部ドイツのポーランド・ソ連による占領地域が決まる。

4 NATOとWTO

	北大西洋条約機構 NATO　1949年	ワルシャワ条約機構 WTO　1955年
成立	北大西洋条約機構 NATO　1949年	ワルシャワ条約機構 WTO　1955年
加盟国	西側の軍事同盟 アメリカ，カナダ，イギリス，フランス，ベルギー，デンマーク，イタリア，アイスランド，オランダ，ルクセンブルク，ノルウェー，ポルトガル 12か国でスタート	東側の軍事同盟　*1991年に解体 ソビエト連邦，ブルガリア，チェコスロバキア，東ドイツ，ハンガリー，ポーランド，ルーマニア，アルバニア (中国はオブザーバー) *アルバニアは，1968年のソ連のチェコ侵攻に抗議して脱退
意図	北大西洋を囲む加盟国に攻撃があった場合に全加盟国が軍事的に援助する	NATOに対抗して設立。加盟国に攻撃があった場合に全加盟国が軍事的に援助する

解説　社会主義国の中心であったソ連は，その影響を東欧諸国をはじめ，発展途上国へと拡大していた。これは，アメリカの国際戦略と対立し，相互にその溝を深めていった。その中で，スターリンの死後，特定の権力者の存在という弊害が明らかにされ，自主独立を望みかつそれを政策に掲げる人々とそれを認めまいとするソ連との対立が始まっていった。

5 ベルリンの壁

↑ベルリンの壁建設(1961年8月)
→ベルリンの壁崩壊(1989年11月)

解説　1948年6月，米英仏のドイツ占領地区で，独自の通貨を発行したことをきっかけに，ソ連はベルリンの米英仏占領地域(西ベルリン)への石炭・電力の供給をストップする(ベルリン封鎖)。これは失敗に終わるものの，1949年，ドイツは東ドイツ，西ドイツに分断した形で独立する。西ベルリンは東ドイツ領内に浮かぶ陸の孤島のようになる。1961年8月，ソ連の最高指導者フルシチョフは，西ベルリンを囲むベルリンの壁を形成させる。ベルリンの壁は，ソ連のゴルバチョフの決断で1989年11月に取り壊された。冷戦の終結にともない，1990年10月，ドイツは統一する。

○×で答えよう!　正誤問題にTRY✓　1948年にベルリンをめぐる対立が生じ，翌49年には，冷戦の象徴となるベルリンの壁が構築され，東西ドイツが分裂する事態に至った。

6 ハンガリー動乱

解説 1956年2月，ソ連の最高責任者フルシチョフは，3年前に死亡したスターリンの政治を批判する（スターリン批判）。これに刺激されて東欧諸国では，ソ連の支配から脱する動きが強まる。その代表がハンガリーでの自由化・民主化運動であった（ハンガリー動乱）。

7 チェコ事件

解説 1968年，チェコスロバキアでは政権を握ったドゥプチェクとスボボダは「人間の顔をもった社会主義」を実現するために自由化・民主化政策を実施する。しかし，同年8月ソ連をはじめとする他の東欧諸国はこれを阻止するため，ワルシャワ条約機構軍を投入してこれを弾圧した（チェコ事件）。

8 核兵器の配備

米ソ戦略核兵器の数的推移

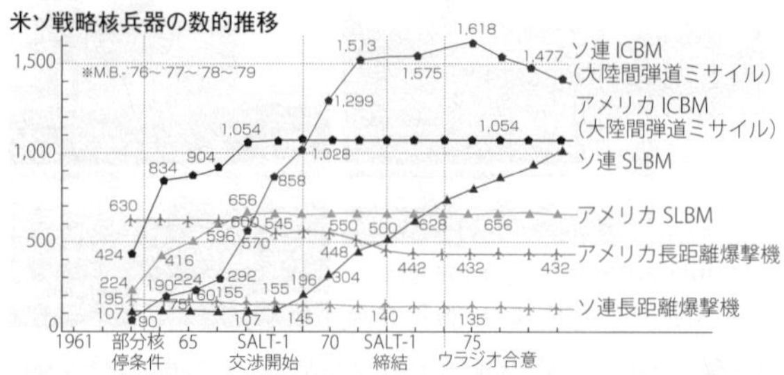

解説 冷戦の進行に伴い，米ソは，ＩＣＢＭ（地上から発射する核ミサイル），ＳＬＢＭ（潜水艦から発射する核ミサイル），戦略爆撃機（核ミサイルの発射が可能な戦闘機）の開発と配備に走る．その一方で，両国は，1970年4月にはＳＡＬＴ（戦略兵器制限交渉）Ⅰ，1979年8月にはＳＡＬＴⅡに調印し，戦略核の削減を進めるとともに，1987年12月には中距離核をなくすためにＩＮＦ（中距離核戦力）全廃条約に調印した．冷戦後は米ロ間でＳＴＡＲＴ（戦略兵器削減交渉）Ⅱが調印された．

9 旧ユーゴスラビアの民族紛争

ボスニア・ヘルツェゴビナの内戦（1993年）

旧ユーゴスラビア年表

1945年	ユーゴスラビア独立
1980年	チトー死亡
1991年6月	スロベニア独立
6月	クロアチア独立→クロアチア内戦
1992年3月	ボスニア・ヘルツェゴビナ独立 →ボスニア内戦（1995年12月まで）
1999年3月	コソボ紛争にアメリカ軍を中心とするNATO軍がユーゴスラビアを空爆
2003年2月	ユーゴスラビア連邦は国名「セルビア・モンテネグロ」へ
2006年6月	モンテネグロ独立

分布色 民族	居住国家
スロベニア人	スロベニア共和国
クロアチア人	クロアチア共和国，ボスニア・ヘルツェゴビナ
セルビア人	セルビア，クロアチア，コソボ自治州，ボイボディナ自治州
ムスリム	ボスニア・ヘルツェゴビナ
モンテネグロ人	モンテネグロ
アルバニア人	コソボ自治州，マケドニア共和国
マケドニア人	マケドニア共和国
その他の民族	セルビア，マケドニア共和国

旧ユーゴスラビア各国の民族構成

スロベニア：スロベニア人91%，クロアチア人3%，セルビア人3%
クロアチア：クロアチア人78%，セルビア人12%，他10%
ボスニア・ヘルツェゴビナ：ボスニア人（イスラム教徒）44%，セルビア人31%，クロアチア人17%
ユーゴスラビア：セルビア人63%，アルバニア人14%，モンテネグロ人6%，ハンガリー人4%

解説 第二次世界大戦後，チトーの指導のもとで独立を回復したユーゴスラビアであったが，セルビア人（セルビア語，セルビア正教），クロアチア人（クロアチア語，カトリック），イスラム教徒などの民族で構成される多民族国家であった。チトーの死後（1980年），各民族は民族単位での独立を求めようとするが，クロアチアやボスニア・ヘルツェゴビナでは，各民族が混住しているため，凄惨な内戦に発展した。また，コソボ自治州のイスラム教徒に対するユーゴスラビア政府（セルビア人主導）の民族浄化（エスニック・クレンジング）を阻止するため，NATO軍がユーゴ空爆を実施した。

○×で答えよう！ 正誤問題にTRY✓ チェコスロバキアで，「プラハの春」と呼ばれる運動が起こり，共産党政権が崩壊した。

10 非同盟諸国首脳会議のあゆみ

開催回 年 月	国 名 都市名	加盟国数	主な内容
第1回 1961.9	ユーゴスラビア ベオグラード	25か国	戦争の危険に関する声明と平和へのアピール発表
第2回 1964.10	エジプト カイロ	47か国	平和と安全の維持，経済開発協力，平和と国際協力を宣言
第3回 1970.9	ザンビア ルサカ	54か国	人種差別反対，経済政策重視インドシナの外国軍隊撤退
第4回 1973.9	アルジェリア アルジェ	75か国	天然資源の国有化の権利宣言 新国際経済秩序の確立を宣言
第5回 1976.8	スリランカ コロンボ	86か国 1組織	先進国支配脱却をめざす集団自助，南北の経済格差是正
第6回 1979.9	キューバ ハバナ	92か国 3組織	政治経済宣言，国際協力行動 ハバナ宣言採択，ビルマ脱退
第7回 1983.3	インド ニューデリー	99か国 2組織	国際経済秩序の確立と軍縮を強調，穏健路線に修正
第8回 1986.9	ジンバブエ ハラーレ	99か国 2組織	南アのアパルトヘイトに対する制裁，途上国累積債務問題
第9回 1989.9	ユーゴスラビア ベオグラード	101か国 2組織	途上国の累積債務問題の処理などの経済問題重視
第10回 1992.9	インドネシア ジャカルタ	108か国 2組織	冷戦終結後の新方針を検討，現実路線を重視
第11回 1995.10	コロンビア カルタヘナ	113か国・組織	安保理の拡大を含む国連改革の必要性，貧困問題を重視
第12回 1998.9	南アフリカ ダーバン	113か国・組織	南北対話による貧困の克服，橋渡しとしての役割を重視
第13回 2003.2	マレーシア クアラルンプール	116か国・組織	非同盟運動の再活性化をめざした運動
第14回 2006.9	キューバ ハバナ	118か国・機構	単独行動主義・内政干渉主義への対抗
第15回 2009.7	エジプト シャルム	118か国・機構	非同盟諸国の影響力の再強化をめざす
第16回 2012.8	イラン テヘラン	120か国・機構	世界の共同運営による恒久的平和
第17回 2016.9	ベネズエラ マルガリータ島	120か国・機構	多様性の中での団結及び連帯に基づく再活性化を目指す
第18回 2019.10	アゼルバイジャン バクー	120か国・機構	国連の豊かな多様性を尊重し，対話と寛容を促す

（国名・都市名は当時）

解説 「第三世界」とはアジア，アフリカ，ラテンアメリカなど，大国に従属させられた途上国を現存世界の変革の主体であるとみなす際の呼称。フランス革命の主体になった第三身分になぞらえた概念。先住民を同様の観点から「第三世界」の一部とすることがある。また，1970，1980年代には，資本主義国を第一世界，社会主義国を第二世界，発展途上国群を第三世界と呼んだ。第三世界諸国は非同盟運動，77か国グループの結成，新国際経済秩序宣言などを通じ，大国支配的な国際秩序の変革を試みた。

11 ペレストロイカとグラスノスチ政策

ペレストロイカとは，ロシア語で「改革」を意味する。1985年ソ連共産党の書記長に就任したゴルバチョフが取った政策。停滞した社会主義経済の発展をめざす中で，社会主義体制の民主化と自由化をめざした。グラスノスチは，「情報公開」を意味し，ソ連の一党独裁体制の中で言論の自由が制限され，共産党政権の批判が許されず，国民に真実が報道されなかった状態を改めようとしたもの。

ゴルバチョフは社会主義体制内での自由と民主化をめざしたが，実際は1889年のベルリンの壁の崩壊や1991年のソ連の解体により，社会主義体制そのものが崩壊するに至った。ソ連などの社会主義は資本主義体制下の搾取をなくし，貧富の格差のない社会をめざして生まれたが，その理想を実現することなく，共産党の一党独裁体制により自由と民主主義を実現できず，経済的にも破綻したため崩壊した。

12 ヤルタからマルタへ

1989年を通じて，ソ連・東欧諸国で，国家＝共産党主導型の中央計画経済体制が解体し，ほとんどすべての国で複数政党制，市場経済制度が導入されることになった。同時に，12月に地中海のマルタ島で開かれた米ソの首脳会談で，東西冷戦の終結が宣言され，第二次世界大戦後の世界経済を特徴付けてきた「資本主義圏」と「社会主義圏」の二つの経済体制の対立はくずれ，単一のグローバル（地球）経済成立の前提がととのった。マルタ会談に先だって，ベルリンの壁がくずされ，それから一年を経ずに，東西ドイツが統一したことは，第二次世界大戦後の世界政治・経済体制の大転換を告げる出来事である。

（『世界経済入門』第2版岩波書店）

解説 新冷戦から米ソ協調路線へ転換せざるを得ない理由の一つに，財政上の問題があげられる。SDIをはじめとするアメリカの戦略は，貿易赤字と財政赤字という双子の赤字を抱えている状況の下では，無理があり，米ソの協調を選択する積極的理由のひとつとなった。また，ソ連は市場経済導入の混乱の中で，軍事支出の増大に苦しんでおり，西側の援助なしに再建できないほどの状況に陥っていた。ここに，マルタ会談の合意の背景がある。

マルタ会談は1989年12月，地中海マルタ島沖のアメリカの戦艦のなかで，アメリカのブッシュ大統領（左）とソ連のゴルバチョフ大統領（右）との会談が行われ，冷戦の終結を互いに確認した。この後，1990年8月のイラクのクウェート侵攻に対して，ソ連は，友好国イラクへのアメリカの武力行使を容認するなど，米ソが協調する場面もみられるようになった。

政治編

国際編

○×で答えよう! 正誤問題にTRY✓ 冷戦期において，アジア，アフリカ，中南米の一部の国は，非同盟・中立を掲げて，外交を展開した。

35 冷戦後の世界とその動き

TOPICS

アラブの春

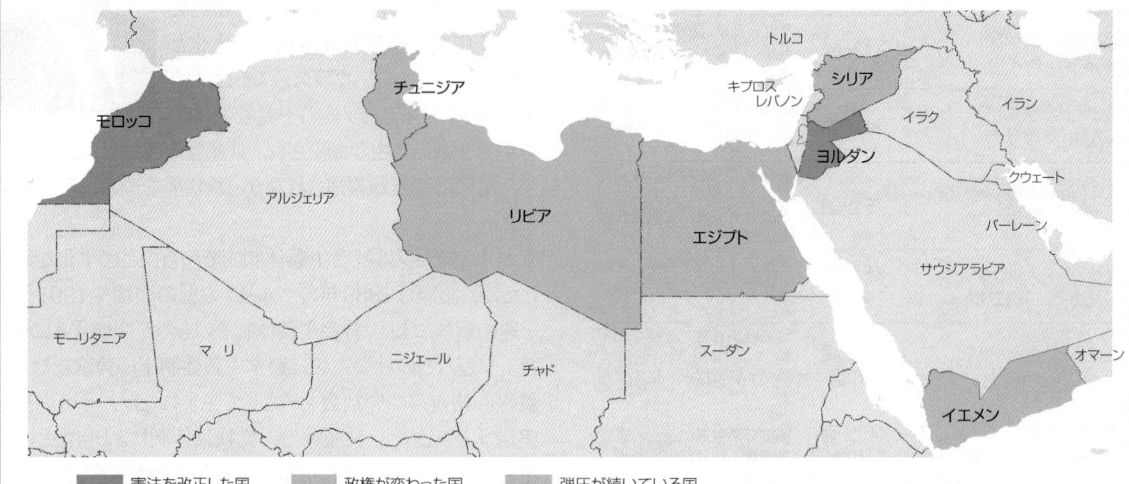

2010年末から11年にかけて，北アフリカ，中東諸国で起こった一連の民主化運動。1968年にチェコスロバキア（当時）で起こった「プラハの春」にならった命名とみられる。

発端は，チュニジアで起こったジャスミン革命。2010年12月17日，中部の都市シディブジドで，青果商の青年（モハメド=ブアジジ）が，当局の度重なる取り締まりに憤り，焼身自殺した。これに怒った市民の抗議デモを衛星放送アル-ジャジーラやネットニュースが報道すると，国民の不満が爆発。若者や知識層を中心とする民衆がソーシャル-ネットワーク-サービスを使って情報交換し，ベンアリ政権打倒の全国デモへと拡大した。翌11年1月14日，ベンアリ大統領はサウジアラビアに亡命し，23年間続いた長期独裁政権は終わりを告げた。

1 ソ連崩壊とCISの誕生

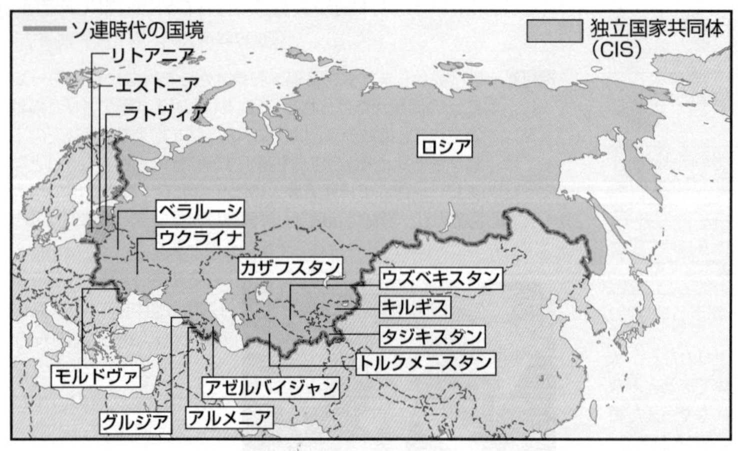

ロシア学校占拠テロ
2004年9月，武装集団に占拠されたロシア南部北オセチア共和国ベスランの学校で，決死の救助活動をする人々

解説 ソ連における政治・経済改革は，国民の民主化の要求が強く，政治改革が優先された感がある。そして，各共和国は，その独立意識を強めていった。共和国の自主性を認める新連邦条約調印直前の1991年8月に保守派のクーデターが起こった。クーデターは失敗に終わったが，共産党とゴルバチョフ大統領の権威を失墜させ，大統領は党を解散・辞任し，各共和国は次々に独立した。CIS内には，ナゴルノカラバフ，ナヒチェワン，南オセチア，ドニエストル，アブハジア，北オセチアにおいて，民族紛争が起こるなど求心力は弱い。

○×で答えよう！ 正誤問題にTRY✓ 1985年にソ連の指導者となったフルシチョフは，ペレストロイカと呼ばれる国内改革に着手し，外交面では緊張緩和政策を推進した。

2 国際テロの現状

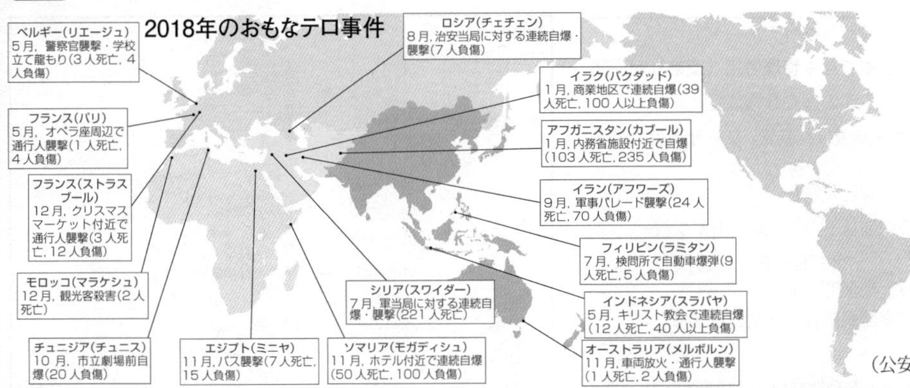

スペイン・バルセロナでのテロに対する抗議デモ

(公安調査庁資料より)

3 9.11事件以後の主なテロ事件

年	月	事件
2002年	10月	インドネシア・バリ島爆弾テロ
	10月	モスクワ劇場占拠
2004年	2月	モスクワ地下鉄爆破テロ
	3月	スペイン・マドリードでの列車爆弾テロ
	9月	ロシア・北オセチアにおける学校占拠
2005年	7月	英国・ロンドン地下鉄・バス同時爆破テロ
	10月	インドネシア・バリ島における爆弾テロ
2009年	8月	イラク・バグダッド連続爆発テロ
	8月	アフガニスタン・カンダハール爆弾テロ
	10月	アフガニスタン・カブール自爆テロ
	10月	イラク・バグダッド連続テロ
	12月	パキスタン・カラチ爆弾テロ
2010年	2月	アフガニスタン・宿泊施設などに対する自爆テロ
	3月	ロシア・モスクワ地下鉄連続爆弾テロ
	8月	イラク・国内各地における連続爆弾テロ
2011年	1月	ロシア・モスクワの国際空港における自爆テロ
	8月	イラク・国内各地における連続爆弾テロ
2013年	4月	米国ボストンマラソン大会における爆弾テロ
	9月	ケニア・ナイロビの大型ショッピングモールにおけるテロ
	9月	パキスタン・ペシャワールにおける自爆テロ
	12月	イエメン・サヌアにおける国防省庁舎襲撃
2015年	1月	ISが日本人の人質を取って身代金を要求する動画がインターネット上に公開
2015年	11月	パリで同時多発テロ
2016年	12月	エジプト，カイロ中心部のコプト教会（キリスト教会）で自爆テロ
2017年	4月	ロシア・サンクトペテルブルク地下鉄の走行中の車内で自爆テロ
2017年	6月	イラン・テヘランで国会とホメイニ廟が同時に襲撃
2017年	8月	スペイン・バルセロナで車が歩道に突入し暴走

Column テロリズム(テロ)とは何か？

テロリズムとは，一般にその政治目的を達成するために暴力の使用や暴力による威嚇を組織的・集団的に行い，第三者に恐怖状態をつくり出すことをいう。反政府組織や革命団体，あるいは一国の政府自身が主体となって行うこともあり，国際犯罪として非難は強まっている。

●国際テロ組織　爆弾による破壊活動やハイジャック活動，要人の暗殺・誘拐などの活動を展開するテロ組織のうち，メンバーの所在や拠点，テロ対象が複数の国・地域にまたがるものを一般に「国際テロ組織」と呼ぶ。2001年アメリカ国防総省が発表した「国際テロ組織」リストには，28団体が指定された。オサマ=ビンラディン率いるアルカイダ，ハマス，ヒズボラ，ジェマー-イスラムなどが上げられている。

●アルカイダ　アラビア語で「基地」を意味するイスラム過激派のテロ組織。1980年代の末，オサマ=ビンラディンが創設した。「世界のイスラム教徒は，アメリカとイスラエルに苦しめられており，聖戦（ジハード）によってこの両国に立ち向かうのが，イスラム教徒のなすべき義務である」というのが，彼らのテロ活動の考え方の基本。

●タリバン　アフガニスタンのゲリラ勢力。名は学生・求道者を意味する。イスラム神学を学んだ学生が中心。2001年アメリカのアフガニスタン侵攻で，アフガニスタンのタリバン政権は崩壊したが，現在は勢力を回復しつつある。

●ハマス　イスラエル占領下のパレスチナ解放をめざすイスラム復興主義組織。2006年1月のパレスチナ評議会選挙でも貧困層を中心に支持を広げ，過半数の議席を占めるなど圧勝した。3月29日，ハマスのイスマイル=ハニーヤが首相となり，パレスチナの政権参加を果たした。

●IS（イスラム国）　ISISと表記することもある。アブー・バクル・アル=バグダーディーの指揮の下に，イスラム国家樹立運動を行うアルカイダ系イスラム過激派組織である。イラクとシリア両国の国境付近を中心とし両国の相当部分を武力制圧し，ラッカを首都とし国家樹立を宣言した。2017年末までにシリア・イラクにおける活動拠点を失い，勢力は縮小している。

4 単独行動主義（ユニラテラリズム）

解説　2003年アメリカはイラクに対して国連の安全保障理事会の決議をへて攻撃を行おうとした。しかし，フランス，ロシア，中国，ドイツなどが「平和的な武装解除を優先すべきだ。イラクに対する査察を継続すべきである。」「武力行使は政治的誤りで容認できない。武力が法に取って代わる事を許せば，力の強いものがいつも正しく，好きなように目的を達成する事ができる。」などと反対したため，過半数の賛成を得られず，決議は採択されなかった。この時アメリカ大統領ジョージ=ブッシュは　「テロリストや独裁者の脅威から平和を守るためには自衛権行使で先制攻撃をためらわない」とする理論のもとに国連決議を経ずにアメリカ判断でイラク戦争を開始した。これを単独行動主義（ユニラテラリズム）という。

○×で答えよう! 正誤問題にTRY✓　冷戦時代のイデオロギー対立に代わって，文明間での衝突がより深刻な問題になるという考え方が出てきた。

5 ヨーロッパの変動　1989年

5月	ユーゴスラビア，複数政党制へ移行
6月	ポーランド，国会議員選挙で自主管理労組「連帯」が圧勝
9月	ポーランド，非共産勢力主導の連立政権成立
10月	ハンガリー，社会主義労働者党（共産党）が一党独裁の放棄，政党名を社会党に改正
10月	東ドイツ，ホーネッカー書記長解任
11月	東ドイツ，ベルリンの壁崩壊→90年東西ドイツ統一
11月	チェコスロバキア，ヤケシュ書記長辞任。「市民フォーラム」結成され民主化へ→93年連邦解体
11月	ブルガリア，ジフコフ書記長辞任，一党支配放棄
12月	マルタ会談
12月	ルーマニア，チャウシェスク政権崩壊，一党支配廃止（チャウシェスク大統領処刑）

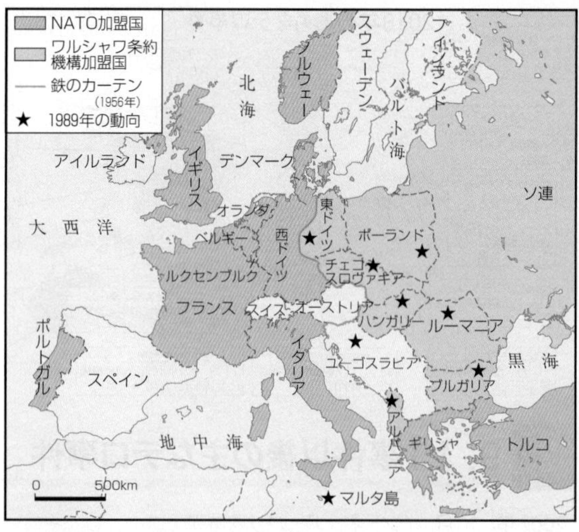

6 全欧安保協力会議から欧州安保協力機構へ

年・月	関連事項
1973年10月	中部欧州相互兵力削減交渉（ウィーン）～89.2
75年 7月	**ヘルシンキ首脳会議にて最終文書採択，全欧安保協力会議が発足**
77年 6月	全欧安保協力再検討会議（ベオグラード）
80年11月	第2回全欧安保協力再検討会議（マドリード）
84年 1月	欧州軍縮会議開始～86.9
85年 7月	全欧安保協力会議（CSCE）10周年記念会議（ヘルシンキ）
86年11月	第3回全欧安保協力再検討会議（ウィーン） CFE（欧州通常戦力）条約で合意
87年 4月	ゴルバチョフ書記長，欧州共通の国家構想提唱
89年11月	ゴルバチョフ書記長，90年の首脳会議開催提唱
12月	ミッテラン大統領，欧州連邦構想提唱
90年11月	**パリ首脳会議，パリ憲章採択，CFE条約調印**
92年 3月	ボスニア・ヘルツェゴビナを加え加盟国52か国
7月	ヘルシンキ首脳会議，ヘルシンキ宣言92採択
94年 1月	平和のための協力協定（PFP）の承認
12月	「ブダペスト文書」を採択。52か国が参加
95年 1月	**OSCE（全欧安保協力機構）と改称**
99年11月	OSCE首脳会合（トルコのイスタンブール開催）：「欧州安全保障憲章」採択，国内紛争もOSCE加盟国にとっての脅威となり得ること，紛争予防に関するOSCEの役割の強化を規定。
2001年12月	ブカレスト外相理事会「テロ対策に関する決定及び行動計画」を採択
03年12月	マーストリヒト外相理事会 「21世紀における安全保障及び安定への脅威に対応するためのOSCE戦略」を採択
04年12月	ソフィア外相理事会「テロリズムの防止及び対策に関する外相理事声明」を採択
06年 6月	ユーゴがセルビアとモンテネグロに分離独立したことで56か国
12年11月	モンゴルが参加し，57か国

7 ヨーロッパのおもな国際機構

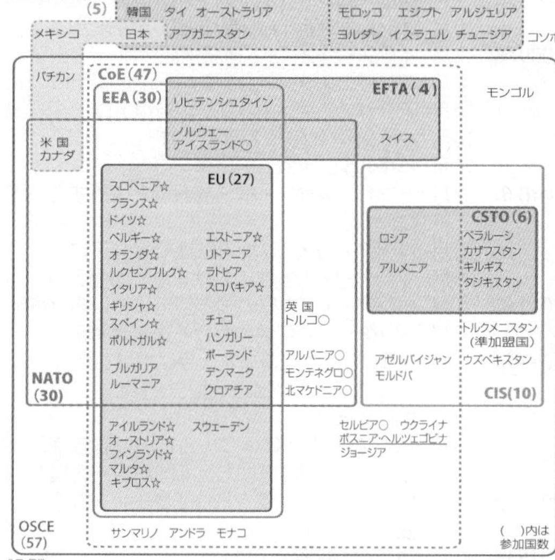

《凡例》
○：EU加盟候補国 (6)　☆：ユーロ参加国 (17)　＿：NATO加盟のための行動計画(MAP)参加国 (1)

《略語解説》
CoE（Council of Europe）：欧州評議会 (47)　CIS（Commonwealth of Independent States）：独立国家共同体(10)　CSTO（CollectiveSecurity TreatyOrganization）：集団安全保障機構(7)　EEA（European Economic Area）：欧州経済領域(31)　EFTA（European Free Trade Association）：欧州自由貿易連合(4)　EU（European Union）：欧州連合(27)　NATO（North Atlentic Treaty Organization）：北太平洋条約機構(30)　OSCE（Organization for Security and cooperation in Europe）：欧州安全保障協力機構(57)

解説 東西冷戦から新冷戦を経て，全ヨーロッパの安全保障体制をめざす動きは，全欧安保協力会議（CSCE）の1992年のヘルシンキ宣言〔（1）全欧州の安全保障，（2）経済・科学・技術分野の協力，（3）人権問題など〕で大きな形をなしつつある。

また90年のパリ憲章（新しい欧州のためのパリ憲章）では，

・欧州の対立と分断の時代は終結，今後は尊敬と協力が基調。
・唯一の政治システムとしての民主主義を強化。
・武力による威嚇，その行使を慎む。
・不戦宣言と欧州通常戦力（CFE）条約の調印，ドイツ統一を歓迎し，CFE交渉を継続，協議完了に努力する。
・CSCE首脳会議と再検討会議の2年毎の開催。

などの項目が全欧州諸国とアメリカ，カナダを含む34か国の首脳の出席を得て，採択されている。このCSCEは，現在，欧安保協力機構（OSCE）と改称され，欧州，北アメリカ諸国など57か国の対話・協力の場となっている。

◎×で答えよう! 正誤問題にTRY✓ 「冷戦の終結」は，まず冷戦の一つの主要舞台であった東アジアで，ついでヨーロッパで実現した。

テーマ学習　日本と中国との関係はどうあるべきか

「第15回　日中共同世論調査」の結果について考える

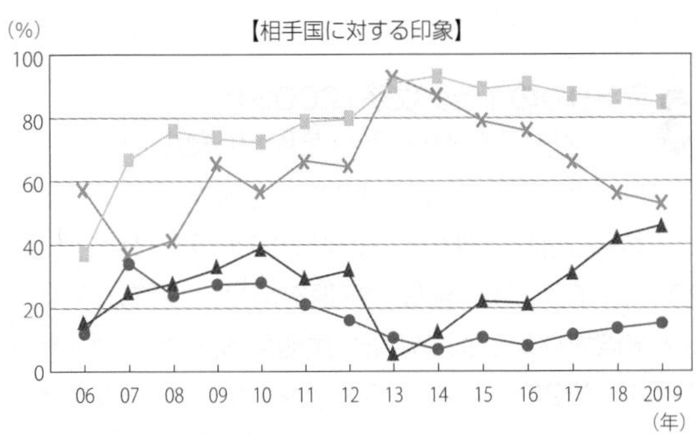

日本世論：良い印象を持っている/どちらかといえば良い印象をもっている

日本世論：良くない印象を持っている / どちらかといえば良くない印象をもっている

中国世論：良い印象を持っている/どちらかといえば良い印象をもっている

中国世論：良くない印象を持っている / どちらかといえば良くない印象をもっている

■この一年間での相手国に対する印象の変化

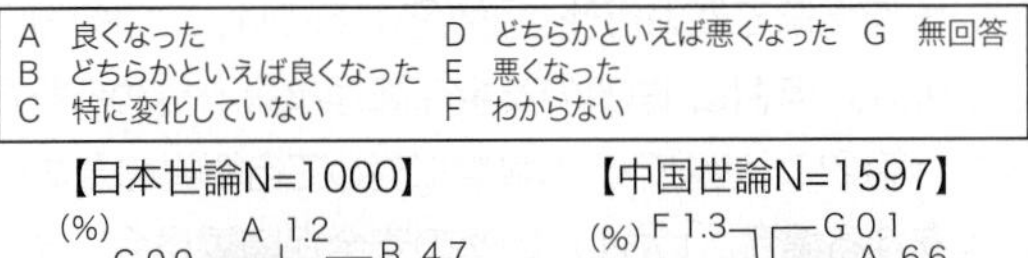

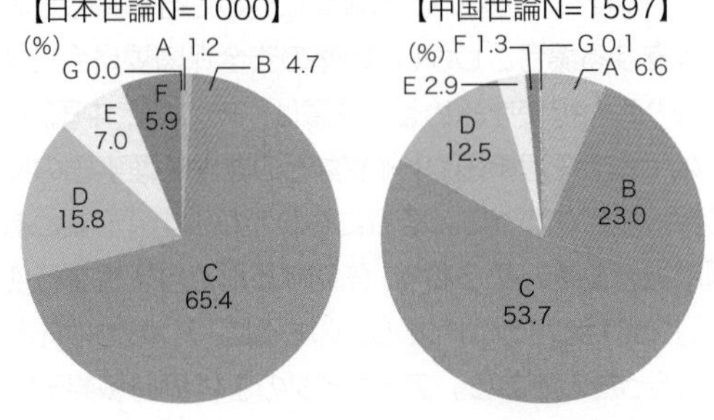

（2019年実施　第15回調査結果）

第15回の調査では，日本人の中国に対する「良くない印象」は84.7%，中国人の日本に対する「良くない印象」は52.7%であった。後者は依然として高い数値だが，過去最悪だった2013年よりは改善している。また，「良い印象」をもっている中国人の割合は，昨年よりも上昇した。

それでは，日本が中国に対して良くない印象を持つのはなぜか。右記の図表を見てみよう。

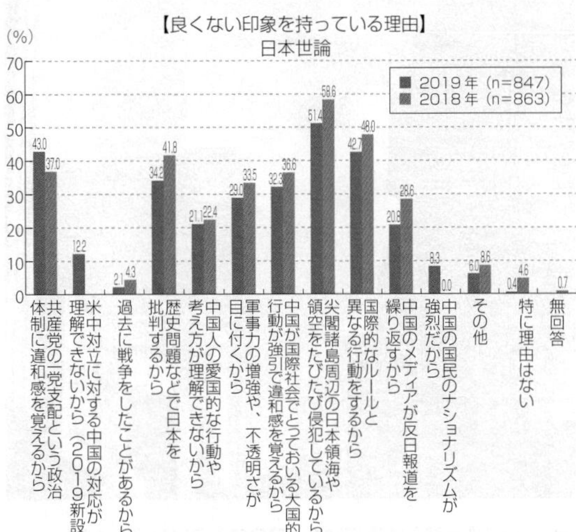

日本が中国に「良くない印象」を持つ最も大きな理由は「尖閣諸島周辺の日本領海や領空をたびたび侵犯しているから」で，昨年と同様5割を超えている。その他，「共産党の一党支配という体制に違和感を覚えるから」，「国際的なルールと異なる行動をするから」などが半数近くで続いている。

一方中国が日本に対して良くない印象を持つのはなぜか。下記の図表を見てみよう。

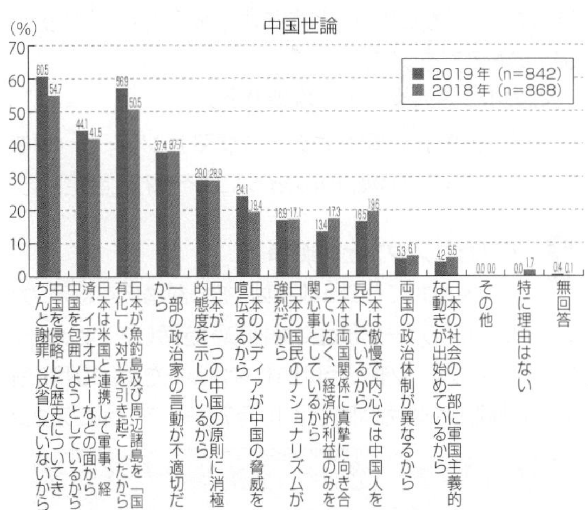

中国人は「中国を侵略した歴史についてきちんと謝罪し反省していないから」が60.5%で最も多い。「日本が魚釣島を国有化し，対立を引き起こしたから」も56.9%となっている。

日本と一衣帯水の隣国である中国。日本と中国との関係はどうあるべきか，考えてみよう。

特定非営利活動法人言論NPOと中国国際出版集団によって行われた「第15回　日中共同世論調査」は，日本では全国の18歳以上の男女（高校生を除く）を対象に2018年10～11月，訪問留置回収法により実施され，有効回収標本数は1000である。中国では，北京，上海，成都，瀋陽，西安等の10都市で18歳以上の男女を対象に，同時期に実施され，有効回収標本は1597で，調査員による面接聴取法によって行われた。（言論NPOホームページ　http://www.genron-npo.net/　より）

政治編

国際編

○×で答えよう！ 正誤問題にTRY✓　1972年にアメリカのニクソン大統領が中国との国交樹立を実現した結果，中国とソ連との関係が悪化し，中ソ国境紛争に発展した。

アメリカの戦争　アフガニスタンとイラク

1 9.11同時多発テロ　2001年9月11日

①どのような事件か?

2001年9月11日にアメリカで大型旅客機4機がアラブ系のグループに同時にハイジャックされ，内2機はニューヨークの世界貿易センタービル，1機はワシントンのアメリカ国防総省（ペンタゴン）に乗客ごと突入した事件。同じくハイジャックされたもう1機はペンシルベニア州ピッツバーグ郊外に墜落した。この事件で約3000人の犠牲者が出て，テロ事件としては史上最大の被害となった。アメリカ本土が外から受けた攻撃による被害でも，同国史上最大のものであった。

②どのような人々による攻撃か?

アメリカ政府は，事件直後に，ウサマ·ビンラーディンを指導者とするテロ組織，アルカイダによる犯行と断定した。

2 アフガニスタンとの戦争

アメリカのブッシュ政権は，彼らが潜伏するアフガニスタンのタリバーン政権に身柄の引き渡しをもとめた。しかし，タリバーン側がうけいれなかったため，10月8日（現地時間，アメリカ時間では10月7日），アフガニスタンにあるアルカイダの拠点とタリバーン政権の軍事施設への空爆を開始した。

3 アメリカのイラク攻撃（2003年）

①アメリカは何故イラクを攻撃したのか

アメリカがイラクに開戦する時に当時のジョージ·ブッシュ大統領が開戦の理由として挙げたのは次の3点である。第1に，イラクは大量破壊兵器を開発し，所有している（大量破壊兵器とは，核兵器，生物兵器，化学兵器を意味する）。第2に，イラクのフセイン大統領は，アルカイダ（ウサマ·ビンラーディンをリーダーとするテロ組織）とつながりがあり，支援をしている疑惑がある。第3に，フセイン独裁政権を打倒し，イラクを民主化してイラク国民を自由にするというものであった。

②アメリカのイラク戦争の問題点

アメリカ政府は，国連決議なしにイラクに先制攻撃をした。国連憲章で武力行使が認められるのは，二つの場合しかない。第1に，国連の安全保障理事会で認められた場合。第2に，他国の武力攻撃に対して自衛権のための戦争をする場合。しかし，国連の安全保障委員会でイラクへの武力行使を認める新決議は，フランス，中国，ロシアなどの常任理事国やドイツなどの非常任理事国の反対で採択できなかった。それにもかかわらず，「必要とあれば単独行動をためらわず，先制する形で自衛権を行使する。」というブッシュドクトリンのもとに，アメリカは先制攻撃を行ったのである。アルカイダの9.11同時多発テロ後，大量破壊兵器を持つフセイン政権と戦わないで彼らの攻撃を待つのは，自殺行為であるとアメリカ国民に宣伝された。

③崩れる戦争の大義

2004年10月アメリカ政府の調査団は，「イラクに大量破壊兵器はなかった」と発表した。さらに，2008年3月国防総省は，正式に「フセインとアルカイダの関係を示す決定的な証拠はない」という報告書をまとめた。さらに，中東の民主化は実現するどころか，イラク·アフガニスタンは内乱とテロが激化している。

④米兵の戦死者，イラクの国民の犠牲者

2010年8月10日現在，アメリカ兵の戦死者は，4415人となった。この他2007年の時点での負傷者は，6.7万人，心的ストレス障害（PTSD）は,5.2万人に上るという。

現在のアメリカ兵士は，志願制のため，入隊希望者が集まらず，兵士の絶対数の確保が困難になっている。アメリカ本土にいるべき州兵までイラクへ送られる。貧しいア

○×で答えよう! 正誤問題にTRY✓　クリントン大統領は，米国で起きた同時多発テロの首謀者を匿っているとしてアフガニスタン攻撃を開始した。

アメリカ国民のイラク戦争支持率の低下

2003年3月 イラク戦争開始前のニューズウィーク世論調査結果	
対イラク武力行使に賛成	反 対
70%	24%

2007年11月 CNNとオピニオンリサーチ社の世論調査	
イラク戦争支持	イラク戦争不支持
31%	68%

メリカ国民が，大学進学のために，アメリカの軍隊に志願している。一方，民間の軍事会社（米軍から警備や輸送業務に従事し，治安作戦にも参加している）は，アメリカの正規軍を上回る18万人が活動中である。民間の軍事会社の戦死者も約1000人に達するという。また，アメリカの経済学者である，ノーベル賞受賞者のジョセフ・スティグリッツ氏は，「イラク戦争にかかる米国のコストは控えめに計算しても3兆ドルにのぼるだろう」と指摘する。アフガニスタンでの戦費を含む3兆ドルは，2010年8月の為替レートで260兆円になる。

一方，アメリカ軍は，イラクの武装勢力，民間人の戦死者を公表していない。世界保健機関が発表したイラクの戦死者数は，約15万人だった。

⑤アメリカの大量破壊兵器の使用

アメリカはイラク戦争で，次のような兵器を使用した。

1.クラスター爆弾

大型爆弾の形をした筒に缶ジュース程度の大きさの子爆弾が202個詰められている。子爆弾は8万m^2に散らばる。着弾後すぐに破裂せず，人が触れると爆発する。「地雷効果」を持つ。子供が犠牲になる。無差別殺傷の非人道的兵器。

2.劣化ウラン弾

爆発燃焼時に拡散するウランの微粒子が人体にはいると，がんや白血病の原因になる。核兵器と同様に放射性物質を放出する。現在イラクでは，白血病の子どもたちが増えている。

3.トマホーク巡航ミサイル

地形図を記憶し，全地球測位システムで位置を測定し，頭部のカメラで目標近辺の映像と比較・対照して突入する。命中誤差10メートル以内（半数）だが逆に言えば半数は目標から数10メートルずれる。

さらに，500ポンドクラスの爆弾で半径300メートルの範囲の人や建造物に被害を与える。

どの兵器にも共通するのは，戦時国際法のジュネーヴ条約で戦争犯罪として禁止されている，一般市民の無差別攻撃を行う兵器であるという点である。

米英連合軍のバスラ空爆で負傷し，瓦礫のなかから叔父によって救出された少女（ロイター／WWP）

4 オバマ元大統領とイラク戦争，アフガニスタン戦争

2008年11月，アメリカ大統領選挙でイラク戦争に反対し，イラクからのアメリカ軍の撤退を公約とした民主党のオバマ候補が勝利した。オバマ大統領はイラク戦争が必要のない戦争であったことを認め，2011年末までにアメリカ軍をイラクから完全に撤退させた。

一方「アフガニスタンの米軍は増派する」として，大統領就任直後に1万7000人規模の米軍増派を発表。さらに，2009年12月に3万人規模を増派する。この増派でアフガニスタンの米軍はのべ10万人規模に達した。しかし，アフガニスタンとの戦争は泥沼化，タリバーンは復活し勢力を増している。アフガニスタンとの戦争はアメリカにとって最も長い戦争になった。こうしたなか，2012年5月，オバマ大統領はアフガニスタンでカルザイ大統領と会談し，戦略的パートナーシップ協定に調印。2014年末までに戦いを終わらせることとした。2014年末までに，アフガニスタンの駐留兵を約3万4000人削減。アメリカの戦闘任務は，正式には2014年12月28日をもって完了した。しかし，アフガニスタン治安部隊の訓練と助言を行うため，2014年末以降もアフガニスタンに9800人の米兵を駐留させた。

オバマ大統領を引き継いだトランプ大統領は2020年には現在の米兵9500名の完全撤退を視野に，和平交渉をすすめている。

○×で答えよう！ 正誤問題にTRY✓ イラク戦争において組織された有志連合軍の活動は，国連事務総長の指揮下で実施されたPKOである。

36 核兵器と軍縮の問題

TOPICS

核兵器禁止条約が採択される－日本は「反対」－
核兵器禁止条約への各国の態度

「核兵器禁止条約」をめぐる構図　（『朝日新聞』2016.10.29より）

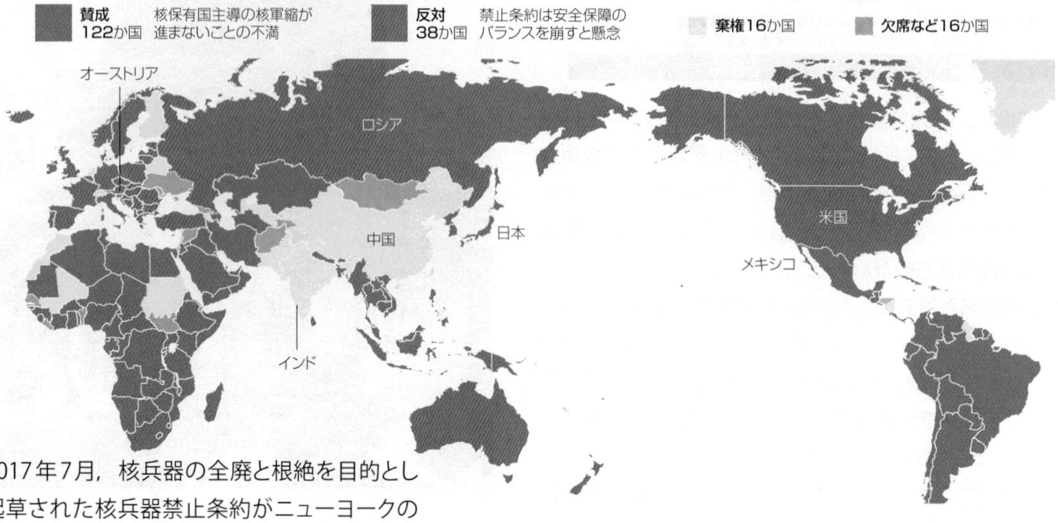

2017年7月，核兵器の全廃と根絶を目的として起草された核兵器禁止条約がニューヨークの国連本部での会議で採択された。参加した124か国中，賛成は122か国，反対はオランダ，棄権はシンガポールだった。日本はこの採決には不参加で反対を表明した。「核なき世界」という理想に向けて，日本は原爆の惨禍を受けた唯一の被爆国としてできることは何だろうか。（同条約は2021年1月に発効）

1 核兵器保有を肯定する考え方

①抑止論と拡大核抑止（核の傘）

抑止とは，潜在敵国に対して，もし攻撃を行えば耐えがたい反撃がありうることを示すことによって，攻撃を事前に防ごうとする考え方で，核兵器による抑止を核抑止という。また，核抑止によって保護される対象として，自国のみならず同盟国をも含める場合を拡大核抑止（核の傘）という。

（現代用語の基礎知識 2001 より）

②軍事力均衡論

対立する両国，両陣営の軍事力の均衡が相互に戦争を抑止しあうという考え方

③核抑止論の批判

核兵器のない世界を実現する上で，最大の障害になっているのが「核抑止」や「拡大核抑止」という考えです。核抑止はデタレンス（deterrence）すなわち核兵器を使うぞと言って「脅して止めさせる」という意味のdeterを婉曲な日本語に訳したものです。要求を受け入れなければ「核兵器を使うぞ」という脅しで要求を貫くもので，核兵器の使用を前提にしています。自民党政権が「核の傘」＝拡大抑止に依存してきたのは，アメリカにいざという時には核兵器を使って下さいと言っていることです。被爆者とともに取組んできた原水爆禁止運動は「どんなことがあっても，誰に対しても，再び核兵器を使ってはならない」ということを基本にしてきました。核抑止論はこれと真っ向から対立するものです。

（沢田昭二・日本原水協代表理事）

2 核拡散防止条約（NPT）（1968年）

①核拡散防止条約（ＮＰＴ）はどのような条約か？

○核兵器の不拡散義務

（1）「核保有国」（アメリカ・ロシア・イギリス・フランス・中国）は，「非核保有国」（それ以外の国）に核兵器の譲渡を行ってはならない。
（2）「非核保有国」は，新たな核兵器を保有・製造してはならない。
（3）「非核保有国」は，国際原子力機関（ＩＡＥＡ）と査察を含む保証措置協定を結ぶ。

○原子力の平和利用の権利承認

○「核保有国」の核兵器軍縮交渉の義務。（第６条）

②核拡散防止条約（ＮＰＴ）に対する批判

第６条は締約国に「誠実に核軍縮交渉を行う」ことを義務付けている。しかし，締約国のうち核保有５か国の核軍縮交渉や実行・実績は，1987年に締結されたＩＮＦ全廃条約（中距離核戦力全廃条約）・1991年に締結されたSTARTⅠ（戦略核兵器削減条約）に限定され，現在に至るまで核兵器の全廃は実現していない。

解説　「リーチング・クリティカル・ウィル」のレイ・アチソン代表は，核兵器の近代化や投資を終わらせる第６条の義務に反し，全ての核保有国が自国の核兵器および関連施設を今後数十年で近代化する計画に着手するか，あるいはそうした計画を持っていると主張。また核拡散を抑制しようとする一方で，自らの核兵器は強化しようとする核保有国の姿勢はダブルスタンダードであり，「核兵器なき世界」を追求するという約束が裏切られている，と述べた。

○×で答えよう! 正誤問題にTRY✓　NPTに加入する非核保有国は，核兵器の保有を禁じられ，国際原子力機関（IAEA）の査察を受ける義務を負っている。

政治編　国際編

3 非核兵器地帯

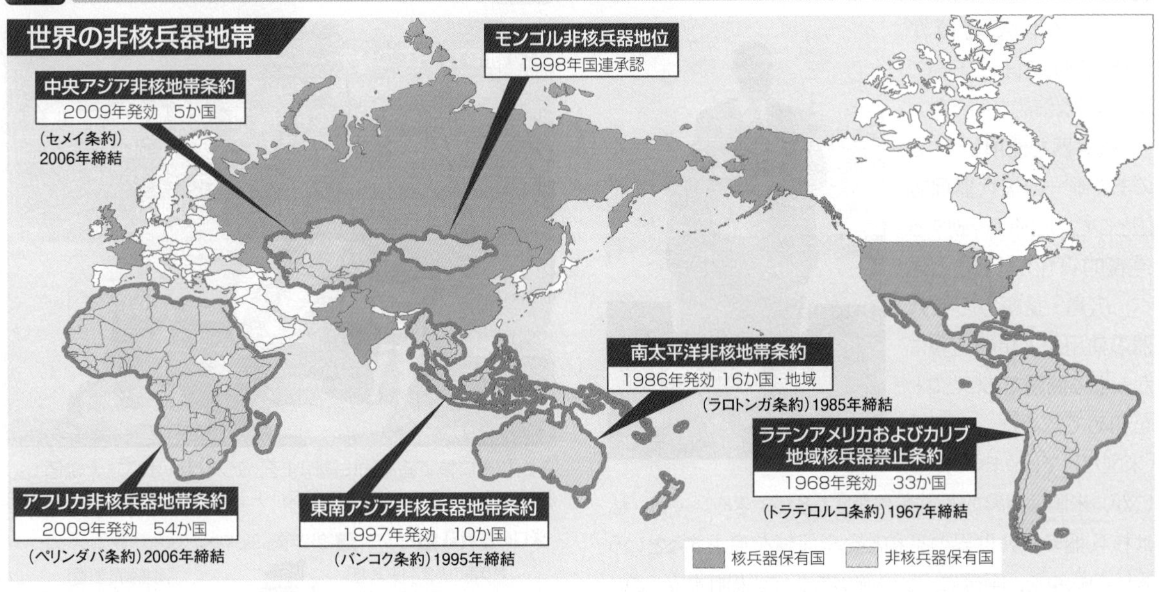

解説 第二次世界大戦後，核兵器を中心とした軍拡・軍縮の歴史は，その時々の世界情勢をつねに反映してきた。とくに人類の悲願である核兵器廃絶に関しては，核保有国の思惑に右往左往しながらも，さまざまな国際社会の場で協議が続けられている。非核兵器地帯として国や地域が条約を発効することもそうした動きのひとつである。正式に発効されている条約は5つ。

4 核弾頭数の推移

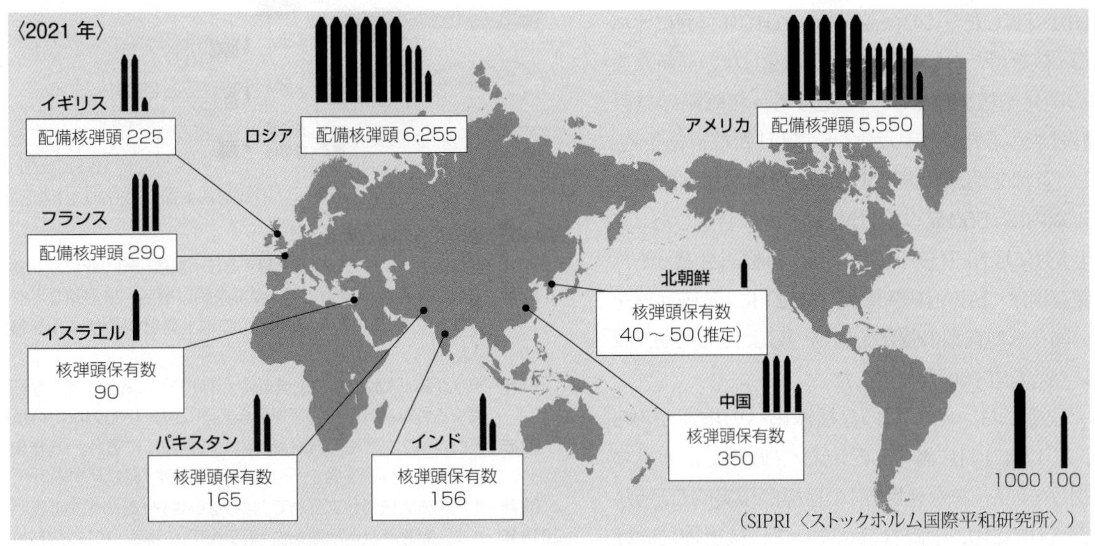

(SIPRI〈ストックホルム国際平和研究所〉)

核保有国

- **NPT批准の五大国** - アメリカ合衆国，ロシア連邦（旧ソ連），イギリス，フランス，中華人民共和国
- **その他（NPT非批准）** - インド，パキスタン，北朝鮮
- **核兵器保有が確実視されている国** - イスラエル（疑惑国と分類する場合もある）
- **NATOの核共有国** - ベルギー，ドイツ，イタリア，オランダ
- **核兵器保有または開発の疑惑国** - イラン，シリア，ミャンマー
- **過去の核兵器保有国** - 南アフリカ共和国

オバマ元大統領がプラハで演説した「核なき世界」への道のりはそうたやすいものではない。国際会議では，核保有国と非核保有国の対立など問題は山積している。また核実験を繰り返す北朝鮮や核開発疑惑国イラン，NPTに背を向けて核武装したインドとパキスタン，事実上の核保有国とされるイスラエルをめぐり，国際社会における各国の立場の違いは大きく，核軍縮に向けて乗り越えるべき壁は多い。

○×で答えよう! 正誤問題にTRY✓ 核拡散防止条約によって，核兵器の保有が限定されたが，非締約国による核兵器保有や開発の疑惑が後を絶たない。

5 オバマ大統領の「核廃絶演説」

オバマ米大統領が2009年4月5日，プラハで次のような演説を行った。

「核兵器を使用したことのある唯一の核兵器保有国として，米国は行動する道義的責任がある」と述べ，広島・長崎での核兵器の使用が人類的道義にかかわる問題であったことを初めて認めた。さらに，「米国だけではうまくいかないが，米国は指導的役割を果たすことができる。今日，私は核兵器のない世界の平和と安全保障を追求するという米国の約束を，明確に，かつ確信をもって表明する。この目標は，すぐに到達できるものではない。おそらく私が生きている間にはできないだろう。忍耐とねばり強さが必要だ。しかし我々は今，世界は変わることができないと我々に語りかける声を無視しなければならない。」と述べた。

この演説などにより，2009年のノーベル平和賞をオバマ大統領が受賞した。この演説の後，2010年4月にオバマ政権は「核を持たない国には核攻撃をしない」「新たな核弾頭の開発や核実験もしない」とする，「核戦略の見直し」を発表した。また，アメリカとロシアが「新核軍縮条約」に署名し，首都を壊滅状態にする能力を持つ核弾頭を両国が7年以内に1550発以下に減らすことに合意した。また，同年5月にはNPT(核不拡散条約）再検討会議がもたれ，核保有国は，IAEA(国際原子力機関）による核兵器を持たない国々への査察の強化を義務づけようとしたが，原発導入に熱心な非核国が反発した。

オバマ政権においてこのような核軍縮への機運がみられたが，2017年1月に誕生したトランプ政権ではオバマ政権が掲げていた「核なき世界」の目標が現実的かどうかの検討がされており，国際社会において，核軍縮に向けての今後の動きは不透明である。

解説 米ロ両国は延長交渉を進めているが，条約の枠組みに中国を加えたい米国に対し，ロシアは無条件延長を求め，隔たりが大きい。「ストックホルム国際平和研究所」によると，射程の短い戦術核兵器を含む核弾頭数は2020年1月時点で米国5800発，ロシア6375発に対し，中国は320発。中国は「米ロが自国と同じレベルまで核軍縮を進めるのが先」という立場である。新STARTが失効すれば，米ロは冷戦期以降はじめて互いの核戦力を縛る条約を持たない状態となる。条約は戦力制限だけでなく，相互の現地査察やデータ交換などを定め，信頼醸成や透明性につながってきただけに影響は大きい。

（『朝日新聞』2020.8.5などより）

6 新START（新戦略兵器削減条約）

新たな米ロ核軍縮条約に調印する，アメリカ・オバマ大統領（左）とロシアのメドベージェフ大統領（チェコ・プラハ 2010年4月8日）

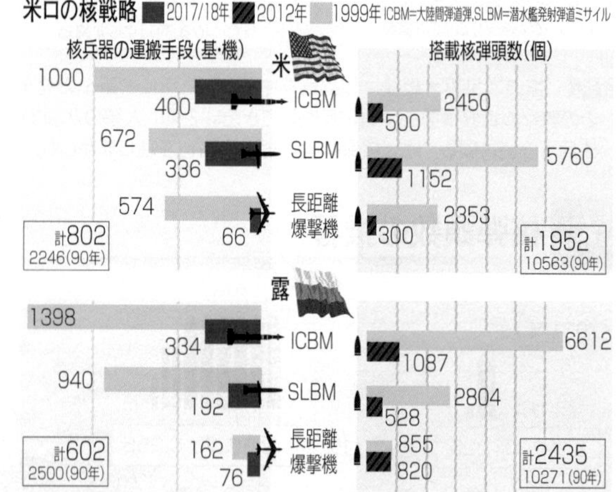

（『世界国勢図会』2020/21など）

●核軍縮をめぐるおもな動き

1970年	米英仏中ソ以外の核保有を禁ずる核不拡散条約（NPT）が発効
87年	米ソが中距離核戦力（INF）全廃条約に署名。核弾頭などを搭載する射程500～5500キロの地上発射型ミサイルを禁じた
91年	米ソが第1次戦略兵器削減条約（START1）に署名。米ソが配備する戦略核弾頭の上限を各6千発に制限（2009年に失効）
93年	米ロが第2次戦略兵器削減条約（START2）に署名。03年までに戦略核弾頭を各3千～3500発に削減（発効せず）
09年	オバマ米大統領がプラハで「核のない世界」をめざすと表明
2010年	米ロ，新戦略兵器削減条約（新START）に署名（2011年発効）
18年	トランプ米大統領がINF全廃条約の破棄と離脱を表明
19年	INF全廃条約が失効
21年	新STARTの期限

（『朝日新聞』2020.8.5　2021.2.3）

2011年2月に発効した新STARTは，INF全廃条約が失効して以来，米ロ間に唯一残る軍縮条約であった。米トランプ政権下では交渉が難航した。バイデン氏が大統領となった2021年2月3日，期限の切れるわずか2日前に，5年間の延長が正式に発表された。

○×で答えよう! 正誤問題にTRY✓ 核拡散防止条約（NPT）は，無期限延長に失敗したため，締約国による再検討会議を定期的に開いて，延長を重ねている。

7 クラスター爆弾禁止条約の成立

クラスター爆弾とはどのような兵器か

クラスター爆弾は，1つの親爆弾の中に数個から数百の小爆弾が搭載されている。空中で親爆弾の中から小爆弾がばらまかれ，広範囲に散らばって着弾し爆発する。このため，一般市民に「巻き添え被害」をもたらす危険性が高い。また，小爆弾が不発弾として残存し，実質的に対人地雷と同様の被害をもたらす可能性が高いことから，紛争終結後も一般市民の犠牲がたえない。そして，被害者の95%が民間人で，その大半が，子どもであるという。イラク戦争では，アメリカによってクラスター爆弾が大量に使用されている。

アメリカ・ロシア・中国の不参加

クラスター爆弾の禁止を強く主張したのは，アフリカやラテンアメリカ諸国であった。クラスター爆弾を使用するのは主に先進国であるのに，被害国や地域は，発展途上国に集中しているためである。クラスター爆弾禁止条約にはアメリカ・ロシア・中国といった大国が参加していないことから実効性がないとの批判があるが，先ずは有志国で条約をつくり，その後加盟国を増やすことによって，条約を国際規範にすることをめざしている。日本は，当初アメリカへの配慮からこの条約に消極的であったが，土壇場で方針転換しこの条約に賛成した。

（目加田説子「クラスター爆弾禁止条約の成立」『世界』2008年5月号）

8 包括的核実験禁止条約（CTBT）

〔採択 1996.9.10　未発効，日本批准 1996〕

【経過】　ジュネーブ軍縮会議で採択できなかった同条約案が，オーストラリアなどによって国連総会に提出され，圧倒的多数で採択された（反対3・棄権5)。

【包括的核実験禁止条約の概要】

(1) 宇宙空間，大気圏内，水中，地下を含むあらゆる空間における核兵器の実験的爆発及び他の核爆発を禁止する。

(2) この条約の趣旨及び目的を達成し，この条約の規定の実施を確保する等のため，包括的核実験禁止条約機関（CTBTO）を設立する。

(3) 条約の遵守について検証するために，国際監視制度，現地査察，信頼醸成措置等から成る検証制度を設ける。

【意義】　核兵器の開発や改良を行うためには，核実験の実施が必要と考えられており，CTBTは従来の部分的核実験禁止条約（PTBT）が禁止の対象としていない地下核実験を含む，すべての核実験を禁止するという点において，核軍縮・不拡散上で極めて重要な意義を有する。

【現状】

(1) CTBT発効のためには，特定の44か国（発効要件国）すべての批准が必要（第14条)。一部の発効要件国の批准の見通しは立っておらず，条約は未発効。

(2) アメリカは批准の見通しが立っていない。

(3) 日本はCTBTを，国際原子力機関（IAEA）の保障措置と並び，核兵器不拡散条約（NPT）を中核とする核不拡散・核軍縮体制の不可欠の柱として捉え，その早期発効を核軍縮・核不拡散分野の最優先課題の1つとして重視。

○署名国 184, 批准国 168

○発効要件国 44か国のうち，署名国 41, 批准国 36

CTBT発効要件国の現状　（2019年9月現在）
未署名国／　3か国
インド　パキスタン　北朝鮮
署名・未批准国／　5か国
アメリカ　イスラエル　イラン　中国　エジプト
批准国／　36か国
イギリス　コロンビア　チリ　フランス　コンゴ民　ドイツ　ロシア　スイス　トルコ　アルジェリア　スウェーデン　日本　アルゼンチン　スペイン　ノルウェー　イタリア　スロバキア　ハンガリー　ウクライナ　ベルギー　バングラデシュ　オーストラリア　南アフリカ　フィンランド　オーストリア　ブラジル　オランダ　ルーマニア　ブルガリア　カナダ　ペルー　ベトナム　韓国　メキシコ　インドネシア

解説　CTBT批准国は1999年以降2年ごとにCTBT発効促進会議を開いている。また，2002年以降は同会議が開催されなかった年に，日本を中心とした有志国が「CTBTフレンズ」として外相共同声明を発表している。2020年には新型コロナウイルス感染症の影響に鑑み，CTBTフレンズ各国外相がビデオメッセージを発出した。

包括的核実験禁止条約（CTBT）発効促進会議で演説する岸田外務大臣（当時)。（2013年9月27日，米国・ニューヨーク）

政治編

国際編

○×で答えよう！ 正誤問題にTRY✓　化学兵器は，第二次世界大戦で初めて使用され多数の死傷者を出したため，第二次世界大戦後に使用を禁止する条約が結ばれた。

37 地域紛争と民族問題

TOPICS

おもな地域紛争・民族紛争

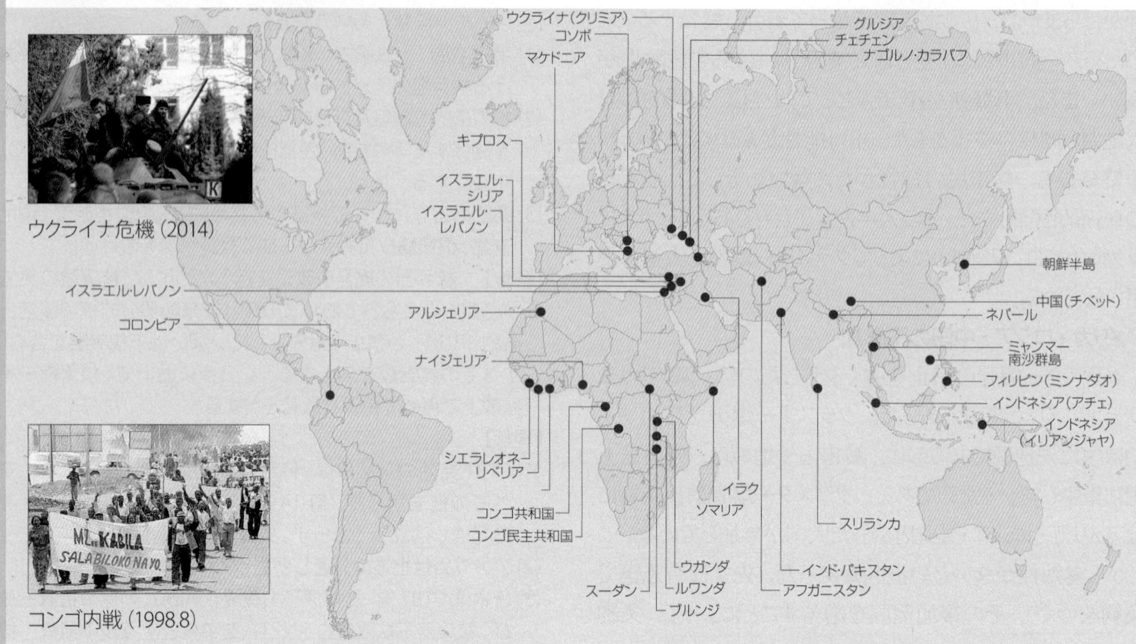

ウクライナ危機(2014)

コンゴ内戦(1998.8)

冷戦終結後の世界各地では，ひとつの国家内部での民族紛争や宗教対立などを原因とした政治的主導権の争いから，過激なテロや暴動が頻発(ひんぱつ)している。

これまで，社会の混乱や紛争の原因は，その根本に経済問題があるにせよ，一般的に「宗教」・「人種あるいは民族」・「イデオロギー」の三つの面での相違が考えられてきた。そのことは今日でも否定できない事実に違いない。

冷戦時代にはこうした局地的な対立が，「米ソの代理戦争」の形をとることが多く，超大国の抑止力が働いて紛争の激化にブレーキをかけている側面もあった。米ソの和解，冷戦の終結によってそういう安全弁はなくなり，武力衝突が起こりやすくなったともいえよう。そして，紛争の原因は宗教・言語・人種・イデオロギーなどが複合的に絡(から)み合い，ひとつに絞(しぼ)ることは不可能になっている。

1 エスノセントリズム —異文化の抹殺

サイードによれば現代の国際社会における**エスノセントリズム(自民族中心主義)**は，根強い偏見や自己中心主義といった，それさえ解消できれば，つまり相互理解が深まれば克服できるというものでは決してない。

ある民族や文化にとって，他の民族や文化の存在が自己の存立をおびやかす「敵」，すなわち，永遠に共存することが不可能であるような絶対的な他者と認識されたとき，その民族は他の民族を抹殺する言説＝物語を編み上げはじめる。最初は意図して「政治」的にはじまったそれは，その民族が何世代にもわたる物語の伝承を重ねるにつれて，他の民族は完全に抹殺される。そうすると，もはやエスノセントリズムは，差別や偏見や誤解といったレベルではなくなってしまう。

サイード以前，異文化間の誤解は「ステレオタイプ」にあるとよくいわれた。その特徴は，自民族や自文化以外の異文化や他者に対して誤った共同幻想を作り出すことにあるのだが，その幻想の基になっているのは，実はたった一人か二人の対人接触や，ほんの数時間か数日の異文化経験でしかないことが多い。おそるべき自己幻想。だが，こうした人間関係上のねじれやもつれは人間関係が解決してくれることもある。そうではないのだ。ここで私たちは，エスノセントリズムが，一人か二人にきざした恐怖感や危機意識が，一挙に全体主義としてある特定の文化から人間的なイメージの一切を奪うという，最悪な特質をもっていることを，決して忘れてはならない。

エドワード・W・サイード
(1935 ～ 2003)

現在，民族問題は先進国では解消したのに対し，発展途上国ではむしろ激化している。

テーマ学習　パレスチナ問題

①国を失ったユダヤ人

今から約2000年前まで中東のパレスチナにはユダヤ人の国家があった。しかし，ローマ帝国によって占領され，ユダヤ人は追放され，ヨーロッパに移り住んだ。その後ユダヤ人はしばしばヨーロッパのキリスト教徒から迫害を受けた。差別と迫害に苦しんだユダヤ人はかつてユダヤ王国の神殿があったシオンに祖国を再建しようという運動を起こした。これをシオニズムという。

②イギリスの二枚舌外交

第一次世界大戦中，イギリス外相バルフォアは，バルフォア宣言でパレスチナにユダヤ人の国家（民族的郷土）を設立することに賛成する。第二次世界大戦中ヒトラーのユダヤ人迫害は，パレスチナ移住者をさらに増大させることになる。

一方でイギリスは第一次世界大戦後アラブに独立を約束する。オスマン・トルコ支配下のアラブに反乱を起こさせて，戦争を側面援助させるためであった（フセイン・マクマホン往復書簡）。一方ユダヤ国家が滅びた後，中東のパレスチナには2000年間にわたって，アラブ民族のパレスチナ人が住んでいた。

③イスラエル建国　1948年

第二次世界大戦後，ホロコーストの犠牲になったユダヤ人に世界的な同情が集まった。ホロコーストを作りだした欧米諸国は罪悪感により国連においてパレスチナ分割決議案を採択し，ユダヤ人のイスラエル建国を支持した。1948年，パレスチナに移住したユダヤ人がイスラエルの独立宣言を行う。

たちまちパレスチナ人との戦争が始まる。パレスチナ人と同様にアラビア語を話し，イスラム教を信じるアラブ民族の国家であるエジプト，ヨルダン，シリア，イラクなどがパレスチナに侵攻した（第一次中東戦争）。しかし，ユダヤ人が勝利し，イスラエル国家をさらに拡大した。パレスチナは独立すべき国家を失った。100万人ともいわれる難民が生まれ，パレスチナ人の苦悩が始まった。ホロコーストという悲惨な目にあったユダヤ人が，今度はパレスチナ人に苦痛を強いることになった。

パレスチナの歴史的変遷図

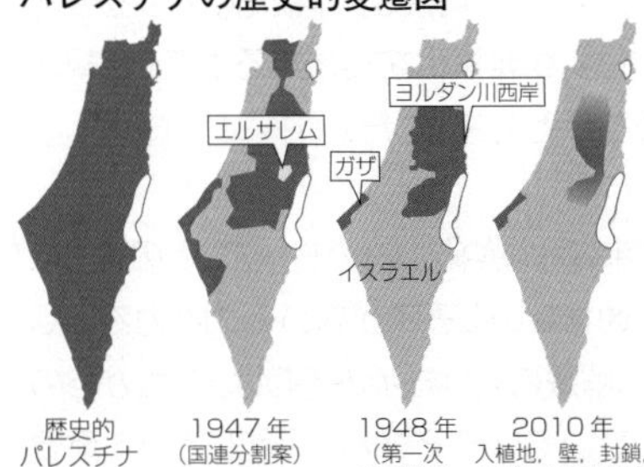

④イスラエル・アメリカとアラブの対立

1964年PLO（パレスチナ解放機構）が結成されイスラエルを打倒してパレスチナ人の民族自決権を実現することが「アラブの大義」とされ，計4回にわたって中東戦争を行われた。周辺のアラブ諸国はパレスチナの味方についた。しかし，イスラエルが4回の中東戦争で常に勝利したのはバックにアメリカの援助があったからである。

アメリカのユダヤ人人口は600万人，イスラエルとほぼ同等の世界最大のユダヤ人人口を擁している。アメリカのユダヤ人は金持ちが多い。ロスチャイルド財閥　ロックフェラー財閥などはユダヤ系である。ユダヤ人はアメリカ議会に対して，強力なロビー活動をしてきた。国際社会から見て非常識なイスラエルの行為に国連総会などで非難決議がなされると，それに反対するのがイスラエルと米国の二国だけということが続くことになる。2007年，アメリカはイスラエルに対する軍事援助を25%以上増やして以後10年間毎年平均30億ドルにすることにした。アラブ人の反米意識が強い原因の一つとしてイスラエルのパレスチナ侵略とそれに加担するアメリカという問題がある。9・11事件を起こしたとされるオサマ・ビンラディンもイスラエルのパレスチナ侵略とそれに加担するアメリカと戦うことを訴えていた。

⑤パレスチナ問題の今

イスラエルは4回にわたる中東戦争で次々と占領地を増やし，ヨルダン川西岸，ガサ地区，ゴラン高原，シナイ半島にはユダヤ人が入植し，居住区が広げられてきた。1993年パレスチナ暫定自治協定の調印が行われ，イスラエルとパレスチナの関係改善の努力も行われてきた。しかし，イスラエルが占領地からの撤退を認めていない上，ガザのハマス政権を大規模空襲して多くの死者を出し，ハマスもこれに対して，イスラエルへミサイル攻撃をしている。

さらに，イスラエルはパレスチナを支援するイランの核開発を脅威として，核施設に対する軍事攻撃も選択肢の一つとしている。イスラエルとパレスチナの武力紛争は今も解決の見通しが立っていない。

○×で答えよう！ 正誤問題にTRY✓　現代の民族問題の特徴の一つは，冷戦体制の終結に伴い，それまで潜在的であった民族対立が表面化した点にある。

テーマ学習

朝鮮半島の非核化は可能か　ー2018年の新たな動きー

板門店の軍事境界線を挟んで韓国の文在寅大統領（右）と握手する金正恩朝鮮労働党委員長。（2018年04月27日，韓国，板門店）

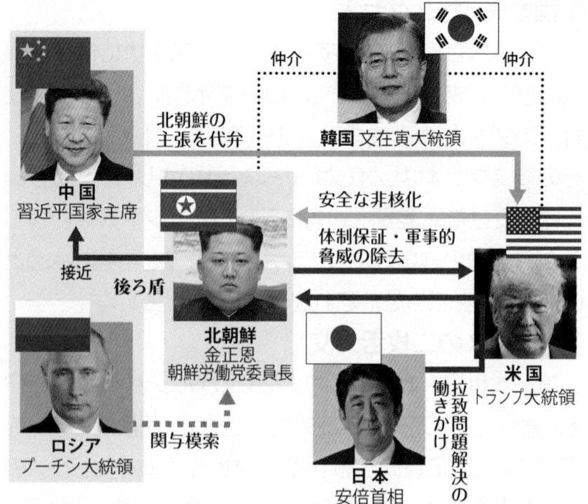

米朝と周辺国の構図（「読売新聞」2018.6.13）

1 朝鮮半島での動き

日本は，朝鮮民主主義人民共和国（以下，北朝鮮）に対して，「対話と圧力」，「行動対行動」の方針のもと，2002年9月の日朝平壌宣言にもとづき，拉致問題，核・ミサイル問題といった北朝鮮との懸念を包括的に解決し，日朝国交正常化を計ることを基本方針として，関係各国（米国・韓国・中国・ロシア）と連携しながらさまざまな努力を続けている。

2017年1月に就任した米・トランプ大統領は，就任直後から，北朝鮮に対する圧力を強化している。さらに同年5月から韓国大統領に就任した文在寅（ムンジェイン）政権も，南北関係の改善に意欲をみせ，米・中・日と連携して独自制裁を含む，北朝鮮への圧力を強化した。こうしたなか，2018年，朝鮮半島の状況は大きく動いた。

2月に開催された平昌冬季オリンピックへの北朝鮮の参加を背景に，1月には板門店で南北の閣僚級会談が開かれた。ここでは，平昌オリンピックへの選手団派遣や，南北問題は当事者間（民族間）で解決することなどが，共同文書として発表された。

2 北朝鮮の核実験中止と朝鮮半島の非核化に向けた動き

さらに 4月には，金正恩朝鮮労働党委員長が，核実験と大陸間弾道ミサイル（ICBM）試射を4月21日から中止し，国内の実験場も廃棄すると宣言した。これは，国内での核開発の終了といったこととも関連しているという見方や，米朝首脳会談への歩み寄りであるという見方が強く，具体的な非核化を明言していなかった。しかしその後，4月27日には，史上3度目の南北首脳会談が板門店で開催され，朝鮮半島の完全非核化と休戦中である朝鮮戦争の終戦をめざすことで合意，「板門店宣言」を発表した。ただ，具体的な時期や方法については示されていなかった。

北朝鮮はこの間，中国の習金平氏との首脳会談を行ったり，訪中を繰り返すなど，後ろ盾としての中国の存在を意識させる動きも見せた。

3 米朝首脳会談の実施と朝鮮半島の平和

2018年6月12日，米朝首脳会談が実施された。発表された共同声明には，金氏による「完全な非核化」への取り組みとトランプ氏による北朝鮮の体制の「安全の保証」を約束することが明記された。トランプ氏はこの会談で日本人拉致問題にも言及した。

会談自体は直前まで，外交上の駆け引きもあり，実施されるかどうかが危ぶまれていた。そのためか，発表された共同声明には，具体的な時期や方法は示されていない。

9月には，韓国の文大統領が平壌を訪問し，朝鮮戦争の終戦をにらんだ合意文書「平壌共同宣言」をまとめた。これには，条件付きで北朝鮮の核施設を廃棄することや金氏がソウルを早期に訪問すること，南北共同開催での五輪招致などが盛り込まれた。

これに対して米トランプ大統領は，非核化に対する姿勢は評価しつつも，完全な非核化を実現するまで，北朝鮮への圧力をゆるめない考えを示した。

政治的なさまざまな合意や取り決めも，結局どのように実行されるかが見通せないと意味がない。力と力ではなく，話し合いによる解決に向けた歩み寄りは，これからの朝鮮半島の平和，ひいては東アジアの平和にとって重要な一歩ではあるだろう。

○×で答えよう! 正誤問題にTRY✓　ナショナリズムはその復古的主張ゆえに，近代化の進んだ19世紀以降は衰退したが，最近になって復活する傾向がみられる。

2 中国とチベット問題

チベットはどのあたりにあるか?

ヒマラヤ山脈の北側に広がる，平均海抜4,500mの「チベット高原」。そのほとんどが，かつてラサを都とする独立国「チベット」であった。今，チベットという国はない。中国の一部になっている。「世界の屋根」と呼ばれる高原地帯で，牧畜や農耕をなりわいとし，主に仏教を信仰する「チベット人」が600万人ほど暮らしている。

なぜ,「チベット」は中国の一部になったのか?

1949年，東隣りに中華人民共和国が誕生し，毛沢東が北京で「チベットを解放するぞ!」と宣言したのが，チベットの終わりの始まりだった。圧倒的な武力でチベットはすぐに陥落し，1959年，指導者のダライ=ラマ14世がインドに亡命。北インドのダラムサラにチベット亡命政府を樹立した。チベットは，チベット自治区と四川省・青海省・甘粛省・雲南省の一部として組み入れられ，現在では中国の一部になっている。一方，15万人余りのチベット人は亡命し，今もインドやネパールの難民居留地で暮らしている。

チベットの指導者ダライ=ラマは何を要求しているか?

- チベット全土を平和地域とする
- チベット民族の存続を脅かす中国の人口移動政策を放棄する
- チベット民族の基本的人権および民主主義に基づく自由を尊重する
- チベットの自然環境を保護し，回復させる。チベットでの核兵器の製造，核廃棄物の投棄をしない
- チベットの将来の地位について,また,チベット人と中国人との関係について,真剣な交渉を開始する。

そして，チベット人による本当の自治権が得られれば独立は求めないと譲歩した。　(超入門・チベット問題HPより)

3 クルド難民

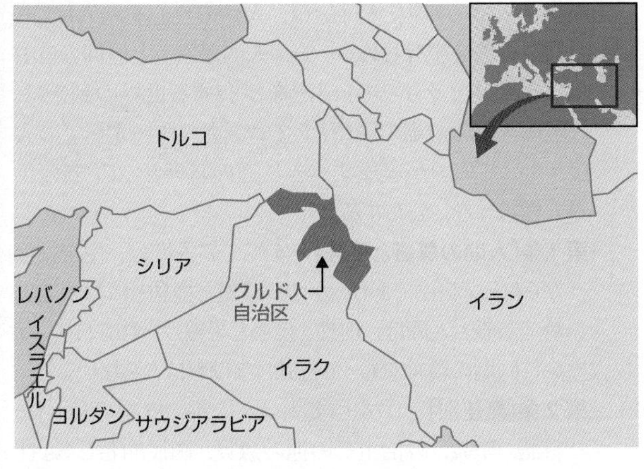

解説 一般にクルディスタンと呼ばれるトルコ，イラン，イラクなどにまたがった山岳地帯に居住し，ペルシャ語系のクルド語を母語とする民族。イスラム以前からの言わば「先住民族」であるが，山間部に割拠していることから，民族規定の根幹であるクルド語には方言が多く，実際の意思の疎通には支障がある。代表的な方言である北部のクルマンジーと南部のソラーニーの2つのみが文語を有しているが，両者は異なる文字を使用している。人口は推定に頼らざるを得ないが，その幅は大きく，80年代初頭まで1000万前後であったものが，現在は2500～3000万と言われる。1991年湾岸戦争当時の諸推定の平均を挙げれば，総人口2100万，トルコ東部に850万（トルコ人口の14%），イラン北西部に600万（同9%），イラク北部に300万（同15%）となっている（その他は，シリア北東部やアゼルバイジャンなどに居住)。スンナ派が多数を占めるが，シーア派諸派の信徒もいる。

Column スコットランド独立住民投票

2014年9月18日に，スコットランド独立の是非を問う住民投票が行われた。

独立の賛否を問う住民投票を控えたスコットランドの新聞スタンドの看板（2014.9.16，イギリス・エディンバラ）

スコットランドはイギリス，グレートブリテン島北部の3分の1を占め，歴史や文化，経済についてもイングランドと遜色ない「大国」である。歴史的な対立を繰り返してきた両国は，1707年に統合されたが，その後もスコットランドは「民族自決」をめざして，イングランドとの駆け引きを繰り返してきた。

今回，分離独立の気運が高まったのは，「北海油田」の利権がイギリス政府に完全に握られていることへの不満やロンドンへの一極集中による格差の問題，「分離独立」をマニフェストに掲げたスコットランドの政党が，議会で多数派となったことなどが挙げられる。

投票結果は残留支持が55.3%と独立支持の44.7%を上回り，英国分裂の危機は回避された（投票率は84.6%)。ヨーロッパは欧州連合（ＥＵ）として緊密な関係ではあるが，こうした民族運動が同じイギリス国内やスペインなどに根強く残っているのが実情である。

○×で答えよう! 正誤問題にTRY✓　今日の主要な国民国家は，国民が単一の民族によって構成されており，内部に少数民族を含まない。

38 国際的人権の保障

TOPICS

増え続ける難民　～写真から広がる波紋～

2015年9月，波打ち際に横たわるシリア難民男児の遺体写真が欧米の多くの新聞に掲載され，大きな衝撃を与えた。男児はアラン・クルディちゃん（3）で，5歳の兄と母親も死亡し父親だけが助かった。一家は過激派組織「ＩＳ」（「イスラム国」）が攻勢(こうせい)をかけているシリア北部の出身で，ギリシャのコス島に向かう密航ボートに乗ったが，高波でボートが転覆(てんぷく)し海岸に遺体が打ち上げられた。

内戦が続くシリアなど中東や北アフリカから，多くの難民がヨーロッパへ押し寄せていく状況が続いており，その数は約50万人ともいわれる。移動中の事故などによる犠牲者も増加している。

そんな中で報道されたこの写真は，欧州の首脳も動かした。フランスのオランド大統領（当時）は「欧州には，迫害を受けて避難する人々を受け入れる義務がある」と発言。移民・難民の受け入れに消極的だったイギリスのキャメロン首相（当時）も「一人の父親として心を動かされた」と語り，国連のシリア難民キャンプから数千人単位の受け入れを行う方針を示した。ＥＵ（欧州連合）としても受け入れを拡大しようとしているが，東欧諸国などは消極的であり，内部に対立をかかえる状況になっている。

1 おもな国際人権条約

採択	発効	宣言・条約	批准
1926	1927	奴隷条約	
1948		米州人権宣言	
1948	1951	ジェノサイド条約	
1948		世界人権宣言	
1949	1951	団結権・団体交渉権条約（ＩＬＯ）	1953
1949	1950	捕虜条約	1953
1949	1950	文民条約	1953
1949	1951	人身売買禁止条約	1958
1950	1953	ヨーロッパ人権条約	
1951	1954	難民条約	1981
1953	1954	婦人参政権条約	1955
1954	1960	無国籍者の地位に関する条約	
1956	1957	奴隷制度廃止補足条約	
1957	1958	既婚婦人の国籍に関する条約	
1959		児童の権利宣言	
1960	1962	教育差別禁止条約（UNESCO）	
1963		人種差別撤廃宣言	
1965	1969	人種差別撤廃条約	1995
1966	1976	国際人権規約（社会権規約）	1979
	1976	国際人権規約（自由権規約）	1979
1966	1976	自由権規約第１選択議定書	
1966	1967	難民議定書	1982
1967		女子差別撤廃宣言	
1969	1978	米州人権条約	
1973	1976	アパルトヘイト条約	
1979	1981	女子差別撤廃条約	1985
1981	1986	バンジュール憲章（アフリカ人権憲章）	
1984	1987	拷問等禁止条約	1999
1985	1988	スポーツ反アパルトヘイト条約	1988
1989	1991	先住民条約（ＩＬＯ）	
1989	1990	児童の権利条約	1994
1989	1991	自由権規約第２選択議定書（死刑廃止条約）	
1990	2003	移住労働者の権利保護の国際条約	
1999	2000	女子差別撤廃条約議定書	
2000	2002	児童の権利条約選択議定書（武力紛争児童関与）	2004
2000	2002	児童の権利条約選択議定書（児童売買・買春等）	2005

2 世界人権宣言と国際人権規約

●世界人権宣言：第３回国連総会採択　1948年

前文　人権の無視と軽侮とは，人類の良心を踏みにじった野蛮行為を生ぜしめ，一方，人間が言論と信仰の自由及び恐怖と欠乏からの自由とを享有する世界の到来は，一般の人々の最高の願望として宣言された…すべての人民とすべての国が達成すべき共通の基準として，この世界人権宣言を，公布する。

第１条［人間の尊厳と平等］　すべての人間は，生まれながらにして自由であり，かつ，尊厳と権利とにおいて平等である。人間は，理性と良心とを授けられており，互いに同胞の精神をもって行動しなければならない。

第２条［無差別］　①すべて人は，人種，皮膚の色，性，言語，宗教，政治上その他の意見，国民的若しくは社会的出身，財産，門地その他の地位又はこれに類するいかなる事由による差別をも受けることなく，この宣言に掲げるすべての権利と自由とを享有することができる。

②さらに，個人の属する国又は地域が独立国であると，信託統治地域であると，非自治地域であると，又は他のなんらかの主権制限の下にあるとを問わず，その国又は地域の政治上，管轄上又は国際上の地位に基づくいかなる差別もしてはならない。

第３条［生命，自由，身体］　すべて人は，生命，自由及び身体の安全に対する権利を有する。

○×で答えよう！ 正誤問題にTRY✓　国連総会は，国連人権委員会を改編した人権理事会を創設し，人権問題への取り組みの強化を目指している。

●国際人権規約：1966年採択→1976年発効

◇A規約（社会権規約）（経済的・社会的および文化的権利に関する国際規約）

第1条〔人民の自決の権利〕 ①すべての人民は，自決の権利を有する。この権利に基づき，すべての人民は，その政治的地位を自由に決定し並びにその経済的，社会的及び文化的発展を自由に追求する。

②すべて人民は，互恵（ごけい）の原則に基づく国際的経済協力から生ずる義務及び国際法上の義務に違反しない限り，自己のためにその天然の富及び資源を自由に処分することができる。

第11条〔生活水準の確保〕 ①この規約の締約国は，自己及びその家族のための相当な食糧，衣類及び住居を内容とする相当な生活水準についての並びに生活条件の不断の改善についてのすべての者の権利を認める。…

◇B規約（自由権規約）（市民的及び政治的権利に関する国際規約）

第2条〔人権実現の義務〕 ①この規約の各締約国は，その領域内にあり，かつ，その管轄の下にあるすべての個人に対して，人権，皮膚の色，性，言語，宗教，政治的意見その他の意見，国民的若しくは社会的出身，財産，出生又は他の地位などによるいかなる差別もなしにこの規約において認められる権利を尊重し及び確保することを約束する。

第20条〔戦争宣伝の禁止〕 戦争のためのいかなる宣伝も，法律で禁止する。

解説　「世界人権宣言」は自由権的基本権が多いが，社会権的基本権についても規定している。「宣言」なので法的拘束力はないが，人権保障の基準を示したものとして，各国の憲法に生かされた。その後，人権保障を法制化するために，1966年の国連総会で「国際人権規約」が採択された。A規約（社会権規約）とB規約（自由権規約）に分かれる。B規約には人権侵害を受けた個人による国連人権委員会への救済申し立てを認めた「選択議定書」が付されている。日本は1979年に「選択議定書」とA規約中の地方公営企業職員のスト権，祝祭日の給与保障，高校・大学教育の無償の3点につき留保して批准した。しかし高大の教育の無償については，2012年，留保を撤回した。

3 人種差別撤廃条約
（あらゆる形態の人種差別撤廃に関する国際条約）

（採択：1965年12月21日国連総会第20会期　発効：1969年1月4日）

この条約の締約国は，…(中略)…人種的相違に基づく優越性のいかなる理論も科学的に誤りであり，道徳的に非難されるべきであり及び社会的に不正かつ危険であること並びに理論上又は実際上，いかなる場所においても，人種差別を正当化することはできないことを確信し，人種，皮膚の色又は種族的出身を理由とする人間の差別が諸国間の友好的かつ平和的な関係に対する障害となること並びに諸国民の間の平和及び安全並びに同一の国家内に共存している人々の調和をも害するおそれがあることを再確認し，…(中略)…あらゆる形態の人種差別の撤廃に関する国際連合宣言に具現された原則を実現すること及びこのための実際的な措置を最も早い時期にとることを確保することを希望して，次のとおり協定した。

〔締約国の差別撤廃義務〕

第2条 ①締約国は，人種差別を非難し，また，あらゆる形態の人種差別を撤廃する政策，及びあらゆる人種間の理解を促進する政策を，すべての適当な方法により遅滞なくとることを約束する。……

〔アパルトヘイトの禁止〕

第3条 ①締約国は，特に，人種隔離及びアパルトヘイトを非難し，また，自国の管理の下にある領域におけるこの種のすべての慣行を防止し，禁止し及び根絶することを約束する。

解説　1963年に出された「人種差別撤廃宣言」を受け，1965年12月21日国連総会で採択された人種差別撤廃を国家に義務づける条約。日本は1995年に批准した。
【アパルトヘイト】とは「分離」を意味する言葉で，特に南アフリカで行われた極端な人種隔離（差別）政策・制度の総称。南アフリカでは1991年にアパルトヘイト政策にかかわる法律は廃止されているが，現実の完全な差別解消まではいまだいたっていない。

2020年8月28日，人種差別と警察の残虐行為に対する抗議集会に集まった人々。(アメリカ・ワシントンD.C.)

政治編

国際編

4 難民の地位に関する条約

採択1951・発効1954

第3条〔無差別〕 締約国は，難民に対し，人種，宗教，又は出身地による差別なしにこの条約を適用する。

第17条〔賃金が支払われる職業〕 ①締約国は，合法的にその領域内に滞在する難民に対し，賃金が支払われる職業に従事する権利に関し，同一の事情の下で外国の国民に与える待遇のうち最も有利な待遇を与える。

第22条〔公の教育〕 ①締約国は，難民に対し，初等教育に関し，自国民に与える待遇と同一の待遇を与える。

第33条〔追放及び送還の禁止〕 ①締約国は，難民を，いかなる方法によっても，人種，宗教，国籍もしくは特定の社会集団の構成員であること又は政治的意見のためにその生命又は自由が脅威にさらされるおそれのある領域の国境へ追放し又は送還してはならない。

解説　「難民条約によれば，経済難民や移民は難民には認定されない。難民は，雇用を求めて国境を移動する「移民」とは異なり，政治的な事情で祖国から逃れざるを得なくなった人々で，飢餓や異常気象などの経済的事情によって逃れた人ではない。難民条約においては，難民をいかなる理由があっても再び生命や自由の危険のある国に送り返してはならないという「ノン・ルフールマンの原則」といわれる原則がある。ところが，わが国では，強制送還を前提として申請者を収容するという実態もあり，難民条約の精神に反しているといえよう。

○×で答えよう！ 正誤問題にTRY✓　国際人権規約は，日本ではまだ批准されておらず，国際社会から，日本は「経済先進国」だが「人権後進国」であるとして批判されている。

5 子どもの権利条約
（児童の権利に関する条約）

（採択：1989年11月20日国連総会第44会期　発効：1990年9月2日）

この条約の締約国は，……児童が，その人格の完全なかつ調和のとれた発達のため，家庭環境の下で幸福，愛情及び理解のある雰囲気の中で成長すべきであることを認め，極めて困難な条件の下で生活している児童が世界のすべての国に存在すること，また，このような児童が特別の配慮を必要としていることを認め，児童の保護及び調和のとれた発達のために各人民の伝統及び文化的価値が有する重要性を十分に考慮し，あらゆる国特に開発途上国における児童の生活条件を改善するために国際協力が重要であることを認めて，次のとおり協定した。

第12条〔意見表明権〕 ①締約国は，自己の意見を形成する能力のある児童がその児童に影響を及ぼすすべての事項について自由に自己の意見を表明する権利を確保する。

第28条〔教育についての権利〕 ①締約国は，教育についての児童の権利を認めるものとし，この権利を漸進的にかつ機会の平等を基礎として達成するため，特に，(a)初等教育を義務的なものとし，すべての者に対して無償のものとする。

第32条〔経済的搾取などからの保護〕 ①締約国は，児童が経済的な搾取から保護され及び危険となり若しくは児童の教育の妨げとなり又は児童の健康若しくは身体的，精神的，道徳的若しくは社会的な発達に有害となるおそれのある労働への従事から保護される権利を認める。

解説 「子どもの権利宣言」が国連により1959年に採択されたが，飢えと貧困から，子どもに対する性的搾取・虐待など人権が無視されている実態が特に発展途上国には見られる。そのような現実から子どもを守るために，この条約が1989年に国連で採択され，90年に発効した。この条約は，18歳未満のすべての子どもに適用される。わが国も，1994年にこの条約を批准した。批准に伴い，校則の見直しが必要とされ，当時の文部省は「一人ひとりを大切にする教育をすすめるように」通達を出した。

『子どもの権利条約』が定める子どもの権利は，大きく分けて4つ。生きる権利，育つ権利，守られる権利，そして参加する権利。ちなみに，子どもとは，18歳未満の児童を指す。

生きる権利

防げる病気などで命をうばわれないこと。

育つ権利

教育を受け，休んだり遊んだりできること。

守られる権利

あらゆる種類の虐待や搾取から守られること。

参加する権利

自由に意見を表したり，集まったりできること。

6 外国人の地方参政権

先進諸国における外国人の地方参政権

(定住型) 永住または一定期間の定住を条件	
スウェーデン，デンマーク，フィンランド，オランダ，アイルランド，リトアニア，スロバキア，ノルウェー，アイスランド，(ロシア，イスラエル)	選挙権と被選挙権
ベルギー，ルクセンブルク，エストニア，スロベニア，ハンガリー	被選挙権はＥＵ市民のみ
ニュージーランド，(韓国)	被選挙権は国民のみ
スイス，アメリカ，オーストラリア	一部の州や自治体
(互恵型) お互いの国だけで認め合う	
ドイツ，フランス，イタリア，ギリシア，オーストリア，キプロス，チェコ，ラトビア，ポーランド，ブルガリア，ルーマニア，スペイン，ポルトガル	
(伝統型) 旧植民地出身者にも認める	
イギリス，マルタ	ＥＵ市民と一部の旧植民地
カナダ	一部の州

赤字：永住外国人にも認める　緑字：ＥＵ市民に限り認める（ＥＵは域内で相互に地方参政権を認める条約がある）
青字：ＥＵ市民＋αに認める

（外国人参政権.com実行委員会　ホームページ）

解説 国籍にもとづく国政参政権に対し，居住にもとづく地方参政権は，「国民」ではないが「住民」ではある在留外国人にも認めることが可能であり，資料にあるように先進国ではほとんどの国で認められている。そんな中，日本では最高裁判所が1995年の判決の中で，法律をもって付与することは憲法上禁止されているものではない，と判示したが，まったく認めていない状況が続いている。

Column 女子差別撤廃条約と男女雇用機会均等法

国連は，女性の地位向上と男女の平等をめざしてきたが，なお女性に対する差別と偏見が存在している。そこで，男女の事実上の平等を保障するために1979年に国連総会で採択されたのが，女子差別撤廃条約（女子に対するあらゆる形態の差別の撤廃に関する条約）である。

前文で，「社会及び家庭における男子の伝統的役割を女子の役割とともに変更することが男女の完全な平等の達成に必要であることを認識し」と述べ，これまでの女性の役割論の考えを否定し，男女の完全な平等の達成を明確にしている。さらに，第2条で締約国の差別撤廃義務を，第6条で売買・売春からの搾取の禁止を，第11条で雇用における差別撤廃を規定している。

わが国は，この条約を1985年に批准し，批准の前提となる国内法の整備として，1985年に男女雇用機会均等法を制定した。また，高等学校における家庭科の男女共習のための学習指導要領改定なども行われた。男女雇用機会均等法については，制定当時，昇進・昇格における男女差別の禁止は企業の努力義務とされていたが，1997年の改正により，禁止規定に強化された。

○×で答えよう! 正誤問題にTRY✓ 女性差別撤廃条約は，締約国に，男女差別を禁止するだけでなく少子化対策を積極的に行うよう要請している。

⦿わが国の外国人登録

外国人登録とは

日本に在留する外国人は，戸籍や住民票の代わりに外国人登録を行うことが義務づけられていた。

指紋押捺

かつては，外国人登録の際，指紋の押捺が義務づけられていた。しかし，それに対する心理的な抵抗なども大きく，1980年代には押捺の拒否をめぐって裁判の場でも争われ，社会問題となった。そして，1993年1月に永住者と特別永住者について，2000年9月には一般外国人についても指紋押捺が廃止され，署名と家族事項についての登録に代わった。

最近の動き

2006年には，2001年のアメリカ同時多発テロ以降のテロ対策を理由に，日本に入国する16歳以上の外国人に，指紋などの提供を原則義務づけるよう，「出入国管理および難民認定法」（「入管法」）が改正された。その後，2009年の入管法改正で，外国人も「在留カード」により，日本人と同様の住民基本台帳制度の下での登録となることが決まり，同法が施行された2012年7月，外国人登録制度は廃止された。

7 NGO（非政府組織）

ＮＧＯが国境を越えて影響力を及ぼすことができる資源として，主に，①特定分野における専門性（医療や地雷除去技術など），②政府が対応できないような特定の分野や地域への対応能力，③行動の迅速性，④活動の「中立性」への信頼，⑤掲げる価値の正当性への社会の支持があげられる。……

トランスナショナルな活動を行うＮＧＯのなかには，国連の経済社会理事会（ＥＣＯＳＯＣ）との協議関係をもつものもある。……こうした協議資格をもつＮＧＯは1990年代前半に1000弱であったのが，2009年現在で3172団体へと急増している。その背景には，グローバル化の進展，インターネットの発達，それとともに国際的な関心をもつＮＧＯが国連との連携を求め，国連の側でもパートナーシップを拡大する必要に迫られたことがあげられるだろう。すなわち，今日のグローバルな問題に取り組むにあたって，国連システム（国連本体，分野別の専門機関）だけでは不十分であると認識されているのである。……

（村田晃嗣他『国際政治学をつかむ』有斐閣）

政治編

NGOの取り組みの例

Column 後絶たぬ「外国人お断り」

●日本で暮らす外国人に対する差別の例

- アパートの賃貸契約や入居を拒否される
- 子どもが学校で「ガイジン」と呼ばれていじめられる
- 電車やバスで隣り合った日本人が，自分を避けるように離れていく
- たびたび警察官に職務質問されては，不法滞在の嫌疑をかけられる

●国籍や民族，肌の色による差別をなくすため，海外ではこんな工夫が…

- 外国人差別防止や人権養護教育などを盛り込んだ「外国人処遇基本法」を制定し，「不合理な差別などを防ぐ措置への努力」を国や自治体に求めている（韓国）
- 人権平等委員会が寄せられた訴えを調査し，差別を確認すれば話し合いを提案。それでも解決しなければ改善命令を出し，裁判になれば訴訟費用の支援や証拠の提供もする（イギリス）

（『朝日新聞』2008.10.5）

●国境なき医師団（南スーダンでの活動）

MSF(国境なき医師団)は2014年11月以降，オールド・ファンガクにある病院を支援してきた。ここはジョングレイ州北部にただ1つ残った病院だ。小規模編成のMSFチームがここで，一連の診療を担っている。また，救急処置室，入院病棟，外来病棟，母子保健・産科医療，重度栄養失調の子どもを受け入れる集中栄養治療センターなどを提供している。

自宅を離れざるを得なかった人びとの多くは，激しい戦闘が起きている地域を抜け，友人・家族を失うなどのつらい旅を経て，クエムドクのような隔絶された地域にたどり着く。ここは不便さが一種の安全地帯を生み出しているのだ。

（国境なき医師団日本ホームページ）

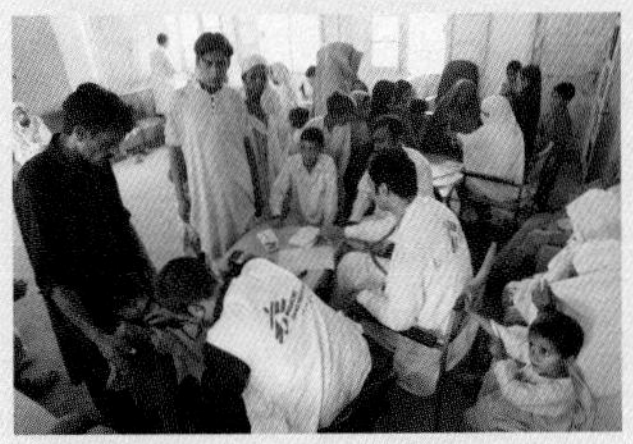

ＮＧＯの活動
パキスタンで活動する国境なき医師団

解説 NGO（非政府組織）は，政府の組織ではなく，国益にとらわれずに平和や人権，環境などの幅広い分野で国境を越えて活動している民間団体である。国境なき医師団は，国際的な医療・人道援助団体で，緊急医療援助を主な目的として，1971年にフランスで設立された。年間約4700人以上の医師，看護師，助産師らを派遣して救援活動を行っている。

国際編

○×で答えよう！ 正誤問題にTRY✓ 紛争地や被災地に赴き，緊急医療活動を提供することを主な目的とするNGOに，国境なき医師団がある。

39 世界における日本の役割と課題

TOPICS

ドノウが直す 命の道路　簡単な技術・低コスト11か国に広がる

発展途上国の貧困克服のために，農作物などを市場に運び，人々を学校や医療機関とつなぐ道路の整備はとても重要だ。その道路の整備や補修を，土嚢(どのう)を使った日本発の安くて簡単な工法で，住民自ら行えるよう支援している人たちがいる。木村亮・京都大教授（土木工学）が理事長を務めるＮＰＯ「道普請人」（京都市）だ。

50cm四方の土嚢袋に砂利を詰めて並べ，木製の器具でたたいて固めるという簡単な作業で地盤を補強する。現地の集落の人たちも見よう見まねですぐにできるようになる。土嚢袋は１枚25円。１mの道を直すのにかかるコストは約500円と，アスファルト舗装の20分の１だ。

「…木村教授が土嚢による道直しに取り組むようになったきっかけは『ほんまもんの研究者は，簡単な技術で人々を幸せにできる』という12年前の恩師の言葉だ。その後，ケニアの大学で教えていた時に，先進国のインフラ援助は幹線道路までで，人々の生活道路にまでは届かないことを知った。……『道は自分たちで整備，補修できる』。住民がそう気付くことが持続可能な開発だと考え，『現地調達できる材料で，安く簡単に直せる技術』を追求した。先進国が整備した舗装道路が，穴ができたまま放置されているのを何度も見てきた。現地には直す技術も，材料を購入する資金力もないからだ。……」

このような道路が，アフリカやアジアの途上国に少しずつ広がっている。（『朝日新聞』2011.4.29）

1 日本の外交年表

年	ことがら
1945	ポツダム宣言受諾（敗戦）。連合国による占領開始
1946	極東国際軍事裁判開始
1950	朝鮮戦争開始。警察予備隊発足
1951	ILO加盟。サンフランシスコ平和条約調印 日米（旧）安全保障条約調印
1952	日米行政協定調印
1953	基地反対運動全国で発生
1954	第五福竜丸事件。日米相互防衛援助協定（MSA）調印 自衛隊発足
1955	GATT（ガット）加入
1956	日ソ共同宣言。国連加盟
1960	日米（新）安全保障条約調印
1964	ＩＭＦ８条国に移行，ＯＥＣＤ加盟
1965	日韓基本条約調印
1968	小笠原返還協定調印
1971	沖縄返還協定調印
1972	日中国交回復（日中共同声明）
1973	金大中事件
1978	日中平和友好条約調印
1982	中国，韓国が日本の教科書検定に対し抗議
1990	日米構造協議（89～）。カンボジア和平東京会議
1991	日朝国交正常化交渉開始。自衛隊掃海艇ペルシャ湾岸に派遣
1992	国連平和維持活動等協力法成立。自衛隊，カンボジアに派遣
1993	自衛隊，モザンビークに派遣
1996	日米安保条約の再定義
1997	日米新ガイドライン策定
1999	ガイドライン関連法制定
2001	テロ対策特別措置法制定
2003	イラク復興支援特別措置法制定
2004	自衛隊，イラクに派遣

2 日本と諸外国との関係

(%)	親しみを感じる	親しみを感じない	良好だと思う	良好だと思わない
アメリカ	84.0	15.3	86.3	12.7
ロシア	13.6	85.7	24.9	73.9
中国	22.0	77.3	17.1	81.8
韓国	34.9	64.5	16.6	82.4
オーストラリア	75.5	23.7	86.8	11.9
中東	31.7	66.9	―	―
アフリカ	28.5	69.9	―	―
中南米	40.8	57.5	―	―

（内閣府政府広報室 2020.10 月調査）

3 日本の果たすべき役割

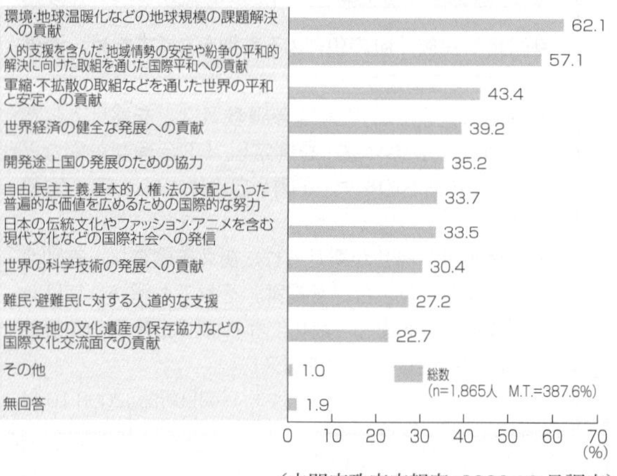

（内閣府政府広報室 2020.10 月調査）

○×で答えよう! 正誤問題にTRY✓　発展途上国に技術協力などの支援を行うため，自衛隊の組織として青年海外協力隊が設けられている。

4 サンフランシスコ平和条約

〔署名：1951.9.8　　発効：1952.4.28〕

連合国及び日本国は，両者の関係が，今後，共通の福祉を増進し且(か)つ国際の平和及び安全を維持するために主権を有する対等のものとして友好的な連携の下に協力する国家の間の関係でなければならないことを決意し，よって，両者の間の戦争状態の存在の結果としていまなお未決である問題を解決する平和条約を締結することを希望するので，

日本国としては，国際連合への加盟を申請し且つあらゆる場合に国際連合憲章の原則を遵守(じゅんしゅ)し，世界人権宣言の目的を実現するために努力し，国際連合憲章第55条及び第56条に定められ且つ既に降伏後の日本国の法制によって作られはじめた安定及び福祉の条件を日本国内に創造するために努力し，ならびに公私の貿易及び通商において国際的に承認された公正な慣行に従う意思を宣言するので，

連合国は，前項に掲げた日本国の意思を歓迎するので，よって，連合国及び日本国は，この平和条約を締結することに決定し，……次の規定を協定した。

第1条　(a)　日本国と各連合国との間の戦争状態は，第23条の定めるところによりこの条約が日本国と当該連合国との間に効力を生ずる日に終了する。

(b)　連合国は，日本国及びその領水に対する日本国民の完全な主権を承認する。

第2条　(a)　日本国は，朝鮮の独立を承認して，済州島(さいしゅうとう)，巨文島(こぶんとう)及び鬱陵島(うつりょうとう)を含む朝鮮に対するすべての権利，権原及び請求権を放棄する。

(b)　日本国は，台湾及び澎湖(ぼうこ)諸島に対するすべての権利，権原及び請求権を放棄する。

(c)　日本国は，千島(ちしま)列島並びに日本国が1905年9月5日のポーツマス条約の結果として主権を獲得した樺太(からふと)の一部及びこれに近接する諸島に対するすべての権利，権原及び請求権を放棄する。

第14条　(b)　この条約に別段の定めがある場合を除き，連合国は，連合国のすべての賠償請求権，戦争の遂行中に日本国及びその国民がとった行動から生じた連合国及びその国民の他の請求権並びに占領の直接軍事費に関する連合軍の請求権を放棄する。

サンフランシスコ平和条約に署名する吉田茂首相（当時）

解説　アメリカは日本を東アジアにおける西側資本主義陣営の重要な拠点と考え，日本の主権回復と再軍備を急いだ。そのため，講和条約は全面講和とはならず，会議に招聘されなかった国や招聘されても調印を拒否した国などがあり，それらの国々とは個別に平和条約を結んだ。

5 日ソ共同宣言
（日本国とソヴィエト社会主義共和国連邦との共同宣言）

〔署名：1956.10.19　発効：1956.12.12〕

1 **【戦争状態の終結】** 日本国とソヴィエト社会主義共和国連邦との間の戦争状態は，この宣言が効力を生ずる日に終了し，両国の間に平和及び友好善隣関係が回復される。

4 **【日本国の国連加入】** ソヴィエト社会主義共和国連邦は，国際連合への加入に関する日本国の申請を支持するものとする。

9 **【平和条約・領土】** 日本国及びソヴィエト社会主義共和国連邦は，両国間に正常な外交関係が回復された後，平和条約の締結に関する交渉を継続することに同意する。

ソヴィエト社会主義共和国連邦は，日本国の要望にこたえかつ日本国の利益を考慮して，歯舞群島及び色丹島を日本国に引き渡すことに同意する。ただし，これらの諸島は，日本国とソヴィエト社会主義共和国連邦との間の平和条約が締結された後に現実に引き渡されるものとする。

解説　1956年の日ソ共同宣言により，日本とソ連の国交が回復した。領土問題に関しては，平和条約締結後に，ソ連が日本に歯舞群島と色丹島を引き渡すことを規定している。また，この宣言の中でソ連が日本の国連加盟を支持したため，同年の日本の国連加盟が実現した。

6 日韓基本条約
（日本国と大韓民国との間の基本関係に関する条約）

〔署名：1965.6　　発効：1965.12.18〕

第1条　両締約国間に外交及び領事関係が開設される。両締約国は，大使の資格を有する外交使節を遅滞なく交換するものとする。（後略）

第2条　1910年8月22日以前に大日本帝国と大韓帝国との間で締結されたすべての条約及び協定は，もはや無効であることが確認される。

第3条　大韓民国政府は，国際連合総会決議第195号（Ⅲ）に明らかに示されているとおりの朝鮮にある唯一の合法的な政府であることが確認される。

解説　この条約の締結により，日本と大韓民国（韓国）の関係が正常化された。また，この条約と同時に締結された日韓請求権協定によって，1080億円の経済援助と引きかえに韓国の日本に対する賠償請求権は放棄された。

○×で答えよう!　正誤問題にTRY✓　サンフランシスコ平和条約の調印と同時に日米地位協定も調印された。

7 日中共同声明

〔1972.9.29　北京で調印〕

1 **【国交正常化】**日本国と中華人民共和国との間のこれまでの不正常な状態は，この共同声明が発出される日に終了する。

2 **【一つの中国】**日本国政府は，中華人民共和国政府が中国の唯一の合法政府であることを承認する。

3 **【台湾】**中華人民共和国政府は，台湾が中華人民共和国の領土の不可分の一部であることを重ねて表明する。日本国政府は，この中華人民共和国政府の立場を十分理解し，尊重し，ポツダム宣言第八項に基づく立場を堅持する。

5 **【賠償】**中華人民共和国政府は，中日両国国民の友好のために，日本国に対する戦争賠償の請求を放棄することを宣言する。

8 **【平和友好条約】**日本国政府及び中華人民共和国政府は，両国間の平和友好関係を強固にし，発展させるため，平和友好条約の締結を目的として，交渉を行うことに合意した。

日中国交正常化交渉にのぞむ，周恩来中国首相（左）と田中角栄首相。（1972年9月，北京）

Column 国際機関の日本人職員

日本の国連等の国際機関に対する財政的貢献に比べて，そうした機関に勤務する日本人職員は著しく少ない。国連関連機関における日本人職員数は現在，79名である。国連事務局に限ってみても，日本人職員数は，下にあるように国連予算の分担率や人口などから算出される「望ましい職員数」の３分の１程度でしかない。従来からいわれていることであるが，より多くの日本人が国際機関で活躍するようになることが期待される。

☆各国の国連事務局の職員数と望ましい職員数

（2018.12.31現在，外務省HPより）

順位	国名	職員数	望ましい職員数 下限～（中位点）～上限
1	米国	360	383～（451）～519
2	ドイツ	159	116～（136）～156
3	フランス	138	89～（105）～121
4	イタリア	136	71～（84）～96
5	英国	123	83～（98）～112
6	カナダ	109	56～（66）～76
7	中国	89	169～（199）～229
8	スペイン	76	48～（57）～66
9	日本	75	172～（203）～233
10	インド	62	46～（54）～62

8 日中平和友好条約
（日本国と中華人民共和国との間の平和友好条約）

〔署名：1978.8.12　発効：1978.10.23〕

第１条　1　両締約国は，主権及び領土保全の相互尊重，相互不可侵，内政に対する相互不干渉，平等及び互恵並びに平和共存の諸原則の基礎の上に，両国間の恒久的な平和友好関係を発展させるものとする。

2　両締約国は，前記の諸原則及び国際連合憲章の原則に基づき，相互の関係において，すべての紛争を平和的手段により解決し及び武力又は武力による威嚇に訴えないことを確認する。

第２条　両締約国は，そのいずれも，アジア・太平洋地域においても又は他のいずれの地域においても覇権を求めるべきではなく，また，このような覇権を確立しようとする他のいかなる国，又は国の集団による試みにも反対することを表明する。

第３条　両締約国は，善隣友好の精神に基づき，かつ，平等及び互恵並びに内政に対する相互不干渉の原則に従い，両国間の経済関係及び文化関係の一層の発展並びに両国民の交流の促進のため努力する。

9 日本が取り組むべき課題

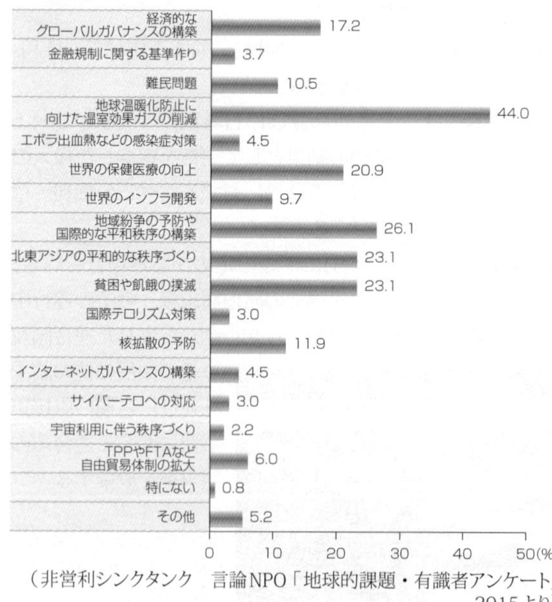

（非営利シンクタンク　言論NPO「地球的課題・有識者アンケート」2015より）

解説　日本が今後果たすべき役割として，国際社会に向けた貢献や，地球的規模の課題解決に尽力すべきとする声が大きい。国際的な発信力を高めるためにも，課題解決に向けて，問題点の分析や異なる分野・発想力ある人々との交流などが，人材の育成にも繋がると考えられている。どのような課題があるか確認するとともに，自分で取り組む課題としても参考になるかもしれない。

○×で答えよう！ 正誤問題にTRY✓　日中平和友好条約を調印したときの日本の首相は田中角栄であった。

10 北方領土問題

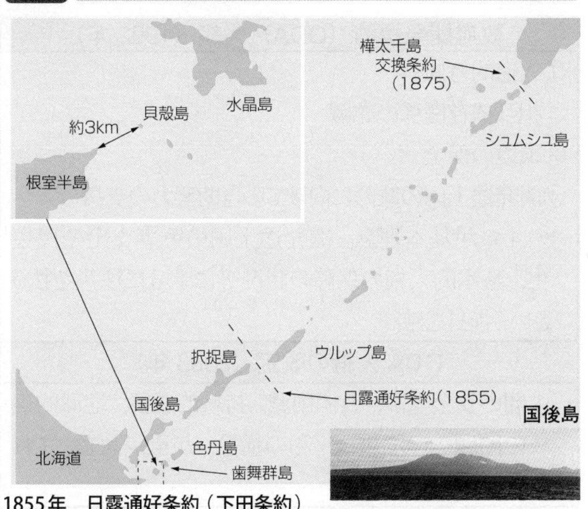

国後島

1855年 日露通好条約（下田条約）
日本の国境を千島列島，ウルップ島と択捉（えとろふ）島の間に定め，樺太は日露両国人混在で国境を限定せず。

1875年 樺太・千島交換条約
樺太全島をロシア領，千島列島のウルップ島から北へシュムシュ島まで18島を日本領とする。

1905年 日露講和条約（ポーツマス条約）
南樺太を日本領とする。

1943年 カイロ宣言（アメリカ，イギリス，中国）
日本から「第一次世界大戦開始以後奪取し，又は占領した太平洋におけるいっさいの島しょを剥奪」し，日本は「また暴力及び貪欲により日本国の略取したる他のいっさいの地域より駆逐（くちく）せらるべし」と規定。

1945年2月 ヤルタ協定（アメリカ，イギリス，ソ連）
ソ連の対日参戦の条件として「千島列島がソ連に引き渡されること」を米英が密約。

1945年7月 ポツダム宣言（アメリカ，イギリス，中国）
「日本国の主権は本州，北海道，九州，四国並びにわれわれの決定する諸小島に局限」と宣言。

1945年 ソ連対日参戦 ソ連軍は９月までに四島を占領。翌年２月南樺太とともに領土編入を布告。

1951年 サンフランシスコ平和条約
「日本国は千島列島並びに…樺太の一部及びこれに近接する諸島に対するすべての権利，権原及び請求権を放棄する」と規定（ただし千島の帰属先は決めていない）。

1956年 日ソ共同宣言（鳩山・ブルガーニン）
松本・グロムイコ書簡で，平和条約交渉を国交再開後続けることを合意。その後，ソ連は平和条約締結後に日本の利益を考慮し歯舞（はぼまい）・色丹（しこたん）を引き渡すと同意。

1960年 日米新安保条約調印
ソ連は同条約調印直後「日本領土から全外国軍が撤退しない限り歯舞・色丹を引き渡せない」と一方的に通告。

1973年 田中・ブレジネフ共同声明
領土問題を平和条約交渉での「未解決の諸問題」の中に含めることで合意。

1991年 日ソ共同声明（海部・ゴルバチョフ）
領土画定問題を含む平和条約の諸問題について話し合いを進めることを確認。

1993年 日ロ東京宣言（細川・エリツィン）
領土問題を含む日ソ間のすべての条約その他国際的な約束事項は，日ロ間で引き継ぐことを確認。

2001年 イルクーツク声明（森・エリツィン）
日ソ共同宣言の有効性と東京宣言を再確認。

2009年 改正北方領土問題等解決促進特別措置法が成立
四島を「わが国固有の領土」と規定。

2010年 メドベージェフ大統領が，ロシア元首として初めて四島の国後島を訪問。日本政府は遺憾の意を表明。

11 竹島・尖閣諸島問題

●竹島問題

16C末 竹島（当時松島）を鬱陵（うつりょう）島（当時日本名竹島）への寄港地として利用
1696 日本人の鬱陵島渡航禁止（竹島渡航は禁止されず）
1849 フランスの捕鯨船リアンクール号竹島を発見
1905 閣議で竹島と命名，島根県隠岐島司の所轄とする
1945 海軍省消滅に伴い，竹島は大蔵省所管になる
1952 韓国大統領李承晩，海洋主権宣言（李承晩ライン宣言）により竹島の領有を主張
1954 韓国が武装要員を竹島に常駐。
1965 日韓基本条約調印，竹島問題は紛争処理事項とされる
2008 文部科学省が中学校の学習指導要領で竹島について記載。
2012 イ・ミョンバク大統領が竹島に上陸。日本は３度目のICJへの共同提訴を韓国に提案，再び拒否される。

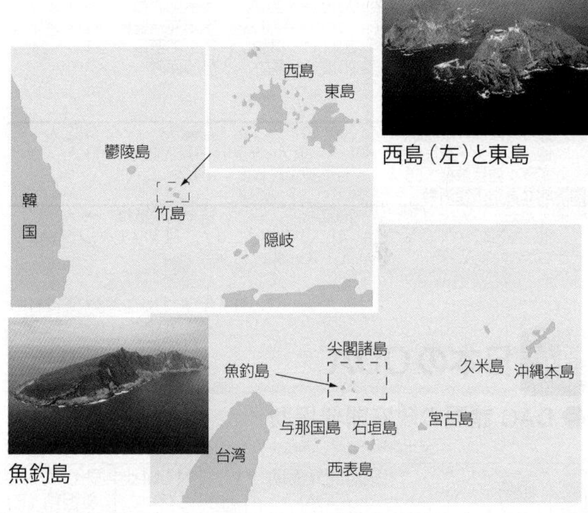

西島（左）と東島

魚釣島

●尖閣諸島問題

1895 尖閣諸島が日本領として宣言され，翌年沖縄県八重山郡に編入
1969 台湾東北の海底に，石油・天然ガス埋蔵の可能性が国連の報告書で指摘される。
1971 台湾，中国が大陸棚に対する領有権を主張
1972 沖縄返還に伴い尖閣諸島の施政権が日本に戻る。日中国交正常化
1978 日中平和友好条約調印。尖閣諸島の日中間の帰属問題は「次世代に解決を委ねる」として棚上げ
1996 日本の右翼団体が尖閣諸島に灯台を設置。これに対して中国が抗議する
2004 中国の活動家７人が魚釣島に上陸。沖縄県警が逮捕の後，中国への配慮もあり強制退去処分になる
2010 尖閣諸島で中国漁船衝突事件。船長を逮捕のち釈放
2012 尖閣諸島の購入を閣議決定。所有権を個人から国に移転。中国の海洋巡視船が領海侵入。中国で反日暴動

解説 竹島は島根県隠岐郡隠岐の島町に属し，隠岐島の北西約157kmに位置する。東西の2主島と数10の岩礁からなり，その総面積は230,967平方メートルで東京ドームの約5倍の広さがある。尖閣諸島は沖縄県八重山列島北北西，東シナ海南部に点在する島群で，主島の魚釣島とその周辺の北小島，南小島など8つの島からなる。一番大きい魚釣島までは沖縄本島より東へ410km，石垣島から北北西へ170km，台湾からは石垣島と同じく170km，中国大陸までは330kmの位置にある。竹島，尖閣諸島ともに無人島である。

政治編

国際編

○×で答えよう! 正誤問題にTRY✓ 竹島は島根県隠岐島の北西に位置し，中国と台湾が領有権を主張している。

12 国際平和協力

国際平和協力法に基づく日本の国際平和協力業務の実績

国連平和維持活動（ＰＫＯ）	期間	要員	延べ人数
第２次国連アンゴラ監視団	92.9 ～ .10	選挙監視要員	3 人
国連カンボジア暫定機構	92.9 ～ 93.9	停戦監視要員	8 人× 2
他，文民警察要員　75 人，施設部隊　600 人× 2，選挙要員　41 人			
国連モザンビーク活動	93.5 ～ 95.1	司令部要員	5 人× 2
他，輸送調整部隊　48 人× 3　選挙監視要員　15 人			
国連エル・サルバドル監視団	94.3 ～ 4	選挙監視要員	15 人× 2
国連兵力引き離し監視隊	96.2 ～ 2013.1	司令部要員	2人×13, 3人×4
	96.2 ～ 2013.1	輸送部隊	43人×33+44人
国連東ティモール・ミッション	99.7 ～ 9	文民警察要員	3 人
国連東ティモール暫定行政機構	2002.3 ～ 5	施設部隊	680 人
	2002.2 ～ 5	司令部要員	10 人
国連東ティモール支援団	2002.5 ～ 04.6	施設部隊	680 人× 2 ＋ 522 人＋ 405 人
	2002.5 ～ 04.6	司令部要員 10 人＋ 7 人	
国連東ティモール統合ミッション	2007.1 ～ 08.2	文民警察要員	2 人× 2
国連ネパール政治ミッション	2007.3 ～ 2011.1	軍事監視要員	6 人× 4
国連スーダン・ミッション	2008.10 ～ 2011.9	司令部要員	2 人× 6
国連ハイチ安定化ミッション	2010.2 ～ 2013.2	施設部隊	203 人＋ 346 人＋ 330 人＋ 330 人＋ 317 人＋ 317 人＋ 297 人＋ 44 人
	2010.2 ～ 2013.1	司令部要員	2 人× 6
国連東ティモール総合ミッション	2010.9 ～ 2012.9	軍事連絡要員	2 人× 4
国連南スーダン共和国ミッション	2011.11 ～現在	司令部要員	3人×5，2人×2
	2012.1 ～現在	施設部隊	238 人＋ 349 人× 3 ＋ 401 人× 2 ＋ 353 人
人道的な国際救援活動			
アフガン難民救援活動	2001.10	空輸隊	138 人
他，ルワンダ難民救援　401 人，東ティモール避難民救援　113 人　イラク難民救援　56 人，イラク被災民救援　104 人			
国際的な選挙監視活動			
東ティモール大統領選挙	2002.4	選挙監視要員	8 人
他，ボスニア・ヘルツェゴビナ　41 人，コソボ　6 人，東ティモール 63 人，コンゴ 13 人，ネパール 24 人，スーダン 15 人			

（2017 年 7 月現在，外務省 HP）

13 ODA大綱から開発協力大綱へ

政府開発援助（ODA）大綱（1992 年）

①人道的考慮
②相互依存関係の認識
③環境の保全
④開発途上国の離陸に向けての自助努力の支援

の４つが基本理念。開発途上国の軍事支出や民主化，基本的人権の保障の状況等に十分に注意を払うという指針も確認。

ODA 大綱の改定（2003 年）

人間の安全保障，貧困削減，持続的成長，地球的規模の問題への取組，平和の構築，が重点課題とされた。

ODA 大綱の改定（開発協力大綱）（2015 年）

ODA大綱を名称変更し，・他国軍への支援を災害援助などの非軍事目的に限定して容認する，・開発途上国への支援が，わが国の国益にも貢献することも重視する，・開発が進み１人あたりの所得が一定水準以上の国にも必要に応じ援助を実施する，などの内容が盛り込まれた。

14 日本のODA

● DAC 諸国の政府開発援助

（支出純額ベース，単位：百万ドル）　（約束額ベース，単位：%）

国名	政府開発援助（ODA）	対GNI比（%）	国民一人あたり負担額（ドル）		贈与率 2018		グラント・エレメント 2018
アメリカ	33,787	0.24	19	104.4	1	100.0	100.0
ドイツ	25,670	1.15	7	300.9	26	79.7	86.9
イギリス	19,462	0.68	8	292.3	19	98.8	99.2
フランス	12,840	0.44	12	181.2	27	63.6	79.5
日本	10,064	1.04	18	112.0	29	32.4	78.5
オーストラリア	3,149	0.03	16	124.0	1	100.0	100.0
イタリア	5,098	0.35	20	85.9	21	97.7	99.6
スイス	3,097	2.67	5	363.1	1	100.0	100.0
ルクセンブルク	473	0.98	2	776.0	1	100.0	100.0
DAC諸国計	149,852	0.58	順位		順位	80.9	91.8

10,000　20,000　30,000

解説 ODAは，援助における条件の緩やかさを示すグラント・エレメント（贈与相当分）25%以上のものをいうが，日本は2018年で78.5%と，他国に比べて低く（DAC平均は同時期91.8%）DAC諸国の中でも下位である。また，以前は，援助金の使い道を日本企業に限定するタイド（ひも付き）とよばれるものが多かったが，80年代以降，タイド比率は低下しアンタイド（ひもなし）が大半を占める。

（『ODA白書』2019）

15 難民と日本

主な国の難民認定数（2019年）

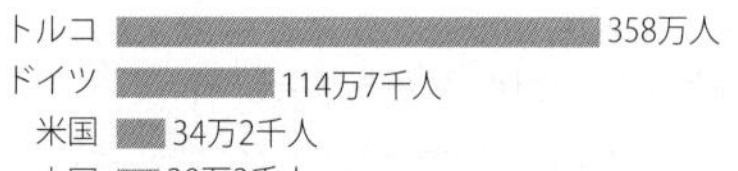

（UNHCR年間報告書）

主な難民発生国（2019年末）

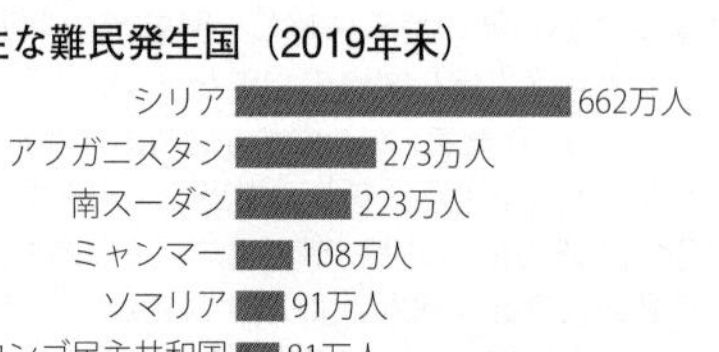

（UNHCR年間報告書）

日本の難民申請者数と認定率の推移（2020年）

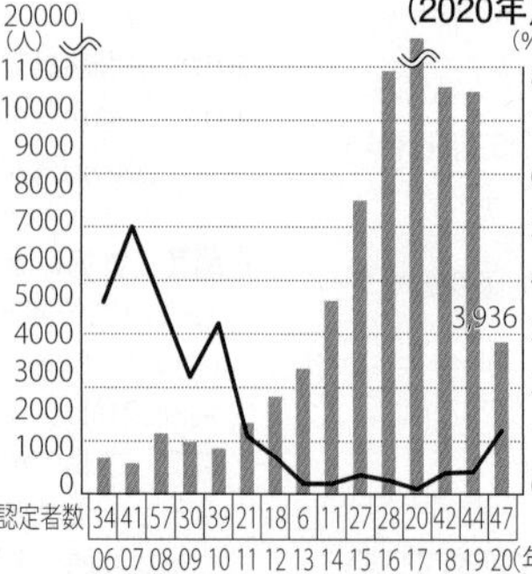

（法務省ホームページ）

解説 世界の難民が2018年末時点で過去最多の水準の7080万人になる中で，日本での難民申請も2005年に384人だったのが2018年には10493人と急増している。アジアだけでなくシリアなどの中東や，ナイジェリアなどの西アフリカ出身者も増え，出身国も74か国と多くなっている。

一方，日本の2018年の難民認定数は42人で，難民とは認定せず人道的配慮で在留を許可した40人を含めても，数万人を受け入れる米国やドイツなど欧州の国々と比べ極めて少ない。従来から，日本の認定基準について「不明確だ」「厳しすぎる」といった指摘がされてきたが，法務省は，日本で働くことが目的なのに難民を装う（よそお）申請者が多いとみている。世界各地で紛争が起こり難民が増加する中で，日本はどうすればよいのか，国全体の問題としてしっかり考える必要があるだろう。

○×で答えよう！ 正誤問題に TRY✓　開発援助委員会（DAC）はOECDの委員会の一つで，ODA供与国の間で，援助の量的拡大や供与方法の効率化を図ることを目的とする組織である。

テーマ学習　日本の戦後補償

1. 日本政府の戦後処理

1951年のサンフランシスコ平和条約で，連合国のほとんどは日本に対する賠償請求権を放棄した。放棄しなかった以下の4カ国とも，同条約に基づく賠償協定が結ばれた。

ビルマ（ミャンマー）（1955年・900億円），ベトナム（1960年・140.4億円），フィリピン（1956年・1980億円），インドネシア（1958年・803.9億円）

それ以外の国に対しては，賠償請求の放棄と引き替えに経済援助を行う協定を結んだ。

タイ（1955年・1962年，150億円），マレーシア（1967年，29億円），シンガポール（1967年，29億円），カンボジア（1959年，15億円），ラオス（1958年，10億円），モンゴル（1977年，50億円），オランダ（1956年，36億円），太平洋諸島（1969年，18億円），台湾（571億円）など

植民地だった韓国とは，1965年に日韓基本条約と同時に締結された日韓請求権協定で，韓国は請求権を放棄し日本は1080億円の経済協力をすることで合意した。戦争で最も大きな被害を受けた中国は，1972年の日中共同声明で賠償の請求を放棄した。日本はその後，ODA（政府開発援助）を通じて中国に多額の経済支援を行った。

2. 個人が補償を求める動きの活発化（1990年代から）

日本政府は，上記の条約や協定などにより旧交戦国などに対し国家レベル（政府間）で賠償をすませ，すべて解決済みという立場を一貫してとり続けている。しかし，1990年頃から戦争で被害を受けた個人が，自らの肉体的・精神的被害について日本政府に補償を求める裁判が相次いで提起されるようになった。人権意識の国際的な高まりなどが背景にあるといわれている。

①従軍慰安婦問題

いわゆる「従軍慰安婦」とは日本軍兵士への性的奉仕を強いられていた人たちで，日本の植民地下にあった朝鮮半島や台湾出身の人が多く，他に東南アジアや中国，オランダの女性たちもいた。数は2万人から20万人といわれている。1990年代の前半から何人かの元慰安婦が名乗り出て日本政府に補償を求める裁判を起こした。協定等で法的に解決済みとする日本政府は，1995年に民間と共同で「アジア女性基金」を設立し，元慰安婦に対し，国民からの拠金による償い金（200万円），総理大臣のお詫びの手紙，国による医療福祉事業などの償い事業を行った。（基金は2007年に解散。）

しかし，元慰安婦や支援者の中には，日本政府の法的な国家補償ではないとしてこれを受け入れず，裁判や要求を続ける人も多い。2011年には，韓国の憲法裁判所が，韓国政府が慰安婦問題について日本と外交交渉して解決しようとしない不作為は憲法違反である，という決定を下している。メディアの報道などにより感情的になる部分もあり，両国間の懸案となっている。

②中国人・韓国人の強制労働問題

戦時中に日本に強制連行され働かされた中国人・韓国人の元労働者から，日本政府や日本企業を相手に訴訟が相次いで起こされている。

事例1 中国人の元労働者の西松建設に対する訴訟で，最高裁判所は2007年に賠償請求権を認めないとする判決を下したが，同時に被害の救済に向けた努力を期待することを付言した。それを受け同社は労働者への謝罪と2億5000万円の和解金の支払いに応じた。

中国人元労働者の遺族たち

事例2 三菱マテリアルが2014年に，訴えていた中国人の元労働者らに対し，謝罪し1人あたり約200万円支払う和解案を示した。

事例3 韓国人の強制労働について，2012年に韓国の大法院（日本の最高裁にあたる）が「元徴用工らの日本企業への個人請求権は韓国では消滅していない」という判断を示した。

事例4 元徴用工が新日鉄住金に損害賠償を求めた訴訟で，2013年にソウル高裁が，元徴用工の個人請求権を認め1人あたり約890万円の支払いを命じる判決を下した。

日本政府は，日中共同声明などで「解決済み」との立場であるが，事例1，2では，企業が海外でのビジネス展開への影響を考慮したと考えられている。事例3，4については，韓国政府も元徴用工の賠償請求権について日韓請求権協定で解決済みとしていることに反するものであるが，今後このようなケースは増えていくと思われる。

3. その他の戦後補償問題

元植民地出身の軍人・軍属

日本の植民地だった台湾人や朝鮮人の軍人・軍属は，戦後サンフランシスコ平和条約で「日本国籍」を失ったため，恩給や遺族年金などを受け取れなくなった。台湾出身者については1987年に1人200万円の弔慰金・見舞金を支給する法律がつくられ，韓国についても2000年にほぼ同じ内容の法律がつくられた（3年間の時限立法）。

政治編　国際編

○×で答えよう! 正誤問題にTRY✓　難民条約の批准に合わせ，政治的迫害又は経済的困窮のために母国を出た外国人が，日本政府の難民認定を受けられるよう，法律が改正された。

40 資本主義経済の市場のしくみとその変容

TOPICS

トレード-オフの関係

平均65点 65点-10点=55点 ⇐機会費用?

たとえば，今夜，楽しみにしていたゲームソフトが手に入ったので，早くやりたいとする。けれど，明日は学校の試験で，どうしても平均点以上をとらなければならないという日，ゲームをやってしまえばテストの結果は惨(さん)たんたるものになる，しかし，すごく楽しみにしていたゲームなのでやってみたい。……この状況では，どちらか一つのことを選べば，ほかのことは捨てなければならないといえる。

この場合,「今夜の時間」という限りあるもののなかで，ゲームをしながら，試験の勉強はできないのだから，両者の関係は，トレード-オフ（二者択一）の関係にあるといえる。

経済の問題は，このように有限な資源をどのように配分するかという選択の問題である。また，トレード-オフの状況下で，何かを選択したことによって犠牲にした部分の最大値を「機会費用」という。たとえば，テストの前日なのにゲームをしてしまい，テストの結果が悪くなったとすると，ゲームをすることによって失われたテストの点数が機会費用である。経済の問題で，費用が問題になるときには，あきらめた選択肢についての検討も行われなければならない。経済的な選択をするということは，何を選ぶのかという判断だけではなく，すべての選択肢のコスト-ベネフィット（費用と便益）を意識して，判断しなければならないということである。

経済編

1 “経済”とは何だろう?

（『入門の入門　経済のしくみ』日本実業出版社）

解説 私たちは生きていく上でさまざまな経済活動を営んでいる。例えば商品（財やサービス）を買ったり，会社で働いてお金（賃金，給料など）を稼ぐこともまさに経済活動である。私たちは，私たちの周囲にある水や空気，さらに天然資源や預金，そして時間などほとんど有限である資源や資産をいかに上手に選択するか，また効率的に配分するかが重要である。

2 経済主体と市場（マーケット）

経済循環～通貨，財・サービスの流れ

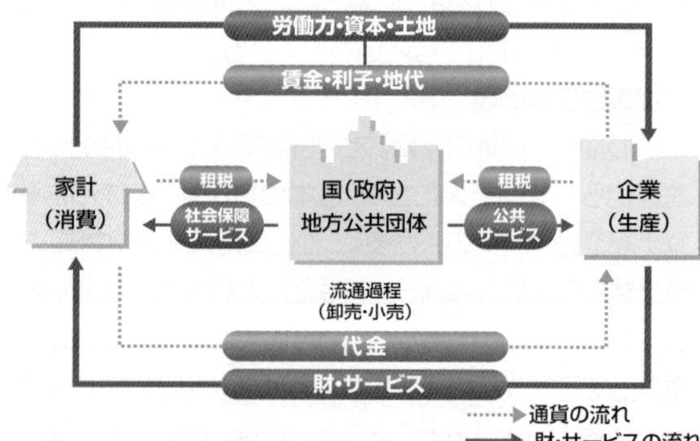

解説 現代の経済は3つの経済主体がそれぞれプレーヤーとして経済活動を行い，さらに互いに緊密に結びついて一国の国民経済を形成している。消費主体ともいえる家計は，企業には労働力・資本・土地という生産要素を提供して，賃金・配当・利子などの収入を得ている。そしてこれを消費や貯蓄に振り向けている。また生産主体ともいわれる企業は，家計から上記の生産要素の提供を受けて，商品（財・サービス）を生産・販売して利潤を得ている。さらに政策主体ともいわれている政府は，租税をもとにさまざまな財政活動を行い，家計，企業の経済活動を調整している。

○×で答えよう! 正誤問題にTRY✓ 企業は，政府に租税を支払い，家計から財・サービスの代金を受け取る。

3 価格機構

●市場経済における価格は需要と供給で決まる

ある商品の需要量・供給量と価格の関係を示したものが右図である。価格が下がると**需要量**（買われる量）は増えるので，**需要曲線は右下がりの曲線**になる。また価格が上がると**供給量**（生産・販売される量）は増えるので，**供給曲線は右上がりの曲線**になる。上図の場合，この商品の価格はP_E，供給量はQ_Eとなる。E点を均衡点（きんこうてん）という。

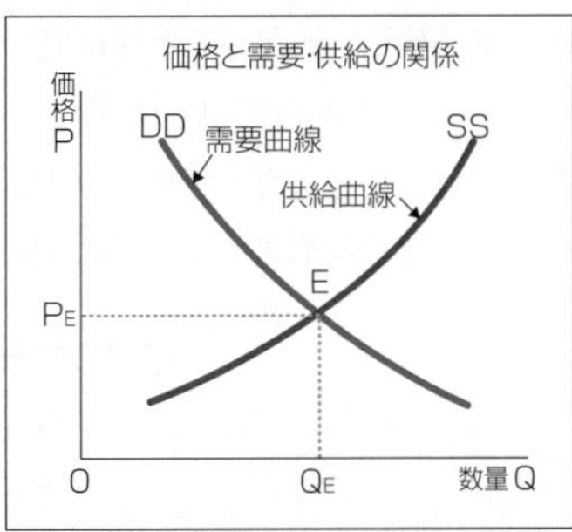

●市場機構により資源（財・サービス）が配分される

もし価格が均衡価格より低ければ超過需要が生じて価格は上がる。

逆に価格が均衡価格より高ければ超過供給が生じて価格は下がる。

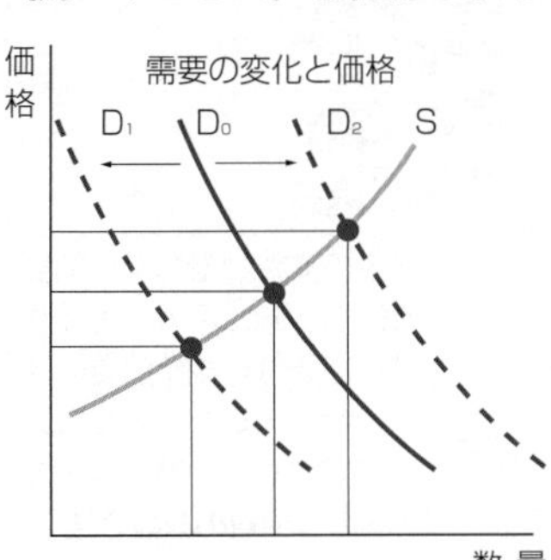

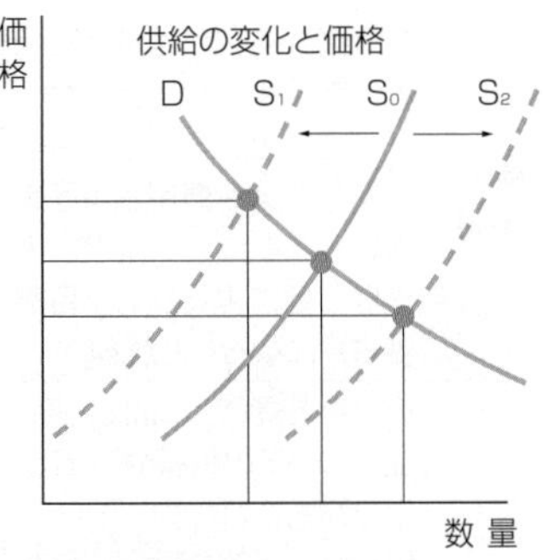

このように需要と供給の関係で価格が変化し，需給が調節されることを**価格の自動調節機能**という。こうして超過需要（品不足）や超過供給（売れ残り）がなくなり，資源が無駄（むだ）なく配分された状態を**資源の最適配分**という。市場のはたらきによって，各人が自由に経済活動をしながら財やサービス（資源）の最適配分が実現されていくことを**市場機構**（価格機構）という。

解説 経済の基本的な問題の解決を市場（マーケット）に任せることを「市場経済」という。つまり，何を，どれだけ，どのような方法で，誰のために生産するかということについて，市場における私たちの自発的な取り引きによって解決しようということである。ここで，価格がシグナル（信号）となって，私たちの需要に応じた生産が行われ，限られた資源が必要なものの生産に投入され，無駄なく，効率が良い生産が行われる。これが「価格の調整機能」でありまた「市場メカニズム」とも呼ばれている。

4 生産集中度（寡占市場）

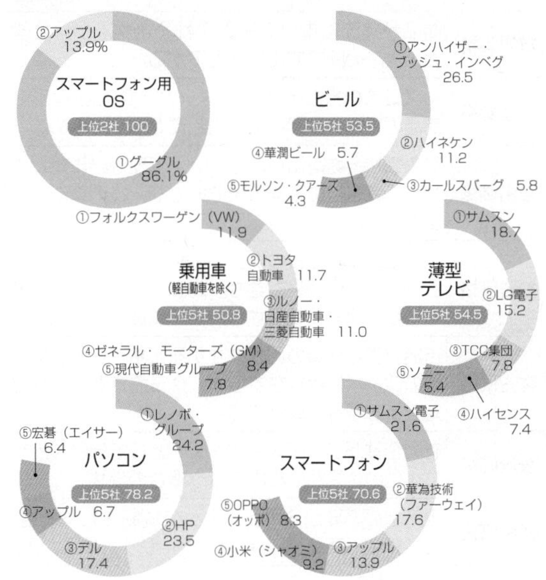

出典　（『日経産業新聞』2020.7.9　世界シェアより）

解説 現代の市場では，競争的な市場はむしろ少なく，少数の企業に生産が集中しているといえる。特に数社の有力企業による「寡占」は，さまざまな商品市場でみることができる。これらの有力企業は価格先導者（プライス-リーダー）として価格形成（管理価格）に大きな支配力を持っている。

Column 独占の形態

独占の形態には，カルテル・トラスト・コンツェルンの3形態がある。**カルテル**は，同種産業内の独立した企業が競争制限の目的で形成するもの。**トラスト**は，同一業種の企業が合併して新企業を組織すること。**コンツェルン**は，持ち株会社による株式支配によって異種産業の企業を支配すること。

現在ではトラストは行われていない。**独占禁止法**では不当なカルテルや持ち株会社についての規定がなされている。

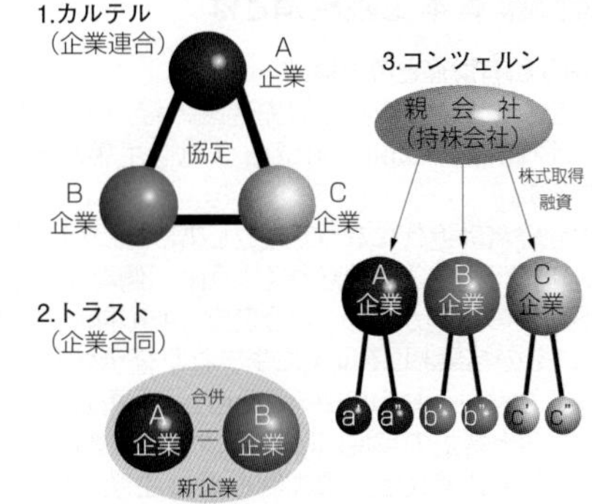

解説 公正かつ自由な競争を促進するために制定されたのが「独占禁止法（正式名称：私的独占の禁止及び公正取引の確保に関する法律）」である。私的独占，不当な取引制限（カルテル・談合），不公正な取引方法などを禁止しており，国民経済の民主的で健全な発達，および消費者の利益を確保することを目的に，公正かつ自由な競争を促進している。

○×で答えよう！ 正誤問題にTRY✓ 右下がりの需要曲線が右に移動する要因としては，所得の増加やある商品の流行がある。

5 さまざまな価格と非価格競争

市場価格	商品が実際に市場で売買される価格をいう。需要・供給の関係で価格は上下する。
生産価格	A.スミスの自然価格, F.ケネーの必要価格に相当。商品の平均生産費用に平均利潤を加えたもの。
自由価格	競争価格・均衡価格ともいい，管理価格に対比される。完全自由競争市場で成立し，技術革新と生産性向上により低下する。
独占価格	狭義では1社独占の場合の価格だが，広義では寡占価格や管理価格も含む。商品の需要・供給のどちらかで競争が制限された場合に成立する価格。
寡占価格	市場が寡占状態のとき成立する価格。企業間に若干の競争状態は存在するが，企業協定をし価格協定をする場合に成立する。
管理価格	有力企業がプライス - リーダーとして価格を設定し，他の企業がそれにならう場合の価格。
統制価格	政策上の必要から政府によって統制される価格。公共料金（郵便･電気料金など）がこれにあたる。

非価格競争ー広告費の推移 （電通「日本の広告費」2020）

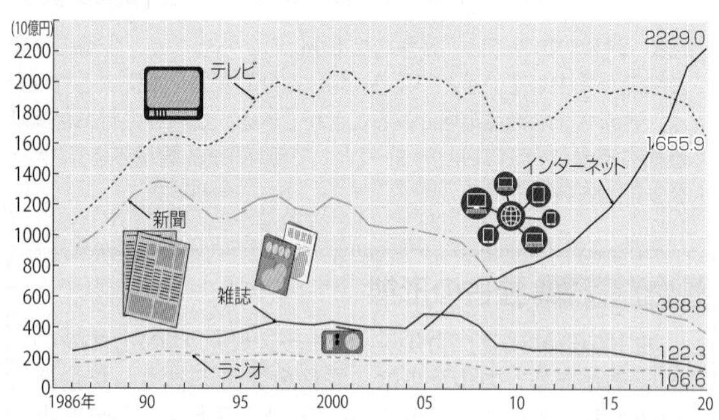

解説 商品の販売競争には，商品の価格を下げて販売する「価格競争」と，価格以外の，例えば宣伝・広告・サービス，商品のデザインや新技術などによって他の商品との差別化を図って販売する「非価格競争」がある。多くの商品が，寡占市場を形成するようになると，企業による宣伝・広告が盛んになってくる。

Column 資本主義経済とは？

●自由な私有財産と市場経済

日本をふくめいわゆる西側先進国の経済体制は資本主義と呼ばれます。Capitalismのイズムを主義と訳してそう言うのです。

資本制経済は近代になって成立しました。…「人権宣言」（1789年,フランス）に見られるように，個々人には人としての不可侵の権利があるという自覚が切り開いたのです。しかし，その結果として現実に生まれた経済体制は，自由のなかでも営利活動の自由をこそもっとも重要視する経済体制，平等と博愛の実現には不熱心な経済体制でした。

マルクス的に言えば，資本制経済は生産手段を私有する人々とそうでない人々とに社会が二分されている階級社会。…今日では労働者も株を買って出資者となっているケースが多くなっています。そして法人株主が支配する法人資本主義です。人間が資本を出す人と資本のない人に分裂しなくても経済は成り立つことを証明してしまった。そこに資本主義の歴史的意義があります。

（岸本重陳『経済のしくみ100話』岩波ジュニア新書）

6 市場の失敗と政府の失敗

市場が十分に機能している限り，市場経済では資源配分の最適性が保てるとされている。…しかし，現実の経済はこのとおりにはいかない。これらの条件が著しく損なわれた場合が「市場の失敗(Market Failure)」であり，次のようなものが考えられる。

（『新しい経済教育のすすめ』清水書院）

市場の失敗		
外部性	財やサービスの生産と消費が，市場での交換に直接に関与しない人たちの経済厚生（豊かさや満足度）に影響をあたえる作用のこと ①プラスに作用する場合 **外部経済** ②マイナスに作用する場合 **外部不（負）経済** 	①例：新駅の建設による新駅周辺の経済活動の活性化。果樹園の造園による養蜂業者の蜂蜜生産量の増加，など ②例：工場排水による河川の汚染による漁業への悪影響や，工場煤煙による周辺住民の健康被害（いわゆる公害）など →その対策として法規制や課税など**外部不経済の内部化**が行われている
公共財	料金の支払いをしない消費者にも，あたえずにおくことができない財（消費の非排除性）。また，複数の人が不利益なく同時に利用できる財（**消費の非競合性**）。	例：灯台や橋などは，利用する人や時間を選ばない（空いている道路も）。国防や警察，消防なども典型的な例
規模の経済	生産量が増えれば増えるほど，単位当たりの費用が低下すること。こうした特質を持つ産業を**費用逓減産業**という。もっとも規模の大きな1社による独占（**自然独占**）になることが多い	例：鉄道，通信，電力，ガスなどが典型例。自然独占により独占価格となるが，公共料金として制限されることもある
情報の非対称性	売り手と買い手の間で，商品についての情報や知識に偏りがある場合をいう。 財やサービスを配分する効率性が影響を受け，結果的に割高な財が出回る（**逆選択**）	例：中古車の販売において，売買される車の情報は，買い手には十分知り得ず（事故歴など）適切な価格とならない 

政府の失敗	
政府が「市場の失敗」への対策として，あるいは経済政策をとるうえで，政府による規制や介入が過大になる場合。 政府の過剰な市場介入が，市場の健全な機能を妨げることがある。	例：薬局業界がコンビニやインターネットで薬の販売をさせないようにしていたのは，政府による参入規制があるため

○×で答えよう！ 正誤問題にTRY✓ 道路や港湾などの公共財が十分に供給されないのは市場の失敗の一例である。

7 資本主義経済のあゆみ

段階	年	事項
商業資本主義	1500	第一次囲い込み運動始まる
	1566	ロンドン現物取引所設置
	1600	イギリス　東インド会社設立
	1602	オランダ　東インド会社設立(株式会社)
	1664	トマス=マン『外国貿易によるイギリスの財宝』
	1694	イングランド銀行設立
	1698	ロンドン株式取引所設立
産業資本主義	1758	ケネー『経済表』
	1768	アークライト　水力紡績機の発明
	1769	ワット　蒸気機関の発明
	1776	アダム=スミス『国富論(諸国民の富)』
	1798	マルサス『人口論』
	1811	イギリス　ラダイト(機械打ち壊し)運動(～13)
	1817	リカード『経済学および課税の原理』
	1833	イギリス　工場法の制定
	1838	チャーティスト運動始まる(～48)
	1841	リスト『国民経済学体系』(保護関税政策)
	1848	J.S.ミル『経済学原理』
	1867	マルクス『資本論』第1巻
独占資本主義	1890	シャーマン-反トラスト法成立
	1899	ボーア戦争(～1902　帝国主義戦争)
	1910	ヒルファーディング『金融資本論』
	1912	シュンペーター『経済発展の理論』
	1914	第一次世界大戦(～18)
	1917	レーニン『帝国主義論』
	1925	イギリス　金本位制復活
現代(修正)資本主義	1929	世界恐慌始まる
	1931	ドイツ　金融恐慌, イギリス　金本位制廃止
	1932	オタワ会議(自由貿易政策の放棄)
	1933	ニューディール政策始まる ハイエク『貨幣理論と景気循環』
	1936	ケインズ『雇用・利子及び貨幣の一般理論』
	1939	第二次世界大戦(～45)
	1944	ブレトン-ウッズ協定成立
	1945	国際復興開発銀行(IBRD)発足
	1946	第1回国際通貨基金(IMF)総会
	1947	マーシャル「マーシャル・プラン」

TVAダム

段階	年	事項
現代(修正)資本主義	1948	関税及び貿易に関する一般協定(GATT)発足 欧州経済協力機構(OEEC)発足 サムエルソン『経済学』
	1952	欧州石炭鉄鋼共同体(ECSC)発足 日本　IMF・IBRDへ加盟
	1955	日本　GATTに加盟
	1958	欧州経済共同体(EEC)発足 ガルブレイス『ゆたかな社会』
	1961	経済協力開発機構(OECD)発足
	1962	フリードマン『資本主義と自由』
	1964	第1回　国連貿易開発会議
	1967	欧州共同体(EC)発足
	1970	IMF　特別引き出し権(SDR)実施
	1971	アメリカ　金ドル交換停止 国際通貨調整(アメリカドル7.8%切り下げ,日本円16.88%切り上げ)
	1972	国連人間環境会議 人間環境宣言
	1973	石油危機(第1次) 主要先進国,変動為替相場制へ移行
	1979	石油危機(第2次)
	1984	アメリカ　債務国に転落
	1989	GATT　農業等の4分野で合意文書
	1993	EC　市場統合,欧州連合(EU)の成立 GATT　ウルグアイ-ラウンド合意
	1995	世界貿易機関(WTO)成立
	1997	アジア通貨危機
	1999	欧州統一通貨「ユーロ」の導入開始
	2001	ITバブル崩壊
	2004	拡大EU
	2007	原油・資源価格の高騰,サブプライムローン問題の表面化,世界金融危機
	2008	リーマンショック,世界同時不況
	2010	ギリシャ経済危機
	2012	ロシア　WTOに加盟
	2020	新型コロナウイルスの流行

ドル切り下げを発表するニクソン大統領

解説 資本主義は18世紀にイギリスでおこった産業革命によって成立し,その後急速に進展,今日に及んでいる。またこの資本主義に対峙する社会主義はロシア革命により成立したが,大半の国で崩れ,今日では社会主義市場経済という新たな経済体制的な状況も進展している。

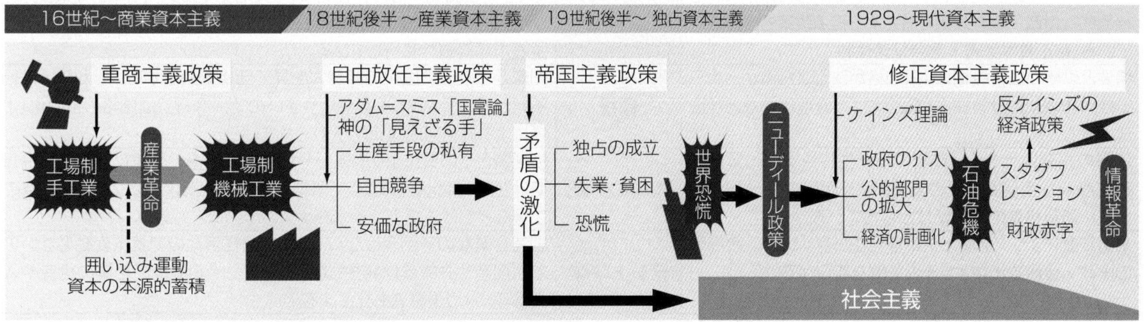

解説 資本主義は,商業資本主義から産業資本主義,そして独占資本主義という各段階を経て今日の現代資本主義にいたっている。18世紀のイギリスの産業革命と20世紀の世界恐慌は資本主義の歴史の中で大きな転機となった。

○×で答えよう! 正誤問題にTRY✓ 1970年代には,インフレーションと景気の停滞が並存するというスタグフレーションが,先進諸国において広くみられた。

8 社会主義経済のあゆみ

年	事　項
1800	オーウェン，ニューラナークで協同組合的経営
48	マルクス・エンゲルス『共産党宣言』
64	第一インターナショナル成立（～76）
67	マルクス『資本論』刊行
71	パリ-コミューン（世界初の労働者政権）
1917	レーニン『帝国主義論』 ロシア革命。ソビエト政権成立（22　ソ連邦の成立）
21	ロシア，新経済政策（ネップ）推進（～27） 中国共産党成立
22	ソビエト社会主義共和国連邦（ソ連邦）樹立宣言
28	ソ連，第一次5カ年計画実施（～32）
45	第二次世界大戦後，アジア・東欧に社会主義国家があいついで成立
49	中華人民共和国成立 経済相互援助会議（コメコン）設立
56	ポーランド・ハンガリーで反政府暴動おこる
59	キューバ革命
66	中国，文化大革命（～79） ソ連，新経済管理方式（利潤方式）発足
68	チェコ事件（プラハの春～69）
80	ポーランド「自主管理労組」を認める
85	ソ連，ゴルバチョフ書記長がペレストロイカ政策を実施（所有形態の変更，市場経済の導入） 中国，開放政策を実施（生産責任制・郷鎮企業の導入）
87	ソ連「国家企業法」制定，経済改革を推進
89	中国，市民・学生の自由化要求運動を武力鎮圧 東欧諸国（ユーゴ・ポーランド・東ドイツ・ハンガリー・チェコスロバキア・ブルガリア・ルーマニア・アルバニア）で，政治経済改革進む
90	東西ドイツ統一，ドイツ連邦共和国の成立
91	ロシア共和国にエリツィン大統領就任。ソ連邦の解体後，独立国家共同体（CIS）成立
93	中国，憲法改正。社会主義市場経済の採用
97	香港がイギリスから中国に返還，一国二制度の導入
2001	中国，WTO（世界貿易機関）へ加盟
05	中国人民元の2%切り上げ
08	北京オリンピック
13	アジアインフラ投資銀行（AIIB）の設立

Column 社会主義経済とは？

歴史のなかでは多くの人々が社会主義に希望を託してきました。…その社会主義が空想から現実になったとき，どうだったか。…確立したスターリンの専制はソ連体制への疑問を育てずにはいませんでしたし，第二次大戦後，東欧と中国に社会主義政権ができて社会主義圏が成立したのちの現実も，社会主義の体制優位を実証するものではありませんでした。…ソ連では60年代初めのフルシチョフによる改革が頓座（とんざ）したあと20年近くへて，80年代半ばからゴルバチョフによるペレストロイカ（再構築）路線が始まっています。

社会主義経済の制度的特質は，生産手段の私有を廃し，国有や協同組合所有の形にすること，全社会規模で計画的生産を行うことにあります。それは資本制経済の欠点を克服するための工夫なのですが，個人や企業の創意工夫を妨げ，計画の作成・報告に追われて実際の生産の改善が進まないなどの欠点を露呈（ろてい）しています。生活物資の不足や質の悪さも顕著で，そのなかでノーメンクラトゥーラと呼ばれる特権層の成立さえ見られる。

カネの力を弱めようとしてかえってコネの力という前近代的なものを強めてしまった。…資本主義以上の自由を個々人に認めることができなければ，社会主義とは呼べないと私は考えます。

（岸本重陳『経済のしくみ100話』岩波ジュニア新書）

解説 社会主義経済は，資本主義の矛盾を解決する思想として形成されたが，現実化の過程で様々な欠陥が露呈（ろてい）した。1917年のロシア革命によって成立したソビエト連邦を中心に，多くの国が社会主義経済を展開したが，1990年代に入り，つぎつぎに社会主義経済は放棄された。現在最大の社会主義国である中国は市場経済のしくみを導入するなどして，大きな変革をとげている。

民衆に演説するレーニン

9 資本主義と社会主義の比較

資本主義経済		社会主義経済
土地などの生産手段は私的所有（私有財産制度）。	所有制度	生産手段の私有は廃止され，国有や協同組合による公有（社会的所有）。
利潤追求を目的とした商品生産が私企業を中心に行われ，自由競争が展開されている。今日では，政府による積極的な財政・金融政策を柱とする経済政策も実施されている（修正資本主義・混合経済体制）。	生産活動	国家の計画により生産が行われている（計画経済）。利潤の追求はなく，また自由競争も行われてない。しかし1960年代には「利潤方式」が導入された（ソ連）。また今日では私企業も公認され，中国は社会主義市場経済へ移行している。
需要と供給の価格機構により価格が決定されるが，今日では，市場における独占（寡占）により管理価格などが形成される。	価格	国家が生産量と国民の購買力を見て価格を決定する。しかし，供給不足からのインフレも発生しやすいので，今日では価格の自由化（市場による価格形成）も取り入れられている。
所得の格差は大きく，貧富の差が生じやすい。累進課税制度や社会保障などの実施により所得の再分配が行われ，所得格差の是正がはかられている。	所得の分配	労働量とその質により所得が分配され，所得の格差は小さい。今日では企業経営状況によって所得に違いが出るようになり，高収益の工場などでは，賃上げやボーナスの増額などもある。
景気変動により，倒産・失業は発生しやすいが，政府等の財政・金融政策によりその影響を和らげている。	景気・失業	国営企業なので倒産はなく，また計画経済なので景気変動もないので，倒産や失業者は発生しない。しかし今日では，企業の倒産や人員整理により失業者も発生する。

解説 資本主義経済は私有財産制・利潤追求を大きな柱に，また一方の社会主義経済は公有制と利潤追求を否定することが基本的なものであった。しかし現実には，2つの経済体制は今日までともに，それぞれの長所を取り入れながら経済運営を行ってきたという経緯（けいい）がある。

○×で答えよう！ 正誤問題にTRY✓ 社会主義国の中央政府は，生産量については計画に基づき統制を行うが，その配分に関しては計画・統制を行わない。

10 世界恐慌とその影響

世界恐慌の原因

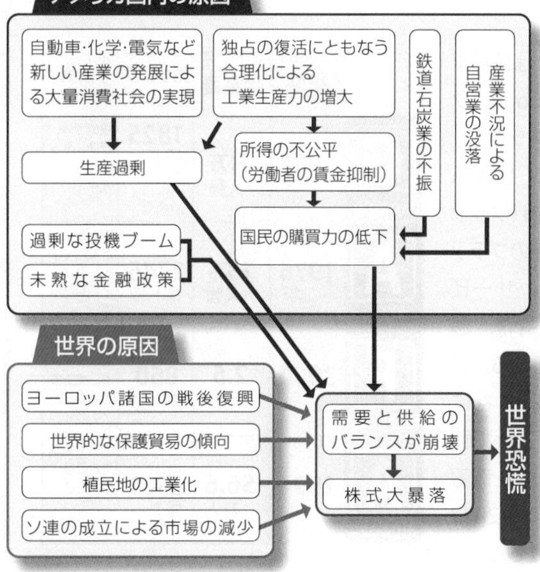

大恐慌前後のアメリカの物価と生産の動き

（1929年～34年）

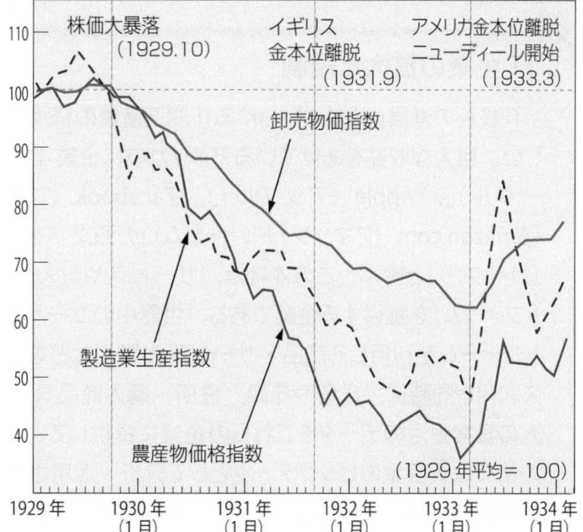

解説　イギリスにおいて最初の景気変動にみまわれたのは1825年。その原因は，無政府的な商品の過剰生産によるものであった。その後，景気変動は起こったものの自立的に景気は回復してきた。しかし1929年10月にアメリカ合衆国の証券市場（ウォール街）で株式が大暴落したことからはじまった世界大恐慌は，従来の不況とは異なり回復の兆しをみせなかったのである。

Column　ニューディール政策

世界恐慌に対してアメリカのローズヴェルト大統領が行った不況克服のための経済政策。政府が公共事業を実施するなど，経済に積極的に介入することにより不況からの脱出を図ろうとした。

この政策については，イギリスの経済学者ケインズの，貨幣の裏づけのある有効需要を創出すべきだという考え方と同じである。これにより，資本主義は修正資本主義（混合経済）へと大きく変容，いわゆる「大きな政府」・「福祉国家」として歩むことになった。

配給にならぶ失業者（1930年）

この恐慌によってアメリカの失業者は25%にものぼった。

11 ケインズ理論と修正資本主義

ケインズ理論

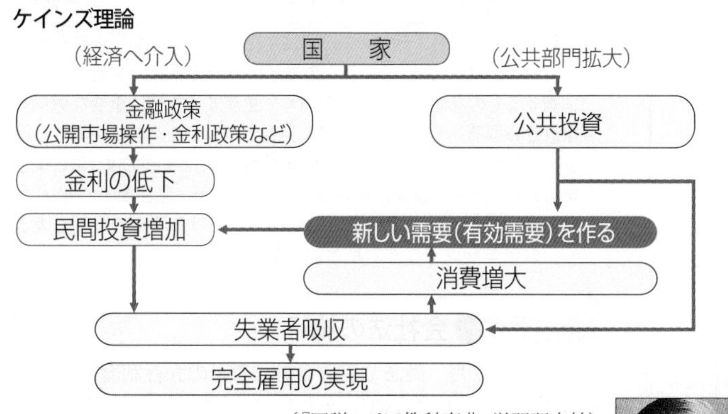

（『図詳エリア教科事典』学習研究社）

解説　ケインズ以前の経済学（古典派経済学）では，商品が売れ残っても価格が下落して必ず売れるものと考えられていた。つまり，需要量と供給量は等しくなる。ケインズは，売れ残る商品がないように企業（供給者）は生産量を減らすため，過剰になった人員を削減したり，工場を閉鎖するなどのリストラを行うと考えた。これが，当時のケインズが主張した「不況の原因」である。

ケインズによる不況の説明

好況時
需要量（買いたい量）100 ＝ 供給量（売りたい量）100
買いたい量と売りたい量が同じでハッピー

不況時
需要量（買いたい量）80 < 供給量（売りたい量）100
供給量＝売りたい量100に対し，需要量＝買いたい量80に減ってしまった
↓
100−80＝20だけ　**売れ残り**

J.M.ケインズ（1883～1946年）

古典派の世界	ケインズの世界
売れ残りがなくなるまで価格下落 ↓ やがて需要量＝供給量となりハッピー	企業は価格を下げない ↓ 売れ残りは続く ↓ 売れ残るものを生産しても仕方ないので80に減産 ↓ 人や工場は余る

○×で答えよう!　正誤問題に TRY✓　ケインズの考え方に従えば，不況期には，一時的に財政赤字が拡大して国債発行が増えても，有効需要の創出に努めるべきである。

41 企業のしくみとその展開

TOPICS

IT企業の拡大と規制

IT技術の進展により，いわゆるIT関連産業の経済的な拡大は目覚ましい。巨大な収益をあげているアメリカのIT企業４社を，「Google（グーグル）」，「Apple（アップル）」，「Facebook（フェイスブック）」，「Amazon.com（アマゾン・ドット・コム）」の頭文字をつないで，「GAFA（ガーファ）」と呼ぶ。この４社は，サービスやシステムの基盤（プラットフォーム）を提供する企業である。世界中のユーザーが４社のプラットフォームを利用して商品・サービスの購入などをしている。サービス利用と同時に，氏名や年齢，住所，購入商品などの個人情報，個人の日常生活のデータをこれらの企業に提供しているわけである。この情報は大容量のビッグデータとして分析・活用されている。４社によるビッグデータの独占と同時に，大量のデータ流出による重大犯罪や，政治的利用なども報告されている。EUをはじめ各国で個人情報の収集・管理への新たなルールづくりが進んでいる。日本でも2020年には，取引の透明性や公正性を維持するための法律が成立した。

	創業	従業員	売り上げ（2020年）	事業内容
G Google	1998年	8万人強	1825億ドル（Alphabetグループ全体）	検索サービス，ネット広告収入中心
A Apple	1976年	13万人強	2745億ドル	iPhoneなどモバイル・PCなどの製品販売
F facebook	2004年	2.5万人	860億ドル	世界最大の交流サイト，広告収入中心
A amazon	1994年	56.6万人	3861億ドル	ネット通販の世界最大手

1 日本の企業形態

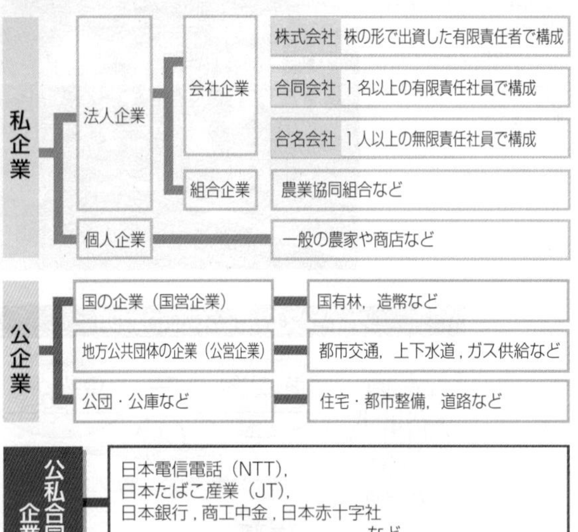

公私合同企業：日本電信電話（NTT），日本たばこ産業（JT），日本銀行，商工中金，日本赤十字社　など

		出資者	経営者	持分譲渡	特徴
①株式会社		有限責任の社員，1人以上	原則として取締役	原則として自由	所有と経営の分離。多数の株式を発行するため，大規模経営が可能に
持分会社	②合名会社	1人以上の無限責任社員	原則，全無限責任社員	原則として全社員の承認が必要	所有と経営の一致が原則。家族的経営に
	③合資会社	無限責任社員と有限責任社員	原則，全社員		所有と経営の一致が原則。家族的経営に
	④合同会社	1人以上の有限責任社員	原則，全有限責任社員		所有と経営の一致が原則。ベンチャー企業に

解説 家計・企業・政府という経済主体の中で，おもに生産を担当するのが企業（会社）である。企業と家計の関係は，企業が家計で消費するものを生産するだけでなく，生産するために重要な労働を家計から得る。そしてその労働に見合った賃金を家計は企業から得るという関係にもなっている。企業の種類には左図のようにさまざまある。大きく公企業と私企業にわかれるが，私企業が中心となり生産活動が行われている。経済活動における政府の役割も大きく，公企業だけでなく公私合同企業もある。

2 日本の会社企業数・割合

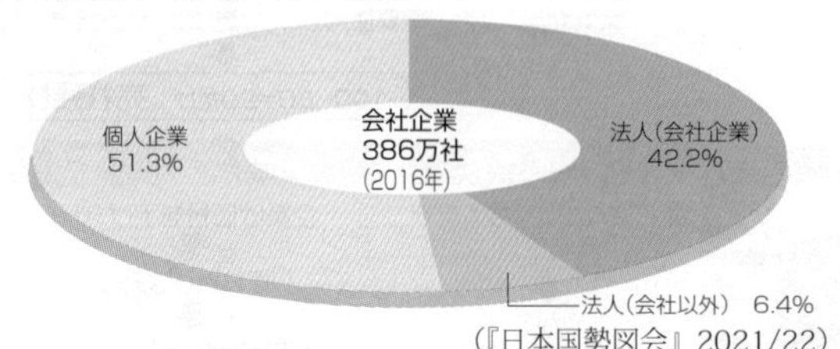

（『日本国勢図会』2021/22）

解説 わが国の企業の50%以上は，個人企業である。また，株式会社は全体の15%である。

Column 会社法の施行

2005年7月，商法や有限会社法などの会社制度に関する法律を一本にまとめた「会社法」が公布された。これによって，これまでの有限会社が廃止，株式会社に一本化され，新たな会社形態として合同会社（LLC）が導入された。また，最低資本金制度が撤廃され資本金1円から会社設立が可能となり，取締役の人数規制なども緩和され，株式会社の設立用件は大幅に緩和された。2006年5月1日より施行。

○×で答えよう！ 正誤問題にTRY✓ 株式会社は，経営に参加する無限責任社員で構成されており，有限責任社員はいない。

テーマ学習　株式会社は，なんのために?

●株式会社のはじまりは?

東インド会社

株式会社のはじまりは，17世紀イギリスやオランダにできた「東インド会社」であるといわれている。この会社は，船を仕立てて東インド諸島や東南アジアに香辛料などを仕入れに行っていた。船を仕立てるには多額の資金が必要になるため，出資者を募って船を仕立て，無事帰還すれば儲かった利益を出資額に応じて「シェア」（分ける）する仕組みを作った。これが株式会社のはじまり。だから，今でも英語で株のことを「シェア」（share）という。ところで，船が途中で沈没したらどうなるか。そうなると出資金はもどってこない。しかし，それ以上の責任はない。もちろん，残された船乗りの家族の心配などすることもない。責任が有限であることをあらわすことばが「リミテッド」（有限）。英語で株式会社のことをリミテッド-カンパニー（limited company＝Ltd）という。

●株式会社と個人企業，どうちがうか?

資本主義社会は，私的所有権制度（私有財産制）によって成り立っている。これは，「ヒトがモノを所有する」ということ。たとえば，リンゴの木の所有者は，リンゴの実を自分で食べてもいいし，それを売って儲けてもいい，それどころか切り倒して暖炉にくべてもかまわない。

もっとも古典的な企業として，近所でおじさんがやっている八百屋（個人企業）を考えてみる。店先にならんでいるリンゴやキャベツは八百屋のおじさんの所有物。おじさんは店にやってきた客に自分のモノを売っている。おじさんは，おなかが減ったとき店先のリンゴを食べてもかまわない。なぜなら，このリンゴはおじさんのモノだから。

ところが，株式会社として組織されたスーパーマーケットになるとどうだろうか。とあるスーパーマーケットの株主であるおじさんが，たまたま自分が株主であるスーパーマーケットの売場からリンゴを取って食べてしまった。会社の株主はその会社のモノの所有者ではないのでこの行為は罰せられる。では，誰が会社のモノの所有者なのか? それは「法人」としてのスーパーマーケット。「法人」とは英語で legal person＝「法の上のヒト」のことである。法人はヒトとモノの二面性を持っている。法人はヒトとして，会社のモノを所有し販売，また他の会社との契約を結んだりする。一方で，モノとして株主から所有される。

●株主は，会社のなにをもっているか?

会社資産の所有者は株主ではなく「会社」そのもの。株主はこの「会社」の所有者でしかない。こうして株式会社における「所有と経営の分離」がなりたつ（岩井克人『会社はこれからどうなるのか』平凡社）。

株主は，会社の所有者として次のような権利を持つ。

1. 会社が利益をあげたときに，出資額に応じて配当金を受け取る権利（利益配当請求権）。
2. 株主総会に出席して，意見を言ったり，重要な議決に票を投じる権利（議決権）。票数は所有する株式の数によって決まる。
3. 会社が解散した場合に，残った財産を分配してもらう権利（残余財産請求権）。

そのほかに，鉄道会社であれば優待乗車券，百貨店であれば優待割引券といった株主優待制度などもある。

●株式会社のしくみはどうなっているか?

一般的な株式会社では株主が「株主総会」で，会社経営の専門家である「取締役」という人たちを選び，会社の経営を任せる。そして，取締役たちは，会社の経営の中心となる「社長，専務，常務」などを取締役会という会議で選び，会社を経営していく。さらに，「部長，課長，一般の社員」などの従業員が各部門で働くことで，会社は運営されている。

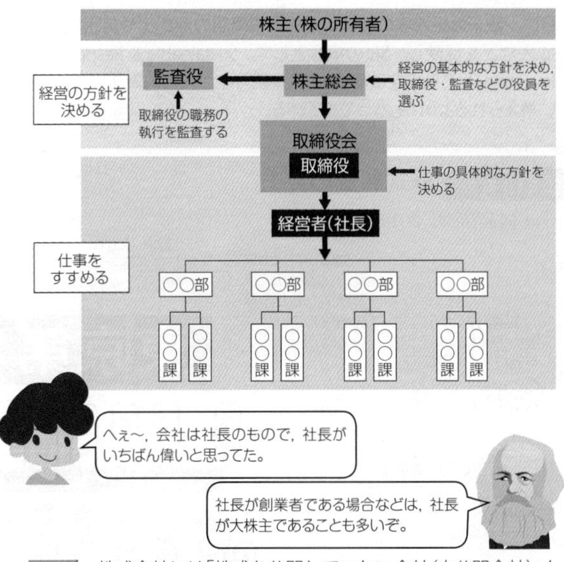

解説　株式会社には「株式を公開していない会社（未公開会社）」と「株式を公開している会社（公開会社）」がある。「公開会社」は，証券取引所に株式を公開（上場）して，投資家がいつでも株式の売買ができる会社のことで，「未公開会社」とは株式を上場していない会社のこと。公開会社は上場することで様々な人たちからの資金調達が見込め，事業拡大がしやすい。

○×で答えよう!　正誤問題にTRY　株式会社の最高意思決定機関は取締役会であり，株主総会を開催するかどうかは，取締役会決議にゆだねられている。

3 CSR(企業の社会的責任)

企業が，社会に対してさまざまな貢献をし，社会的責任を果たすことを **CSR**(Corporete Social Responsibility)＝「企業の**社会的責任**」という。具体的には，製品・サービスの提供，雇用の創出，**メセナ・フィランソロピー**，環境問題への取り組みなどがある。

これまでと違った観点から企業の社会的責任が議論されるようになっている。その一つが**ステークホルダー**との関係である。ステークホルダーは，顧客・株主・従業員など企業を直接取り巻く主体のほか，地域住民・求職者・金融機関・政府などの主体を加えたもの。企業は，**シェアホルダー**（株主）の利益の最大化をめざすだけでなく，ステークホルダーとの信頼関係をこれまで以上に大切にすることが求められている。

解説 こうした流れの中で，企業の長期的な安定性や成長性をCSRの観点から評価し，投資をするSRI（Social Responsibility Investment）＝「社会的責任投資」というスタイルが欧米で拡大してきている。さらに，欧米の投資家の間では地球環境問題の深刻化や貧困問題の拡大などを反映し，SRIの概念として，Sustainable & Responsible Investment（“環境を破壊しない”持続可能な社会的責任投資）と言い換えられるようにもなってきている。

4 世界の大企業ベスト20

順位	前年順位	社　名	国籍	業種	総収入
1	1	ウォルマート	アメリカ	小売業	5591.5
2	3	国家電網（ステート・グリッド）	中国	電力配送	3866.2
3	9	アマゾン	アメリカ	コンピュータ	3860.6
4	4	中国石油天然気集団（ペトロ・チャイナ）	中国	石油	2839.6
5	2	中国石油化工集団（シノペック）	中国	石油	2837.3
6	12	アップル	アメリカ	コンピュータ	2745.2
7	13	CVSヘルス	アメリカ	ヘルスケア	2687.1
8	15	ユナイテッド・ヘルス	アメリカ	保険	2571.4
9	10	トヨタ自動車	日本	自動車	2567.2
10	7	フォルクスワーゲン	ドイツ	自動車	2539.7
11	14	バークシャー・ハサウェイ	アメリカ	保険	2455.1
12	16	マッカーソン	アメリカ	医療関連	2382.3
13	18	中国建築	中国	建設・不動産	2344.3
14	6	サウジアラムコ	サウジアラビア	石油	2297.7
15	19	サムスン電子	中国	電機	2007.3
16	21	中国平安保険	中国	保険	1915.1
17	23	アメリソースバーゲン	アメリカ	医薬卸	1898.9
18	8	BP	イギリス	石油	1835.0
19	5	ロイヤル・ダッチ・シェル	オランダ	石油	1832.0
20	24	中国工商銀行	中国	銀行	1827.9

(注) 2020年総収入による。単位：億ドル

(『フォーチュン』2021)

5 日本の企業規模

資本金階級別法人数(2019年度)

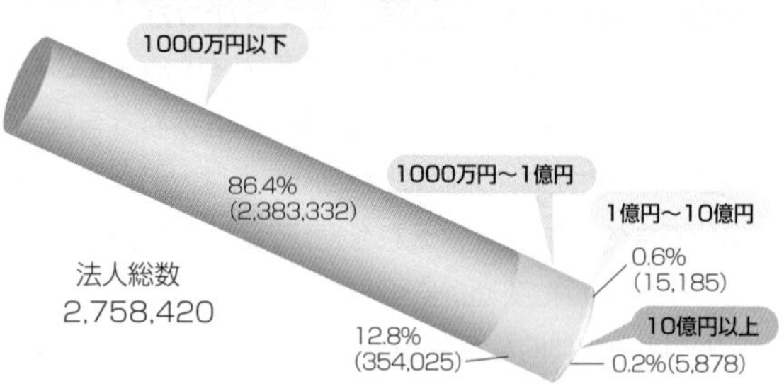

(国税庁「会社標本調査」)

Column 株式新聞の見方

(『日本経済新聞』2014.10.29)

東京第1部

銘柄	始値	高値	安値	終値	前日比	売買高
金融・保険						
AFPG	949	969	948	959	△10	122.3
A島根銀行	1336	1345	1322	1345	△14	7.2
AじもとHD	209	214	209	214	△ 7	142.6
A全国保証	3080	3110	3010	3100	△70	688.1
A足利HD	400	400	393	396	△ 1	825.7
A東京TYFG	3255	3350	3215	3330	△145	38.1
Aクレセゾン	2024	2063	2015	[illegible]	△44	821.0
・新生銀	227	229	225	229	△ 3	13539

・肥後銀	569	[illegible]
・佐賀銀	238	245
・十八銀	288	294
A沖縄銀	4510	4605
A琉球銀	1718	1729
Aセブン銀	425	431
aみずほFG	191.0	192.4
・高知銀	133	137
・山口FG	975	991
Aアクリティブ	199	202
A芙蓉リース	4010	4050
A興銀リース	2445	2494
ATCリース	2585	2619

銘柄〔めいがら〕
取引の対象となる有価証券の名称。原則として1つの会社で1銘柄。

始値〔はじめね〕
前の日の最初に売買が成立したときの値段のこと。

高値〔たかね〕
前日最も高く取引が成立した値段。

安値〔やすね〕
前日最も安く取引が成立した値段。

終値〔おわりね〕
前日の最後に売買が成立したときの値段のこと。引値〔ひけね〕ともいう。

前日比〔ぜんじつひ〕
前日の終値とその日の終値との差のこと。

売買高〔ばいばいだか〕
1日に取引が成立した株数を足した合計のこと。出来高ともいう。

A〔100株単位の銘柄〕
売買単位が100株の銘柄。Bは1株，Cは10株，Dは50株単位。

・〔貸借銘柄〕
証券会社が証券金融からお金や株券を借りて信用取引に応じることができる銘柄。

△▲
△は前日の終値よりも高かったとき，▲は前日の終値よりも安かったときにつく。

解説 株式の流通は，その機能面の違いから発行市場と流通市場に分類される。発行市場は，株式会社が資金調達の目的で新規に発行する証券を投資家が取得する市場のことで，取引所のような具体的な市場はない。これに対して流通市場は，すでに発行された証券が，投資家から投資家に流通・売買される市場で，取引所が存在する。

経済編

○×で答えよう! 正誤問題にTRY✓ 株主に支払われる一株あたりの配当は，通常，企業の業績に関係なく一定額が保証されている。

6 企業の買収・合併

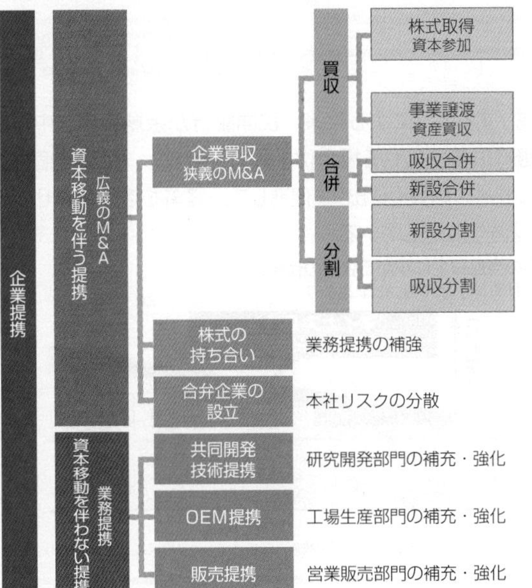

解説 関連のない業種の企業を買収・合併して企業規模の巨大化をはかることも進められている。M&Aとは"Mergers（合併）and Acquisitions（買収）"の略である。つまり，2つ以上の会社が一つになったり（合併），ある会社が他の会社を買ったりすること（買収）である。このほか，広く提携までを含めて，M&Aという場合もある。このM&Aの手法には株式譲受（株式譲渡）・新株引受・株式交換，事業譲渡，合併，会社分割などの様々な手法がある。

7 企業のグローバル化

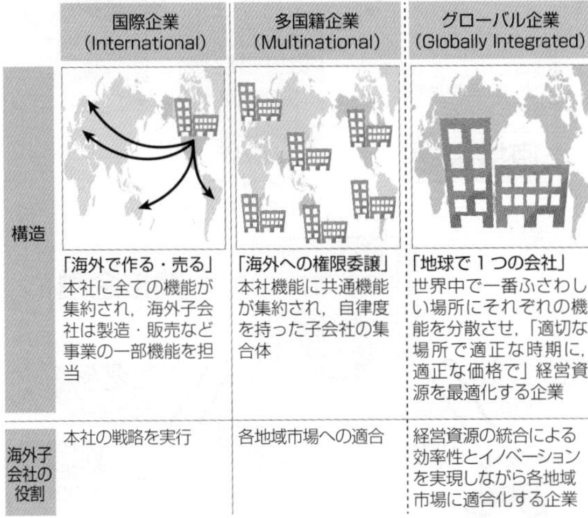

解説 国境を越えた企業の活動範囲の拡大，多国籍企業化・グローバル企業化も進められている。グローバル化には，全世界を自分の市場として把握し，生産，流通，販売の各部門で「モノ，カネ，ヒト，情報」という経営資源を最適に配分する全地球的に事業を営む企業という感じが強く出ている。たとえばアメリカ生まれだが，本社はスイスに，工場は中国に，研究開発部門はインドに，販売網はほとんど全大陸に……といった企業がイメージされる。海外ではほぼその域に達した企業も見られる。国際的に活躍する企業が理想型として描く企業の姿である。

Column 企業の新しい時代

● 会社の目的

会社の目的は，大きく分けて
①株価を最大化すること
②コア従業員（＝長期的に会社にコミットする従業員のこと。パートや派遣社員は長期的に会社にコミットする従業員ではない）の利益を最大化すること
③会社のすべての利害関係者の利益を増進すること
の三つの考え方がある。

①はアメリカやイギリスなどのアングロ・サクソン諸国で支配的な考え方。②と③は，ドイツなどの大陸ヨーロッパや日本で支配的な考え方であるといわれる。これら三つの考え方の違いに応じて，会社経営のコントロールの仕方も違ってくる。会社経営のあり方は，**企業統治（コーポレート - ガバナンス）**と呼ばれている。
（岩田規久男『そもそも株式会社とは』2007年 ちくま新書）

● コーポレート - ガバナンス

コーポレート - ガバナンスの考え方は，上記①のように，株式会社を株主に最大の利益をもたらすような経営にしていくため，アメリカで提唱されたものである。株式会社は，株主のものと考えるが，実際の運営は経営者に託されている。これが**「所有と経営の分離」**。そのため株主は，経営者が株主に利益をもたらすような仕事をしているかどうかを監視しなければならない。株主は**「社外取締役」**（＝会社の最高権限者である「代表取締役」と直接の利害関係のない独立した有識者や経営者などから選任する取締役）を選び，取締役会が株主に利益をもたらすように監視していく。社外取締役は，会社内で出世して取締役になったわけではないので，「しがらみ」もなく，取締役会を充分に機能させていくために，CEO（最高経営責任者）にとって怖い存在になり，業績が悪ければ交代させるという圧力を経営者に実感させる。

● コンプライアンス

コンプライアンスとは，**「法令遵守（ほうれいじゅんしゅ）」**のことである。SOX法をもとに，企業が法令や各種規則などのルール，さらには社会規範などを守ることの重要性が指摘されるようになった。また，消費者への情報公開，過労死・セクハラなどの職場環境，公務員や政治家との関係など様々な面での企業倫理も求められるようになった。企業は，こうした様々な法律・規則・規範を全社員が遵守し，違反があった場合には，早期に発見し是正する体制をつくらなければならない。さらにいえば，企業は**社会的責任（CSR）**を果たすことが，社会に求められているといえるだろう。

企業を取り巻く法令

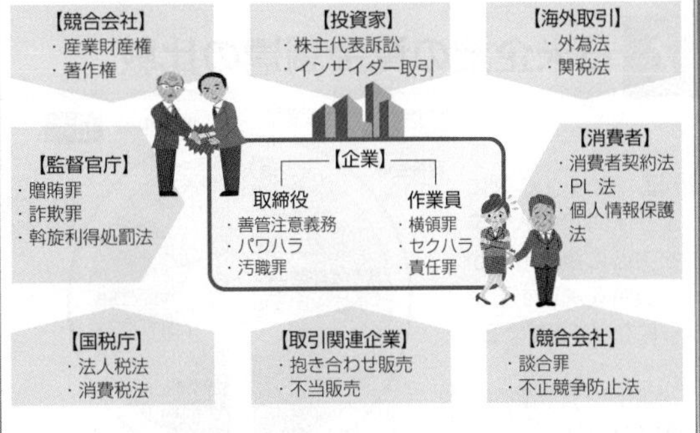

○×で答えよう! 正誤問題にTRY✓ 企業統治がすすみ，企業の利害とは距離を置いた外部の支店から経営を監視するために社外取締役が増えつつある。

42 貨幣の役割と金融のしくみ

TOPICS

日銀のマイナス金利

日本銀行法・第２条に「通貨および金融の調節を行うにあたっては，物価の安定をはかることを通じて国民経済の健全な発展に資する」とあるように，日銀は，通貨供給量（マネーストック）や金利（コールレート）を変化させ，市中の金融機関，企業や会計などの経済活動に働きかけている。日銀は，これまでゼロ金利政策，量的緩和政策，いわゆる異次元緩和といわれる量的・質的緩和政策などの金融政策を実施したが，目標である２％の物価上昇は到達していない。2016年1月には，マイナス金利を導入する対策をとった。

マイナス金利政策とは，預金者に手数料を課すことで，預金によって利息分が増えるのではなく，元金が目減りするようにする政策。民間銀行が余剰資金を中央銀行に預け入れる場合に手数料を徴収し，企業や個人などへの融資（貸出）を促進して，経済を活性化させることを狙いとしている。

日銀の当座預金にかかる金利の仕組み
（「毎日新聞」2016.1.30 などより）

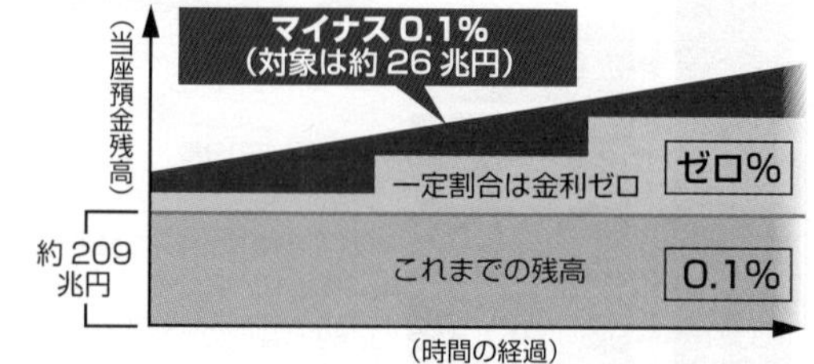

付利の対象となる当座預金残高（2016 年 6 月の平均残高，適用金利別）

1 資金の循環

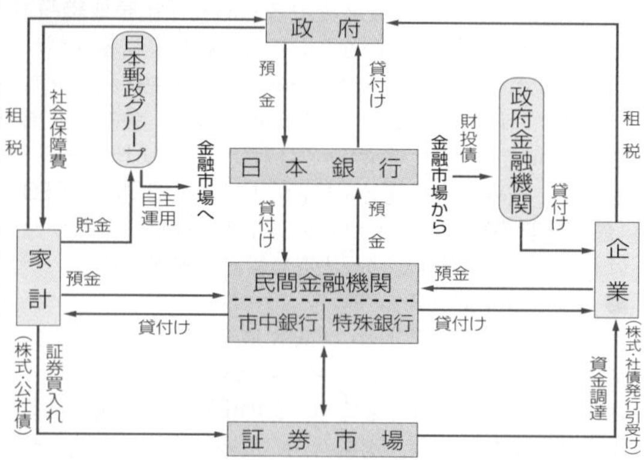

解説 金融とは，おカネの余っている部門から，不足している部門へおカネを融通することである。これを仲介するのが金融機関である。家計や企業は，余分の資金が生じた場合，銀行などの金融機関に預金をし，また不足が生じた場合には借金をする。資金の借り手は，現在の貨幣と交換に将来の貨幣の支払いを約束し，金融負債を発行する。資金の貸し手はそれを金融資産として受け取り，借り手に現在の貨幣を渡す。利子は，この資金を融通してもらうことに対して支払われる一定の貨幣のことであり，こうしたしくみを金融とよんでいる。

2 日米企業の資金調達の比較

解説 ビッグバンにより，日本でも大企業を中心に資本市場から資金を調達するようになってきている。

（日本銀行「資金循環統計」2021 年 8 月）

米国：55.3 兆ドル　間接金融：借入 4.9%　直接金融 78.1%：債券 9.3%，株式・出資金 68.8%　その他計 17.0%

日本：1,657 兆円　間接金融：借入 24.6%　直接金融 59.3%：債券 4.4%，株式・出資金 54.9%　その他計 16.1%

3 直接金融と間接金融

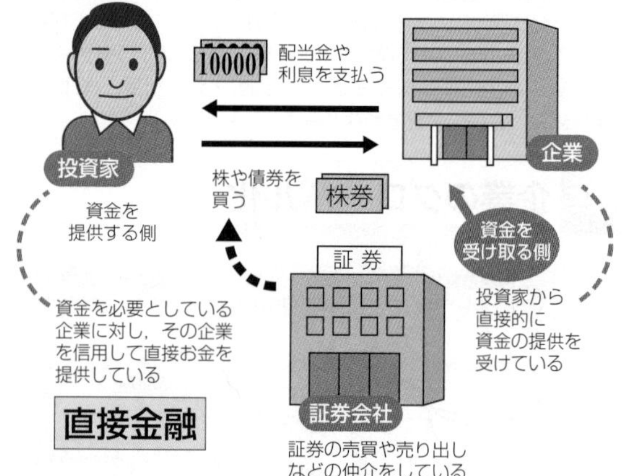

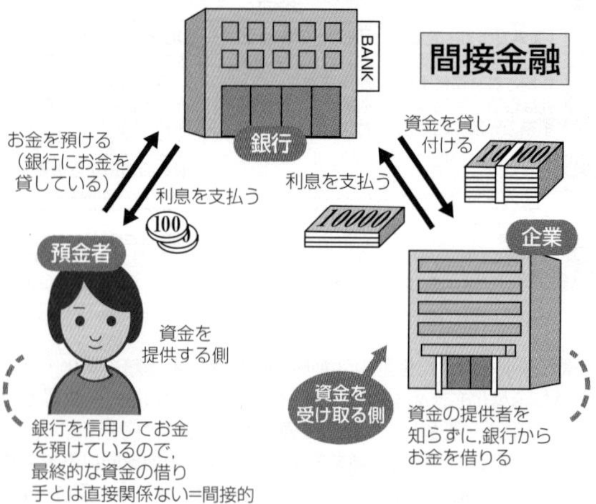

解説 直接金融とは，資金の貸し手が株式などを買うことによって，直接借り手に資金を融通すること。間接金融とは，貸し手と借り手の間で銀行などの金融機関が仲介すること。

○×で答えよう! 正誤問題にTRY✓ 日本では金融の自由化で銀行の役割が増し，直接金融から間接金融へのシフトが進んだ。

4 日本の金融機関

(2021年6月現在)

中央銀行		日本銀行	
民間金融機関	預金取扱金融機関	国内銀行	都市銀行：4　地方銀行：62
			第二地方銀行（旧相互銀行）：38
			信託銀行：13
			銀行持株会社：25
			その他：17（ゆうちょ銀行など）
		外国銀行在日支店：56	
		中小企業金融機関	信用中央金庫　信用金庫：254
			全国信用協同組合連合会
			信用組合：145
			労働金庫連合会　労働金庫：13
			商工組合中央金庫
		農林水産金融機関	農林中央金庫
			信用農業協同組合連合会：32
			農協：585
			全国共済農業協同組合連合会
			信用漁業協同組合連合会：12
			漁協：143（連合会）
	その他の金融機関	保険会社	生命保険会社：42
			損害保険会社：33
		証券金融機関	国内証券会社：260
			外国証券会社：10
			証券金融会社：1
		証券関連会社，消費者信用関係会社，事業者信用関係会社	

公的金融機関（政策金融機関）	国民生活金融公庫／中小企業金融公庫／農林漁業金融公庫	→「(株)日本政策金融公庫」に統合（2008年10月発足）
	国際協力銀行（国際金融部門）	→(株)国際協力銀行（2012年）
	沖縄振興開発金融公庫	→2022年以降に統合
	国際協力銀行（海外経済協力部門）	→「JICA」と統合
	商工組合中央金庫／日本政策投資銀行	→「(株)商工組合中央金庫」,「(株)日本政策投資銀行」へ（2008年10月発足）

住宅金融公庫→独立行政法人住宅金融支援機構に継承（2007年3月～）
公営企業金融公庫→地方公営企業等金融機構に継承（2008年10月～）

6 銀行のおもな業務

銀行の固有業務		
①預金業務		預金者の資産を管理・保管する業務。預金者から信用を受けてお金を預かるところから，受信業務という
	当座預金	小切手，手形を商取引の決済として利用できる
	普通預金	出し入れ自由な金庫代わりに使える手軽な預金口座
	通知預金	まとまった余裕金の短期運用向け。7日間以上据え置いて引き出しの通知を2日前までに通知する
	定期預金	預金期間を定めた貯蓄性の高い預金
②貸付業務		企業や個人に資金を貸し出す業務。貸出先に信用を与えるところから，与信業務という
	手形割引	満期前の手形を第三者へ裏書譲渡し，満期日までの利息や手数料を差し引いた金額で売却すること
	手形貸付	金融機関を受取人，借り手取引先を振出人とする約束手形を発行させて金銭を貸し付けること
	証書貸付	借入金額，金利，期間，返済方法などを規定した証書を金融機関と交わすことによって借り入れる方法
	当座貸越	預金残高を超えて振り出した手形などを，一定限度内なら支払ってもらえるという借入れ方法
	コールローン	金融機関相互の貸付，借り入れのこと。「呼べば応える」というほど期間の短い資金の貸し借り
③為替業務		振込や送金で債権や債務の決済を行う業務。現金を使わずに，支払いや受け取りができる。(決済業務)
	内国為替	国内にいる債権者や債務者に，銀行間の口座振替を使って取立や送金を行う，資金決済の仕組みのこと
	外国為替	海外との間で発生した債権や債務を，現金を輸送せずに決済すること「立替」「交換」の2つの意味がある

経済編

5 日本の通貨制度

(2021.5末)

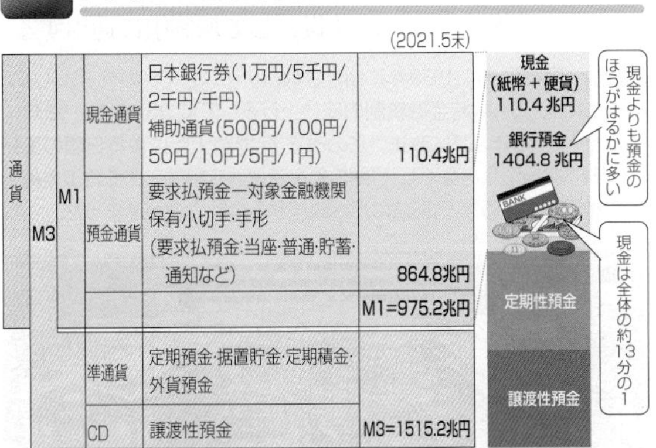

通貨	M3	M1	現金通貨	日本銀行券(1万円/5千円/2千円/千円) 補助通貨(500円/100円/50円/10円/5円/1円)	110.4兆円
			預金通貨	要求払預金ー対象金融機関保有小切手·手形 (要求払預金:当座·普通·貯蓄·通知など)	864.8兆円
					M1=975.2兆円
			準通貨	定期預金·据置貯金·定期積金·外貨預金	
			CD	譲渡性預金	M3=1515.2兆円

新マネーストック統計

(金融商品)
現金
要求払預金
定期性預金
外貨預金
譲渡性預金
金融債
銀行発行普通社債
金銭の信託
その他の
金融
商品※

(通過発行主体)
日本銀行
国内銀行(除くゆうちょ銀行)
外国銀行在日支店
信頼金庫・信金中金
農林中央金庫
商工組合中央金庫
ゆうちょ銀行
農協・信農連
漁協・信漁連
労金・労金連
信用組合・全信組連
保険会社
中央政府
非居住者

M1
M2
M3
広義流動性

※金融機関発行CP，投資信託（公募・私募），国債・FB，外債
（日本銀行調査統計局『マネーストック統計の解説』2008年6月）

解説 通貨には現金通貨(日本銀行が発行する日本銀行券『紙幣』と政府が発行する硬貨)と預金通貨(普通預金・当座預金など)がある。2007年10月に発足したゆうちょ銀行が，国内銀行として制度上扱われるようになったことから，2008年6月，日本銀行は「マネーサプライ統計」を「マネーストック統計」と名称変更し，定義も変更した(「M1」「M2」「M3」「広義流動性」という4つの指標に区分)。マネーストックとは，基本的に，通貨保有主体(全預金取扱機関)が保有する通貨量の残高であり，世の中に流通している貨幣の量を示す。

○×で答えよう! 正誤問題に TRY✓ 当座預金は預金通貨の一つであり，小切手を振り出して支払いに使うことができる。

7 信用創造

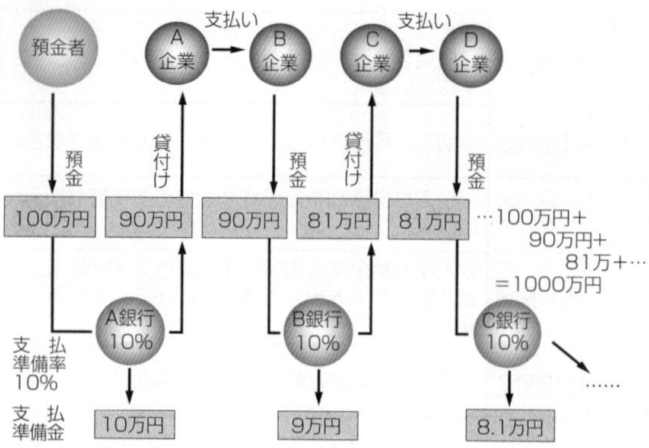

解説 たとえば支払い準備率10%の場合，A銀行に100万円が預金されるとA銀行は支払い準備金として10万円残して90万円を貸し出す。これを借りた企業は，B銀行に預金（当座預金）し，小切手で支払いに当てる。B銀行は90万円の当座預金をもとに，支払い準備として9万円残して81万円を貸し出す。これを続けていくと<理論的に創造される預金量>は，<最初の預金額>÷<支払い準備率>，すなわち，100万円÷0.1＝1000万円となる。このことから900万円が新しい貸付額として創造されたことがわかる。

8 日銀の役割

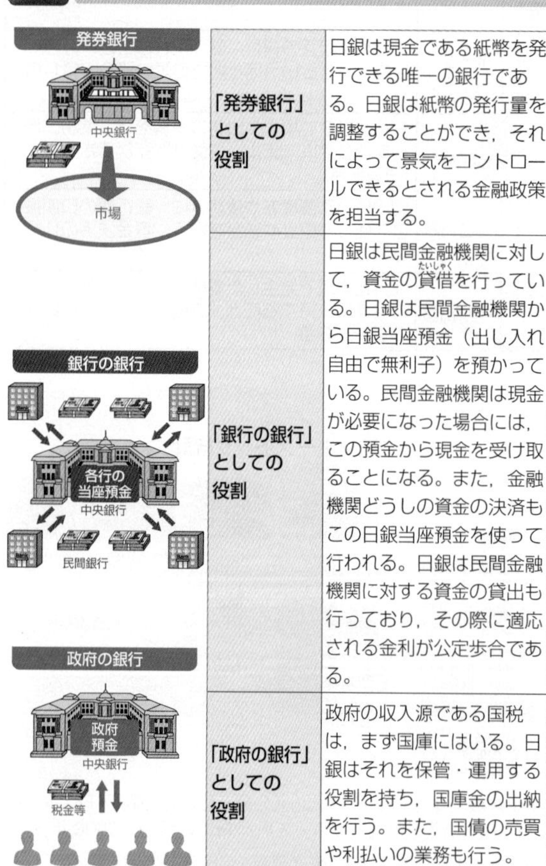

「発券銀行」としての役割	日銀は現金である紙幣を発行できる唯一の銀行である。日銀は紙幣の発行量を調整することができ，それによって景気をコントロールできるとされる金融政策を担当する。
「銀行の銀行」としての役割	日銀は民間金融機関に対して，資金の貸借（たいしゃく）を行っている。日銀は民間金融機関から日銀当座預金（出し入れ自由で無利子）を預かっている。民間金融機関は現金が必要になった場合には，この預金から現金を受け取ることになる。また，金融機関どうしの資金の決済もこの日銀当座預金を使って行われる。日銀は民間金融機関に対する資金の貸出も行っており，その際に適応される金利が公定歩合である。
「政府の銀行」としての役割	政府の収入源である国税は，まず国庫にはいる。日銀はそれを保管・運用する役割を持ち，国庫金の出納を行う。また，国債の売買や利払いの業務も行う。

解説 日本銀行は，わが国の中央銀行として，「物価の安定」を通じて経済の発展を図るため，通貨および金融の調節を行うこととされている。

9 日本銀行法

[目的]

第1条 ① 日本銀行は，我が国の中央銀行として，銀行券を発行するとともに，通貨及び金融の調節を行うことを目的とする。

[政策委員会の設置]

第14条 日本銀行に政策委員会を置く。

[通常業務]

第33条 日本銀行は，第1条の目的を達成するため，次に掲げる業務を行うことができる。

1 商業手形その他の手形の割引

2 手形，国債その他の有価証券を担保とする貸付け

3 商業手形その他の手形（日本銀行の振出しに係るものを含む。）または国債その他の債券の売買

5 預り金　6 内国為替取引

[国に対する貸付け等]

第34条 ① 日本銀行は，我が国の中央銀行として前条第1項に規定する業務のほか，国との間で次に掲げる業務を行うことができる。

② 財政法第5条ただし書の規定による国会の議決を経た金額の範囲内において担保を徴求することなく行う貸付け。

[国際金融]

第41条 ① 日本銀行は，我が国の中央銀行としての外国中央銀行等又は国際機関との協力を図るため，これらの者との間で，次に掲げる業務を行うことができる。

1 本邦通貨をもって表示される預金に係る預り金

[日本銀行券の発行]

第46条 ① 日本銀行は，銀行券を発行する。

② 前項の規定により日本銀行が発行する銀行券（以下「日本銀行券」）は，法貨として無制限に通用する。

解説 旧日銀法は，1939年に制定されたナチスドイツのライヒスバンク法にならい，戦時金融統制の総仕上げとして42年に制定。98年にはそれを56年ぶりに改正。この改正で，財務大臣による日銀の業務全般への命令権をなくし，日銀の最高意思決定機関である政策委員会の権限を強めるなど，旧法に比べ政府からの独立性が高まった。

○×で答えよう! 正誤問題にTRY✓ 日本銀行は，日本銀行における口座を通じて銀行間の決済サービスを提供している。

10 金融政策

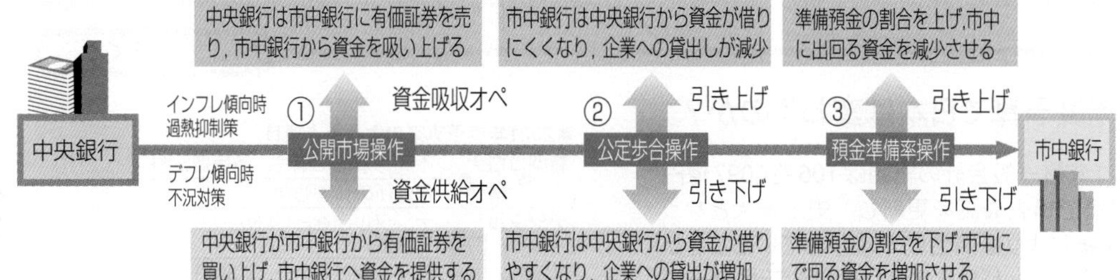

解説 日本銀行が，インフレでもなくデフレでもない状態である「物価の安定」を実現させるために行う政策を「金融政策」という。金融政策は，金融市場での金利や資金の量に働きかけるもの。金融政策の主な手段は，従来，①公開市場操作(オペレーション)，②公定歩合操作，③預金準備率操作の3つに整理されることが一般だった。現在では，日本銀行の金融政策は，①の方法，短期金利(無担保コールレート・オーバーナイト物)の誘導目標値を定め，オペレーションによってこれを実現することが中心となっている。また，かつて公定歩合と呼ばれていた基準貸付利率は，補完貸付制度のもとで，コールレートの上限として短期金利市場の安定性を確保するという新しい役割を担うようになった。

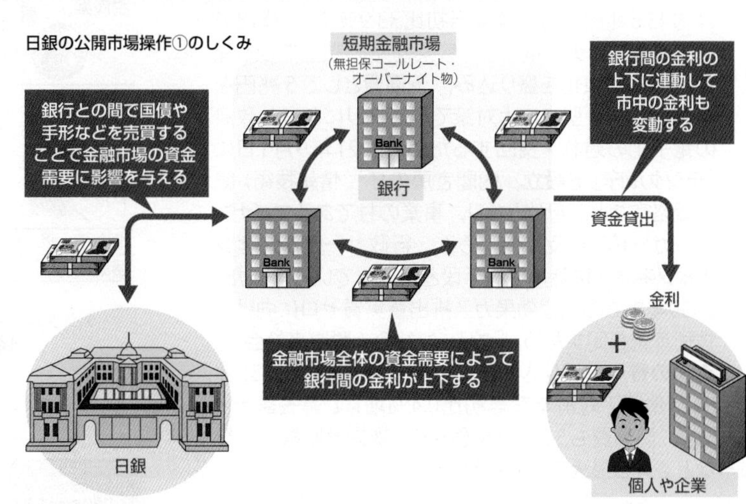

Column インフレターゲットとフィリップス曲線

わが国は，1990年代以降20年にわたって消費者物価指数（CPI）が2％以上になったことが無く（消費税導入や原油価格の高騰などの時期を除き），デフレ状況が長期化しているとされている。

●フィリップス曲線

ミクロの視点では正しいことでも，それが合成されたマクロのレベルでは，意図せぬ結果が生ずることを，経済学では「合成の誤謬（ごびゅう）」という。

物価が下がることは，個人のレベルではよいことだが，社会全体では企業業績が下がり，賃金が下がり，雇用が減り，デフレスパイラルに陥る。インフレターゲットは，つまりこの逆をいくものである。

物価上昇と失業率の関係を示したものに，フィリップス曲線がある。イギリスの経済学者，アルバン・ウィリアム・フィリップスは，イギリスにおける1861年〜1957年のデータを用いて賃金上昇率（のちに物価上昇率）と失業率の関係は右下がりの曲線となることを結論づけた。こうした物価上昇率と失業率のトレード・オフ関係が，インフレターゲット政策を現実のものにしているといえる。

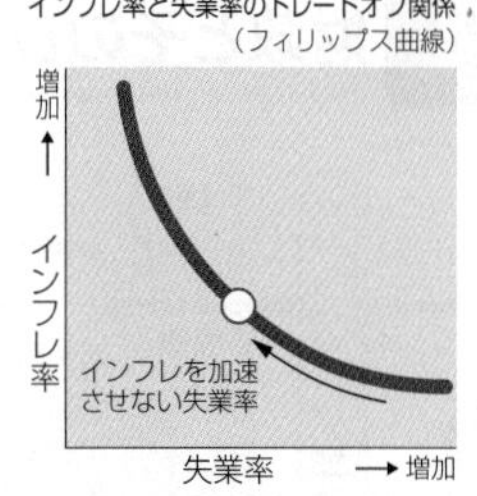

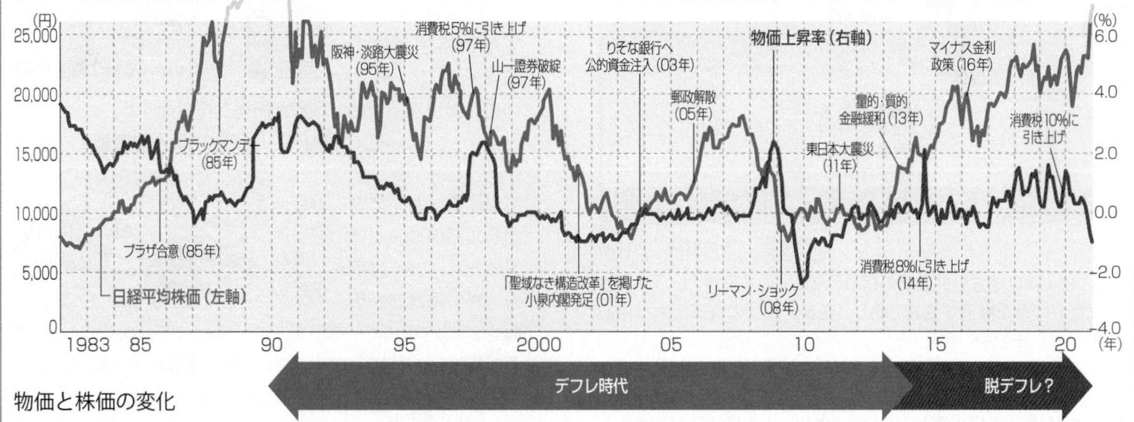

物価と株価の変化

経済編

○×で答えよう！ 正誤問題にTRY 日本銀行は，為替相場安定のために外国為替市場に介入する。

43 租税と財政政策

TOPICS

2021年度予算で日本は変わるのか？

国の2021年度一般会計の総額は**106兆6097億円**で，9年連続で過去最高を更新し，史上最大となった。コロナ禍により経済活動が縮小していることから，税収の落ち込みが見込まれ，国債の新規発行額は約43.6兆円（対前年度当初比33.9％増）。歳出では，**新型コロナ対策**として感染経路の調査を担う保健所の体制強化を盛り込み，予備費として5兆円を準備した。新型コロナ対策で浮き彫りになった政府の電子化の遅れを挽回するため，2021年9月1日に**「デジタル庁」を設立**。内閣官房のIT（情報技術）総合戦略室などが母体となり，事業の柱である**マイナンバーカードの普及**につとめる。行政サービスのオンライン手続きに活用する手段と見込んでいる。また，2050年までの温室効果ガス排出量実質ゼロに向けて技術革新を促すため，**「グリーン社会（脱炭素社会）」実現の費用**を盛り込んだ。社会保障関係費は35兆8421億円（対前年度当初比0.4％増）で過去最大となり，防衛費も5兆3235億円で，次期戦闘機の開発などで過去最大を更新した。

（「読売新聞」「日本経済新聞」2020.12.21などより）

2021年度予算案の主な重点項目

新型コロナ	不測の事態に備え，予備費5兆円
	保健所の体制強化
デジタル	デジタル庁を21年9月に500人規模で設置
	マイナンバーカードの取得促進
脱炭素	CO_2削減進める企業に成果連動型の新融資制度
	再生エネルギー・省エネの研究開発・導入支援
社会保障	介護報酬は0.7%のプラス改定
	薬価引き下げで約1000億円の負担減
	不育症の検査やがん患者の不妊治療を支援
教育	公立小学校を35人学級に（25年度まで段階拡大）
地方	地方でのテレワークを推進
農業	輸出拡大へ生産や販売の体制強化

デジタル庁を司令塔に行政のデジタル化を急ぐ

1 財政とそのしくみ

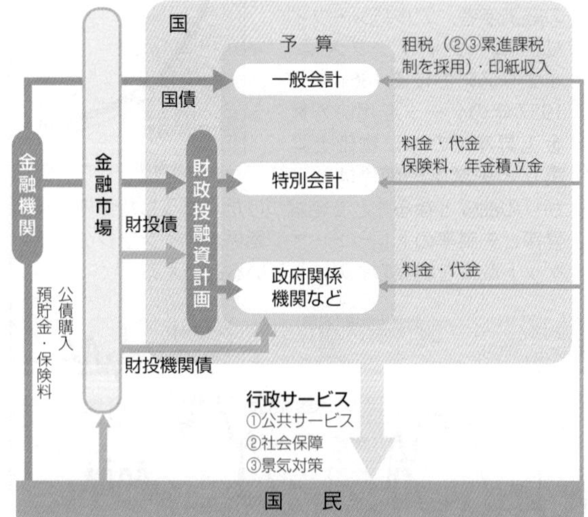

（『図説 日本の財政』2013）

解説 国および地方公共団体の経済活動のことを財政という。資本主義社会は市場経済が基本であり，企業と家計の経済活動が中心となる。市場経済を阻害（そがい）するような要因があったり，市場経済が人々に望ましい結果をもたらさないような場合（これを「市場の失敗」（→p.206）という）には，それを除去しなければならない。こうした，市場経済をうまく機能させ，市場経済で処理できないことを解決する役割は，政府に与えられている。

2 財政の機能

○道路や公園などの社会資本，教育・警察・消防などは国民のためには必要であるが，利潤が追求できず民間企業では供給されにくい。そこでこうした財・サービスは政府が供給する。

→この機能を「資源配分機能」という

○市場経済では，経済競争の結果として所得格差が生ずる。そこで，貧富の差を是正するため，政府が所得を再分配する。

→この機能を「所得の再分配機能」という

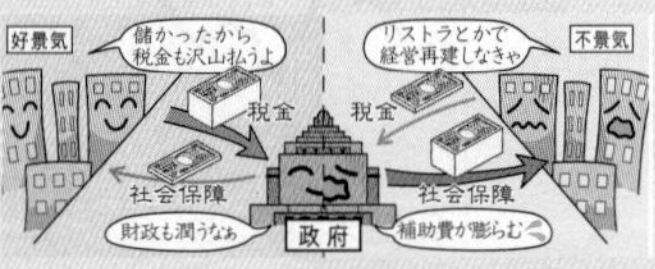

○市場経済において安定した経済成長をはかるため，とくに不況の際には政府が積極的な財政支出を行い景気を回復させる。好況時には自動的に税収が増加し，社会保障費がおさえられ，不況時には逆になるという機能があり，ビルト-イン-スタビライザーとよぶ。

→この機能を「景気調節機能」という

経済編

○×で答えよう！ 正誤問題にTRY✓ 政府は景気を安定化させるために財政政策を実施するが，一般に，不況期には減税や公共事業の拡大によって，景気の回復を図ろうとする。

3 一般会計　歳入・歳出内訳

2021年度予算（当初案）の項目別歳入と歳出

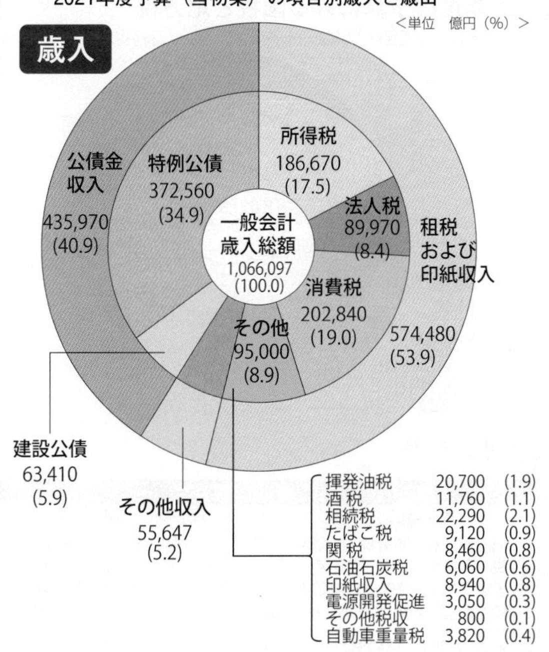

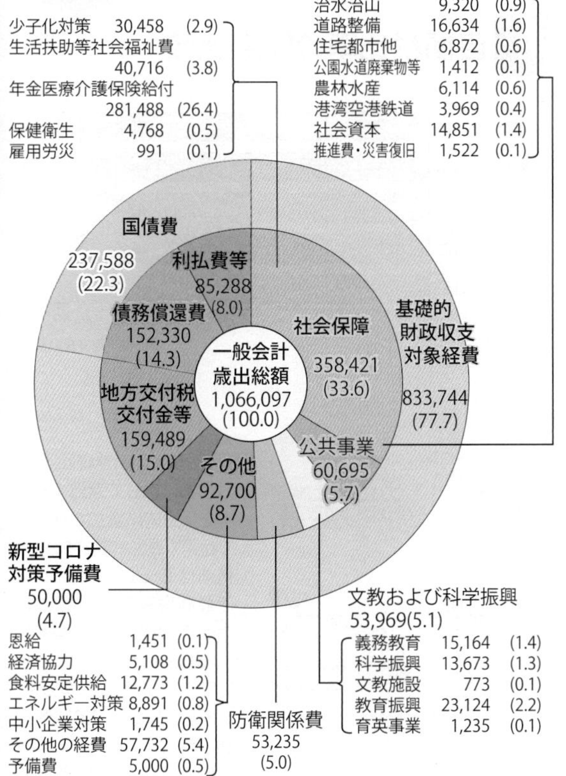

（『財政金融統計月報』2021.5）

解説　歳入のうちの4割強は公債金収入であり，国の予算は借金に依存している。歳出のうち国債費と地方交付税交付金という国の自由にならない義務的経費が4割を占め，一般歳出は6割しかない。

4 財政法

第１条〔目的〕　国の予算その他財政の基本に関しては，この法律の定めるところによる。

第２条〔歳入・歳出の意義〕　④　歳入とは，一会計年度における一切の収入をいい，歳出とは，一会計年度における一切の支出をいう。

第４条〔歳出財源の制限〕　①　国の歳出は，公債又は借入金以外の歳入を以て，その財源としなければならない。但し，公共事業費，出資金及び貸付金の財源については，国会の議決を経た金額の範囲内で，公債を発行し又は借入金をなすことができる。

第５条〔公債発行及び借入の制限〕　すべて，公債の発行については，日本銀行にこれを引き受けさせ，又，借入金の借入については，日本銀行からこれを借り入れてはならない。但し，特別の事由がある場合において，国会の議決を経た金額の範囲内では，この限りでない。

第11条〔会計年度〕　国の会計年度は，毎年４月１日に始まり，翌年３月31日に終るものとする。

5 財政による景気調節のしくみ

ビルト-イン-スタビライザー（自動安定化装置）

		不　況	景気過熱
景気の状況		所得⬇ →有効需要⬇ →景気低迷	所得⬆ →有効需要⬆ →インフレ
ビルト-イン-スタビライザー（自動安定化装置）	累進課税	所得⬇ →実質的な減税	所得⬆ →実質的な増税
	社会保障	所得⬇ →社会保障給付⬆	所得⬆ →社会保障給付⬇
効果		所得⬆ →有効需要⬆ →景気刺激	所得⬇ →有効需要⬇ →景気抑制

※ビルト-イン-スタビライザーの効果は限定的

＋　＋

		不　況	景気過熱
フィスカル-ポリシー（裁量的財政政策）	税	減　税	増　税
	公共投資	増やす	減らす
効果		景気をさらに刺激	景気をさらに抑制

※ビルト-イン-スタビライザー＋フィスカル-ポリシーでより効果を期待

解説　ビルト-イン-スタビライザーとは，「財政」自体にあらかじめ備わっている景気を自動的に安定させるプロセス（装置）のことをいい，累進課税制度や社会保障制度のことを意味する。好況時，不況時に，適切に機能してマネーストックを調節する。

経済編

国債残高や地方債残高などから成る国の借金と地方の借金の合計は，日本の国内総生産を上回っている。

6 課税原則

スミスの4原則

1. 公平の原則	収入に比例した納税
2. 明確性の原則	租税の支払い期日，金額等を明瞭にする
3. 支払い便宜の原則	納税にあたっては納税者の便宜をはかる
4. 最小徴税費用の原則	徴税費をできるだけ小額にする

ワーグナーの9原則

財政政策上の原則	
1. 課税の十分性	収入が十分であること
2. 課税の可能性	収入が弾力的であること
国民経済上の原則	
3. 正しい税源の選択	税源の選択を誤らないこと
4. 税種の選択	租税の転嫁を考えて税種を選択すること
公正の原則	
5. 課税の普遍性	負担が広く国民に分配されること
6. 課税の平等性	負担が公平に分担されること
税務行政上の原則	
7. 課税の明確性	租税が明確であること
8. 課税の便宜性	納税手続きが便利であること
9. 最小徴税費用	徴税費ができるだけ少ないこと

（大川政三編『財政論』有斐閣より）

解説 日本国憲法 第30条では「国民は，法律の定めるところにより，納税の義務を負ふ。」と記されている。では，国民の義務である納税は，「法の下に平等」であろうか。アダム=スミスは課税の原則として，「公平の原則」・「明確性の原則」・「支払い便宜の原則」・「最小徴税費用の原則」の4つをあげている。税金を考えるときに，「公平な課税」は重要な要素となる。課税の「公平性」には，所得の高い人ほど多くの税を負担するという「垂直的公平」と，所得が同じ人は税負担も等しいという「水平的公平」のふたつがある。「水平的公平」の観点からは，どのような仕事をしていても，所得が等しければ，課税額も等しくなるはずである。しかし，現実にはわが国の税制は，税務当局の所得の捕捉率の難易差によって，サラリーマン9割（ク），商工業者などの自営業者6割（ロ），農業4割（ヨン）「ク・ロ・ヨン」とよばれる課税の不公平が存在するといわれている。

7 国税・地方税

2021年度の予算にみる国税と地方税

（財務省ホームページ）

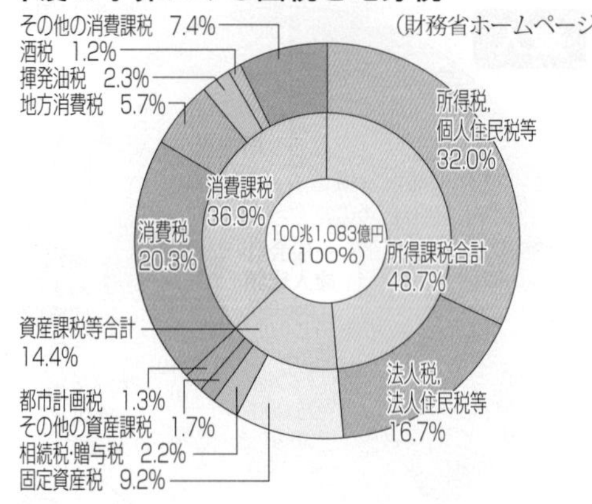

地方税の種類

	地方税	
	道府県税（都民税）	市町村税（特別区民税）
直接税	道府県民税・事業税・自動車税・不動産取得税・鉱区税・固定資産税（特例分）・自動車取得税・狩猟税・水利地益税	市町村民税・固定資産税・軽自動車税・鉱産税・特別土地保有税・都市計画税・事業所税・水利地益税・共同施設税・宅地開発税・国民健康保険税
間接税など	地方消費税・道府県たばこ税・ゴルフ場利用税・軽油引取税	市町村たばこ税・入湯税

8 直間税比率の国際比較

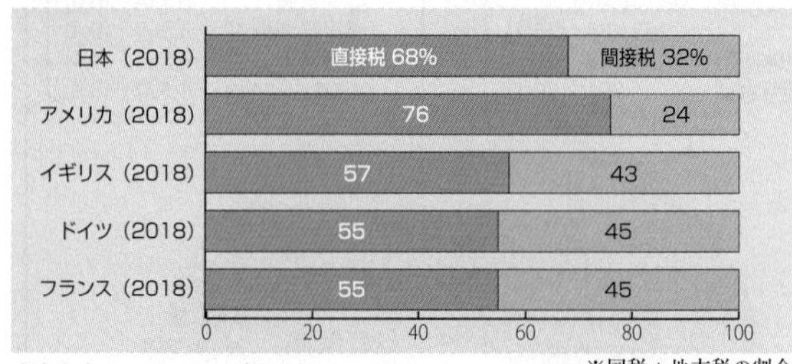

（財務省ホームページより） ※国税＋地方税の割合

9 日本の累進税制

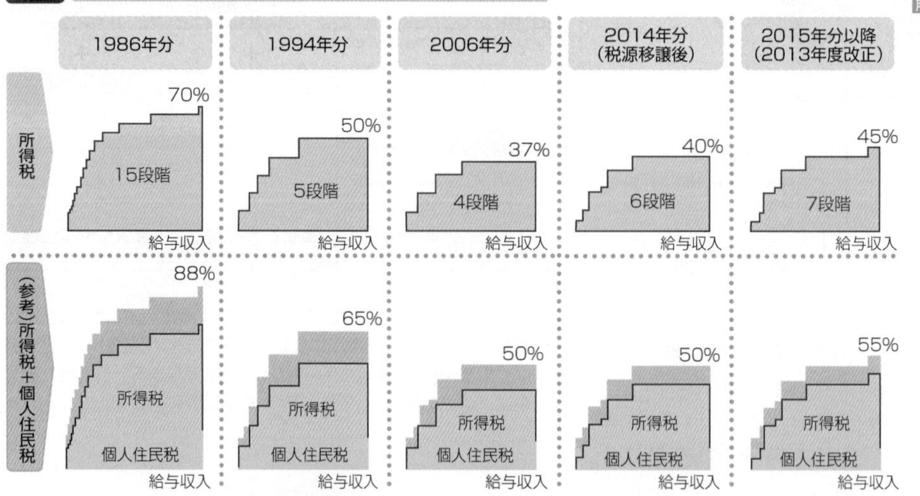

解説 日本の所得税は，所得の増加に応じて適応する税率を累進的に増加させていく超過累進税率である。税率構造は1986（昭和61）年まで最高税率70%・15段階となっていたが，87年に最高税率の引き下げが行われ，さらに89年からは最高税率50%・5段階となった。2007（平成18）年，税源移譲にともなう税制改正により，最高税率40%・6段階となった。なお，2013（平成25）年度税制改正において，課税所得4,000万円超について45%の税率が創設された。

○×で答えよう！ 正誤問題にTRY✓ 給与所得と農家や自営業者の所得とでは捕捉率に違いが生じ得るため，税負担の上で水平的公平が損なわれるという問題がある。

10 国民負担率と税収構成比の比較

(2021年財務省資料)　(2018年度数値)

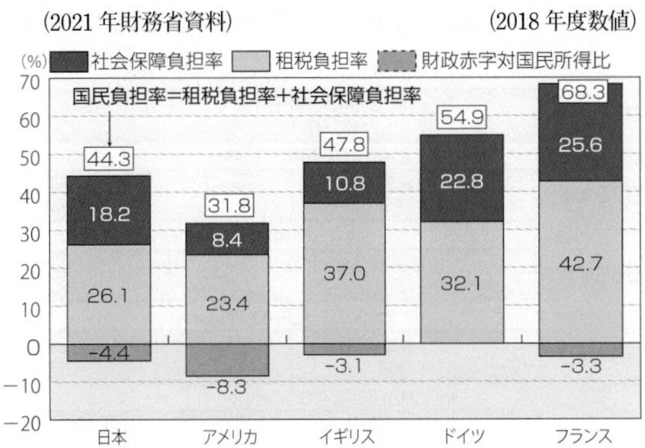

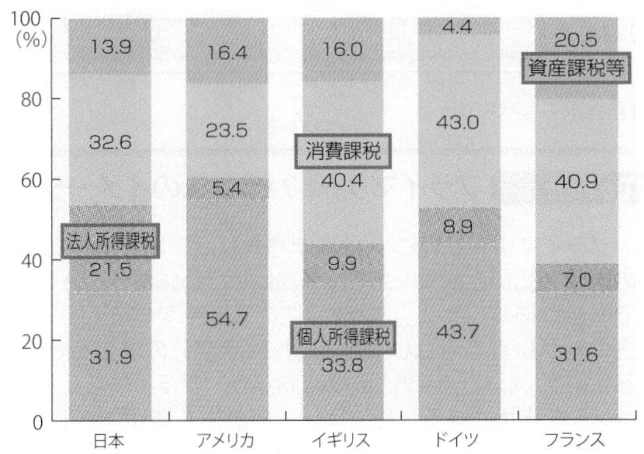

解説 租税負担率は，国民経済全体としての税負担水準をみるもの。一般に国民所得額に対する国税と地方税の総額の割合をいう。

11 消費税の標準税率の国際比較

(2021年財務省資料)

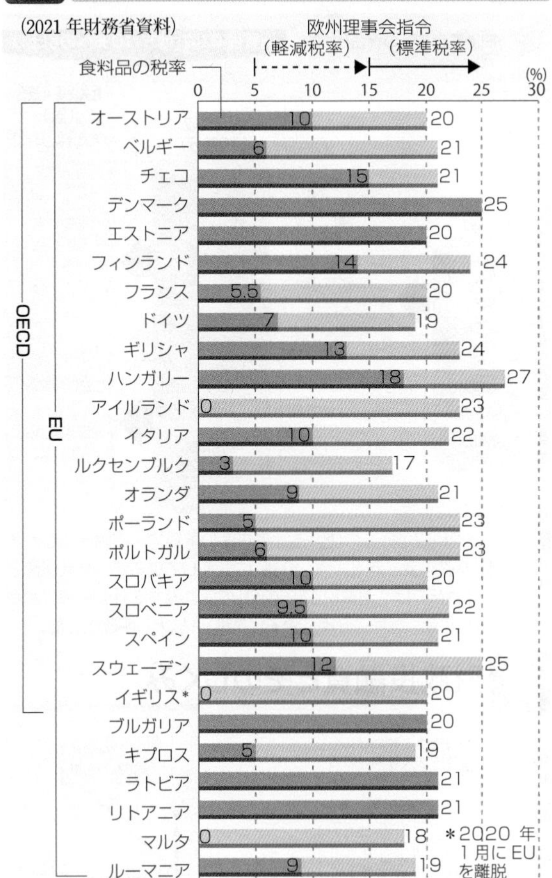

解説 各国は消費税（付加価値税）を基幹税としてみており，EU加盟国では，標準税率を15%以上とすることが義務づけられている。なお，食料品には軽減税率が適用される国が多いが，食料品の範囲は各国ごとに異なる。

●消費税10%の導入で実施される軽減税率対象品目

＊2019年10月1日から消費税が10%となるのに際して，軽減税率制度が実施される。下記の飲食料品の他，週2回以上発行される新聞（定期購読契約のもの）も対象となる。

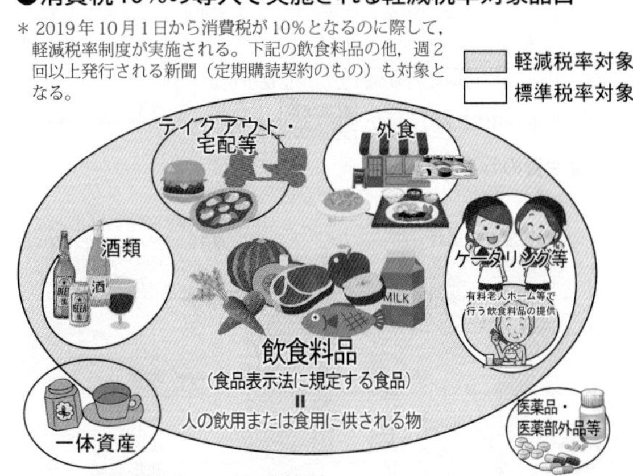

12 消費税制度

●消費税の基本的な仕組み

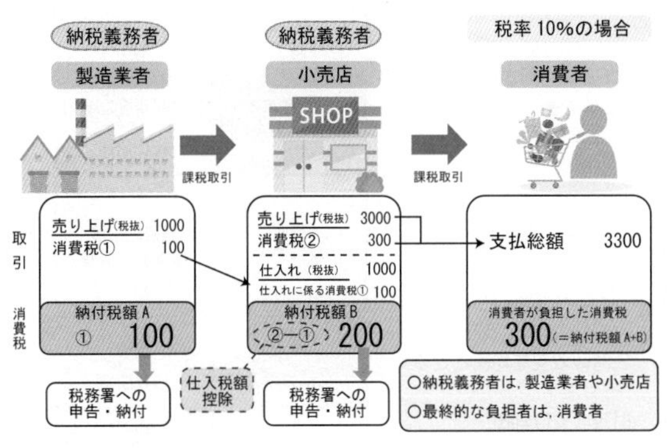

解説 日本では，1989年から，消費者に広く負担を求める消費税が導入された。これと同様な税制は，ヨーロッパ諸国では「付加価値税」としてすでに導入されていた。これは，製造から消費者までの各取引段階で各々の売上げに課税される一方で，税の累積を排除する観点から，仕入れにかかる前段階の税額を控除する方式の税である。これに対して日本の消費税は，事業者に負担させるのではなく，消費税分が価格に転嫁され消費者が負担するため，所得の高い人よりも所得の低い人にとって負担感が強く，そのために逆進的な税制ともいえる。また，流通の各段階で事業者に消費税の負担が生じないよう，課税対象となる売り上げで預かった消費税額から仕入れで支払った消費税額を差し引いた残りを納める方式をとっている。これまでは，売り上げと仕入れの税額を帳簿で算定する帳簿方式をとっていたが，消費税の10%導入時に軽減税率が実施されることと関連して，2023年から請求書等に適用税率・税額の記載を義務付けた伝票（インボイス）方式に変更される。

○×で答えよう! 正誤問題にTRY✓ 定率の消費税は，低所得者の場合，消費量がそもそも少ないために負担もそれだけ低額になるので，低所得者に対し不公平とはならない。

13 消費税の配分と使途

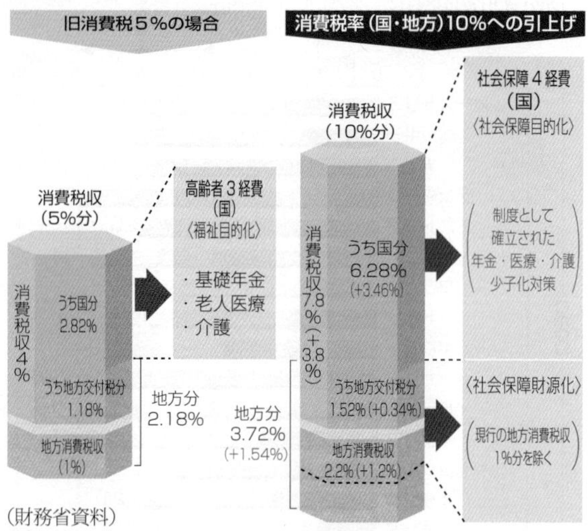

（財務省資料）

解説 消費税収（国分）の使い道は毎年度の予算で，高齢者にかかる３経費（基礎年金，老人医療，介護）に限定しているが，社会保障と税の一体改革では，消費税収（国の分）の使いみちを社会保障にかかる４経費（年金，医療，介護，少子化対策）に拡大し明確化した。

14 財政投融資とそのしくみ

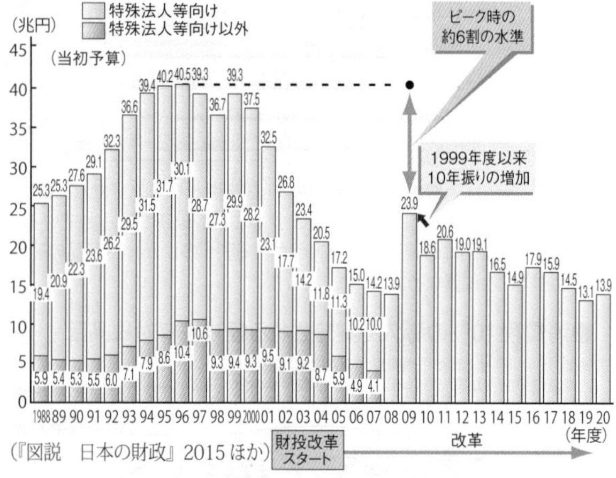

（『図説　日本の財政』2015 ほか）

財政投融資のしくみ

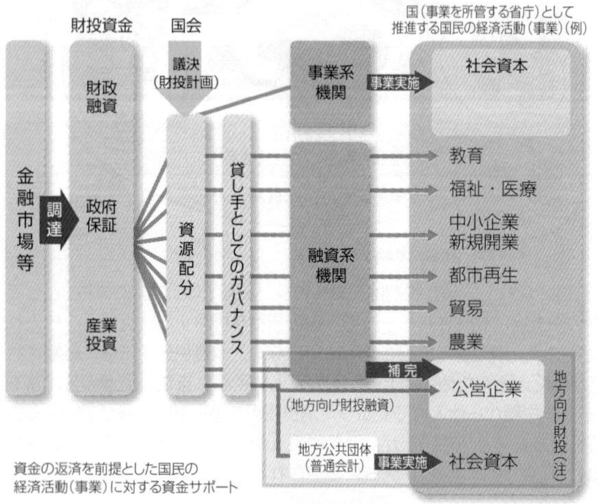

15 歳入に占める公債金収入の割合

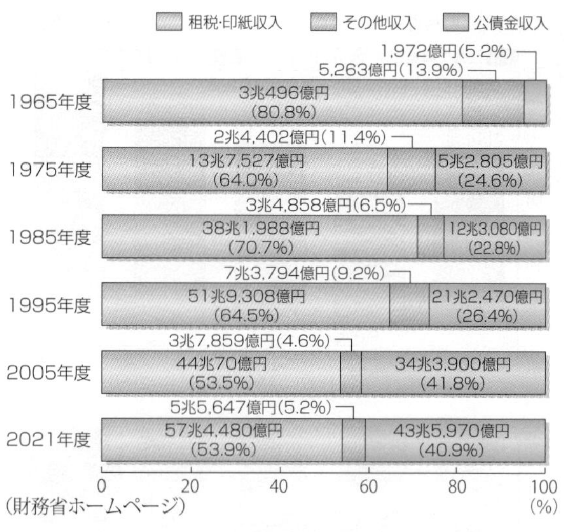

（財務省ホームページ）

Column プライマリー - バランスのイメージ

プライマリー - バランスは黒字であれば，黒字分を過去の国債利払いと償還にあて，債務はしだいに減っていくので財政は破綻しない。しかし，このまま赤字が続くと，過去の利払いができないうえ，新たに赤字分の借金をせざるを得なくなり，財政は破綻に向かう。プライマリー - バランスを均衡させるためには，一般歳出を切りつめるか，税収を上げるかの方法がとられなければならない。

（『図説日本の財政2010』東洋経済新報社他）

プライマリー-バランス（PB）の均衡化のイメージ

1.PBの概念（2021年度）
PBは赤字:20.4兆円の赤字
財政収支も赤字:28.4兆円の赤字

歳入	歳出
公債金収入 43.6兆円	債務償還費 14.7兆円 利払費等 8.5兆円
税収等63.0兆円（うち税収 57.5兆円）（その他税収 5.7兆円）	基礎的財政収支対象経費（PB対象経費）83.4兆円

2.PBを均衡させる
PBは均衡
財政収支は赤字

歳入	歳出
公債金収入【新たな借金の増加】	債務償還費【過去の借金の減少】 利払費等
税収 税外収入	基礎的財政収支対象経費

3.財政収支を均衡させる
PBは黒字
財政収支は均衡

歳入	歳出
公債金収入	債務償還
税収	利払 PB対象経費

（数字は2021年度当初予算。百億円以下四捨五入）

（財務省資料）

経済編

○×で答えよう! 正誤問題にTRY✓ 1970年代以降，特例国債（赤字国債）の発行は増加傾向にあるので，日本は純債務国である。

テーマ学習　財政赤字はどうなるのか?

●国債発行残高が増えるとどうなるか?

国債とは国の税収不足を補うために発行される債券(さいけん)のこと。つまり国の借金。2021年度末には長期債務残高は1,019兆円に達し，地方を合わせると1,212兆円。

借金というからには，いつかは返さなくてはならない。日本は今後，およそ1,200兆円の借金とその利子を返済していかなければならない。1,200兆円にかかる利子は，1分間で1,700万円以上，1時間では10億円である。

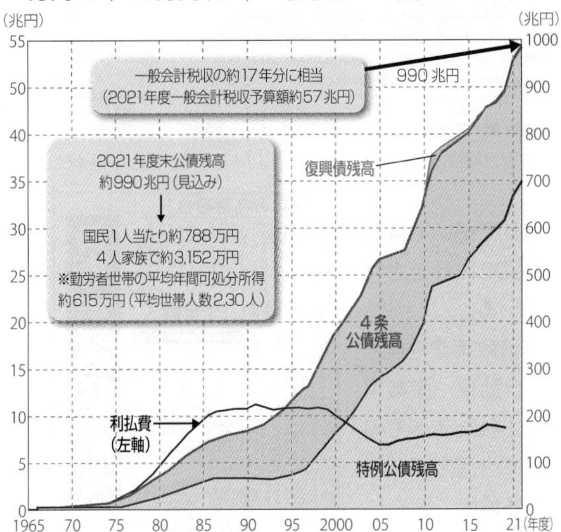

わが国の財政法は，本来国債の発行を禁じている。しかし，公共事業などの財源調達のためには，財政法第4条の但し書きで，「公共事業費，出資金および貸付金の財源については，国会の議決を経た金額の範囲内で，公債を発行し又は借入金をなすことができる。」としている。これを「建設国債」という。いっぽう，政府は1975年，税収不足から生じる赤字を埋めるため「赤字国債」の発行を認めるようになった。赤字国債は，その年度に限り国会が認める特例法案によって発行されるため「特例国債」ともいう。

財務省は，「国の借金」の残高が2022年3月末時点で990兆円になると発表した。2019年4月1日時点の総務省の人口推計をもとに単純計算すると，国民一人当たり約788万円の借金を抱えていることになる。公的な債務残高には国と地方を合計するなど複数の指標があるが，これは国の債務を長期国債以外も含めて幅広くとらえたもので，過去最高を更新した。政府は2015年までに国と地方の基礎的財政収支（プライマリー-バランス→前ページのコラム参照）の名目国内総生産（GDP）比でみた赤字を半減する目標をかかげていた。だが，いわゆる「骨太の改革」と言われる政策の効果もみえず，結局，目標は2025年あるいは26年に先送りされている。

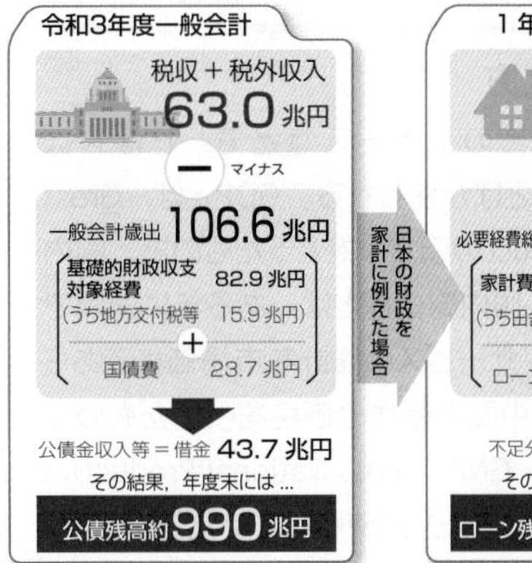

●プライマリー-バランスの考え方とは?

財政が破綻しているかどうかということは，「財政が持続可能かどうか」ということである。このカギになるのが「プライマリー-バランス(基礎的財政収支)」の考え方である。プライマリー-バランスでは，家計でも国家でも，借金以外の通常収入で，通常支出をまかなった後に残る金額をみる。ふつうに暮らして残るお金があれば，それを借金の返済にまわすことができる。ふつうに暮らしてもお金が残るどころかマイナスになっているとすれば，借金は返せず，さらに借金を増やすことになる。

家計の場合，年収630万円と家計費834万円（うち田舎への仕送り159万円）との差額－204万円がプライマリー-バランスの赤字。新たな借金の金額は，プライマリー-バランスの赤字204万円にローン返済分の237万円を加えた436万円になる。これでは借金を返済するどころか，ふつうの暮らしのために新たな借金をすることになる。

国の場合，税収・税外収入63.0兆円と基礎的財政収支対象経費＝83.4兆円との差額－20.4兆円がプライマリー-バランスの赤字。新たな借金の金額・国債発行額は20.4兆円に国債費23.2兆円を加えた43.6兆円になる。これでは，国債を償還するどころか，さらに国債を発行しなければならない。

(財務省ホームページ，『図説日本の財政2010』東洋経済新報社ほか)

うえ～。こんなに借金が多くなっているのに，日本は会社や個人のように破産しないの?

まあ，一般的にいわれていることは，日本の国債の売り買いは，自国通貨の円でしているし，日本国内の個人や企業が購入している割合が高いので，国債を大量に発行しても，国の支出は国民の所得や企業の収益となるから破産しない，ということだ。そうはいっても，だから大丈夫，と安心できるものでもない。

経済編

○×で答えよう! 正誤問題にTRY✓　財政の弾力的な運用が困難になる要因の一つとして，歳出に占める国債費の割合の低下がある。

44 国民経済と国の豊かさ

TOPICS

GDPの考え方

新聞やテレビのニュースなどで，しばしば「GDP」ということばが使われる。GDPとは，Gross Domestic Productの頭文字をとったもので，国内総生産のこと。国内総生産とは，ある年に国内で生産された財・サービスの総計を市場価格であらわし，そこから中間生産物の価格を引いたものである。以前は，GNP（Gross National Product）・国民総生産という考え方が使われていた。GNPは，国内・国外を問わず，その国の国民が生産したものの総計であり，たとえば，日本人が海外で働いて得た収入は，日本のGNPに計上された。いっぽう，GDPは，国内で生産されたものの総計であり，日本人が海外で働いて得た収入は計上されない。また，外国人が日本国内で得た収入はGDPに計上される。GNPが国籍で分類するのに対して，GDPは国境で分類している。

産業別付加価値額（名目）の推移

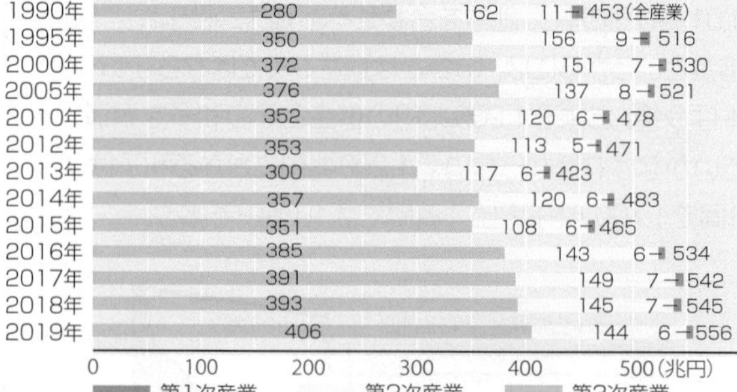

（「国民経済計算の見方，使い方」日本経済教育センターほか）

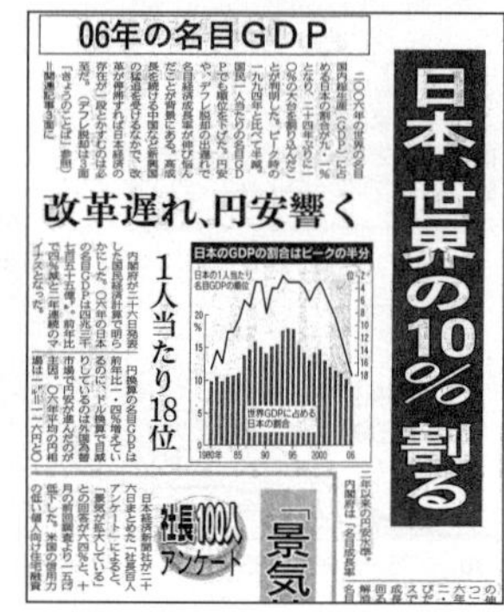
06年の名目GDP

日本、世界の10％割る

改革遅れ、円安響く

1人当たり18位

社長100人アンケート

「景気」

経済全体の生産規模をひとつの数値で示すことで，自国の経済政策や他国との比較ができる。その代表がGDPである。だいこん，粗鋼，自動車，産業用ロボットなどバラバラなままではGDPは計れない。そこで生産されたすべての「最終生産物」の貨幣価値を合計するという方法をとる。すべての生産物の「付加価値」の合計と考えることもできる。「付加価値」とは生産の各段階で新たに付け加えられた価値のことで，販売収入から原材料などの費用を引いたものである。「最終生産物」の合計額と「付加価値」の合計額は等しくなる。

＊「最終生産物」だけを合計するのは，たとえば自動車をGDPに含める場合，自動車に使われたタイヤの金額もGDPに含めるとタイヤの分が二重計算になるため，自動車を製造する企業に売られるタイヤの金額はGDPに含まない。さらにいえば，タイヤメーカーに売られるゴムの金額もGDPには含めないで合計する。

1 日本の国内総生産・国民所得

■GDP関連指標の概念の関係(2019年,名目)

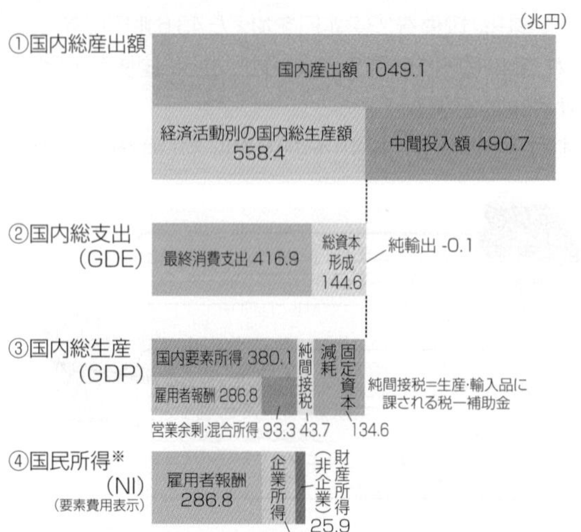

（『国民経済計算年報』2019）

Column GDPは何でできている？

国内の総需要（＝総生産）（Y）を構成する要素は４つある。

①個人や企業が財・サービスを購入する金額。個人の消費が主体。生活必需品・学習費・娯楽費など。

②企業の設備投資や工場建設，個人住宅建設など。将来の生産増加に寄与するためのもの。

④外国で生産された生産物を購入したもの。その分だけ国内生産物の需要は減少。国内にないもの，というその需要を補う。

民間の消費　民間の投資　輸出　輸入

$$Y = C + I + G + (X - M)$$

GDP　政府支出

GDPとは，国内で一定期間内に生産された財・サービスの総額。国の経済全体の規模を示す。

③中央政府や地方自治体による公共事業の費用，国防支出，政府職員給与。民間では行えない国が必要なもの。

④国内で生産された財・サービスの中で，外国に購入されたもの。対価としての収入を海外から得る。

解説　国民所得は，ＧＤＰから生産のときに生じる機械などの損傷額である固定資本の減耗を控除した市場価格表示の国民所得と，さらに純間接税（＝生産・輸入品に課される税－補助金）を控除した要素表示の国民所得がある。

○×で答えよう！ 正誤問題にTRY✓　国内総生産（GDP）は，一国の経済活動の規模を示す指標の一つであり，一国の国民が１年間に生産した付加価値を合計したものである。

経済編

2 OECD諸国の国内総生産

	国内総生産（億ドル）			1人あたり国民総所得（ドル）	
	2017	2018	2019	2018	2019
アメリカ合衆国	194,854	205,802	214,332	63,704	65,897
日本	48,724	49,713	50,825	40,529	41,513
ドイツ	36,932	39,495	38,611	48,843	47,488
イギリス	26,312	28,553	28,264	41,953	41,149
フランス	25,825	27,789	27,155	42,289	41,155
イタリア	19,438	20,849	20,036	34,762	33,373
カナダ	16,471	17,126	17,415	45,598	45,935
韓国	15,308	17,205	16,465	33,710	32,422
スペイン	13,143	14,197	13,934	30,474	29,860
オーストラリア	14,087	14,539	13,802	56,396	53,620
メキシコ	11,582	12,234	12,564	9,466	9,603
オランダ	8,306	9,141	9,071	54,115	53,260
（参考）					
中国	122,378	136,082	143,429	9,496	9,980
インド	25,757	27,794	28,916	2,034	2,092
ブラジル	20,555	18,686	18,478	8,785	8,523
ロシア	15,775	16,605	16,929	11,110	11,281

解説 2016年のドル換算によるわが国の名目ＧＤＰは，アメリカ，中国に次いで第3位。1人あたりＧＤＰはルクセンブルク，スイス，ノルウェーが上位を占め，日本はOECD加盟国中20位となった。

（『日本国勢図会』2021/22）

●日本・中国・アメリカ・ドイツの実質経済成長率

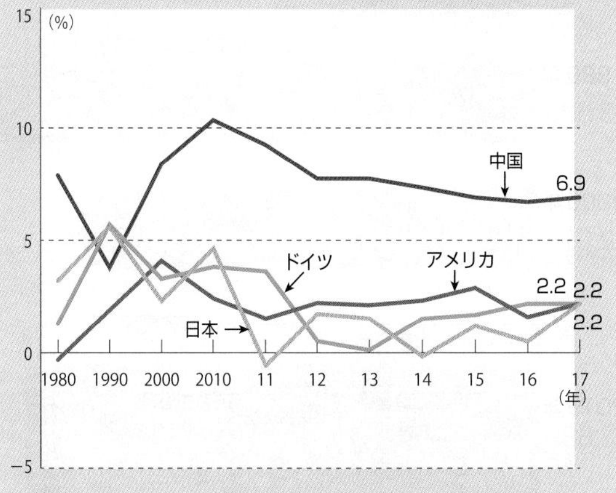

2017年GDPの国際比較では，内閣府試算で，日本の名目GDPは4兆8,673億ドル，中国は約12兆2,378億ドルだった。

解説 国民所得勘定の推計方法には，①各財貨・サービスの生産額から生産のための原材料として使用された財貨・サービス（中間投入）を控除して得られる付加価値を集計する生産面からの接近方法，②賃金や利潤などの分配された所得を集計する分配面からの接近方法，③消費や投資など，その期間内で他の生産過程で原材料として使用されることのない最終需要を集計する支出面からの接近方法があり，この三面の推計値は概念的に一致する。

3 三面等価の原則

1 生産国民所得

（『国民経済計算年報』2019）

項目	実数（千億円）		構成比	
	1980年	2019年	1980年	2019年
第1次産業	72.5	36.7	3.7%	0.9%
第2次産業	746.8	1,063.1	38.3%	26.5%
鉱業	10.6	2.1	0.5%	0.1%
製造業	538.9	791.0	27.6%	19.7%
建設業	197.3	270.0	10.1%	6.7%
第3次産業	1236.1	3,113.6	63.4%	77.5%
電気・ガス・水道等	48.7	93.7	2.5%	2.3%
卸売・小売	330	615.6	16.9%	15.3%
金融・保険	118.8	202.6	6.1%	5.0%
不動産	151.3	384.9	7.8%	9.6%
運輸・郵便	122.9	223.0	6.3%	5.5%
宿泊・飲食サービス	356.1	119.4	18.3%	3.0%
公務	108.3	163.9	5.6%	4.1%
情報通信		200.3		5.0%
専門・科学技術等		386.2		9.6%
教育		146.0		3.6%
保健衛生・社会事業		393.3		9.8%
その他のサービス		184.7		4.6%
小計	2055.4	4,213.4	105.4%	104.9%
輸入税・帰属利子など	-104.9	412.7	-5.4%	10.3%
海外からの純要素所得	-7.8	217.0	-0.4%	5.4%
国民所得	1950.5	4,017.7	100%	100.0%
固定資本減耗	307.3	1,346.5		
間接税	176.9	466.9		
補助金	-35.9	30.1		
海外からの純要素所得	0.8	217.0		
統計上の不突合	2.2	28.6		
国内総生産	2401.8	5,612.7		

2 分配国民所得

項目	実数（千億円）		構成比	
	1980年	2019年	1980年	2019年
1. 雇用者所得	1303.7	2,868.9	66.8	71.4%
賃金・俸給	1159.9	2,432.0	59.5	60.5%
雇主負担分	143.8	437.0	7.3	10.9%
2. 財産所得	205.8	258.8	10.6	6.4%
一般政府	-29.4	-4.5	-1.5	-0.1%
対家計民間非営利団体	3.6	3.2	0.2	0.1%
家計	231.7	260.2	11.9	6.5%
3. 企業所得	441	889.9	22.6	22.2%
民間法人企業	178.8	563.2	9.2	14.0%
公的企業	7.4	21.2	0.4	0.5%
個人企業	254.9	305.5	13.1	7.6%
4. 国民所得（1+2+3）	1950.5	4,017.7	100%	100.0%

3 支出国民所得

項目	実数（千億円）		構成比	
	1980年	2019年	1980年	2019年
民間最終消費支出	1413.2	3,056.2	72.5%	76.1%
(1)家計最終消費	1395	2,984.1	71.5%	74.3%
(2)対家計民間非営利団体最終消費	18.2	72.1	0.9%	1.8%
政府最終消費	235.7	1,112.7	12.1%	27.7%
国内総資本形成	774.3	1,445.5	39.7%	36.0%
総固定資本形成	758.2	1,424.3	38.9%	35.5%
民間　住宅	153.2	214.6	7.9%	5.3%
企業設備	376.2	919.8	19.3%	22.9%
公的　住宅	8.9	5.8	0.5%	0.1%
企業設備	73.1	66.7	3.7%	1.7%
一般政府	146.9	217.4	7.5%	5.4%
在庫品増加	16.1	21.2	0.8%	0.5%
財貨・サービスの純輸出	-21.5	-1.7	-1.1%	0.0%
国内総支出	2401.8	5,612.7	123.1%	139.7%
（控除）				
固定資本減耗	307.3	1,346.5	15.8%	
間接税	176.9	466.9	9.1%	
補助金	-35.9	30.1	-1.8%	
海外からの純要素所得	0.8	217.0	0.0%	
統計上の不突合	2.2	28.6	0.1%	
国民所得	1950.5	4,017.7	100%	100.0%

○×で答えよう! 正誤問題にTRY✓ GDPの算定に当たっては，国内生産物の輸出分と海外生産物の輸入分がいずれも対象外とされているが，これは国内の経済規模を正確に把握するための措置である。

4 景気循環の波

A～B=後退
B～C=不況
C～D=回復
D～E=好況

山 A　B　C 谷　D　山 E　谷　長期的趨勢（すうせい）　循環周期

周期		要因
コンドラチェフ循環	平均50～60年	要因としては戦争，技術革新，などいろいろあげられているが，今日では技術革新に伴う長期波動説が有力
クズネッツ循環	平均15～25年	人口の変化，住宅建設などに関連しているため建設循環ともよばれている
ジュグラー循環	平均7～10年	その要因が設備投資に起因することから設備投資循環ともよばれている
キチン循環	3～4年（40か月）	最も短期の循環で在庫投資の変動により発生する

		好況	後退	不況	回復	
政府の役割	財政支出	最低↓	増加↗	最高↑	減少↘	財政政策
	租税	増税↗	減税↘		増税↗	
	公定歩合	高水準	引き下げ	低水準	引き上げ	金融政策
	預金準備率	高水準	下げる	低水準	上げる	
	公開市場操作	売却	買い上げ		売却	

好況……商品価値の上昇，利潤の増大，生産活動の活発化にともない雇用が拡大し，これらが最高に達する状態。
後退……生産活動や雇用，物価が下り坂にむかう状態。
不況……これらがもっとも落ち込んで，企業の倒産や失業者の増大がつづく状態。
回復……これらがふたたび上り坂にむかう状態。

（『入門の入門　経済のしくみ』日本実業出版社）

解説　資本主義経済において，景気変動は必然的におこる現象であるといわれている。基本的には，後退・不況・回復・好況の4局面を1サイクルとしている。そのため政府は，経済安定のために，それぞれの局面に対応する経済政策を実施している。

5 経済成長率

GDPデフレーター…基準値の物価を100とした時の指数。基準値より物価が10%上昇したなら110となる。＊実質GDPを計算して，経済成長率を求める式にあてはめれば実質経済成長率が求められる。
注：統計には暦年（1月～12月）と年度（4月～3月）の2種類あるので注意が必要。

解説　経済成長率は経済の規模が1年前と比べてどのくらい大きくなったかを計算したものである。一般的に，経済成長率が高いほど好景気といい，低いほど不景気と判断される。物価の上昇を考えない名目経済成長率と，物価上昇分を計算から除いた実質経済成長率がある。

6 フローとストック

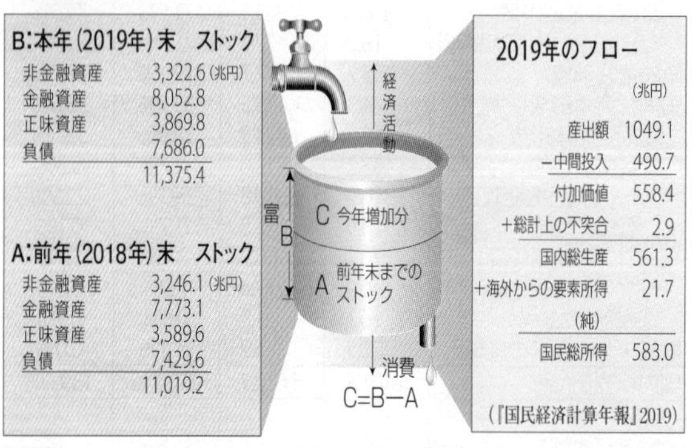

解説　フローとは，ある一定期間（例えば1年間）に生み出された付加価値の合計額で，ストックとはある時点（例えば年末）での総額である。そのため図のように，蛇口から注がれて流れ出るという経済活動の流れと，注がれた容器中にたまる水の量を社会資産などとして考えることができる。

7 日本の国富

1970年　296兆円

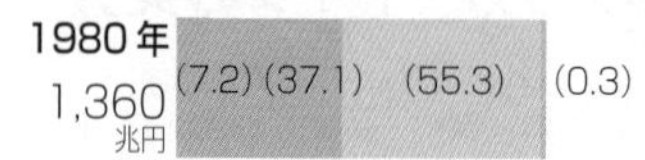

1980年　1,360兆円　(7.2) (37.1) (55.3) (0.3)

↓バブル景気で地価が高騰した。

1990年　3,533兆円　(2.9) (26.2) (69.4) (1.4)

2000年　2,918兆円　(3.1) (39.4) (52.9) (4.6)

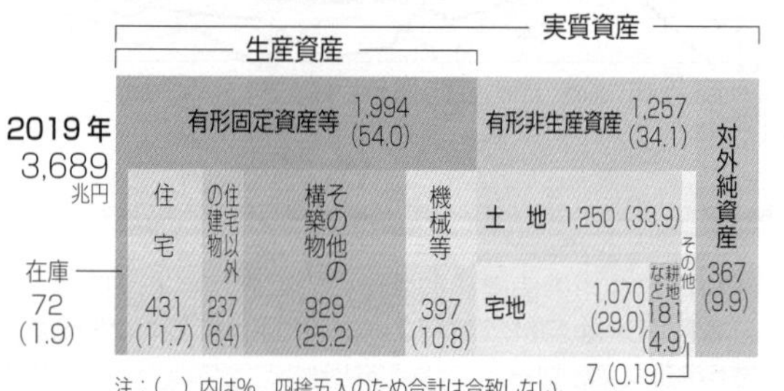

注：（　）内は%，四捨五入のため合計は合致しない。

（『国民経済計算年報』2019）

解説　国富とは，国民が作り出した価値のうち，消費せずに残った資産の総額。いわば，国全体の財産である。今日では厳密な定義があるが，おおむね「期末の国富＝期首の国富＋国民所得税－消費」と考えると分かりやすい。なお，会計は1年単位で計るのが原則で，その始期を期首，終期を期末とよぶ。日本では，期首は4月1日，期末は3月31日とするのが普通である。

経済編

○×で答えよう！正誤問題にTRY✓　経済成長率が低下すると，たとえその値がプラスであっても，GNPは対前年比で必ず減少する。

テーマ学習

戦後日本の経済成長と「失われた30年」?

❶ 経済成長率グラフ

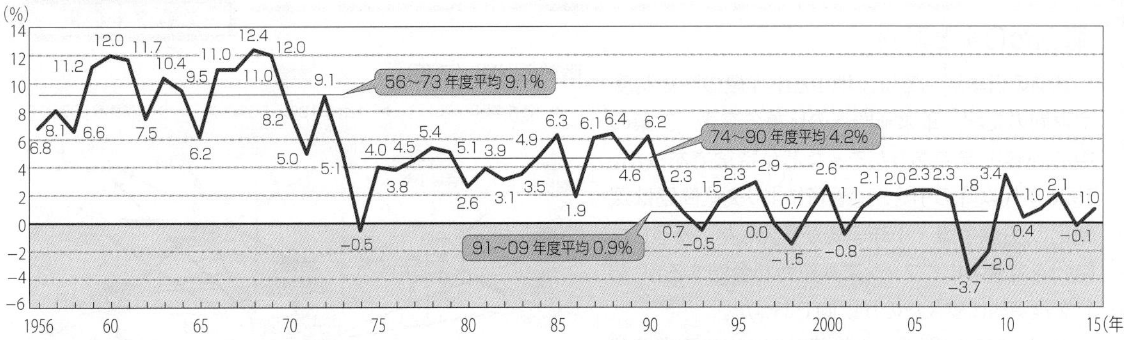

❷ 株価グラフ

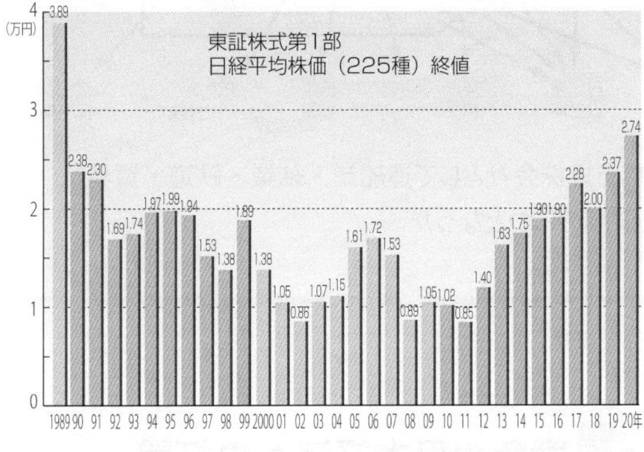

（『経済統計年鑑』2005 ほか）

❸ 失業率グラフ

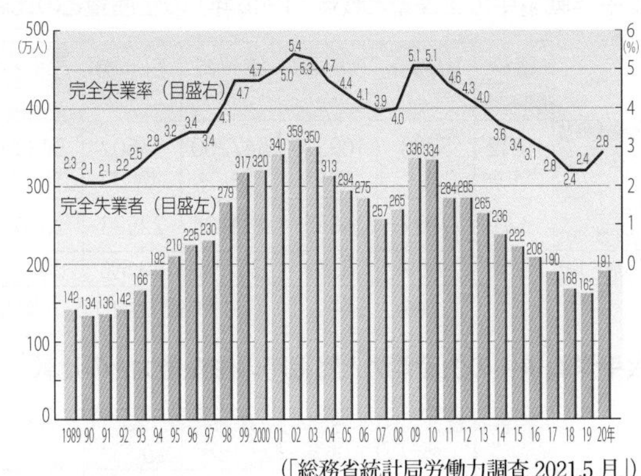

（「総務省統計局労働力調査 2021.5 月」）

❹ 企業倒産件数

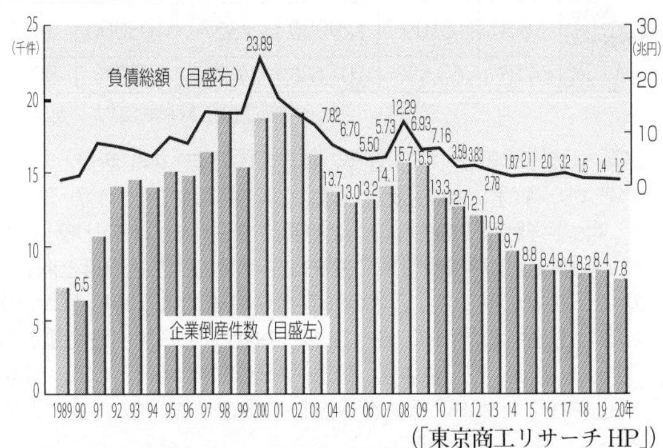

（「東京商工リサーチ HP」）

❺ 重要犯罪の認知件数と検挙率のグラフ

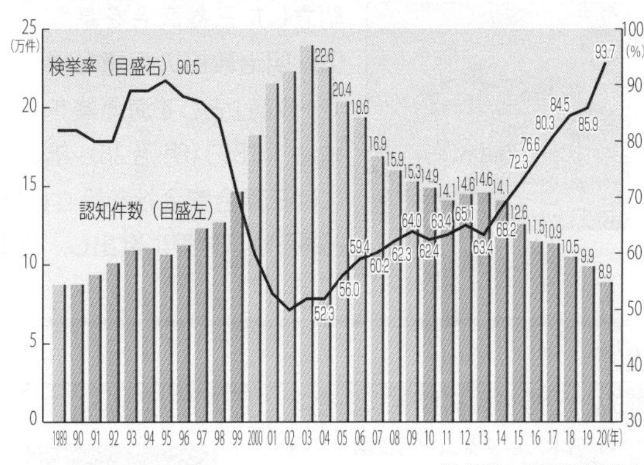

（「令和２年犯罪統計」）

❻ 自殺件数

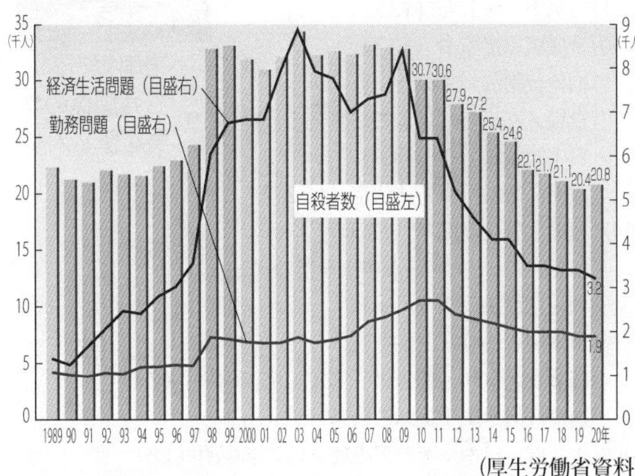

（厚生労働省資料）

❼ 個人破産申し立て件数

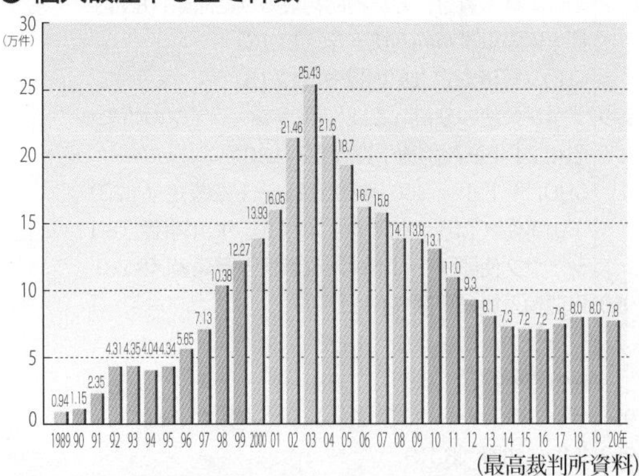

（最高裁判所資料）

45 日本経済の動き

TOPICS

戦前の日本と財閥

戦前の日本経済では，地主と小作農の階級制度や財閥の支配，軍事部門への比重の高さ，工業の中心が軽工業であったことなどが特徴であった。1920年代以降の引き続く恐慌により失業問題は深刻化し，労働争議・小作争議が多発した。そうした時代を背景としてファシズム勢力が台頭するが，それを経済的に支えたのが財閥であった。

右図の三菱財閥は，土佐藩出身の岩崎弥太郎が創立した三菱商会を基盤に，明治政府の保護も得て「政商」として海運業を独占。1893（明治26）年には三菱合資会社を設立した。これを持株会社として造船業・鉱業・鉄道・貿易などあらゆる分野に進出し，日本三大財閥の1つとなった。

三菱一号館（東京，丸の内）

戦前の財閥（三菱）

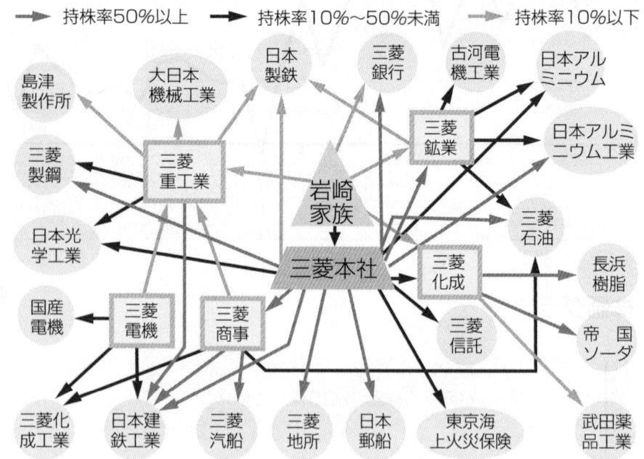

年表①

戦災からの復興に関するおもなできごと

1945（年）	日本，ポツダム宣言受諾（8.14）
	GHQ，財閥の解体を指令（11.6）
	GHQ，農地改革を指令（12.9）
	労働組合法公布（12.22）
1946	金融緊急措置令（2.17）
	物価統制令（3.3）
	食糧メーデー（米よこせメーデー）（5.19）
	日本国憲法公布（11.3）
	政府，傾斜生産方式決定（12.27）
1947	復興金融金庫開業（1.25）
	GHQ，2・1ゼネスト中止を指令（1.31）
	独占禁止法公布（4.14）
	日本国憲法施行（5.3）
	経済安定本部，報告書「第1回経済白書」（7.4）
	過度経済力集中排除法公布（12.18）
1948	米政府，日本：アジアの反共の防壁声明（1.6）
	財閥同族支配力排除法公布，施行（1.7）
	米，エロア資金，対日援助物資の供給開始（8.17）
	極東国際軍事裁判判決下る（11.12）
	GHQ，経済安定九原則指令（12.18）
1949	ドッジ公使の来日（2.1）→ドッジ-ラインの始まり
	昭和24年度超均衡予算成立（4.20）
	GHQ，1ドル＝360円の為替レートを設定（4.23）
	下山事件（7.5），三鷹事件（7.15），松川事件（8.17）
	シャウプ使節団，日本税制改革勧告書発表（8.26）
1950	民間輸入貿易再開（1.1）
	シャウプ，税制実施（4.1）
	朝鮮戦争勃発（6.25）
1951	サンフランシスコ講和条約に調印，独立（9.8）
1952	IMFに加盟（8.13）

帝国銀行から三井関係の株券を運ぶ人々。

1 戦争の日本経済への打撃

太平洋戦争中の生産量と戦後（1946年）の生産量との比較

	鋼材（千トン）	セメント（千トン）	アルミニウム（トン）	錦糸（千ポンド）	石炭（千トン）	電力（百万キロワット時）
戦争中の最高生産量（A）	4242（1941年）	5383（1941年）	109525（1944年）	547260（1941年）	55602（1941年）	34836（19413年）
1946年の生産量（B）	326	1027	4635	194114	22523	28103
B÷A×100	7.7%	17.6%	4.2%	35.5%	40.5%	80.7%

（『日本経済統計図鑑』公論社）

太平洋戦争中の生産能力と終戦時の生産能力との比較

	銑鉄（千トン）	セメント（千トン）	アルミニウム（トン）	綿紡（千ポンド）	銅（トン）	工作機械（台）
戦争中の最高生産量（A）	6600（1941年）	9621（1941年）	127000（1944年）	13796（1941年）	144000（1941年）	60134（19413年）
終戦時の生産能力（B）	5600	6109	129000	2367	105000	54000
B÷A×100	84.8%	63.5%	101.6%	17.2%	72.9%	89.8%

（『日本経済の現実』太平書房）

解説 「太平洋戦争中の生産量と戦後（1946年）の生産量との比較」の表より，戦争により生産量は激しく落ち込んだことが分かる。しかし，「太平洋戦争中の生産能力と終戦時の生産能力との比較」の表より，戦争による機械や設備の喪失は生産量の落ち込みほど激しくはない。終戦の時でも，日本は一定の生産能力は保持していたのである。生産能力がかなり残っていたにもかかわらず，生産量が激しく減ったのは，戦災により，輸送網が破壊されるとともに，貿易が停止されたために，原材料や燃料の調達が難しくなったことによる。

○×で答えよう！ 正誤問題にTRY✓ 戦後復興期には，貿易自由化の政策により貿易額が拡大した。

2 農地改革

農家自小作別 　数字は%、( )内は万戸

1ha以上(41年)・保有制度(49年)の貸付耕地所有農家 / 土地を耕作しない農家

	自作農	自小作農	小自作農	小作農	土地を耕作しない農家
1941年(541万戸)	27.5 (149)	20.7 (112)	20.2 (109)	28.0 (152)	0.4 (2)
1949年(625万戸)	55.0 (343)	27.8 (174)	7.3 (46)	7.8 (49)	0.0 (0.07)

1ha以上(41年)・保有制度(49年)の貸付耕地所有農家：1941年 3.0(17)、1949年 2.1(13)

耕地自小作別 　数字は%、( )内は万戸

	自作地	小作地
1941年(581万ha)	53.8 (313)	46.2 (268)
1949年(496万ha)	86.9 (431)	13.1 (65)

(『現代日本経済史』有斐閣)

解説　戦前の日本農業は地主の所有する土地を小作農が借りて耕すという地主ー小作農関係から成り立っていた。これが農民の貧困の温床であった。地主制を解体するために，1945年12月，GHQの後押しを受けて，改正農地調整法が成立し，地主の土地保有は5町歩(約5ha)までとなった(第一次農地改革)。しかし，イギリス，ソ連から改革が不充分であると批判を受け，1946年10月自作農創設特別措置法などが成立し，地主の土地保有は1町歩までに強化された(第二次農地改革)。農地改革により，自分の田畑を耕作する自作農が大幅に増加した。

3 激化するインフレーション

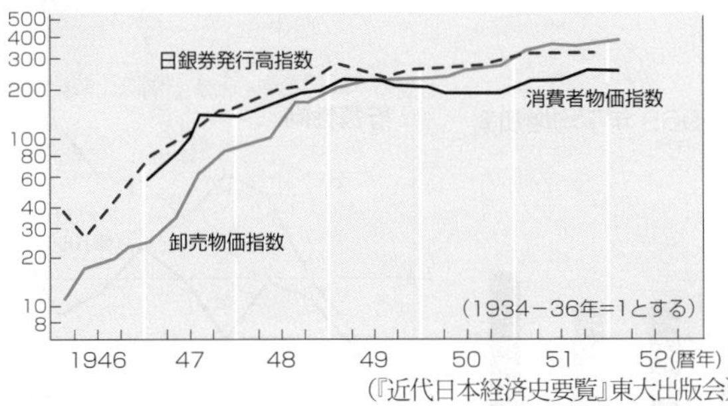

(『近代日本経済史要覧』東大出版会)

解説　戦争が終わった直後から激しいインフレーションが発生する。企業も人々も不足していた物資を求めたことが根本的な原因である。インフレーションに応じて，日銀券の発行高も大きく増大していった。インフレが1949年頃から沈静化していくのは，ドッジ-ラインの効果による。

傾斜生産方式(北海道　赤平炭鉱)　1946年12月，政府は戦災からの復興の決め手は鉄鋼と石炭の増産にあるとして，資金や原料をこれらの産業に集中させるという傾斜生産方式を決定した。傾斜生産方式を支援するために政府の金融機関である復興金融金庫は豊富に資金を貸し出した。

4 ドッジ-ライン

解説　インフレの悪化や生産の停滞など経済の復興が順調に進まないため，1948年12月アメリカ政府はマッカーサーを通じて，吉田茂首相に経済安定九原則を指示する。これを実現するためにアメリカ政府は，デトロイト銀行頭取のジョセフ=ドッジ(写真右)を日本に派遣する。ドッジによる経済政策をドッジ-ラインという。主な内容として，次の4つがあった。

① 超均衡予算（歳入が歳出よりも多い予算）の実現
② 歳出の抑制
③ 復興金融金庫の貸出の禁止（復金の貸出の資金は日銀から調達した資金であったため，インフレを引き起こしていた。）
④ 1ドル= 360円の固定為替相場制の設定

5 朝鮮戦争と朝鮮特需

特需の収入高

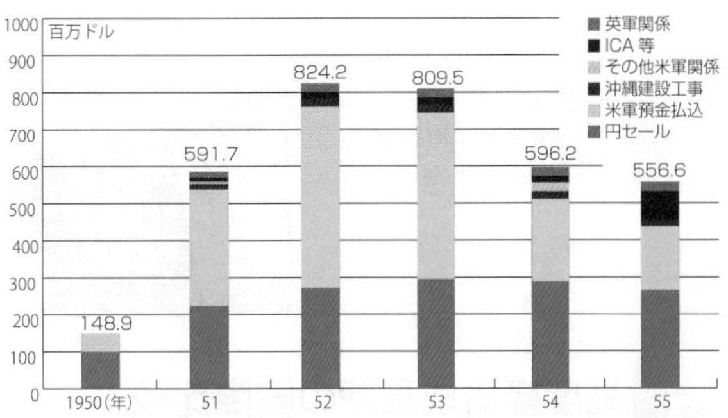

契約高順位（1950.6 ～ 55.6）

サービス			物資	
1	建物の建設	107,641	兵器	148,489
2	自動車修理	83,036	石炭	104,384
3	荷役・倉庫	75,923	麻袋	33,700
4	電信・電話	71,210	自動車部品	31,105
5	機械修理	48,217	綿布	29,567

(『近代日本経済史要覧』東大出版会ほか)

解説　特需とは，アメリカ軍やアメリカ政府機関，在日アメリカ軍人がドル資金を使って，日本の業者から物資やサービスを購入することであり，1950年に勃発した朝鮮戦争をきっかけにして増大した(朝鮮特需という)。1960年代後半にもベトナム戦争にともなって特需がのびた。特需の内訳としては，自動車（トラック），兵器の修理，石炭，綿布などがある。

アメリカ軍用機の修理をする川崎市の工場

アメリカからの特需により，日本ではドッジ-ラインによる不況から，特需景気とよばれる好景気が訪れる。特に，繊維業界，金属産業の業績が伸びたことから，「糸ヘン景気」「金へん景気」といった言葉が流行した。

経済編

○×で答えよう! 正誤問題にTRY✓　ドッジ-ラインによって経済安定化のために，間接税中心の税制が導入された。

年表②

	高度経済成長と安定成長に関するできごと
1955	GATT に加盟（9）
	「経済自立５ヶ年計画」を決定（12）
1956	経済白書「もはや戦後ではない」（7）
	国連に加盟（12）
1958	一万円札発行（12）
1959	八幡製鉄所日本最大高炉の始動開始（9）
1960	ソニー，世界初のトランジスタテレビ発売（4）
	国民所得倍増計画（12）
1961	農業基本法公布（6）
1962	テレビ受信契約数 1000 万台突破（3）
	全国総合開発計画（10）
1964	IMF8 条国に移行，OECD 加盟（4）
	東海道新幹線開業（10）
	東京オリンピック開催（10）
1965	山一証券再建策発表（5）
	戦後初の国債発行（11）
1967	GATT，ケネディ・ラウンド交渉妥結（5）
1968	八幡・富士製鉄合併，新日鉄誕生（4）
	消費者保護基本法公布施行（5）
1969	GNP 世界第２位に（4）
	政府，水俣・四日市・川崎など６カ所を公害病対象地に
1970	大阪万国博覧会開催（3）
1971	沖縄返還協定調印（6）
	ニクソンショック（8）
	円切り上げ１ドル＝ 308 円（12）
1972	田中角栄『日本列島改造論』発表（6）
1973	円変動相場制に移行（2）
	第１次石油危機（10）

6 耐久消費財の普及

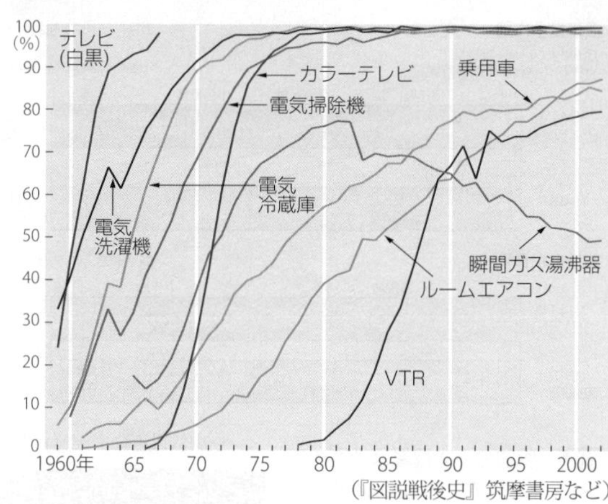

（『図説戦後史』筑摩書房など）

解説 高度経済成長期の特徴の一つは，家庭の耐久消費財の普及である。1960年代前半では白黒テレビ，電気洗濯機，電気冷蔵庫が代表で「三種の神器」と呼ばれた。60年代後半のいざなぎ景気の頃の代表が，car, cooler,colour television であり，「３Ｃ」と呼ばれた。

耐久消費財の普及は家電メーカーや自動車会社の設備投資を促進したばかりではなく，こうした企業向けに原材料や機械を売る企業の設備投資も活性化するなど，投資の拡大や産業の重化学工業化に大きく貢献した。

7 高度経済成長期の国際比較

（『日本経済を中心とする国際比較統計』）

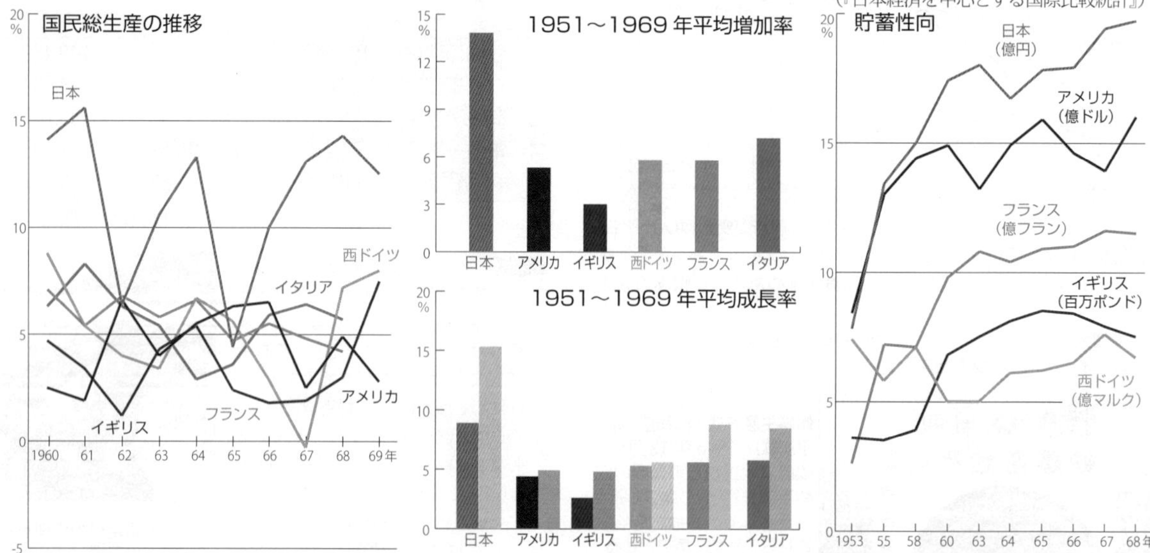

解説 高度経済成長期には，日本の国民総生産（ＧＮＰ）の伸びは，欧米の先進国の伸びを大きく超えている。工業や製造業の分野では活発な生産活動が行われ，個人消費も設備投資も他国よりも非常に旺盛であった。これが大幅なＧＮＰの伸びを記録した背景にある。特に，「投資が投資を呼ぶ」（1961年度『経済白書』）と表現されたほどの設備投資の増加は，国民の高い貯蓄率により支えられていた。国民が銀行に預けた資金が企業の設備投資のために貸し出されたのである。

経済編

○×で答えよう! 正誤問題にTRY✓ 日本の高度経済成長期においては，第一次産業の比重が著しく低下し，第二次・第三次産業の比重が高まった。

高度経済成長期，日本では石炭から石油へのエネルギー資源の利用が変化していった（エネルギー革命）。これにより，日本の石炭会社は深刻な経営危機に陥る。各社とも炭鉱労働者の大幅解雇を実施したため，労働争議が発生する。最大の労働争議は1960年の九州の三池炭鉱で生じた三井三池争議。

8 石油危機とマイナス成長

買い占めによって棚から商品がなくなったスーパー

解説 第4次中東戦争に伴い，1973年10月アラブ産油国は原油価格を大幅に引き上げた。第1次石油危機の始まりである。原油価格は約4倍に上昇し，日本を始めとして，世界経済に深刻な打撃を与えた。先進各国はインフレーションと不況が同時に発生するスタグフレーションに陥った。日本では，石油価格の引き上げに乗じて多くの商品が便乗値上げの対象となった。また，トイレットペーパー，洗剤などを買い占めて，高くなった時に売るという買い占め・売り惜しみが横行した。石油危機をきっかけに，1974年度の日本の経済成長率は，戦後初めてのマイナスを記録した。

Column 高度経済成長の要因

国内的要因

① 経済民主化などの戦後改革により自由な競争市場が確保され，かつ所得水準の向上は国内の消費市場を拡大させた。
② 技術革新を積極的に行い，かつ，それに対応できる優れた労働力も豊富であった。
③ 企業間の競争や税制面での優遇によって設備投資が活発に行われた。
④ 国民の高い貯蓄率により企業の設備投資資金が確保された。
⑤ 政府の積極的な産業保護政策により，欧米からの先端技術の導入に対する援助や資金の融資，産業基盤の整備などが実施された。
⑥ 平和憲法の下，軍事支出を極小に抑え，民需中心の経済活動を展開することができた。
⑦ 終身雇用制，年功序列型賃金体系により労働者の会社に対する帰属意識を高めた。

国際的要因

① IMF・GATT体制の下で自由貿易の利益を享受できた。
② 世界的にも経済発展が進行し，輸出拡大が可能だった。
③ 1ドル＝360円という固定為替相場は，生産性の向上により割安となり，国際競争力を高めることができた。
④ 石油などの原材料を比較的安価に輸入可能だった。
⑤ 朝鮮戦争やベトナム戦争等「特需」の恩恵を受けた。

9 石油危機から脱出する日本

経済成長率

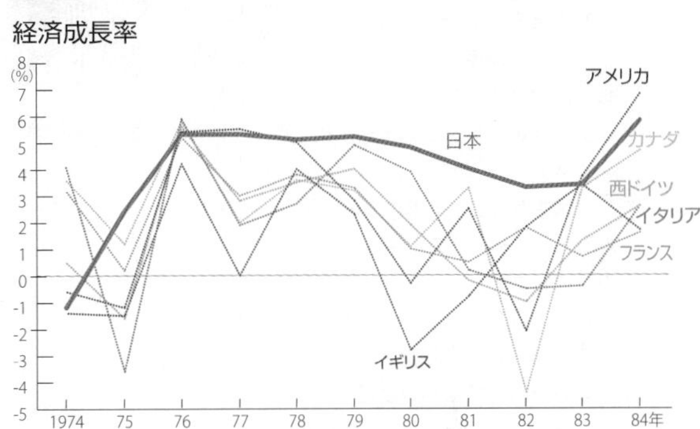

主要国の鉱工業精算（製造業）

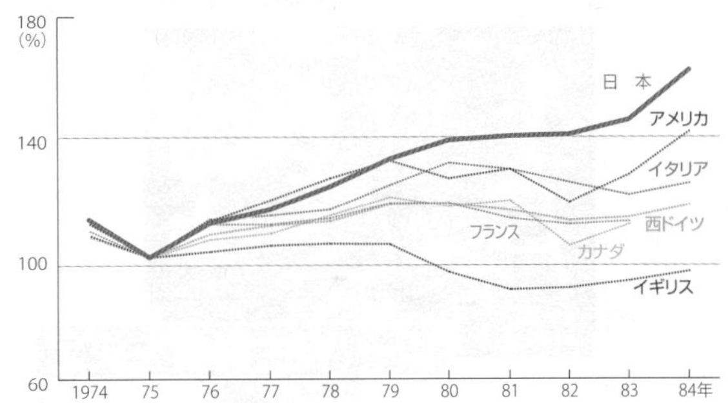

主要国の消費者物価指数

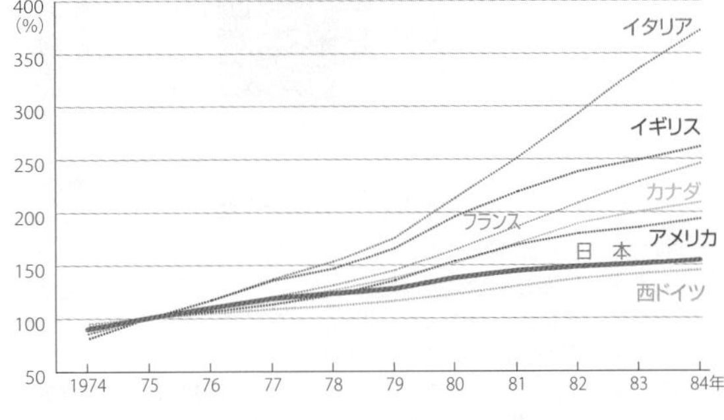

（『国際比較統計』1985）

解説 石油危機以後，日本の企業は他国の企業に先駆けて，原料経営を進めるとともに，多品種少量生産や省エネルギー型の商品開発に取り組んだ。その成果が現れて，日本経済は石油危機による世界的不況からいち早く脱出する。鉱工業生産や経済成長率は欧米先進国に比べて高い伸びを達成する一方，世界的な物価上昇のなかにあっても，日本の物価上昇はドイツと並んでゆるやかなほうであった。石油危機後，日本経済は世界経済の機関車として評価されるようになる。

経済編

○×で答えよう！ 正誤問題にTRY✓ 二度の石油危機の後を，日本企業は大量の人員整理によって乗り切っていった。

バブル経済と平成不況に関するおもなできごと

年	できごと
1985	NTT・日本たばこ産業発足（4）
	プラザ合意（9）
1986	前川レポート発表（4）
1987	日銀公定歩合 2.5%へ（2）
	ＪＲ発足（4）
	世界的株価暴落（ブラックマンデー）（10）
1988	1ドル＝120円を記録
1989	税率3％の消費税導入（4）
	日米構造協議開始（9）
	ベルリンの壁崩壊（11）
	日経平均株価 38,915円を記録（12）
1990	大蔵省，不動産融資総量規制を通達（3）
1991	湾岸戦争（1）
	牛肉・オレンジ輸入自由化スタート（4）
	大手証券会社の損失補填事件発覚（6）
1992	公示地価が17年ぶりに下落（3）
1993	ウルグアイ‐ラウンド交渉妥結（12）
1995	ＷＴＯ発足・阪神・淡路大震災（1）
	円最高値（当時）1ドル＝79円75銭（4）
1996	住専問題で公的資金投入（6）
	「日本版ビッグバン」構想発表（11）
1997	消費税率5%に引き上げ（4）
	北海道拓殖銀行・山一証券の倒産（11）
1998	金融再生関連法の成立・長銀が一時国有化（10）
	日債銀が一時国有化（12）
1999	欧州連合単一通貨ユーロ誕生（1）
	日銀がゼロ金利導入（2）
	大手15行に7兆5,000億円の公的資金投入（3）

株価、空前の暴落
NY、史上最大の508ドル 22%
東証も2210円下げ
「ペルシャ湾」など影響
取引中止を検討

山一、自主廃業を決定
日銀は特融実施
負債総額3兆5000億に
公的資金を検討
富士銀 先月6日に把握

金融機関の破綻　1997年11月都市銀行の一つである北海道拓殖銀行が破綻した。バブル期のリゾート開発事業への過剰な貸し出しが不良債権となって，経営を圧迫したためである。同月には4大証券会社の一つであった山一証券も破綻した。大手金融機関の経営破綻により，この頃から金融不安が深刻化した。

10 産業別就業者の割合の変化

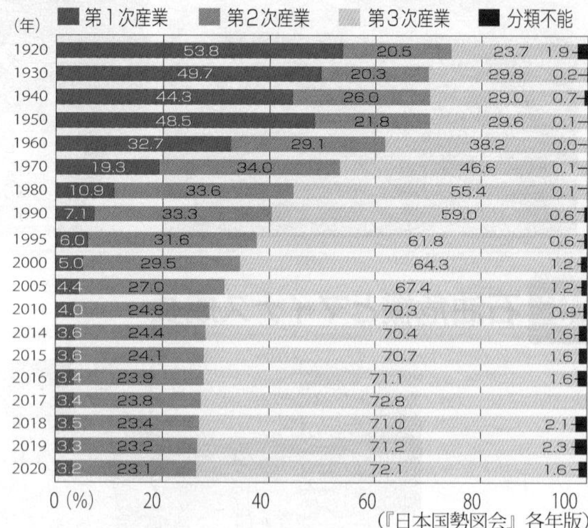

（『日本国勢図会』各年版）

解説　経済が発展するにつれ，産業構造の比重は第一次産業（農林業，水産業）から第二次産業（鉱業，製造業，建設業）そして第三次産業（卸・小売業，金融業，運輸業，その他サービス業）へと移っていく（「ペティ・クラークの法則」）といわれている。わが国でも高度経済成長にともない第一次産業の比重が急速に低下する一方，第三次産業の比重が急増した。今日では，ものや資源といった「ハード」よりも，知識，情報，サービスを中心とする「ソフト」分野が相対的に高まり，いわゆる「経済のソフト化・サービス化」がすすんでいる。

11 バブル期の銀行の不動産融資

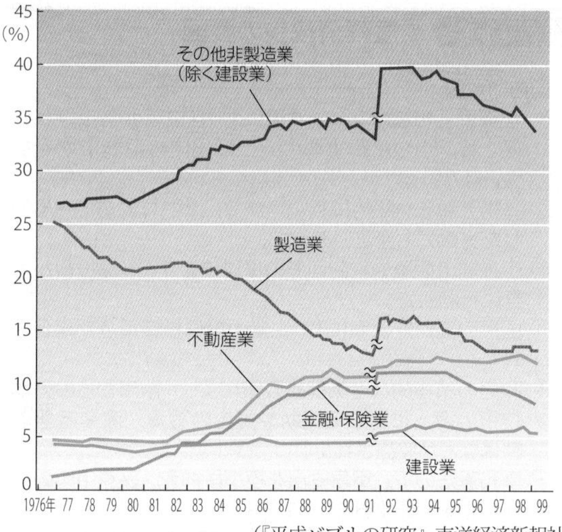

（『平成バブルの研究』東洋経済新報社）

解説　80年代後半大企業は社債や株式の発行による資金の調達を強めていき，銀行からの借り入れ依存を低下させた。製造業への貸出残高が減少しているのはこの事実をあらわしている。代わりに，銀行は不動産業やノンバンクなどの金融業への貸し出しを増やしていく（ノンバンクへの貸し出しも不動産業へ資金が流れる）。バブル期に地価が異常に上昇したのは土地投機に走る企業への銀行・ノンバンクの過剰な貸し出しが原因であった（ノンバンク：預金業務は行わず，貸し出し業務のみを行う金融機関，消費者金融，信販会社などがある）。

○×で答えよう！ 正誤問題にTRY✓　バブル崩壊後，不況にもかかわらず物価が上昇したので，日本経済はスタグフレーションと呼ばれる状態になった。

12 地価の対前年推移

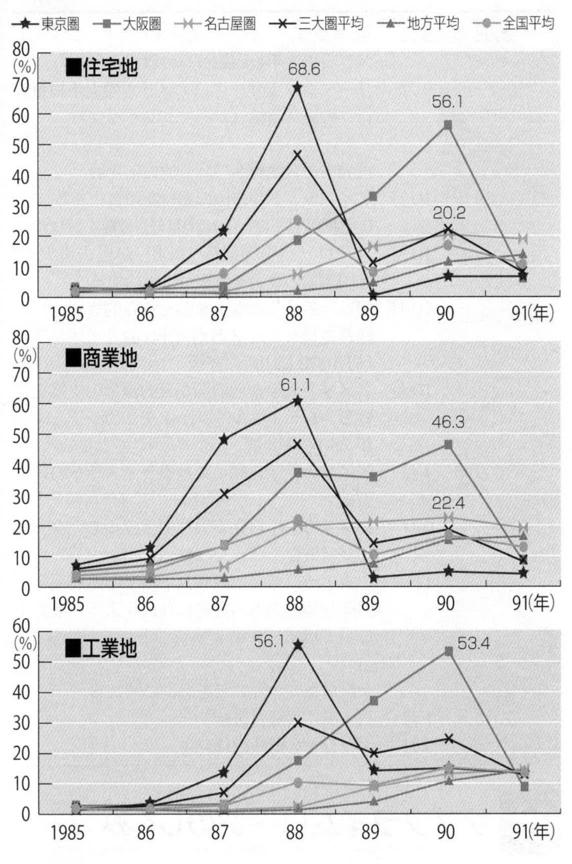

解説 1985年9月プラザ合意をきっかけに急速な円高が日本経済を襲う。円高の進行につれて，輸出企業や輸入品と競合する企業は苦境に陥った(円高不況)。これに対処するため，日銀は87年2月より公定歩合を当時では最低の2.5%に引き下げるなど金融緩和策を実施する。銀行からの資金の借り入れが容易になったため，多くの企業が株式投資や土地投機に走った。地価，株価が異常な上昇を来たすバブル経済が発生した。

地上げ 1987(昭和62)年7月16日，東京・西新橋に空き地が目立つ。バブル景気によって大規模の再開発事業が次々と進められたころ。値下がりしないという当時の土地神話が投機熱を加速させ，地価高騰が続いた。転売目当てで強引に土地を買いあさる「地上げ屋」が社会問題化した。

13 バブル経済と平成不況

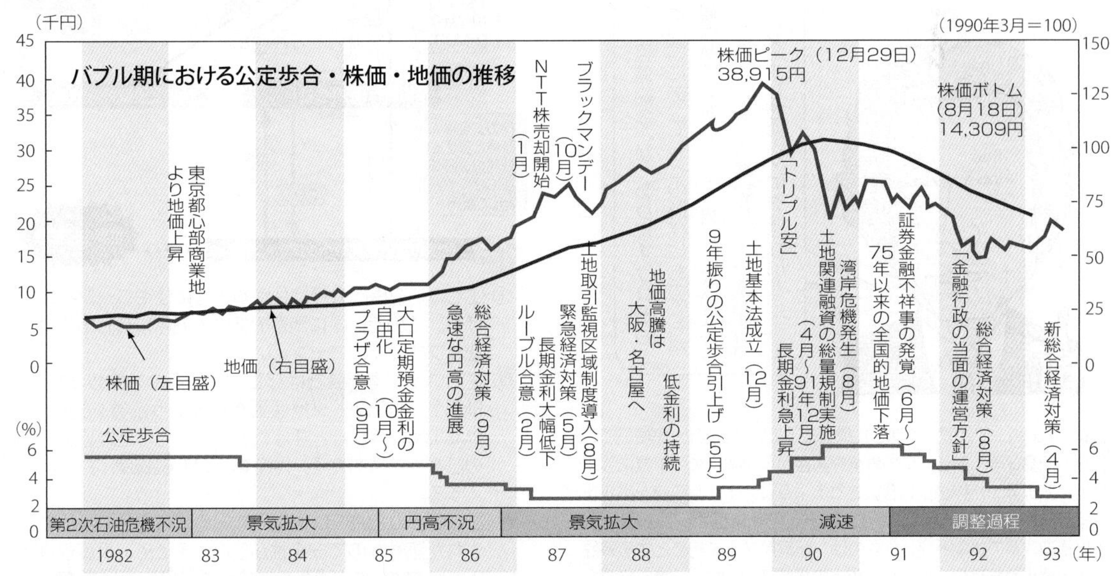

(『通商白書』1993)

解説 地価上昇が深刻な社会問題になったことなどから，89年5月より日銀は金融引き締め政策を実施する。90年8月には公定歩合は6%にまで引き上げられた。加えて，1990年3月には大蔵省が銀行に対して不動産向け融資を規制する通達(不動産融資総量規制)を出す。こうした政策により90年代初めにバブル経済は崩壊する。バブル崩壊後，地価，株価が下落し続けるとともに，1999年からは消費者物価も持続的に下がるなどデフレが本格化した。バブル崩壊により，銀行の不動産業に対する過大な貸し付けは不良債権になっていく。

○×で答えよう! 正誤問題に TRY✓ バブル崩壊後，消費の低迷に加え，銀行による貸出し抑制などがあって，日本経済は次第にデフレーションの色彩を強めた。

年表④

2000年代から現代の経済のおもなできごと	
2000	日銀がゼロ金利解除（8）
2001	中央省庁再編（1）
	政府がデフレ宣言，日銀が量的緩和導入（3）
	ペイオフ実施（4）
	小泉内閣「骨太の方針第一弾」発表（6）
	アメリカ同時多発テロ発生（9.11）
2002	小泉内閣，総合デフレ対策を発表する（10）
2003	日経平均株価がバブル崩壊後最低を記録，7,607円（4）
	りそな銀行に公的資金投入（5）
	足利銀行に公的資金投入（11）
2006	三菱東京UFJ銀行，公的資金完済（6）
	みずほ銀行，公的資金完済（7）
	三井住友銀行，公的資金完済（10）
2007	フランス大手金融機関でサブプライムローン問題が表面化（7）
2008	アメリカ大手金融機関，リーマンブラザースが経営破綻（リーマンショック）（9）
	→世界金融危機に
	麻生内閣，過去最大（27兆円）の経済対策（10）
2009	失業率（2009年7月）が過去最悪の5.7%（8）
2010	日本航空の経営破綻（1）
2013	アベノミクス政策の実行
2014	消費税が8%に引き上げられる（4）
2015	TPP交渉が大筋合意（10）
2016	日銀がマイナス金利政策を導入（2）
2019	消費税が10%に引き上げられる（10）

14 小泉構造改革

解説 小泉純一郎内閣が推進した構造改革は郵政民営化（郵便局での郵便，簡易保険，郵便貯金の事業を国営から民間企業の事業に移すこと，2007年10月実施）に代表されるように，小さな政府をめざす政策であり，このことから，新自由主義の考えに根ざしていた．
小泉構造改革の対象となったものは，郵政民営化を初めとする特殊法人の廃止や見直し，1000項目以上の規制緩和，地方分権を目的とした三位一体改革など多岐にわたったが，派遣労働の大幅な拡大（例えば，製造業への派遣を可能とする）に象徴されるように，小泉路線は人々の間の所得格差を助長したと指摘される．

15 サブプライムローン問題と世界金融危機

2008年	5月	JPモルガン・チェースがベアスターンズ（アメリカの大手投資銀行）の救済合併
	9月	リーマンブラザース（アメリカの大手投資銀行）の経営破綻（リーマンショック） ↓ 世界中の金融機関の経営危機に発展
2008年	10月	アイスランドが自国の銀行を国有化する（=国の管理下に入らなければ経営破綻するため）
	10月	ヨーロッパ中央銀行（ECB）が過去最大10兆円規模の資金を各銀行に供給する
	10月	UBS（スイスに本店を置く世界的な銀行）の経営危機にスイス政府が60億スイスフラン（約5000億円）の支援
	10月	アメリカ大手金融機関が公的資金の支援を受ける。シティグループ，JPモルガンチェースが250億ドル等
2009年	4月	アメリカ大手自動車会社クライスラーの経営破綻
	6月	アメリカ大手自動車会社ゼネラルモーターズの経営破綻
	11月	中東アラブ首長国連邦，ドバイの政府系金融機関が債務の返済を先に伸ばすように要請する→ドバイ・ショック ↓ 金融危機が世界経済を恐慌に陥れる
2010年	1月	日本航空の経営破綻
	5月	ギリシャの財政危機発生

16 サブプライムローンのしくみ

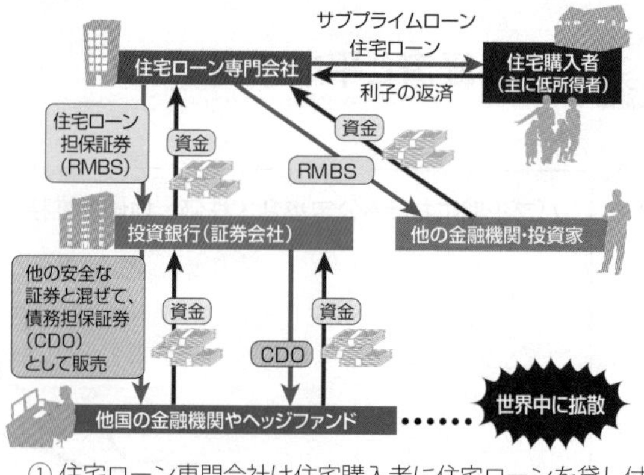

① 住宅ローン専門会社は住宅購入者に住宅ローンを貸し付ける。この時，主に所得の低い人向けに貸し出すローンをサブプライムローンという。
② 住宅ローン専門会社は貸し付ける資金を集めるために，RMBS（住宅ローン担保証券）という証券を発行する。RMBSは投資銀行と呼ばれるアメリカの金融機関（日本の証券会社に当たる）やその他の金融機関，投資家が購入する。
③ この場合のRMBSは信用力の劣る貸し出しのために発行された証券なので安全性が低い。そこで，投資銀行は購入したRMBSをもとに他の安全な証券を混ぜて，CDO（債務担保債券）という金融商品を作り，これを世界中の金融機関，ヘッジファンド（マネーゲームで利益を求める金融の専門組織）に売る。
④ こうして，世界中の金融機関などから，アメリカの低所得者向けの住宅ローンの資金が集まるのである。

○×で答えよう！ 正誤問題にTRY✓ ペティ・クラークの法則の通り，2000年代の日本では基幹産業である第二次産業の就業人口の割合が6割を超えている。

17 サブプライムローン問題と世界経済

アメリカは，連邦準備制度理事会（FRB，アメリカの中央銀行に当たる）が低金利政策を採っていたために，住宅ローンの金利も低くなり，2000年以降，住宅購入が活発で，住宅価格も上昇していた。転売目的での住宅投機・土地投機も盛んになった。また，割安なCDOを買って，高くなれば売って利益を上げることができるため，世界中に拡散したCDOでの投機も盛んとなった。特に，ヘッジファンドは保有するCDOを担保にして，何十倍もの資金を借り(これをレバレッジをかけるという)，それを元手にCDOなどの投機に走るのであった。

サブプライムローン問題による世界経済への影響

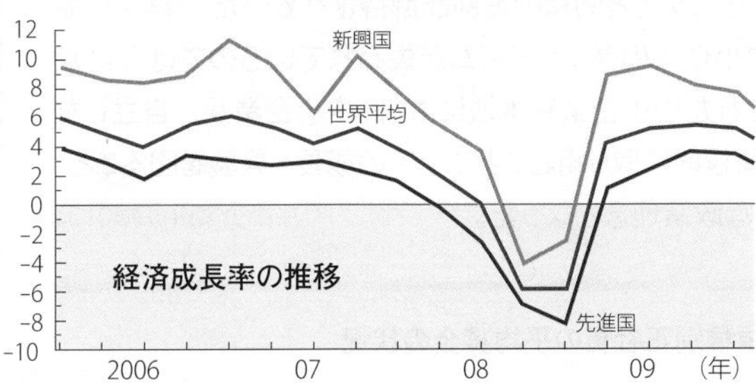

解説 アメリカでは2006年より住宅価格が暴落した。そのため，住宅ローンの残額がマイホームの売却額を上回ってしまう事態が生じた。こうなると，住宅ローンの返済が一端滞ってしまった時点で，返済の道はなくなってしまう。こうして，サブプライムローンを返済できないアメリカ人が急増する。しかし，RMBSやCDOが安全な証券であることの条件は，サブプライムローンで住宅ローンを借りているアメリカの人々が，きちんと返済することである。アメリカでサブプライムローンを返済できない人々が急増することは，この条件が崩れたことを意味する。こうして，RMBSやCDOを購入した世界中の金融機関やヘッジファンドが経営危機に陥った。また，売りさばくことのできない大量のCDOを抱えたアメリカの投資銀行も経営危機に陥った。こうして，サブプライムローン問題が世界経済を襲ったのである。

Column リーマン・ショックと財政出動

2008年9月15日・暗黒の月曜日，ニューヨーク，ダウ・ジョーンズ平均株価は前週末より504ドル48セント安い10,917ドル51セントに落ち込んだ。そして，この日アメリカの大手投資銀行の一つ，リーマン・ブラザーズが破綻した。「リーマン・ショック」である。

サブプライムローン問題をきっかけとした負債総額6,000億ドルにおよぶアメリカ史上最大の倒産である。この状況を，FRBグリーンスパン前議長は「100年に一度のツナミ」と形容した。そして，この言葉をもとに，2008年9月以降の経済状況を「100年に一度の経済危機」とあらわすようになった。その後，世界経済には深刻なクレジット・クランチ(貸し渋り)がおき，貸し出しが減少，投資が激減した結果，世界経済は総崩れとなった。この状況を，'恐慌'とよぶケースも増えた。　（『経済財政白書』2010）

18 アベノミクス

大胆な金融政策という矢
インフレ目標 2%
異次元の金融緩和（新量的緩和政策）

機動的な財政政策という矢
内閣発足後 17 日目に 10 兆円規模の経済対策
国土強靭化計画（防災、インフラの改修）

民間投資を喚起する成長戦略という矢
投資減税の導入

目標 デフレからの脱却　名目 3%の経済成長 → 2%

解説 2012年12月に発足した安倍晋三内閣は，バブル崩壊後，日本経済が陥っていたデフレからの脱却を掲げ，その政策手段として，金融政策，財政政策，成長戦略を実施している。この3本の矢を柱とする経済政策はアベノミクスと命名された。この効果で，円安が進行し，株価も上昇傾向を見せた。しかし，その恩恵にあずかるのは，輸出に依存している大手企業であり，株式を保有する高所得者であるなど一部の企業や人々に過ぎない。また，2％のインフレ率の目標の実現に応じて，国債の金利の上昇が予想される。

主な内容

- 2%のインフレ目標を達成する(2年間のうちに)
- そのために，マネタリーベースを2年間に，現在（2012年12月末時点）より2倍の270兆円まで増やす
- その結果として，日本銀行による長期国債の保有額は現在(2012年末)より2倍の190兆円に増やす

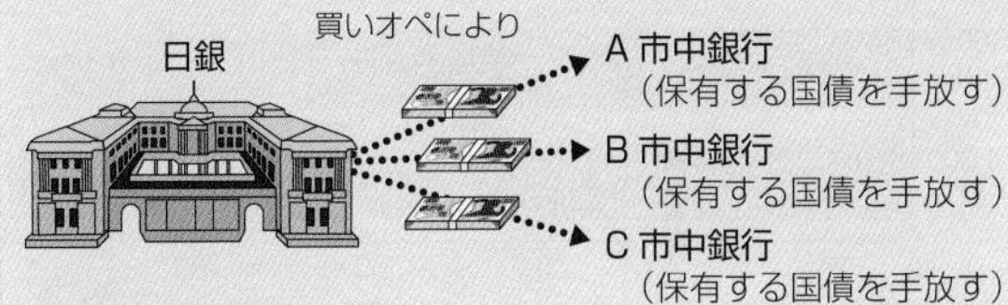

その結果

日銀は大量の国債を保有（190兆円），
市中銀行は大量のマネー（ベースマネー）を保有（270兆円）
↓
市中銀行はどんどん企業や私たちにカネを貸せる
↓
世の中にマネーが増えてインフレ状態
↓
2%のインフレ達成

給料がふえた！
売上が良くなった！

解説 2012年4月黒田東彦日銀総裁は「異次元の金融緩和」と称される新たな量的緩和政策を発表した。従来の量的緩和政策は，日銀が少しずつ市中銀行の保有する国債を買うやり方だったが，新量的緩和政策では，大胆に大量に国債を買う方法を採る。これにより世の中にマネーが増えてインフレになることが期待され，2％の物価目標が達成できるという。しかし，日銀が大量の国債を保有すると，国の赤字の穴埋めをしているとの批判や市中銀行が日銀から得たマネーが土地の購入や株式の購入の資金に充てられて，バブルが再燃するのではないかという懸念も強い。さらに，国債の売買市場では，日銀が大量の国債を買いすぎると価格が不安定化し，かえって，国債の金利の上昇すら起こっている。

経済編

○×で答えよう！ 正誤問題にTRY✓ サブプライム・ローン問題を契機に，IMF（国際通貨基金）により資本の自由な移動が原則として禁止された。

46 中小企業とその課題

TOPICS

中小企業の定義

中小企業基本法第2条第1項の規定に基づく「中小企業者」がその定義である。

業　種	中小企業者（下記のいずれかを満たすこと）	
	資本金	常時雇用する従業員
①製造業・建設業・運輸業その他の業種（②～④を除く）	3億円以下	300人以下
②卸売業	1億円以下	100人以下
③サービス業	5000万円以下	100人以下
④小売業	5000万円以下	50人以下

中小企業は，機動性や柔軟性を発揮して環境変化に対応し，活発な開廃業，新事業展開を通じて，我が国の産業の構造転換・活力維持に大きな役割を果たしてきた。したがって，産業空洞化の懸念への対応においても，中小企業にはそれまでと同様の役割が期待されていた。バブル崩壊後の厳しい経済情勢や80年代以降の構造変化により，中小企業のダイナミズムが失われているのではないかとの懸念が高まった。そうしたなか，1999年12月に改正された中小企業基本法により，中小企業が，自立した経営主体として，専門的知見を活かした多様な事業活動に積極的に取り組むことで，その成長・発展を図ること，すなわち，「多様で活力ある中小企業の成長・発展」が新たな政策理念となった。（『中小企業白書』2013）

経済編

1 大企業と中小企業

年間休日総数ごとの企業数の割合

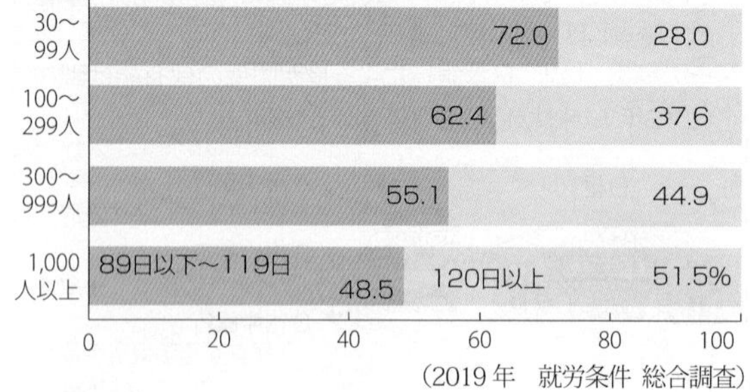

（2019年　就労条件 総合調査）

業種別正社員の平均賃金の状況

600（千円） 500 400 300 200 100 0
大企業 中企業 小企業
産業計／鉱業，採石業，砂利採取業／建設業／製造業／電気・ガス・熱供給・水道業／情報通信業／運輸業，郵便業／卸売業，小売業／金融業，保険業／不動産業，物品賃貸業／学術研究，専門・技術サービス業／宿泊業，飲食サービス業／生活関連サービス業，娯楽業／教育，学習支援業／医療，福祉／複合サービス事業／サービス業（他に分類されないもの）

（『2019年賃金構造基本統計調査』）

2 資金調達方法

規模が小さい企業は借入金に依存している（2006年度）

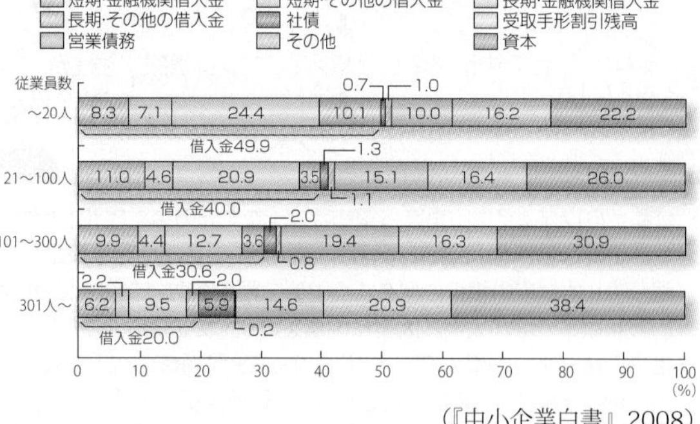

（『中小企業白書』2008）

解説　大企業は事業に必要な資金を金融機関から調達する（間接金融）ばかりではなく，株式や社債の発行によって調達している（直接金融）。中小企業は金融機関から調達する傾向が強い。

Column　クラウドファンディング

金融機関以外からの新しい資金調達手段として注目されているのが，ITを活用した資金調達方法である。インターネットを介して（クラウド上で）不特定多数の人々から資金調達することから，「クラウドファンディング」と呼ばれる。クラウドファンディングは，資金調達を検討している者が，インターネット上の資金調達サイトを利用して資金募集を行い，その資金募集ページを見た不特定多数の人々から出資を受けることとなる。中小企業がクラウドファンディングを利用するメリットとしては，

金融機関から資金調達ができなかった際に，このサイトに自社の取り組みやプロジェクト等を掲載しアピールすることで，資金調達が可能になることが考えられる。また，マーケティング活動に利用できたりする面もある。社会的課題の解決を目標とする，ソーシャルビジネスなどでの活用もできる。

クラウドファンディングによる資金調達の今後の意向

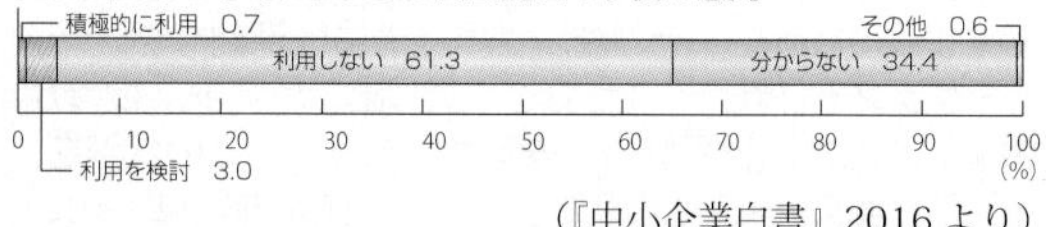

（『中小企業白書』2016より）

○×で答えよう！ 正誤問題にTRY✓　銀行融資に依存して経営の大規模化を図っている大企業に比べて，中小企業では金融引締めによる影響は現れにくい。

3 廃業率と開業率

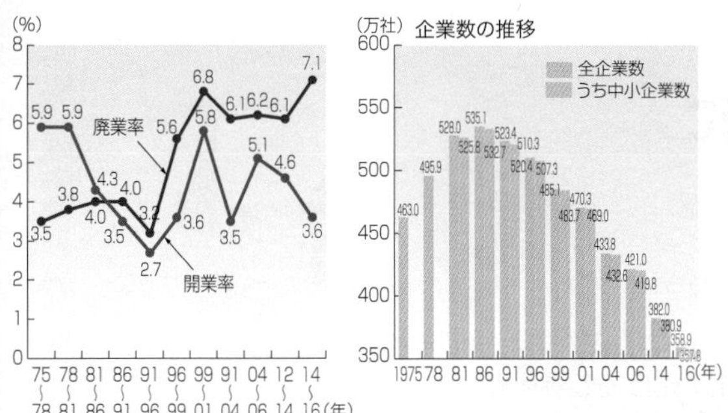

(『中小企業白書』2020)

解説 1980年代半ばから今日にかけて，廃業率が開業率を上回る状態が続いている。この状態は，日本では危険を冒してでも新しくビジネスを切り開こうとする活力が不充分であることを意味するとともに，景気の低迷や競争の激化などによって，廃業をよぎなくされる企業が多いことも意味している。

4 ベンチャー企業

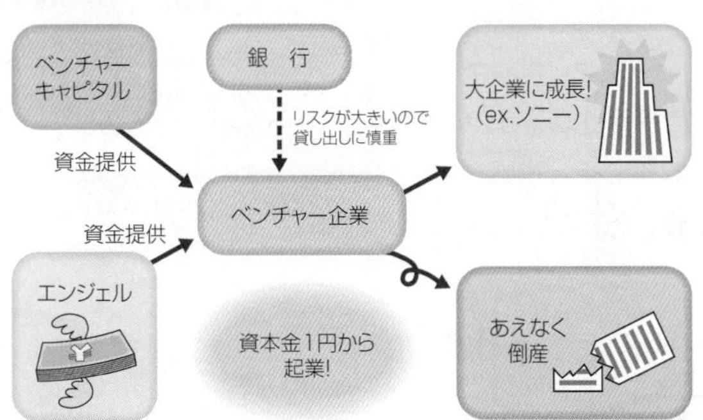

解説 独自のアイデアなどを生かして誕生したベンチャー企業が抱える大きな課題はビジネスに必要な資金を確保しにくい点である。日本ではベンチャーキャピタルやエンジェルがアメリカに比べて充分に発達していないことや銀行が貸出に慎重なことがその理由である。

5 インターネットを使ったパンの販売

解説 熊本県の主婦森田久美子さんは得意の腕前を活かして，ネット上で手作りパンの販売を始めた。ホームページでパンの形や具材のサンプルを見せて，そのなかからお客さんは好きな組み合わせを選び，注文することが出来る。あるいは，形から具材までお客さんの注文に応じるパン作りも行っている。http://ordermade-panya.com

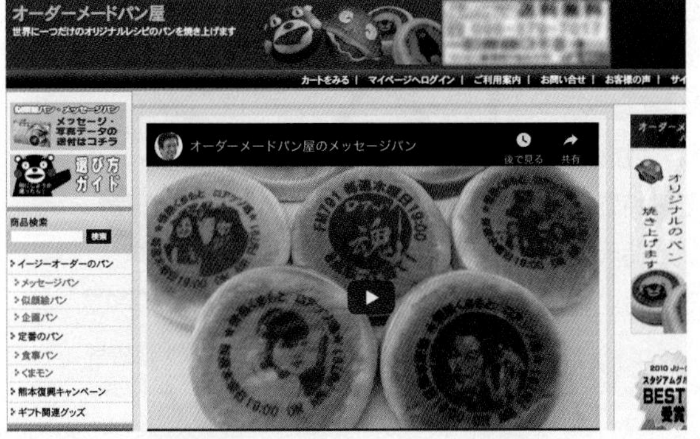

Column 下請けと系列 〜大企業と中小企業の関係〜

自動車生産の例のように，大企業は完成品の組立，中小企業は部品の生産という関係を持つことが多い。この関係を下請けという。下請けに当たる中小企業は部品の単価や納期に関して親会社の大企業から厳しく管理されている。

大企業は関連する中小企業の大株主になったり，役員を派遣するなどして中小企業を資金や人事の面で統制する。このような人とカネの面での大企業と中小企業の関係を系列という。

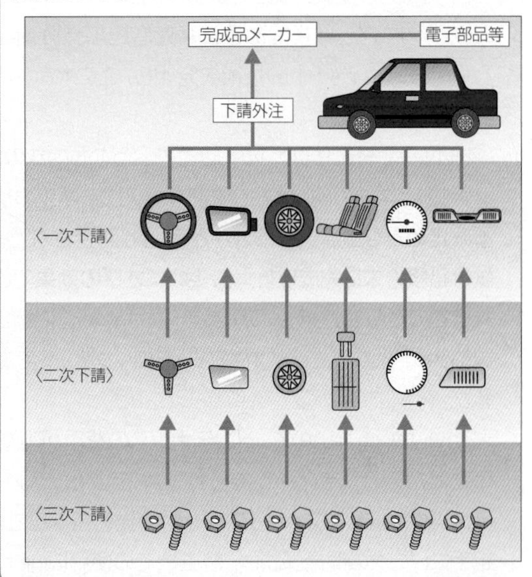

6 ソーシャルビジネス(社会的企業)

<ソーシャルビジネスとして取り組まれている社会問題の例>

高齢者の介護	子育て支援	商店街の空き店舗対策
 独自のプログラムで，高齢者の身体能力の回復を目指すリハビリ型デイサービス	 遊びの体験を通じて，子どもたちの生きる力を育む放課後クラブ	若者の居住促進を図るため，商店街の空きビルを改修したシェアハウス賃貸
被災地復興	**女性活躍促進**	**自然・環境保護**
被災地のコミュニティ再生を目的に，地域内外の人々を呼び込むカフェサロン	子育て中の母親の社会進出を後押しする職業教育支援・技能教授	山林保護を目的として，観光客向けに植林体験や自然体験ツアーを企画・運営
途上国支援	**過疎地域の活性化**	**障がい者の就労支援**
技術指導により，途上国で雇用を創出し，フェアトレードを実践する洋服製造業	地域振興のために，地産品を用いた地域ブランド商品を開発する食品製造業	障がい者が働くためのパン工房を併設した就労継続支援事業所

解説 ソーシャルビジネスとは，社会問題の解決を目的としたビジネスのこと。経済産業省による定義では，①社会性を持ったビジネスであること〜利益追及だけのものではない，②事業性〜同時に利益を追及する「事業」であること，③革新性〜新しいスタイルのビジネスであること，としている。解決にあたる社会問題は上図のように多岐に渡る。

経済編

○×で答えよう! 正誤問題に TRY✓ 先端産業分野では，大企業以外にも，独自の知識や技術を用いて新商品を開発する中小企業が現れ，これはベンチャービジネスと呼ばれている。

テーマ学習 活力ある中小企業

絶対にゆるまないナットを世界に

大阪府東大阪市　ハードロック工業

ハードロック工業が扱っている商品は,「ハードロックナット」をはじめとして,すべて,社長である若林克彦氏の特許商品である。若林氏は「ハードロックナット」の技術を発明し,この1つの特許技術に賭けて起業したのである。

HLN・ハードロックナットとはどのようなものなのか?

ナットとネジの間にくさびを打ち込んで,ネジのゆるみ止めとならないだろうかと考えて開発された。試行錯誤の末に完成したナットは,くさびの効果でこれまでのどんなナットより緩まず,もはや絶対に緩まないナットとなった。これがハードロックナットである。

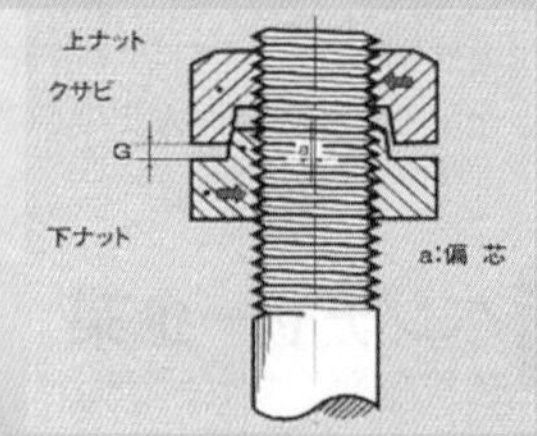

ハードロックナットとその構造
同社は第3回日本ものづくり大賞で特別賞を受賞した。
(http://www.monodzukuri.meti.go.jp/)

ナットが緩まないので,メンテナンスの費用が削減できる。そのため,世界中の企業からの引き合いがある。日本では東京スカイツリーで採用されるほか,アメリカNASAのスペースシャトルの発射台などでも使用されている。世界を相手にした次の開発課題は,航空機での使用に向けた「軽量化」であるという。

経済編

一品一品が日本代表

岩手県盛岡市・奥州市
伝統工芸品・南部鉄器

伝統的な南部鉄瓶のアラレ文様。表面積を増やし保温効果を高める効果がある。

南部鉄器は,岩手県盛岡市・奥州市(水沢)で造られる鉄器をいう。その歴史は古く,17世紀中頃,南部藩主南部利直公が京都から釜師を招き,茶の湯釜をつくらせたのが始まりといわれる。この地が良質な原材料に恵まれたことや,藩が保護育成に努め全国各地から鋳物師・釜師を召し抱えたことで発展を続けた。18世紀になって茶釜より小ぶりな南部鉄瓶が開発され,一般の人にも手軽に用いられるようになったという。

南部鉄器はその優れた品質により多くの人に親しまれ,日本の代表的な伝統工芸品として,1984年に「国の伝統的工芸品」第1号の指定を受けた。これは,「工芸品の特長となっている原材料や技術・技法の主要な部分が今日まで継承されていて,さらに,その持ち味を維持しながらも,産業環境に適するように改良を加えたり,時代の需要に即した製品作りがされている工芸品」という意味である。近年,その販路はヨーロッパを中心に世界に広がっている。

南部鉄瓶(急須　カラーは6色)　壱鋳堂

世界が認めるSABAE の品質

福井県鯖江市　眼鏡フレームの生産

福井県鯖江市は，福井県のほぼ中央に位置する人口約7万人の都市である。この地の6人に1人が地場産業である眼鏡産業に従事しているという。さらに，国内の眼鏡フレーム生産のシェアは，約94%（2009年）を占める。

1905（明治38）年に創始者と呼ばれる増永五左衛門が，農閑期の副業として，少ない初期投資で現金収入が得られる眼鏡枠づくりに着目。当時眼鏡作りが盛んであった大阪や東京から職人を招き，近在の若者に眼鏡の製造技術を伝えたことが始まりである。当初は，「帳場」とよばれる各職人グループごとに眼鏡が作られ，その帳場ごとに職人が競い，腕を磨くことで分業独立が進み，現在のような一大産地が形成された。

福井県鯖江市でメガネの修理を請け負う職人

（http://www.city.sabae.fukui.jp/users/monodukuri/sabaemegane/index.html）

戦後の高度経済成長の中で，鯖江市は産地として成長し，眼鏡製造の機械化などにより生産効率を追求すると共に，品質の向上と技術開発に力を注いだ。世界で初めてチタンを用いたメガネフレームの製造技術の確立に成功し，1984年からは量産体制に入った。軽量かつ耐久性に優れるチタンは，人体アレルギー性が低く，頑丈かつ軽量で，人体に優しい眼鏡として世界に広がった。

ハイテク製品を支える職人技

山口県下松市　山下工業所

山口県下松市は，大正時代に操業を開始した日立製作所が中核となって発展した，全国でも稀な鉄道車両ビジネスの集積地である。部品製造を請け負う多くの地元企業が，各社固有の技術を進展させ，専門性を生かした分業体制を構築しており，世界的にも高い技術を誇る日本の鉄道を裏方で支えている。日立製作所の協力会社のひとつとして，独自の打ち出し板金技術を持つ職人の会社が株式会社山下工業所である。

同社は，第2回日本ものづくり大賞特別賞を受賞している。これは，「ハンマー一本で新幹線の「顔」を作り出してきた打ち出し加工技術」が評価されたものである。この技術は，他社に先駆けて自動車板金技術を応用し，素材をハンマーで叩き曲面を作り出す「打ち出し加工技術」を確立したことによる。新幹線をはじめ，リニアモーターカー等の先頭車両の製作（いわゆる「顔」の部分）に最適な加工方法として広く定着している。同社では0系から秋田新幹線で使われている新型車両・E6系までの前面の板金加工を担当。時速300キロが出せるよう計算された微妙な曲線を，職人がひとつひとつハンマーで金属板をたたいて製作する。

打ち出し板金による三次元曲面成形の技術

（http://www.monodzukuri.meti.go.jp/）

47 労働問題と労働法

TOPICS

ブラック企業から身を守る方法

ブラック企業とはサービス残業やパワーハラスメント(パワハラ)，退職強要などの違法な行為が横行している会社である。政府は，2017年5月からブラック企業のリストを公表するなど，対策を進めている。しかし法律の網をくぐり抜け，過度な労働を強いる企業も存在する。入社後にブラック企業だったと気づく場合もあり，ブラック企業から自分で身を守る方法を理解しておこう。

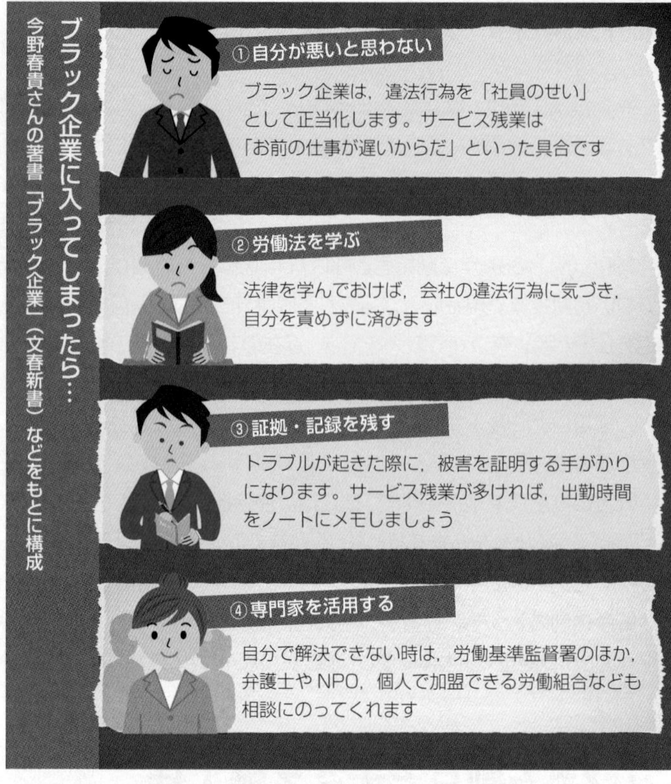

映画『ブラック会社に勤めているんだが，もう俺は限界かもしれない』

ブラック企業で働くことになった元ニートの青年が，過酷な職場で働くことを通して，成長していく物語。

（2009年公開：アミューズエンターテイメント）

1 労働三権

憲法第27条

1. すべて国民は，勤労の権利を有し，義務を負ふ。
2. 賃金，就業時間，休息その他の勤労条件に関する基準は，法律でこれを定める。
3. 児童は，これを酷使してはならない。

憲法第28条

勤労者の団結する権利及び団体交渉その他の団体行動をする権利は，これを保障する。

団結権

労働者が団体を組織する権利

団体交渉権

労働者の団体が使用者と交渉する権利

団体行動権

労働者の団体が労働条件実現のため団体行動する権利（ストライキする権利）

給料上げないからストライキ決行だー！仕事なんかするもんか！

うぅ

経済編

○×で答えよう! 正誤問題にTRY✓ 日本の労働基準法は，満65歳以上の労働を禁止している。

2 労働基準法のおもな内容

章	主な条項	その内容
総則	1条　労働条件の原則	人たるに値する生活を営むために必要な最低基準
	2条　労働条件の決定	労働者・使用者が対等の立場で決定する
	3条　均等待遇	国籍・信条・社会的身分などによる，労働条件の差別的取扱禁止
	4条　男女同一賃金の原則	男女間の賃金差別の禁止
	5条　強制労働の禁止	暴行・脅迫など不当な心身の拘束による強制労働の禁止
	6条　中間搾取(さくしゅ)の排除	法の許可なく，他人の就業に介入した利益獲得の禁止
	7条　公民権行使の保障	労働時間中に選挙権等の公民的権利の行使を保障
労働契約	13条　この法律違反の契約	労基法の基準に達しない労働契約は無効
	15条　労働条件の明示	労働契約締結の際の使用者による労働者への労働条件（賃金・時間等）の明示義務
	19条　解雇制限	業務上の傷病と女子の産前産後の休業期間とその後30日間の解雇制限
	20条　解雇の予告	最低30日前の予告（または30日分以上の平均賃金支払い義務）
賃金	24条　賃金の支払い	現金で直接労働者に全額を，毎月1回以上，一定の期日に支払うこと
	26条　休業手当	使用者の責任による休業の場合，平均賃金の60%以上を支払うこと。
	28条　最低賃金	賃金の最低基準は，最低賃金法で規定
労働時間・休日等	32条　労働時間	1週間40時間以内，1日8時間以内労働
	35条　休日	毎週少なくとも1回の休日
	37条　時間外，休日及び深夜の割増し賃金	時間外，休日，深夜の労働に通常の賃金の25%以上の割増賃金の支払い①
	39条　年次有給休暇	6か月間継続勤務（8割以上出勤）の場合10日，2年半を超える継続勤務1年ごとに2日加算，最高20日（育休中は出勤扱い）②
年少者	56条　最低年齢	義務教育修了までの児童の使用禁止（例外あり）
	58条　未成年者の労働契約	親権者や後見人でも本人に代わっての契約不可
	61条　深夜業	満18歳未満の深夜業（午後10時～午前5時）の禁止
妊産婦等	＊64条2　労働時間及び休日	満18歳以上女性の1週6時間，1年150時間（1999.4.1失効）
	＊64条3　深夜業	午後10時～午前5時まで原則禁止（例外あり）（1999.4.1失効）
	65条　産前産後	産前は1子で6週間，多胎妊娠で14週間，産後は一律8週間の休業許可
	67条　育児時間	生後満1年未満の生児を養育する女性に1日2回，少なくとも30分
災害補償	75条　療養補償	業務上の負傷・疾病の際，企業が療養の費用を負担
	77条　障害補償	業務用の負傷・疾病のあと障害が残った場合，障害補償を支払う
	79条　遺族補償	業務上死亡の場合，遺族に賃金1000日分の遺族補償
就業規則	89条　就業規則作成及び届け出の義務	常時10人以上の労働者を使用する使用者に義務。始業・終業時刻，休憩時間，休日，休暇，賃金の決定，支払方法，昇給
監督機関	97条　監督組織の職員等	厚生労働省に労働基準局，各都道府県に都道府県労働基準局，各都道府県管内に労働基準監督署

＊64条の2・3は，1999.4.1に撤廃され，女性の労働時間等の規制はとりはらわれた。①月60時間を超える時間外労働は50%以上の割増②時間単位年休制度創設（①②とも2010年4月施行）

3 日本の公務員における労働三権の制限

公務員の種類	団結権	団体交渉権	団体行動権（争議権）
一般職	○	△	×
公営企業	○	△	×
独立行政法人	○	○	×
警察・消防・自衛隊	×	×	×

解説　公務員の労働三権は，職務の公共性や特殊性から，国家公務員と地方公務員を問わずに，制約が課されている。一方でイギリスやフランスでは，軍人や警察官などの一部を除き，公務員の労働三権は保障されている。国際労働機関（ILO）は，2002年に日本政府に対して，公務員の労働基本権の見直しを勧告したが，日本政府は「各国の実情に配慮すべき」と主張を除けている。

（「労働基本権に関する基礎的資料」衆議院憲法調査会事務局）

4 労働組合法のおもな内容

目的	労働者が使用者との交渉で対等の立場 労働者の地位向上	1条
労働組合	・労働者が主体となって組織する	2条
	・労働条件の維持・改善，経済的地位の向上を主目的 以下に該当しないこと ・使用者の経理上の援助を受ける ・共済事業や福利事業のみを目的とする	2条
不当労働行為	・主として政治運動・社会運動を目的とするもの 使用者側の禁止事項 ・組合活動を理由として不利益な取扱い ・組合未加入を条件としての採用（黄犬契約） ・正当な理由なく団体交渉を拒否 ・労働組合の結成・運営への支配・介入 ・組合の運営に金銭的援助 ・労働委員会への申立などを理由とした不利益な取扱い	7条

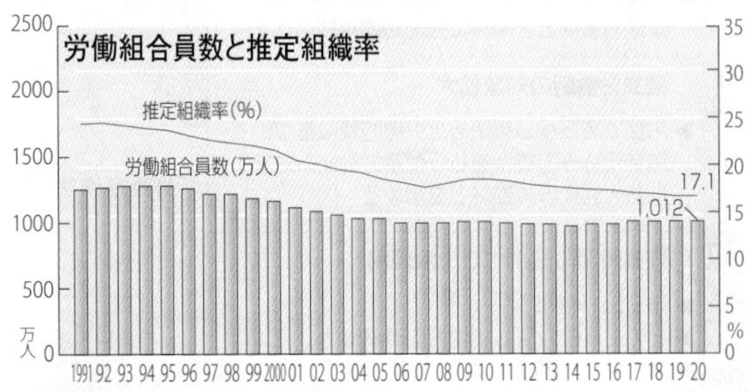

（『日本国勢図会』2021/22）

5 労働争議の調整

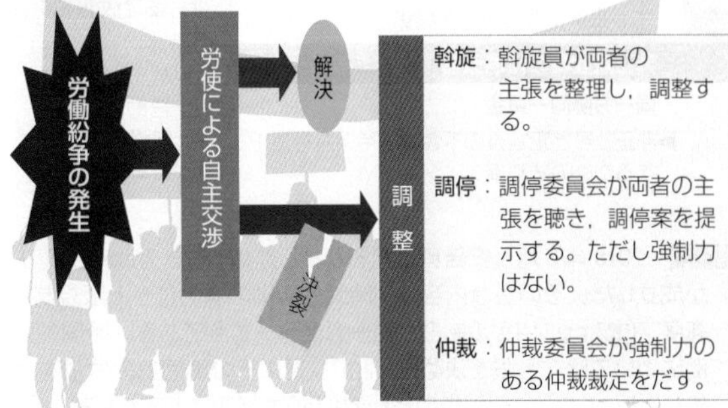

経済編

○×で答えよう！ 正誤問題にTRY✓　国の現業公務員には，団体行動権（争議権）が認められていないが，労働委員会による斡旋・調停・仲裁の制度がある。

6 過労死，長時間労働

～30代男性の20%が週60時間の超長時間労働～

労災保険給付の流れ　（『労働法』有斐閣アルマ）

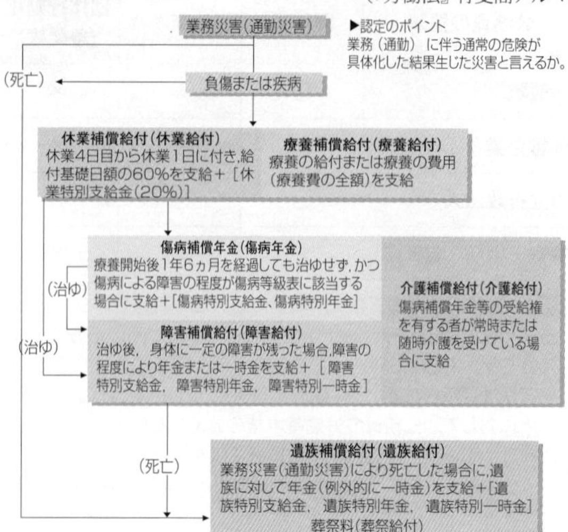

解説 「過労死」とは，世界的にも"ＫＡＲＯＵＳＩ"として流通している日本特有の社会現象である。「過労死」の多くは脳・心臓疾患による死亡であるが，近年仕事に起因するうつ病等による「過労自殺」も認定されるようになった。「週60時間以上働く長時間労働者は特に30代男性は4人に1人となっており，政府は「ワーク・ライフ・バランス憲章」を決定しているが，労働基準法等，労働時間について最低限守られるべき法律が守られていない現状では実効性がない」（『連合白書』2009）

7 働き方改革法成立 おもな内容

労働時間規制の見直し		改正する法律
緩和	**高度プロフェッショナル制度（残業代ゼロ）** ▶年収約1千万円以上の高度な専門職が対象。本人同意などを条件に労働時間規制を外す	労働基準法
	裁量労働制の対象拡大 ▶労使であらかじめ決めた労働時間に基づいて残業代込みの賃金を払う裁量労働制の対象に法人営業の一部などを加える	
強化	**残業時間の罰則付き上限規制** ▶年720時間以内 ▶どの2～6カ月も平均80時間以内 ▶繁忙期の上限は月100時間未満 ▶月45時間超は年6回まで	
	勤務時間インターバル制度 ▶終業から始業まで一定の休息時間を確保するよう企業に努力義務を課す	労働時間等設定改善法
非正規社員の待遇改善		
	同一労働同一賃金 ▶非正社員と正社員の不合理な待遇差を是正するための法整備	・パートタイム労働法 ・労働契約法 ・労働者派遣法

解説 2018年6月，安倍晋三内閣が推し進める働き方改革関連法が成立した。その主な内容は，時間外労働の罰則付き上限規制と高度プロフェッショナル制度，同一労働同一賃金である。時間外労働については，上限を決めたことで，逆にその範囲での労働を認めたことにもなり，罰則規定との関係から問題視する声もある。

8 労働紛争を短期に解決！労働審判制度

～2006年4月スタート～

労働審判手続きの流れ

解雇や賃金不払いの トラブル発生 → 地方裁判所に申し立て（労使いずれか） → 審理（原則3回以内）　労働審判官（裁判官）　労働審判員　労働審判委員会　全国50か所

→ 調停成立　話し合いによる解決 → 確定

→ 労働審判　解決案の提示 → 異議なし → 確定

→ 労働審判　解決案の提示 → 異議申し立て（2週間以内に） → 訴訟手続きに移行

解説 労働審判制度は，解雇や賃金不払いなど労働者個人と使用者とのあいだの紛争を速やかに解決することを目的に2006年4月からスタートした。全国50か所の地方裁判所に職業裁判官（労働審判官）一人と労働者側，使用者側が推薦する各一人の労働審判員の3人で構成される労働審判委員会が置かれる。労働者または使用者の申し立てで審理が始まり，審理は3回以内で，審理の上，紛争解決案（労働審判）を決める。その間話し合いで解決をめざす調停手続きも可能。この審判に対して2週間以内に当事者から異議が出ない時は確定する。当事者から異議が出されたときや，裁判をおこなうことが適当と労働審判委員会が判断したときは通常の裁判手続きになる。労働審判制度による調停や審判は裁判上の和解と同じで強制力を持ち，強制執行できる。

労働審判制度を利用した裁判数

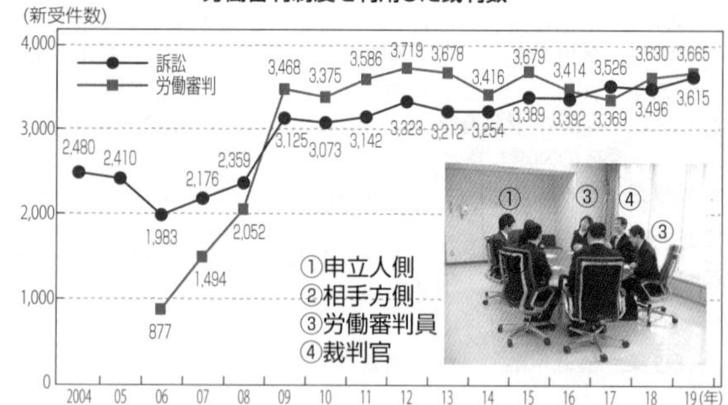

（最高裁判所資料）

解説 労働審判制度はアルバイトやパートも申し立てることができる。民事訴訟だと費用と労力，時間がかかるため多くの労働者が泣き寝入りしてきている。この制度を活用発展させ労働紛争で泣き寝入りのない社会にしていくべきだろう。

9 女性の年齢別労働人口比率

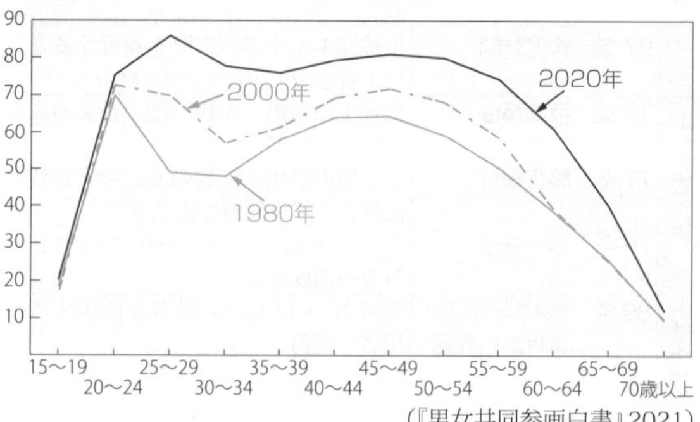

（『男女共同参画白書』2021）

解説 女性の年齢別動労力別人口比率は結婚・出産によって労働市場からいったん離れ，育児が一段落すると再び労働市場に戻ってくるM字型曲線となっていた。しかし近年はこのカーブが緩やかになっている。その背景には，ライフスタイルの変化，出産年齢の高齢化，職業に対する考え方の変化などが考えられる。

○×で答えよう！ 正誤問題にTRY✓ 女性労働者については非正規従業員としての雇用が増加しており，その中心は家計補助的なパートタイム労働や若年者の派遣労働である。

10 育児・介護休業法

事　項	内　容
育児・介護休業の対象者	・正社員 ・入社1年以上等の条件を満たせば，契約社員などの有期雇用者も取得可
育児休業	原則，子どもが１歳になるまでの期間 ＊保育園に入れないなどの理由があれば，最長２歳になるまで延長可
子の看護休暇	1年に5日（子が２人以上の場合は10日）まで。半日単位での取得が可能
介護休業	対象家族１人につき通算93日まで，３回を上限として，介護休業を分割して取得可能
介護休暇	1年に5日（対象家族が２人以上の場合は10日）まで。半日単位での取得が可能
その他	・マタハラ・パワハラなどを防止する措置を講ずることを義務化 ・子どもが生まれる予定の労働者に育児休業等に関する制度を知らせる努力義務 ・育児目的休暇の促進

育児休業取得率の推移

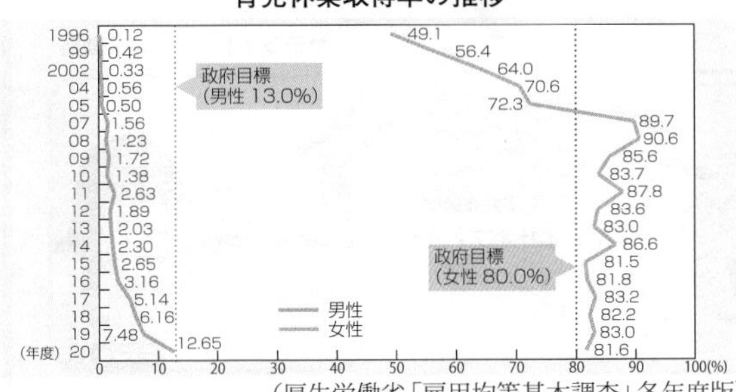

（厚生労働省「雇用均等基本調査」各年度版）

解説　仕事と家庭の両立支援を拡充し，ワークライフバランス（仕事と生活の調和）を実現するため，育児・介護休業法は2017年1月と10月に改正施行された。

男性の育児休業取得率は，上昇傾向にあるものの，女性と比べると低水準にある。その理由としては，経済的な問題や職場への迷惑を考えると休暇を取りづらいといった事項が挙げられる。

11 男女雇用機会均等法（2017年改正）

①性別を理由とする差別の禁止
- ◆ 男女双方に対する差別的取扱いを禁止。
- ◆ 募集･採用,配置･昇進,昇進･降格･教育訓練,福利厚生,職種の変更･雇用形態の変更,退職の勧奨･定年･解雇･等差別的取扱いを禁止。

②間接差別の禁止
- ◆ 3つ(※)の措置について,合理的理由がない場合,間接差別として禁止。
- ※ 募集採用にあたって身長･体重･体力を要件とすること,総合職の募集採用にあたって転居転勤を要件とすること,昇進にあたって転勤経験を要件とすること,

③妊娠等を理由とする解雇その他の不利益取扱いの禁止

④セクシュアルハラスメントの防止

⑤母性健康管理

⑥深夜業に従事する女性労働者に対する措置
- ◆ 子の養育･家族の介護の必要な労働者が請求した場合,残業させてはならない。
- ◆ 是正指導に応じない場合,企業名公表制度の対象となる。

⑦妊娠･出産･育児休業･介護休業等に関するハラスメント対策の義務化

12 女性の賃金は男性の７割強

一般労働者（パートを除く）の男女賃金格差

	平均年齢（歳）	平均勤続年数（年）	きまって支給する現金給与額（千円）	所定内給与額（千円）	年間賞与その他の特別給与額（千円）
総数	43.2	11.9	330.6	307.7	905.7
女性	42.0	9.3	265.9	251.8	628.4
男性	43.8	13.4	366.6	338.8	1060.3

（『2020年賃金構造基本調査』）

13 ワークライフバランス

労働時間規制のＥＵ指令の概要

- ●週あたりの平均労働時間の上限を 48 時間
- ●連続労働時間 6 時間あたり最低 1 回の休憩時間の付与
- ●24 時間あたりの休息時間を最低 11 時間として連続して毎日付与
- ●夜間労働時間の上限を 8 時間
- ●有給休暇は年間最低 4 週間付与
- ●1 週間あたり最低 24 時間連続休息　（『連合白書』2010）

解説　内閣府は，仕事と生活の調和の実現のため，2007年「ワークライフバランス憲章」と行動指針を策定した。特に時間外労働時間を削減するのに上限の規制のない我が国は課題が多く，ＥＵの指令等から学びたい。

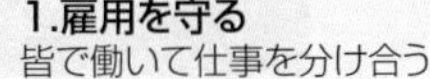

オランダのワークシェアリング

ワークライフバランスにより豊かな生活を実現しているオランダ

オランダの夫婦による「1.5人」分の働き方

オランダでは,夫婦が共に短時間働いて,仕事と家庭を両立させ,豊かな生活を楽しんでいる。(これを2人で1.5人分働くという意味で,1.5人モデルという)

ワークシェアリングの二つの狙い

1.雇用を守る 皆で働いて仕事を分け合う	2.仕事と家庭の両立 夫婦で生活を楽しむ
･失業する人が少ない ･自らを生かせる場がある ･収入格差が少ない	･2人で子育てできる ･病気ケアや介護ができる ･自分の人生をエンジョイできる

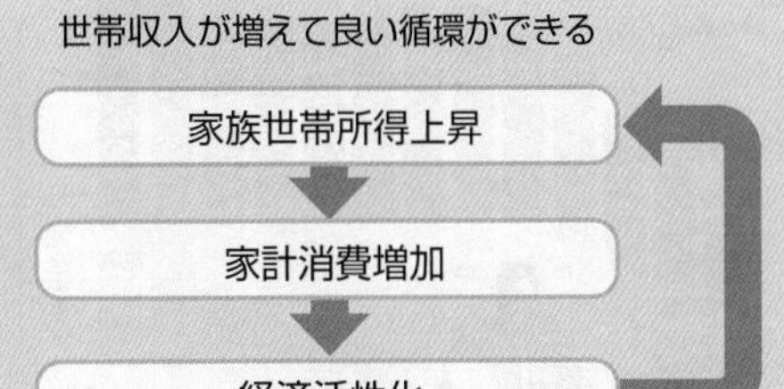

日本とオランダ　労働環境などの比較

	オランダ	日本
週労働時間	27.6時間	32.3時間
女性就業率	71.3%（15〜64歳）	67.4%（15〜64歳）
1人あたりGDP（2016年）	45,555ドル（世界13位）	38,344ドル（世界25位）

（OECD 統計など）

経済編

○×で答えよう! 正誤問題にTRY✓　1990年代以降の日本において，職場では男女平等が制度上確保されるようになったので，育児休業をとる男女の割合がほぼ等しくなった。

48 雇用とそのあり方

TOPICS

新しい働き方―テレワークとは

テレワークとは，ICT（情報通信技術）を利用し，場所や時間にとらわれない働き方である。主な形態としては，①在宅勤務（自宅でＰＣやスマートフォンなどを使用して仕事をする），②モバイルワーク（電車などの移動中や顧客先などで仕事をする），③サテライトオフィス勤務（勤務先以外のオフィススペースで仕事をする）などがある。2020年以降，新型コロナウイルス感染症防止の観点から，テレワークが推奨された。

（総務省「地方創生と企業におけるICT利活用に関する調査研究」2015年）

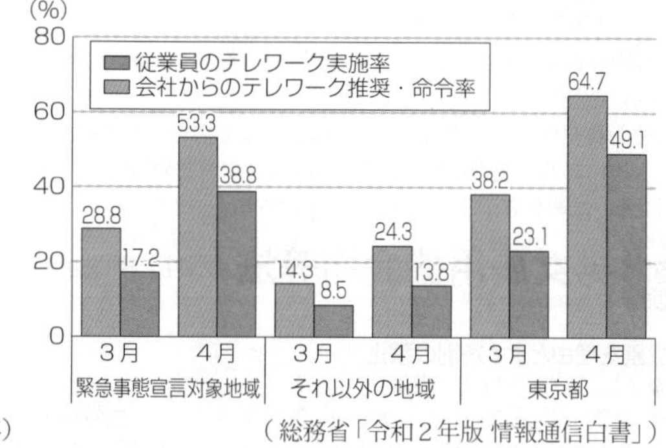

（総務省「令和２年版 情報通信白書」）

1 労働力人口の推移

（「労働力調査」2020）

解説 失業者の状況は改善されつつあるが，「ワーキングプア」「ネットカフェ難民」などといわれる新たな雇用の問題が噴出している。ワーキング‐プア（working poor）とは，就労しているにもかかわらず，所得が生活保護水準以下である人々のことである。アルバイト派遣・日雇い派遣などといわれる就労形態の場合，最低賃金法違反となる賃金も報告されている現状がある。また，ネットカフェ難民とは，家賃が払えず住む場所がないため，24時間営業のネットカフェなどで寝泊まりする新たな貧困層をいう。

2 失業率の推移

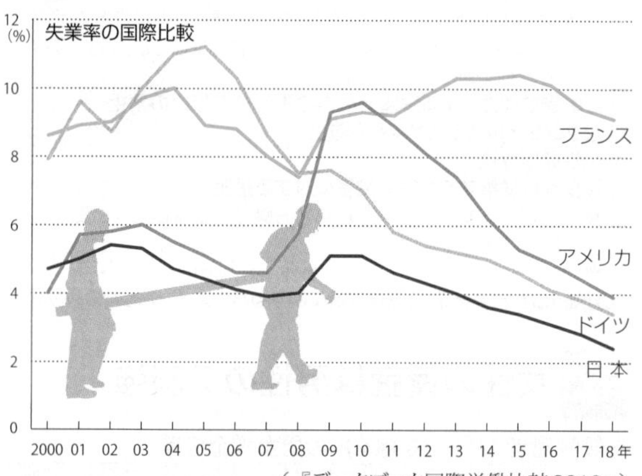

（『データブック国際労働比較2019』）

解説 高度経済成長期からバブル崩壊までの日本は，新卒一括採用や終身雇用などを背景に，他の先進国に比べて低い状況であった。しかしバブル崩壊後，企業のリストラによる人員削減，グローバル化の進展などの影響を受け，失業率は上昇した。近年は，高齢化による労働人口の減少や，景気の回復などを背景に，人手不足感が高まっており，失業率は低下傾向にある。

経済編

○×で答えよう! 正誤問題にTRY✓ 日本の従業員は会社への帰属意識の高揚を通じて，生産性の向上や，配置転換に対する柔軟性や適応力を生むことができる。

3 雇用者の概要

年収別給与所得者数の変化

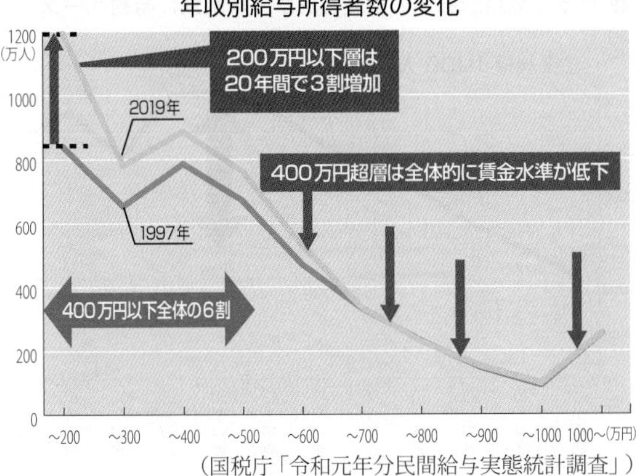

(国税庁「令和元年分民間給与実態統計調査」)

[雇用形態別雇用者数の推移]

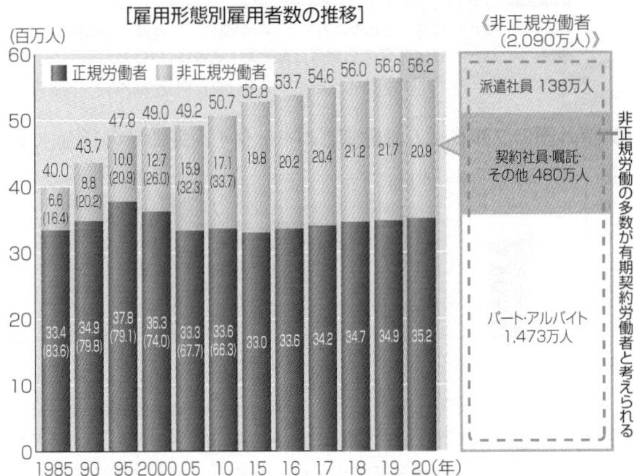

「労働力調査」(総務省統計局)

解説 労働生産性は上昇したが，実質賃金は低下している。企業側は，株主・役員重視，労働者軽視の経営姿勢を続けている。年収200万円以下の給与所得者は1200万人にもなり，一方年収2000万円以上の高額所得者は27万人を超え，「格差社会」が拡大している。

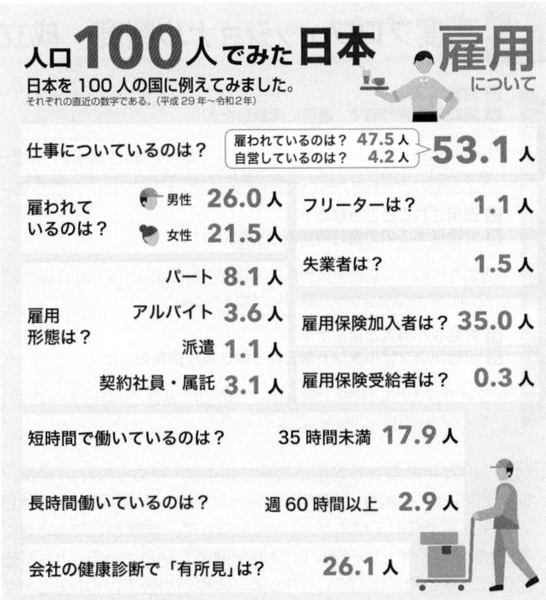

(『厚生労働白書』2021)

4 非正規労働の実情

雇用形態，性，年齢階級別賃金 (2020年)

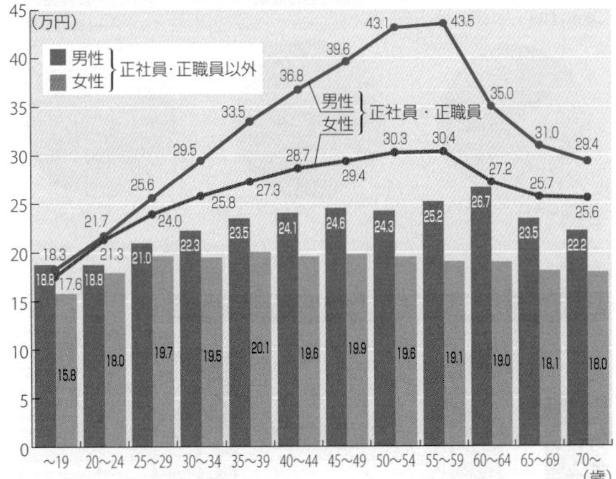

雇用形態，企業規模，主な産業別賃金 (2020年)

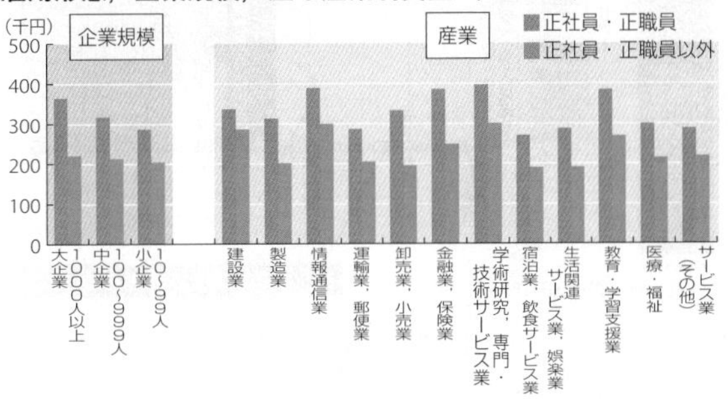

(令和2年度賃金構造基本統計調査)

解説 非正規労働者は，2007年に1700万人を超え全雇用者の3分の1を占めるようになった。非正規労働者の平均勤続年数は7年であり，契約期間1年以下の更新が全体の4分の3を占め，その年収は平均で207万円とワーキング-プアと呼ばれてもおかしくない状況である。(『連合白書』2013)

5 派遣労働者～派遣の上限が3年(5年)に～

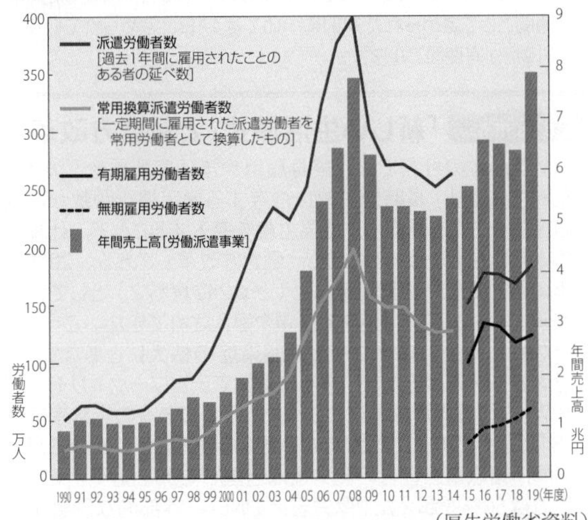

(厚生労働省資料)

解説 派遣労働のような「間接労働」は禁止という労働法の原則が崩壊し，「原則自由化」に転換し，さらに派遣期間を3年から5年に延長したり対象を拡大したりする改正労働者派遣法が成立し2015年9月から施行された。

経済編

○×で答えよう! 正誤問題にTRY✓ 男性労働者の非正規従業員としての雇用は，若年者についても高年者についても，増加はしていない。

6 変形労働時間制・裁量労働制
～労働時間が自由になる？労働がきつくなる？～

労働時間制度でみる労働者割合（2019年）

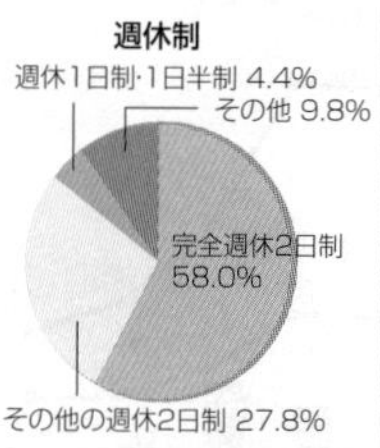

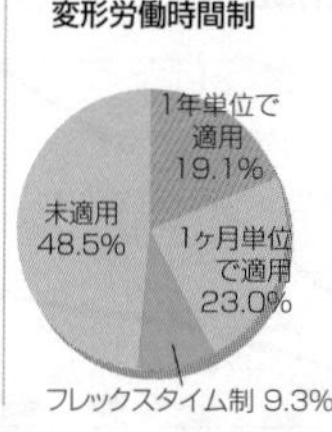

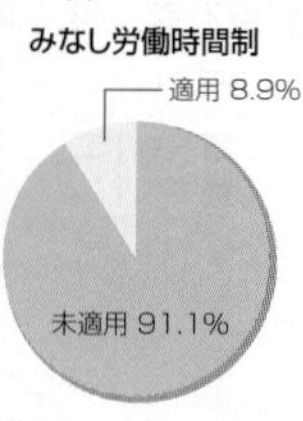

（令和２年就労条件総合調査）

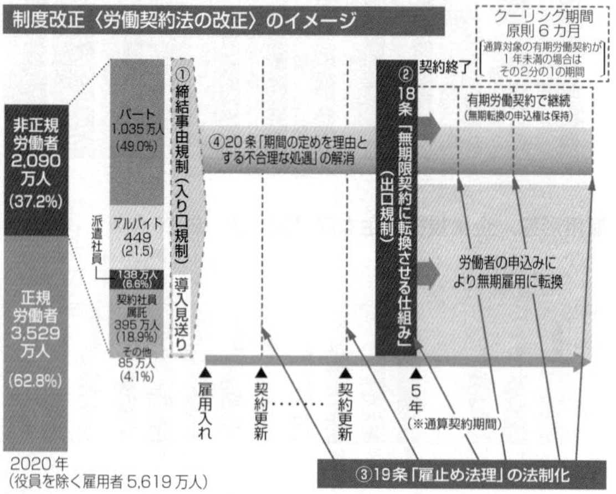

（連合作成，総務省「労働力調査（詳細調査）」）

解説 変形労働時間制には１ヶ月単位，１年単位，１週間単位の３種類があり，すべて労使協定の対象であり，「育休・介護を行う者・職業訓練等を受ける者などは必要な時間が確保できるよう配慮することが求められている。（労基則12条の６）」（「労働法」有斐閣アルマ）

１ヶ月単位，１年単位など基本的に，たとえ１日８時間・週40時間を超えても時間外労働としては扱われない。ただし「１年単位変形制は，それが無制限になると労働者の生活に大きな支障が生じることにもなる。（中略）そのため，労働時間の限度は１日10時間・１週52時間，連続労働日数の限度は原則６日，労使協定で特定期間として定められた期間については12日と定められている。」（「労働法」有斐閣アルマ）

Column 「新しい生活様式」と働き方改革

戦後日本の社会では，終身雇用や年功序列賃金といった制度により，長時間労働に依存する雇用慣行が敷かれてきた。これを見直し，成果主義を導入することで，仕事の効率化を促そうとするのが「働き方改革」である。2018年には「働き方改革関連法」（→p.242資料７）として法整備され，2020年４月までに順次導入されてきた。こうしたなか，新型コロナウイルス感染症の拡大にともない，対人接触を避けるため，多くの企業でテレワーク・リモートワークの導入が急激に広まった。テレワークの実施率は18年段階で20%に届かなかった（総務省）が，20年３月以降，緊急事態宣言の発令後は全国でも30%近く，東京都では50%を超えた（厚労省／LINE）。外部的な影響ではあるが，この変化は，旧来からの企業の組織や雇用を見直すきっかけともなっている。コロナ終息後もテレワークを希望する従業員も多く，「新しい生活様式」の働き方が，改めて求められている。

7 雇用形態の比較

● 日本の雇用形態別の賃金カーブ（年齢別）時給ベース

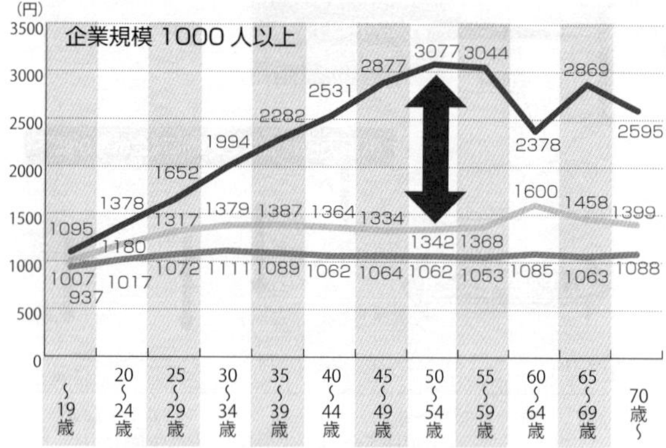

（厚生労働省『平成28年賃金構造基本統計調査』）

● 諸外国のフルタイム労働者とパートタイム労働者の賃金水準

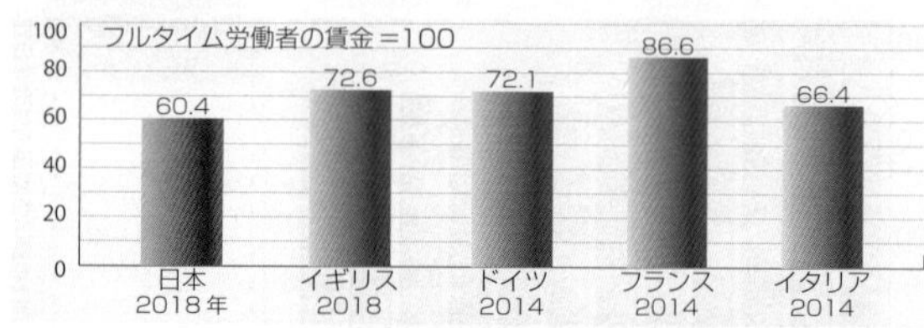

（データブック国際労働比較2019）

解説 正社員と非正社員の間には賃金，福利厚生などの面で格差が生じている。例えば賃金については，正社員は年齢とともに賃金は上昇していくが，非正社員は横ばいであり，賃金カーブの差が大きい。またフルタイム労働者に対するパートタイム労働者の賃金水準は，欧米先進国に比べて低い。1993年のパートタイム労働法の制定などによって，正社員と非正社員の待遇差の改善は図られている。しかし格差は残っており，政府は働き方改革実現会議において対策を検討している。

8 高度プロフェッショナル制度　成立

1

Q 対象は？
A 高収入の専門職で，適用に同意した人

政府は年収 1075 万円以上の金融ディーラーやコンサルタントを想定するが，法改正なく拡大可能。会社から同意を強要される懸念も

2

Q 適用されるとどうなる？
A 労働基準法の労働時間規制から除外される

どれだけ働いても残業代や休日・深夜の割増賃金は支払われない。長時間労働につながり，過労死が増えかねない

3

Q 労働者が導入を望んだ？
A 政府がコンサルタントなどから聞き取り調査をした

5 社 12 人にしか聞いていないことが国会審議で判明。前身の法案の国会提出前に聞いたのは 1 人だけ

解説 2018年の働き方改革法の成立によって定められた，「高度プロフェッショナル制度」。年間に104日以上かつ4週4日以上の休日の確保が定められているが，1か月のなかで，業務がヒマなときに4日休ませて，忙しいときには24時間連続で勤務させることも可能となる。将来的には1075万円の年収要件が引き下げられることが懸念される。

○×で答えよう！ 正誤問題にTRY✓ 今日の労働問題として，家庭に介護すべき高齢者がいる労働者に対して，深夜就業を強制するフレックス・タイム制がある。

9 最低賃金，生活保護を上回る
～求められる，全国一律最低賃金～

◆ 2021年度地域別最低賃金改定状況

都道府県名	最低賃金時間額【円】	都道府県名	最低賃金時間額【円】	都道府県名	最低賃金時間額【円】
北海道	889	石　川	861	岡　山	862
青　森	822	福　井	858	広　島	899
岩　手	821	山　梨	866	山　口	857
宮　城	853	長　野	877	徳　島	824
秋　田	822	岐　阜	880	香　川	848
山　形	822	静　岡	913	愛　媛	821
福　島	828	愛　知	955	高　知	820
茨　城	879	三　重	902	福　岡	870
栃　木	882	滋　賀	896	佐　賀	821
群　馬	865	京　都	937	長　崎	821
埼　玉	956	大　坂	992	熊　本	821
千　葉	953	兵　庫	928	大　分	822
東　京	1,041	奈　良	866	宮　崎	821
神奈川	1,040	和歌山	859	鹿児島	821
新　潟	859	鳥　取	821	沖　縄	820
富　山	877	島　根	824	全国加重平均額	930

（厚生労働省　2021年度地域別最低賃金改定状況より）

10 ワーキング-プア

札幌市でタクシー運転手として働く40代の女性は生活保護を受けながら，ハンドルを握る。正社員でフルタイム勤務。給料は基本給だけの11万6千円，時給に換算すると辛うじて北海道の最低賃金667円を満たす程度だ。母子家庭で，息子は高校生。世帯単位で計算される生活保護費は，給料を上回る16万円になる。差額の4万円あまりを受け取る。(中略) 全国平均で時給703円。この額で週5日，1日8時間働いても年収150万円に満たず，ワーキング-プア(働く貧困層)を生む原因の一つになっている。(中略)フランスでは全国一律時給8.71ユーロ(約1200円)，低賃金の雇用に国が補助金を出す形で，最低賃金の引き上げが失業増につながるのを防いでいる。

（『朝日新聞』2009.9.6など）

解説 政府は全国一律最低賃金1,000円を目指すという。OECDやEUは平均所得50%以下の所得しかない状態を「貧困」と規定しており，フランス47%，オランダ46%，ルクセンブルグ50%，日本28%である。最低基準を決める国際基準は「生計費」である。

Column 勝手にクビもう許さん！若者の労組が積極支援

東京渋谷の牛丼チェーン店で働くフリーターの男性 (28) は昨夏，店側からの言葉にあぜんとした。「店をリニューアルする。辞めてほしい」。別の店舗への異動も，新装後に再雇用する約束もない。勤務して約3年半。時給は千円から1200円に上がり，月給は27万～28万あった。妻 (26) も正社員ではない。保育園の息子を抱え，同意するわけにはいかなかった。「法律的なことは知らなかったが，こんなクビ切りはおかしいと思いました」会社側に掛け合ってもらちがあかない。同様に解雇された学生ら5人とともに「首都圏ユニオン(東京都豊島区，組合員約280人)」に入った。団体交渉を重ね，全員が復職。残業代の割増賃金の未払いがあった仲間は，それも手にした。フリーターを積極的に受け入れる労働組合が，あちこちに生まれている。」（『朝日新聞』2007.1.22）

クイズ!! 知って得する働くルール

Q1. アルバイトはどんな場合に有給休暇が認められると思いますか？次の3つの中から正解を選んでください。
①週に5日以上働いている場合
②半年以上同じアルバイト先で働いている場合
③アルバイトに有給休暇はない

【正解は②】
有給休暇が取れる要件は次の2点
①継続勤務年数が半年以上であること
②全労働日数(所定労働日数)の8割以上出勤していること。たとえ週1日でも，6か月以上同じアルバイト先で働いている場合は，1日の有給休暇が取れます。

Q2. アルバイトをやめる時はどうすればよいと思いますか？
①契約期間中は絶対やめられない
②2週間前に通告すればやめられる
③いつでも自由にやめられる

【正解は②】
退職願いを出してから実際に退職するまでに最低限必要な期間は2週間です。ただ，契約内容によって働く期間が決まっている場合，勝手な都合で退職してしまったら，損害賠償を求められるので，注意が必要です。

Q3. 本人の不注意で仕事中にケガをしたら，医療費は何%出してもらえると思いますか？
①0%(本人の不注意なので医療費は出ない)
②50%(本人の不注意でも医療費は半額出る)
③100%(医療費は全額出る)

【正解は③】
仕事中にケガした場合は，学生アルバイトでも医療費が100%出ます。たまたま半日だけ働いたアルバイトでも適用されます。病院で「バイト中のケガなので労災保険でお願いします」と言いましょう。

11 ブラック企業とは

これが「ブラック企業」だ！

①入社後に選別競争
とりあえず働かせてみて，会社が「使えない」と判断したら「試用期間満了」を口実に解雇する。

②残業代を払わない
タイムカードを改ざんするなどの書類をごまかす。月給を時給に換算すると最低賃金に満たないケースも。

③新卒の使い捨て
過労死寸前まで働かせる。研修時に「10km歩いてこい」など理不尽な課題を出し，どんな命令でも「おかしい」と思わないようにする。

④退職時の嫌がらせ
失業手当の受給に必要な離職手続きをしなかったり，最終月の給料の支払いを拒否したりする。

⑤戦略的パワーハラスメント
本人が会社に行きたくないとおもうまで嫌がらせをする。「解雇」にはしたくないので，辞表を書くまで辞めさせたくない。

（NPO法人POSSE著『ブラック企業に負けない』旬報社）

解説 ブラック企業の中には自ら辞めるように仕向ける会社もある。09年春に関西の中堅私大を卒業して大手ＩＴ企業に入ったＮさん (26) は「左遷部屋」での研修が忘れられない。部屋には20～50代の社員50人が集められ，ひたすら封筒を開ける作業をしていた。Ｎさんは同期100人と同じ作業をさせられた。リーマンショックで仕事が激減し，会社は「(研修は) 受注が戻るまで」と説明した。作業中は私語が禁じられた。3日目くらいから気分が悪くなった。部屋から抜け出させるかどうかは「無作為抽出」で決まる。3ヶ月たっても脱出できなかった同期の女性は，人が変わったように暗くなり，自ら辞めた。研修といいつつ，実際は「新卒切り」だった。（『朝日新聞』2012.9.7）

経済編

○×で答えよう！ 正誤問題にTRY✓ パートタイム労働者が企業別組合に加入することは，法律で禁止されている。

49 社会保障の意義と課題

TOPICS

共生社会の実現へ　―障害者差別解消法の施行―

盲導犬同伴を断られた事例

公益財団法人
アイメイト協会調べ

商業施設で
「食品売り場は保健所からの指示で入ってはいけない」と言われた
（埼玉県，60代男性）
埼玉県食品安全課によると食品衛生法施行条例では販売スペースについて補助犬の立ち入りを禁じておらず，県内の保健所がそのような指導をしている事実もないという

すし屋で
「ほかのお客さんの迷惑になるのでダメ」と言われた
（千葉県，30代男性）

寺院で
「盲導犬でも犬は犬だから」と拒否された
（埼玉県，50代男性）

千葉県内のレジャー施設で
「安全を考えて」と拒否された
（東京都，70代女性）

（「朝日新聞」2017.6.1）

解説　2016年4月より障害者差別解消法が施行された。この法律は，障害のある人もない人も共に暮らせる共生社会を目指すために制定された。具体的には，国や企業に対して，障害のある人に対する「不当な差別的取扱いを禁止」し，「合理的配慮の提供」が求められるようになった。しかし，法律が施行されたからといって，すぐに差別がなくなるわけではない。例えば，この法律の施行後も，多くの補助犬（盲導犬，介助犬，聴導犬）利用者が，入店拒否などの「不当な差別」を受けていることが分かった。国や地方公共団体による法律の周知や啓発の推進とともに，障害のある人に対する更なる理解が求められる。

1 社会保障のあゆみは？

年	国	できごと
1601	英	エリザベス救貧法（囲い込み運動による無産者に労働を与える）
1833	英	工場法制定
1874	日	日本恤救（じゅっきゅう）規則の制定
1883	独	疾病保険法　} ビスマルクの社会政策
1884	独	労働者災害保険法　} ビスマルクの社会政策
1889	独	老齢・疾病保険法制定　} ビスマルクの社会政策
1911	英	国民保険法（失業保険の始まり）
1935	米	社会保障法（「社会保障」という言葉がはじめて使用される）
1938	ニュージーランド	社会保障法（世界初の完備した社会保障法）
1942	英	ビバリッジ報告（「ゆりかごから墓場まで」の包括的社会保障制度）
1944	ILO総会	「フィラデルフィア宣言」（所得保障と医療保障の確立を各国に勧告）
1946	英	国民産業災害保険法・国民保険法制定
1950	日	生活保護法（新法）制定
1952	ILO総会	「社会保障の最低基準に関する条約」（102号条約）採択
1964	ヨーロッパ8カ国	ヨーロッパ社会保障法典採択（ILO102号条約よりも高水準をめざす）
1967	日	朝日訴訟最高裁判決
1977	米	障害者差別全廃
1997	日	介護保険法成立。2000年より施行
2008	日	後期高齢者医療制度

2 日本の社会保障制度は？

社会保険	医療保険	国民全員がいずれかの医療保険に入り，病気やけがのとき，安く治療が受けられる。	○健康保険（一般民間被用者） ○船員保険（船員） ○共済組合（公務員など） ○国民健康保険（自営業者など）
社会保険	年金保険	国民全員がいずれかの年金保険に入り，老齢になったとき，年金が受けられる。	○国民年金（全国民に基礎年金として） ○厚生年金（船員含む一般被用者） ○共済年金（公務員など）
社会保険（その他）	雇用保険	雇用者全員が雇用保険に入り，失業したときに一定の期間保険がもらえる。	雇用保険（一般民間被用者）
社会保険（その他）	労災保険	雇用者全員が労災保険に入り，仕事でけがをしたり病気になったとき保険金が出る。	労働者災害補償保険（一般民間被用者）
社会保険（その他）	介護保険	40歳以上の国民全員が介護保険料を支払い，介護が必要になったときサービスがうけられる。	介護保険（40歳以上の国民）
公的扶助	生活保護	一家の働き手が死んだり，病気などで収入のない者に，国が最低限度の生活の保障をする。	
社会福祉	児童福祉 母子福祉 老人福祉 障害者福祉	国や地方自治体が，児童・母子・老人・障害者のために施設やサービスを提供する。	
公衆衛生	公衆衛生	結核，伝染病予防，予防接種，精神衛生などがある。	
公衆衛生	環境政策	上下水道，廃棄物処理・清掃などがある。	

解説　日本の社会保障制度は，すべての国民が何らかの医療保険，公的年金制度に加入し，保障を受けられる。これを国民皆保険・皆年金という。その構成は①社会保険　②公的扶助　③社会福祉　④公衆衛生　の4部門からなる。このうち社会保険が社会保障の中核で，医療・年金・雇用・労災・介護の5つの保険制度からなる。しかし医療・年金の給付の格差やしくみ，財源など多くの問題がある。

○×で答えよう！ 正誤問題にTRY✓　ドイツの社会保障制度は，国民の最低限度の生活水準を国が確保することを明確に謳ったベバリッジ報告に基づいて整備された。

3 社会保障費国際比較は？

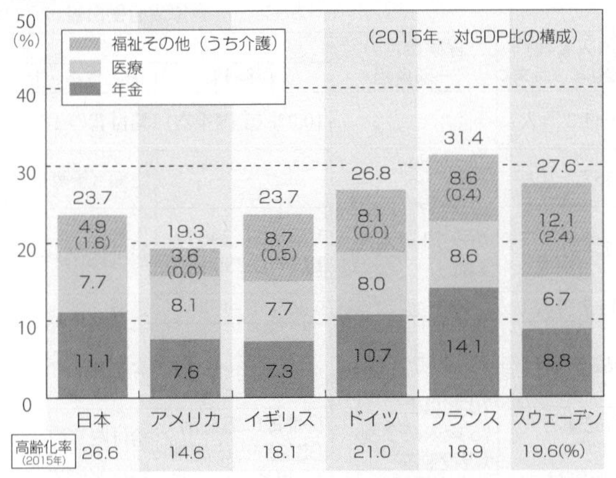

（厚生労働省資料，内閣府資料）

解説 高齢化が進む日本の社会保障費を先進諸国と比べてみると，社会保障の対GDP比は先進国のなかでも中程度と言える。しかし，福祉部門が他に比べて少なく，高齢者以外の層への社会保障が懸念される。

4 公的年金制度のしくみ

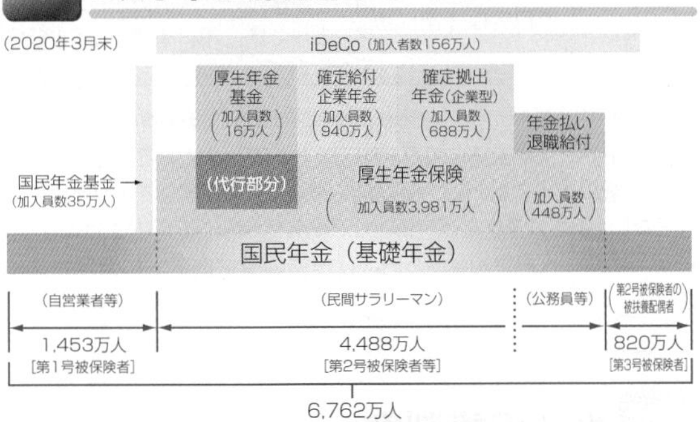

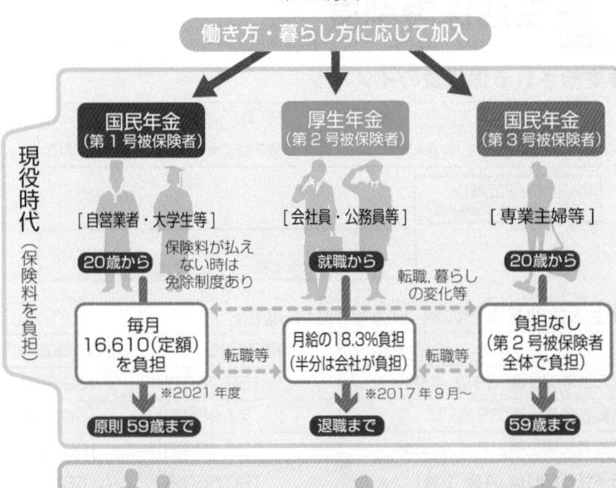

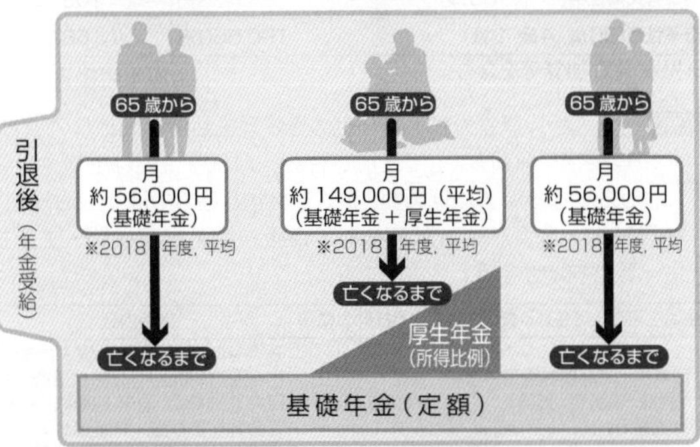

（「いっしょに検証！公的年金」厚生労働省）

5 年金の財政方式

● **賦課方式**

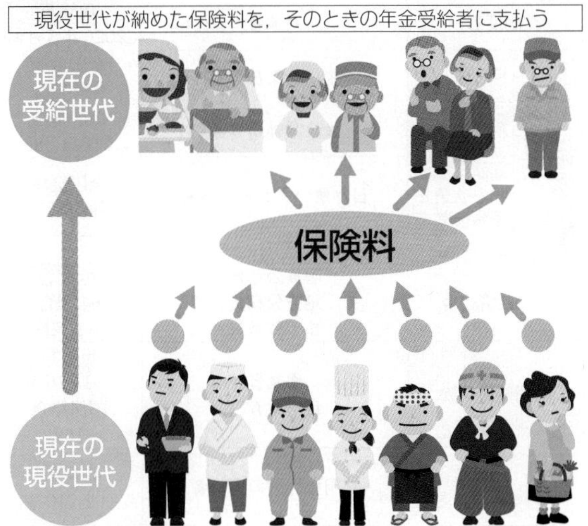

● **積立方式**

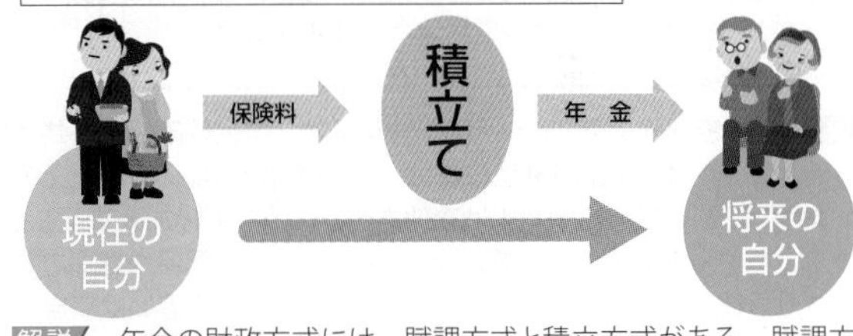

解説 年金の財政方式には，賦課方式と積立方式がある。賦課方式は，現役世代が納めた保険料を原資とするため，インフレや給与水準の変化に対応しやすい。一方で，少子高齢化が進むと現役世代の負担が増え，世代間の不公平の問題がある。積立方式は，積み立てた保険料と運用による利益を原資とするが，インフレによる価値の目減りや運用失敗のリスクを抱えている。日本の年金制度は賦課方式を基本として設計されている。

（『厚生労働白書』2021）

解説 日本の公的年金制度は，全国民（20歳以上60歳未満）が加入する「国民年金（基礎年金）」と，会社員や公務員などが加入する「厚生年金」の2階建てになっている。よって会社員などは「国民年金」と「厚生年金」の2つの合計金額を受け取ることができる。また公的年金に上乗せするために，任意に加入できる私的年金として，確定拠出年金などがある。確定拠出年金は税制優遇措置というメリットがある一方，運用に失敗すると給付金が減るというリスクもある。会社員や自営業者に限られていた確定拠出年金は，2017年1月より全ての現役世代が利用できるようになった。

経済編

○×で答えよう！ 正誤問題にTRY✓ 社会保険制度により，最低限度の生活が維持できない人は，日常生活のために必要な金銭などの給付を受けることができる。

6 医療保険制度

～70歳以上は２割負担（現役並所得は３割），75歳以上は後期高齢者医療制度に～

(2021年4月現在)　　（『厚生労働白書』2021）

制度名			対象者	保険者（2020年3月末）	加入者数（2020年3月末）	保険給付の一部負担	財源 保険料	財源 国庫負担・補助
被用者保険	健康保険	協会けんぽ	中小企業被用者	全国健康保険協会	4,044.3万人	義務教育就学後から70歳未満3割 義務教育就学前2割 70歳以上75歳未満2割（現役並み所得者は3割）	10.0％（全国平均）	給付費の16.4％
		組合	大企業被用者等	健康保険組合1,388	2,883.7万人		－	定額（予算補助）
		健康保険法第3条第2項被保険者	日々雇い入れられる者	全国健康保険協会	1.7万人		1級日額 390円 13級 3,230円	給付費の16.4％
	船員保険		船員	国	11.7万人		9.60％	定額
	共済組合		国家公務員 地方公務員 私学教職員	20組合 64組合 1事業団	857.5万人		－ － －	なし
国民健康保険			農業者 自営業者等	市町村 1,716 国保組合 162	2,932.4万人 市町村 2,659.9万人 国保組合 272.6万人		世帯毎に応益割（定額）と，応能割（負担能力に応じて）を賦課 保険者によって賦課算定方式は多少異なる	給付費等の41％ 給付費等の28.4～47.4％
	退職者医療制度		被用者保険の退職者	市町村 1,716				なし
後期高齢者医療制度			長寿医療制度（後期高齢者医療制度）の被保険者は，75歳以上の者及び65歳以上75歳未満の者で一定の障害にある旨の広域連合の認定を受けた者。	後期高齢者医療広域連合 47	1,803.2万人	1割 （現役並み所得者は3割）	各広域連合によって定めた被保険者均等割額と所得割率によって算定されている	・保険料　10％ ・支援金　約40％ ・公費　約50％ （公費の内訳） 国：都道府県：市町村 4：1：1

解説 医療保険は2003年4月より健康保険，国民健康保険，共済組合は家族・本人共に3割窓口負担，また08年4月より70歳以上の高齢者は2割負担，75歳以上は後期高齢者医療制度に加入することになった。後期高齢者（75歳以上）は加入していた国保や健保を脱退させられ，後期高齢者だけの独立保険に入る。その違いは家族に扶養されていた人を含めすべての後期高齢者が保険料の負担をして年金天引きで徴収される。保険料は全国平均で介護保険料（全国平均月5,869円）とあわせると毎月1万円以上を天引きされる。さらにこれまで75歳以上の高齢者は「保険料を滞納しても保険証を取り上げてはならない」とされてきたが今回より滞納者は保険証の取り上げとなる。国民年金の1人月平均は5万円。低所得の多い高齢者に医療負担は重い。

経済編

Column 国民健康保険の保険料を滞納すると…

「昨年５月，沖縄県内で糖尿病が悪化したとみられる女性（52）が亡くなった。国民健康保険の保険料を滞納し当時は期限が切れていた。（中略）院長によると，昨年は60代と70代の別の患者も困窮から治療を受けるのを我慢し，手遅れになって死亡した。いずれも国保料を払えず，保険証を手放していた。」（『朝日新聞』2008.5.18）

「大阪門真市で夫婦と長女（33）で切り盛りする工場は中国や東南アジアの安価な製品に押され，80年代後半から受注が減った。（中略）95年から当時年25万円だった保険料の滞納が始まった。『払えるものなら払いたいが，とてもその余裕がない。長女はぜんそくの持病もあるが，病院に行きたいとは言ったことがない。父親として申し訳ない』」（『朝日新聞』2006.8.4）

国保料の滞納が１年以上続くと資格証明書を渡され，通常は３割負担で済む窓口での医療費をいったん全額払わなければならなくなる。年収300万円の４人家族の国保は20万円～32万円（国保中央会モデル調査）。高い保険料が滞納を増やし，それがまた国保財政を悪化させる。国保への国庫負担金は84年から引き下げが続いており，社会保障費を抑え続ける国の政策にも批判が高まっている。

7 生活保護制度

●支給される保護費のイメージ

最低生活費

①生活扶助 ②住宅扶助 ③教育扶助 ④介護扶助 ⑤医療扶助

収入認定額（年金，児童扶養手当等含む）

保護費

金銭給付される額 現物給付される額

●生活扶助基準額の例（2021年4月1日現在）

	東京都区部	地方郡部等
3人世帯（33歳，29歳，4歳）	158,760円	139,630円
高齢者単身世帯（68歳）	77,980円	66,300円
高齢者夫婦世帯（68歳，65歳）	121,480円	106,350円
母子世帯（30歳，4歳，2歳）	190,550円	168,360円

※児童養育加算等を含む。　　（厚生労働省HP）

解説 収入が，厚生労働大臣が定める最低生活費に満たない場合，その差額分が保護費として支給される。最低生活費は地域や世帯によって異なる。また保護費として支給されるものは，生活扶助・住居扶助・教育扶助・医療扶助・介護扶助・出産扶助・生業扶助・葬祭扶助がある。

生活を営む上で生じる費用	対応する扶助の種類	支給内容
日常生活に必要な費用（食費・被服費・光熱水道費等）	生活扶助	基準額は①食費等の個人的費用（年齢別に算出）②光熱水道費の世帯共通的費用（世帯人員別に算定）を合算して算出。特定の世帯には加算があります。（母子加算等）

○×で答えよう！ 正誤問題にTRY✓ 社会保障とは，生活困窮者に最低限の生活を保障するための制度であり，費用はすべて租税によって賄われている。

8 生活保護をめぐる問題

世帯類型別の生活保護 受給世帯数の推移

年度	高齢者世帯	母子世帯	傷病・障害者世帯	その他の世帯
1997 年度	27.7	5.2	25.9	4.2
98 年度	29.5	5.5	26.8	4.5
99 年度	31.6	5.8	27.9	5.0
2000 年度	34.1	6.3	29.1	5.5
01 年度	37.0	6.8	30.4	6.2
02 年度	40.3	7.5	31.9	7.2
03 年度	43.6	8.2	33.7	8.5
04 年度	46.6	8.7	35.0	9.4
05 年度	45.2	9.1	39.0	10.7
06 年度	47.4	9.3	39.7	11.0
07 年度	49.8	9.3	40.1	11.1
08 年度	52.4	9.3	40.7	12.2
09 年度	56.3	10.0	43.6	17.2
10 年度	50.4	10.9	46.6	22.7
11 年度	63.6	11.3	48.9	25.4
12 年度	67.8	11.4	47.5	28.5
13 年度	72.0	11.2	46.5	28.8
14 年度	76.1	10.8	45.4	28.1
15 年度	80.3	10.4	44.2	27.2
16 年度	83.9	9.9	43.0	26.3
17 年度	87.8	8.9	41.4	25.2
18 年度	89.4	8.3	40.7	24.5
19 年度	90.6	7.7	40.3	24.1
20 年度	91.1	7.2	40.3	24.8

0　50　100　150　200（万世帯）

世界金融危機（08 年度）

傷病・障害者世帯
高齢者世帯
母子世帯
その他の世帯
（稼働年齢層が含まれる）

解説 生活保護の受給世帯は，増加傾向にある。「高齢者世帯」が最も多いが，世界金融危機後に，稼働世帯（就職し，働き手がいる世帯）と考えられる「その他の世帯」も急増している。このような中で，生活保護の申請を行った者が保護を認められず，その後死亡した事例が発生している。一方で，生活保護の不正受給や，最低賃金が生活保護費を下回る逆転現象の発生（現在は解消）などの問題もある。

（厚生労働省　被保護者調査）

9 雇用保険制度

●雇用保険制度の概要

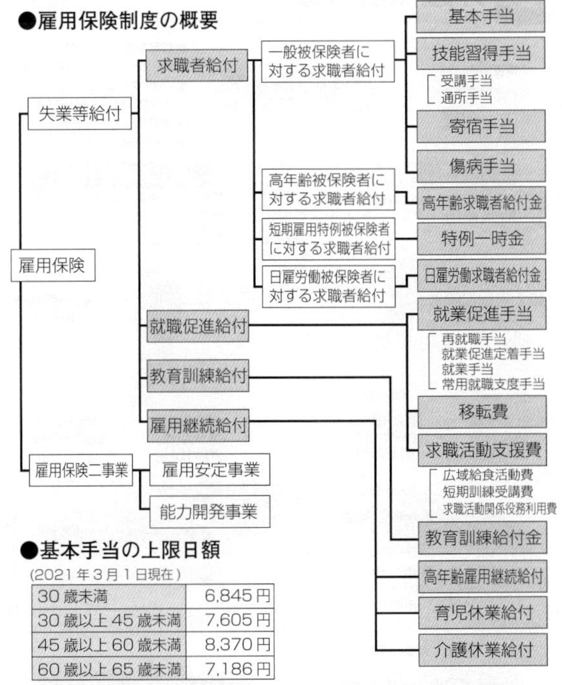

●基本手当の上限日額

（2021 年 3 月 1 日現在）

年齢	上限日額
30 歳未満	6,845 円
30 歳以上 45 歳未満	7,605 円
45 歳以上 60 歳未満	8,370 円
60 歳以上 65 歳未満	7,186 円

解説 雇用保険の被保険者は，失業した際に，失業中の生活を心配せず，新しい職を早くみつけられるように，基本手当を受給することができる。基本手当を給付できる日数は，離職の理由や雇用保険の被保険者であった期間によって 90 ～ 360 日間の中で決まる。基本手当の金額は，離職前の賃金のおよそ 50 ～ 80% となる。手続きはハローワークで行う。

（ハローワーク資料より）

Column ユニバーサルデザインとバリアフリー

バリアフリー
高齢者・障害者等が対象
↓
「製品」「建物」「環境」等からバリア（障壁）を取り除く

ユニバーサルデザイン
適応できる人 高齢者・障害者等すべての人が対象
↓
みんなが簡単に使える「製品」「建物」「環境」等をつくる

ユニバーサルデザイン 7 つの原則

①誰にも支障なく公平に利用できる。
②さまざまな使い方に柔軟に対応する。
③使い方が簡単で直感的にすぐ使える。
④使うために必要な情報がすぐに認知できる。
⑤操作ミスや危険につながりにくい。
⑥無理のない姿勢や少ない労力で，楽に使える。
⑦利用，接近のしやすい大きさ，広さがある。

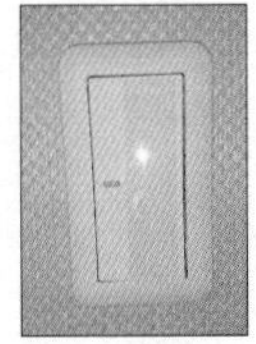

大型のスイッチ
物を持ちながらでも，身体障害の有無，年齢を問わず，操作しやすい。

ドアノブレバーハンドル
子ども，高齢者・障害者等，握力の弱い方でも開けやすい。

左右使いハサミ
手の不自由な方でも，年齢，右利き・左利きを問わずに使える。

経済編

○×で答えよう! 正誤問題に TRY✓ 生活困窮者に対して経済的な援助を行うのが公的扶助である。

50 少子高齢社会への対応

TOPICS

望ましい少子化対策—フランスでは—

日本の合計特殊出生率は，(2005年の1.26から) 2015年には1.45と上昇したものの，人口は9年連続で減少しており少子化の流れは止まっていない。一方で，フランスやスウェーデンは，出生率が1.5～1.6台まで低下した後，積極的な少子化対策を行い，出生率を回復させていった。例えばフランスでは，家族手当などの経済的支援と合わせて，保育や仕事と育児の家庭の両立のための「両立支援」を進める方向で対策を行っていった。今後，子育てを基本的に「自己責任」と考えるのか，社会全体で連帯して取り組んでいくのか，ということから国民全体として考えていく必要がある。

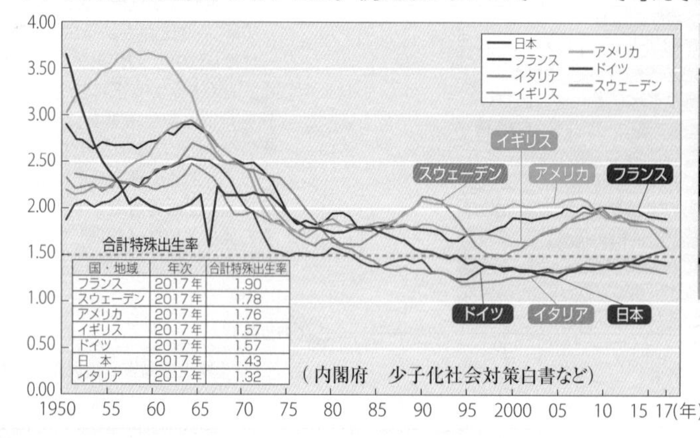

国・地域	年次	合計特殊出生率
フランス	2017年	1.90
スウェーデン	2017年	1.78
アメリカ	2017年	1.76
イギリス	2017年	1.57
ドイツ	2017年	1.57
日　本	2017年	1.43
イタリア	2017年	1.32

保育学校ですごす子どもたち
（フランス・パリ，2015年）

1 日本の高齢化社会の実態

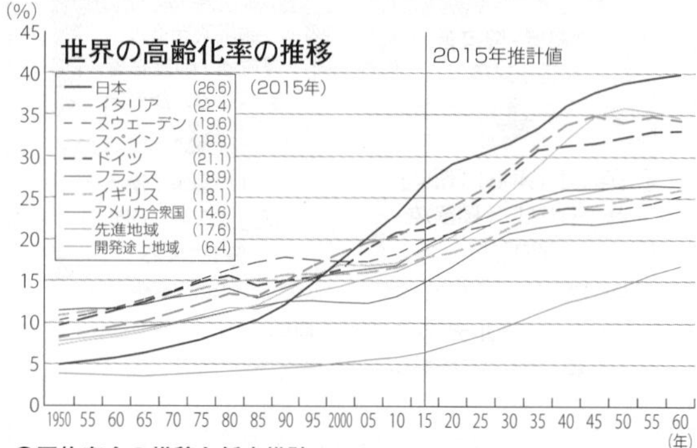

●平均寿命の推移と将来推計

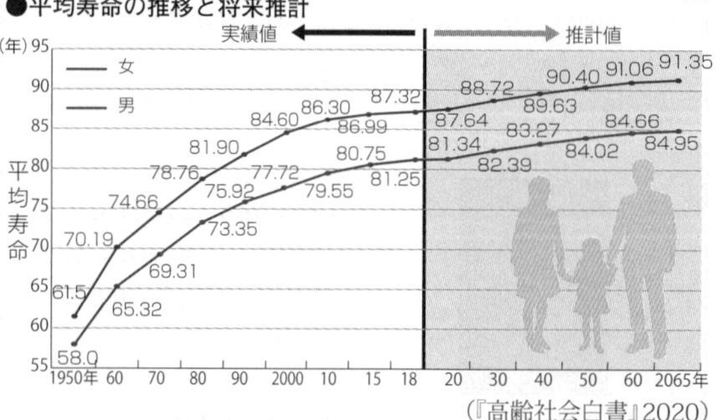

（『高齢社会白書』2020）

解説　日本は65歳以上の人口割合（高齢化率）が21%を超え，国連の定義する「超高齢社会」に達している。日本の高齢化率は，世界各国と比べて高い。また平均寿命は，今後も延びることが推定されている。これまでの日本社会のしくみ全体が大きく変化しており，政策的な対応を迫られているといえる。

2 介護保険の概要

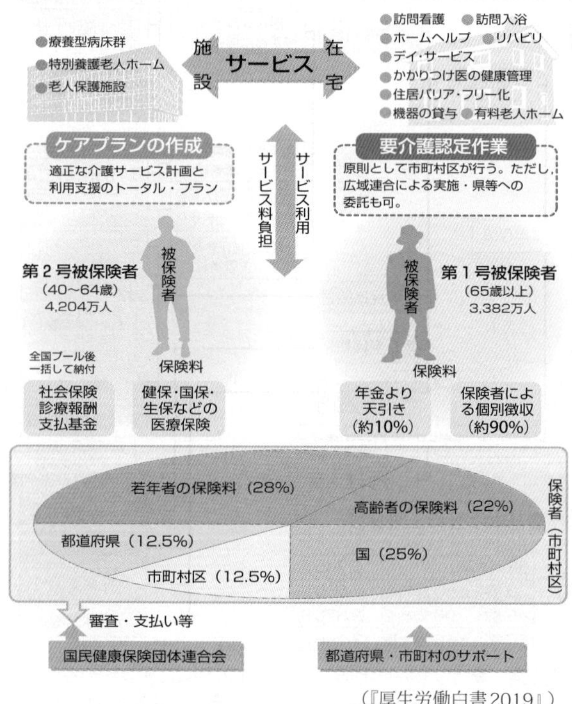

（『厚生労働白書2019』）

解説　社会の高齢化に対応し，2000年度から介護保険制度が施行された。要介護・要支援状態にある人が介護サービスを利用する際，その費用（給付費）を被保険者からだけでなく，国・都道府県・市町村も負担する。

経済編

○×で答えよう! 正誤問題にTRY✓　日本政府は少子化対策として，女性労働者の時間外・休日労働を禁止して，子育てのための時間を増やす施策を行っている。

3 介護保険のあらまし

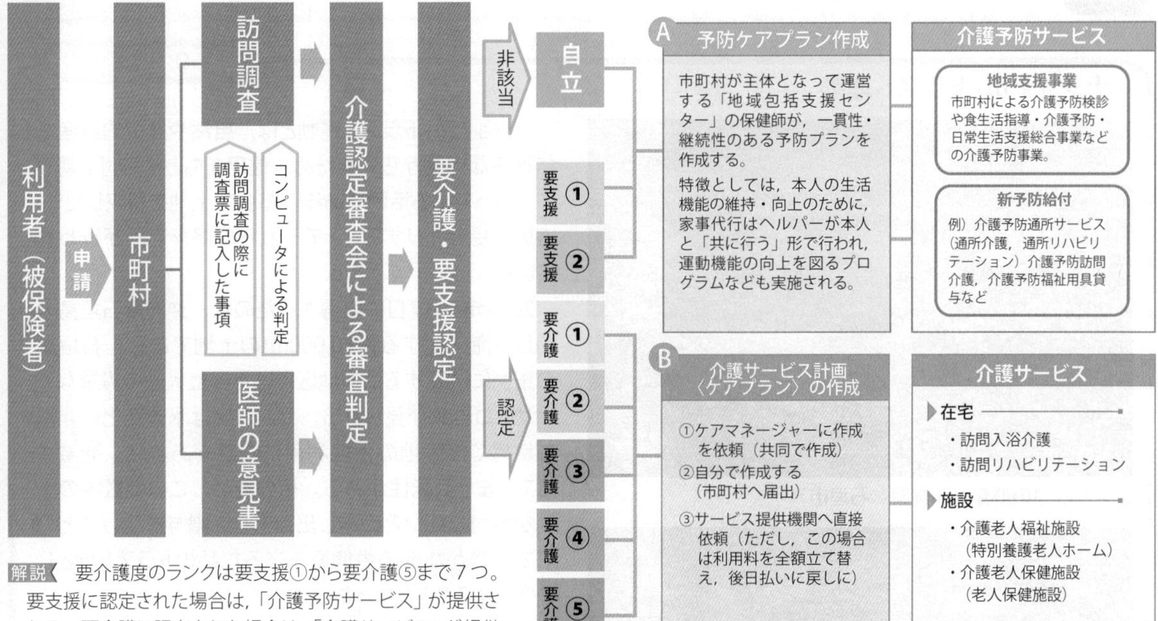

- 審査会の委員は，保健・医療・福祉に関する専門家５人程度で構成されます。
- 認定結果に不服がある場合は，都道府県（介護保険審査会）に申し立てができます。
- 要介護認定は，原則として６か月ごとに見直されます。

解説 要介護度のランクは要支援①から要介護⑤まで７つ。要支援に認定された場合は，「介護予防サービス」が提供される。要介護に認定された場合は，「介護サービス」が提供される。サービス利用者は，費用の1割または2割を負担しているが，2018年8月から2割負担のうち所得の高い被保険者（年収340万円以上）の負担割合が3割に引き上げられた。

4 児童虐待・高齢者虐待

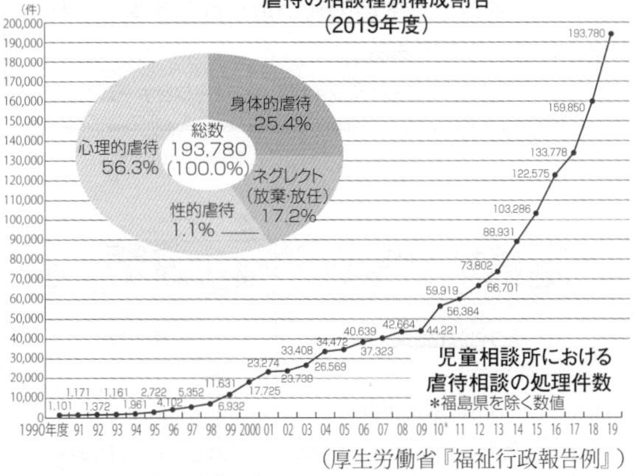

（厚生労働省『福祉行政報告例』）

高齢者に対する虐待の種類

種類	割合
身体的虐待	67.1%
心理的虐待	39.4%
経済的虐待	17.2%
介護・世話の放棄・放任	19.6%
性的虐待	0.3%

(複数回答)

虐待者の被虐待高齢者との続柄

続柄	割合
息子	40.2%
夫	21.3%
娘	17.8%
妻	6.5%
息子の配偶者(嫁)	3.2%
孫	3.5%
兄弟姉妹	2.1%
娘の配偶者(婿)	1.4%
その他不明	4.0%

厚生労働省2018年度『高齢者虐待防止，高齢者の養護者に対する支援等に関する法律に基づく対応状況等に関する調査結果』

解説 児童虐待の事例では，以前に被害児の胸や腹にあざがあるのを見付けた歯科医からの通報で，学校の校長や担任などがアパートを訪れていたにもかかわらず，最悪の事態を防ぐことができなかった。今後，福祉・学校・医療・警察などのさらなる強力な連携など，社会全体としての取り組みが必要なことはいうまでもない。

5 高齢化社会の到来

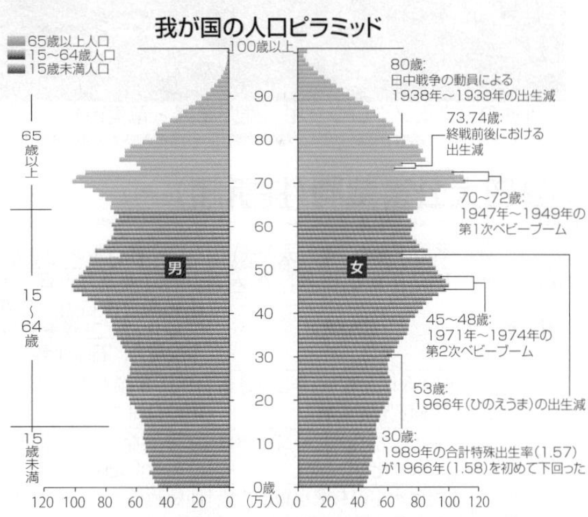

（総務省統計局2019年10月1日現在推計人口）

解説 わが国の高齢化の特徴はその加速度的なスピードにあり，徐々に高齢化が進んでいる他の先進国と比べた場合，社会保障制度の切り替えだけでなく，一般的・保守的な高齢者像の転換がなかなか進まないという欠陥がある。その意味で「少子高齢社会」については，歴史的な人口動向の変化を踏まえた予測の下に，社会の望ましい在り方を提示できるかどうか，という社会認識を問うことができるため，小論文頻出問題の一つとなっている。そこではまず，身体的・精神的・知的・社会的・経済的な衰えを見る従来の高齢者像の転換を図り，高齢者の社会的役割の見直しと，それを支える制度的措置，例えば60歳定年制の見直しなどの改善を図り，説得力ある高齢者像を示すなど，理念的な論述が要求されることとなろう。

○×で答えよう！ 正誤問題にTRY✓ 介護保険制度の財源としては，被保険者が支払う保険料だけでなく，国・自治体の公費も投入されている。

51 公害防止と環境保全

TOPICS

ナショナル-トラスト運動

アオサンゴの群集（沖縄県・石垣市）

夜行性のアマミノクロウサギ（鹿児島県・奄美市）

ナショナル-トラスト運動とは，自然や歴史的遺産を無秩序な開発から守るため，信用をもとに寄付を募って，行っている活動である。基金で土地を買収したり，寄贈（きぞう）を受けたりすることでそれらの保存活動が行われている。

2015年5月7日に取得されたのは，沖縄県石垣島の美しい海に面する約30,000m²の土地である。石垣島の東側に位置する白保地区には世界最大級の貴重なアオサンゴ群集が見られる。サンゴ礁は水質変化に非常に敏感で，陸地の土地利用に問題があれば，死滅（しめつ）させてしまう可能性がある。そのため，この地区内の土地を寄付したいとの申し出があり，贈与を受けるとの形で，豊かな海の生態系を守るためのトラスト地として保全することとなった。

また，約2000万円の寄付を受けて，購入という方法で2013年1月10日に取得されたのは，鹿児島県大島郡瀬戸内町の約980,000m²の原野である。奄美大島の南西部に位置する森には，国の天然記念物第一号のアマミノクロウサギをはじめとする貴重な生きものが住んでいる。そのため，一口1000円からの特別キャンペーンを実施し，多額の買い取り資金が集められ，保全されているのである。

（日本ナショナル・トラスト協会ホームページ）

経済編

1 四大公害裁判（提訴順）

	新潟水俣病（第二水俣病）	四日市ぜんそく	イタイイタイ病	水俣病
提訴日／原告数	1967年6月12日／76人	1967年9月1日／12人	1968年3月9日／33人	1969年6月14日／138人
被　告	昭和電工	昭和四日市石油，三菱油化，三菱化成，三菱モンサント，中部電力，石原産業	三井金属鉱業	チッソ
発生地域	1964年頃から70年にかけ新潟県阿賀野川流域	1961年頃から三重県四日市市の石油コンビナート	大正時代から富山県神通川流域	1953年頃から60年にかけて熊本県水俣湾周辺
被害症状	手足のしびれ，目や耳が不自由になり死亡	気管支など呼吸器が侵され，ぜんそく発作が襲う	骨がもろくなり「痛い痛い」と叫んで死んでいく	手足のしびれ，目や耳が不自由になり死亡
原　因	工場廃水中の有機水銀に汚染された魚介類の摂取（メチル水銀中毒）	亜硫酸ガスの排出により大気が汚染され，その空気を吸うことで呼吸器に支障	鉱山からたれ流されたカドミウムに汚染された食べ物を摂取	工場廃水中の有機水銀に汚染された魚介類の摂取（メチル水銀中毒）
請求額	5億2,267万4,000円	2億58万6,300円	6,200万円（第1審） 1億5,120万円（控訴審）	15億8,825万円
おもな争点	因果関係，故意・過失責任	複合公害における因果関係，共同不法行為，故意・過失責任，損害算定法	因果関係	故意・過失責任
裁判所 判決日 判決額	新潟地方裁判所 1971年9月29日 2億7,779万円	津地方裁判所四日市支部 1972年7月24日 8,821万円	富山地裁（第1審） 1971年6月　5,700万円 名古屋高裁（控訴審） 1972年8月9日　1億4,820万円	熊本地方裁判所 1973年3月20日 9億3,730万円
判決内容（法的根拠）	原告（被害者）側全面勝訴／疫学的因果関係の推認で立証されるとして，被告側の企業責任を追及（民法第709条［不法行為］）	原告（被害者）側全面勝訴／コンビナートの各企業の共同不法行為（民法第709, 719条［不法行為，共同不法行為］）	1審・原告側全面勝訴→被告側控訴 控審・被告側敗訴／疫学的因果関係の証明で損害賠償が可能（鉱業法第109条［無過失責任規定］）	原告（被害者）側全面勝訴／工場廃水は事前の安全確認が必要で，それを怠った企業責任を認める（民法第709条［不法行為］）

○×で答えよう！ 正誤問題にTRY✓　四大公害のうち，富山県神通川流域で起こったイタイイタイ病は食用油に混入したPCBが原因で，患者の皮膚や肝臓などが侵された。

2 公害・環境年表

年代	事　項
1890	足尾銅山(栃木県)鉱毒事件で渡良瀬川汚染
1891	田中正造代議士，帝国議会で足尾銅山鉱毒事件を追及
1922	神通川(富山県)流域でイタイイタイ病の発病確認
1956	水俣病(熊本県水俣市)の公式発見
1961	四日市ぜんそく(三重県四日市市)の患者多発
1965	阿賀野川(新潟県)流域で新潟水俣病の発病確認
1967	四大公害訴訟第一号となる新潟水俣病の提訴
	公害対策基本法制定(93 年失効)
1968	大気汚染防止法，騒音規正法制定
1970	光化学スモッグ，東京で社会問題化
1971	環境庁設置
	イタイイタイ病訴訟，患者側勝訴，被告控訴
	新潟水俣病訴訟，患者側勝訴，判決確定
1972	ストックホルム(スウェーデン)の 国連人間環境会議 で「人間環境宣言」を採択
	四日市ぜんそく訴訟，患者側勝訴，判決確定
	イタイイタイ病訴訟控訴審，患者側勝訴，判決確定
1973	水俣病訴訟，患者側勝訴，判決確定
	公害健康被害補償法制定
1975	大阪空港公害訴訟控訴審，「午後９時から翌朝７時までの飛行禁止」を命じる画期的判決
1976	川崎市(神奈川県)で全国初の環境アセスメント条例の制定
1979	琵琶湖(滋賀県)富栄養化防止条例制定
1981	大阪空港公害訴訟上告審，夜間飛行差し止め請求却下
1992	リオデジャネイロ(ブラジル)で国連環境開発会議(地球サミット)開催
1993	環境基本法制定
1995	容器包装リサイクル法制定
1997	環境アセスメント(環境影響評価)法制定 /COP3
1998	家電リサイクル法制定
1999	ダイオキシン類対策特別措置法制定
2000	循環型社会形成推進基本法制定
2001	環境庁，環境省に昇格
2002	ヨハネスバーグ(南アフリカ)で環境開発サミット開催
2006	アスベスト新法制定
2007	東京大気汚染訴訟和解
2008	生物多様性基本法の制定
2009	水俣病救済法成立
2013	水俣条約調印
2020	プラスチック資源循環戦略としてレジ袋の有料化を義務化

羽田Ｄ滑走路(2004年の環境アセスメントをへて完成)

解説　1950～60年代にかけて，日本の高度経済成長と公害問題は密接に関わっていた。それまでは「公害」の概念すらなかったが，相次ぐ企業の利潤追求至上主義により，あちらこちらで「公害」が発生した。しかし，その補償となると原因追及とその加害者側の責任程度を巡り，裁判が長期化し，被害者の拡大と被害者が亡くなってしまうというケースが多かった。公害が大きな社会問題として取り上げられるようになると，企業も公害対策に投資をし，かつてのような産業公害は起こらなくなってきた。しかし，国内では大都市への人口の集中により，「都市公害」が問題になってきている。産業廃棄物やダイオキシンなどのゴミ処理を巡る問題が表面化した。80年代以降，「環境問題」が世界規模の問題として注目されるようになった。21世紀に入りもはや「大量生産・大量消費・大量破壊」の時代は終わり，有効な資源を利用しつつ環境にやさしい「持続可能な開発」のもと「循環型社会」へと展開し，企業も「環境」を一つの売りにするなど「環境ビジネス」が盛んになった。また，消費者も「環境」をキーワードにした消費行動へとうつってきている。

Column　足尾銅山鉱毒事件と田中正造の闘い

足尾銅山鉱毒事件は，わが国最初の公害事件として，また環境問題の原点でもある。当時，田中正造は，国会議員として反対運動を行い，命をかけて明治天皇への直訴を行おうとした。

しかし，当時の国策として，銅は重要な輸出品であり，日清・日露戦争（1894～95，1904～05）の戦費を稼ぐには，足尾銅山の閉山や環境対策など毛頭考えられる状況にはなかった。その後，1960年代の水俣病や四日市ぜんそくが社会問題化するまで，企業は環境対策を取ることはなかった。現在では，企業にとって環境対策は「企業の社会的責任」として，重要な地位を占め，重要なPRポイントになっている。

わが国最初の公害

足尾銅山の歴史

1610 年　発見
1877 年　古河市兵衛（古河鉱業）が経営権を握る
1881 年　新鉱脈の発見
1890 年　洪水により渡良瀬川が汚染
1890 年代　近代技術の導入により日本の銅産出量の40%を占める
1973 年　閉山（足尾銅山採掘中止）
1989 年　JR 足尾線の貨物廃止で，原料鉱石の搬入減少により実質的な精錬所操業停止

被害の経過

1890 年　渡良瀬川の洪水により田畑の汚染
1896 年　３度の大洪水で広範囲な汚染
1899 年　鉱毒による死者・死産 1064 名（推計）
1900 年　川俣事件（群馬県明和町で，政府に陳情〈第４回目の押出し〉に行こうとした農民と警官隊が大規模に衝突）
1901 年　足尾町隣接の松木村が煙害のため廃村

銅山を取りまく時代背景

江戸時代　江戸城の銅瓦生産と中国・オランダへの輸出，寛永通宝一文銭の鋳造
明治初期　富国強兵・殖産興業のための外貨獲得手段として銅が絹と並ぶ重要な輸出品であった

田中正造の登場とその活動

1890 年　第１回衆議院議員選挙に当選
1891 年　国会で鉱毒に関する質問
1900 年　川俣事件後，国会で日本の憲政史上に残る大演説（事件に関する質問）
1901 年　議員辞職，明治天皇への直訴（失敗するが直訴の事実は世間に知れ渡る）
以降　解決に向け奔走するが，1913 年亡くなる。

○×で答えよう!　正誤問題にTRY✓　公害対策基本法の制定以前には，公害を規制するための法律は制定されていなかった。

3 循環型社会形成推進のための施策体系

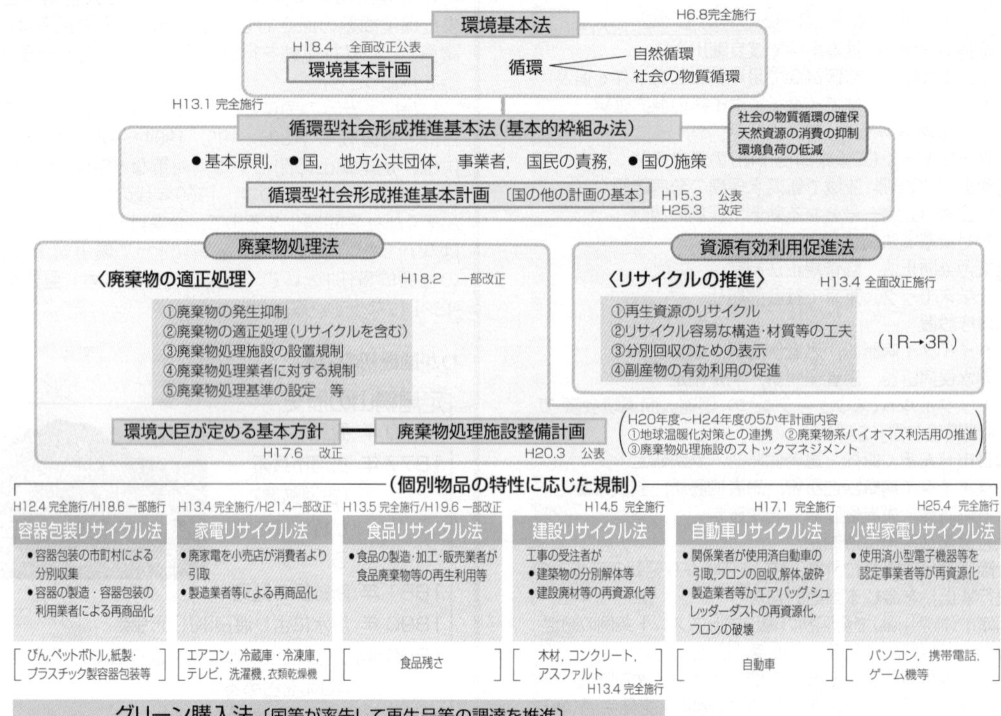

（『循環型社会白書』2002，環境省ホームページなど）

解説 環境基本法と循環型社会形成推進基本法の内容をより具体化する方策のための体系一覧である。法律として規制の対象になっているものは少ない。私たちを取り巻く環境の諸問題を解決する最後の手段は，事業者（企業）や国民一人ひとりの行動にかかってきている。

4 循環型社会 〜3Rから5Rへ〜

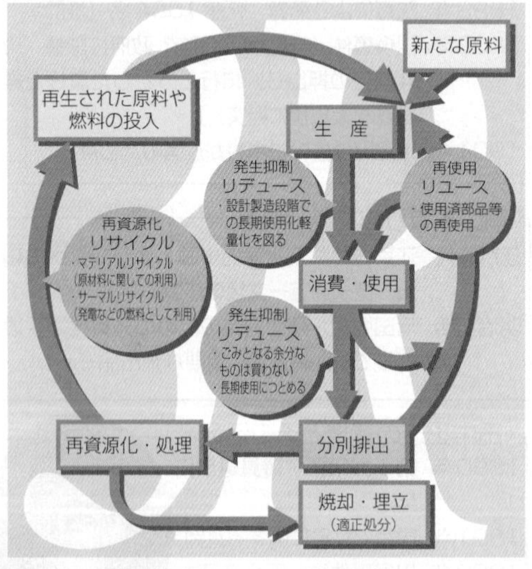

解説 循環型社会形成に欠かせないものが３Ｒである。三つの英単語の頭文字で示されたものであり，以下の３つのことである。**リデュース**（**Reduce**）：設計の工夫などによって，廃棄物そのものの抑制を抑えること。**リユース**（**Reuse**）：使用済みの製品や部品をそのまま再利用できるようにすること。**リサイクル**（**Recycle**）：製品や部品を資源として再利用すること。最近は，５Ｒへ変化しつつある。ゴミになるものは買わない，もらわないリフューズ（Refuse）と製品を修理して長く使い続けるリペア（Repair）の２つが加えられながら，循環型社会が形成されつつある。

5 リサイクル率の推移

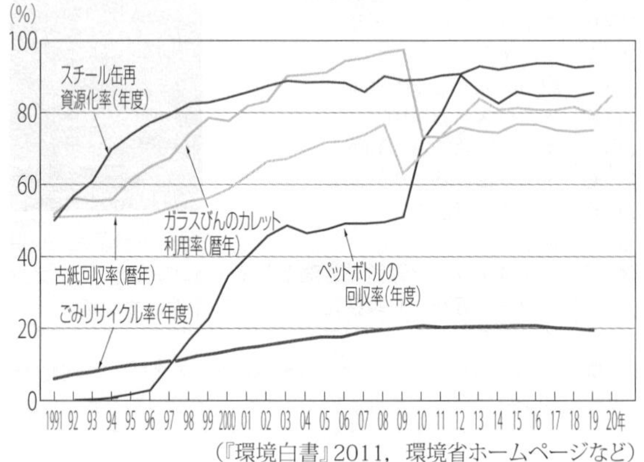

（『環境白書』2011，環境省ホームページなど）

解説 リサイクル率が特に高いのがスチール缶・アルミ缶・ガラスびんの三種である。それぞれ「容器包装リサイクル法」の施行により自治体の分別回収が進んでいることと，リサイクル施設の整備や技術革新により，再生原料としての質が向上しているためである。

リデュース取り組み
ベスト3市町村（2019年度）
1日1人あたりごみ排出量

人口10万人未満		
1.	長野県 川上村	294.9g
2.	長野県 南牧村	320.0g
3.	徳島県 神山町	328.2g
50万人未満		
1.	東京都 小金井市	609.4g
2.	静岡県 掛川市	627.2g
3.	東京都 日野市	646.3g
人口50万人以上		
1.	東京都 八王子市	770.1g
2.	愛媛県 松山市	773.1g
3.	神奈川県 川崎市	804.2g

○×で答えよう! 正誤問題にTRY✓ 廃棄物の減量化・再資源化を進めるために，家電リサイクル法は，廃棄された家電製品を地方自治体が無償で回収すると規定している。

6 ゼロ-エミッション～燃料電池で走る車

（トヨタの新型燃料電池車　提供：トヨタ自動車）

（燃料電池車の仕組み　提供：トヨタ自動車）

燃料電池車　タンクに蓄えた水素ガスを，空気中から取り込んだ酸素と静かに反応させて発電し，モーターで走行する。排気ガスは水蒸気だけ。燃料電池車（FCV：Fuel Cell Vehicle）は，走行時のゼロ-エミッション（二酸化炭素の排出量ゼロ）を実現する「未来」の車だろう。ガソリンに代わる燃料である水素は，環境にやさしく，さまざまな原料からつくることができるエネルギーである。しかし一方で，水素エネルギーの扱いの難しさやインフラ整備，エネルギー効率などの課題も抱えている。

解説　ゼロ-エミッション（Zero Emission）とは，排出をゼロにすることである。つまり，生産技術の革新や産業間連携などにより，再利用などの循環を徹底することで廃棄物を全く無くそうとするものである。国連大学の提唱により広まりをみせ，環境に配慮する積極的な取り組みが企業には求められるようになってきている。二酸化炭素（CO_2）対策に熱心な自動車産業界では先進的な技術革新により環境負荷のないクルマの開発が進んでいる。CO_2排出をゼロにすることでゼロエミッション社会の実現を目指す。

7 東京スカイツリーと環境アセスメント

環境アセスメント（環境影響評価）は，開発事業を行う場合，それが自然環境に与える影響を事前に調査・予測・評価することである。1997年に環境アセスメント法が成立している。環境アセスメントは内容を公開して，住民や関係自治体などの意見を聞くとともに各項目の専門家が審査することにより，周辺環境に対して適切な配慮がなされるようにするものである。

2012年5月22日に開業した東京スカイツリーも，当然，この手続きを経ている。2006年12月4日に調査計画書を提出し，これに基づいて調査・予測・評価がなされた。この他にもさまざまな手続きを経て，2008年5月30日に評価書が提出されている。ここでは規定のうち次の11項目，大気汚染，騒音・振動，地盤，水循環，日影，電波障害，風環境，景観，自然との触れ合いの場，廃棄物，温室効果ガスを調査し，このほかに電磁波と風による発生音についても評価されている。

東京スカイツリーのすぐ横を流れる北十間川（東京・墨田区）景観の整備がすすむ

8 グリーン-コンシューマー 10原則

1. 必要なものを必要な量だけ買う。
2. 使い捨て商品ではなく，長く使えるものを選ぶ。
3. 包装はないものを最優先し，次に最小限のもの，容器再使用できるものを選ぶ。
4. 作るとき，使うとき，捨てるとき，資源とエネルギー消費の少ないものを選ぶ。
5. 化学物質による環境汚染と健康への影響の少ないものを選ぶ。
6. 自然と生物多様性を損なわないものを選ぶ。
7. 近くで生産・製造されたものを選ぶ。
8. 作る人に公正な分配が保証されているものを選ぶ。
9. リサイクルされたもの，リサイクルシステムのあるものを選ぶ。
10. 環境問題に熱心に取り組み，環境情報を公開しているメーカーや店を選ぶ。

9 環境ホルモン

ダイオキシン類の１日当たりの摂取量

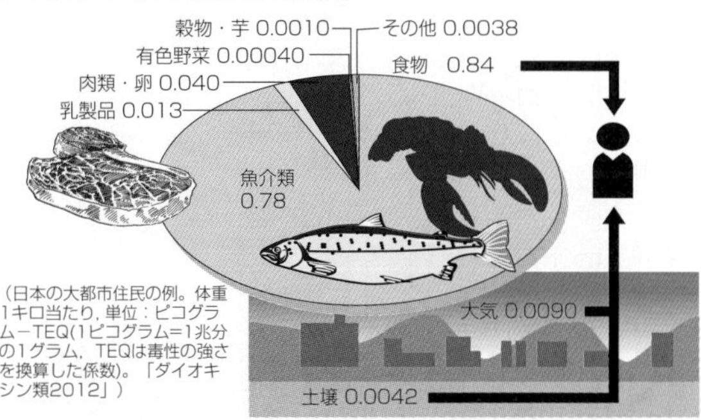

（日本の大都市住民の例。体重1キロ当たり，単位：ピコグラム−TEQ（1ピコグラム=1兆分の1グラム，TEQは毒性の強さを換算した係数）。「ダイオキシン類2012」）

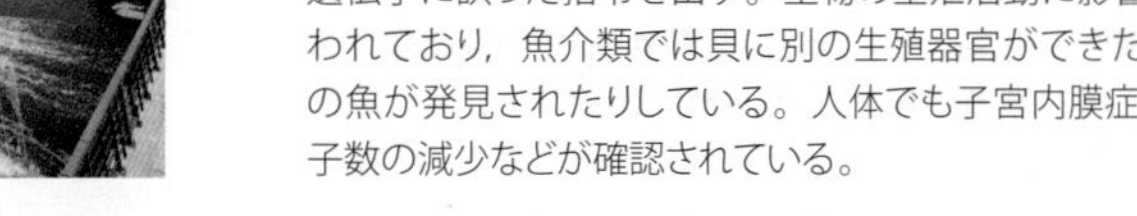

解説　環境ホルモンは内分泌かく乱物質とも言われている。生体の細胞内に入り込むと正常なホルモンが結合するべきところに結合し，遺伝子に誤った指令を出す。生物の生殖活動に影響を及ぼすと言われており，魚介類では貝に別の生殖器官ができたり，雌雄同体の魚が発見されたりしている。人体でも子宮内膜症や乳がん，精子数の減少などが確認されている。

経済編

○×で答えよう！　正誤問題にTRY✓　日本では，ゼロ・エミッションの考え方に基づいて，自動車の発する騒音を一定水準に抑えることがメーカーに義務づけられている。

52 農業と食料問題

TOPICS

農業の6次化　～農業と観光～

　第6次産業は農林水産業である第1次産業，製造業などの工業を主とする第2次産業，小売業などのサービス業を主とする第3次産業の融合（ゆうごう）（1次×2次×3次＝6次）を目指して提唱された造語である。

　地域のコミュニティ機能を維持し，地域のにぎわいを実現させるためには，農林漁業者の所得の向上のみならず，地域における雇用の確保などが必要となる。このため，今後大きく成長する世界の食市場を取り込み，農林漁業者が主体となって取り組む6次産業化を推進するとともに，介護福祉，医療，観光分野などとの連携を強化していくことが重要になってきている。

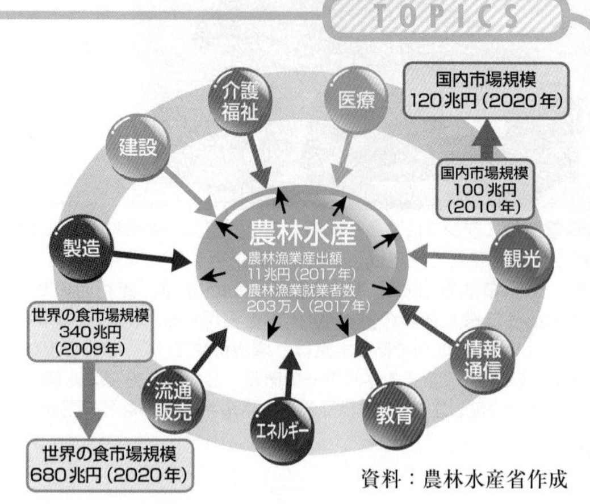

（『食料・農業・農村白書』2014を元に作成）

1 国民生活における農業の地位

	1960	1970	1980	2018
国内総生産（10億円）	16,681	75,299	245,547	548,367
うち農業総生産の割合（%）	9.0	4.2	2.4	1.0
輸出総額（10億円）	1,460	6,954	29,382	81,479
うち農産物輸出の割合（%）	4.3	2.0	0.7	0.7
輸入総額（10億円）	1,617	6,797	31,995	82,703
うち農産物輸入の割合（%）	38.5	19.0	13.0	8.0
農業就業人口（万人）	1,196	811	506	*201
総就業者に占める割合（%）	26.8	15.9	9.1	3.2
一般会計国家予算額（億円）	17,652	82,131	436,814	*997,218
うち農業関係予算の割合（%）	7.9	10.8	7.1	1.7

＊は2015年数値　　（『日本国勢図会』2020/21）

解説　農業就業人口の割合は，この40年間で1/6に減少し，国内総生産に占める農業の地位も低下した。その分輸入農産物が増加したが，1960年度の場合，輸入総額の内2割にもなり，この当時は工業製品よりも国民に腹一杯食べさせることが課題であったために割合が高かった。

2 日本の専業・兼業農家数の割合

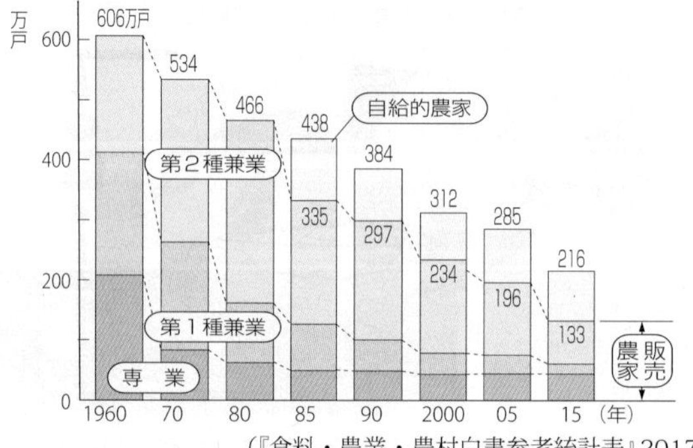

（『食料・農業・農村白書参考統計表』2017）

解説　販売農家とは経営耕地面積30アール以上又は販売金額50万円以上の農家を指し，自給的農家はそれ未満を指す。販売農家は農家全体の約75%にあたる。また，販売農家のうち，高齢専業農家（65歳以上の世帯員）は約1割を占め，1990年に比べ，約9万戸増加している。

3 農業経済の現状

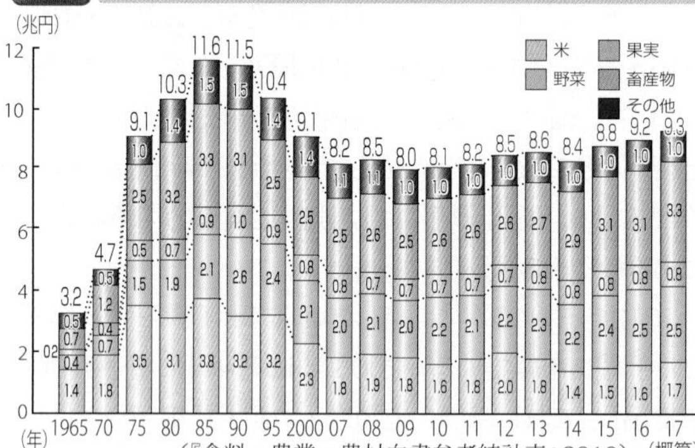

（『食料・農業・農村白書参考統計表』2019）

解説　日本の農業総生産出額は，1990年代半ば以降の減少傾向から，2010年代に入ってやや増加傾向に変化している。品目では，畜産物，野菜，米，果実の順番となっている。

4 農業労働力の高齢化（販売農家）

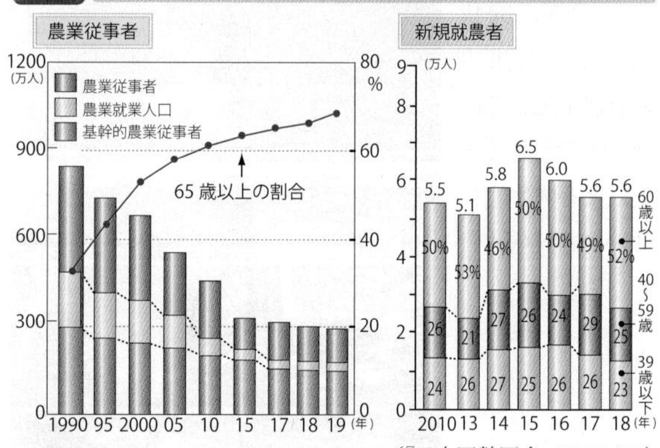

（『日本国勢図会』2020/21）

解説　農村では，都市部以上に高齢化のスピードが速い。高齢化に伴い耕作放棄地も増加し，耕作条件が厳しい中山間地域（全耕地の4割を占める）で特に多い。

○×で答えよう！　正誤問題にTRY✓　日本の農家の経営規模の拡大は，米作農家の課題ではなく，畜産・果樹農家の課題である。

テーマ学習　本当に幸せになるための食育～健康な心と体であり続けるために～

● さっき口にしたものは？

皆さんはさっきの食事はどこでとりましたか。

　家のテーブル？　学校の机？　ランチルーム？

　まさか，座り込んだ廊下？

そのとき口にした食べ物は何でしたか。

その食べ物について考えたことがありますか。

どこでつくられて，どんなものからできているのでしょうか。

まさしく10年以上前にジャンクフードばかりを口にする生活を送り，30代になった今は当時の体重より20キロ増，高血圧に脂肪肝，痛風に苦しむ…そんな体をかかえた男性がいます。昔は何の疑問もなく「若いから大丈夫！」と本当に思って生活していたようですが，現代高校生が彼と同じ苦しみを味わうことのないように願いをこめて，【食】について考えてみましょう。

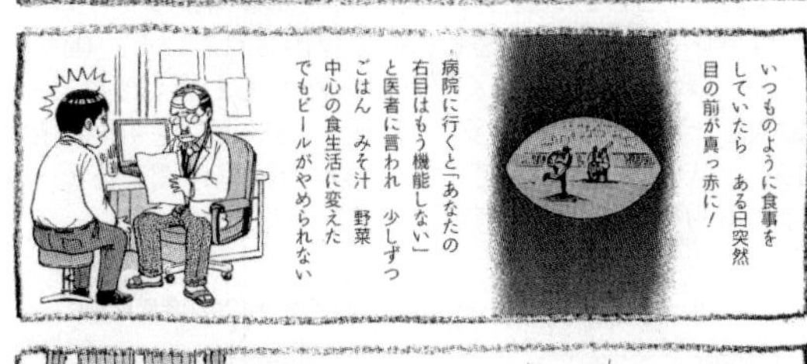

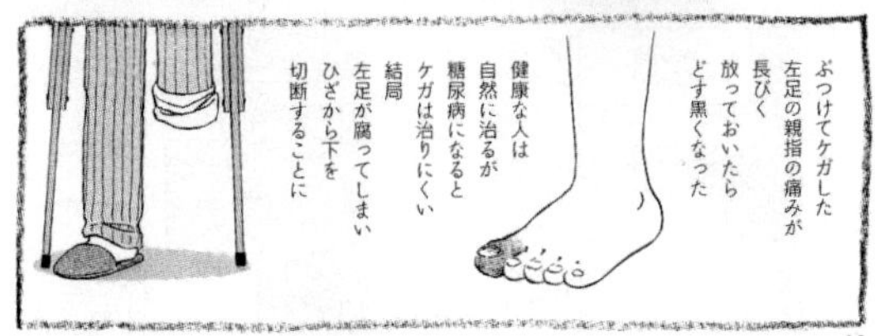

（『食卓の向こう側　コミック編1』西日本新聞社）

● おっぱいを嫌がる赤ちゃん

おっぱいを嫌がる赤ちゃんが増えているといいます。食品に品質があるように母乳にも乳質があって，特に母親の食べ物によって刻々と変化するのです。甘すぎたり，脂っこくなったお乳を飲ませようとすると，赤ちゃんは頭を振って，体をくねらせたり，乳首をかんだりして「おいしくないよ」と訴えます。赤ちゃんのためにたくさん母乳を出そうとして，高脂肪，高カロリーの食品を食べたときに起きやすいとのこと。逆効果になるんですね。病気ではないからといって，出産のお祝いにとフランス料理を出す産婦人科医院に人気があるようですが，ちょっと考えなければならないかもしれません。

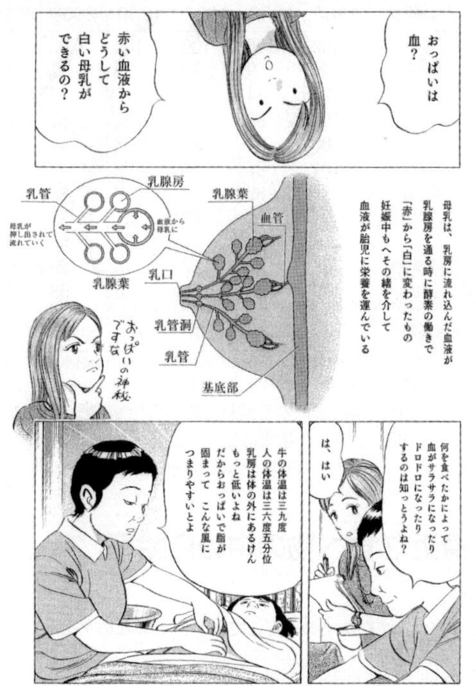

（『食卓の向こう側　コミック編1』西日本新聞社刊）

● やさしいお父さん !? から学ぶべきこと

専業主婦のお母さんが風邪でダウン。会社人間のお父さんもこの日ばかりは定時で帰宅。「お母さんはゆっくり寝ていてね。子どもたちに夕飯は食べさせるから。心配しないで」と近所のラーメン屋に連れて行きます。皆さんはこのお父さんをどう思いますか。いいお父さんと評されることが多いようです。しかし，この話には「オチ」があります。

子どもたちはおいしいとラーメンをすすっていますが，帰り際に「お母さんの夕飯は？」。お父さんはあわててお持ち帰りの餃子を注文します。すっかりお母さんを忘れていたようです。自分と子どもだけが食べるのに精一杯であったのでしょう（と言ってもラーメン屋に行っただけですが）。加えて，風邪で寝ている人に餃子はないでしょう。厳しく評されることになります。

私たちは学校で「稼ぎや仕事」につながるような勉強，技を学んでいます。その結果たくさん稼げるようになります。しかし，家族をやっていくにも知識や技が必要になります。学校ではどうしても「稼ぎや仕事」の勉強が中心になります。ある程度仕方のないことですが，そこに終始してしまうと，「稼ぎと仕事」つまり，お金さえあれば家族も食もどうにでもなるという過ちにつながります。この過ちが幸せな人生を壊すこともあるわけです。

5 食用農産物の自給率の推移

年度	1960	1970	1980	1990	2000	2019
米	102	106	100	100	95	97
小麦	39	9	10	15	11	16
大豆	29	4	4	5	5	6
野菜	100	99	97	91	81	79
果実	100	84	81	63	44	38
鶏卵	101	97	98	98	95	96
牛乳・乳製品	89	89	82	78	68	59
牛肉（肉類）	96	90	72	51	34	35
豚肉（肉類）	96	98	87	74	57	49
砂糖類(沖縄県を含む)	18	22	27	33	29	34
魚介類	110	108	104	86	53	52
供給熱量自給率	79	60	53	47	40	38

品目別の自給率は国内消費仕向量に対する国内生産量の割合で，総合自給率は国内消費仕向額に対する国内生産額の割合。（農林水産省 HP）

解説　肉類の自給率は，餌となる飼料作物の自給率から考えるとこの値よりかなり低い。また，果実は輸入自由化などで外国産のものが輸入されることにより，1980年代以降急速に減少している。

6 各国の食料自給率

2017 年	日本(2019)	アメリカ	イギリス	ドイツ	フランス	イタリア
穀類	28	119	94	112	170	63
食用穀物	63	148	92	121	172	73
うち小麦	16	148	97	131	187	62
粗粒穀物	1	115	98	99	167	53
豆類	6	193	46	121	84	42
野菜類	79	87	46	46	72	146
果実類	38	73	10	27	62	108
肉類	52	113	72	112	100	74
卵類	96	103	91	72	99	97
牛乳・乳製品	59	112	90	118	118	81
魚介類	52	65	55	27	29	17
供給熱量総合食料	38	131	68	95	130	59

（『日本国勢図会』2021/22）

解説　先進国の中でも，わが国は極端に食料自給率が低い。そのため，わが国の食生活は，海外に頼っていることから「食料安保論」がよく問題にされることがある。

7 身近な食べ物の中の自給率

わたしたちが食べているものはどこでとれたものなの？

わたしたちが毎日口にしている「食べもの」すべてが，日本でつくられているわけではありません。

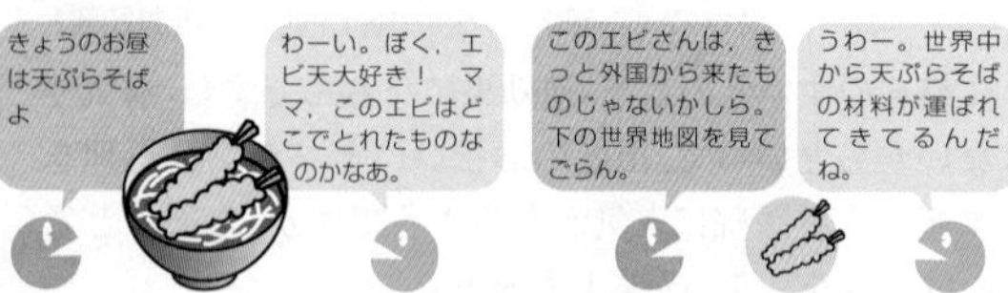

大豆や小麦など，ほとんどが外国生まれ

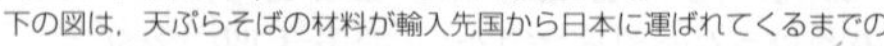

下の図は，天ぷらそばの材料が輸入先国から日本に運ばれてくるまでの距離と日数をあらわしています。

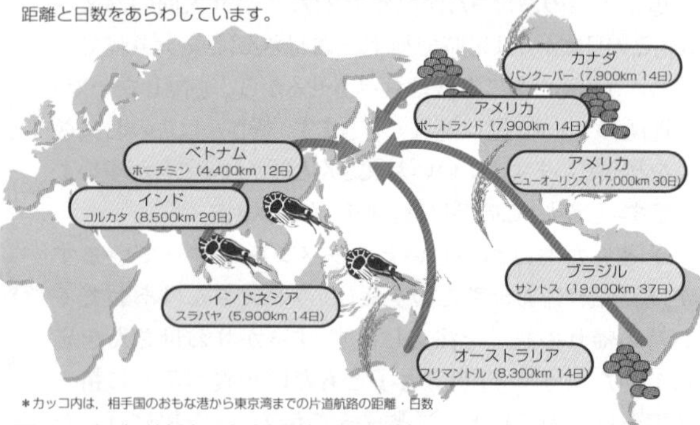

＊カッコ内は，相手国のおもな港から東京湾までの片道航路の距離・日数

天ぷらそばの材料の生産国（2011年度）

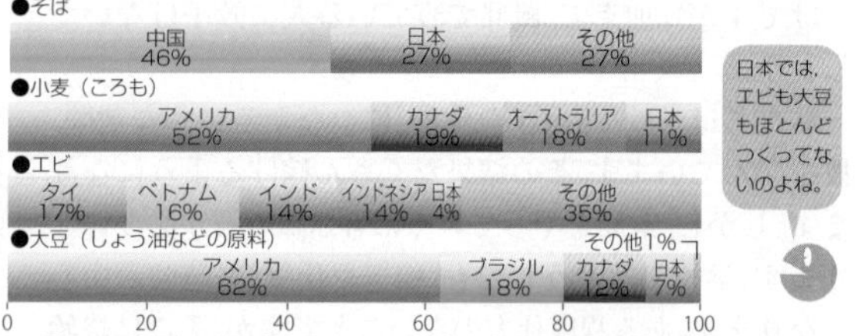

（『いちばん身近な「食べもの」の話』（財）食生活情報サービスセンター／農林水産省）

解説　日常よく食べているものを調べてみると，ほとんどの食材が輸入品である。和食だからといっても，輸入依存度はかなり高い。私たちの日常の食生活は，海外の農地なくしては，あり得ないのが現状である。そのために，自給率の上昇が農業政策の上で大きな課題の一つである。

Column 食料自給率は数字のマジック!?

「日本の食料自給率は約40％で，先進諸国中で最低である!」共通テストを控える高校生には必須項目である。しかし，本当だろうか。40％はカロリーベースでの数値であり，国産品で賄われた総熱量になる。国民1人1日当たりの国産熱量（843kcal）／国民1人1日当たり供給熱量（2269kcal）×100＝37％（2020年度）での数値である。この場合，野菜や果実などは低カロリーのため，増産を試みても数字に反映されにくくなる。この算出方法を使っている国はほとんどない。他の先進諸国は生産額ベースで表わしており，日本は国内生産額（10兆4,032億円）／国内消費仕向額（15兆4,308億円）×100＝67％（2020年度）になる。

また，もうひとつ畜産物に注目したい。輸入飼料（エサ）分は外国産とみなし，差し引いて算出されている。国産の牛肉・豚肉・鶏肉はよく見かけ，私たちも食しているが，輸入したエサの割合が多く，自給率63％とも見える数値が16％と低い数値になっている。食料自給率に関するデータは多角的な視点からの考察が必要である。

カロリーベースと生産額ベースの総合食料自給率（2020年度）

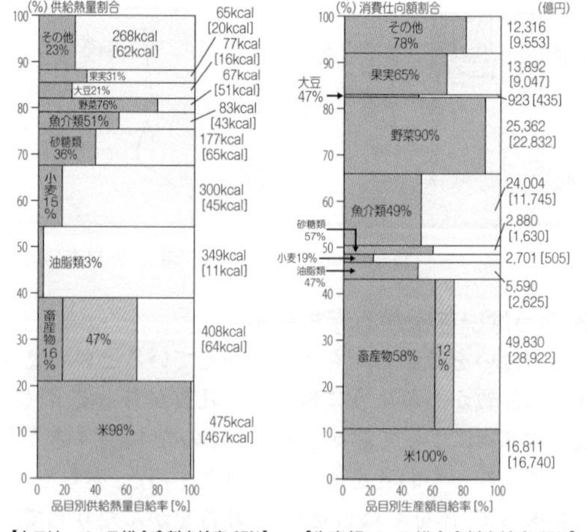

経済編

○×で答えよう! 正誤問題にTRY✓　日本が農産物の輸入自由化を要求されているのは，食用農産物の自給率が高いためである。

テーマ学習　眠れる農地を目覚めさせるために ～農地法抜本改正～

日本の農村は，食料を産み出すことで国民の食生活を満たすという重大な役割を担っている。しかしながら，後継者不足，耕作放棄地，限界集落など農村存亡の危機とも受けとれるようなトピックが後を絶たない状況だ。また，かねてから農地のあり方に数多くの問題が指摘されていた。そのようななか，農地法の抜本的改正が2009（平成21）年に図られた。

●農地法改正

①改正の目的

農業生産の基盤である農地が貴重な資源であることを鑑(かんが)み，農地を農地以外のものに利用することを規制し，農地を効率的に利用する耕作者が，容易に農地についての権利取得を促進でき，国民に対する食料の安定供給の確保に資することを目的としている。

②貸借権の大幅な緩和

事実上一般法人の農業参入が自由化されることとなった。農地の「所有」については厳しい規制を維持しつつ，「貸借」について規制を大幅に緩和することで，法人による農業経営が実現するようになった。

③転用規制の厳格化

食料自給の強化のため，農地面積の減少は食い止める必要がある。そのため，農地転用については厳格化する政策が打ち出された。それまでは学校や病院などの公共施設にする場合は農地転用の許可を必要としていなかったが，許可の対象に含めることとした。また，法人による違反転用の罰金は300万円から1億円に引き上げられることで，厳罰化することとなった。

④農地の利用集積

農業の担い手へ，農地が望ましい集積を図ることで再分配されるよう，全国の市町村において地域内の農地を一括して引き受ける仕組みを創設することとした。農業経営基盤強化促進法の制定で，農地保有の合理化が進められている。

●耕作者主義

農地法では耕作者主義という基本原則が掲げられている。これは農地を有するその地域に住む農家が家族経営を中心として耕作していくという考え方である。しかし，後継者不足に悩む農家にとっては，家族に頼れなくなった段階で，耕作ができなくなることを意味する。今回の改正では，農地の利用・貸借が原則自由になり，企業やNPO法人も農地を適正に利用すれば，その地域に住むことなく農地の借り入れができるようになった。

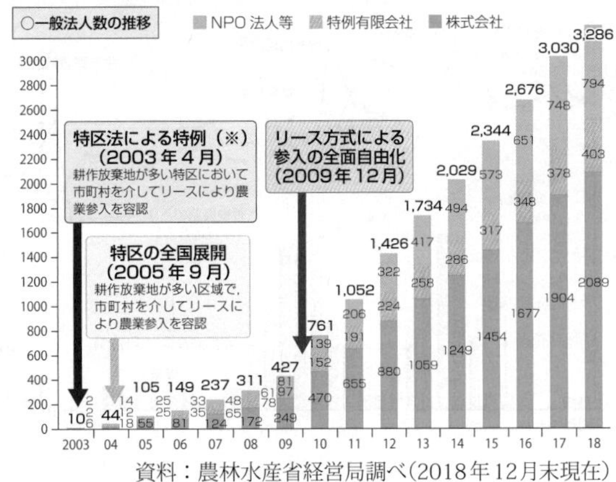

資料：農林水産省経営局調べ（2018年12月末現在）

●企業や個人の動向

農地法の改正によって，企業の農業への参入が促進されるようになると，農地を利用して農業参入の意向を示す法人は着実に増えるようになった。以下の4点が背景になっていると考えられている。

⑴　株式会社が農地を借りられるようにする⇒一般法人の参入規制を緩和し，農地を貸借するのであれば，全国どこでも可能となった。

⑵　個人でも農業に参入しやすくなるようにする⇒農地を取得する際の下限面積について，地域の実情に応じて自由に設定可能となった。

⑶　出資という形でも農業に参入しやすくする⇒食品関連企業等からの出資を1／2未満までに大幅に緩和した。

⑷　農地の貸借規制を見直す⇒農地の貸借期間を20年から50年間に延長した。

●遊休農地の対策

農地を効率的かつ適切に利用すれば，個人としては原則自由に農地を取得し参入が可能となった。法人は貸借であれば，全国どこでも参入が可能となった。

遊休農地とは1年以上耕作されておらず，かつ，今後も耕作される見込みがない農地のことである。しばしば，耕作放棄地と同義語で扱われており，これに対する措置が強化されることとなった。毎年一回，農地の利用状況を調査し，所有者等に対する意向調査を実施することとなった。このとき，①自ら耕作するか，②誰かに貸し付けるかなどの意向を確認することとなり，もし，意向通りに取り組みが行われない場合には，最終的に都道府県知事の裁定によって，農地中間管理機構という組織が農地中間管理権を取得できる措置を行うようになった。

（農林水産省資料など）

経済編

○×で答えよう！ 正誤問題にTRY✓　1950年代以降の日本の農家の状況について，農業だけで他産業従事者と同水準の所得を獲得できる自立経営農家が急増した。

8 米の全体需給の動向と米政策

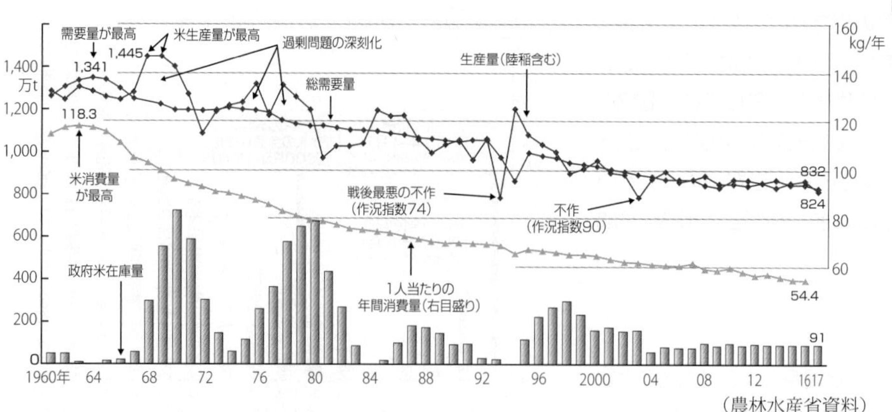

(農林水産省資料)

解説 日本の米政策は1942年以降，食糧管理法の下で国による全量管理を基本とした。しかし，1993年の米大不作やウルグアイラウンド(UR)によるミニマムアクセス(最低輸入機会)受け入れなどにより，1995年に食糧管理法は廃止され，代わって主要食糧法が制定された。以降，国による管理から民間主導のしくみへと大きく変化した。現在は，生産者が主体的に需給調整を行うシステムがとられ，流通規制も原則として撤廃された。

9 日本の農産物貿易の動向

我が国と主な国の農産物貿易 (2017年)

(単位 億ドル)

	輸入額	輸出額	純輸入額
日本	589.8	51.9	(537.9)
イギリス	570.6	282.0	(288.6)
ドイツ	905.7	778.8	(126.9)
韓国	274.5	66.0	(208.5)
中国	1339.6	570.4	(769.2)
インド	216.9	293.0	(▲76.1)
アメリカ	1442.3	1396.6	(▲25.7)
オーストラリア	146.8	338.3	(▲191.5)
ブラジル	93.3	795.0	(▲701.8)

我が国と主な国の農産物輸入品 (2019年)

(とうもろこし) 輸入総額3,841億円：アメリカ69.3%，ブラジル28.2%，アルゼンチン1.4%，その他1.2%

(大豆) 輸入総額1,673億円：アメリカ69.3%，ブラジル14.0%，カナダ13.7%，その他1.6%

(小麦)

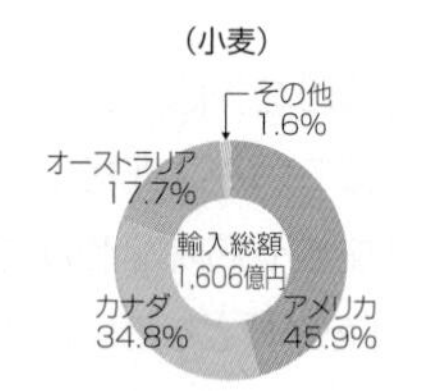

(『食料・農業・農村白書』2019など)

解説 かつては，主要食料確保の上で，小麦の輸入が多かったが，1980年には飼料用穀物としてのトウモロコシの輸入が大きく目立った。その後，飼料用穀物に代わり，豚肉などの畜産品が増えた。近年では国内産の高い野菜を補う意味で安価な生鮮野菜の輸入が増えた。また，穀物や畜産品においてはアメリカへの依存度が非常に高く，生鮮野菜は距離的に近い，中国，韓国の割合が高い。

Column フード-マイレージ

フード-マイレージの試算(2000年)

フード-マイレージ t·km(トン·キロメートル) ＝ 輸入相手国別の食料輸入量 × 輸出国から日本までの輸送距離

■各国のフード-マイレージ

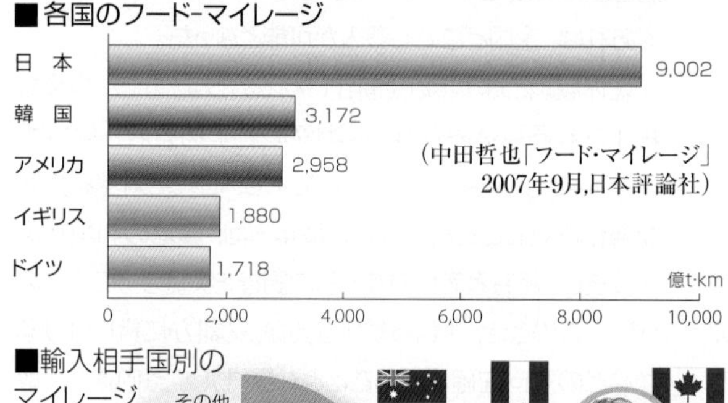

(中田哲也「フード·マイレージ」2007年9月,日本評論社)

■輸入相手国別のマイレージ(日本) 億 t·km

米国 3,285 カナダ 548 豪州 464 その他 705

注：1. 農林水産政策研究所試算
2. 対象とした食料の範囲は関税分類第2～4, 7～12, 15～24種の品目。輸入相手国は上位15か国，輸送距離は首都圏の直線距離で試算

私たちの食生活は，膨大なエネルギー消費の上に成り立っている。言い換えれば，食事を通じて間接的に多くの二酸化炭素を排出していることになる。実際にどのくらいのエネルギーを使っているかを示す指標にフード-マイレージ(food mileage)がある。

フード-マイレージ(food mileage)は食料(food)の輸送距離(mileage)という意味で，食料輸送量に輸送距離を乗じて算出する。食品の生産地と消費地が近ければ小さい数字になり，遠ければ大きい数字になる。1994年にイギリスの消費者運動家ティム=ラング氏が提唱した。日本では農林水産省農林水産政策研究所によって2001年に導入された。基本的には食料は地産地消（生産地と消費地が近いこと）が望ましいという考え方に基づく。

しかしながら，日本は世界最大の農産物輸入国であり，他国に比べ格段にこの数値は高くなっている。食料自給率40%あまりの状況であれば当然のことともいえる。その結果，国内輸送による二酸化炭素排出量900万CO_2tの約1.9倍に相当する1700万CO_2tが食料輸入により排出されていると試算されている。

余談になるが，フード-マイレージの数値が大きければ大きいほど，その消費地は食料に関して贅沢であるといわれることもある。日本国民として耳が痛い話である。

○×で答えよう! 正誤問題にTRY✓ フードマイレージとは，食料の生産地から消費地までの輸送について，輸送手段と輸送距離を基に算出されるものである。

テーマ学習　TPP（環太平洋パートナーシップ協定）～何が議論され，どんな問題があるのか～

TPPとは，**環太平洋パートナーシップ**（Trans-Pacific Partnership）協定の略称である（**環太平洋経済連携協定**ともいう）。太平洋を取り囲む諸国間で，モノやサービス，投資などができるだけ自由に行き来できるよう，貿易や投資の自由化やルールづくりを進めるための条約である。そもそもは，シンガポール，ブルネイ，ニュージーランド，チリの4か国間のみの参加で開始され，2005年6月に調印，2006年5月には発効している。

日本が協議に正式参加したのは，2013年7月である。それまでには，アメリカ，オーストラリア，マレーシア，ベトナム，ペルーの5か国も加わっており，各分野で順次合意に至ったものもある。最終的にカナダとメキシコも加わり，12か国で交渉が行われた。

●TPPでは，何が議論されていたか。

TPPの目的は，貿易や投資の自由化やルールづくりであるが，その実現におけるポイントは以下の通り。

① 物品市場アクセス

物品の貿易に関して，関税の撤廃や削減の方法などを定めるものであり，農業製品，工業製品などが対象となる。市場アクセスは，ある国の市場に参入するために越えなければならない障壁（しょうへき）のことであり，いわゆる，関税や非関税障壁を意味する。

② 国境を越える投資

海外へ工場を建設したり，コンビニの新店舗を開設したりすることが該当する。

③ サービス貿易

インターネットを通じたオンライン英会話サービスなどが該当する。

TPP11の主な合意内容

			現行	合意内容
関税	輸入品（守り）	コメ	1キロ 341円	豪州産に無関税輸入枠
		牛肉	38.5%	16年目以降9%に
		豚肉	低価格品1キロ 482円	10年目以降50円に
	輸出品（攻め）	牛肉	カナダ向け 26.5%	6年目に撤廃
		水産物	ベトナム向け ブリ，サバ 各18%	即時撤廃
		自動車	カナダ向け 乗用車 6.1%	5年目に撤廃

ルール	企業活動を促進	
	電子商取引	データの流通制限を禁止
	サービス	金融機関やコンビニ参入規制緩和
	人の移動	ビジネス関係者の滞在期間延長

●TPPをめぐる国内意見対立

【推進派】

①少子高齢化を背景に，将来的に国内市場が縮小傾向であるため，アジア太平洋地域の経済成長を取り込むことができる。

②関税の撤廃により，衣食住にかかわる多くの商品が安く購入できるようになる。

③知的財産保護のルールが整備されることで，世界的に評価の高い日本のアニメやゲームなどのコンテンツを守ることができる。

【反対派】

①関税の撤廃により，コメなどの日本の農産物が壊滅的な打撃を受け，食料自給率も低下する。

②貿易が自由化することで，輸入食品が増え，食品の安全，安心が脅かされる。

③単純労働者が入国しやすくなってくることで，国内の労働条件や環境基準が低下する。

●TPP11で署名　主な合意内容は?

例外なしの関税撤廃が原則だったため交渉は難航したが，例外を容認することで大筋合意。TPPは2016年2月に調印した。しかし2017年1月，米トランプ大統領就任後に，公約であったTPP離脱を表明。そのため，アメリカ抜きのTPP11協定「包括的及び先進的なTPP（CPTPP）」を取りまとめることとなり，2018年12月，ついに発効された。国内法の整備として，TPP関連法は2018年6月に成立しており，自由化によって影響をうける国内産業への支援策を展開している。

2021年2月，イギリスがTPP11への加入を正式に申請した。6月には，TPP前進の機会になるとして，イギリスの加入に向けた手続きを開始することや，交渉を行うための作業部会を設置することを決めた。2018年にTPPが11か国の署名で発効して以来，新しい国の参加は初となる。

TPP11とTPPとの違い

・6か国の国内承認手続き完了から60日後に発効
・高い自由化水準を維持するため「関税」は修正せず
・著作権保護など「ルール」22項目を凍結，米国復帰後に解除

時事ドットコム図解　2018年3月9日

TPP11と主要国のGDPシェア

※2016年世界銀行資料より作成

アメリカ	EU	中国	TPP11	その他
25%	22	15	13	25

TPP11参加国：シンガポール／ニュージーランド／チリ／ブルネイ／オーストラリア／ペルー／ベトナム／マレーシア／メキシコ／カナダ／日本

（『毎日新聞』2018.3.10より）

経済編

53 消費者問題

TOPICS

消費者の権利と責務

消費者が，安心して健康で文化的な消費生活を送るためには，消費者の安全の確保と公正な契約の確保，つまり消費者の権利の確保が不可欠である。

この消費者の権利を，アメリカのケネディ大統領が1962年「消費者の権利保護に関する大統領特別教書」でうたったことが，世界各国の消費者行政の基本理念になったといわれている。

ケネディ大統領の消費者の４つの権利

- i　安全を求める権利
- ii　知らされる権利
- iii　選ぶ権利
- iv　意見を聞いてもらう権利

（1975年にフォード大統領がⅴを追加）

- v　消費者教育を受ける権利

1 消費者問題関連年表

年	事　項
1946	食糧メーデー「米よこせ大会」
48	主婦連合会結成（不良マッチ追放運動の実施）
51	日本生活協同組合連合会結成
52	全国地域婦人団体連絡協議会（地婦連）結成
55	森永ヒ素入ミルク事件発生(西日本中心 130 人死亡)
56	全国消費者団体連絡会（全国消団連）結成
60	にせ牛缶（クジラを牛肉と偽った）事件発生
62	中性洗剤の有害論争起きる。サリドマイド事件（催眠剤服用による奇形児出生）発生
65	アンプル入り風邪薬によるショック死
66	ユリア樹脂製食器の販売を禁止（ホルマリン検出）
67	ポッカレモンの不当表示問題発生
68	消費者保護基本法公布。カネミ油症事件発生(→写真)。地婦連 100 円化粧品発売
69	欠陥車問題発生。人工甘味料チクロの使用を禁止
70	カラーテレビ二重価格問題で消費者５団体が不買運動。国民生活センター発足。キノホルム販売禁止
71	DDT・BHC 等有機塩素系農薬の使用制限
72	PCB による汚染魚問題発生。SF 商法苦情続出
73	石油危機で物不足と狂乱物価始まる（チリ紙騒動）
74	AF2（殺菌剤）を全面禁止。灯油ヤミ - カルテル訴
75	訟
79	合成洗剤追放運動。塩ビモノマー食品容器問題化
83	滋賀県で合成洗剤追放条例制定，'80 年施行
85	水銀乾電池回収問題発生。サラ金規制法公布（二法）豊田商事・投資ジャーナルなど悪徳商法発生
89	消費税導入。鶴岡灯油訴訟，最高裁敗訴
91	証券会社の損失補てん問題。ダイヤル Q2 苦情多数
94	米の不作により各地で米不足が発生。PL 法公布
95	PL 法施行，食品の日付表示，製造日から期限表示へ
97	公取委，再販指定商品（化粧品等）の指定取消
2000	雪印乳業食中毒事件
2001	消費者契約法・特定商取引法施行，牛海綿状脳症（狂牛病，BSE）発生
2002	ヤミ金融問題が深刻化
2003	オレオレ詐欺による被害が社会問題化
2006	パロマガス湯沸かし器死亡事件が表面化
2009	消費者庁の設置

2 消費者行政の新たな流れ

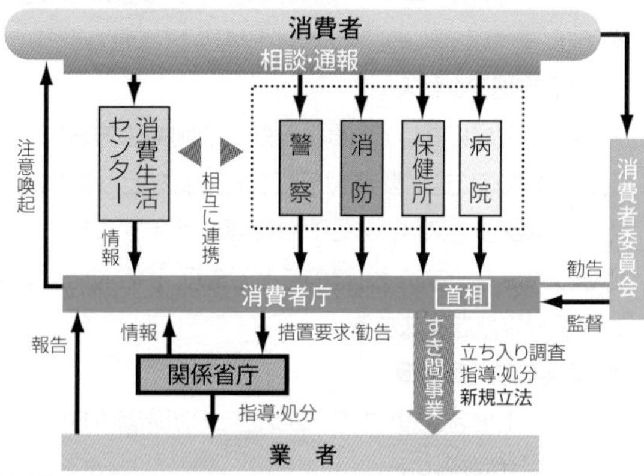

解説　消費者行政の強化と縦割り行政の打破をめざして，2009年9月1日に消費者庁が発足した。同庁は内閣府の外局に置かれ，その監視機関である「消費者委員会」は民間の専門家で組織され，内閣府内に設置される。消費者行政に関係する省庁は，農水省や厚労省など10省庁にまたがっている。消費者庁は関連各省庁に消費者被害についての情報を通知して行政的な対応を要請し，所管が不明確な「すき間事案」はみずから担当する。消費者委員会は消費者庁の対応に意見を述べ，各省庁の必要な対応を首相あてに勧告する役割をになう。

消費者問題の一例　カネミ油症事件

1968年カネミ倉庫が製造した食用油にダイオキシン類のＰＣＤＦ（ポリ塩化ジベンゾフラン）が混入したために発生した大規模な食品公害事件。皮膚疾患や内臓疾患が主な症状であり，被害者は少なくとも1万4000人を超える。

経済編

○×で答えよう! 正誤問題にTRY✓　商品の生産や販売のあり方を決めるのは消費者であるという原則のことを消費者主権という。

3 消費者契約の基本

事業者に比べて，消費者は商品や取引に関する情報や事業者との交渉力の面で弱い立場にある。これをふまえて，消費者契約法では，

（ア）事業者の不適切な契約勧誘により消費者が誤認して契約した場合（事例１）や困惑して契約した場合（事例２）は契約を取り消すことができる。（不適切な勧誘による意思表示取消権）

（イ）契約内容が不当であれば，これを無効にすることができる。（事例３）（不当条項ルール）

→ こうした契約条項は全部または一部無効

4 PL法による訴訟事例

訴訟名（被告）	訴訟時期（判決）	訴訟額（認容額）	概要と原告の主張
紙パック容器訴訟（東京都の紙パック製造会社など）	95年12月（2000.2控訴棄却）	91万円	業務用紅茶紙パックの開封リングで指を切ったのは被告が安全対策を怠っていたため。
学校給食O-157食中毒事件（地方公共団体）	97年1月（99.9確定）	7,700万円（4,537万円）	病原性大腸菌O-157に汚染された学校給食を食べたため，小学生女児が死亡した。
車両火災一酸化炭素中毒死事件（自動車会社）	99年11月	1億1,588万円	自動車火災により一酸化炭素中毒死した男性の両親が，責任を認めない原告に訴訟を提起。
カップ麺異物混入腹痛下痢等事件（カップ麺会社）	00年6月（00.12和解）	99万円	カップ麺に混入した異物により体調を崩す。検査の過程でインフルエンザなどにもかかった。
低脂肪乳等食中毒事件（乳製品メーカー）	01年7月	6,614万円	低脂肪乳の飲用で下痢などを発症，PTSDに陥るなど，精神的苦痛を被った。
こんにゃくゼリー1歳児死亡事件	09年3月	6,241万円	こんにゃく入りゼリーを，デザートとして1歳9か月の孫に与えたところノドに詰まらせて死亡

5 特定商取引の種類
〜特定商取引法の知識〜

	内容・具体例	おもな規制事項	クーリング-オフ
訪問販売	・販売員が自宅に来てモノやサービスを売る。 ・キャッチセールスを含む ・アポイントメントセールスを含む	・事業者は契約書を作成して消費者に交付すること ・強引な勧誘，ニセ情報による勧誘は禁止	クーリング-オフ 有 8日間
通信販売	・郵便，インターネット，テレビ，新聞雑誌などを使った販売	・誇大広告は禁止 ・商品の価格や支払方法，支払時期など一定事項の表示を義務づける	クーリング-オフ 無
電話販売	・電話をかけてモノやサービスを売る ・資格商法として利用されることがある	・事業者は契約書を作成して消費者に交付すること ・強引な勧誘，ニセ情報による勧誘は禁止	クーリング-オフ 有 8日間
連鎖販売取引	・特定の商品を販売しながら，別の人を販売員に勧誘すれば収入が得られるというシステムを作って，販売組織を拡大していく	・事業者は契約書を作成して消費者に交付すること ・強引な勧誘，ニセ情報による勧誘は禁止 ・誇大広告は禁止	クーリング-オフ 有 20日間
特定継続的役務提供	・エステサロン，語学教室，家庭教師学習塾を対象とする ・契約が長期に及ぶので途中解約のルールを定める。	・事業者は契約書を作成して消費者に交付すること ・強引な勧誘，ニセ情報による勧誘は禁止 ・誇大広告は禁止	クーリング-オフ 有 8日間
業務提供誘引取引	・副業のチャンスがあると勧誘してその仕事に必要な商品を販売する（いわゆる内職商法）	・事業者は契約書を作成して消費者に交付すること ・強引な勧誘，ニセ情報による勧誘は禁止	クーリング-オフ 有 20日間
訪問購入	・貴金属等の買取業者による自宅への強引な訪問買取り（いわゆる押し買い）	・事業者は名称，勧誘目的，物品の種類を説明し，勧誘を受ける意思を確認する ・取引を希望しない消費者には購入勧誘を禁止	クーリング-オフ 有

解説 2001年6月訪問販売法が改正されるとともに，特定商取引法に法律の名称が変わった。訪問販売法では訪問販売だけを規制の対象としていたが，特定商取引法では他に，通信販売や電話販売なども加わった。特に，インターネットでの販売で消費者を保護する規制を明記している。ここにあげた特定商取引の中には悪質商法（→資料6）と組み合わせたものがあるので，充分注意しなければならない。

Column PL制度

商品の大量生産によりさまざまな欠陥商品が出現し，多くの商品事故が発生するようになった。しかし，民法709条によれば，被害を受けた消費者は損害賠償を得るためには，製造者の故意または過失を証明しなければならなかった。これでは被害者が裁判で勝てる見込みはほとんどない。

そこで，商品に欠陥が存在したことさえ明らかにできれば被害者が損害賠償を得ることができるというPL制度が必要となったのである。PL制度は企業側に無過失責任，欠陥責任を認める考えであり，「過失なければ責任なし」という近代民法の原則を修正したものである。

経済編

○×で答えよう! 正誤問題にTRY✓ オバマ大統領が表明した「安全である権利，知らされる権利，選択できる権利，意見が反映される権利」を総称して消費者の四つの権利という。

6 悪質商法の具体例

①商品を売るよりも,販売する会員を勧誘することに重点を置いているような商法

(該当する悪質商法)
・マルチ商法
・マルチまがい商法
(商品・サービス)
・浄水器,泡風呂,洗剤,寝具類など

※被害者が,やがて加害者になることも多い。

②街角でセールスマンが声をかけてくる商法

(該当する悪質商法)・キャッチセールス
(商品・サービス)・エステティックサロン,化粧品販売,自己開発講座,英会話教室など

※喫茶店や事務所に誘われ,気がつくと契約しているというケースも多い。無料体験というのもクセモノ。

③電話や手紙などで,『あなただけが選ばれた』などと,消費者の自尊心をくすぐる商法

(該当する悪質商法)
・アポイントメント商法
・DM商法,資格商法
(商品・サービス)
・英会話教室,各種資格,ミスコン,会員権

※安易に事務所や喫茶店に出かけないこと。
また,簡単なアンケートだと言って契約させるケースもある。

④特定の会場あるいは家庭に消費者を集めて,集団心理を利用して商品を売りつける商法

(該当する悪質商法)
・パーティー商法
・SF(催眠)商法
(商品・サービス)
・寝具,鍋などの家庭用品,宝石類など

※安い品物の無料配付などで会場の雰囲気を盛り上げ,目的の商品をドサクサに紛れて買わすことが多い。

⑤新聞や雑誌で,利益や投資効果を誇大に宣伝する商法

(該当する悪質商法)
・儲かります商法
・アルバイト商法
・現物まがい商法
(商品・サービス)
・金,株などの投資,自販機,ワープロ

※簡単に儲かる商売やリスクの少ない投資など存在しないことを忘れずに。
訪問販売にも多いパターンである。

⑥セールスマンが直接家庭を訪問する商法(訪問販売)で消費者の誤解や錯覚を利用する商法

(該当する悪質商法)・現物まがい商法・かたり商法・サービス商法
(商品・サービス)・寝具,消火器,金,株,不動産,新聞

※玄関を開けたら,消費者の負けである。

⑦運勢や心の不安,信仰心に取り入る商法

(該当する悪質商法)
・霊感商法
・霊視商法
(商品・サービス)
・開運の壷,多宝塔,印鑑,悪霊の除霊や供養など

※大事なのは支払った金額ではなく,供養する人や信仰する人の真摯な気持ちなのですが………?

(木元錦哉『悪質商法被害例と救済法』自由国民社)

7 クーリング-オフ

クーリング-オフでの通知の書き方

・契約日:令和○年○月○日
・業者名:
・業者の住所(所在地):
・商品名:
・金額:

上記の日付の契約は
解除します。
住所
氏名
電話番号

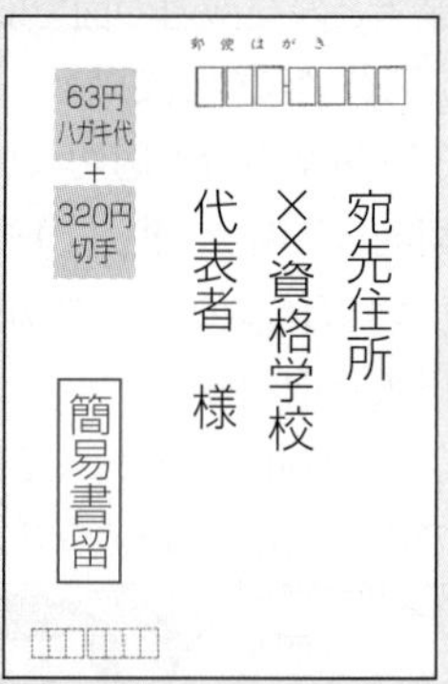
郵便はがき
63円ハガキ代
+
320円切手
宛先住所
××資格学校
代表者　様
簡易書留

郵便局で扱う簡易書留または配達記録郵便を利用し販売会社に出そう。確実に通知を出した証拠が残る。令和○年○月○日と年月日を入れる。 コピーを取っておくとよい。

解説　悪質商法にひっかかって商品を買ってしまった場合でも,クーリング-オフ制度を使って,その商品売買の契約を取り消すことができる(資料5参照)。その際には,上の書式を参考に,書面にて売り手に通知する。ただし,店舗での対面販売や,通信販売にはクーリング-オフが適用されない。

8 現金化問題 ～新たな消費者金融問題～

(国民生活センター資料)

「消費者ホットライン」
全国共通の電話番号から身近な「消費生活センター」や「相談窓口」を案内する「消費者ホットライン」を2010年1月12日より全国で実施している。

ゼロ・ゴー・ナナ・ゼロ　守ろうよ　みんなを
0570 － 064 － 370

解説　現金を必要としている人がクレジットカードで,商品を買い,これを業者が買い取って現金を手に入れるーこれを「クレジットカード現金化」という。これはそもそもクレジットカード契約に違反するとともに手にする現金も商品総額にくらべて,大幅に少ない。思いがけないトラブルに巻き込まれる場合も多い,など新たな消費者金融問題となっている。

○×で答えよう! 正誤問題にTRY✓　消費者行政を統一的に進めるため,2009年に消費生活庁が設置された。

9 多重債務の恐ろしさ

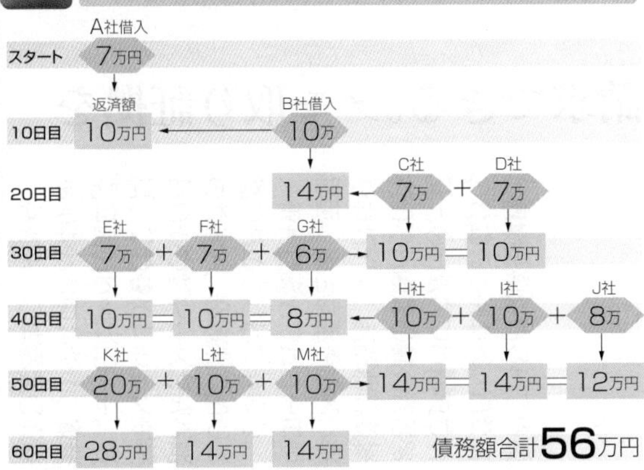

解説 スタート時にはＡ社から借りた7万円は10日後に元金と利息の合計で10万円に達する。その返済のためにＢ社から10万円を借りる。20日目にはＢ社への借金が14万円に膨らむため，Ｃ社，Ｄ社それぞれから7万円ずつ借りる。それが30日目にそれぞれ10万円，合計20万円に増える。その返済のために……こうして複数の消費者金融から借金（債務）を負ってしまう多重債務に陥る。

10 自己破産の流れ

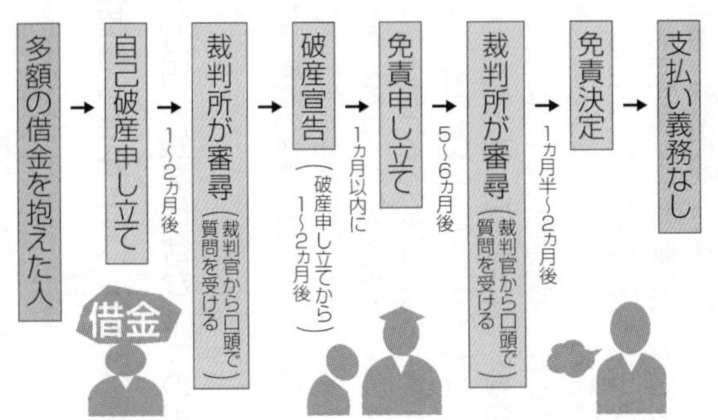

解説 多重債務に陥って返済が不可能になった時は裁判所に自己破産の申し立てをする方法が有効である。裁判所より破産宣告を受けた後，免責決定により免責が確定すると，借りていた元金や利息の支払いは免除される。

Column 母さん助けて詐欺（振り込め詐欺）

「会社の金で株に手を出して失敗　横領で訴えられる　助けて！」

50歳代の女性方に，息子を装った者から

「今日，会社に監査が入る。監査前にお金を戻せば何とかなる。300万円用意して！宅急便が家に向かう。」

「誰にも言わないで　不倫相手を妊娠させた　示談金を何とかして！」

60歳代女性方に，息子を装った者から

「子どもができちゃった。相手は旦那さんがいる人で，旦那さんが怒っている。弁護士に入ってもらった。お金を送ってほしい。」

「お母さん，このままだと何されるか分からないよ…」

息子から久しぶりの電話を装った者から懐かしいと思うのもつかの間，おびえた声で

「友だちの保証人になったらその友だちがいなくなってしまった。

このままだと取り立て屋に何をされるか分からない，すぐにお金を振り込んでほしい。」

解説 家族を装うなどしてカネを奪い取る振り込め詐欺が後を絶たない。最近では，銀行のＡＴＭから現金を振り込ませる手口ばかりではなく，直接被害者の自宅に来て現金を奪い去る方法もあり，その手口は巧妙になっている。日頃から振り込め詐欺の手口を理解して，突然の電話などにも対応できるようにすることが必要である。

11 消費者相談の推移

相談件数の推移（千件）

年度	1995	96	97	98	99	2000	01	02	03	04	05	06	07	08	09	10	11	12	13	14	15	16	17	18	19
件数	274.1	351.1	400.5	415.3	467.1	547.1	655.9	873.6	1510	1920	1304	1113	1051	941	892	884	872	849	926	946	930	891	937	992	935

店舗外販売の形態別相談割合の推移（右目盛）（%）：通信販売（2019年度 32.9），訪問販売（8.5），電話勧誘（6.1）

（『消費生活年報』2020）

解説 消費生活センターに寄せられる相談件数は,20・30代を中心に,近年増加の一途をたどっている。商品の購入や契約に際しては,テレビCM等の「なんとなくかっこいい」イメージだけに踊らされることなく,十分な知識と計画性をもって対処しなければならない。

○×で答えよう！ 正誤問題にTRY✓ クーリング-オフとは一定期間内であれば，消費者が結んだ購入などの契約を違約金なしで解約できる制度のこと。解約は原則として速達郵便によって通知する。

あれ？ この契約はおかしいぞ??

やってみよう法教育③

ここまでの「経済編」で，資本主義や市場経済の仕組みなどを学んできました。後半では，公害や中小企業，社会福祉や労働問題などを学びましたが，前半のテーマと後半のテーマの間に「ミゾ」があることに気がつきましたか？　答えは，このページの一番最後にあります。

資料1

働く人の法律相談　長時間残業、手当は定額だけ？

不足分は請求できる。メモ取り証拠を

すさまじい長時間の残業をさせておきながら、残業代は固定で3万円——。最近、いわゆるブラック企業でこうしたケースがよく見られます。労働者はどう対処したらいいでしょうか。

まず前提として、1日8時間、週40時間を超えて働かせたとき、使用者は残業代として通常の賃金に25％以上を上乗せして支払わなければなりません。これは労働基準法が定めている義務であり、仮に雇用契約書に「残業代は支払わない」と書いてあっても、労働者は残業代を請求できます。

では、残業代が3万円で固定されている場合を考えましょう。固定額とすること自体は適法です。しかし、実際の残業時間と照らし合わせて計算した、本来もらえるはずの残業代が3万円を超えるのであれば、不足分を請求できます。「固定額を超える残業代は支払わない」などの規定があっても無効です。

さらに、残業代を固定額の形ですら示さず、雇用契約書や就業規則に「基本給に残業代を含む」と書いている企業もあります。

基本給に残業代を含ませることは適法ですが、残業代がいくらなのか、はっきりとわかる形で示さなければなりません。たとえば、「基本給30万円（残業代3万円を含む）」という規定ならいいのですが、「基本給30万円（残業代を含む）」ではだめです。残業代がいくらなのかわからず、きちんと支払われたかどうかチェックできないからです。

基本給に含まれる残業代がはっきりとわかり、実際の残業時間からするともっともらうべき場合は、労働者は不足分を請求することができます。雇用契約書などに「基本給以外に残業代は支払わない」などの定めがあっても、その規定は無効です。

こうした請求をするために、労働者は残業時間をきちんと把握している必要があります。タイムカードがない場合には、出退勤の時間を手帳に控えたり、仕事を終えて会社を出るときに自分にメールするなど、記録を残しておきましょう。

（弁護士・指宿昭一）

ポイントは

●週40時間超働いた分には、25％以上の割増賃金
●「基本給△万円（残業代含む）」の規定も違法

（『朝日新聞』2013.4.22）

❶

資料1の内容から，「雇用契約」，「労働基準法」，「就業規則」を，効力の強い順に並び替えてみましょう。

労働基準法>就業規則>雇用契約書

「労働基準法（法律）」が定めている労働条件は「雇用契約書」で決められている労働条件を無効にできるようですね。その効力の順番は納得できましたか？　え？　法律が一番強いのは当たり前だろう??　本当にそうなのでしょうか？

❷

次のページにある**資料2**は「本来は契約の効力が一番強いはずである」という内容を示している資料です。

なるほど，身分制社会の中で，自分の財産や自分で自分のことを決められなかったために，市民革命を起こしたのですね。そして獲得したものが，「財産権の不可侵」と「私的自治の原則（自分のことは自分で決めることが出来る自由）」だったのです。ですから，本来は，私がどのようなことを決めても（契約しても）自由だし，その意思を一番尊重すべきなのですね。この原

資料2

①市民革命以前は，貴族などがその所領を支配し，農民などは領主に対して，租税を負担し，領主裁判権に服する義務などを負っていた。そして，領主が所領で行使する諸権利は，農業や商工業の自由な発展を著しく阻害していた。そのため，財産権や自由を求めて市民達が革命を起こしていった。

②「皆さん，公平になりましょう。私どもの廉恥心ばかりでなく，人道まで汚しておる証文（特許状）をここに持ってきてください。人間を家畜のようにスキにつなぐことを要求しまして，人間を辱めているあの証文をここに持ってきてください。酒色におぼれる殿様の眠りを妨げる蛙を鳴かさないために，一晩中，池の水面をたたき続けることを人間に強制している証文をここに持ってきてください。皆さん，私たちのうち誰が，この文明開化の時代に，あの汚らわしい証文の罪を償うために，これを焼かずにおられましょうか（フランス国民議会におけるブルターニュ選出の無名議員の演説。マチエ著「フランス大革命」より）。」このような「証文」の他にも，市民革命以前は，身分制社会であったため職業選択の自由や居住移転の自由など，経済権的な権利が制限されていた。また，思想・表現の自由など，現代では最低限の自由権的基本権も存在していなかった。そのため，市民が立ち上がったのである。

③フランス人権宣言（抜粋）

第1条（自由・権利の平等）人は，自由，かつ，権利において平等なものとして生まれ，生存する。社会的差別は，共同の利益に基づくものでなければ，設けられない。

第17条（所有の不可侵，正当かつ事前の補償）所有は，神聖かつ不可侵の権利であり，何人も，適法に確認された公の必要が明白にそれを要求する場合で，かつ，正当かつ事前の補償のもとでなければ，それを奪われない。

則は，現在では民法に「契約は，公の秩序や強行法規に反しない限り，当事者が自由に締結できる」と規定されています。

では，なぜ**資料1**のように労働法ではその原則が守られていないのでしょうか？

❸

次の例は，オーナー社長とお金に困っている就職活動中の高校生との面接の模様です。なぜこのようなことが起きたのか，社長と高校生のどこが違うかを中心に考えてみよう。

学生：御社に就職を希望している，藤井と申します。
社長：あなたが，弊社を希望する理由は何ですか？
学生：第一に，御社の将来性が……（中略）。そして，御社の社員の待遇の良さと，採用を決めていただいたら，すぐに入社して働き始めることができることです。
社長：弊社の待遇面なんだが，何を見てきたの？
学生：高校に来た求人票ですが……。
社長：ああ求人票ね。あれは正社員の待遇なんだよ。うちは，採用1年間は見習い期間なんで，月給は求人票には20万円と書いてあったけれど10万円で，残業代も見習いの間は出さないんだ。それで良かったら採用しようと思うが，どうかな？
学生：ひどい！……

お金に困っている高校生は，よい条件ですぐにでも働かないと生活が成り立たないが，オーナー社長は，就職戦線ではよりどりみどりで，条件にあった人間を採用できるから，このようなことがおきる可能性があるのですね。

こんな面接になってしまったら困りますね。では，どうしたらよいのでしょうか？

❹

このような問題を解決するための方法を考えてみましょう。

①国が法律で最低限度の基準を示す。
②何かしらの仕組み（たとえば，組合）で，両者のバランスを図る。
③第三者がジャッジする。など

「私的自治の原則」や「契約自由の原則」は，近代市民革命の目的ですから，その当時では当たり前のことだったのです。しかし，産業革命が始まり，資本主義が高度化すると，貧富の差などが拡大・固定化して，生産手段を「持っていない」労働者は劣悪な条件に追い込まれてしまい，社会不安が増大してしまうのです。そのため，国が最低限の基準を示したり，労働組合を認めたり，労働委員会などがジャッジをするようになるのです。

ここまでで，「私的自治」は，近代市民革命以来の大原則であるけれど，経済社会の変化に伴い，様々な修正が加えられていることが理解できたと思います。

では最後に労働以外のことも考えてみましょう。さらに社会の仕組みが分かってきます。

これからも，「原則ー修正」という枠組みで，社会を分析して下さい。たとえばクーリング-オフ，利息制限法，借地・借家法，最低賃金法なども原則を修正してます。その理由も考えてみましょう。

では最後に，一番はじめの質問の答えです。

答え：前半のテーマは，「私有財産の不可侵」「私的自治の原則（契約自由の原則）」が前提となっているが，後半のテーマは，それらの原則を制限するものになっている。

経済編

54 国際分業と貿易

TOPICS

航空機生産にみる空間的分業体制 〜 B787機〜

アメリカ・ボーイング社は，新型機「B787」の機体開発・生産の外部委託を大幅に増やした。アメリカとイタリア，イギリス，フランスやスウェーデン，韓国やオーストラリアもこの開発に加わった。日本の企業も参加しており，具体的には，三菱重工などの3社が完成機の35%を分担した。

これまでの航空機産業では，世界各国のサプライチェーンが部材や部品を航空機メーカに納め，それを組み立てて完成機を作製していたわけだが，航空機の新しい需要として，これまでの大型機から中型機に移行した点，開発を分散化することで，負担を減らすことができる点，さらには新しい材料や技術の開発競争などを求めて国際分業体制を確立させ，転換を図ったといえる。国際分業による利益の追求は，航空機という大きな商品にまで広がってきた（2018年には145機を世界中に納入した）。

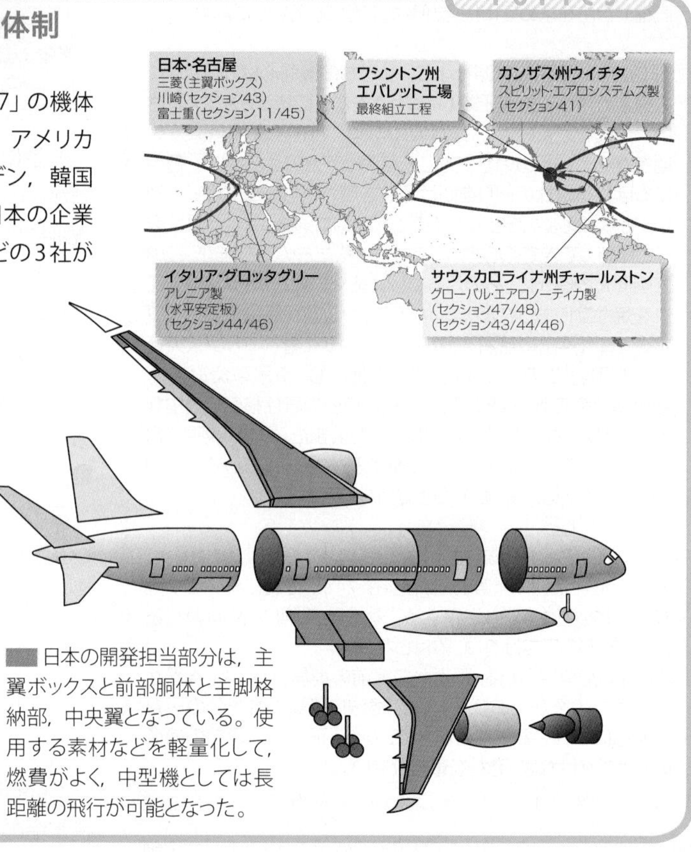

日本の開発担当部分は，主翼ボックスと前部胴体と主脚格納部，中央翼となっている。使用する素材などを軽量化して，燃費がよく，中型機としては長距離の飛行が可能となった。

1 貿易取引のしくみ

輸出

製品

日本　アメリカ

代金

¥　$

ドルを円に換える必要

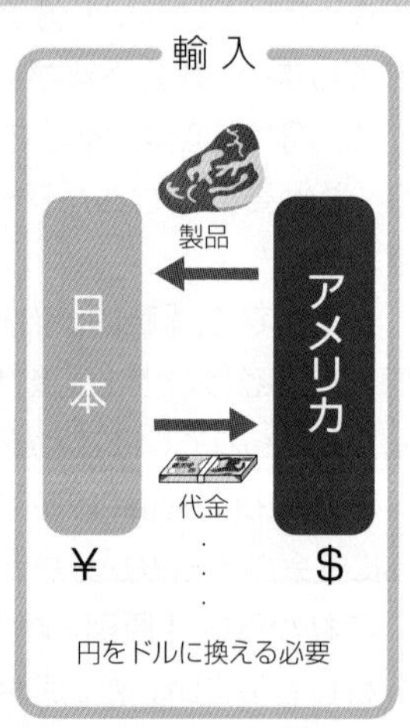

解説 売買契約ということでは，貿易も国内の商品取引と基本的なシステムは同じである。外国に製品を売ることが輸出，逆に外国から製品を買うことを輸入という。製品を外国に輸出してその代金（外貨）を得ると，それを円に交換しようという円の需要が高まり，逆に外国からの輸入をすると，円の外貨への交換が高まる。そして輸出が輸入を上回れば国際収支の1つである貿易収支が黒字になる。

2 世界の貿易ネットワーク

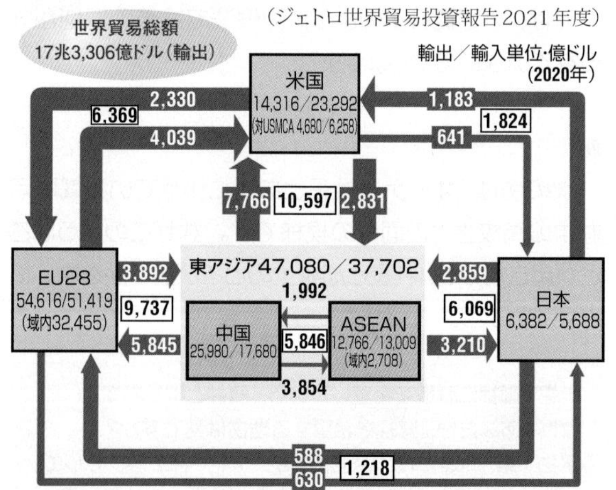

解説 日本の対米・対欧貿易黒字は，依然として多額であり，貿易摩擦（まさつ）の要素を常にもっている。アメリカに視点をあてるとNAFTAの比重が高く，域内貿易の活発化が明白である。また，アジア地域との貿易は，日本を遥（はる）かに上回る状況となっている。そのアジアは，日米欧どの地域に対する貿易量も高く，なかでも日本をのぞく欧米地域とは大幅な貿易黒字状態にある。今後は，中国をふくめアジア地域の世界貿易における比重はさらに拡大していくことであろう。

経済編　国際編

○×で答えよう！ 正誤問題にTRY✓ 自由貿易によって先進国の製品が流れ込むと，途上国の産業は刺激を受けて経済成長が始まる。

テーマ学習　比較生産費説と経済発展段階論

WTO（世界貿易機関）は，ウルグアイ-ラウンドの合意（1994年）によって設立された。その活動は，自由貿易の基本原理を強化したものである。その一方，今日の世界経済は，地域主義（リージョナリズム）による地域的経済統合の動きも活発となり，保護主義的な傾向もみられる。このような自由貿易と保護主義をベースとする保護貿易の考え方は，19世紀前半の経済学者リカードとリストの学説の対立にまで遡(さかのぼ)ることができる。

(1) 自由貿易論　リカードの「比較生産費説」

経済学者のリカードは，18世紀の後半，イギリスに生まれた。当時のイギリスは，産業革命によって「世界の工場」としての地位を築いていた。このような時代を背景に，19世紀初めにリカードは母国イギリスの製品が自由に輸出されることの正当性を説く「比較生産費説」を主張した。この比較生産費説（比較優位の原理）とは，その国が，天然資源や労働力，さらに生産技術を活かして，他国に比べて生産することを得意とする製品を生産・輸出するという伝統的な貿易理論の考え方である。自由貿易（体制）のメリットとしては，製品の種類が豊富になり，また製品の価格が低下し，世界経済の効率性が高くなることがあげられる。

(2) 保護貿易論　リストの保護貿易主義

当時後進国であったドイツに生まれた経済学者リストは，自由貿易は先進国イギリスにとっては有利であるが，後進国ドイツにとっては経済発展を阻害するとして保護貿易主義を主張した。

リストは，経済の発展段階を①未開（狩猟経済），②牧畜，③農業，④農工業，⑤農工商業の5つに分け，ドイツはようやく産業革命が始まった④の農工業段階にすぎず，イギリスのような農工商業段階に達した経済発展の段階とはまったく異なると説いた。そしてもし，自由な貿易が行われれば，安くて良い品質のイギリス製品がドイツに輸入され，ドイツ国民の利益（国際分業の利益）になるが，一方ではドイツ製品はイギリス製品に市場を支配され（ドイツ商品は駆逐(くちく)され），国内産業の発展は阻害されてしまう。そこで，後進国である母国ドイツは，国内産業を保護し，その発展を図るために関税や輸入制限などによる保護貿易政策を実施しなければならないと主張した。

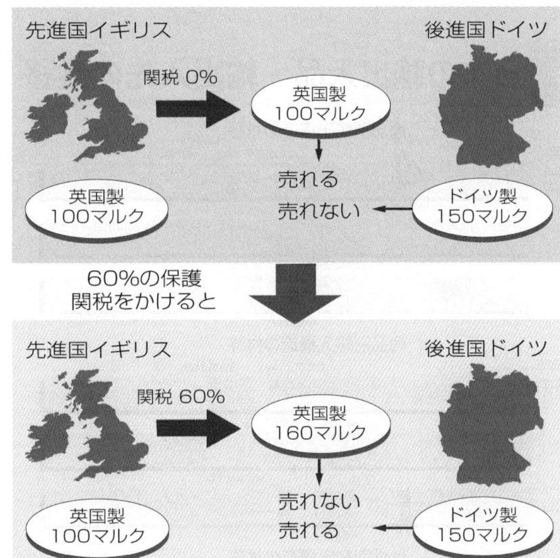

国際分業の利益（比較生産費説）

特化前

	ポルトガル	イギリス
ぶどう酒	80人で	120人で
毛織物	90人で	100人で
計	170人で	220人で

ぶどう酒と毛織物をそれぞれの国で一単位ずつ生産するとき，必要な労働力が上の通りであるとすると，ポルトガルの方が少ない労働力で，二つの商品を生産することができる。

→ 特化

特化後

	ポルトガル	イギリス
ぶどう酒	170人で	
毛織物		220人で
計	170÷80=2.125 特化により生産増加	220÷100=2.2 特化により生産増加

ポルトガルにとって，毛織物を一単位生産するよりも，ぶどう酒を一単位生産する方が労働力が少なくてすみ，イギリスにとっては，毛織物を生産する方が少ない労働力ですむ。そこでポルトガルがぶどう酒を，イギリスが毛織物を生産した場合，両国あわせた生産の増加は，0.125+0.2=0.325単位である。

【経済の発展段階】

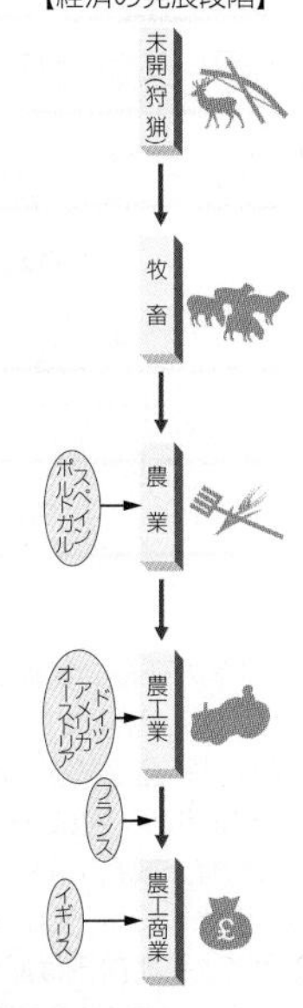

○×で答えよう! 正誤問題にTRY✓　リカードの比較生産費説では，二国間でそれぞれの国が絶対優位にある商品の生産に特化することで生産性が上がる。

3 世界貿易（輸出）に占める主要国・地域の割合

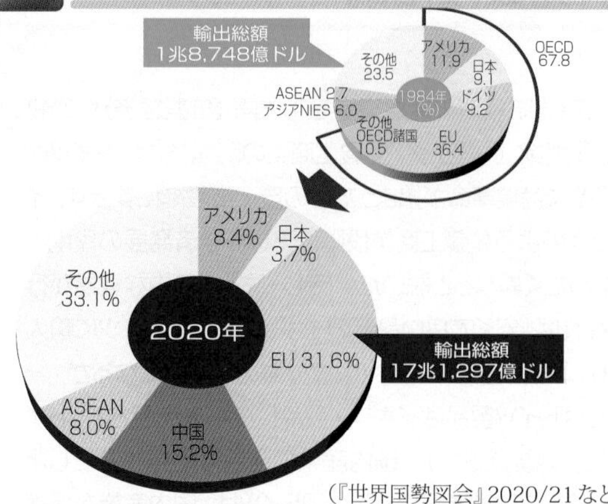

（『世界国勢図会』2020/21など）

解説　30年間で世界貿易は10倍以上になり，世界経済における貿易の役割は拡大し，相互依存関係がますます高まっている。アジア地域は，今後さらにその比率を拡大することが予想される。

4 日本の輸出入品・輸出入先の推移

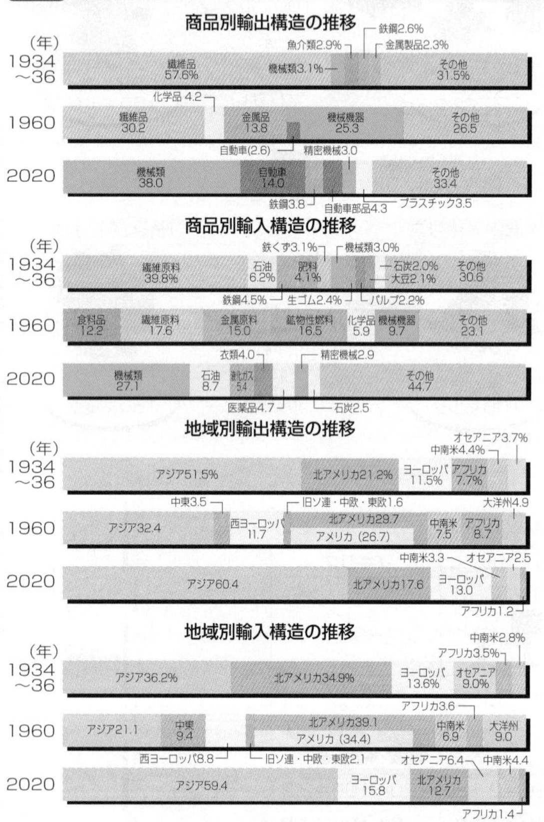

（『日本国勢図会』2021/22）

解説　日本の戦後の貿易は，輸出入とも「機械類」が第1位の品目である。輸入品としての機械類は軽工業製品であり，また輸出品は各種先端技術品である。輸出入先については，アジア・北アメリカで約7割を占め，次にヨーロッパの順である。とくに近年，NIESやASEANの経済成長によりアジアの比率が高くなっている。なお，輸入品の変化については，戦前や戦争直後は綿花などの繊維原料，高度経済成長期前後は原油・鉄鉱石などの鉱物性原料，さらにバブル崩壊以後は製品や食料品である。

5 各国の1人あたり貿易額と貿易依存度

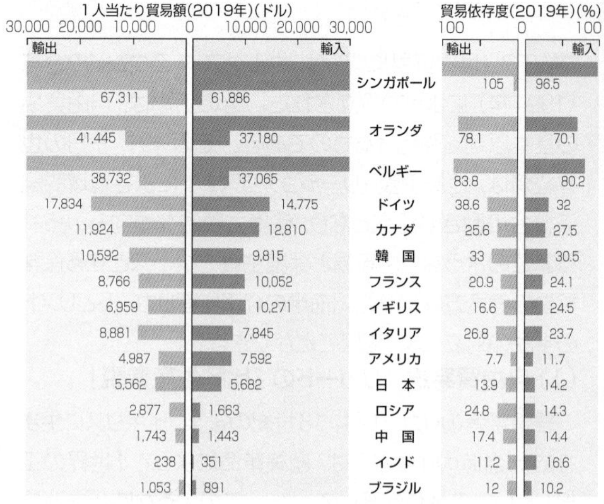

（『世界国勢図会』2021/22）

解説　貿易依存度は　（輸出額＋輸入額）÷ＧＮＩ×100　で求めた数値である。世界第1位のシンガポールはＧＮＩが小さく，貿易額が大きい。一方アメリカや日本はＧＮＩが大きいのでその商となる依存度は小さくなる。

6 世界の地域間貿易

世界の主要地域間の貿易フロー

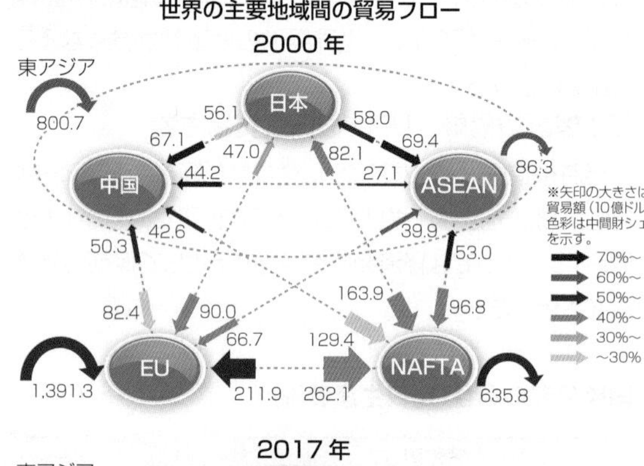

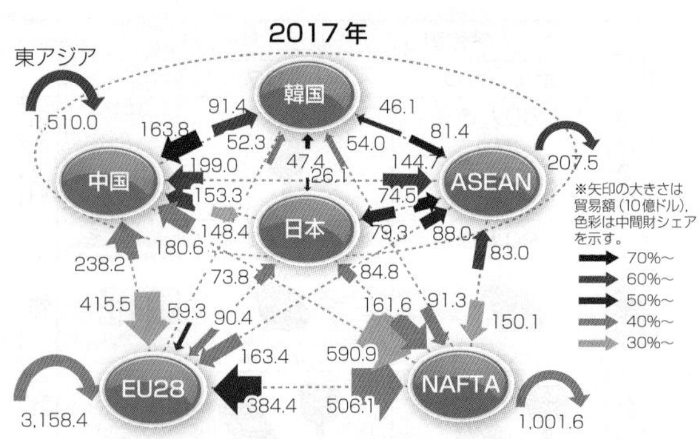

（『通商白書』2020）

解説　東アジア域内では国際的な生産分業が発達しており，貿易を通じて生産拠点間で必要な中間財の移動が行われていると考えられる。その基本的な構造として，日本等が基幹部品を中心とした中間財を輸出し，比較的労働コストの低い中国等で組立てが行われ，最終需要地としての欧米へ輸出される，いわゆる「三角貿易」が行われていることが示唆される。

経済編
国際編

○×で答えよう! 正誤問題にTRY✓　近年，発展途上国では，外資導入による軽工業を中心に輸出指向工業化の戦略をとる国が増えているが，依然として垂直貿易が続いている。

7 日本のおもな貿易相手国（2020年）

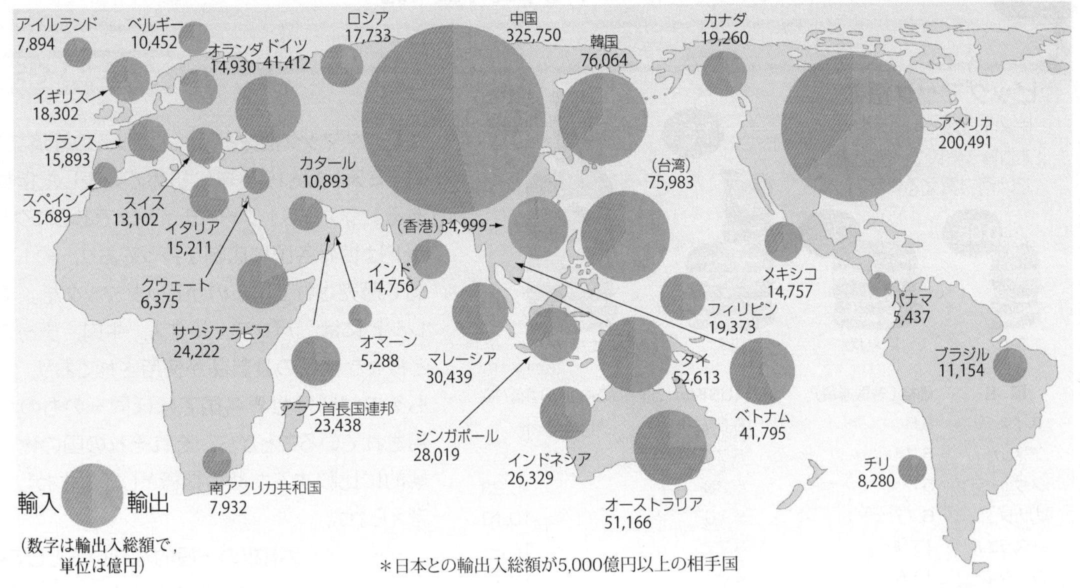

（『日本国勢図会』2021/22）

8 国際収支統計の内容

現行（第５版準拠）1996.1 ～ 2013.12（単位：兆円）

暦年	2012	2013
経常収支	4.8	3.2
貿易・サービス収支	△ 8.3	△ 12.3
貿易収支	△ 5.8	△ 10.7
サービス収支	△ 2.5	△ 1.6
所得収支	14.3	16.5
経常移転収支	△ 1.1	△ 1.0
資本収支	△ 8.2	4.7
投資収支	△ 8.1	5.5
直接投資	△ 9.6	△ 13.0
証券投資	△ 3.2	25.5
金融派生商品	△ 0.6	△ 5.6
その他投資	5.3	△ 1.4
その他資本収支	△ 0.1	△ 0.7
外貨準備増減	3.1	△ 3.9
誤差脱漏	0.3	△ 4.1

新（第６版準拠）（2014.1 ～）（単位：兆円）

暦年	2013	2020
経常収支	4.5	17.5
貿易・サービス収支	△ 12.3	△ 0.7
貿易収支	△ 8.8	3.0
サービス収支	△ 3.5	△ 3.7
第一次所得収支	17.7	20.8
第二次所得収支	△ 1.0	△ 2.5
資本移転等収支	△ 0.7	△ 0.2
金融収支	△ 0.4	15.4
直接投資	14.2	11.3
証券投資	△ 26.6	4.2
金融派生商品	5.6	0.9
その他投資	2.5	△ 2.2
外貨準備	3.9	1.2
誤差脱漏	△ 4.1	△ 2.0

第一次所得＝非居住者に支払われる雇用者報酬と海外投資による収益からなる。つまり生産活動（財・サービスの対価）で得た所得

第二次所得＝食糧・医療品など消費財に関連する無償援助や，労働者の送金など，対価をともなわないもの。つまり再分配（移転取引）後の所得（SNA 統計では，当初所得を第一次所得，可処分所得を第二次所得としている）

資本移転等収支＝港湾や空港の建設等の生産資産を援助，知的財産権の取引等の生産能力の移動，政府間の債務免除などに関する項目（インフラなどの大規模で不定期な海外援助など）

（財務省資料）

解説 国際収支が改訂された背景には，1990年代半ば以後立て続いた経済危機の経験や，グローバルな経済活動の高度化，ＳＮＡ（国民経済計算体系）の項目表記との整合性の強化が求められたことなどがある。おもな改訂内容は，主要項目のうち，**「資本収支」が廃止**され，投資収支と外貨準備増減が統合されて「**金融収支**」となり，その他資本収支が「**資本移転収支**」となって，大項目となった。経常収支のなかの「所得収支」「経常移転収支」がそれぞれ「**第一次所得収支**」「**第二次所得収支**」に名称変更された。収支全体を資金の流入・流出から考えるのではなく，「**資産の増加・負債の増加**」から考えるようになった。これにより国際収支の項目間の関係式は「**経常収支＋資本移転収支－金融収支＝0**」に。

Column 戦後日本の国際収支構造の変化

1946～50 戦後の復興期，財やサービスの輸入超過により貿易収支・貿易外収支は赤字。一方，アメリカの援助により移転収支は黒字。

1951～55 朝鮮特需により貿易外収支は黒字に転じ，移転収支の黒字額は縮小。

1956～60 「もはや戦後ではない」といわれた神武景気の時期（高度成長の始まり），貿易収支が黒字に転じる。

1961～65 外国資本の輸入が行われ，長期資本収支が黒字となる。

1966～70 いざなぎ景気の時期。日本経済が成熟してきたことを反映し，貿易収支の黒字幅は拡大し，経常収支も黒字に転じる。その一方，長期資本収支の赤字傾向が始まる。

1970年代 二度の石油危機は，貿易収支を急激に縮小させ，経常収支を赤字に転じさせる（1973・74，78・80年度）こととなる。だが貿易収支の黒字幅はこの時期を除いて拡大し，貿易摩擦が深刻化していく。

1980年代 長期資本収支の赤字幅が拡大。特にプラザ合意後の円高により直接投資が拡大し，バブル経済の影響にともなう証券投資の急増は，長期資本収支の赤字幅を大幅に拡大させることとなった。しかし，円高や政府の内需振興策を背景とする輸入の増加や旅行収支（貿易外収支）の赤字増大による1988年からの経常黒字の縮小とともに長期資本収支の赤字幅は縮小の方向へ進んだ。

1990年代 91年は外国資本の大幅流入増により長期資本収支が11年ぶりの黒字に転じる。また，国際的役割の増大にともなう政府開発援助（ODA）による発展途上国への資金供給により移転収支の赤字幅が拡大している。

近年は経常収支の黒字にともない，資本収支の赤字が続いて対外債権は巨額である。

2011年 東日本大震災の影響をうけ，日本の貿易収支が31年ぶりに赤字に。

○×で答えよう！ 正誤問題にTRY✓ 国際収支は，その国の対外経済活動の実態を示し，経常収支と貿易収支の二つの柱から構成される。

55 国際経済体制と為替相場

TOPICS

ビッグマック指数

(2019年7月)

国名	価格（各国通貨）	価格（USドル）	各国通貨の対ドル(±)評価(%)
スイス	6.5（スイス・フラン）	6.54	13.98
アメリカ	5.74（USドル）	5.74	0
スウェーデン	51（スウェーデン・クローナ）	5.38	-6.23
カナダ	6.77（カナダ・ドル）	5.16	-10.18
イスラエル	17（新シェケル）	4.77	-16.96
ブラジル	17.5（ブラジル・レアル）	4.6	-19.92
ユーロ圏	4.08（ユーロ）	4.57	-20.34
デンマーク	30（デンマーク・クローネ）	4.5	-21.52
オーストラリア	6.15（オーストラリア・ドル）	4.26	-25.78
イギリス	3.29（イギリス・ポンド）	4.1	-28.55
韓国	4,500.00（韓国ウォン）	3.81	-33.59
チェコ	85（チェコ・コルナ）	3.73	-35.05
バーレーン	1.4（バーレーン・ディナール）	3.71	-35.3
日本	390（円）	3.59	-37.53
中国	21（人民元）	3.05	-46.86
ポーランド	10.8（ズウォティ）	2.84	-50.59
インド	183（インド・ルピー）	2.67	-53.49
香港	20.5（香港ドル）	2.62	-54.27
エジプト	42（エジプト・ポンド）	2.53	-55.96
トルコ	13.99（トルコ・リラ）	2.44	-57.41
南アフリカ	31（南アフリカ・ランド）	2.19	-61.9
マレーシア	8.85（リンギット）	2.14	-62.78
ロシア	130（ロシア・ルーブル）	2.04	-64.52

ビッグマック指数とは，イギリスの経済誌"エコノミスト"が1986年に初めて発表した指数である。ファーストフードチェーンであるマクドナルドは世界各国に店舗を持っており，約120か国で販売されているのがビッグマックだ。そのレシピには，バンズ，レタス，牛肉，チーズなど様々な種類の食料品が使用されており，しかもその材料は世界各国でほぼ同一のものが利用されていることから，それぞれの国の物価を端的に比較するための指標としてふさわしいと考えられた。

ビッグマック指数の一般的な使い方としては，まず自国のマクドナルドのビッグマックの価格を知った上で，対象となる国のビッグマックの価格を調べる。自国のビッグマック価格を対象国のビッグマック価格で割ることで，対象国の通貨1単位における自国の通貨の価値の妥当値を割り出すわけである。

左表では日本のビッグマックの価格が390円で，アメリカでは5.74ドルとなっている。この時，390÷5.74となり，1ドル＝67.9円がビッグマック指数的には妥当な為替相場と計算される。もしもその時点の実際の為替相場が1ドル＝67.9円より円が高い場合，今後は円安になっていく可能性がある，と判断できる。これがビッグマック指数を使った経済予測になる。

国際編

1 さまざまな国際経済機構とその役割

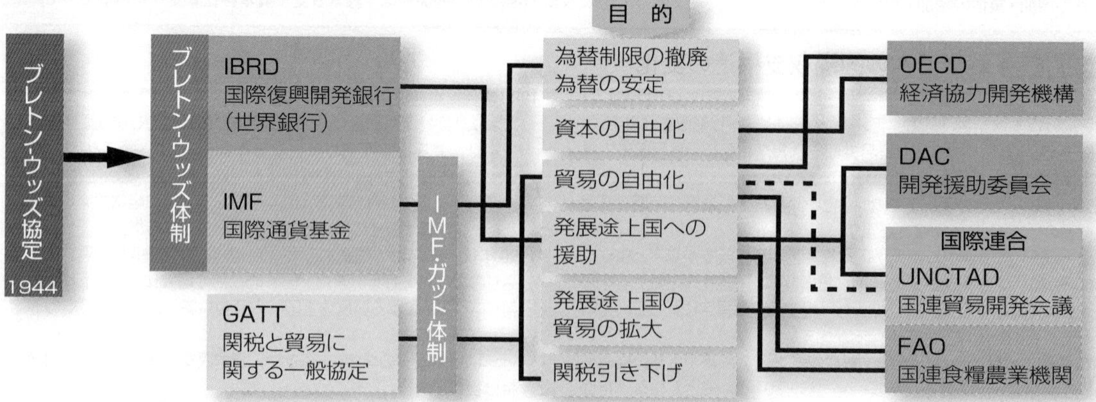

解説 世界恐慌後，各国は自国産業を保護するために，為替相場の切り下げ・関税の引き上げなどの保護貿易政策をとった。そのため世界貿易は縮小し，それが第二次世界大戦の一要因となった。

○×で答えよう！ 正誤問題にTRY✓ 国際通貨基金（IMF）により保証されていたドルと金の交換は，レーガン政権の下で停止された。

2 ブレトン-ウッズ体制とその崩壊

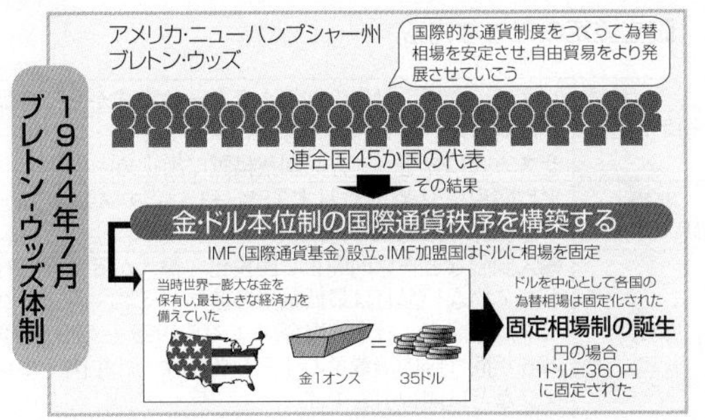

(『図解雑学　国際金融』ナツメ社)

解説 1944年，アメリカのブレトン-ウッズにおける連合国の会議により，国際貿易の拡大，為替の安定，国際収支の不均衡等の是正のための短期的資金を融通するIMFと長期の資金を融通するIBRD（国際復興開発銀行＝世界銀行）の設立が決まった（2次協定の発行日を示した）。

3 世界銀行とIMF（国際通貨基金）

世界銀行（国際復興開発銀行）

1944年のブレトン-ウッズ協定に基づいて設立。加盟国から資本を集め，それを各国の収益率の高いと見込まれるプロジェクトに融資する。

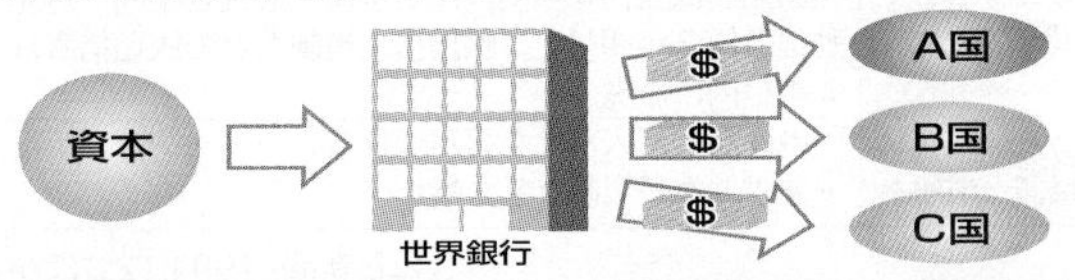

IMF（国際通貨基金）の４つの機能

国際通貨制度に関する協議
国際通貨制度に関する問題点や，加盟国の経済および為替政策について協議する中心的な国際機関としての役割を担う。

国際収支赤字国への融資
・国際収支が赤字の加盟国に対し一定の条件の下で融資を行う。
・融資を受ける国は，国際収支の赤字を改善するための金融・経済政策を求められる。

IMF特別引出権
国際収支が赤字の国は，IMFから資金を引き出すことができる（アジア通貨危機や中南米の累積債務問題はこれによって救われた）。

サーベイランス
世界的な経済危機を避け，世界経済の安定的な成長のために各国が協調的な経済政策を採るようにお互いに監視。

(『図解雑学　国際金融』ナツメ社ほか)

解説 1945年に第二次世界大戦からの復興援助を目的として設立。国際開発協会（IDA），国際金融公社（IFC），多国間投資保証機構（MIGA）とともに途上国の開発援助が目的となっている。

4 GATTと多角的貿易交渉の流れ

GATT 関税及び貿易に関する一般協定 〔1947.10.30署名，1955.9.10　日本国適用，1966年　改正　条約3〕

第１条　一般的最恵国待遇　１　いずれかの種類の関税及び課徴金で，輸入若しくは輸出について若しくはそれらに関連して課され，又は輸入若しくは輸出に関する支払手段の国際的振替について課されるものに関し，それらの関税及び課徴金の徴収の方法に関し，輸入及び輸出に関連するすべての規則及び手続きに関し，並びに第３条２及び４に掲げるすべての事項に関しては，いずれかの締約国が他国の原産の産品又は他国に仕向けられる産品に対して許与する利益，特典，特権又は免除は，他のすべての締約国の領域の原産の同種の産品又はそれらの領域に仕向けられる同種の産品に対しても，即時にかつ無条件に許与しなければならない。

第３条　内国の課税及び規則に関する内国民待遇　２　いずれかの締約国の領域の産品で他の締約国の領域に輸入されたものには，同種の国内産品に直接に又は間接に課されるいずれかの種類の内国税その他の内国課徴金をこえる内国税その他の内国課徴金を，直接にも間接にも課してはならない（後略）

期間	多角的貿易交渉の名称と概要 【参加国数】
1947年	第1回　一般関税交渉 【23】
1949年	第2回　一般関税交渉 【13】
1951年	第3回　一般関税交渉 【38】
1956年	第4回　一般関税交渉 【26】
1960～61年	第5回　一般関税交渉 【26】
1964～67年	ケネディ-ラウンド 【62】 関税の一括平均35%の引き下げが合意
1973～79年	東京ラウンド 【102】 関税の平均33%引き下げの他，非関税障壁の軽減・撤廃が合意
1986～94年	ウルグアイ-ラウンド 【123】 農産物の自由化促進，知的所有権の保護，サービス貿易の拡大，およびWTOの設置などが合意
2001年～ (2017.8現在)	ドーハ-ラウンド…2004年に枠組み合意成立【164】 一次産品の市場拡大，通商ルールの明確化，途上国問題→実際は合意にならず凍結

解説 ガット(GATT)の多角的貿易交渉は，初期の交渉では関税引き下げを対象としたが，次第にガットを補完する貿易ルールの必要性が論じられるようになり，ガット体制が強化されていった。特に，東京ラウンド後の世界的な景気後退期における貿易制限措置の増加時期に始まったウルグアイ-ラウンドは，サービス貿易などへも交渉分野を拡大させ，WTOを設立させた意義は大きい。

5 日米貿易摩擦問題

(『通商白書』各年版)

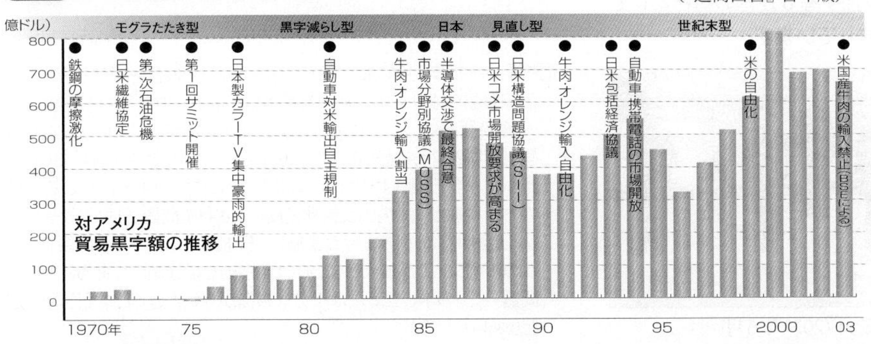

解説 日本経済の国際化は，モノ・カネ・ヒトの移動を自由化することであり，これまで保護されてきた国内企業を外国企業との競争にさらすということでもある。日本は1960年代から積極的にモノの自由化に取り組んだ。資本の自由化は多国籍企業の国内進出を活発化させ，カネの流れは日本の金融市場の自由化をひき起こした。

○×で答えよう！ 正誤問題にTRY✓　最恵国待遇を加盟国に無差別に与えることは，自由貿易や多角主義と並んで，GATT・WTOの基本原則の一つである。

6 サミット(主要国首脳会議)

回	年	開催地	ホスト国首脳	日本の参加者
第 1 回	75.11	ランブイエ (仏)	ジスカールデスタン仏大統領	三木首相
第 2 回	76.6	サンファン (プエルトルコ)	フォード米大統領	三木首相
第 3 回	77.5	ロンドン (英)	キャラハン英首相	福田首相
第 4 回	78.7	ボン (西独)	シュミット西独首相	福田首相
第 5 回	79.6	東京 (日本)	大平首相	大平首相
第 6 回	80.6	ベネチア (伊)	コシガ伊首相	大来外相
第 7 回	81.7	オタワ (加)	トルドー加首相	鈴木首相
第 8 回	82.6	ヴェルサイユ (仏)	ミッテラン仏大統領	鈴木首相
第 9 回	83.5	ウィリアムズバーグ(米)	レーガン米大統領	中曽根首相
第10回	84.6	ロンドン (英)	サッチャー英首相	中曽根首相
第11回	85.5	ボン (西独)	コール西独首相	中曽根首相
第12回	86.5	東京 (日本)	中曽根首相	中曽根首相
第13回	87.6	ベネチア (伊)	ファンファーニ伊首相	中曽根首相
第14回	88.6	トロント (加)	マルルーニ加首相	竹下首相
第15回	89.7	アルシュ (仏)	ミッテラン仏大統領	宇野首相
第16回	90.7	ヒューストン (米)	ブッシュ米大統領	海部首相
第17回	91.7	ロンドン (英)	メージャー英首相	海部首相
第18回	92.7	ミュンヘン (独)	コール独首相	宮沢首相
第19回	93.7	東京 (日本)	宮沢首相	宮沢首相
第20回	94.7	ナポリ (伊)	ベルルスコーニ伊首相	村山首相
第21回	95.6	ハリファクス (加)	クレティエン加首相	村山首相
第22回	96.6	リヨン (仏)	シラク仏大統領	橋本首相
第23回	97.7	デンバー (米)	クリントン米大統領	橋本首相
第24回	98.5	バーミンガム (英)	ブレア英首相	橋本首相
第25回	99.6	ケルン (独)	シュレーダー独首相	小渕首相
第26回	00.7	九州・沖縄 (日)	森首相	森首相
第27回	01.7	ジェノバ (伊)	ベルルスコーニ伊首相	小泉首相
第28回	02.6	カナナスキス (加)	クレティエン加首相	小泉首相
第29回	03.6	エビアン (仏)	シラク仏大統領	小泉首相
第30回	04.6	シーアイランド(米)	ブッシュ米大統領	小泉首相
第31回	05.7	グレンイーグルス(英)	ブレア英首相	小泉首相
第32回	06.7	サンクトペテルブルク(ロ)	プーチン ロ大統領	小泉首相
第33回	07.6	ハイリゲンダム (独)	メルケル独首相	安倍首相
第34回	08.7	洞爺湖 (日)	福田首相	福田首相
第35回	09.7	ラクイラ (伊)	ベルルスコーニ伊首相	麻生首相
第36回	10.7	ムスコカ (加)	ハーパー加首相	菅(直)首相
第37回	11.5	ドービル (仏)	サルコジ仏大統領	菅(直)首相
第38回	12.5	キャンプデービッド(米)	オバマ米大統領	野田首相
第39回	13.6	ロックアーン (英)	キャメロン英首相	安倍首相
第40回	14.6	ブリュッセル(ベルギー)	ディルポ首相 (EU)	安倍首相
第41回	15.6	エルマウ (ドイツ)	メルケル独首相	安倍首相
第42回	16.5	伊勢志摩 (日)	安倍首相	安倍首相
第43回	17.5	タオルミーナ (伊)	ジェンティローニ伊首相	安倍首相
第44回	18.6	シャルルボワ (加)	トルドー加首相	安倍首相
第45回	19.8	ビアリッツ (仏)	マクロン仏大統領	安倍首相
第46回	20	(米国)	トランプ米大統領	安倍首相
第47回	21.6	コーンウォール (英)	ジョンソン英首相	菅(義)首相

Q. G8 サミットとは何ですか？

A. 日，米，英，仏，独，伊，加，露 8 か国の首脳及び EU の委員長が参加して毎年開催される首脳会議です。狭義のサミットは首脳会合を意味しますが，首脳会合の前に開催される外相会合及び財務相会合を含めた全体をサミットと呼んでいます。

Q. G8 とは何の略ですか？

A. 一般的に首脳会議に参加する 8 か国の総称としての「Group of Eight」を意味しています。

イギリス・コーンウォールの G7 サミット(2021年6月)

7 WTO の設立とその組織

A 設立協定のおもな内容

紛争処理	パネルの設置，勧告の採択を全会一致方式から，全員が反対しない限り否決できないネガティブ・コンセンサス方式に変更。一方的制裁措置に歯止め
関税(鉱工業品)	平均関税率引き下げ。日本3.8%→1.5%，アメリカ5.4%→3.6%，EU5.7%→3.6%
農業	輸入制限などを原則廃止し関税化。輸入がほとんど行われていない品目は最低輸入の義務（ミニマム・アクセス）を設定。日本の場合，コメは 1995 − 2000 年度の 6 年間に国内消費量の 4 − 8 %を輸入。牛肉・オレンジなどは関税引き下げ
繊維	多国間繊維取り決め(MFA)を 3 段階に分けて 10 年間でガットに統合
サービス	最恵国待遇，内国民待遇が原則。対象約 150 分野のうち，日，米，EU とも約 100 分野でこの原則を保障。情報通信，海運，金融，人の移動は期限を切って交渉を継続
知的所有権(TRIP)	コンピュータプログラムを著作物として保護。特許の保護期間は 20 年。違法なコピー商品の水際規制強化。CD レンタルは存続
アンチダンピング(反不当廉売)	課税後 5 年間で自動失効。調査手続きの明確化
補助金・相殺関税措置	補助金をレッド（禁止），イエロー（関税で相殺可能），グリーン（相殺対象にならない）の 3 つに分類。輸出補助金はレッド
セーフガード(緊急輸入制限)	発動期間は当初 4 年間，延長可能で最長 8 年間。再発動は最低 2 年間禁止。輸出自主規制などの灰色措置は 4 年以内に撤廃
貿易関連投資措置(TRIM)	国内産品の購入などを義務づけるローカル・コンテント要求，為替規制などを禁止

(『毎日新聞』1994.12.2 ほか)

B WTO の組織

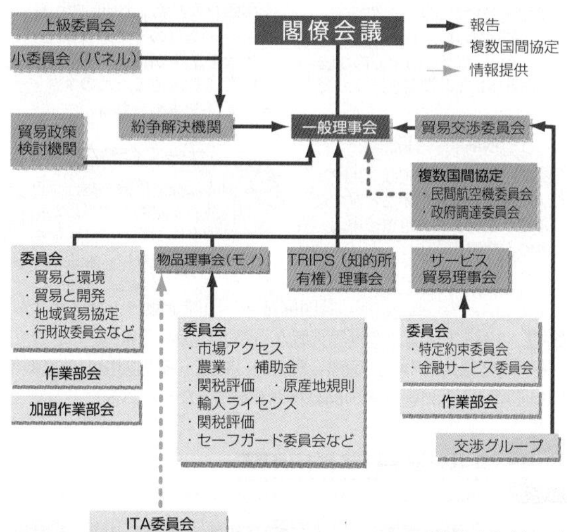

(外務省資料より)

解説 1995年1月1日，ウルグアイ-ラウンドの合意事項に基づき，国際貿易のより一層の拡大を目指し，権限も対象項目も拡大した WTO が発足した。それにともない紛争案件数も拡大し，日本も紛争当事国となることもあった。例えば，日本の酒税制度において，焼酎にかかる酒税よりも同じ蒸留酒であるウイスキーにかかる酒税の方が税率が高く内国民待遇違反だとされた問題(日本側敗訴により，焼酎税率の引き上げが実施)，日本国内において外国製フィルムの市場シェアが拡大しないのは差別的な流通制度にあるとされた問題(米国の申し立てには十分な根拠がないとして日本側勝訴) などがあげられる。

○×で答えよう! 正誤問題に TRY✓ 1980年代半ばに始まったウルグアイ-ラウンドでは，日本や発展途上国の主張が認められ，農業分野の交渉はテーマから除外された。

8 WTOとGATTの違い

		GATT(ガット)	WTO
法的地位		国際協定	正式な国際機関
対象範囲		モノの貿易のみ	サービス貿易や知的所有権も含む
紛争処理手続き	パネル報告や対抗措置の承認方式	全会一致の承認が必要(コンセンサス方式)	1国でも支持すれば承認される(ネガティブ-コンセンサス方式)
	対抗処置(制裁)の対象	モノの分野に限る	モノ，サービス，知的所有権は異分野の制裁(クロス-リタリエーション)が可能
	再審制度	なし	あり
	対抗措置承認までの期間	明確な期限はなし	標準は約28か月 最長でも約35か月
閣僚理事会		必要に応じて開催	最低2年に1回開催

(「日本経済新聞」1995.5.13などより)

解説 GATTとWTOの大きな違いは，GATTが加盟国間の協定に過ぎなかったのに対し，WTOは法的拘束力を持つ国際機関となったことである。また，GATTが農業分野を除くモノの貿易のみを対象にしていたのに対し，WTOは農業やサービス分野をも対象とし，さらに貿易に関する特許や知的所有権などの新分野も広くカバーしていることにある。紛争解決の機能も大幅に強化され，紛争案件数もGATT時代(1948～94年)の314件(年平均6.7件)に対し，WTO成立後(1995～2020年)は598件(年平均約23.0件)と大幅に増加している。

9 WTOでの紛争の解決

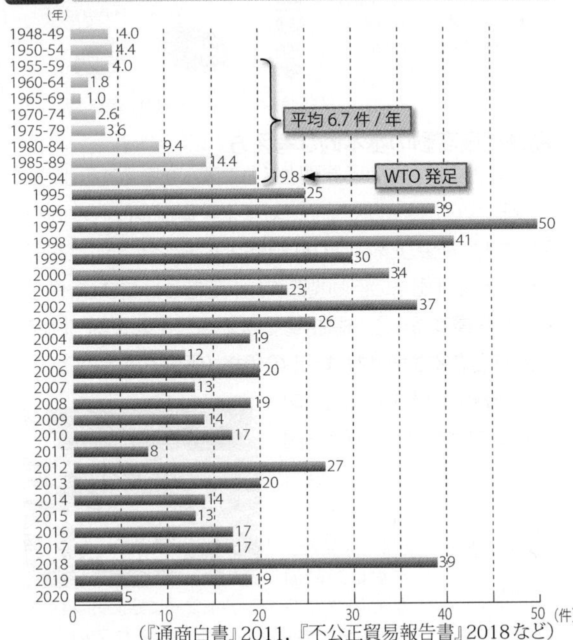

(『通商白書』2011，『不公正貿易報告書』2018など)

解説 WTO体制の下では，①**ネガティブ-コンセンサス方式**の採用や②二審制導入等により，紛争解決手段の実効性が強化された。紛争解決手段に持ち込まれる件数も設立以前に比べて，年平均で約5倍に増加しており，これまでの着実な解決例の積み重ねによって，紛争解決へのルール重視の考え方は国際的にも広く共有されてきている。

Column セーフガード(緊急輸入制限)とは

ダンピング等に関係のない合法的な貿易であっても，輸入の急増により輸入国内のライバル産業が重大な損害を受ける場合がある。そこで輸入国政府は，一定の条件を満たす場合には，一定期間だけ関税を引き上げる等のセーフガード措置(一時的な国内産業保護措置)をとることができる。

この場合，関係国との協議において，問題となっている商品の関税を引き上げる代わりに他の商品の関税を引き下げる必要がある。この一定期間の間に国内産業は競争力をつけるか他業種に転換することが期待されている。

合法的な輸出の急増

輸入国産業に重大な損害

当事国政府間での協議

セーフガード措置で一時的に国内産業を保護

WTO加盟国が他の加盟国に対して，その市場が閉鎖的であるとして一方的に関税を引き上げたり，その他の貿易制限措置を実施することは，WTO協定違反となる。この2国間は紛争解決をめざして2国間協議を行うことになるが，それでも解決しない場合，WTOにおいてパネル(小委員会)が設置される。ここでは，裁判と似たかたちの審理が行われ，当事国の申し立てがあればさらに上級の委員会での審理が行われることになる。こうしてパネルなどによって解決に向けた報告書が採択されたあと，紛争当事国はこれを実施しなければ相手国による制裁措置を受けることになる。

○×で答えよう! 正誤問題にTRY✓ 改革・開放政策を実施し，急激な経済発展を遂げている中国であるが，現在でもWTOへの加盟は承認されていない。

テーマ学習

円高・円安の話

1ドルが120円から110円になるのは「円高」それとも「円安」？

1ドルが120円から110円になった…。数が小さくなったので「円安」になったのでは?と誤解する人が多い。でもここでよく考えてみよう。アメリカの1ドルの商品を購入するのに日本円でいくら出せば購入できるのかと。…すると，10円安く1ドルの商品を購入できるから，1ドルに対して円の価値が10円上がったことになる。つまり円高になった〈（120－110）÷110＝0.09，約9%の円の切り上げ〉ことになる。反対にドルは円に対して1ドルあたり10円価値が下がったこと，〈ドル安〉になったことになる。

そして，このように貿易の決済（代金の受け渡し）などにより，自国の通貨（例えば円）と他国の通貨（例えばドル）との交換比率を為替相場（為替レート）という。そして交換する場所を外国為替市場という。この為替相場，1973年まではIMF体制のもと，1ドル＝360円と固定されていた（固定為替相場制）。しかし，その後はその日その日の「ドル」と「円」の取引量（交換される通貨量）によって具体的に為替相場が決まるようになった（変動相場制）。

外国為替市場はどこにある?

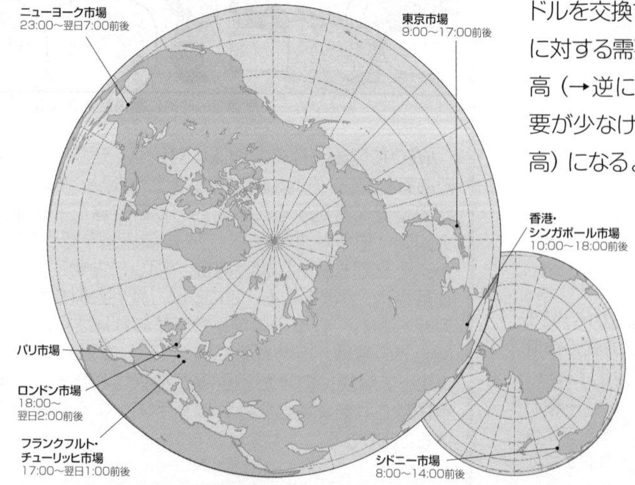

外国為替レートの決定要因

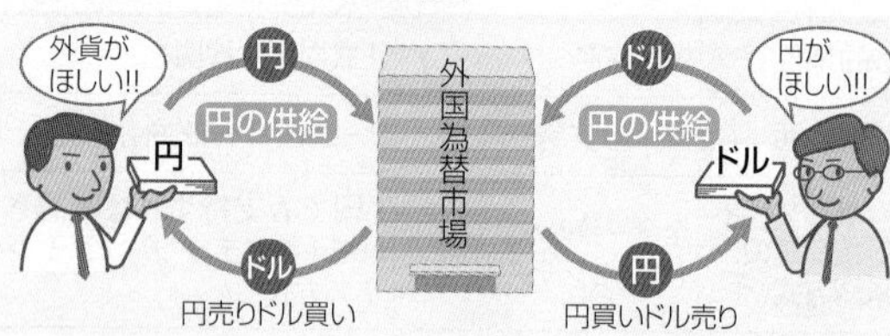

自国通貨（円）と外貨（ドル）の外国為替市場での需要と供給のバランスで決定

○その通貨の[需要]が増加すればその通貨の価値は[上昇]
○その通貨の[供給]が増加すればその通貨の価値は[下落]

円の需要側：外貨を円に換える必要性がある人々→円買いドル売り
・日本の輸出業者→外貨で得た収益を円建てする
・海外から日本への旅行者や投資家→外貨を円に換えて旅行や投資

円の供給者：円を外貨に換える必要性がある人々→円売りドル買い
・日本の輸入業者→円を外貨に換えて外国から商品購入
・日本から海外への旅行者や投資家→円を外貨に換えて旅行や投資

消費者から見た円高・円安のメリット・デメリット

円高・デメリット
●電気機器や自動車メーカーなど輸出関連会社に勤める従業員の雇用・所得環境が悪くなる
●外貨貯金や外債ファンドなどをもっている人は損をする

円高・メリット
●電気，ガス，石油が安くなる
●生活用品や海外のブランド品，外車などが安くなる
●海外旅行に安く行ける
●紙・パルプ業や小売業など，輸入が多い企業に勤める従業員の雇用・所得の環境が良くなる

消費者

円安・デメリット
●電気，ガス，石油が高くなる
●生活用品や海外のブランド品，外車などが高くなる
●海外旅行の費用が高くなる
●紙・パルプ業など，輸入が多い企業に勤める従業員の雇用・所得環境が悪化する

円安・メリット
●電気機器や自動車メーカーなど，輸出関連会社に勤める従業員の雇用・所得環境が良くなる
●外貨貯金や外債ファンドなどをもっている人は利益が出る

（『図解　為替のからくり』青春出版社）

為替相場変動の基本的な考え方

為替相場が変動する原理とメカニズムを考えてみよう。まず基本的には，ある商品に対する需要が多ければ価格は上がり，需要が少なければ価格は下がるということを思い出そう。「価格の自動調節作用」である。つまり，円とドルを交換する外国為替相場で考えると，ドルという商品に対する需要が多ければドルの価格（価値）が上がりドル高（→逆に円安）となり，需要が少なければドル安（→円高）になる。

解説　外国為替市場は24時間取り引きされていて，シドニーに始まり，東京・香港・シンガポール・パリ・フランクフルト・ロンドン・ニューヨークと世界を一周している。取り引きの9割は投機で，為替レートの変動を予測して通貨を売り買いする。残りの1割は輸出産業の企業が海外での売上げを自国通貨に換金する時に使われている。

○×で答えよう! 正誤問題にTRY✓　1960年代後半の金ドル交換の結果，アメリカからの金流出が続いたためドル危機が高まった。

10 為替相場

①外国為替　国際的な経済取引で決済の基準になるもの。取引は外国為替市場で行われる。	外国為替相場（為替レート）　自国通貨と相手国通貨との交換比率	⇔外国為替市場における「需要と供給」の関係により決定 →「ドル」が基軸通貨（キーカレンシー）として機能
②為替相場変動の要因	貿易収支，金利差，国際情勢，投機，政策介入など	
③為替相場変動の影響	円高（⇔ドル安）	・輸出企業の国際競争力の低下（輸出減） →日本の景気悪化，製造業の海外移転促進 ・輸入原材料・製品の価格低下 →物価引き下げの要因に。【日本にとって輸入促進・輸出打撃】
	円安（⇔ドル高）	・輸出企業の国際競争力の上昇（輸出増）→日本の景気好転 ・輸入原材料・製品の価格上昇→物価引き上げの要因に。 【日本にとって輸出促進・輸入打撃】
④国際通貨制度の変遷（固定相場制から変動相場制へ）	1949年　金1オンス（約31 g）＝35ドル，1ドル＝360円の固定相場制（IMFによる）	
	1960年代後半	・アメリカの国際競争力低下，日本・西ドイツの高度経済成長 ・アメリカの国際収支赤字・ドルの国外への大量流出⇔金・ドルの交換増加でアメリカから金流出
	1971年8月　ニクソン米大統領，『ドル防衛政策（ニクソン声明）』発表	・IMF体制の事実上の崩壊 ・金・ドル交換停止：ドル-ショック（ニクソン-ショック）
	1971年12月　スミソニアン合意 1ドル＝308円に（16.88%の切り上げ）	
	合意以後	・アメリカの国際収支赤字 →1973年2月　変動相場制へ移行⇔キングストン体制に

11 外国為替のしくみの一例

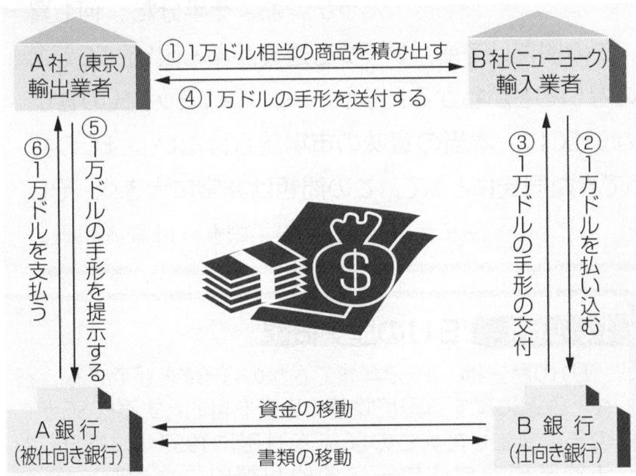

解説　外国為替とは，貿易の際に現金の輸送の代わりに手形や小切手によって決済をする方法のこと。国内で行われれば，内国為替と呼ぶ。

12 外国為替市場の参加者

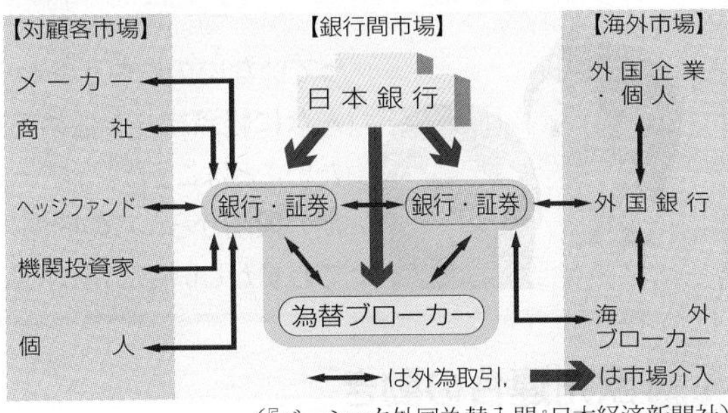

（『ベーシック外国為替入門』日本経済新聞社）

解説　例えば，ハワイへ旅行に行こうとしている個人は，円をドルに換えておく必要がある。この場合，メーカーや個人は，外国為替銀行に行き，円やドルに換えることで外国為替市場に参加することになる。しかし，一般的には，外国為替銀行，為替ブローカー（仲介業者），そして日本銀行の間で行われる銀行間取引のことを外国為替市場と呼んでいる。銀行間取引における最低単位は，100万ドル（これをディーラーは1本とかワンダラー One Dollar と呼ぶ）で，通常は1,000万ドルとか2,000万ドル程度のまとまりで取り引きされる。

13 円相場の推移

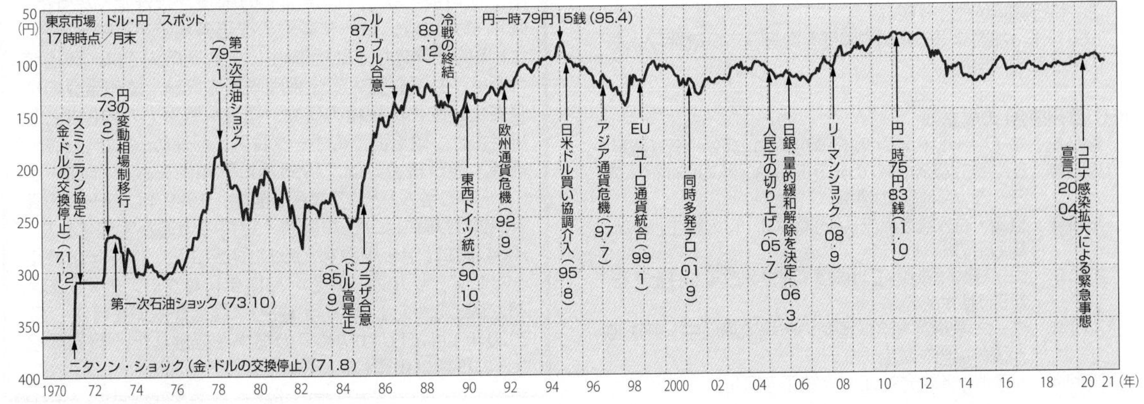

○×で答えよう！ 正誤問題にTRY✓　1976年のスミソニアン合意は，変動相場制の承認，特別引き出し権（SDR）の役割強化を確認したものである。

経済編　国際編

56 地域的経済統合と国際経済の現状

TOPICS

お金が半分に目減り？

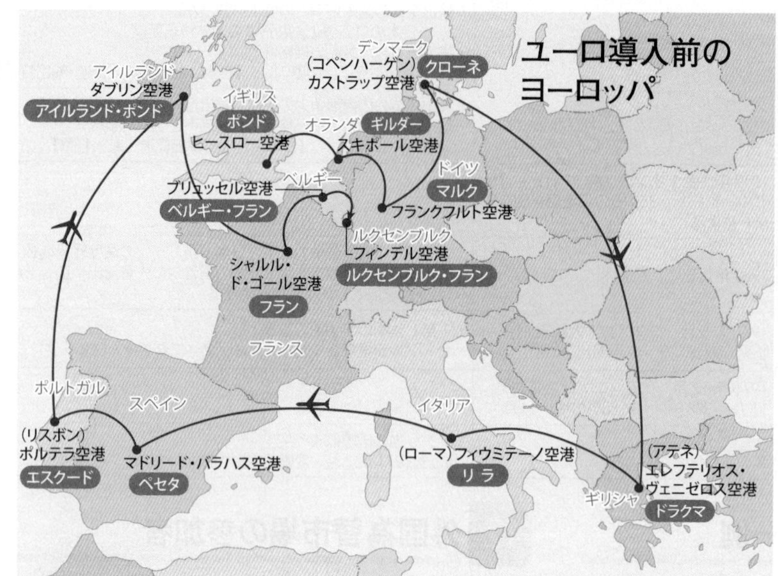

「私がロンドンのヒースロー空港にいるとしよう。財布には1000ポンドのおカネがある。今からECの12カ国の旅にでる」―92年3月，来日したドイツのシュミット元首相はこう切り出した。「まず，オランダのスキポール空港に着いた。ここで手持ちの1000ポンドをすべてオランダ・ギルダーに換えよう。次はフランクフルトだ。ここではギルダーをすべてドイツ・マルクに。こうして12カ国全部を回り終わったとき，私の財布にいくらのおカネが残っているだろうか。およそ半分だ。何も買っていないのにもかかわらずだ。この例だけでも，いくつも通貨がある限り，ECがどんなに経済統一を進めても意味のないことがわかるだろう……」。シュミット氏の言いたいことはこうだ。「統一通貨のないECに，本当の意味の市場統合はない」。ECの初期の段階から，この問題に関わってきた同氏にとって，この問題は非常に大きく，そしてむずかしいものだったようだ。

（『テラスで読む世界経済読本』日本経済新聞社）

経済編

国際編

1 欧州連合の動き

①EEC（欧州経済共同体）の成立
- ○1957年　ローマ条約の調印（域外への関税障壁，域内の労働と資本の自由化）
- →EEC, EURATOM（ユーラトム，欧州原子力共同体）の発足（1958年）
- ○1958年　英国等の7か国がEECに対抗し，EFTA（欧州自由貿易連合）設立

②EC（欧州共同体）の発足
- ○1967年　EEC，EURATOM，ECSC（欧州石炭鉄鋼共同体）の立法・執行機関が融合→ECに
- ○1992年末　加盟諸国の非関税障壁を撤廃→市場統合（人・もの・金の域内自由化）

③EU（欧州連合）の成立
- ○1993年　マーストリヒト条約（欧州連合条約）発効→EU発足
- ○1994年　EEA（欧州経済地域）の発足（EFTA加盟〔スイス除く〕のヨーロッパ諸国との連携）
- ○1999年　経済・通貨統合実施（域内通貨ユーロの誕生）→市場取引のみ
- ○2001年　ニース条約調印→EU機構・運営の改革を柱とする新EU基本条約
- ○2002年　ユーロ（EURO）紙幣・硬貨の市場流通，中・東欧10か国の加盟を決定
- ○2009年　リスボン条約発効（EU大統領の誕生）

Column　EUの歴史概観

EUの歴史は，1952年までさかのぼることができる。石炭と鉄鋼に関する国境障壁の撤廃を目的とするECSCがこの年に誕生した。このECSCを基礎に1957年にはEECの法的基礎を成すローマ条約が調印され，EEC，及びEURATOMが発足する。なお，これに対しイギリスは，英連邦特恵制度を維持するためEFTAを結成した。

ローマ条約調印10周年にあたる1967年には，EEC，ECSC，EURATOMの3組織が統合されECが成立した。1993年1月には，ECの市場統合がスタートし，ヒト（労働力），モノ（商品），カネ（資本），サービスの域内自由化が可能となり，経済面での国境がほぼなくなった。同年11月には，ローマ条約の改正条約であるマーストリヒト条約が発効し，EUが誕生した。同条約では，政治統合では，共通外交・安全保障政策の実施，欧州議会の権限強化，欧州市民権の確立，司法・警察力の強化などが規定され，政治面でのボーダレス化が進められた。また，経済・通貨統合では，1998年に欧州中央銀行（ECB）が「ユーロの番人」として業務を開始，1999年にユーロの導入，2002年にはユーロ紙幣・貨幣の流通が実施された。2004年には中・東欧などの10国が加入，2007年にはルーマニア・ブルガリアを，2013年にはクロアチアを加え28か国となった。2016年イギリス議会が脱退を可決して，2020年1月にEUは初めての縮小を経験した。貿易環境などの課題は山積している。

○×で答えよう！ 正誤問題にTRY✓　EU加盟国は，域内の非関税障壁を低くすることにより，域内における貿易の拡大を促してきた。

テーマ学習　EU統合とその課題

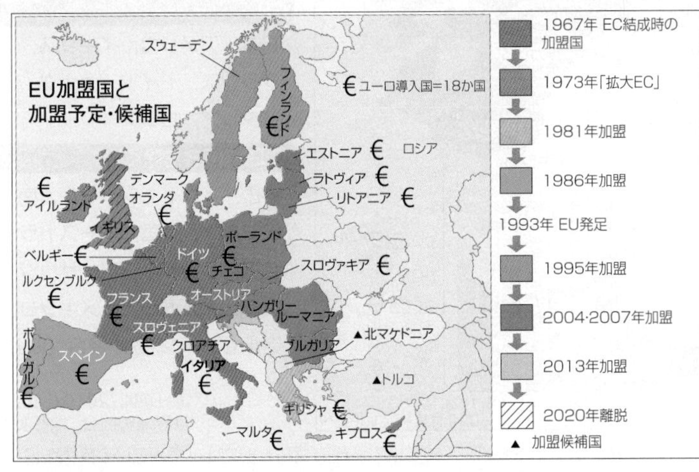

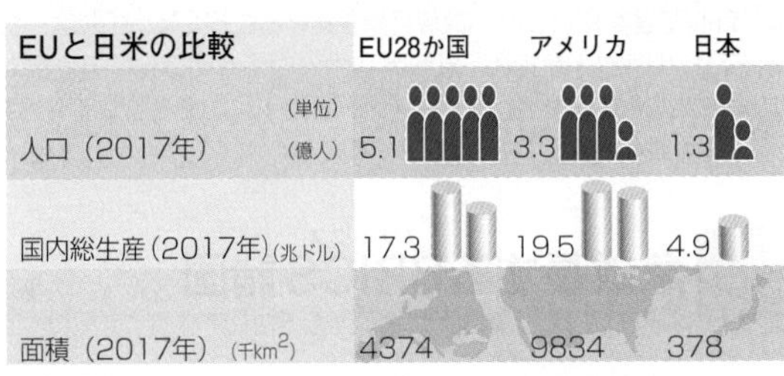

EUと日米の比較	EU28か国	アメリカ	日本
人口（2017年）（単位）（億人）	5.1	3.3	1.3
国内総生産（2017年）（兆ドル）	17.3	19.5	4.9
面積（2017年）（千km²）	4374	9834	378

1993年，経済的な統合を中心に発展してきたECを基礎に発足。欧州連合条約（マーストリヒト条約）に従い，経済通貨統合を進めるとともに，共通外交安全保障政策，司法・内務協力等のより幅広い協力をも目指す政治・経済統合体となった。国家主権の一部の委譲を前提に，域外に対する統一的な通商政策を実施する世界最大の単一市場を形成し，政治的にも「一つの声」で発言するなど，いわば国家に準ずる存在である。

2009年のリスボン条約により統合が深まり，課題もみえてきた。第1に，欧州理事会常任議長（事実上の「EU大統領」）が誕生したが，EUには，欧州委員会の委員長や外務・安全保障政策上級代表（事実上の「EU外相」），独仏など大国の首脳が存在している。その中でリーダーシップが発揮できるかという点である。第2に，EU全体の足並みがそろうかという点がある。2009年のギリシャに端を発した経済危機は，単一な金融・財政政策や財政赤字の制限などにより解決が遅れた。2012年以降シリアの政情不安による難民流入も大きな問題となった。

こうしたなか，イギリスが2017年3月29日にEU離脱を通告した。初めての離脱交渉は難航し，2020年1月31日に離脱した。2020年末まで11か月の移行期間が設けられ，英・EU間，英・第三国間でそれぞれ交渉が行われた。2020年末に英・EU間で合意がなされ，2021年1月1日に発効した。

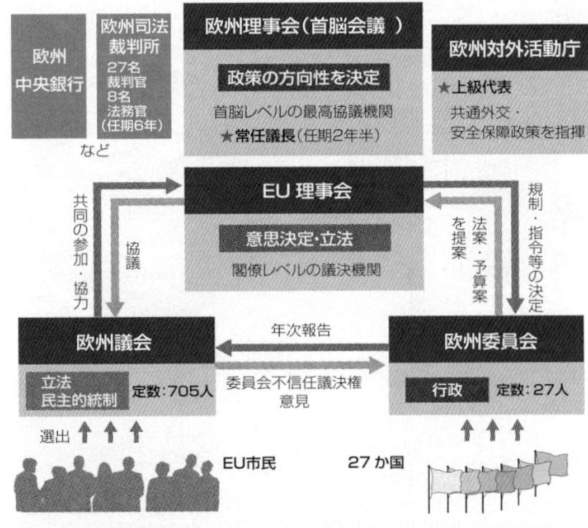

●EUの深化と拡大（?）

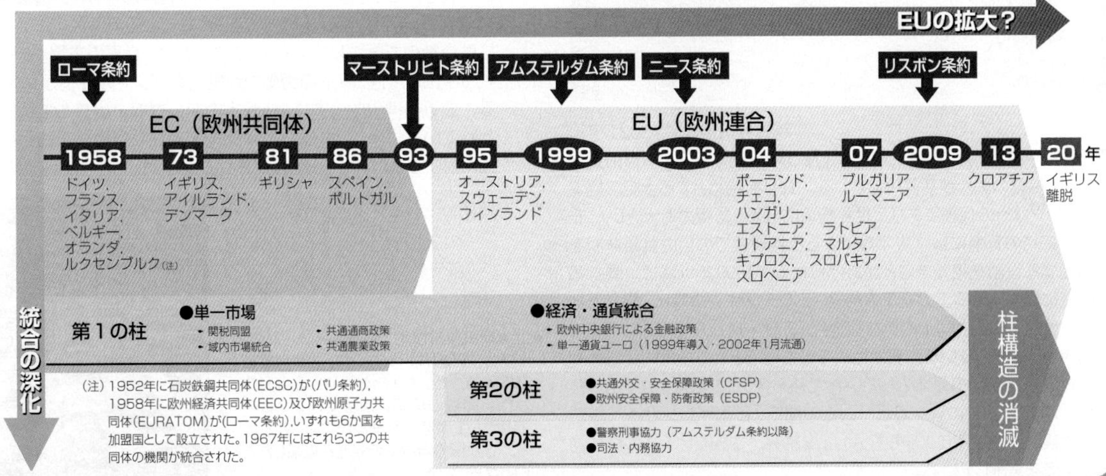

（注）1952年に石炭鉄鋼共同体（ECSC）が（パリ条約），1958年に欧州経済共同体（EEC）及び欧州原子力共同体（EURATOM）が（ローマ条約），いずれも6か国を加盟国として設立された。1967年にはこれら3つの共同体の機関が統合された。

○×で答えよう！ 正誤問題にTRY✓ EU域内での関税は撤廃されているが，EU域外からの輸入に対する関税はEU各国がそれぞれ決定している。

2 G8とG20

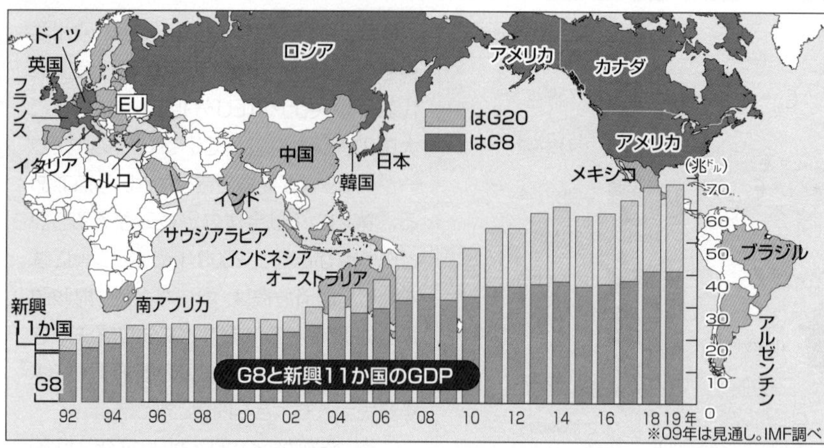

G8

日本，アメリカ，イギリス，フランス，ドイツ，カナダ，イタリア，ロシア

G 20（G8を除く）

中国，インド，ブラジル，南アフリカ，韓国，オーストラリア，インドネシア，サウジアラビア，トルコ，メキシコ，アルゼンチン，欧州連合（EU）

（『毎日新聞』2010.6.26，『世界国勢図会』などより）

解説 近年BRICSを中心とする経済的な新興国が，世界経済の重要な役割を担うようになってきた。サブプライムローンによる世界金融危機を背景に，世界経済を協議する枠組みとしてG20による首脳会合（G20サミット）が開かれるようになった。2010年6月にはカナダのトロントで開催され，「先進国が財政赤字を2013年までに半減させ」（日本を除く），16年までに政府債務を安定化する，という目標を盛りこんだ首脳宣言を採択した。数値目標をあげることになったのは，各国がソブリンリスク＊を抱え，財政赤字への対応を明確化する必要があったためといわれている。《＊ソブリン（国家）にお金を貸しても，戻ってこないかもしれない，というリスクのこと》

3 おもな経済ブロックのGDP

4.45億人
EU 1,563 百億ドル
ドイツ 24.7%
フランス 17.4%
イタリア 12.8%
スペイン 8.9%
オランダ 5.8%
その他22か国 30.3%
14.34億人
中国 1,434 百億ドル
4.90億人
NAFTA★ 2,443 百億ドル
アメリカ合衆国 87.7%
カナダ 7.1%
メキシコ 5.1%
日本 508 百億ドル
1.27億人
ASEAN 316百億ドル
6.54億人
インドネシア35.5%　マレーシア11.6%
タイ17.2%　フィリピン11.4%
シンガポール11.8%　その他12.5%
メルコスール 257百億ドル
3.06億人
ブラジル72.0%
アルゼンチン17.5%
その他10.5%
=人口1億人
（2019年）

（『世界国勢図会』2021/22）

解説 1990年代後半以降，二国間及び地域的なＦＴＡ（自由貿易協定）締結の動きが活発化している。ＥＵを始めとする上記の経済ブロックはその代表であり，世界経済に与える影響力も大きい。ＦＴＡ締結の背景には，ＷＴＯによる世界規模での自由貿易体制を補完する役割を果たすことがあげられる。1999年以降は，異なる地域に属する国同士のＦＴＡ締結（ＥＵ・メキシコ等），異なる地域に属するＦＴＡ同士の更なる統合（ＥＵ・ＭＥＲＣＯＳＵＲ）の動きが活発化している。日本はＷＴＯを中心とした多角的貿易体制を対外経済政策の基本としていたためＦＴＡには消極的であったが，2002年１月にシンガポールとの間で「日本・シンガポール新時代経済連携協定（ＪＳＥＰＡ）」を締結，さらにＦＴＡの積極的な交渉を実施している。

★北米自由貿易協定（NAFTA）は，2020年7月，**アメリカ・メキシコ・カナダ協定（USMCA）**として新たな貿易協定を発効した。関税の特恵待遇を受けるための要件として原産地ルールが定められるなど，３か国の域内での利益を重視したものとなっている。

4 急成長するBRICS（ブリックス）諸国 (2019年，*は2020年)

	ブラジル	ロシア	インド	中国	南アフリカ
人口(人)*	2億1,256万	1億4,593万	13億8,000万	14億3,932万	5,931万
面積(km²)	852万	1,710万	329万	960万	122万
GDP(ドル)	1兆8,478億	1兆6,929億	2兆8,916億	14兆3,429億	3,514億
一人あたりGNI(ドル)	8,523	11,281	2,092	9,980	5,832
輸出*(ドル)	2,113億	3,379億	2,756億	2兆5,980億	859億
外貨*準備高(ドル)	3,515億	4,570億	5,491億	3兆2,388億	474億
首都	ブラジリア	モスクワ	ニューデリー	北京	プレトリア
通貨	レアル	ルーブル	ルピー	元	ランド

（『世界国勢図会』2021/22）

解説 新興国のうち，ブラジル，ロシア，インド，中国，南アフリカの5か国をBRICSと呼んでいる。これらの国々の共通する特徴は，いずれも人口や国土面積が大きいことなどがあげられ，今後しばらくは大きな経済成長が持続するとみられている。命名はアメリカの証券会社のゴールドマン・サックス。特に「世界の工場」ともいわれる中国と，低コストの労働力が魅力のインドの成長が顕著である。最近では中国企業による日本企業の買収・出資もさかんに行われている。また，中国・ブラジル間で貿易摩擦が表面化し，中国に対するセーフガードも検討されている。

ブラジルのビジネスの中心，サンパウロ市

経済編　国際編

○×で答えよう! 正誤問題にTRY✓ NAFTA（北米自由貿易協定）は，アメリカとメキシコの二国間協定で，工業製品の貿易自由化を目的として締結された。

テーマ学習　EPAとFTA

●EPA・FTA

幅広い経済関係の強化を目指して，貿易や投資の自由化・円滑化を進める協定とのこと。日本は当初から，より幅広い分野を含むEPAの締結を推進してきた。

[定義]

FTA：自由貿易協定（Free Trade Agreement）
特定の国や地域の間で，物品の関税やサービス貿易の障壁等を削減・撤廃することを目的とする協定。

EPA：経済連携協定（Economic Partnership Agreement）
貿易の自由化に加え，投資，人の移動，知的財産の保護や貿易政策におけるルール作り，様々な分野での協力の要素等を含む，幅広い経済関係の強化を目的とする協定。

■おもなFTA

地域間
欧州連合（EU）
アメリカ・メキシコ・カナダ協定（USMCA）
南米南部共同市場（メルコスール，加盟国：ブラジル，アルゼンチン，パラグアイ，ウルグアイ，準加盟国：チリ，ボリビア）
ASEAN自由貿易地域（AFTA，加盟国：ASEAN加盟国と同じ）

二国間
日本ーシンガポール，EUーメキシコ，米国ーイスラエル
米国ーシンガポール（2004.1.1発効）

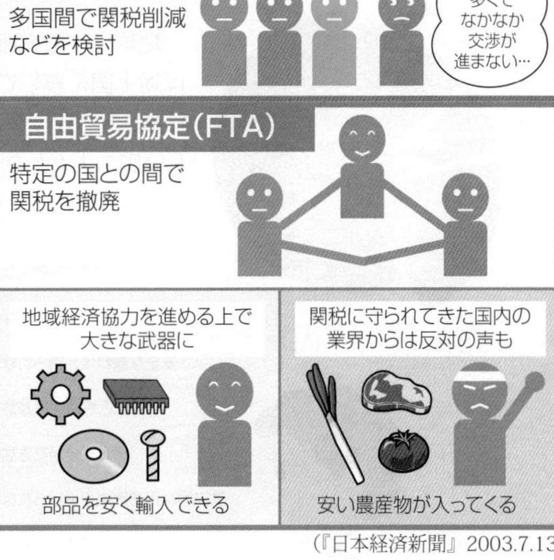

（『日本経済新聞』2003.7.13）

●日本のEPA・FTAの現状　（2021年1月現在）

日本の貿易総額に占める国・地域別割合

解説　日本のEPAは，関税やサービス貿易にかかる障害を取り除くことに加え，相手国の投資環境の整備という観点から，投資，知的財産・競争政策等に関するルール整備や協力を重視している。
日本の直接投資の拡大（相手国内での現地生産の拡大）は，日本からの技術移転や雇用の拡大につながり，相手国の経済発展に大きな貢献をするだろう。
特に，ASEANの国々にはすでに多くの日本企業が進出し，現地に子会社や工場等を設けている。ASEANの国々とのEPAは，日本やASEAN諸国でさまざまな製品を分業して生産する体制を強化し，日・ASEAN双方の発展を促す環境作りを目指している。

（外務省資料）

●世界のメガFTAマップ　（『ジェトロ貿易投資白書』2014）

アメリカEU・FTA（TTIP）
[注] 破線はメガFTA
日EU・EPA
EU　インド　中国　韓国　日本　日中韓 FTA　ASEAN　豪州・NZ　カナダ　アメリカ　メキシコ　コロンビア　ペルー　チリ　太平洋同盟
東アジア地域包括的経済連携（RCEP）
アジア太平洋自由貿易圏（FTAAP）構想
APEC 加盟全 21か国・地域が参加
環太平洋パートナーシップ（TPP）協定
ASEAN のうち，シンガポール，マレーシア，ベトナム，ブルネイが交渉参加

解説　多角的な貿易交渉であるWTO交渉が停滞している現在，アメリカ，EU，日本，中国などの貿易大国は，主要な貿易相手国とのFTAを優先する方針に転換してきた。環太平洋パートナーシップ（TPP）協定，東アジア地域包括的経済連携（RCEP），日EU・EPA／FTA，アメリカとEUの包括的貿易投資パートナーシップ（TTIP）の4つの巨大地域経済統合（メガFTA）が登場することとなった。
2018年12月，アメリカのTPP離退後，残りの11か国で包括的及び先進的なTPP（CPTPP）として発効された。また，2020年11月にはインド抜きでRCEPが署名された。

経済編　国際編

○×で答えよう！ 正誤問題にTRY✓　日本はAPEC（アジア太平洋経済協力会議）で，牛肉とオレンジの輸入自由化に合意した。

57 多様化する南北問題と国際協力

TOPICS

地球上の人間がわずか100人だとしたら

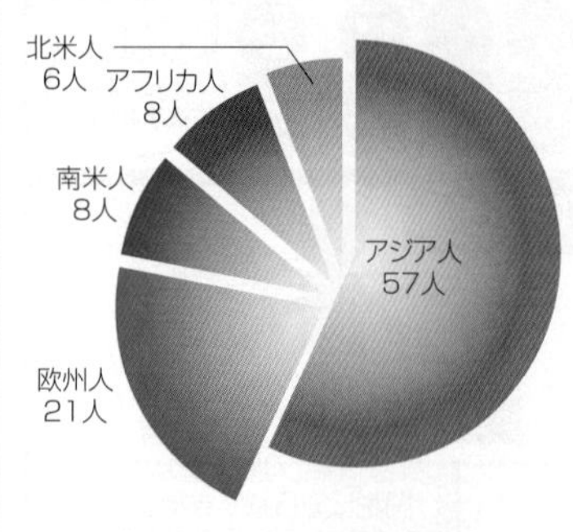

（UNDPホームページより）

地球にすむ60億の人間を，100人と置き換えて考えてみる。4分の3の人は途上国に暮しており，3分の1以上の人が1日2ドル未満で生活する，といったこととあわせて，もっとも豊かであるといわれる人々と，そうではない貧しい国の人々との大きな格差が存在していることも事実である。

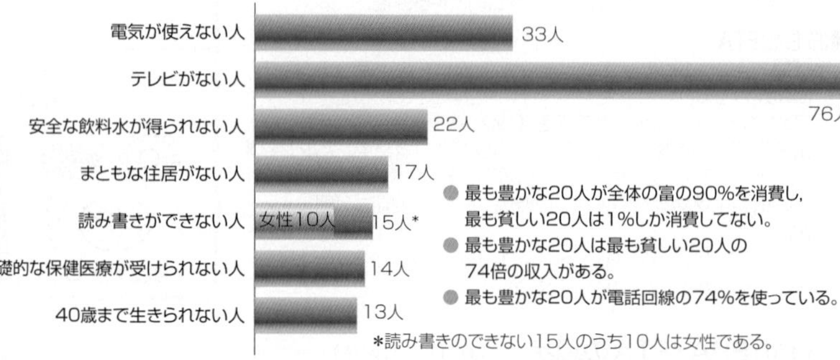

*読み書きのできない15人のうち10人は女性である。

21世紀を迎えた私たちの住む世界全体を見渡したとき，どのような光景が目に入るでしょうか。20世紀の科学や産業の急速な発達により私たちはさまざまな歴史的な進歩を遂げました。途上国もその例外ではありません。全世界60億人の4分の3に当たる45億人は途上国に暮らしていますが，過去30年間に世界の平均寿命は8年延び，非識字率は47%から25%に下がりました。安全な水を利用できる農村世帯の割合は5倍以上に増加し，途上国の平均所得は実質ベースでほぼ倍増しました。それでも現在12億人が1日1ドル未満で，20億人以上が2ドル未満で生活するなど，依然多くの人々が進歩や豊かさから取り残されているのです。いまだに10億人以上が安全な水を，8億5,000万人以上が十分な食糧を得ることができません。適切な医薬品がなく治療が受けられないために，5歳までに死亡してしまう子どもたちが毎年1,000万人もいます。

（国連開発計画パンフレット『人間開発ってなに？』2007）

1 南北問題　格差の現状

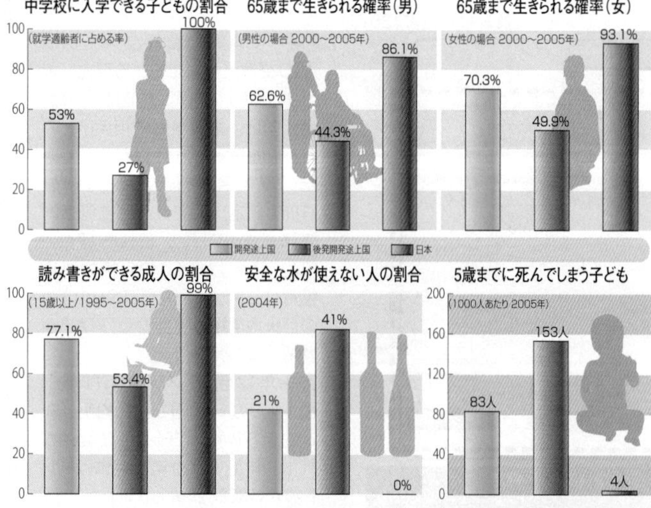

（日本の国際協力『世界と地球と未来のために』外務省国際協力局パンフレットより）

南北問題とは？　北半球の先進工業国と南半球の発展途上国との経済格差から起こるさまざまな問題。1日1ドル以下で生活している極度の貧困層は世界で12億人，その約7割は，南アジアとサハラ以南のアフリカに住んでいる。

経済格差の拡大：世界の高所得者の上位20%と低所得者の20%の所得の格差を比較してみると？

1960年　30：1　⇒1997年　74：1

経済格差が生じた理由は何か？　植民地時代に欧米や日本などの帝国主義国に押しつけられたモノカルチャー経済。一次産品の価格は，決定権を依然として北の多国籍企業に握られ続け，工業製品に比べて安く押さえ込まれているため，経済の発展が押さえ込まれる。

○×で答えよう！ 正誤問題にTRY✓　単一の一次産品（天然資源や農産物など）に特化・依存した経済構造を資源ナショナリズムという。輸出品の価格変動に影響されやすく，経済的に不安定な構造とされる。

2 世界の国土・人口・国民総所得

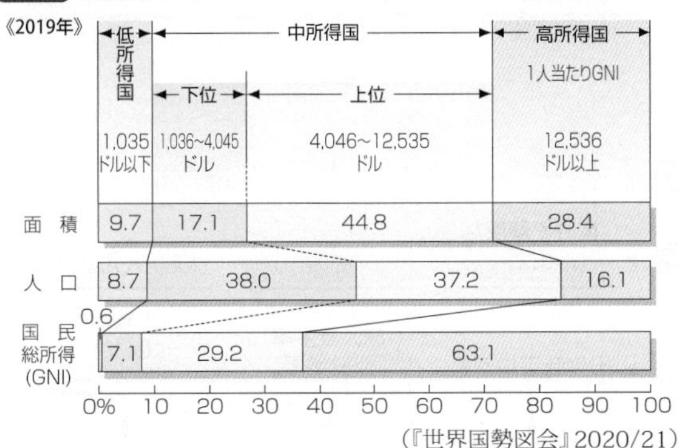

(『世界国勢図会』2020/21)

解説 人口では世界の16%ほどを占めるにすぎない国（地域）が，GNIでは世界の64%弱の割合を占めている。また1人あたりGNIの区分は，低所得国が1,035ドル以下，高所得国が12,536ドル以上とその格差はきわめて大きい。南北問題の深刻さが浮き彫りとなっている。

3 モノカルチャーの構図

(『世界の統計』2021)

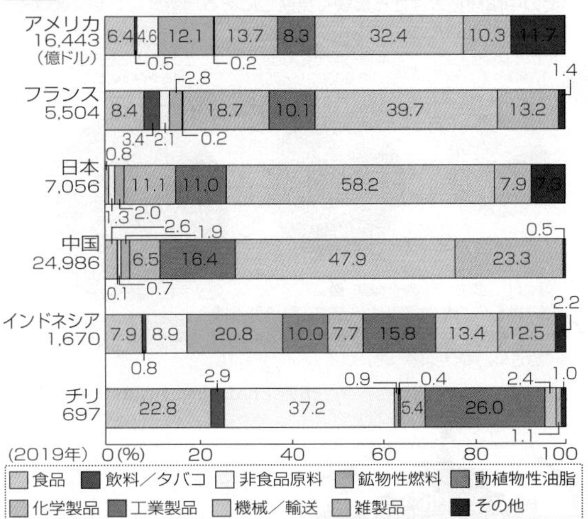

解説 先進国は，機械類や工業製品の輸出が主。発展途上国は食料品や原材料の輸出の比重が高い。近年工業化が進行している国では衣類などの軽工業製品の比重が比較的高い。

4 栄養不足人口の分布
（ハンガーマップ）

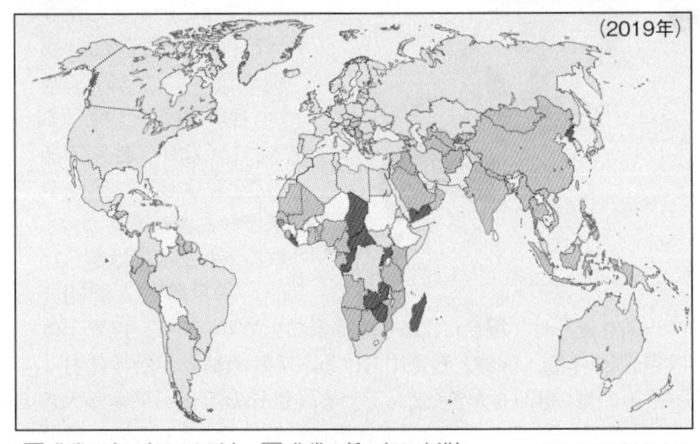

(WFP 資料より)

5 発展途上国の対外債務残高

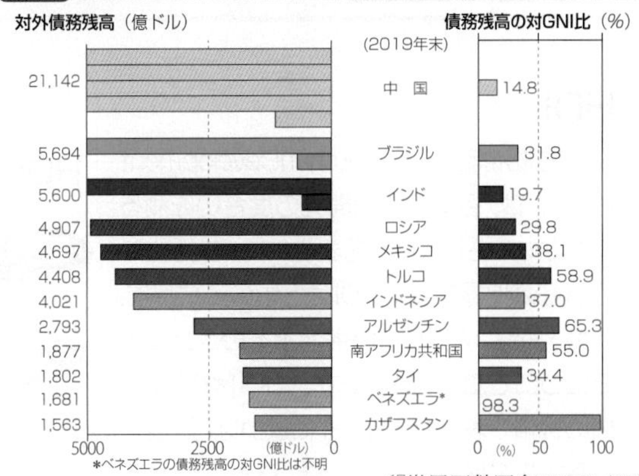

(『世界国勢図会』2021/22)

解説 発展途上国では，恒常的な経常収支の赤字補填や工業化推進のための資金導入等の理由により，先進国から多額の借り入れを行う国が多い。しかしこれらの国の経済状況が好転しないため，累積する債務が巨額となり，期日通りに返済できないという事態が生じた（累積債務問題）。これは，貸す側の先進国・借りる側の発展途上国双方の計画性のなさに問題がある。当面は債務返済繰り延べ（リスケジューリング）等の対策により事態の収束をみたが，根本的な解決にはほど遠い。ここでも南北問題の深刻さをかいま見ることができる。

6 国連貿易開発会議（UNCTAD）

● 機構図

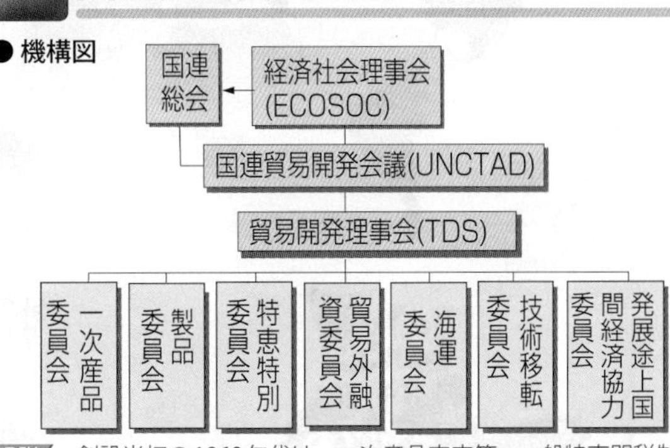

解説 創設当初の1960年代は，一次産品安定策・一般特恵関税制度・援助目標設定等，南北問題解決へ向けたさまざまな実績を挙げた。しかし70年代に入ると，「新国際経済秩序（NIEO）」実現をめぐり，自国の不況脱出を第一とする先進国との間で対立が目立ち始め，話し合いが頓挫するようになった。80年代は，発展途上国の抱える累積債務問題の解決に終始した。90年代以降は，地球環境や開発の権利をめぐる問題も焦点となってきている。

(斉藤優『南北問題』有斐閣など)

● 組織のあゆみ

第1回	1964年	ジュネーヴ（スイス）
第2回	1968年	ニューデリー（インド）
第3回	1972年	サンチアゴ（チリ）
第4回	1976年	ナイロビ（ケニア）
第5回	1979年	マニラ（フィリピン）
第6回	1983年	ベオグラード（セルビア）
第7回	1987年	ジュネーヴ（スイス）
第8回	1992年	カルタヘナ（コロンビア）
第9回	1996年	ヨハネスブルク（南アフリカ共和国）
第10回	2000年	バンコク（タイ）
第11回	2004年	サンパウロ（ブラジル）
第12回	2008年	アクラ（ガーナ）
第13回	2012年	ドーハ（カタール）
第14回	2016年	ナイロビ（ケニア）
第15回	2021年	オンライン

経済編

国際編

○×で答えよう! 正誤問題にTRY✓ UNCTADは，第三世界諸国が主導的な役割を果たして設立された。

テーマ学習 人間開発指数とは

HDI

人間開発指数（HDI：HumanDevelopment Index）は，各国の人間開発の度合いを測る新たなものさしとして発表された，包括的な経済社会指標です。HDIは各国の達成度を，長寿，知識，人間らしい生活水準の3つの分野について測ったものです。HDIは0と1の間の数値で表されます。1に近いほど，個人の基本的選択肢が広い，つまり人間開発が進んでいることになります。

HDIの計算

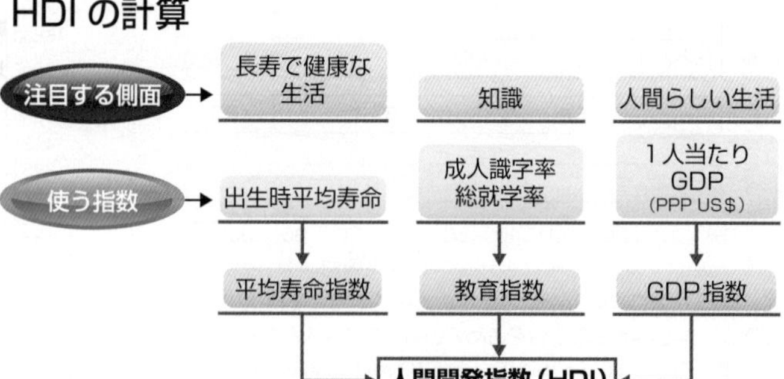

支えあう世界

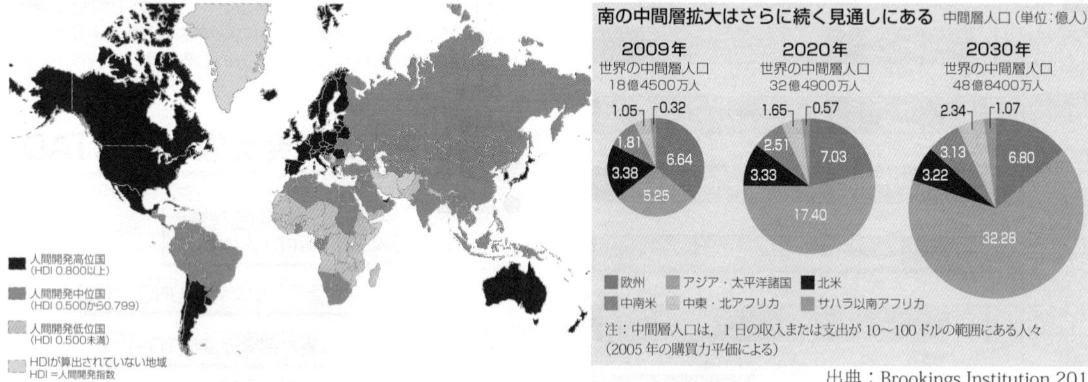

出典：Brookings Institution 2012

■ 高い
■ 中
■ 低い
■ 資料なし

まとっているのなら，それは望ましいことでも持続可能なことでもなくなる。人間開発において不可欠なもの，それは平等である。万人が自分の価値観と強い願望に従って充実した人生を送る権利をもっている。したがって「ふさわしくない」階級や国，「ふさわしくない」民族集団や人種，「ふさわしくない」性別であることによって，短命や悲惨な人生を運命づけられる人があってはならない。不平等は人間開発

解説 2012年の人間開発指数（HDI）には大幅な前進がみられる。この10年間，世界の国々は，より高水準の人間開発に向かっている。HDIの上昇ペースはHDI低位国と中位国において，より速くなっている。これは朗報である。しかし前進には，HDIの平均的上昇よりも多くのものが求められる。HDIの上昇に所得不平等の拡大，持続不可能な消費パターン，高水準の軍事支出，社会的連帯の低さがつき

のペースを遅らせ，場合によっては完全に止めてしまう。世界全体では過去20年間，保健と教育における不平等の減少が所得における不平等の減少よりも大きく進んでいる。世界の所得不平等が大きいという点で，ほぼすべての研究結果が一致しているものの，最近の動向については一致した見解は出ていない。

○×で答えよう! 正誤問題にTRY✓ ODAは，旧宗主国と旧植民地間など歴史的に関係のある場合や，国益のためになる相手への援助が多い。

7 持続可能な開発目標（SDGs）

▶目標１　貧困をなくそう
あらゆる場所で，あらゆる形態の貧困に終止符を打つ

▶目標２　飢餓をゼロに
飢餓に終止符を打ち，食料の安定確保と栄養状態の改善を達成するとともに，持続可能な農業を推進する

▶目標３　すべての人に健康と福祉を
あらゆる年齢のすべての人々の健康的な生活を確保し，福祉を推進する

▶目標４　質の高い教育をみんなに
すべての人々に包摂的かつ公平で質の高い教育を提供し，生涯学習の機会を促進する

▶目標５　ジェンダー平等を実現しよう
ジェンダーの平等を達成し，すべての女性と女児のエンパワーメントを図る

▶目標６　安全な水とトイレを世界中に
すべての人々に水と衛生へのアクセスと持続可能な管理を確保する

▶目標７　エネルギーをみんなに そしてクリーンに
すべての人々に手ごろで信頼でき，持続可能かつ近代的なエネルギーへのアクセスを確保する

▶目標８　働きがいも経済成長も
すべての人々のための持続的，包摂的かつ持続可能な経済成長，生産的な完全雇用およびディーセント・ワークを推進する

▶目標９　産業と技術革新の基盤をつくろう
強靭なインフラを整備し，包摂的で持続可能な産業化を推進するとともに技術革新の拡大を図る

▶目標 10　人や国の不平等をなくそう
国内および国家間の格差を是正する

▶目標 11　住み続けられるまちづくりを
都市と人間の居住地を包摂的，安全，強靭かつ持続可能にする

▶目標 12　つくる責任 つかう責任
持続可能な消費と生産のパターンを確保する

▶目標 13　気候変動に具体的な対策を
気候変動とその影響に立ち向かうため，緊急対策を取る

▶目標 14　海の豊かさを守ろう
海洋と海洋資源を持続可能な開発に向けて保全し，持続可能な形で利用する

▶目標 15　陸の豊かさも守ろう
陸上生態系の保護，回復および持続可能な利用の推進，森林の持続可能な管理，砂漠化への対処，土地劣化の阻止および逆転，ならびに生物多様性損失の阻止を図る

▶目標 16　平和と公正をすべての人に
持続可能な開発に向けて平和で包摂的な社会を推進し，すべての人に司法へのアクセスを提供するとともに，あらゆるレベルにおいて効果的で責任ある包摂的な制度を構築する

▶目標 17　パートナーシップで目標を達成しよう
持続可能な開発に向けて実施手段を強化し，グローバル・パートナーシップを活性化する

国際社会の共通の目標としてミレニアム開発目標（MDGs）が設定されて以降，世界の国ぐにはその達成に向かって取り組んできた。MDGsの成果はグローバルな取り組みが有効であることを示し，目標を達成できなかった分野を含め，MDGsの主な改善点を反映した，次の15年（2016年~2030年）のための「持続可能な開発のための2030アジェンダ」が採択された。MDGsの残された課題（保健，教育など）や新たに顕在化した課題（環境，格差拡大など）に対応すべく，新たに17のゴールからなる「**持続可能な開発目標（SDGs）**」が策定され，「**だれ一人置き去りにしない**」ことをめざしていく。

8 世界の富の偏在化

富の偏在化

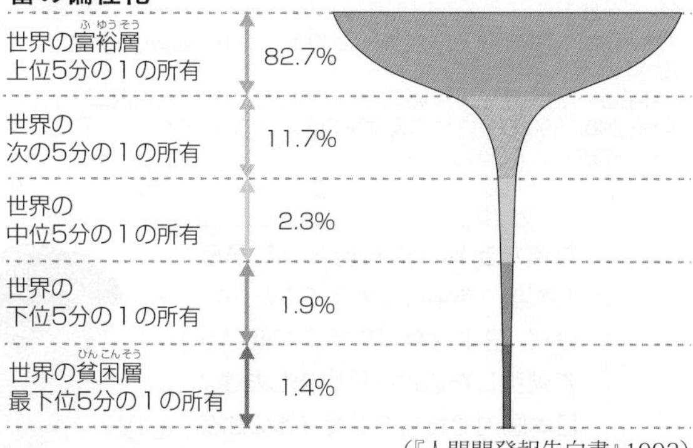

（『人間開発報告白書』1992）

Column　世界がもし100人の村だったら

村びと100人のうち
16人は，1年を110万円以上で暮らし，
いろいろなものをたくさんたべています。

そのうち
2人は日本の人で，1年を
平均360万円で暮らしています。
41人は1年を8万円以下で暮らし，
ときどきしかたべられません。

そのうち12人は
戦争や干ばつや洪水や砂漠化のために
いつもお腹をすかせています。
この12人のうち
3人は，インド
2人は，中国
3人は，ほかの地域のアジア
3人は，サハラ以南のアフリカ
1人は，ラテン・アメリカに住んでいます。
その多くは，農村の女性や子どもです。

（『世界がもし100人の村だったら３　食べ物編』　マガジンハウス）

ODA（政府開発援助）は，国際機関に対する出資や拠出を含んでおらず，二国間の援助を指している。

小論文を書いてみよう

きみは「小論文」を書いたことがあるだろうか。タイキさんやナナミさんたちの活動を参考に，「現代社会」で学んだ成果を小論文として表現してみよう。

600字も書くの?
「自分で設定した論題」って
何も思いつかないよ!

【課題】これまでに「現代社会」で学んだことを踏まえて，自分で設定した論題についての小論文を600字以内で作成しなさい。

先生が決めて
くれれば
ラクなのにね

ある日，先生から このような課題が出題された。

小論文は，筋道を立てて自分の意見を述べる文章だ。「論題」とは「何を問題として意見を述べるのか」ということだ。「テーマ」と言い換えてもいいだろう。小論文と聞いて，出題されたテーマについて解答する「テスト」を思い浮かべる人もいるかもしれない。間違いではないが，それは本来の「論文」ではない。

「勉強」と「学問」は違う。与えられた課題だけをこなすのは「勉強」であって，「学問」とは言えない。「なぜ起こるのだろうか?」「どう解決すればいいのだろうか?」**―疑問や問題意識を出発点にテーマを設定し，情報収集し，考察を深め，課題を解決したり，新たな課題を見つけたりする**のが学問であり，そのプロセスを文章として表現したものが，大学などで読み書きされている「論文」だ。

小論文といえども小さな「論文」だ。**現代社会での学習を土台にして，きみ自身の疑問や問題意識を持ち主体的に学んでほしい。**「自分で論題を設定せよ」という先生からの課題には，そうした願いが込められている。

論題を決めよう

とは言っても，「疑問や問題意識がどうしても持てない」という人もいるのではないだろうか。そこで，論題探しのヒントを二つ紹介しよう。

1 「論争的なテーマ」を探してみる

「消費税を10%に引き上げるべきか」のように**意見が「賛成」「反対」に分かれやすい論争的テーマは小論文の論題になりやすい。**複数の新聞の社説を読み比べてみると，原子力発電や安全保障のように，正反対の主張が行われているテーマがある。TPPのようなテーマでは，全国紙と地方紙との間で主張が異なることもあるだろう。また，同じ新聞の中でも，あるテーマについて賛成意見と反対意見が併記されることがある。

萱野稔人編『最新 日本言論知図』(東京書籍)のように，さまざまなテーマについて，誰がどのような立場で意見を述べているかを整理した書籍も参考になるだろう。

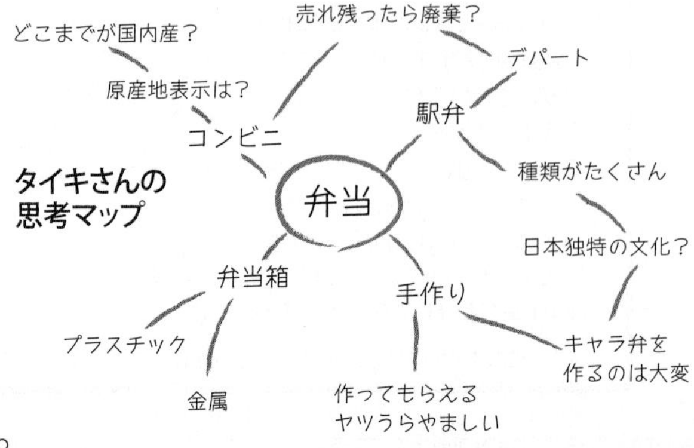

2 興味あるモノゴトから発想を広げる

「現代社会」とは一見無関係でもかまわない。**自分が興味を持っている物事から発想を広げていく中で，新たな疑問や問題意識が生まれる**こともある。

ここでは「思考マップ」を紹介しよう。無地の紙を用意し，中心に興味のある事柄(思い付きでよい)を仮のテーマとして記入する。そのテーマから思い付いた言葉をまわりに記入し線で結ぶ。連想した言葉をどんどんつないでいこう。こうした作業を繰り返していくうちに，疑問が生じたり，主張したいことが見つかったりすることがある。

「思考マップ」については，次の書籍にくわしく紹介されている(次ページの「構想マップ」も同様)。

【参考文献】
荒木晶子・向後千春・筒井洋一(2000年)『自己表現力の教室』(情報センター出版局)
大島弥生・池田玲子・大場理恵子・加納なおみ・高橋淑郎・岩田夏穂(2005年)『ピアで学ぶ大学生の日本語表現―プロセス重視のレポート作成―』(ひつじ書房)

たまたま昼ごはん前だったから「弁当」を中心に考えてみたんだけど，日本は食料自給率が低いって勉強したことを思い出したよ。日本国内で食料を増産するにはどうするべきか，コレでいこう!

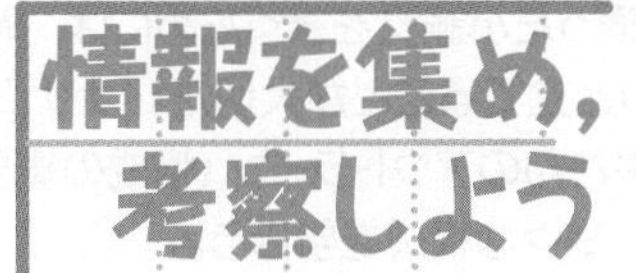

情報を集め，考察しよう

自分の意見を決定したり，意見を支える根拠を述べたりするためには，材料の準備が大切だ。ここでは，ナナミさんやタイキさんが進めた情報収集や考察のための作業をのぞいてみよう。

ナナミさんの論題：死刑制度は廃止するべきか？

ナナミさんは人権保障についての学習をきっかけに死刑制度に疑問を持ったが，自信を持って「死刑制度反対」と主張できるほどには考えが深まっていない。

そこで，死刑制度は廃止するべきかどうか，「構想マップ」を作成しながら考えてみることにした。タイキくんが「弁当」から作った「思考マップ」と要領は同じだが，「構想マップ」の場合は中心に具体的な論題を記入する。そして，周囲に知っていること，思い付いたことを書き出し，線で結んでいく。

ナナミさんは論題について，様々な質問を投げかけてみた。授業ノートや教科書，資料集を見返したりしながら，**自問自答を繰り返していく。**「死刑に効果はある？」「死刑判決の基準は？」「国際的な潮流は？」「そもそも刑罰とは？」――当然だと思い込みがちな事柄も疑ってみることで考察を深めていった。

論争的なテーマの場合は，賛成論と反対論それぞれの根拠を表にして整理してみるのもよい。

ナナミさんの構想マップ

死刑制度は必要？
- 国際的な潮流は？
  - ３分の２以上の国が死刑廃止
  - アメリカは州ごとに異なる
- 死刑に効果はある？
  - 脅しの効果ある，との意見
  - 凶悪犯罪なくなってない
- 死刑判決の基準は？
  - 裁判員裁判の影響は？
  - 殺した人数で変わってくる
- そもそも刑罰とは？
  - 戒め
  - 再教育

「つい，一方だけに目の向きやすいわたしたちのくせを，しらずしらずのうちに直すという働きのある紙」

【参考文献】
大村はま（1968年）『やさしい文章教室』（共文社）
奥田統己・神成洋・佐々木冠・本間徹夫・山崎哲永共著（2000年）『読みやすく　考えて調べて書く　第２版―小論文から卒論まで―』（学術図書出版社）

タイキさんの論題：食料を増産するにはどうするべきか？

タイキさんが選んだ論題では，「死刑制度廃止」や「消費税率アップ」のような具体的な解決案があらかじめ示されているわけではない。自分で解決案を考え出さなければならない。解決案を打ち出すには，現時点で何が問題なのか(**現状**)をしっかり把握し，**問題の原因(要因，背景)**を追究しなければならない。

このような解決策をさぐるタイプの論題では，知っていること，思い付いたことを**「現在→過去→未来」の時間軸で整理する**と，ほぼそのまま「現状→原因(要因，背景)→解決策」にあてはめることができる(この場合の「過去」とは「現状から振り返る」という意味。「昔」とは限らない)。タイキさんもあてはめてみたのだが，なぜ農業が衰退したのか，農家はどんな努力をするのか曖昧で説得力が不足している。

現状(現在)	食料自給率低い
原因(過去)	日本の農業が衰退した
解決策(未来)	農家がもっと努力する

もっと材料がほしいタイキさんは，大村はま氏が紹介した「つい，一方だけに目の向きやすいわたしたちのくせを，しらずしらずのうちに直すという働きのある紙」を使ってみた。折り紙を２回三角折りにして，台形になるようにもう１回小さく折って開くと，下図のような折り目ができる。これを回転させながら，中のマス目に４つの観点を記入し，思い付いたこと，知っていること，新たに調べたことを書き入れていく。半強制的(?)に４つの観点を作り，**物事を多角的に考察**させてくれるツールだ。対立する概念を向かい合わせに置いたり，時間の経過に沿って時計回りに並べたり，様々な使い方ができる。タイキさんは日本の農業をめぐる４つの「利害関係者」を見つけ，書くための材料を増やしていった。

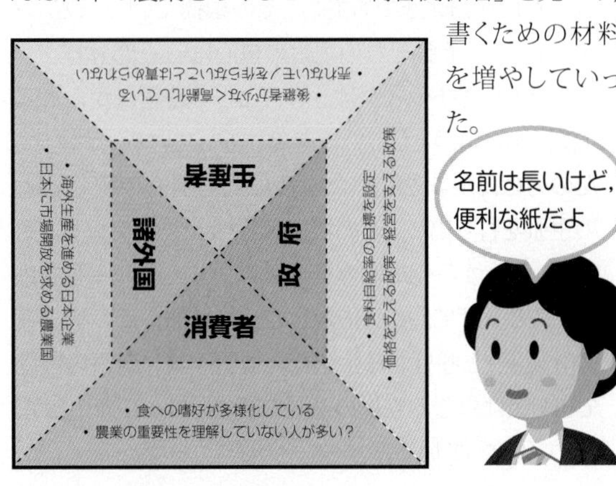

課題編

全体の構成を立てよう

筋道の通った小論文を書くためには，構成をガッチリと立てることが大切だ。ナナミさん，タイキさんのアウトライン（構成の概要）を参考に，様々な構成を学ぼう。

ナナミさんのアウトライン

序論
現状
凶悪犯罪への不安
→死刑制度への賛成意見多数

本論
主張の提示
死刑制度の存続に反対
↑凶悪事件再発防止につながらない。
根拠
刑罰は再教育でもある
予想される反論
命を奪った者を死刑にするのは公平
↑反駁　誤審の可能性

結論
まとめ

タイキさんのアウトライン

序論
現状→問題提起
日本の食料自給率低い
→増産のためにはどうするべきか?

本論
原因
①農業人口の減少と高齢化〈生産者〉
↑所得格差，減反政策
②消費者の意識の変化〈消費者〉
↑食生活の多様化，安い輸入品

結論
解決策
〈消費者〉国産品への需要を高める
↑農業の重要性を知る
〈生産者〉生産者同士の助け合い
〈政府〉　生産者の努力に応じて補償

構成とは，意味のまとまりを作ること，まとまりどうしのつながりを明らかにすることだ。論文の構成の基本は，「序論」「本論」「結論」の三部構成だ。

- **序論**　研究のテーマを設定した動機，問題提起，論題(テーマ)をめぐる現状などを述べる部分
- **本論**　自分の意見を主張し，その根拠を深める部分
- **結論**　主張の確認，今後の展望，新たな課題などを述べる部分

これを参考に，自分の論題にふさわしい構成を考える。メインはあくまでも主張とその根拠だ(ナナミさん・タイキさん，それぞれの主張の核心は～～部分)。

二人のアウトラインは，導入として論題にかかわる現状を述べようとしている点で共通している。ナナミさんの方は，現状を述べた直後に死刑制度存続「反対」の主張を打ち出し，その根拠を述べようとしている。そして，対立する死刑制度賛成論の立場からの主張を敢えて取り上げて，これに対して反論を加えている。「反駁(ばく)」「反証」と呼ばれる手法だ。情報収集・考察の段階で自分とは異なる立場の意見も収集しておいたことが，ここで役立っている。

ナナミさんの**主張＋根拠＋反駁タイプの構成**は，意見が「賛成」「反対」に分かれやすい論争的テーマにおいて特に有効な構成だ。ただし「賛成」「反対」の二項対立では割り切れないテーマには向かないので注意してほしい。

タイキさんは，「食料自給率の低下」という現状認識を踏まえ「日本国内で食料を増産するにはどうするべきか」という問題提起を行っている。そして食料自給率の低下の原因を＜生産者＞＜消費者＞それぞれの立場から探り，解決策へとつなげている。「現在→過去→未来」の時間軸を踏まえた**現状→原因→解決策タイプの構成**だ。この構成では，現状を踏まえた問題提起(問い)と解決策(答え)がかみ合っていなければならない。

ところで，二人のアウトラインの内容は，前ページでの作業で洗い出した材料と必ずしも一致していない。思考マップや構想マップなどのツールは目的ではなく手段だ。これらのツールで得た情報をすべて生かそうと無理をしてはならない。文章の作成は創造的な行為だが，**「捨てる」判断も文章作成の力として大切だ**。逆に，アウトラインを作りながら新たに思い付いたことを加えても，筋道さえ通っていれば構わない。

アウトラインができたら，さっそく文章を書きはじめても構わない。しかし，その前にアウトラインを他人にみてもらうと，構成や内容について有意義なアドバイスをもらえるかもしれない。

さて，小論文に使える構成のパターンをいくつか紹介しておくので参考にしてほしい。ただし，これらはあくまで例示に過ぎない。論題の内容や小論文の字数に応じて，「現状認識」「まとめ」などは省略できることもある。

主張＋根拠Type

現状認識 → 問題提起 → 主張 → 根拠 → まとめ

特徴・用途
最も基本的であり，幅広い論題で使えるパターン。シンプルだが，根拠をしっかり深めて述べることができれば十分に説得力が出る（292ページのタイキさんの小論文を参照）。

主張＋根拠＋反駁Type

現状認識 → 問題提起 → 主張 → 根拠 → 反駁 → まとめ

特徴・用途
「主張+根拠タイプ」に反駁を盛り込んだパターン。「死刑制度」のほか，「選択的夫婦別姓の是非」「年金は税中心か?保険料中心か?」など論争的テーマに適している。

現状⇒原因⇒解決策Type

現状認識 → 問題提起 → 原因 → 解決策

特徴・用途
「現在→過去→未来」の時間軸に沿って課題解決を図るパターン。「地球温暖化への対策」「少子化社会への対応」など，「賛成か」「反対か」ではなく，よりよい解決策をさぐる論題に適している

分析＋評価Type

問題提起 → 長所 → 短所 → 評価

特徴・用途
ある物事について長所・短所両面から分析したうえで，その是非や今後の展望を述べるパターン。「裁判員制度実施による効果」「既存マスメディアの今後の展望」といった論題に適している。

コラム　ネット情報の「丸写し」はアウト！だけど……

「面倒くさいアウトラインなんか作るよりも，ネットで調べながら文章を書いていった方が手っ取り早い」という人もいることだろう。だが，気を付けてほしい。インターネット上の情報を丸写ししたり，切り貼りしたりして「自分の小論文」に仕立ててしまうのはマナー違反だ。参考にしたり，必要最小限の部分にかぎって引用したりするのであればよい。説得力も高まる。ただし，その場合も出所を明記してほしい。

もっとも，引用や加工がくり返されて誰が原作者なのか分からないデジタル情報があふれかえっている現実を踏まえると，「情報利用をめぐるマナーやルールも必然的に変化していく」という見方もできる。これは「現代社会の諸課題」に関する小論文の論題にもなりそうだ。

小論文として表現しよう

アウトラインをもとに文章化する。二人の文章の各段落の内容との対応関係に注意しながら，290ページのアウトラインと対照してみよう（このページを中心で縦に山折りすると対照しやすい）。

タイキさんの小論文

日本の食料自給率は約40%にまで下がり先進国中でも最低の水準である（2013年）。国際情勢が悪化した場合，国民に必要な食料を確保できるのか不安の声も大きい。国内で食料を増産するには，どうすればよいのか。

食料自給率低下の一因として，農業人口の減少と高齢化が挙げられる。高度経済成長期以降，他の産業との所得格差や減反政策を背景に，親が農家であっても農業以外の職業に就く子どもが増えたのである。その結果，後継者不足となり，高齢者ばかりで農村の維持が難しくなっている地域もみられる。

また，消費者の意識の変化も，自給率の低下に拍車をかけてきた。生活水準の向上を背景として国民の食への嗜好は多様化し，外国の農産物へのニーズが高まった。一方，同じ農産物であっても，国産品よりも安い輸入品を優先する消費者も多い。

以上を踏まえた対応として，まずは国産品への需要を高めなければならない。消費者に日本の農業を維持することの重要性を自覚してもらい，購入を促すべきである。そのためには，地産地消の考えに基づく幼時からの食育の充実も必要であろう。増産には生産者どうしの助け合いも重要である。例えば，経済的に余裕のある農家が最新鋭の機械で高齢者の作業を助け，高齢者は代わりに知識と経験に基づく技術を伝授するのである。そして政府は，こうした生産者の努力に応じて補償する体制を作りバックアップしていくべきだ。

【参考文献・webページ】
生源寺眞一（2011年）『日本農業の真実』（ちくま新書902）
農林水産省「食料自給率の部屋」
http://www.maff.go.jp/j/zyukyu/

ナナミさんの小論文

殺人などの凶悪犯罪が，私たちの生活の安全を脅かしている。こうした状況の中，内閣府の世論調査（2009年）によれば，約90%の国民が死刑制度に賛成している。

しかし，私は死刑制度の存続に反対する。死刑制度は，凶悪な事件の再発防止につながらないからである。

刑罰には犯罪者に対する戒めだけでなく，再教育という意義もあるはずだ。しかし，死刑に処してしまえば反省の機会は奪われてしまう。罪を犯したことは事実であっても，その真意が永久に闇へと葬り去られてしまうこともあるだろう。性悪説の立場に立てば，犯罪者は私たちと別次元の存在ではない。まかり間違えば「明日は我が身」かもしれない。犯罪者を一生罪と向き合わせることによって，後世の人々への教訓も得られるのではないだろうか。

人の命を奪った者を死刑に処することは公平性の面から正しい，という意見もある。しかし，司法制度では人が人を裁く以上，誤判の可能性がある。冤（えん）罪のまま死刑執行されれば，取り返しのつかないことになってしまう。誤判の可能性をゼロにできないかぎり，新たな「殺人」を犯すことになってしまいかねない死刑制度を続けるわけにはいかない。

以上，凶悪犯罪の再発防止と裁判制度の構造的な限界という観点から，死刑制度の存続には反対である。

【参考文献】
秋山賢三（2002年）『裁判官はなぜ誤るのか』（岩波新書809）
内閣府「基本的法制度に関する世論調査」
http://www8.cao.go.jp/survey/h21/h21-houseido/

赤字の部分は段落全体の概要を表す中心文。この中心文の内容を段落内の他の文が具体的に説明したり（支持文），補足したりするという関係になっている。

小論文をもとに意見交換しよう

入学試験の小論文ならば，提出して評価を待つだけだ。しかし，学習のまとめとしての小論文なのだから，「書いてしまったら，それっきり」ではもったいない。意見交換を通して，さらに学びを深めていこう。

【参考】 ナナミさんと対立する立場で書かれた小論文

すべての犯罪について死刑制度を廃止している国は全世界の約半数に迫っており，死刑廃止条約を批准していない日本は国際的な潮流に乗り遅れているという指摘がある。

だが，潮流に逆らってでも守るべきものは守らなくてはならない。私は死刑制度を廃止してはならないと考える。

第一に，命は命で償うしかないと考えるからである。窃盗罪や強盗罪などであれば，民事裁判などで奪われた金品が戻ってくる可能性もあるだろう。しかし，殺人行為によって奪われた被害者の命は，どのような手段を尽くしても決して戻ってこない。罪を犯した者が自分自身の命を差し出すことによってしか償えないのである。

次に，刑罰には私刑を防ぐ役割があるからだ。殺された被害者の無念はもちろん，残された遺族の悲しみ，苦しみ，悔しさには想像を絶するものがあるだろう。「犯人に直接報復したい」という感情を持ってもおかしくはない。殺人にかかわる公判に際して，「極刑を望む」という遺族側のコメントが報じられるケースは珍しいことではない。仮に極刑が死刑でなくなった時，残された遺族の報復感情を抑える適切な方法が存在するのだろうか。

これらの理由から，社会秩序の維持のために，死刑制度を存続させることはやむを得ない事であると考える。

さて，ひとりコツコツ小論文を書いていたミサキさんが，行き詰まってしまっている。下記チェックポイントを参考に，ミサキさんにアドバイスをおくろう。

【小論文のチェックポイント】

□ **論題**は適切か

□ **主張**は明確か

□ **根拠**に説得力はあるか

・言葉の意味（特に抽象的概念）が深められているか

・様々な角度から考察されているか

□ **構成**は適切か

・意味のまとまりごとに段落分けされているか

・段落どうしが矛盾なく関係づけられているか

□ **表現**は適確か

・誤字・脱字はないか

・無駄な表現はないか

どうしても600字書けなくて……。
みんなのアドバイスよろしく!

ミサキさんの小論文（原案）

私たちの社会では，成人式や結婚式，葬式など様々な儀礼が行われている。これらの儀礼は，現代の社会に本当に必要なものなのだろうか。

私は去年，従姉の結婚披露宴に招待された。披露宴は，小さなレストランを借り切って会費制で行われた。食事は立食形式で，招待客はごく近い親戚と新郎新婦の親友のみであった。祖母は小声で「私たちの頃に比べるとずいぶん質素になった」と漏らしていた。たしかに，大きな式場で出てくる料理のような豪華さはないし，派手な演出もなかった。

しかし，みんなで一緒に食事をしていると不思議とうちとけてくるものだ。人数が少ないだけに，新郎新婦を中心に会話は弾み，新郎側の親戚とも親しくなり充実した時間になった。

このように，現代の社会で儀礼は大切な意味を持っていると思う。私もこのような儀礼を大切にしながら生きていきたいと思う。

↓段落ごとの内容を要約して，アウトラインを再現してみよう

❶

❷

❸

❹

あなたが興味を感じた点

…………………………………………

あなたにとってわかりにくい点やミサキさんに質問したい点

…………………………………………

その他，ミサキさんにアドバイスしたいこと

…………………………………………

ミサキさんの小論文に対して，どのようなアドバイスができただろうか。
ミサキさんは，タイキさんやナナミさんからのアドバイスをもとに小論文を改訂したようだ。どのような改訂をしたのか，
ミサキさんの説明を聞いてみよう。

「儀礼」という題材の面白さはホメてもらえたけど，「儀礼が本当に必要かどうか」という問題提起にいきなりツッコミが入っちゃった。「成人式や結婚式をしないことはあっても，どんな形であれ葬式はするのでは?」って。そこで論題を「儀礼の現代社会における意義」に変更したよ。

それと「意見があまりなくて，結婚披露宴の体験の描写がメインになっている。決意表明で締めているし，作文や感想文みたいだ」って指摘を受けたから，体験した内容は最初の段落に移して全体の導入の役割を持たせたよ。

そして，儀礼にはそもそもどういう働きがあったのか，新書も参考にして調べてみたよ（改訂版11～16行目）。原案の「みんなで一緒に食事をしていると不思議とうちとけてくるものだ」という部分に，ナナミさんが「ほんとだね。どうしてなのか知りたい!」ってコメントしてくれたからね。

儀礼の性格がどのように変化してきたのか，社会的背景を踏まえながら分析した点にも注目してね

ミサキさんの小論文（改訂版）

昨年，従姉の結婚披露宴に招待された。招待客は，ごく近い親戚と新郎新婦の親友のみであった。年配の人は「私たちの頃に比べるとずいぶん質素になった」と漏らしたが，新郎新婦を中心に会話が弾み，新郎側の親戚や友人とも親しくなり充実した時間となった。

成人式や結婚式，葬式などの伝統的儀礼は，形を変えながらも今日に受け継がれている。これらの儀礼は，現代社会においてどのような意義を持つのだろうか。

儀礼には本来，参加者同士の共同体としての意識を高めるという働きがある。たとえば，結婚式など食事が供される儀礼は多いが，これらの食事は単なる「もてなし」ではない。参加者全員が同じものを体内に取り込み，心を一つにすることを意味したという。

スピードと経済的な効率がますます重要視されている現代の社会において，伝統的な儀礼の中には簡素化あるいは廃止されているものも少なくない。旧来の形式にとらわれない多様な結婚式や葬式が登場していることは，地縁や血縁よりも個人的な充足感を重視する価値観の表れともいえるだろう。

一方，個人的充足を大切にするあまり対人関係が希薄になったことへの不安や反省の動きもみられる。東日本大震災直後から，「絆」が強調されたことも無関係ではないだろう。人と人との精神的な結びつきを確かめあう場としての儀礼の重要性は，現代においてますます高まっているといえるだろう。

【参考文献】
原田信男（2008年）『食べるって何？　食育の原点』（ちくまプリマー新書090）

コラム　「作文」「感想文」を否定しないで！

確かに，ミサキさんの小論文（原案）のうち結婚披露宴出席の体験を描写した部分（5～16行目）は，いわゆる「作文」「感想文」のようだ。だが，「小論文」を書くという目的に沿っていないという点が問題なのであって，「作文」「感想文」がいけないというわけではない。

小論文で論じられる「意見」と作文や感想文で描写される「心情（気持ち）」は確かに違う。意見と違って，心情には明確な根拠が要らない。しかし，「うれしい」「くやしい」「楽しい」「つらい」といった心情は，小論文を書くために必要な疑問や問題意識を生み出す端緒となる。小学生や中学生の頃に書いた「作文」「感想文」を，けっして否定してはならない。

292～295ページの小論文はいずれも「模範解答」ではない。より説得力のある文章を追求する上での材料にして欲しい。

さあ，あなたも小論文を書いてみよう!

［文章・構成：平川敬介（編集・ライター）］

58 個人と社会 ～キャリア教育～

幼いころから,「将来はなにになりたい?」と聞かれてきたことだろう。

そのときになんと答えただろうか。そして,いま同じことを聞かれたら,なんと答えるだろうか。幼いころからの夢がそのまま現在の目標になっている人もいれば,途中でやりたいことが変わった人もいるだろう。あるいは,さまざまな理由で夢をあきらめざるを得なかった人もいるだろうし,やりたいことがうまく見つからないという人もいることと思う。

学校を卒業すると「社会人」になる。このことばは,たんに労働者としての個人のあり方を示したものではない。はたらくことによって得た賃金をもとにさまざまな欲求をかなえようとする消費者としての一面や,子どもを育てたり親の老後の世話をしたりという家庭人としての一面を含み,社会のなかの一員として,社会と関わりながら生きていることを示していると考えることができるだろう。さて,あなたはどのように社会と関わっていくのだろうか。

1 日本社会の変化

日本型雇用慣行からの転換

終身雇用と年功序列型賃金は,日本型雇用慣行と言われた。自分から辞めると言い出さない限りは定年までの雇用は確実なものであり,給与の推移もおおむね予測がつくので,将来の見通しもたてやすい。こうした制度のもとでは,「いい学校を出て大企業に就職」というモデルは,それなりに説得力のあるものであった。

しかし,現在ではこうした雇用慣行は崩れてきている。1990年代のバブル崩壊以降,多くの企業は経営の見直しを迫られた。そこで再構築を意味するリストラ(restructuringの略)が,事実上は整理解雇の意味で用いられた。また,多くの外資系企業が日本に進出してきたこともあって,能力や成果に応じた賃金体系を取り入れる企業も増えてきた。

とはいえ,いまだに多くの企業は,高校や大学の卒業と同時に企業に就職するという新卒一括採用を雇用の中心に据えているので,転職や再就職の門戸は広くない。つまり,仕事を辞める(辞めさせられる)ことの不安は,その後の仕事を見つけることへの不安によって増大されるのである。

また,2008年にアメリカで起こった金融機関の破綻が世界各国に不況をもたらした,いわゆるリーマン-ショックによって明らかになったように,現代の経済情勢は国境を越えて複雑に絡み合っている。そこでは,個人の能力や一企業の経営努力ではどうにもならない事態が起こりうるのである。

こうしたことを考えたとき,従来の生き方のモデルは現在も通用するとは言い切れない。では,これからの社会を生きるわたしたちは,どのようなことを学び,考えればよいのだろうか。

2 雇用形態に関わる課題

有期雇用,パートタイム雇用,派遣労働などの非正規雇用が増加しているのも近年の特徴である。以前から,忙しい時期への対応として,あるいは景気変動の調整弁としてこうした労働力は必要とされていたが,近年では,本来は正規雇用者が担ってきた業務を非正規雇用者に割り当て,人件費を抑えていることが問題視される。さらに,従来は学生や主婦などが自由になる時間を使って収入を得る手段としてこうした雇用形態で就業していたが,近年では正規雇用を望みつつ,就職活動が思うようにいかなかったためにこうした雇用形態を選ばざるを得ない人も増えてきている。

2013年4月に施行された改正労働契約法では,有期労働契約が5年を超えて更新された場合には,労働者の申し出によって無期労働契約に転換できることや,労働契約の有期・無期の違いによって労働条件に不合理な違いがあってはならないことなどが定められた。しかし,非正規雇用のはたらき方でよいと考えている人も含めて5年以上の契約がされなくなるのではないかとの危惧もある。

case 1

Aさんが大学を卒業したのは,「就職氷河期」といわれ,まわりの友人もみな就職活動に苦労していたころだった。友人のなかには,わざと卒業せずに就職活動を翌年度に持ち越す者もいた。そうすることで,翌年度も新卒者対象の採用枠に応募できるからである。しかし,Aさんは親に迷惑をかけるわけにもいかないと思い,ひとまず契約社員として社会に出ることを決めた。景気がよくなれば正社員になれるかもしれない,という期待も少しあった。数年後,Aさんの企業の業績は上がり,求人の枠は広がった。ところが,そこでは新卒者が採用され,Aさんの雇用形態は変わらないままだった。

3 家族をめぐる課題

第一次産業から第二次・第三次産業へと産業の中心が移っていく，いわゆる産業構造の高度化の影響で，地方から都市への人口移動が起こった。それとともに，夫婦とその未婚の子からなる核家族世帯や，一人で生活を営む単身世帯が増加した。世代間の価値観の差にしばられないライフスタイルを選択できることから，あえて親元を離れる人がいる一方で，親との同居を望んでも，転勤などによってそれが困難な場合もある。

このことは，育児や介護などの面で家族の協力を困難にしている。そこで，保育園や介護施設などのサービスの充実が求められるが，必ずしも十分とは言いがたい。

こうした状況を受けて育児・介護休業法が制定され，男女ともに育児や介護のために一定期間の休業が認められるようになったが，一部では望まない配置転換が行われたり，昇進の道筋が限定されたりということが問題視される。また，男性がこの制度を利用する割合は，まだ低い水準にある。

家族をめぐる課題として，もう一つ，結婚と離婚に着目してみたい。男女ともに高学歴化が進行し，平均初婚年齢は上昇しており，このことが少子化の一因とされている。とくに女性にとっては，結婚を機に退職するような風潮や，出産に伴う仕事の中断がその後の経歴に及ぼす影響を考えて結婚や出産に対してためらいを感じるケースも少なくない。また，年間の離婚件数を婚姻件数で割った数値は近年0.35前後で推移しており，単純に考えると3組に1組が離婚していることになる。結婚や出産を機に離職した人が，育児が一段落して仕事に復帰しようとするとき，あるいは離婚によって家計を支えるために仕事に就こうとするときに，雇用慣行や育児・介護サービスなどの抱える問題に直面する例も少なくない。

case 2

Bさんは，東北地方の高校を卒業し，東京にある一般企業に就職して親元を離れた。数年間勤務した後に結婚し，出産を機に退職した。夫も九州地方の出身であり，どちらかの親に育児を手伝ってもらうことは難しかったこともあったが，子どもが小さいうちは自分で面倒を見てあげたいという希望もあった。子どもが2歳になったころ，夫の会社の経営状態が悪化し，給与が削減された。家計のために少しでもはたらきに出たいと思うが，子どもを預かってもらえるあてがないと思うように就職活動が進まない。とはいえ，保育園には待機児童が出ていて，専業主婦という現状ではなかなか預かってもらえる状態ではない。

4 大学の増加

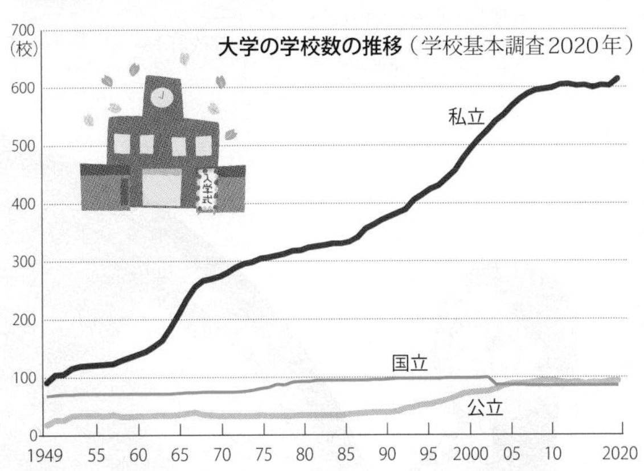

現在，高校卒業後の大学への進学率は50%を超えている。1950年に201校だった大学数は，1990年に500校を超えたころから急速に増加し，2020年には795校になった。現在では，少子化の影響もあって大学の募集定員が進学希望者数を上回り，数値の上では「大学全入時代」と言われる。しかし，現実的には受験生を多く集める大学がある一方で，定員割れを余儀なくされる大学もあり，大学の生き残り競争が激化している。

また，近年では社会人として就業した経験を持つ人が再び大学や大学院で学ぼうとする動きも広まってきている。大学にとっては少子化にともなう受験者数の減少をふまえ，社会人を新たな入学対象者とすることで経営の安定を図ることも目的であろう。しかし，それだけでなく，社会人としての経験を積んだ人が，自らの経験を学術的な視点からふりかえったり，新しい知識や考え方を取り入れたりすることによって成長しようとしていることが，こうした動きの背景にあると言える。

case 3

Cさんは大学で日本文学を専攻し，卒業後にメーカーに就職した。配属されたのは人事部で，大学で学んだ知識と直接に結びつくものではなかったが，現場での経験を積むうちに仕事にやりがいを感じるようになった。配属から5年が経ち，仕事にプラスになると考えて夜間に講義を行っている大学院の経営学研究科に入学した。同期入学者のなかには，大学を卒業してすぐに進学した人もいれば，定年退職後に自分の経験をふりかえりたくて入学した人もいて，それらの人びととの交流が刺激になった。夜10時過ぎに講義が終わり，帰宅して課題に取り組むと日付が変わっているような日々が続いたが，自分の仕事が学術的に裏付けられていくことに興味をおぼえた。また，夕方から大学院に通うために，定時で退社できるように仕事の進め方を見直した。それ以上に，自分に理解を示してくれる同僚がさまざまにサポートしてくれたことに感謝し，信頼関係が深まったことが大きな収穫だったという。

5 キャリアとは

出典：ライフ・キャリア・レインボー
（出典：Nevill & Super,1986を一部改訂）
「キャリアの心理学」渡辺三枝子著

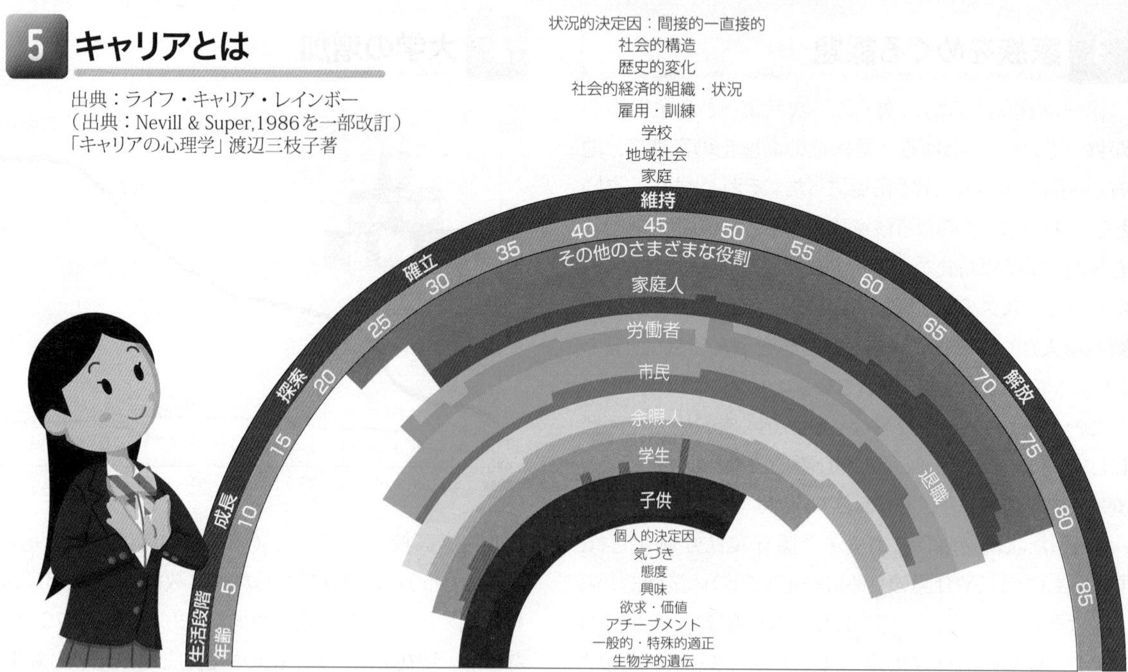

「キャリアについて考えよう」と言われたときに，どのようなことを思うだろうか。高校を卒業したあとの進学先や就職先について考えるだろうか。もちろん，それは間違ってはいない。ただ，それはキャリアの一面でしかないことも知っておかなければならないだろう。

「キャリア」という語は，たしかに「職業上の経歴」という意味で用いられる。特に「キャリア官僚」などという場合には，特定の経歴を予定されている，というような意味をふくんでいたりする。しかし，このことばはもともと，「車輪のついた乗り物」を意味しており，それが「わだち」とか「軌跡」などの意味に変化していった。

わたしたちがこれから描いていく軌跡，すなわち人生の経歴を考える場合に，学業や職業の経歴だけを独立させて考えるのは，不十分であり，不完全であると思われる。なぜなら，わたしたちは人生のなかでさまざまな役割を担っているからである。

人生のなかで担う役割の重層性について指摘したものとして，アメリカの心理学者ドナルド E.スーパーの提起した「ライフ・キャリア・レインボー」が挙げられる。

例えば，「高校生」である人は，同時に誰かの「息子/娘」であり，アルバイトなどをしていれば「働く人」という側面も持っている。そして，それぞれの役割の優先順位は人によって，あるいは状況に応じて変化する。同じところで働いている人でも，アルバイトで働く高校生と家計を支えるために働く人では「働く人」という役割にあたえられる優先順位は異なって当然であるし，「働く人」という役割の優先順位が高い人であっても，家族が急病を患ったというときには，ひとまず仕事を休んで看病にあたることも無理のないことである。

こうしたことは，言われてみれば当たり前のことと思われるかもしれない。しかし，これまでキャリアについて考える上で見過ごされがちであったことも事実である。これをふまえて，再確認しておこう。「キャリアについて考える」ときには，職業に関わる経歴である「ワークキャリア」だけでなく，それを含み，それと関連づけられる人生そのものの履歴である「ライフキャリア」を想定するべきなのである。

中年期の危機

青年期には，自分について，あるいは自分の将来像について考え，ときに深く悩む。では，その時期を脱すれば，そうした悩みはおとずれないものなのだろうか。

スイスの精神分析家ユングは「40歳は人生の正午」と述べた。休日の一日を思い浮かべてみよう。午前中はこれからなにをしようかと考えるが，正午を過ぎたあたりから，一日をどのように終えようかと考えるようになる。つまり，人生を一日になぞらえたユングは，40歳を境にして次第に人生の終わりをどのように迎えるかに向き合うようになるととらえているのである。

エリクソンが壮年期の発達課題として「世代性vs停滞性」を挙げているのも，これと無関係ではない。壮年期には，自分の子どもや仕事上の部下など，次世代のことを気にかけることが求められ，自分の親世代の介護が必要になることもある。

そう考えると，日本で男性の42歳が厄年とされているのも，病気やけががおこりやすいことが経験的にふまえられていたとすれば，安易に迷信としてすませるべきではないのかもしれない。青年期が身体的な変化によって自らのアイデンティティについて考えるようになる時期であるように，壮年期も身体的な変化を感じ，それをきっかけに自分について考えるようになるのである。

こうしたことをふまえ，日本の心理学者河合隼雄は，青年期の思春期に対して壮年期を「思秋期」と表現した。人生において，自分に向き合って深く考えるのはなにも青年期だけのことではない。むしろ，人生のさまざまな機会において，人間は自分のアイデンティティを問い直していくのである。

6 キャリアアンカー

「キャリアアンカー」は，アメリカの心理学者であるエドガー H. シャイン（マサチューセッツ工科大学（MIT）名誉教授）が提唱した考え方である。個人が，職務を遂行していくなかで見いだしていく価値観を分類している。彼は，社会人数100人を対象としたインタビューを行い，仕事に対して求めるものが転職をしても変化しないことに着目し，船のいかり（アンカー）になぞらえてそれらを表現した。同じ職業にたずさわっていても，個人個人そのアンカーは異なる。

つまり，具体的な職業として「なにになりたいか」ということだけでなく，その職業を通じて「なにをしたいか」（志向や目標）に着目する視点をあたえてくれているといえる。

1 **特定専門分野/機能別のコンピテンス**
特定の業界・職種などにこだわり，専門性を追求する。

2 **全般管理コンピテンス**
総合的な管理職位を目指し，さまざまな経験を求める。

3 **自律/独立**
自律的に職務遂行を重視し，自己決定を望む。

4 **保障/安定**
生活の保障を第一とし，リスクを避けて安定を重視する。

5 **起業家的創造性**
自らのアイデアで起業することを望む。

6 **純粋な挑戦**
誰もしたことのないことに取り組むことを求める。

7 **奉仕/社会献身**
人の役に立っているという感覚を重要視する。

8 **生活様式**
仕事生活とその他の生活との調和を保つことを重視する。

※コンピテンス…問題解決の技術や能力

「なにになりたいか」を考えることは重要だけど，社会の状況や自分を取り巻く環境の変化に対応できるように，「なにを大切にするか」とか，「なにができるか」という視点で考えることも必要ね。

7 計画された偶然

アメリカの心理学者クランボルツは，人生を左右するできごとの80%は偶然によってもたらされるという「計画された偶然」理論（Planned Happenstance Theory）を提唱した。それは，「だから行き当たりばったりでよい」ということではない。従来のキャリア理論が，早期に計画を立ててそれを遂行することを成功としていたことに対する批判である。つまり，計画を立てることはよしとしても，偶然のできごとを転機としてその計画を柔軟に組み替えることの意義を説いたものである。クランボルツは，偶然を転機に変えやすい性格特性として，次の5つを挙げている。

1. **好奇心** [Curiosity]
2. **持続性** [Persistence]
3. **柔軟性** [Flexibility]
4. **楽観性** [Optimism]
5. **冒険心** [Risk Taking]

ところで，「アメリカの心理学の学説」というと目新しく感じられるが，実はこれと同じようなことを，仏教の開祖であるゴータマ=シッダッタが説いている。ゴータマは，人生は思うようにいかないもので，その原因はこだわりにあると説いた。こだわらない生き方とは，目標を持たない生き方ではなく，事態が思うようにいかなかったことに絶望せずに，他の可能性を見出すことであると解釈できる。

例えば，東京から大阪へ行く新幹線が止まっていたとしても，交通手段にこだわらなければ飛行機や自動車がある。旅行がしたくて目的地にこだわらなければ仙台へ行くのもいい。日付にこだわらなければ日を改めればいい。計画どおりでなくとも，目的の本質を見失わなければ多くの可能性がある。そう考えると，クランボルツの挙げた5つの性格特性が有用に思える。

ただ，クランボルツが挙げた性格特性のうち，5つめの「冒険心」に対しては注意が必要だろう。「冒険」ということばには，魅力的な響きがあるが，字義通りとらえれば「危険を冒す」ことである。さまざまな可能性を見出したとしても，最終的にそのうちのどれかを選ばなくてはならないのであり，失敗したときのリスクを負わなければならない。それが「Risk Taking」なのである。人生のどこかで「いいとこ取り」のできない，「あれかこれか」の選択を迫られることがあるだろう。そのときに，Risk Takingのできる勇気を持たなくてはならない。その勇気はさまざまな経験を通して培われることだろう。

59 社会と社会 ～南北問題～

資料1

食い尽くされる森

密猟手当たり次第 市場へ

地球異変

1面から続く

㊤市場では、売買が禁止されているはずの野生動物の肉も売られていた＝コンゴ共和国・ボコラ
㊦狩猟してはいけないサルやイノシシを捕ったため、取り調べを受ける地元民＝コンゴ共和国・ルンドゥグ、いずれも小林裕幸撮影

アフリカ・コンゴ共和国北部の熱帯林。森を貫くように延びた伐採用道路の分岐点で、自動小銃を携えた迷彩服姿の2人組が、トラックに停止を命じた。

荷台には数人のハンター。牛の仲間のブルーダイカー、サルの仲間のオオハナジログエノンやアジルマンガベイ、50㌔を超えるイノシシなどがこの日の獲物だ。

迷彩服の男の目が厳しくなった。「違法な動物だ。許可証はあるのか」

迷彩服姿の男たちは「エコガード」の隊員。同国森林省と国際NGO野生生物保護協会（WCS）によるパトロール隊だ。違法な猟をしたハンターを取り押さえ、獲物と銃を押収した。

エコガードは伐採用道路の要所に検問所を設け、24時間態勢で摘発にあたっている。密猟者はトラックの荷物の陰や運転席の座席の下、ボンネットの中などに獲物を隠して監視の目をかいくぐり、市場へと運ぶ。

人口急増で加速

人口が急増しているコンゴ共和国ではブッシュミートの消費が加速している。牧畜がほとんどできないこの国では、ブッシュミートは貴重な食材だ。昔からの食習慣とはいえ、違法な密猟が横行し、野生動物を回復できない状態にまで追い詰めている。

密猟は手当たり次第という印象だ。サルやダイカーが多い。希少種は自家消費分でも無許可なら罰せられる。狩猟が禁止されているチンパンジーやゴリラなどの類人猿やゾウなども殺され、肉として売られている。ゾウを殺すと禁錮5年、ゴリラは禁錮2～3年の刑罰だ。

コカ・カクテル隊員はエコガード歴4年。「ゾウやゴリラの肉を押収した例は数えきれない。チンパンジーの肉も2回摘発した」

「牛肉はない 鶏肉は高い」

世界遺産の森を抱えるサンガ州の州都ウエッソの中央市場。市場の入り口に、ブッシュミートの売買を戒める巨大な啓発看板があった。だが、そんなことはお構いなし。ブッシュミートが山積みになった売り場には、通路をふさぐほどの人だかりができていた。

ブッシュミートは内臓からしっぽまでぶつ切りにされ、ひとつかみ250CFAフラン（約40円）で売られていた。場所にもよるが、ブッシュミートは1㌔あたり1千CFAフラン（約160円）程度。輸入品の牛肉は1㌔あたり約2千CFAフラン（約320円）と値段は約2倍だ。平均的な労働者の1カ月の所得は十数万CFAフラン（約2万円）。人々は安いブッシュミートを選ぶ。

森の奥地の村に行けば行くほど、牛肉や鶏肉の流通は減っていく。世界遺産エリアの中心のヌアバレ・ヌドキ国立公園に近いカボ村。メレリオン・コランテインさん(34)はここで夫と子供4人で暮らす。「村の市場で牛肉は見たことがない。鶏肉はたまに見かけるが高い。ブッシュミートを買うしかないのよ」

伐採で動物激減

森の伐採が進むと、奥地には伐採会社の作業員の町ができる。そこでも新たに安い肉の需要が生まれる。ブッシュミートへの依存度は高まるばかりだ。

WCSが2011年、ヌドキ国立公園を中心とした熱帯林で野生動物の痕跡を調べた。ダイカーなどの有蹄(ゆうてい)類のふんなどは06年の調査と比べ、すべての地域で減少。とくに新たに伐採が始まった地域では4分の1に激減していた。

新たな問題も浮上している。隣国の中央アフリカやカメルーンからの密猟者だ。まだ野生動物が豊かなコンゴ共和国の森へ国境を越えてくる。エコガードのパトロールは追いついていけない。

国際的な流通も拍車をかける。国連環境計画（UNEP）のまとめでは、05年に英国の空港で乗客の荷物から2万5千個ものブッシュミートが押収された。08年のパリの空港での調査では、毎週5㌧ものブッシュミートが密輸されていると推定される。

このままでは世界遺産の森は、動物の姿の見えない「うつろな森」になってしまう。「ブッシュミートの問題は野生動物の保護だけでない」。アフリカ中央部の熱帯林で民俗学的調査を続けてきた市川光雄京都大名誉教授は指摘する。「そこで暮らす人々の代替たんぱく源をどうするかを考えなければ解決に向かわない」

インド・ハイデラバードで開催され、20日に閉幕した国連の生物多様性条約第11回締約国会議（COP11）でブッシュミート問題が取り上げられた。野生動物の持続可能な利用を促す勧告を採択し、国連食糧農業機関（FAO）などと協力して国際的に途上国を支援することを決めた。

（中村浩彦）

（『朝日新聞』2012.10.29）

南北問題とは，主に地球の北半分に位置する先進工業国と南半分に位置する発展途上国との間の著しい経済的格差から生じる，経済的・政治的諸問題の総称でした。その問題を解決したり検討するためにUNCTADが設立されたり，OECDの下部委員会にDACなどが創設されてきました。しかし南北問題は，「先進工業国と発展途上国との経済的格差」だけが問題なのでしょうか?

そして，南北問題解決のためには，国際協力だけで十分なのでしょうか?

ここでは，新聞などを参考にして，様々な角度で南北問題を考えてみましょう。

ブッシュミートとは何か

アフリカやアジアの熱帯雨林で狩猟された野生動物の肉のこと。動物の種類は問わない。

コンゴ共和国でブッシュミートの消費が増えている理由は内戦が終わり，人口が増えているからと言われている。

貴重な野生生物が角や毛皮をとる目的で密猟されたり，あるいは生きたままでペットとして高値で取引されたりしていることは比較的知られていますが，それらの「肉」が密輸され，現地の人たちが食べていたり，世界中に高値で売りさばかれていることを，皆さんは知っていましたか?

絶滅の危機に瀕している野生動物が，ブッシュミート目的の密猟がとどめとなって本当に絶滅してしまうことが危惧されています。特に野生のゴリラやチンパンジーなど，動物の中でも特に人間に近いとされる類人猿が危険な状況に置かれているといわれています。

生きるために日常的に野生動物を狩り，ブッシュミートを食べている人々も存在する一方で，ブッシュミートが高値で売れることを知り，自分たちで食べないで売ってしまうようになってきているといいます。

リード文にあるように，南北問題と同様，この問題は「国際的に途上国を支援する」ことで解消するのでしょうか?確かに「経済的格差」の問題は存在するにせよ，記事中の市川京大名誉教授の指摘も考えなくてはならないでしょう。

▶コンゴ共和国の位置

ブッシュミートの問題を解決するために，考えられる対策を出来るだけ多く考えてみよう。

①考えられる対策

密猟者摘発のためのパトロールを強化する，密猟の罰則を引き上げる，森林伐採をやめさせる方法を考える，お肉にかわるタンパク源を考えたり提供する，住民の意識を変える，住民の収入を上げる，他国からの密入獄を防ぐ手段を考える，など

②日本が出来ることはなんでしょうか?

密猟者摘発のためのパトロール強化のための資金的援助や警察機能強化のためのノウハウを伝える，森林伐採をやめさせるためにコンゴからの材木輸入を減少させる，森林伐採に頼らない経済を確立するための援助を行う，お肉にかわるタンパク源を考え支援する，住民の意識を変える支援策を実施する，など

③私に出来ることがあるでしょうか?

「このような日本が行う対策は，実効性があるのかな?」とか，「『援助を行う』，と簡単にいうけれど，どんな援助ならば現地の人は野生動物を密猟しなくなるんだろう」とか，「自分が出来ることはこんなに少ないんだ」と考え込んでしまったのではないでしょうか?

特にこの新聞記事を読んで，「これはひどい，何とかしなくっちゃ」と思った人は，自分が手伝えることが少なくて困ってしまったのではありませんか?

次のページの資料を読んで，考えを深めていきましょう。

私たちにできることがあるだろうか?

右ページから
資料を読みましょう ➡

資料１の「食い尽くされる森」と
資料２の「アマゾン　森を育む農業」
は同一新聞のシリーズ記事です。

環境意識 問われる消費者

リオ＋20では、持続可能な成長と環境保護の両立を目指す「グリーン経済」がテーマとなる。消費・流通の現場で普及しつつあるのが「エコラベル」。持続可能な商品を認定し、消費者に選んでもらう仕組みだ。

グリーン経済
国連では明確に定義していないが、環境への負荷を減らし、生態系を破壊せず、資源を浪費しない経済をいう。貧困の解消に役立つことも期待されているが、途上国側には、グリーン経済の理念が開発と成長の妨げになるのではないか、という懸念もある。

東京都品川区のイオン品川シーサイド店。塩サバやたらこなど13種類の水産品には、青い魚模様のシールが貼られている。英国のNGO海洋管理協議会（MSC）の認証品であることを示すエコラベルだ。

MSCは、漁場を守り、魚の数を保つことができる漁法を採用する漁業者を、第三者機関の審査で認証し、エコラベル使用を認める。MSCは1997年、北大西洋のタラの激減をきっかけに、ロンドンを拠点に設立された。

現在、84カ国で1万5千種類の商品が出回る。ドイツでは水産品の3割をMSC認証品が占める。06年には、27カ国で展開する世界最大の小売りチェーン・米ウォルマートが「北米で売る水産品をすべてMSCに変える」と宣言した。

日本でも、06年のイオンを皮切りに、日本生活協同組合連合会や西友など数十の小売業が扱う。

だが日本での広がりは足踏み状態だ。水産庁が昨年公表した意識調査では、エコラベルの意味を知っている人はわずか13%だった。

国内で最も多くのMSC認証品を扱うイオンですら、水産品売上高に占めるMSCの割合は4%程度にとどまる。「消費者が商品を選ぶ決め手は、品質や値段。環境への配慮はまだ武器になっていない」（広報担当者）からだ。

企業の環境対策を調査・分析している団体「企業と生物多様性イニシアティブ（JBIB）」の足立直樹事務局長は「NGOや企業の採っている環境対策に対して、まだまだ関心は低い。消費者が変われば企業も変わる」と指摘する。

生産者と消費者。一人一人の選択がグリーン経済への道につながっている。

（岩田誠司＝サンパウロ、神田明美、古谷祐伸）

トメアスに移住した日系人は，初めのうち，どのような作物を作ったのでしょうか。景気はどうでしたか？

資料からわかることは，はじめはコショウを栽培して，もうかった時期もあったが，1960年代後半から病害や水害に苦しんだ，ということである。

トメアスでは，現在どのような農業を行っているのでしょうか？

記事の中では先住民の農法を参考に，現地の自然環境に似た混植を試み，数10種類の換金作物を多様に植え，1年中，様々な実をつける果実畑を育てていると書かれている。

トメアスの商品の売り上げはどうですか？また，トメアスの農民の生活はどのように変ったのでしょうか？

トメアス農協の果肉加工場は2年前より2千トン多い4500トンを生産し，果実の種類も15種類に増えている。商品は日本にも輸出され，安くはないがアマゾンフルーツの珍しさや豊富な栄養で人気を集めている。焼き畑農法から脱却した貧しい農家の自立も助け，テレビを買ったり，娘を大学に入れたりする余裕がある農家も出てきた。

途上国の農業製品などは，トメアス製品と同じように日本で売れると思いますか？

＊「グリーン経済」「エコラベル」という言葉をヒントに記事を読みながら考えてみましょう。

国連持続可能な開発会議（リオ＋20）が，2012年に開かれ，持続可能な成長と環境保護の両立を目指す「グリーン経済」がそのテーマとなった。グリーン経済実施のため，持続可能な商品を選定し，消費者に選んでもらう「エコラベル」が普及している。しかし，「エコラベル」は海外では浸透しているが，日本では普及していない。具体的には，「エコラベル」を知っている日本人は13％にすぎず，国内で最も多くのＭＳＣ認証品を扱うイオンでも，水産品売上高に占めるＭＳＣの割合は４％にとどまっている。

さて，このような現状をどうしたらよいのでしょうか？

資料2

アマゾン 森育む農業

変わる世界 リオ＋20を前に 下

国連持続可能な開発会議（リオ＋20）が20日から開催されるブラジル。地球の肺と呼ばれ、生物の宝庫でもあるアマゾンの環境破壊に悩んできたこの国で、森を育てつつ営む農法がビジネスとしても成功しつつある。

多彩な果実 一年中収穫

アマゾン河口の町ベレンから南に約200㌔。日本からの移民入植地トメアスには、ジャングルのような畑が広がる。

果物のアサイーが採れるヤシやマンゴーなど数十種類の換金作物が植えられた畑は、30㍍を超える高木から低木までが生い茂り、一年中、様々な実をつける。トメアス総合農業協同組合が取り組む「アグロフォレストリー」（森林農業）だ。

トメアスの日系人はかつてジャングルを切り開いて畑にした。コショウを栽培し、価格の高騰に沸いた時期もあった。だが1960年代後半から病害や水害に悩んだ。先住民の農法も参考に自然環境に似た混植を試み、いまの形にたどりついた。トメアス農協の果肉加工場はいま、2年前より2千㌧多い4500㌧を生産。果物の種類も9種類から15種類に増えた。

その商品は日本にも輸出されている。トメアス農協の日本総代理店「フルッタフルッタ」社長の長沢誠さん(50)がアグロフォレストリーを知ったのは10年以上前。2002年に輸入を手がける会社をおこした。10年で輸入量は40倍に。「良い商品を買ってもらい結果的に森が大きくなる」と長沢さんは言う。アサイーなどの紙パックジュースは195㍉198円から258円。安くはないが、アマゾンフルーツの珍しさや豊富な栄養で人気を集める。

営農モデルは貧しい農家の自立支援にもつながる。トメアスから車で30分。ジョゼマリア・メンデスさん(42)の畑では、カカオが色づき始めていた。トメアス農協の小長野道則さん(54)に学んで作った畑だ。

以前はコショウを栽培していたが、病害に悩み、借金返済に追われていたという。「今は一年中収穫があるので安心。テレビを買い、娘を大学にやる余裕もできた」

トメアス農協は06年から地域の農家に技術指導を続ける。土地がやせるたびに森を焼いて作物を植えていた農家も、徐々に農法を転換しつつあるという。トメアス農協が次に目指すのは、アグロフォレストリーの認証制度づくりだ。

アグロフォレストリーを始めて30年近い畑で、収穫したカカオの実をほぐす人たち。クリやコショウなど様々な作物が育つ＝ブラジル・トメアス、岩田誠司撮影

（『朝日新聞』2012.6.12）

Q1 「エコラベル」普及のためのハードルは何でしょうか？

Q2 また，それを取り除くために，何をしたらよいでしょうか？

「エコラベル」を日本国民が知らない，「エコラベル」商品の価格が高い，などのハードルがあるようだ。また，その対策としては，消費者の商品選択意識を変えること，があげられる。「エコラベル」商品を買うことに価値があるとする意識改革が必要なのだろう。左ページにある記事には「消費者が商品を選ぶ決め手は，品質や値段。環境への配慮はまだ武器になっていない」「ＮＧＯや企業の採っている環境対策に対して，まだまだ関心は低い。消費者が変われば企業も変わる」という指摘がある。私たちの「生き方」や「生活」を見直して，選択判断する力が必要そうだ。

資料1のコンゴ共和国に対して「私に出来ること」で悩みませんでしたか？　そうなんです。実は，私たちの生活をちょっと変えるだけ，あるいは買うものを変えるだけで，コンゴの人たちの生活が変わり，密猟が減っていく可能性があるのです。もう一歩進めて，そのような輸入会社を起こしてもいい，ＮＧＯを立ち上げても良いと思います。「フェアトレード」という言葉は，すでに一般的になっています。

皆さんも，自分の生活の中から「南北問題」をとらえ直して下さい。

私たちにできることはなんだろうか？

60 現役世代と将来世代 ～日本の年金と財政～

キミが高齢者になったとき，

あるいは病気やケガで働けなくなったとき，年金は十分にもらえるのだろうか。

現代の日本では，年金に対する不信感や将来不安が蔓延している。

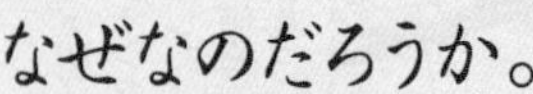

年金の仕組みの基本的な理解を通じて，

この問題に取り組んでみよう。

1 公的年金制度の仕組み

年金とは，老齢（年を取って働けなくなった），障害・疾病（病気やケガで働けなくなった），死亡（そのために家族の収入源が不安定になった）の時に本人または家族に支給されるおカネのことである。

国が運営する年金の公的年金，生命保険会社などに個人が契約することによる年金の私的年金，企業が運営する年金の企業年金に分けることができるが，ここでは，公的年金制度について考えてみよう。

公的年金制度の特徴として，①国民皆年金，②社会保険方式，③世代間扶養，をあげることができる。

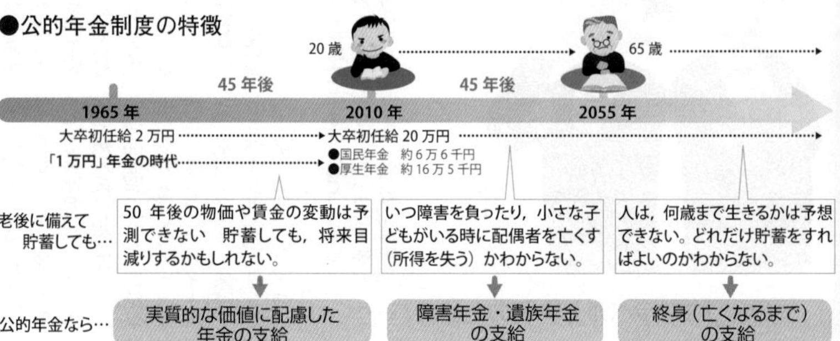

（厚生労働省資料より）

① 国民皆年金

国民全員が国民年金（基礎年金）に加入する(これを国民皆年金と言う)。そのうえで，民間企業のサラリーマンは厚生年金に，公務員などは共済年金に加入するという仕組みになっている。なお，平成27年10月より，厚生年金と共済年金は一元化され（統合され），左の図のように公的年金制度が変わった。

これまでの公的年金制度の体系

（数値は，平成23年3月末）

3階
2階
1階
職域部分
厚生年金
〔加入者数　3,441万人〕
共済年金
〔加入者数 442万人〕
国家公務員共済 105万人
地方公務員共済 288万人
私立学校教職員共済 48万人
国民年金（基礎年金）
第2号被保険者の〔被扶養配偶者〕 1,005万人 第3号被保険者
〔自営業者等〕 1,938万人 第1号被保険者
〔民間サラリーマン〕〔公務員等〕 3,883万人 第2号被保険者等
6,826万人

図2

平成27年10月から

改正後　被用者年金一元化後の公的年金制度の体系

厚生年金
〔民間サラリーマン 3,822万人〕＋〔国家公務員 105万人 地方公務員 288万人 私立学校教職員 48万人〕
職域部分は廃止
国民年金（基礎年金）
第2号被保険者の〔被扶養配偶者〕 889万人 第3号被保険者
〔自営業者等〕 1,575万人 第1号被保険者
〔民間サラリーマン〕〔公務員等〕 4,266万人 第2号被保険者等
6,731万人

② 社会保険方式

加入者は月々に保険料を何10年間にわたり納める，そして老後などの時に年金を受け取る，この方式が社会保険方式である。当然のことであるが，保険料を納めなければ，年金はもらえない。

国民年金（基礎年金）を例にとって説明しよう。

1か月当たりの保険料は，16,610円（令和3年度）である。老齢基礎年金の場合，20歳から60歳までの40年間に保険料を納めると，65歳から老齢基礎年金がもらえる。令和3年の場合，年金額は年額で780,900円（1か月で65,075円）となる。

実際のところ，保険料だけの資金では基礎年金制度は維持できない。高齢者などに給付する年金の2分の1は税金で補われている。

③ 世代間扶養

公的年金制度の場合，自分が月々納め続けてきた保険料が何10年もの間に貯まって，老後にそのお金が自分の年金として支給される，という仕組みにはなっていない。この仕組みは積立方式と言って，個人が生命保険会社などと契約する私的年金の仕組みである。

公的年金制度は，現役世代が納め続けている保険料を高齢者に支給するという仕組みである。この仕組みを賦課方式という。保険料を納めている現役世代は高齢者の生活を支えているのであり，そのことから賦課方式は世代間扶養という考えに立脚している。

図3
公的年金制度における世代間扶養のしくみ

(年齢)
A1 世代
A2 世代
A3 世代
A4 世代
年金受給世代
(引退)
扶養
扶養
扶養
A5 世代
現役世代
(保険料拠出)
(20 歳)

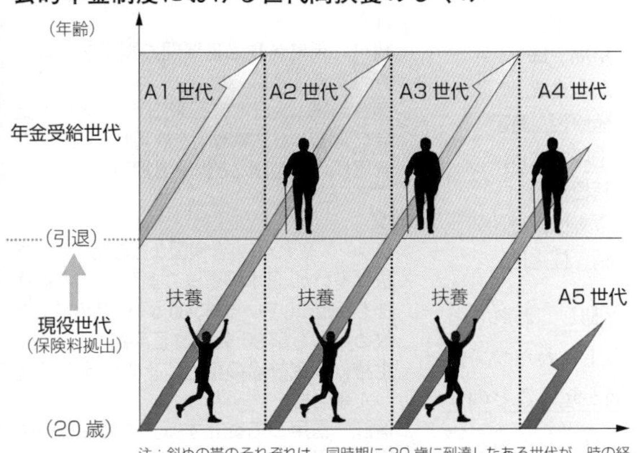

注：斜めの帯のそれぞれは，同時期に 20 歳に到達したある世代が，時の経過により年齢が上がり，現役世代という支え手側から，年金世代という支えられる側へと移行する様子を示したものです。

図4

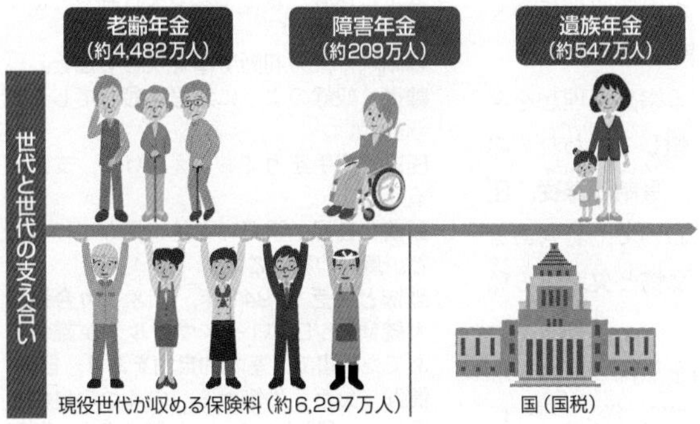

老齢年金
(約4,482万人)
障害年金
(約209万人)
遺族年金
(約547万人)
世代と世代の支え合い
現役世代が収める保険料（約6,297万人）
国（国税）

(2018年2月現在)

2 賦課方式の問題点

繰り返すが，公的年金制度は，賦課方式を基本としており，現在働いている現役世代が保険料を負担することで高齢世代の生活を支えるという世代間扶養の考えを採っている。

しかし，現代の日本では，少子化・高齢化が進んでいる。そのために，世代間扶養の仕組みも多数の現役世代が少数の高齢者の生活を支えるという構図から，減りつつある現役世代が増え続ける高齢者の生活を支えるという構図に変わっている。

そのため，少子・高齢化の進展により，現役世代が負担する保険料は段々と引き上げられるとともに，現役世代が将来，高齢者になったときには，受け取る年金額は減らされ，しかも年金の支給開始年齢が現行の65歳から70歳，いやそれ以上に引き上げられる可能性が強い。現在の高齢世代に比べて，キミたちのような将来の高齢世代は不利益を免れない。公的年金制度の問題点はこの点にある。

3 将来世代の税負担とその回避策

令和3年度予算では，歳出のうちの33.6%は社会保障関係費である。基礎年金の半分は税金で成り立っている事情などから分かるように，高齢化の進展により，国家予算における社会保障関係費の比重は増加の一途をたどると予想される。これに対処する意図から消費税の税率が引き上げられた。また，国債発行の増加も社会保障費の増加に負う面も大きい。

しかも，将来世代である若い世代は政府が発行し続けてきた国債の埋め合わせのために，今以上の税負担を強いられるおそれがある。年金保険料の負担増，支給される年金の減額，その支給開始年齢の引き上げ，といった不利益ばかりではなく，将来世代には，財政赤字の埋め合わせによる税負担ものし掛かる可能性が強い。これら一連の負担は，その負担の割り当ての見直しの政策が実施されない限り，現在の高齢世代はそれほど負わずに済む。このように，現役世代や将来世代たる若者たちと現在の高齢世代の間には，利益と負担に関する不均衡がある。特に，若年層にとって，将来待ち受けている，このような負担は公的年金制度への不信感を生み出すとともに，将来不安の温床なのである。

若い将来世代や現役世代が負う負担を軽減するための対策としては，現在の高齢者に対しても負担増を強いる政策の実施（例えば，高齢者医療の自己負担部分の割合の引き上げ，2割負担から3割負担へ），そして，少子化を食い止めるために人口の増加を図ること，があげられる。しかし，どちらの政策も実現には高いハードルがある。

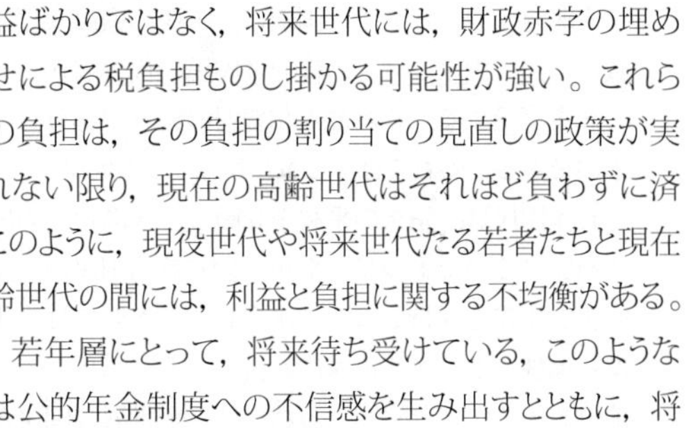

私たちは
どのように考えて
政策の選択をしたら
よいだろうか？

日本国憲法

公布　1946（昭和21）年11月3日
施行　1947（昭和22）年５月３日（補則参照）

朕は，日本国民の総意に基いて，新日本建設の礎が，定まるに至つたことを，深くよろこび，**枢密顧問**の**諮詢**及び**帝国憲法第73条**による帝国議会の議決を経た帝国憲法の改正を**裁可**し，ここにこれを公布せしめる。

御名御璽

昭和21年11月3日

内閣総理大臣兼外務大臣　吉田　茂

国務大臣　男爵　幣原喜重郎
司法大臣　木村篤太郎
内務大臣　大村清一
文部大臣　田中耕太郎
農林大臣　和田博雄
国務大臣　斎藤隆夫
逓信大臣　一松定吉
商工大臣　星島二郎
厚生大臣　河合良成
国務大臣　植原悦二郎
運輸大臣　平塚常次郎
大蔵大臣　石橋湛山
国務大臣　金森徳次郎
国務大臣　膳　桂之助

憲法制定当時の内閣

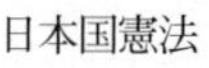

日本国憲法

日本国民は，正当に選挙された国会における代表者を通じて行動し，[A]われらとわれらの子孫のために，諸国民との協和による成果と，わが国全土にわたつて自由のもたらす恵沢を確保し，政府の行為によつて再び戦争の惨禍が起ることのないやうにすることを決意し，[B]ここに[C]主権が国民に存することを宣言し，この憲法を確定する。そもそも国政は，国民の厳粛な**信託**によるものであつて，その権威は国民に由来し，その権力は国民の代表者がこれを行使し，その**福利**は国民がこれを享受する。[D]これは人類普遍の原理であり，この憲法は，かかる原理に基くものである。われらは，これに反する一切の憲法，法令及び詔勅を排除する。

日本国民は，**恒久**の平和を念願し，人間相互の関係を支配する崇高な理想を深く自覚するのであつて，平和を愛する諸国民の**公正**と**信義**に信頼して，われらの**安全**と**生存**を保持しようと決意した。われらは，平和を維持し，**専制**と**隷従**，圧迫と**偏狭**を地上から永遠に除去しようと努めてゐる国際社会において，名誉ある地位を占めたいと思ふ。われらは，全世界の国民が，ひとしく**恐怖**と**欠乏**から免かれ，平和のうちに生存する権利を有することを確認する。

われらは，いづれの国家も，自国のことのみに専念して他国を無視してはならないのであつて，政治道徳の法則は，普遍的なものであり，この法則に従ふことは，自国の主権を維持し，他国と対等関係に立たうとする各国の責務であると信ずる。

日本国民は，国家の名誉にかけ，全力をあげてこの崇高な理想と目的を達成することを誓ふ。

用語解説

朕　秦の始皇帝以来，皇帝や天皇が「われ」の意に用いる。
枢密顧問　大日本帝国憲法下の天皇の相談機関。議会からも独立し，内閣の施政を左右できた。
諮詢　相談。問いはかること。
帝国憲法第73条　天皇主権を国民主権に変更することは国家体制の根本の変革なので，帝国憲法第73条の手続きによる新憲法制定は疑問とされた。しかし，日本の再建，米ソの対立，連合軍の占領下といった条件の中で，憲法改正の延引はできず，第73条による手続で公布された。
裁可　天皇が政治各機関の案文を承認し許可すること。
御名御璽　大日本帝国憲法下で，天皇が議会の協賛した法案などを許可したり天皇の意思表示の勅語などに署名押印すること。

前文
フランスやアメリカ合衆国など前文のある憲法は多いが，日本国憲法のように，基本的精神を明確にしている前文はない。この前文を改めるにも第96条の改正手続きが必要。
主権　国家統治の権力。その国家の独立した統治権。
信託　信用して委託する。主権在民の国家基本概念。
福利　幸福と利益。
恒久　久しく変わらないこと。
公正と信義　公平で正しく行動し，信頼を裏切らない。
専制　１人の判断で事を決めること。
隷従　奴隷のように意思を殺してしたがうこと。
圧迫　相手を力でおさえつける，支配すること。
偏狭　自己主張だけを他に押しつけること。度量の狭いこと。
恐怖と欠乏　1941年，アメリカ合衆国大統領Ｆ．Ｄ．ローズヴェルトが議会にあてた教書で，基本的自由をあげ，言論・信仰・欠乏・恐怖から，の４つの自由を示した。「恐怖から」とは戦争のない平和を，「欠乏から」とは健康な生活を保つことを意味する。この考え方は，世界人権宣言の基調となっている。

ガイドセミナー【前文】

- A：代表民主制（間接民主制）を採用していることを明示。
- B：第９条第２項（国の交戦権の否認）を参照。
- C：国民主権の宣言。
- D：アメリカ大統領リンカーンのゲティスバーグ演説の一説，「人民の人民による，人民のための政治」をわかりやすく言い換えたもの。

日本国憲法公布祝賀会　1946年11月３日に東京の皇居前広場で行われた。

資料編

第1章　天　皇

第１条〔天皇の地位・国民主権〕

天皇は，日本国の象徴であり日本国民統合の象徴であつて，この地位は，主権の存する日本国民の総意に基く。

第２条〔皇位の継承〕

皇位は，世襲のものであつて，国会の議決した皇室典範の定めるところにより，これを継承する。

第３条〔天皇の国事行為に対する内閣の助言と承認〕

天皇の国事に関するすべての行為には，内閣の助言と承認を必要とし，内閣が，その責任を負ふ。

第４条〔天皇の権能の限界，天皇の国事行為の委任〕

① 天皇は，この憲法の定める国事に関する行為のみを行ひ，国政に関する権能を有しない。

② 天皇は，法律の定めるところにより，その国事に関する行為を委任することができる。

第５条〔摂政〕

皇室典範の定めるところにより摂政を置くときは，摂政は，天皇の名でその国事に関する行為を行ふ。この場合には，前条第１項の規定を準用する。

第６条〔天皇の任命権〕

① 天皇は，国会の指名に基いて，内閣総理大臣を任命する。

② 天皇は，内閣の指名に基いて，最高裁判所の長たる裁判官を任命する。

第７条〔天皇の国事行為〕

天皇は，内閣の助言と承認により，国民のために，左の国事に関する行為を行ふ。

1 憲法改正，法律，政令及び条約を公布すること。

2 国会を召集すること。

3 衆議院を解散すること。

4 国会議員の総選挙の施行を公示すること。

5 国務大臣及び法律の定めるその他の官吏の任免並びに全権委任状及び大使及び公使の信任状を認証すること。

6 大赦，特赦，減刑，刑の執行の免除及び復権を認証すること。

7 栄典を授与すること。

8 批准書及び法律の定めるその他の外交文書を認証すること。

9 外国の大使及び公使を接受すること。

10 儀式を行ふこと。

第８条〔皇室の財産授受〕

皇室に財産を譲り渡し，又は皇室が，財産を譲り受け，若しくは賜与することは，国会の議決に基かなければならない。

◆前文ってどうしてあるの？

憲法の前文は，まず「日本国民は」で始まるように国民が制定したことを明らかにしている。またそこには憲法の基本的な考え方がまとめて記述されている。その考えは憲法全体を貫く基本的な精神で，憲法の条文を定めていることの意味は，この前文の考えや精神から読み取ればいいのある。しかもそれは憲法を変えるときにも，改めることができない。つまり「子孫のために」「普通の原理」「恒久の」「永遠に」など，現在だけでなく，将来にわたって保障されることを表している。

◆女性天皇は認められないのか？

憲法第二条は，天皇の地位は世襲によるものと定めていて，女性天皇は認められないとは書かれていない。しかし皇室典範という法律に「男系男子」が継ぐと規定されている。

用語解説

第1条

象徴　校章が学校を表し，鳩が平和を示すように，抽象的なことを形象化して示すこと。

第2条

世襲　子が親の地位・財産などを代々受けつぐこと。

皇室典範　皇室に関する，皇位継承，皇族身分，摂政，皇室会議等についての法律（1947.1.16 公布）。

第3条

国事行為　内閣の責任のもとに，天皇が国家の三権各機関が決定したことに儀礼的・形式的に参加すること。

第5条

摂政　天皇に代わって，天皇の国事行為に関する政務事項を行う役。皇太子・皇太孫・親王の順で任ぜられる。

第7条

官吏　国家公務員のこと。ここでは検事総長や最高裁判事などをさす。

大赦　法令で罪の種類を定め，刑の執行を免除すること。

特赦　特定犯人に対して刑の執行を免除する。

批准　条約を最終的に承認する手続。

第8条

賜与　身分の高い者から下の者に与えること。

ガイドセミナー【第１章　天皇】

A：「日本国の象徴」と「日本国民統合の象徴」とは同じ意味である。

<象徴行為または公的行為とされるもの>

・国家元首的行為
　外国訪問，宮中晩餐など

・象徴としての儀式・行事に関する行為
　新年の一般参賀など

・象徴としての行幸などの行為
　国会開会式への出席と「おことば」，地方行幸など

（『ザ・天皇制』日本評論社）

天皇の国事行為（国務大臣の任免）
（2020年９月，菅内閣の発足に際し，認証をうける麻生財務相）　天皇の国事に関する行為については憲法第７条でいずれの場合にも，必ず内閣の助言と承認を必要とし，内閣が責任を負う。国事に関する行為は，憲法に規定してあるものに限定される。また，実際の運用上，象徴としての行為も認められる。ただし必要最小限のものに限られる。

資料編

第2章　戦争の放棄

第9条〔戦争の放棄，戦力及び交戦権の否認〕

① 日本国民は，正義と秩序を基調とする国際平和を誠実に希求し，国権の発動たる戦争と，武力による威嚇又は武力の行使は，国際紛争を解決する手段[A]としては，永久にこれを放棄する。

② 前項の目的を達するため，[B]陸海空軍その他の戦力は，これを保持しない。国の交戦権は，これを認めない。

第3章　国民の権利及び義務

第10条〔国民の要件〕

日本国民たる要件は，法律でこれを定める。

第11条〔基本的人権の享有〕

国民は，すべての基本的人権の享有を妨げられない。この憲法が国民に保障する[A]基本的人権は，侵すことのできない永久の権利として，現在及び将来の国民に与へられる。

第12条〔自由・権利の保持の責任とその濫用の禁止〕

この憲法が国民に保障する自由及び権利は，国民の不断の努力によつて，これを保持しなければならない。又，国民は，これを濫用してはならないのであつて，常に公共の福祉のためにこれを利用する責任を負ふ。

第13条〔個人の尊重・幸福追求権・公共の福祉〕

[B]すべて国民は，個人として尊重される。[C]生命，自由及び幸福追求に対する国民の権利については，公共の福祉に反しない限り，立法その他の国政の上で，最大の尊重を必要とする。

第14条〔法の下の平等，貴族の禁止，栄典〕

① [D]すべて国民は，法の下に平等であつて，人種，信条，性別，社会的身分又は門地により，政治的，経済的又は社会的関係において，差別されない。

② 華族その他の貴族の制度は，これを認めない。

③ 栄誉，勲章その他の栄典の授与は，いかなる特権も伴はない。栄典の授与は，現にこれを有し，又は将来これを受ける者の一代に限り，その効力を有する。

第15条〔公務員選定罷免権，公務員の本質，普通選挙の保障，秘密投票の保障〕

① 公務員を選定し，及びこれを罷免することは，国民固有の権利である。

② すべて公務員は，[E]全体の奉仕者であつて，一部の奉仕者ではない。

③ 公務員の選挙については，成年者による普通選挙を保障する。

④ すべて選挙における投票の秘密は，これを侵してはならない。選挙人は，その選択に関し公的にも私的にも責任を問はれない。

第16条〔請願権〕

何人も，損害の救済，公務員の罷免，法律，命令又は規則の制定，廃止又は改正その他の事項に関し，平穏に請願する権利を有し，何人も，かかる請願をしたためにいかなる差別待遇も受けない。

第17条〔国及び公共団体の賠償責任〕

何人も，公務員の不法行為により，損害を受けたときは，法律の定めるところにより，国又は公共団体に，その賠償を求めることができる。

ガイドセミナー【第3章　国民の権利および義務　1】

A：第97条にも，同様の規定がある。
B：日本国憲法の最大の目的が，個人の尊厳の実現にあることを示している。
C：啓蒙思想家であった，ジョン・ロックの自然権思想に基づいている。
D：「法の下の平等」と関連する条文として第15条第3項（成年者による普通選挙），第24条第2項（両性の本質的平等），第26条第1項（ひとしく教育を受ける権利）がある。
E：「全体の奉仕者」の趣旨は，公務員は一部の者だけの利益のために活動してはならない，という公務員の中立性を明らかにしたものである。

ガイドセミナー【第2章　戦争の放棄】

A,B：「国際紛争を解決する手段としては」という1項の文言及び，「前項の目的を達するため」という文言の解釈についてはさまざまな争いがある。

用語解説

第9条

威嚇　おどすこと。おどかし。
交戦権　国家が他国と戦争をなしうる権利

第10条

法律→この規定に基づき国籍法が定められている

第11条

（＊第11条，第12条，第13条は，人権保障の基本原則を定める。）
基本的人権　人間として当然に有し，たとえ国家であっても侵すことのできない権利。
享有　能力や権利を生まれながらに持っていること。

第12条

不断の努力　たえまない努力
公共の福祉　社会を構成する人たちみんなの共通の利益。「全体の利益」「国家の利益」の意味ではない。

第13条

個人として尊重　一人ひとりがかけがえのない絶対的な存在であること。全体のために「滅私奉公」を強要された戦前の考え方を否定した。
幸福追求　新しい豊かな生活を実現させようとすること。プライバシーの権利，環境権，自己決定権などの新しい人権を主張する根拠となっている。

第14条

法の下に平等　すべての国民が平等であることを法で保障すること
信条　その人が堅く信じている考え。
門地　家柄，生まれ。

第15条

公務員　国や地方公共団体の公的な仕事を行う職員のこと。国家公務員と地方公務員がいる。

第16条

請願　国や地方公共団体に希望を願いでること。本条の規定に基づいて，請願法が定められている。「公務員の罷免」については，第15条のところを参照のこと。帝国憲法第30条も，請願について定めていた。なお，イギリスの権利章典（5）にも，同様の内容がある。

第 18 条〔奴隷(どれい)的拘束及び苦役からの自由〕

何人も，いかなる奴隷的拘束も受けない。[A] 又，犯罪に因(よ)る処罰の場合を除いては，その意に反する苦役に服させられない。

第 19 条〔思想及び良心の自由〕

思想及び良心の自由は，これを侵(おか)してはならない。[B]

第 20 条〔信教の自由〕

① 信教の自由は，[C] 何人に対してもこれを保障する。いかなる宗教団体も，[D] 国から特権を受け，又は政治上の権力を行使してはならない。

② 何人も，宗教上の行為，祝典，儀式又は行事に参加することを強制されない。

③ 国及びその機関は，宗教教育その他いかなる宗教的活動もしてはならない。[E]

第 21 条〔集会・結社・表現の自由，検閲の禁止，通信の秘密〕

① 集会，結社及び言論，出版その他一切の表現の自由は，これを保障する。[F]

② 検閲は，これをしてはならない。通信の秘密は，これを侵してはならない。[G]

第 22 条〔居住・移転及び職業選択の自由，外国移住及び国籍離脱の自由〕

① 何人も，公共の福祉に反しない限り，居住，移転及び職業選択の自由を有する。[H]

② 何人も，外国に移住し，又は国籍を離脱する自由を侵されない。

第 23 条〔学問の自由〕

学問の自由は，これを保障する。[I]

第 24 条〔家族生活における個人の尊厳と両性の平等〕

① 婚姻(こんいん)は，両性の合意のみに基いて成立し，夫婦が同等の権利を有することを基本として，相互の協力により，維持されなければならない。

② 配偶者の選択，財産権，相続，住居の選定，離婚並びに婚姻及び家族に関するその他の事項に関しては，法律は，個人の尊厳と両性の本質的平等に立脚して，制定されなければならない。

ガイドセミナー【第３章　国民の権利および義務　2】

A：第 27 条第3項（児童の酷使），第 36 条（拷問及び残虐刑の禁止）がある。
B：思想・良心の自由の保障には，①内心の自由の絶対性，②沈黙の自由，③思想・良心を理由とする不利益な取り扱いの禁止の３つの意味があるとされている。
C：関連する条文として第 14 条第1項と第 44 条に信条による差別の禁止規定がある。なお「信教の自由」には，宗教を信仰しない自由も含む。F.D. ローズヴェルトの「四つの自由」のうちの1つ。
D,E：政教分離の原則という。関連する条文として，第 89 条（宗教団体への公金等の支出の禁止）がある。また判例としては，津地鎮祭事件訴訟，愛媛玉串料訴訟などがある。
F,G：１項で「一切の表現の自由」を保障し，２項でこれをさらに強化するために検閲の禁止と通信の秘密の保障を規定している。関連条文として第 19 条（思想・良心の自由），第 20 条（信教の自由），第 23 条（学問の自由）があり，判例としては東京都公安条例事件がある。
H：判例として最高裁が違憲判決を出した薬局距離制限事件がある。
I：明治時代に学問研究が国家権力によって侵害された天皇機関説事件がある。

用語解説

第 18 条
奴隷的拘束　自由を奪うこと。

第 19 条
思想・良心　世界観，人生観，主義，主張など，何を正しいとするのか，何を重要とするのかの考え方や判断のこと。

第 21 条
集会　ある目的をもった人々が一定の場所で会合をすること。
結社　ある目的を達成するためにつくられた団体。会社，政党，宗教団体，労働組合など。
その他一切の表現　デモ行進，映画，音楽，インターネットなどあらゆる表現方法。
検閲　言論，出版などの内容や表現を国や地方公共団体が事前にチェックすること。
通信の秘密　郵便，電信，電話などの内容を本人の意思に反して公にしないこと。

第 22 条
国籍　国の構成員としての資格。
離脱　離れて抜けでること。

第 24 条
「学問の自由」の中には，ヨーロッパ中世以来の伝統に由来する「大学の自治」が含まれている。判例としては，東大ポポロ事件がある。
婚姻　結婚すること。
両性　男性と女性。
配偶者　夫婦の関係にある者の一方からみた他方のこと。

第 25 条
健康で文化的な最低限度の生活　人間として生きていくための最小限の生活。単に生物的に生きているというだけではなく人格が保持できていること。

＊第 25 条，第 26 条，第 27 条，第 28 条は，社会権的基本権といわれる規定である。

◆平和憲法

日本国憲法は「平和憲法」とも呼ばれている。戦争を放棄し，戦力の不保持を宣言した第９条はまさに平和憲法の代名詞である。しかしながら「戦争放棄」「戦力の不保持」はどのような意味があるのだろうか。第９条と自衛隊をめぐる裁判（砂川事件，恵庭事件，長沼基地訴訟，百里基地訴訟）や自衛隊法，PKO 等協力法，日米安全保障条約などの関係について整理しておこう。

◆“公共の福祉”ってどういうこと？

人間にとって非常に大切な基本的人権も，絶対的，無制限のものではない。例えば表現の自由が認められているからといって，他人の悪口をいったり，他人をおとしいれたりするような行動をしてもいいというわけではないのである。相手にも同じように人権があるからである。このように人権と人権が衝突するような場合に調整するのが公共の福祉の考えで，それは人権の実質的公平を保障するための原理といえる。

◆どんな仕事をしてもいいのだろうか？

第 22 条の職業選択の自由とともに認められているのが「営業の自由＝職業遂行の自由」であるが，以下の観点から規制の設けられている職業がある。一つは国民の生命や健康に関する危険を防ぐ観点，一つは社会的・経済的弱者を保護する観点である。例えば医師・薬剤師などは資格取得，飲食店や公衆浴場などには許可，という規制がある。

第25条〔生存権，国の社会的使命〕

① すべて国民は，健康で文化的な最低限度の生活を営む権利を有する。A

② 国は，すべての生活部面について，社会福祉，社会保障及び公衆衛生の向上及び増進に努めなければならない。

第26条〔教育を受ける権利，教育の義務〕

① すべて国民は，法律の定めるところにより，その能力に応じて，ひとしく教育を受ける権利を有する。B

② すべて国民は，法律の定めるところにより，その保護する子女に普通教育を受けさせる義務を負ふ。義務教育は，これを無償とする。

第27条〔勤労の権利及び義務，勤労条件の基準，児童酷使の禁止〕

① すべて国民は，勤労の権利を有し，義務を負ふ。C

② 賃金，就業時間，休息その他の勤労条件に関する基準は，法律でこれを定める。

③ 児童は，これを酷使してはならない。

第28条〔勤労者の団結権〕

勤労者の団結する権利及び団体交渉その他の団体行動をする権利は，これを保障する。D

第29条〔財産権〕

① 財産権は，これを侵してはならない。

② 財産権の内容は，公共の福祉に適合するやうに，法律でこれを定める。

③ 私有財産は，正当な補償の下に，これを公共のために用ひることができる。

第30条〔納税の義務〕

国民は，法律の定めるところにより，納税の義務を負ふ。

第31条〔法定の手続の保障〕

何人も，法律の定める手続によらなければ，その生命若しくは自由を奪はれ，又はその他の刑罰を科せられない。E

第32条〔裁判を受ける権利〕

何人も，裁判所において裁判を受ける権利を奪はれない。

第33条〔逮捕の要件〕

何人も，現行犯として逮捕される場合を除いては，権限を有する司法官憲が発し，且(か)つ理由となつてゐる犯罪を明示する令状によらなければ，逮捕されない。F

第34条〔抑留(よくりゅう)・拘禁(こうきん)の要件，不法拘禁に対する保障〕

何人も，理由を直ちに告げられ，且(か)つ，直ちに弁護人に依頼する権利を与へられなければ，抑留又は拘禁されない。又，何人も，正当な理由がなければ，拘禁されず，要求があれば，その理由は，直ちに本人及びその弁護人の出席する公開の法廷で示されなければならない。

第35条〔住居の不可侵〕

① 何人も，その住居，書類及び所持品について，侵入，捜索(そうさく)及び押収(おうしゅう)を受けることのない権利は，第33条の場合を除いては，正当な理由に基いて発せられ，且(か)つ捜索する場所及び押収する物を明示する令状がなければ，侵されない。

② 捜索又は押収は，権限を有する司法官憲が発する各別の令状により，これを行ふ。

用語解説

＊労働関係の項目は，第27条，第28条と関連づけて理解する。

第26条

能力　物事を成し得る力。単に学力をさすのではない。

普通教育　国民が受けなければならないとされる基礎的な教育。日本の場合，9年間の義務教育をさす。

第27条

就業時間　業務についている時間。労働基準法では，1日8時間を超えないことを定めている。

酷使　休息も与えず働かせること。

第28条

団体交渉　労働者団体の代表が労働条件などについて使用者と話し合うこと。

団体行動　交渉以外の組合としての行動。ストライキや集会など。

第31条

何人も　国民ないし外国人を含むすべての個人および法人，団体をさす。

＊ 第33条，第34条，第35条，第36条は，被疑者の権利を規定したものである。マグナ=カルタ第39条，権利請願第3条，フランス人権宣言第7条前段と読み比べると理解が深まる。

第33条

現行犯　犯行中に，または犯行が終わった際に発覚した犯罪。

司法官憲　司法上の権限を有する公務員。ここでは，裁判官をさす。

令状　逮捕状。広くは命令を書いた文書。

第34条

抑留　強制的に身体の自由を一時拘束すること。逮捕後の一時的な留置などをいう。

拘禁　刑務所，留置所などに留置し，一定期間身体の自由を拘束すること。

第36条

拷問　無理に犯罪を自白させるために，肉体的苦痛を与えること。

＊ 第37条，第38条，第39条は，刑事被告人の権利を定めたものである。詳細は，刑事訴訟法に規定されている。

ガイドセミナー【第3章　国民の権利および義務　3】

A：生存権は具体化する法律によってはじめて具体的権利となるとされている（プログラム規定）。判例としては朝日訴訟，堀木訴訟がある。また新しい人権として，環境権が本項と第13条の幸福追求権を根拠として下級審の判例（大阪空港公害訴訟）で認められている。

B：関連条文として，第144条第1項（法の下の平等），第23条（学問の自由）がある。判例として旭川学テ事件がある。

C：勤労の義務は国民の3つの義務の1つである

D：勤労者の①団結権，②団体交渉権，③団体行動権（争議権）を保障している条文であり，この3つをあわせて「労働基本権」あるいは「労働三権」と呼ぶ。

E：本条は，英米法でいういわゆるdue process of low（適正手続条項）に由来する。人権を手続的に保障しようとする考え方は，英米法の特徴である。本条はまた，刑法上の大原則である罪刑法定主義を規定したもので，「法律なければ刑罰なし」とするローマ法以来の伝統でもある。

F：本条に言う「逮捕」とは，刑事訴訟法で言う「逮捕」に限らず，広く犯罪の嫌疑を理由に身柄を拘束することが含まれる。

第36条〔拷問及び残虐刑の禁止〕

公務員による拷問及び残虐な刑罰は，絶対にこれを禁ずる。[A]

第37条〔刑事被告人の権利〕

① すべて刑事事件においては，被告人は，公平な裁判所の迅速な公開裁判を受ける権利を有する。[B]

② 刑事被告人は，すべての証人に対して審問する機会を充分に与へられ，又，公費で自己のために強制的手続により証人を求める権利を有する。

③ 刑事被告人は，いかなる場合にも，資格を有する弁護人を依頼することができる。被告人が自らこれを依頼することができないときは，国でこれを附する。

第38条〔自己に不利益な供述，自白の証拠能力〕

① 何人も，自己に不利益な供述を強要されない。

② 強制，拷問若しくは脅迫による自白又は不当に長く抑留若しくは拘禁された後の自白は，これを証拠とすることができない。

③ 何人も，自己に不利益な唯一の証拠が本人の自白である場合には，有罪とされ，又は刑罰を科せられない。

第39条〔遡及処罰の禁止・一事不再理〕

何人も，実行の時に適法であつた行為又は既に無罪とされた行為については，刑事上の責任を問はれない。又，同一の犯罪について，重ねて刑事上の責任を問はれない。[C]

第40条〔刑事補償〕

何人も，抑留又は拘禁された後，無罪の裁判を受けたときは，法律の定めるところにより，国にその補償を求めることができる。

用語解説

第37条
被告人　刑事事件で訴えられ，裁判がまだ確定していない者。

第38条
供述　審問に答えて，事実や意見を述べること。
自白　自ら自分の犯した犯罪事実を告白すること。

第39条
遡及　過去にさかのぼること。
一事不再理　一度判決が確定した事件については，同じ罪状で裁判をしてはならないという原則。

ガイドセミナー【第3章　国民の権利および義務　4】

A：本条は戦前及び戦時中にいわゆる「特高」による拷問が行われたことの反省から，拷問と残虐な刑罰を「絶対に」と禁じたものである。なお「絶対に」禁じるというのは，他の人権と異なり，「公共の福祉」による制約としての例外も認めないという意味である。
B：関連する条文として，第31条（法定手続きの保障），第32条（裁判を受ける権利）がある。
C：一事不再理という。フランス法やドイツ法など大陸法において発展してきたもので，判決が確定した後は，その内容を争うことは許されなくなり，同じ事件を再度起訴することは認められない。

第4章　国　会

第41条〔国会の地位・立法権〕

国会は，国権の最高機関であつて，国の唯一の立法機関である。[A]

第42条〔両院制〕

国会は，衆議院及び参議院の両議院でこれを構成する。[B]

第43条〔両議院の組織・代表〕

① 両議院は，全国民を代表する選挙された議員でこれを組織する。[C]

② 両議院の議員の定数は，法律でこれを定める。

第44条〔議員及び選挙人の資格〕

両議院の議員及びその選挙人の資格は，法律でこれを定める。但し，人種，信条，性別，社会的身分，門地，教育，財産又は収入によつて差別してはならない。

第45条〔衆議院議員の任期〕

衆議院議員の任期は，4年とする。但し，衆議院解散の場合には，その期間満了前に終了する。[D]

第46条〔参議院議員の任期〕

参議院議員の任期は，6年とし，3年ごとに議員の半数を改選する。

第47条〔選挙に関する事項〕

選挙区，投票の方法その他両議院の議員の選挙に関する事項は，法律でこれを定める。

第48条〔両議院議員兼職の禁止〕

何人も，同時に両議院の議員たることはできない。

第41条
国権の最高機関　国の政治について最高の権力をもつ機関。
唯一の立法機関　国の法律の制定・改廃を行うことができるただ1つの国家機関。

第43条
定数　規則で決められた一定の人数。
法律→公職選挙法（1950.4.15公布）

第45条
期間満了　決められた期間を終えること。この場合は4年間の任期。

第46条
改選　任期が終了して，その役職につく人を改めて選挙により選出すること。

第49条〔議員の歳費〕

両議院の議員は，法律の定めるところにより，国庫から相当額の歳費を受ける。

第50条〔議員の不逮捕特権〕

両議院の議員は，法律の定める場合を除いては，国会の会期中逮捕されず，会期前に逮捕された議員は，その議院の要求があれば，会期中これを釈放しなければならない。

第51条〔議員の発言・表決の無責任〕

両議院の議員は，議院で行つた演説，討論又は表決について，院外で責任を問はれない。

第52条〔常会〕

国会の常会は，毎年1回これを召集する。

第53条〔臨時会〕

内閣は，国会の臨時会の召集を決定することができる。いづれかの議院の総議員の4分の1以上の要求があれば，内閣は，その召集を決定しなければならない。

第54条〔衆議院の解散・特別会，参議院の緊急集会〕

① 衆議院が解散されたときは，解散の日から40日以内に，衆議院議員の総選挙を行ひ，その選挙の日から30日以内に，国会を召集しなければならない。

② 衆議院が解散されたときは，参議院は，同時に閉会となる。但し，内閣は，国に緊急の必要があるときは，参議院の緊急集会を求めることができる。

③ 前項但書の緊急集会において採られた措置は，臨時のものであつて，次の国会開会の後10日以内に，衆議院の同意がない場合には，その効力を失ふ。

第55条〔資格争訟の裁判〕

両議院は，各々その議員の資格に関する争訟を裁判する。但し，議員の議席を失はせるには，出席議員の3分の2以上の多数による議決を必要とする。

第56条〔定足数，表決〕

① 両議院は，各々その総議員の3分の1以上の出席がなければ，議事を開き議決することができない。

② 両議院の議事は，この憲法に特別の定のある場合を除いては，出席議員の過半数でこれを決し，可否同数のときは，議長の決するところによる。

第57条〔会議の公開，会議録，表決の記載〕

① 両議院の会議は，公開とする。但し，出席議員の3分の2以上の多数で議決したときは，秘密会を開くことができる。

② 両議院は，各々その会議の記録を保存し，秘密会の記録の中で特に秘密を要すると認められるもの以外は，これを公表し，且つ一般に頒布しなければならない。

③ 出席議員の5分の1以上の要求があれば，各議員の表決は，これを会議録に記載しなければならない。

用語解説

第49条
歳費　国会議員が1年間に議員の仕事に対して受けとる報酬。

第51条
表決　議案に対する賛否の意思表示。

第52条
常会　国会の1つで，毎年必ず開かれる。通常国会ともいう。

第53条
臨時会　国会の1つで，必要に応じて開かれる。臨時国会ともいう。

第54条
特別会　国会の1つで，衆議院議員総選挙後に開催。特別国会ともいう。
但書　「但し」という文字をつけて，その前文の条件，補足などを示したもの。
措置　参議院の緊急集会で，ある事態に対して決められたこと。

第57条
頒布　配布。広くいきわたらせること。

ガイドセミナー【第4章　国会　1】

A：ここでの「国権」とは，一般に立法権・行政権・司法権など，統治活動をする様々な権力の総称をさす。「唯一の立法機関」であるとは，国会が立法権を独占することを宣言している。
B：本条は国会が衆参両議院によって構成されるとして，二院制の採用を示している。なお国会の組織及び運営については国会法に定められている。
C：衆参両議院は，全国民を代表する国会議員によって構成される旨を示した規定である。これは権力は国民の代表者が行使する旨を規定している前文1段とともに，憲法が間接民主制を採用することを明らかにしたものである。
D：衆議院の解散については，第7条3号と第69条に明記されている。
E：①国会議員は原則として，会期中は逮捕されないこと，②会期前に逮捕された国会議員がいる場合，その所属する議院の要求があれば，会期中釈放しなければならないことを定め，この2つをあわせて国会議員の「不逮捕特権」という。
F：両議院の議員は，議院で行った演説等について院外で責任を問われない。これを国会議員の「免責特権」という。
G：「特別国会」と呼ばれる。
H：国会の会議が公開されることは，民主主義国家においては議員は国民の代表者であることからする基本的な原則であるが，今日ではさらに，国民の知る権利のための原則にもなっている。

◆どうして「国会」が最高なのか？

日本は立法権（国会）・行政権（内閣）・司法権（裁判所）の三権がそれぞれ独立してお互いにチェックする三権分立を採用している。この制度では，三つの機関が対等であることが前提となっている。では，その中でも憲法が国会を最高機関と位置づけたのはなぜであろうか。それは国会だけが主権者である国民と直接につながっている機関だからである。三権の中で，国会だけが国民から直接選ばれた代表者（議員）によって構成され，国民の意思に一番近いということから，一番重要な機関であるという意味なのである。

第58条〔役員の選任，議院規則・懲罰〕

① 両議院は，各々その議長その他の役員を選任する。

② 両議院は，各々その会議その他の手続及び内部の規律に関する規則を定め，又，院内の秩序をみだした議員を懲罰することができる。但し，議員を除名するには，出席議員の3分の2以上の多数による議決を必要とする。

第59条〔法律案の議決，衆議院の優越〕

① 法律案は，この憲法に特別の定のある場合を除いては，両議院で可決したとき法律となる。

② 衆議院で可決し，参議院でこれと異なつた議決をした法律案は，衆議院で出席議員の3分の2以上の多数で再び可決したときは，法律となる。

③ 前項の規定は，法律の定めるところにより，衆議院が，両議院の協議会を開くことを求めることを妨げない。

④ 参議院が，衆議院の可決した法律案を受け取つた後，国会休会中の期間を除いて60日以内に，議決しないときは，衆議院は，参議院がその法律案を否決したものとみなすことができる。

第60条〔衆議院の予算先議，予算議決に関する衆議院の優越〕

① 予算は，さきに衆議院に提出しなければならない。

② 予算について，参議院で衆議院と異なつた議決をした場合に，法律の定めるところにより，両議院の協議会を開いても意見が一致しないとき，又は参議院が，衆議院の可決した予算を受け取つた後，国会休会中の期間を除いて30日以内に，議決しないときは，衆議院の議決を国会の議決とする。

第61条〔条約の承認に関する衆議院の優越〕

条約の締結に必要な国会の承認については，前条第2項の規定を準用する。

第62条〔議院の国政調査権〕

両議院は，各々国政に関する調査を行ひ，これに関して，証人の出頭及び証言並びに記録の提出を要求することができる。

第63条〔閣僚の議院出席の権利と義務〕

内閣総理大臣その他の国務大臣は，両議院の一に議席を有すると有しないとにかかはらず，何時でも議案について発言するため議院に出席することができる。又，答弁又は説明のため出席を求められたときは，出席しなければならない。

第64条〔弾劾裁判所〕

① 国会は，罷免の訴追を受けた裁判官を裁判するため，両議院の議員で組織する弾劾裁判所を設ける。

② 弾劾に関する事項は，法律でこれを定める。

用語解説

第58条
懲罰　不正や不当行為に対し，こらしめのために罰をあたえること。戒告・陳謝・登院停止・除名の4つがある。
除名　名簿から名前を消すこと。この場合は議員の資格を奪うこと。

第59条
両議院の協議会　衆参それぞれ10名ずつ出席の意見調整のための会議。

第60条
予算　国家の1年間における収入と支出の見積もり。

第61条
条約　文書による国家間の取決め。

第64条
罷免の訴追　職務をやめさせる訴えを起こすこと。
弾劾　裁判官などの犯罪や不正を調べて明るみにだし，一定の方法によって審判し罷免させる手続き。

ガイドセミナー【第4章　国会　2】

A：第60条2項，第61条，第67条2項も参照のこと。
B：予算は内閣が作成して国会に提出するが（第73条5号，第86条），本条1項により衆議院が先に審議することから，衆議院に提出される。
C：関連する条文として，第78条（裁判官の身分保障）がある。

衆議院の解散　バンザイをする議員。（2017年9月28日　衆議院本会議場）

党首討論に臨む，自由民主党の菅首相（左）と枝野立憲民主党党首。（2021年6月　国会内）

資料編

第5章　内　閣

第65条〔行政権〕

行政権は，内閣に属する。[A]

第66条〔内閣の組織，文民資格，国会に対する連帯責任〕

① 内閣は，法律の定めるところにより，その首長たる内閣総理大臣及びその他の国務大臣でこれを組織する。

② 内閣総理大臣その他の国務大臣は，文民でなければならない。[B]

③ 内閣は，行政権の行使について，国会に対し連帯して責任を負ふ。[C]

第67条〔内閣総理大臣の指名，衆議院の優越〕

① 内閣総理大臣は，国会議員の中から国会の議決で，これを指名する。[D] この指名は，他のすべての案件に先だつて，これを行ふ。

② 衆議院と参議院とが異なつた指名の議決をした場合に，法律の定めるところにより，両議院の協議会を開いても意見が一致しないとき，又は衆議院が指名の議決をした後，国会休会中の期間を除いて10日以内に，参議院が，指名の議決をしないときは，衆議院の議決を国会の議決とする。

第68条〔国務大臣の任命及び罷免（ひめん）〕

① 内閣総理大臣は，国務大臣を任命する。但（ただ）し，その過半数は，国会議員の中から選ばれなければならない。[E]

② 内閣総理大臣は，任意に国務大臣を罷免することができる。

第69条〔内閣不信任決議の効果〕

内閣は，衆議院で不信任の決議案を可決し，又は信任の決議案を否決したときは，10日以内に衆議院が解散[F]されない限り，総辞職[G]をしなければならない。

第70条〔内閣総理大臣の欠缺（けんけつ）・新国会の召集と内閣の総辞職〕

内閣総理大臣が欠けたとき，又は衆議院議員総選挙の後に初めて国会の召集があつたときは，内閣は，総辞職をしなければならない。

第71条〔総辞職後の内閣〕

前2条の場合には，内閣は，あらたに内閣総理大臣が任命されるまで引き続きその職務を行ふ。

第72条〔内閣総理大臣の職務〕

内閣総理大臣は，内閣を代表して議案を国会に提出し，一般国務及び外交関係について国会に報告し，並びに行政各部を指揮監督する。

第73条〔内閣の職務〕

内閣は，他の一般行政事務の外，左の事務を行ふ。

1　法律を誠実に執行し，国務を総理すること。

2　外交関係を処理すること。

3　条約を締結すること。但（ただ）し，事前に，時宜（じぎ）によつては事後に，国会の承認を経ることを必要とする。

4　法律の定める基準に従ひ，官吏に関する事務を掌理すること。

5　予算を作成して国会に提出すること。

6　この憲法及び法律の規定を実施するために，政令を制定すること。但（ただ）し，政令には，特にその法律の委任がある場合を除いては，罰則を設けることができない。

用語解説

第66条

文民　軍人でない人。英語のシビリアン（civilian）の訳。いわゆるシビリアン＝コントロール（文民統制）といわれる規定である。

第101代　内閣総理大臣
岸田文雄（2021.11.10 就任）

第69条

不信任　国会が，内閣に行政活動を信用して任せることができないこと

総辞職　内閣総理大臣を含む全員の国務大臣が自分から職を辞めること。

◆内閣はどんな仕事をするところなのだろうか？

国民への公共サービス活動という，行政活動の頂点に立つのが内閣である。しかし，内閣だけで現実にすべての行政を実行するのは無理なため，内閣のもとに，内閣府や省庁（財務省・文部科学省など）という行政各部をおいて，国民への公共サービス活動を行っている。内閣の仕事の中心は，国会のつくった法律を誠実に守り実行することである（第73条）。

第73条

執行　法律等の内容を実際にとり行うこと。

総理　全体を管理すること。

締結　条約・約束などを取り結ぶこと

時宜　時期や状況が適していること。

法律→国家公務員法（1947.10.21 公布）

官吏　国家公務員。

掌理　担当して処理すること。

ガイドセミナー【第5章　内閣】

A：対比条文として，第41条（立法権）第76条1項（司法権）を参照のこと。
B：本条の言う「文民」の意味については，「現在，職業軍人でない者（現役の自衛官を含む）」という見解などがある。
C：「責任」の内容は，法的な責任ではなく，政治的な責任である。
D：関連条文として第6条1項を参照のこと。
E：議院内閣制を円滑に運営していくために国務大臣は国会議員であることが望ましい反面，国会議員以外の人材も登用する必要があることとのバランスがとられている。
F：「解散」については他に第7条3号，第54条がある。
G：「総辞職」に関連する条文としては，第66条第3項（国会に対する連帯責任）がある。

資料編

7　大赦，特赦，減刑，刑の執行の免除及び復権を決定すること。

第 74 条〔法律・政令の署名〕

法律及び政令には，すべて主任の国務大臣が署名し，内閣総理大臣が連署することを必要とする。

第 75 条〔国務大臣の特典〕

国務大臣は，その在任中，内閣総理大臣の同意がなければ，訴追されない。但し，これがため，訴追の権利は，害されない。

第6章　司　法

第 76 条〔司法権・裁判所，特別裁判所の禁止，裁判官の独立〕

① すべて司法権は，最高裁判所及び法律の定めるところにより設置する下級裁判所に属する。(A)

② 特別裁判所は，これを設置することができない。(B)行政機関は，終審として裁判を行ふことができない。

③ すべて裁判官は，その良心に従ひ独立してその職権を行ひ，この憲法及び法律にのみ拘束される。

第 77 条〔最高裁判所の規則制定権〕

① 最高裁判所は，訴訟に関する手続，弁護士，裁判所の内部規律及び司法事務処理に関する事項について，規則を定める権限を有する。

② 検察官は，最高裁判所の定める規則に従はなければならない。

③ 最高裁判所は，下級裁判所に関する規則を定める権限を，下級裁判所に委任することができる。

第 78 条〔裁判官の身分の保障〕

裁判官は，裁判により，心身の故障のために職務を執ることができないと決定された場合を除いては，公の弾劾によらなければ罷免されない。裁判官の懲戒処分は，行政機関がこれを行ふことはできない。

第 79 条〔最高裁判所の裁判官，国民審査，定年，報酬〕

① 最高裁判所は，その長たる裁判官及び法律の定める員数のその他の裁判官でこれを構成し，(C)その長たる裁判官以外の裁判官は，内閣でこれを任命する。

② 最高裁判所の裁判官の任命は，その任命後初めて行はれる衆議院議員総選挙の際国民の審査(D)に付し，その後 10 年を経過した後初めて行はれる衆議院議員総選挙の際更に審査に付し，その後も同様とする。

③ 前項の場合において，投票者の多数が裁判官の罷免を可とするときは，その裁判官は，罷免される。

④ 審査に関する事項は，法律でこれを定める。

⑤ 最高裁判所の裁判官は，法律の定める年齢に達した時に退官する。

⑥ 最高裁判所の裁判官は，すべて定期に相当額の報酬を受ける。この報酬は，在任中，これを減額することができない。

ガイドセミナー【第 6 章　司法】

A：対比条文として第41条（立法権），65条（行政権）がある。司法権の範囲については，民事裁判，刑事裁判に限らず，行政裁判も含めて，すべて司法権に属するとした。これは英米法で発達した制度である。

B：裁判官の弾劾裁判所（第 64 条）は，裁判官という特定の人の弾劾という特定の事件についてのみ扱い，しかも通常の裁判所の系列に属さないものだが，これは憲法が認めた特別裁判所の禁止の例外である。

C：最高裁判所は，長官 1 名，その他の裁判官 14 名で構成されている。なお長官は天皇の任命（第 6 条 2 項），その他の裁判官は，内閣の任命（本条 1 項）である。

D：国民審査は判例，学説ともにリコール（解職）の一種と解釈されている。

E：違憲審査権を裁判所に与えたのは，憲法の最高法規性（第 98 条 1 項）を，裁判所が行う違憲審査によって担保し，国民の憲法上の自由・権利の実現を保障しようとする趣旨である。

用語解説

第 74 条

連署　同一の書面に複数の者が氏名を列記し，連判すること。

第 75 条

訴追　検察官が刑事事件について公訴を提起すること。

第 76 条

下級裁判所　高等裁判所・簡易裁判所・地方裁判所・家庭裁判所の 4 つを指す。

特別裁判所　特定の事件や特定の身分に属する人だけを扱う裁判所のこと。明治憲法下では，軍法会議や皇室裁判所などがあった。現憲法では，設置を認められていない。

終審　最終の裁判所の判断。

良心　道徳や良識など個人の心の中にある価値観や考え方。

独立　ほかの人や機関などによって，干渉・支配されないこと。

第 77 条

規則制定権　国会や内閣など，ほかからの司法の独立を確保するため，最高裁判所に司法の内部の規則を制定する権限がある。

第 78 条

心身の故障　精神的または肉体的に問題が起こって執務できない状態。

第 79 条

国民の審査　最高裁の裁判官が適任かどうかについて，主権者である国民が投票する。不適任が多数ならば罷免される。

退官　官職をやめること。最高裁・簡易裁の裁判官の定年は 70 歳，その他は 65 歳。

◆あなたにも人を裁く日がやってくる

国民が刑事裁判に参加し，裁判官とともに殺人罪などの重大事件を裁く裁判員制度は 2009 年，順調なスタートを切った。法廷に市民感覚を反映させる歴史的な改革であるが，守秘義務のあり方や被害者保護など，多くの問題点もある。裁判員法の附則では施行 3 年後（2012 年）に運用状況を検討し必要な措置を取るとされている。「疑わしきは被告人の利益に」という刑事裁判の原則を貫きつつ，犯罪被害者の保護，裁判員の負担軽減に配慮しながら，問題点の洗い出しを進めることが政府や司法関係者に求められている。

資料編

第 80 条〔下級裁判所の裁判官・任期・定年，報酬〕

① 下級裁判所の裁判官は，最高裁判所の指名した者の名簿によつて，内閣でこれを任命する。その裁判官は，任期を 10 年とし，再任されることができる。但し，法律の定める年齢に達した時には退官する。

② 下級裁判所の裁判官は，すべて定期に相当額の報酬を受ける。この報酬は，在任中，これを減額することができない。

第 81 条〔法令審査権と最高裁判所〕

最高裁判所は，一切の法律，命令，規則又は処分が憲法に適合するかしないかを決定する権限を有する終審裁判所である。

第 82 条〔裁判の公開〕

① 裁判の対審及び判決は，公開法廷でこれを行ふ。

② 裁判所が，裁判官の全員一致で，公の秩序又は善良の風俗を害する虞があると決した場合には，対審は，公開しないでこれを行ふことができる。但し，政治犯罪，出版に関する犯罪又はこの憲法第 3 章で保障する国民の権利が問題となつてゐる事件の対審は，常にこれを公開しなければならない。

第7章　財　政

第 83 条〔財政処理の基本原則〕

国の財政を処理する権限は，国会の議決に基いて，これを行使しなければならない。

第 84 条〔課税〕

あらたに租税を課し，又は現行の租税を変更するには，法律又は法律の定める条件によることを必要とする。

第 85 条〔国費の支出及び国の債務負担〕

国費を支出し，又は国が債務を負担するには，国会の議決に基くことを必要とする。

第 86 条〔予算〕

内閣は，毎会計年度の予算を作成し，国会に提出して，その審議を受け議決を経なければならない。

第 87 条〔予備費〕

① 予見し難い予算の不足に充てるため，国会の議決に基いて予備費を設け，内閣の責任でこれを支出することができる。

② すべて予備費の支出については，内閣は，事後に国会の承諾を得なければならない。

第 88 条〔皇室財産・皇室の費用〕

すべて皇室財産は，国に属する。すべて皇室の費用は，予算に計上して国会の議決を経なければならない。

第 89 条〔公の財産の支出又は利用の制限〕

公金その他の公の財産は，宗教上の組織若しくは団体の使用，便益若しくは維持のため，又は公の支配に属しない慈善，教育若しくは博愛の事業に対し，これを支出し，又はその利用に供してはならない。

◆超借金大国日本

2013 年度の日本の国債残高は，国と地方をあわせて 1008 兆円となり，1000 兆円の大台を突破した。つまり，借金が 1008 兆円もあるということだ。会社ならすでに倒産，家計ならばローン地獄といったところで 1974 年の石油危機以来，日本は慢性的な財政赤字に苦しんできた。特にバブル崩壊後は「失われた 30 年」と言われるほど，景気が悪化し，そのための対策として赤字国債を出し続けてきたのである。

用語解説

第 81 条

終審裁判所　判決内容に不服があってももう訴えることができない最後の裁判所。最高裁が，最後の判断をすること。

<違憲審査権の性格>

・具体的な訴訟事件が提起された際に，判断する。

・高度に政治的な判断が必要な場合には，立法府にゆだね，憲法判断を回避する。(統治行為)

<違憲審査権の主体>

・最高裁判所だけでなく，下級裁判所も違憲審査の権限をもつ。下級裁判所の違憲判決は，その当該事件にのみ適用。

・最高裁判所の違憲判決は判例となる。

・最高裁判所は，違憲審査権を行使する終審裁判所なので，「憲法の番人」といわれている。

第 82 条

本条第 1 項及び第 2 項前段は，帝国憲法第 59 条にも同様の規定がある。第 2 項後段但し書き以下が重要である。関連する条文として，第 21 条第 1 項がある。

公の秩序　社会の安定や安全・安心できる規律やしくみ。

善良の風俗　社会一般の好ましいならわし。

第 84 条

租税　税金のこと。

第 85 条

債務　借金を返済する義務。

第 89 条

便益　都合がいいこと。利益があること。

博愛　あまねく愛すること。

ガイドセミナー【第 7 章　財政】

A：本条は，財政の基本原則を規定したものである。

B：本条は，租税法定主義を定めたものである。「代表なければ課税なし」というイギリスの政治原則に由来する規定である。関連する条文として第 30 条（納税の義務）がある。

C：関連する条文として，第 20 条（信教の自由），第 23 条（学問の自由）がある。

D：関連する条文として，第 72 条（内閣総理大臣の国会への報告）がある。

資料編

第 90 条〔決算検査，会計検査院〕

① 国の収入支出の決算は，すべて毎年会計検査院がこれを検査し，内閣は，次の年度に，その検査報告とともに，これを国会に提出しなければならない。

② 会計検査院の組織及び権限は，法律でこれを定める。

第 91 条〔財政状況の報告〕

内閣は，国会及び国民に対し，定期に，少くとも毎年１回，国の財政状況について報告しなければならない。D

第8章　地方自治

第 92 条〔地方自治の基本原則〕

地方公共団体の組織及び運営に関する事項は，地方自治の本旨に基いて，法律でこれを定める。

第 93 条〔地方公共団体の機関，その直接選挙〕

① 地方公共団体には，法律の定めるところにより，その議事機関として議会を設置する。A

② 地方公共団体の長，その議会の議員及び法律の定めるその他の吏員は，その地方公共団体の住民が，直接これを選挙する。B

第 94 条〔地方公共団体の権能〕

地方公共団体は，その財産を管理し，事務を処理し，C 及び行政を執行する権能を有し，法律の範囲内で条例を制定することができる。

第 95 条〔特別法の住民投票〕

一の地方公共団体のみに適用される特別法は，法律の定めるところにより，その地方公共団体の住民の投票 D においてその過半数の同意を得なければ，国会は，これを制定することができない。

ガイドセミナー【第８章　地方自治】

A：本条第１項は団体自治を明示したものである。関連条文として第 15 条１項①（公務員の選定罷免権），第3項（普通選挙），第4項（投票の秘密）がある。
B：本条第２項は住民自治を明示したものである。
C：「地方公共団体の仕事」は自治事務と法廷受諾事務に分類される。
D：本条も住民自治を明示したもの。憲法改正の国民投票とともに，レファンダム（直接投票）の１つである。

第9章　改　正

第 96 条〔改正の手続，その公布〕

① この憲法の改正は，各議院の総議員の３分の２以上の賛成 A で，国会が，これを発議し，国民に提案してその承認を経なければならない。この承認には，特別の国民投票 B 又は国会の定める選挙の際行はれる投票において，その過半数の賛成を必要とする。

② 憲法改正について前項の承認を経たときは，天皇は，国民の名 C で，この憲法と一体を成すものとして，直ちにこれを公布する。

用語解説

第 90 条
会計検査院→政府から独立した機関で，毎年国の収入・支出の決算を確認する機関

第 92 条
地方自治の本旨　住民自治と団体自治をその内容とする。その地域の住民みずからが自分たちの要望にそった政治を国からの干渉を受けることなく実現すること。

第 93 条
吏員　地方公共団体の公務員。

第 94 条
条例　地方公共団体の議会によって制定された法規。

第 95 条
特別法→国会が議決する法律で，国民全体に適用されるのではなく特別の区域にのみ適用される法

第 96 条
発議　議事の開始を求めること。現憲法には発議の規定がなく，「議決」なのか「議事提起」なのか，「内閣提起」もできるのか…などの論議がある。

◆憲法を変えるのが難しいのはなぜだろうか

憲法は人権の保障や民主的な政治のしくみの基本を定めており，また国の一番大切な法であって最高法規と呼ばれている。国の基本である決まりがくるくると変わるのは大変なので，簡単に変えることは予定しておらず，変更する手続きを厳しくしている。このように改正が難しい憲法は，硬性憲法と呼ばれる。

ガイドセミナー【第９章　改正】

A,B：<憲法改正の手続き>衆参両議院の総議員の３分の２以上の賛成→国民投票で過半数の賛成→天皇の公布
C：民定憲法として改正手続きをする旨を明示しものである。関連する条文として第７条１号がある。

第10章　最高法規

第97条〔基本的人権の本質〕

この憲法が日本国民に保障する基本的人権は，人類の多年にわたる自由獲得の努力の成果であつて，これらの権利は，過去幾多の試錬に堪へ，現在及び将来の国民に対し，侵すことのできない永久の権利として信託されたものである。

第98条〔最高法規，条約及び国際法規の遵守〕

① この憲法は，国の最高法規であつて，その条規に反する法律，命令，詔勅及び国務に関するその他の行為の全部又は一部は，その効力を有しない。

② 日本国が締結した条約及び確立された国際法規は，これを誠実に遵守することを必要とする。

第99条〔憲法尊重擁護の義務〕

天皇又は摂政及び国務大臣，国会議員，裁判官その他の公務員は，この憲法を尊重し擁護する義務を負ふ。

用語解説

第97条

信託　譲り渡されるものでなく預けられたもの。

第98条

最高法規　国のあらゆる法の中で最も上位の法のこと。

国際法規　条約・協約・議定書・政府間協定までを含めた，国家間の合意を指す。

第99条

擁護　かかえ守ること。ここでは憲法を破壊する行為に対して抵抗し，憲法の実施を確保することの意味。

ガイドセミナー【第９章　改正】【第１０章　最高法規】

A：関連する条文として憲法第１１条がある。

B：関連する条文として前文第１段落，第８１条（違憲審査），第９６条（改正）がある。憲法が最高法規であることは，第８１条，第９６条で担保されており，本条第１項は，それを形式的に整えた規定ということができる（形式的最高法規性）。

C：主権者である国民の信託を受けて，国政の重責を担う者は，実質的（第９７条）にも，形式的（第９８条第１項）にも最高法規である憲法を守る義務があることを明示・確認して，憲法の条文を実質上終わらせている。

第11章　補　則

第100条〔憲法施行期日，準備手続〕

① この憲法は，公布の日から起算して６箇月を経過した日から，これを施行する。

② この憲法を施行するために必要な法律の制定，参議院議員の選挙及び国会召集の手続並びにこの憲法を施行するために必要な準備手続は，前項の期日よりも前に，これを行ふことができる。

第101条〔経過規定―参議院未成立の間の国会〕

この憲法施行の際，参議院がまだ成立してゐないときは，その成立するまでの間，衆議院は，国会としての権限を行ふ。

第102条〔同前―第１期の参議院議員の任期〕

この憲法による第１期の参議院議員のうち，その半数の者の任期は，これを３年とする。その議員は，法律の定めるところにより，これを定める。

第103条〔同前―公務員の地位〕

この憲法施行の際現に在職する国務大臣，衆議院議員及び裁判官並びにその他の公務員で，その地位に相応する地位がこの憲法で認められてゐる者は，法律で特別の定をした場合を除いては，この憲法施行のため，当然にはその地位を失ふことはない。但し，この憲法によつて，後任者が選挙又は任命されたときは，当然その地位を失ふ。

◎なぜ「第１１章　補則」を規定したのか？

新憲法が完全に実施されるためには，諸法律が制定され，実施に必要な諸制度が設けられていなければならない。そこで規定したのが「補則」であるが，実施後の現在は適用されることのない条文である。

新憲法施行以前に制定され，施行と同時に効力を発した法律としては，「国会法」「内閣法」「裁判所法」の他「地方自治法」「労働基準法」「教育基本法」などがある。

また，参議院は，新憲法の成立によって新たに設けられた「国権の最高機関」の一院であるので，その地位の重要性から憲法を施行するときに参議院が成立しているほうが良いので，第100条の規定をおいた。実際には，1947（昭和22）年４月20日に参議院議員選挙が行われ，憲法施行の５月３日に参議院は成立した。

大日本帝国憲法

公布　1889（明治22）年2月11日
施行　1890（明治23）年11月29日（上諭第4段参照）
廃止　1947（昭和22）年5月2日

憲法発布勅語

朕国家ノ**隆昌**ト**臣民**ノ**慶福**トヲ以テ中心ノ**欣栄**トシ朕カ**祖宗**ニ承クルノ大権ニ依リ現在及将来ノ臣民ニ対シ此ノ**不磨ノ大典**ヲ宣布ス

惟フニ我カ祖我カ宗ハ我カ臣民祖先ノ協力**輔翼**ニ倚リ我カ帝国ヲ**肇造**シ以テ**無窮**ニ垂レタリ此レ我カ神聖ナル祖宗ノ**威徳**ト並ニ臣民ノ忠実勇武ニシテ国ヲ愛シ公ニ殉ヒ以テ此ノ光輝アル国史ノ**成跡**ヲ貽シタルナリ朕我カ臣民ハ即チ祖宗ノ**忠良**ナル臣民ノ子孫ナルヲ回想シ其ノ朕カ意ヲ**奉体**シ朕カ事ヲ**奨順**シ相与ニ**和衷協同**シ益々我カ帝国ノ光栄ヲ**中外**ニ**宣揚**シ祖宗ノ**遺業**ヲ永久ニ**鞏固**ナラシムルノ希望ヲ同クシ此ノ負担ヲ分ツニ堪フルコトヲ疑ハサルナリ

（**上諭**）

朕祖宗ノ**遺烈**ヲ承ケ**万世一系**ノ帝位ヲ践ミ朕カ親愛スル所ノ臣民ハ即チ朕カ祖宗ノ**恵撫慈養**シタマヒシ所ノ臣民ナルヲ念ヒ其ノ**康福**ヲ増進シ其ノ**懿徳良能**ヲ発達セシメムコトヲ願ヒ又其ノ**翼賛**ニ依リ与ニ倶ニ国家ノ**進運**ヲ**扶持**セムコトヲ望ミ乃チ明治14年10月12日ノ**詔命**ヲ**履践**シ茲ニ**大憲**ヲ制定シ朕カ**率由**スル所ヲ示シ朕カ**後嗣**及臣民及臣民ノ子孫タル者ヲシテ永遠ニ**循行**スル所ヲ知ラシム

国家統治ノ大権ハ朕カ之ヲ祖宗ニ承ケテ之ヲ子孫ニ伝フル所ナリ

朕及朕カ子孫ハ将来此ノ憲法ノ条章ニ循ヒ之ヲ行フコトヲ愆ラサルヘシ

朕ハ我カ臣民ノ権利及財産ノ安全ヲ貴重シ及之ヲ保護シ此ノ憲法及法律ノ範囲内ニ於テ其ノ**享有**ヲ完全ナラシムヘキコトヲ宣言ス帝国議会ハ明治23年ヲ以テ之ヲ召集シ議会開会ノ時ヲ以テ此ノ憲法ヲシテ有効ナラシムルノ期トスヘシ

将来若此ノ憲法ノ或ル条章ヲ改定スルノ必要ナル**時宜**ヲ見ルニ至ラハ朕及朕カ**継統**ノ子孫ハ発議ノ権ヲ執リ之ヲ議会ニ付シ議会ハ此ノ憲法ニ定メタル要件ニ依リ之ヲ議決スルノ外朕カ子孫及臣民ハ敢テ之カ**紛更**ヲ試ミルコトヲ得サルヘシ

朕カ在廷ノ大臣ハ朕カ為ニ此ノ憲法ヲ施行スルノ責ニ任スヘク朕カ現在及将来ノ臣民ハ此ノ憲法ニ対シ永遠ニ従順ノ義務ヲ負フヘシ

御名御璽

明治22年2月11日

内閣総理大臣　伯爵　黒田清隆
枢密院議長　伯爵　伊藤博文
外務大臣　伯爵　大隈重信
海軍大臣　伯爵　西郷従道
農商務大臣　伯爵　井上　馨
司法大臣　伯爵　山田顕義
大蔵大臣兼
内務大臣　伯爵　松方正義
陸軍大臣　伯爵　大山　巌
文部大臣　子爵　森　有礼
逓信大臣　子爵　榎本武揚

用語解説

- **勅語**　天皇の意思表示の言。
- **朕**　秦の始皇帝以来，皇帝や天皇が「われ」の意に用いる。ここでは明治天皇のこと。
- **隆昌**　勢いの盛んなこと。隆盛。
- **臣民**　一般に君主国の被治者である国民。大日本帝国憲法下の天皇，皇族以外の者。
- **慶福**　めでたいこと。幸い。
- **欣栄**　喜び繁栄すること。
- **祖宗**　先祖代々の君主の総称。
- **不磨ノ大典**　すり減ることのない（その価値の変わらぬ）永久に伝えられる憲法。
- **輔翼**　補佐。
- **肇造**　初めてつくること。
- **無窮**　窮まりないこと。
- **威徳**　みだりに近寄りがたい威光と，人から慕われるような徳。
- **成跡**　過去の業績。
- **忠良**　忠義の心厚く善良なこと。
- **奉体**　うけたまわって心にとめ，行うこと。
- **奨順**　奨めてしたがわせること。
- **和衷協同**　心を同じにして，力を合わせること。
- **中外**　国内外。
- **宣揚**　世の中にあらわすこと。
- **遺業**　故人が成しとげて，この世に残した事業。
- **鞏固**　強固。
- **上諭**　明治憲法下で，天皇が法律を公布するにあたり，その初めに付した文章で，憲法典の構成部分であったが，現行憲法では規範性は失われ，制定手続を示した天皇の形式的な言葉だといえる。
- **遺烈**　後世に残る功績。
- **万世一系**　永久に1つの皇統で受け継がれること。
- **恵撫慈養**　恵み，愛し，慈しみ，養うこと。
- **康福**　安らかで福祉あること。
- **懿徳良能**　立派な徳と生まれながらの才能。
- **翼賛**　補佐すること。
- **進運**　進歩・向上の方向にあるなりゆきのこと。
- **扶持**　助けること。
- **詔命**　天皇の命令。
- **履践**　実際におこなうこと。
- **大憲**　大きなおきて。憲法。
- **率由**　したがうこと。
- **後嗣**　子孫。
- **循行**　命令にしたがい実行すること。
- **享有**　生まれながらに身に付けて持っていること。
- **時宜**　ほどよいころあいのこと。
- **継統**　皇位を継承すること。
- **紛更**　かきみだし改めること。

第1章 天 皇

第1条 大日本帝国ハ万世一系ノ天皇之ヲ統治ス
第2条 皇位ハ皇室典範ノ定ムル所ニ依リ皇男子孫之ヲ継承ス
第3条 天皇ハ神聖ニシテ侵スヘカラス
第4条 天皇ハ国ノ元首ニシテ統治権ヲ総攬シ此ノ憲法ノ条規ニ依リ之ヲ行フ
第5条 天皇ハ帝国議会ノ協賛ヲ以テ立法権ヲ行フ
第6条 天皇ハ法律ヲ裁可シ其ノ公布及執行ヲ命ス
第7条 天皇ハ帝国議会ヲ召集シ其ノ開会閉会停会及衆議院ノ解散ヲ命ス
第8条 ① 天皇ハ公共ノ安全ヲ保持シ又ハ其ノ災厄ヲ避クル為緊急ノ必要ニ由リ帝国議会閉会ノ場合ニ於テ法律ニ代ルヘキ勅令ヲ発ス
② 此ノ勅令ハ次ノ会期ニ於テ帝国議会ニ提出スヘシ若議会ニ於テ承諾セサルトキハ政府ハ将来ニ向テ其ノ効力ヲ失フコトヲ公布スヘシ
第9条 天皇ハ法律ヲ執行スル為ニ又ハ公共ノ安寧秩序ヲ保持シ及臣民ノ幸福ヲ増進スル為ニ必要ナル命令ヲ発シ又ハ発セシム但シ命令ヲ以テ法律ヲ変更スルコトヲ得ス
第10条 天皇ハ行政各部ノ官制及文武官ノ俸給ヲ定メ及文武官ヲ任免ス但シ此ノ憲法又ハ他ノ法律ニ特例ヲ掲ケタルモノハ各々其ノ条項ニ依ル
第11条 天皇ハ陸海軍ヲ統帥ス
第12条 天皇ハ陸海軍ノ編制及常備兵額ヲ定ム
第13条 天皇ハ戦ヲ宣シ和ヲ講シ及諸般ノ条約ヲ締結ス
第14条 ① 天皇ハ戒厳ヲ宣告ス
② 戒厳ノ要件及効力ハ法律ヲ以テ之ヲ定ム
第15条 天皇ハ爵位勲章及其ノ他ノ栄典ヲ授与ス
第16条 天皇ハ大赦特赦減刑及復権ヲ命ス
第17条 ① 摂政ヲ置クハ皇室典範ノ定ムル所ニ依ル
② 摂政ハ天皇ノ名ニ於テ大権ヲ行フ

第2章 臣民権利義務

第18条 日本臣民タルノ要件ハ法律ノ定ムル所ニ依ル
第19条 日本臣民ハ法律命令ノ定ムル所ノ資格ニ応シ均ク文武官ニ任セラレ及其ノ他ノ公務ニ就クコトヲ得
第20条 日本臣民ハ法律ノ定ムル所ニ従ヒ兵役ノ義務ヲ有ス
第21条 日本臣民ハ法律ノ定ムル所ニ従ヒ納税ノ義務ヲ有ス
第22条 日本臣民ハ法律ノ範囲内ニ於テ居住及移転ノ自由ヲ有ス
第23条 日本臣民ハ法律ニ依ルニ非スシテ逮捕監禁審問処罰ヲ受クルコトナシ
第24条 日本臣民ハ法律ニ定メタル裁判官ノ裁判ヲ受クルノ権ヲ奪ハルヽコトナシ
第25条 日本臣民ハ法律ニ定メタル場合ヲ除ク外其ノ許諾ナクシテ住所ニ侵入セラレ及捜索セラルヽコトナシ
第26条 日本臣民ハ法律ニ定メタル場合ヲ除ク外信書ノ秘密ヲ侵サルヽコトナシ

◎人権保障は半分！！ 第2章の「臣民権利義務」は18条から32条の15か条で人権について規定しているが，現行憲法の第3章「国民の権利及び義務」は10条から40条に及ぶ31か条で，条文の数の比較でも明治憲法は半分に過ぎない。さらに，その標題は「国民」ではなく「臣民」であって，天皇が特別の恩恵をもって許し与えたものであった。

用語解説

第2条
皇室典範　皇室に関する法律。

第3条
神聖　限りなく尊いこと。尊厳でおかしがたいこと。

第4条
元首　条約締結権などの権限を有し，対外的に国家を代表する機関。現在の日本には元首は存在しないとする説が憲法学者の間で有力。
総攬　すべてを掌握すること。

第5条
協賛　事前に審議し，同意を与えること。

第6条
裁可　天皇が政治各機関の案文を承認し許可すること。

第8条
勅令　天皇が発する命令で，帝国議会の同意を必要としなかった。

第9条
安寧秩序　公共の安全と社会の秩序が保たれていること。

第10条
官制　行政機関の設置・廃止・組織・権限などについての規定。
文武官　文官は武官ではない官吏の総称。武官は軍務にたずさわる官吏。旧陸海軍の下士官以上の軍人。

第11条
統帥　軍の編成・指揮を行う権限。大日本帝国憲法下では，天皇が有し，立法・行政・司法の三権の関与は許されていなかった。このため，天皇の統帥権を補佐する軍部首脳が独断的な行動を取った。

第13条
諸般　いろいろ。

第14条
戒厳　戦争・事変の際に，立法・行政・司法の権限を軍に移すこと。日本国憲法下ではこの制度はない。

第15条
爵位勲章　爵は，公・侯・伯・子・男の5等に分かれた華族の世襲的階級。勲章は，国家や社会に対する勲功を表彰し与えられる記章。
栄典　栄誉を表すため与えられる位・勲章。

第16条
大赦特赦　国家的祝賀に際して行われる刑罰の軽減（恩赦）の種類。恩赦には，大赦・特赦・減刑・刑の執行免除・復権がある。
復権　失った権利や資格をもとにもどすこと。

第27条　①　日本臣民ハ其ノ所有権ヲ侵サルヽコトナシ

②　公益ノ為必要ナル処分ハ法律ノ定ムル所ニ依ル

第28条　日本臣民ハ**安寧秩序**ヲ妨ケス及臣民タルノ義務ニ背カサル限ニ於テ信教ノ自由ヲ有ス

第29条　日本臣民ハ法律ノ範囲内ニ於テ言論著作**印行**集会及**結社**ノ自由ヲ有ス

第30条　日本臣民ハ相当ノ敬礼ヲ守リ別ニ定ムル所ノ規程ニ従ヒ請願ヲ為スコトヲ得

第31条　本章ニ掲ケタル条規ハ戦時又ハ国家事変ノ場合ニ於テ**天皇大権**ノ施行ヲ妨クルコトナシ

第32条　本章ニ掲ケタル条規ハ陸海軍ノ法令又ハ紀律ニ**牴触**セサルモノニ限リ軍人ニ準行ス

第3章　帝国議会

第33条　**帝国議会**ハ貴族院衆議院ノ両院ヲ以テ成立ス

第34条　貴族院ハ貴族院令ノ定ムル所ニ依リ**皇族華族**及**勅任**セラレタル議員ヲ以テ組織ス

第35条　衆議院ハ選挙法ノ定ムル所ニ依リ公選セラレタル議員ヲ以テ組織ス

第36条　何人モ同時ニ両議院ノ議員タルコトヲ得ス

第37条　凡テ法律ハ帝国議会ノ協賛ヲ経ルヲ要ス

第38条　両議院ハ政府ノ提出スル法律案ヲ議決シ及各々法律案ヲ提出スルコトヲ得

第39条　両議院ノ一ニ於テ否決シタル法律案ハ同会期中ニ於テ再ヒ提出スルコトヲ得ス

第40条　両議院ハ法律又ハ其ノ他ノ事件ニ付各々其ノ意見ヲ政府ニ**建議**スルコトヲ得但シ其ノ**採納**ヲ得サルモノハ同会期中ニ於テ再ヒ建議スルコトヲ得ス

第41条　帝国議会ハ毎年之ヲ召集ス

第42条　帝国議会ハ3箇月ヲ以テ会期トス必要アル場合ニ於テハ勅命ヲ以テ之ヲ延長スルコトアルヘシ

第43条　①　臨時緊急ノ必要アル場合ニ於テ常会ノ外臨時会ヲ召集スヘシ

②　臨時会ノ会期ヲ定ムルハ勅命ニ依ル

第44条　①　帝国議会ノ開会閉会会期ノ延長及停会ハ両院同時ニ之ヲ行フヘシ

②　衆議院解散ヲ命セラレタルトキハ貴族院ハ同時ニ停会セラルヘシ

第45条　衆議院解散ヲ命セラレタルトキハ勅命ヲ以テ新ニ議員ヲ選挙セシメ解散ノ日ヨリ5箇月以内ニ之ヲ召集スヘシ

第46条　両議院ハ各々其ノ総議員3分ノ1以上出席スルニ非サレハ議事ヲ開キ議決ヲ為スコトヲ得ス

第47条　両議院ノ議事ハ過半数ヲ以テ決ス可否同数ナルトキハ議長ノ決スル所ニ依ル

第48条　両議院ノ会議ハ公開ス但シ政府ノ要求又ハ其ノ院ノ決議ニ依リ秘密会ト為スコトヲ得

第49条　両議院ハ各々天皇ニ**上奏**スルコトヲ得

第50条　両議院ハ臣民ヨリ**呈出**スル請願書ヲ受クルコトヲ得

第51条　両議院ハ此ノ憲法及議院法ニ掲クルモノヽ外内部ノ整理ニ必要ナル諸規則ヲ定ムルコトヲ得

第52条　両議院ノ議員ハ議院ニ於テ発言シタル意見及表決ニ付院外ニ於テ責ヲ負フコトナシ但シ議員自ラ其ノ言論ヲ演説刊行筆記又ハ其ノ他ノ方法ヲ以テ公布シタルトキハ一般ノ法律ニ依リ処分セラルヘシ

第53条　両議院ノ議員ハ現行犯罪又ハ内乱**外患**ニ関ル罪ヲ除ク外会期中其ノ院ノ許諾ナクシテ逮捕セラルヽコトナシ

第54条　国務大臣及政府委員ハ何時タリトモ各議院ニ出席シ及発言スルコトヲ得

用語解説

第17条

摂政　天皇に代わり，天皇の国事行為に関する政務事項を行う役。皇太子・皇太孫・親王の順で任ぜられる。

第18条

臣民タルノ要件　日本臣民，つまり国民としての資格をもつ要件（国籍）をいう。天皇・皇族は含まない。

第20条

兵役ノ義務　軍隊に属することは憲法によって定められた義務であった。具体的な条件などは兵役法によって決められていた。

第23条

審問　事実を明らかにするために詳しく問いただすこと。

第29条

印行　文書を印刷して発行すること。出版。

結社　人々が同じ主義や目的を達成するためにつくった団体。

第31条

天皇大権　帝国議会の関与を得ずに天皇が行使できる権限。統帥権など。

第32条

牴触　法律や規則にふれ，差し障ること。

第33条

帝国議会　この議会には法律を制定する権限がなく，法律案を事前に審議し，同意を与えることによって天皇を補助する協賛の権限だけだった。

第34条

皇族　天皇の一族。

華族　天皇によって与えられた爵位を持つ者。

勅任　天皇に直接任ぜられること。

第40条

建議　議会が政府に意見・希望を申し述べること。

採納　とりいれること。採用すること。

第49条

上奏　意見などを天皇に向かって申し上げること。

第50条

呈出　さしだすこと。

第53条

外患　外国からの圧力や攻撃を受ける恐れ。または外国ともめ事を起こすこと。

第4章　国務大臣及枢密顧問

第55条　①　国務各大臣ハ天皇ヲ輔弼シ其ノ責ニ任ス

②　凡テ法律勅令其ノ他国務ニ関ル詔勅ハ国務大臣ノ副署ヲ要ス

第56条　枢密顧問ハ枢密院官制ノ定ムル所ニ依リ天皇ノ諮詢ニ応ヘ重要ノ国務ヲ審議ス

第5章　司　法

第57条　①　司法権ハ天皇ノ名ニ於テ法律ニ依リ裁判所之ヲ行フ

②　裁判所ノ構成ハ法律ヲ以テ之ヲ定ム

第58条　①　裁判官ハ法律ニ定メタル資格ヲ具フル者ヲ以テ之ニ任ス

②　裁判官ハ刑法ノ宣告又ハ懲戒ノ処分ニ由ルノ外其ノ職ヲ免セラルヽコトナシ

③　懲戒ノ条規ハ法律ヲ以テ之ヲ定ム

第59条　裁判ノ対審判決ハ之ヲ公開ス但シ安寧秩序又ハ風俗ヲ害スルノ虞アルトキハ法律ニ依リ又ハ裁判所ノ決議ヲ以テ対審ノ公開ヲ停ムルコトヲ得

第60条　特別裁判所ノ管轄ニ属スヘキモノハ別ニ法律ヲ以テ之ヲ定ム

第61条　行政官庁ノ違法処分ニ由リ権利ヲ傷害セラレタリトスルノ訴訟ニシテ別ニ法律ヲ以テ定メタル行政裁判所ノ裁判ニ属スヘキモノハ司法裁判所ニ於テ受理スルノ限ニ在ラス

第6章　会　計

第62条　①　新ニ租税ヲ課シ及税率ヲ変更スルハ法律ヲ以テ之ヲ定ムヘシ

②　但シ報償ニ属スル行政上ノ手数料及其ノ他ノ収納金ハ前項ノ限ニ在ラス

③　国債ヲ起シ及予算ニ定メタルモノヲ除ク外国庫ノ負担トナルヘキ契約ヲ為スハ帝国議会ノ協賛ヲ経ヘシ

第63条　現行ノ租税ハ更ニ法律ヲ以テ之ヲ改メサル限ハ旧ニ依リ之ヲ徴収ス

第64条　①　国家ノ歳出歳入ハ毎年予算ヲ以テ帝国議会ノ協賛ヲ経ヘシ

②　予算ノ款項ニ超過シ又ハ予算ノ外ニ生シタル支出アルトキハ後日帝国議会ノ承諾ヲ求ムルヲ要ス

第65条　予算ハ前ニ衆議院ニ提出スヘシ

第66条　皇室経費ハ現在ノ定額ニ依リ毎年国庫ヨリ之ヲ支出シ将来増額ヲ要スル場合ヲ除ク外帝国議会ノ協賛ヲ要セス

第67条　憲法上ノ大権ニ基ツケル既定ノ歳出及法律ノ結果ニ由リ又ハ法律上政府ノ義務ニ属スル歳出ハ政府ノ同意ナクシテ帝国議会之ヲ廃除シ又ハ削減スルコトヲ得ス

第68条　特別ノ須要ニ因リ政府ハ予メ年限ヲ定メ継続費トシテ帝国議会ノ協賛ヲ求ムルコトヲ得

第69条　避クヘカラサル予算ノ不足ヲ補フ為ニ又ハ予算ノ外ニ生シタル必要ノ費用ニ充ツル為ニ予備費ヲ設クヘシ

第70条　①　公共ノ安全ヲ保持スル為緊急ノ需用アル場合ニ於テ内外ノ情形ニ因リ政府ハ帝国議会ヲ召集スルコト能ハサルトキハ勅令ニ依リ財政上必要ノ処分ヲ為スコトヲ得

②　前項ノ場合ニ於テハ次ノ会期ニ於テ帝国議会ニ提出シ其ノ承諾ヲ求ムルヲ要ス

第71条　帝国議会ニ於テ予算ヲ議定セス又ハ予算成立ニ至ラサルトキハ政府ハ前年度ノ予算ヲ施行スヘシ

第72条　①　国家ノ歳出歳入ノ決算ハ会計検査院之ヲ検査確定シ政府ハ其ノ検査報告ト倶ニ之ヲ帝国議会ニ提出スヘシ

②　会計検査院ノ組織及職権ハ法律ヲ以テ之ヲ定ム

用語解説

第55条

国務大臣　国務大臣の職務についての規定はあるが，内閣についての規定はない。つまり，内閣は行政を担当するのではなく，行政を行う天皇を補佐するだけだった。

輔弼　天皇が政治を行うのを助けること。

詔勅　天皇の意思をことばであらわしたもの。

副署　天皇に対する輔弼責任をはっきりさせるために，責任者が天皇の名と並べて署名すること。

第56条

枢密顧問　天皇の相談役であり，かつ諮問機関である枢密の構成員。

諮詢　相談すること。問いはかること。

第59条

安寧　異変のないこと。

第61条

行政裁判所　行政事件を担当する特別裁判所。

第62条

報償　損害賠償。

第64条

款項　予算の分類に用いた語。「款」は大項目,「項」は小項目。

第68条

須要　もっとも大事なこと。

第7章 補 則

第73条 ① 将来此ノ憲法ノ条項ヲ改正スルノ必要アルトキハ勅命ヲ以テ議案ヲ帝国議会ノ議ニ付スヘシ

② 此ノ場合ニ於テ両議院ハ各々其ノ総員3分ノ2以上出席スルニ非サレハ議事ヲ開クコトヲ得ス出席議員3分ノ2以上ノ多数ヲ得ルニ非サレハ改正ノ議決ヲ為スコトヲ得ス

第74条 ① 皇室典範ノ改正ハ帝国議会ノ議ヲ経ルヲ要セス

② 皇室典範ヲ以テ此ノ憲法ノ条規ヲ変更スルコトヲ得ス

第75条 憲法及皇室典範ハ摂政ヲ置クノ間之ヲ変更スルコトヲ得ス

第76条 ① 法律規則命令又ハ何等ノ名称ヲ用ヰタルニ拘ラス此ノ憲法ニ矛盾セサル現行ノ法令ハ総テ遵由ノ効力ヲ有ス

② 歳出上政府ノ義務ニ係ル現在ノ契約又ハ命令ハ総テ第67条ノ例ニ依ル

用語解説

第76条
遵由 よりしたがうこと。

日本国憲法と大日本帝国憲法との比較

日本国憲法	比較事項	大日本帝国憲法
1946（昭和21）年11月3日	公布（発布）	1889（明治22）年2月11日
1947（昭和22）年5月3日	施　行	1890（明治23）年11月29日
	制定経過	
ポツダム宣言受諾	制定の動機	自由民権運動の高まり
日本国政府・連合国総司令部	制定の中心	伊藤博文（井上毅・伊東巳代治・金子堅太郎）
主としてアメリカ合衆国憲法	模範外国憲法	プロイセン（ドイツ）憲法
国民の代表が審議	制定の方法	秘密主義，国民は関与せず
民定・硬性・成文憲法 最高法規（一元性）	形　式	欽定・硬性・成文憲法 最高法規（皇室典範との二元性）
	内　容	
国民主権	主　権	天皇主権
象徴天皇制。日本国と日本国民統合の象徴	天　皇	神聖不可侵。統治権を総攬する元首
絶対平和主義 戦争放棄・戦力不保持・交戦権否認	戦争と戦力	天皇の大権としての陸海軍の統帥権 国民の兵役の義務
基本的人権は不可侵で永久の権利 生存権的基本権まで含む 国政上，最大限に尊重	人　権	恩恵的な臣民の権利 法律による制限 自由権的基本権が主
国権の最高機関　唯一の立法機関 二院制で両院とも国民の代表 衆議院の優越。国政調査権あり	国　会	天皇の協賛機関 二院制だが，貴族院は特権階級の代表 国政調査権なし
行政権の最高機関。議院内閣制 国会に対し，連帯して責任を負う	内　閣	内閣については条文なし。天皇の輔弼機関 首相は元老などの推薦に基づいて任命される 天皇に対して責任を負う
司法権の行使 違憲立法審査権あり。特別裁判所なし 最高裁判所裁判官の国民審査	裁判所	天皇の名において裁判を行う 違憲立法審査権なし。特別裁判所あり
国会で予算不成立の場合，支出は不能 国会の議決なしでは課税・支出等は不能	財　政	予算不成立の場合，前年度予算の施行が可能 緊急処分により課税・支出が可能
地方自治の本旨を尊重 自治体の長・議員の直接選挙 特別法に対する住民投票	地方自治	規定なし 中央集権の色彩強く，中央政府の単なる下請機関
国会の発議→国民投票	憲法改正	天皇の発議→国会の議決
基本的人権の尊重。憲法の最高法規性 条約及び国際法規の遵守。憲法尊重擁護の義務	最高法規	規定なし

国際連合憲章〔抄〕

署名　1945（昭和20）年6月26日
発効　日本　1956（昭和31）年12月19日　条約26

われら連合軍の人民は，われらの一生のうちに二度まで言語に絶する悲哀を人類に与えた戦争の惨害から将来の世代を救い，基本的人権と人間の尊厳及び価値と男女及び大小各国の同権とに関する信念をあらためて確認し，正義と条約その他の国際法の源泉から生ずる義務の尊重とを維持することができる条件を確立し，一層大きな自由の中で社会的進歩と生活水準の向上とを促進すること並びに，このために，寛容を実行し，且つ，善良な隣人として互に平和に生活し，国際の平和及び安全を維持するためにわれらの力を合わせ，共同の利益の場合を除く外は武力を用いないことを原則の受諾と方法の設定によって確保し，すべての人民の経済的及び社会的発達を促進するために国際機構を用いることを決意して，これらの目的を達成するために，われらの努力を結集することに決定した。

よってわれらの各自の政府は，サン・フランシスコ市に会合し，全権委任状を示してそれが良好妥当であると認められた代表者を通じて，この国際連合憲章に同意したので，ここに国際連合という国際機構を設ける。

第1章　目的及び原則

第1条　国際連合の目的は次のとおりである。

1　国際の平和及び安全を維持すること。そのために，平和に対する脅威の防止及び除去と侵略行為その他の平和の破壊の鎮圧とのため有効な集団的措置をとること並びに平和を破壊するに至る虞（おそれ）のある国際的の紛争又は事態の調整又は解決を平和的手段によって且（か）つ正義及び国際法の原則に従って実現すること。

2　人民の同権及び自決の原則の尊重に基礎をおく諸国間の友好関係を発展させること並びに世界平和を強化するために他の適当な措置をとること。

3　経済的，社会的，文化的又は人道的性質を有する国際問題を解決することについて，並びに人種，性，言語又は宗教による差別なくすべての者のために人権及び基本的自由を尊重するように助長奨励することについて，国際協力を達成すること。

第2条　この機構及びその加盟国は，第1条に掲げる目的を達成するに当っては，次の原則に従って行動しなければならない。

1　この機構は，そのすべての加盟国の主権平等の原則に基礎をおいている。（2～7略）

第3章　機　関

第7条　1　国際連合の主要機関として，総会，安全保障理事会，経済社会理事会，信託統治理事会，国際司法裁判所及び事務局を設ける。

第4章　総　会

第10条　総会は，この憲章の範囲内にある問題若しくは事項又はこの憲章に規定する機関の権限及び任務に関する問題若しくは事項を討議し，並びに，第12条に規定する場合を除く外，このような問題又は事項について国際連合加盟国若しくは安全保障理事会又はこの両者に対して勧告をすることができる。

第11条　1　総会は，国際の平和及び安全の維持についての協力に関する一般原則を，軍備縮小及び軍備規制を律する原則も含めて，審議し，並びにこのような原則について加盟国若しくは安全保障理事会又はこの両者に対して勧告をすることができる。（2略）

3　総会は，国際の平和及び安全を危くする虞（おそれ）のある事態について，安全保障理事会の注意を促すことができる。

第5章　安全保障理事会

第23条　1　安全保障理事会は，15の国際連合加盟国で構成する。中華民国（現 中国），フランス，ソビエト社会主義共和国連邦（現ロシア），グレート・ブリテン及び北部アイルランド連合王国及びアメリカ合衆国は，安全保障理事会の常任理事国となる。総会は第一に国際の平和及び安全の維持とこの機構のその他の目的とに対する国際連合加盟国の貢献に，更に衡平な地理的分配に特に妥当な考慮を払って，安全保障理事会の非常任理事国となる他の10の国際連合加盟国を選挙する。

第24条　1　国際連合の迅速且つ有効な行動を確保するために，国際連合加盟国は，国際の平和及び安全の維持に関する主要な責任を安全保障理事会に負わせるものとし，且つ，安全保障理事会がこの責任に基く義務を果すに当って加盟国に代って行動することに同意する。

第25条　国際連合加盟国は，安全保障理事会の決定をこの憲章に従って受諾し且（か）つ履行することに同意する。

第27条　1　安全保障理事会の各理事国は，1個の投票権を有する。

2　手続事項に関する安全保障理事会の決定は，9理事国の賛成投票によって行われる。

3　その他のすべての事項に関する安全保障理事会の決定は，常任理事国の同意投票を含む9理事国の賛成投票によって行われる。但し，第6章および第52条3に基く決定については，紛争当事国は，投票を棄権しなければならない。

第6章　紛争の平和的解決

第33条　1　いかなる紛争でもその継続が国際の平和及び安全の維持を危くする虞（おそれ）のあるものについては，その当事者は，まず第一に，交渉，審査，仲介，調停，仲裁裁判，司法的解決，地域的機関又は地域的取極の利用その他当事者が選ぶ平和的手段による解決を求めなければならない。

2　安全保障理事会は，必要と認めるときは，当事者に対して，その紛争を前記の手段によって解決するように要請する。

第7章　平和に対する脅威，平和の破壊及び侵略行為に関する行動

第41条　安全保障理事会は，その決定を実施するために，兵力の使用を伴わないいかなる措置を使用すべきかを決定することができ，且つ，この措置を適用するように国際連合加盟国に要請することができる。（略）

第42条　安全保障理事会は，第41条に定める措置では不十分であろうと認め，又は不十分なことが判明したと認めるときは，国際の平和及び安全の維持又は回復に必要な空軍，海軍又は陸軍の行動をとることができる。（略）

第43条　1　国際の平和及び安全の維持に貢献するため，すべての国際連合加盟国は，安全保障理事会の要請に基き且つ，一又は二以上の特別協定に従って，国際の平和及び安全の維持に必要な兵力，援助及び便益を安全保障理事会に利用させることを約束する。この便益には，通過の権利が含まれる。

第51条　この憲章のいかなる規定も，国際連合加盟国に対して武力攻撃が発生した場合には，安全保障理事会が国際の平和及び安全の維持に必要な措置をとるまでの間，個別的又は集団的自衛の固有の権利を害するものではない。（略）

第8章　地域的取極

第52条　1　この憲章のいかなる規定も，国際の平和及び安全の維持に関する事項で地域的行動に適当なものを処理するための地域的取極又は地域的機関が存在することを妨げるものではない。但し，この取極又は機関及びその行動が国際連合の目的及び原則と一致することを条件とする。（略）

第53条　1　安全保障理事会は，その権威の下における強制行動のために，適当な場合には，前記の地域的取極又は地域的機関を利用する。但し，いかなる強制行動も，安全保障理事会の許可がなければ，地域的取極に基いて又は地域的機関によつてとられてはならない。もつとも，本条2に定める敵国のいずれかに対する措置で，第107条に従つて規定されるもの又はこの敵国における侵略政策の再現に備える地域的取極において規定されるものは，関係政府の要請に基いてこの機構がこの敵国による新たな侵略を防止する責任を負うときまで例外とする。（略）

主要法令

教育基本法（旧法）

〔公布　1947.3.31　法 25〕

われらは，さきに，日本国憲法を確定し，民主的で文化的な国家を建設して，世界の平和と人類の福祉に貢献しようとする決意を示した。この理想の実現は，根本において教育の力にまつべきものである。

われらは，個人の尊厳を重んじ，真理と平和を希求する人間の育成を期するとともに，普遍的にしてしかも個性ゆたかな文化の創造をめざす教育を普及徹底しなければならない。

ここに，日本国憲法の精神に則(のっと)り，教育の目的を明示して，新しい日本の教育の基本を確立するため，この法律を制定する。

第１条〔教育の目的〕

教育は，人格の完成をめざし，平和的な国家及び社会の形成者として，真理と正義を愛し，個人の価値をたっとび，勤労と責任を重んじ，自主的精神に充ちた心身ともに健康な国民の育成を期して行われなければならない。

第２条〔教育の方針〕

教育の目的は，あらゆる機会に，あらゆる場所において実現されなければならない。この目的を達成するためには，学問の自由を尊重し，実際生活に即し，自発的精神を養い，自他の敬愛と協力によって，文化の創造と発展に貢献するように努めなければならない。

第３条〔教育の機会均等〕

①　すべて国民は，ひとしく，その能力に応ずる教育を受ける機会を与えられなければならないものであって，人種，信条，性別，社会的身分，経済的地位又は門地によって，教育上差別されない。

②　国及び地方公共団体は，能力があるにもかかわらず，経済的理由によって修学困難な者に対して，奨学の方法を講じなければならない。

第４条〔義務教育〕

①　国民は，その保護する子女に，９年の普通教育を受けさせる義務を負う。

②　国又は地方公共団体の設置する学校における義務教育については，授業料は，これを徴収しない。

第５条〔男女共学〕

男女は，互に敬重し，協力し合わなければならないものであって，教育上男女の共学は，認められなければならない。

第６条〔学校教育〕

①　法律に定める学校は，公の性質をもつものであって，国又は地方公共団体の外，法律に定める法人のみが，これを設置することができる。

②　法律に定める学校の教員は，全体の奉仕者であって，自己の使命を自覚し，その職責の遂行に努めなければならない。このためには，教員の身分は，尊重され，その待遇の適正が，期せられなければならない。

第７条〔社会教育〕

①　家庭教育及び勤労の場所その他社会において行われる教育は，国及び地方公共団体によって奨励されなければならない。

②　国及び地方公共団体は，図書館，博物館，公民館等の施設の設置，学校の施設の利用その他適当な方法によって教育の目的の実現に努めなければならない。

第８条〔政治教育〕

①　良識ある公民たるに必要な政治的教養は，教育上これを尊重しなければならない。

②　法律に定める学校は，特定の政党を支持し，又はこれに反対するための政治教育その他政治的活動をしてはならない。

第９条〔宗教教育〕

①　宗教に関する寛容の態度及び宗教の社会生活における地位は，教育上これを尊重しなければならない。

②　国及び地方公共団体が設置する学校は，特定の宗教のための宗教教育その他宗教的活動をしてはならない。

第 10 条〔教育行政〕

①　教育は，不当な支配に服することなく，国民全体に対し直接に責任を負って行われるべきものである。

②　教育行政は，この自覚のもとに，教育の目的を遂行するに必要な諸条件の整備確立を目標として行われなければならない。

第 11 条〔補則〕

この法律に掲げる諸条項を実施するために必要がある場合には，適当な法令が制定されなければならない。

教育基本法

〔公布　2006.12.22　法 120〕

教育基本法〔昭和 22 年法律第 25 号〕の全部を改正する。
我々日本国民は，たゆまぬ努力によって築いてきた民主的で文化的な国家を更に発展させるとともに，世界の平和と人類の福祉の向上に貢献することを願うものである。我々は，この理想を実現するため，個人の尊厳を重んじ，真理と正義を希求し，公共の精神を尊び，豊かな人間性と創造性を備えた人間の育成を期するとともに，伝統を継承し，新しい文化の創造を目指す教育を推進する。ここに，我々は，日本国憲法 の精神にのっとり，我が国の未来を切り拓く教育の基本を確立し，その振興を図るため，この法律を制定する。

第１条〔教育の目的〕

教育は，人格の完成を目指し，平和で民主的な国家及び社会の形成者として必要な資質を備えた心身ともに健康な国民の育成を期して行われなければならない。

第２条〔教育の目標〕

教育は，その目的を実現するため，学問の自由を尊重しつつ，次に掲げる目標を達成するよう行われるものとする。

１　幅広い知識と教養を身に付け，真理を求める態度を養い，豊かな情操と道徳心を培うとともに，健やかな身体を養うこと。

２　個人の価値を尊重して，その能力を伸ばし，創造性を培い，自主及び自律の精神を養うとともに，職業及び生活との関連を重視し，勤労を重んずる態度を養うこと。

３　正義と責任，男女の平等，自他の敬愛と協力を重んずるとともに，公共の精神に基づき，主体的に社会の形成に参画し，その発展に寄与する態度を養うこと。

４　生命を尊び，自然を大切にし，環境の保全に寄与する態度を養うこと。

５　伝統と文化を尊重し，それらをはぐくんできた我が国と郷土を愛するとともに，他国を尊重し，国際社会の平和と発展に寄与する態度を養うこと。

第 3 条〔生涯学習の理念〕

国民一人一人が，自己の人格を磨き，豊かな人生を送ることができるよう，その生涯にわたって，あらゆる機会に，あらゆる場所において学習することができ，その成果を適切に生かすことのできる社会の実現が図られなければならない。

第 4 条〔教育の機会均等〕

すべて国民は，ひとしく，その能力に応じた教育を受ける機会を与えられなければならず，人種，信条，性別，社会的身分，経済的地位又は門地によって，教育上差別されない。

② 国及び地方公共団体は，障害のある者が，その障害の状態に応じ，十分な教育を受けられるよう，教育上必要な支援を講じなければならない。

③ 国及び地方公共団体は，能力があるにもかかわらず，経済的理由によって修学が困難な者に対して，奨学の措置を講じなければならない。

第 5 条〔義務教育〕

国民は，その保護する子に，別に法律で定めるところにより，普通教育を受けさせる義務を負う。

② 義務教育として行われる普通教育は，各個人の有する能力を伸ばしつつ社会において自立的に生きる基礎を培い，また，国家及び社会の形成者として必要とされる基本的な資質を養うことを目的として行われるものとする。

③ 国及び地方公共団体は，義務教育の機会を保障し，その水準を確保するため，適切な役割分担及び相互の協力の下，その実施に責任を負う。

④ 国又は地方公共団体の設置する学校における義務教育については，授業料を徴収しない。

第 6 条〔学校教育〕

法律に定める学校は，公の性質を有するものであって，国，地方公共団体及び法律に定める法人のみが，これを設置することができる。

② 前項の学校においては，教育の目標が達成されるよう，教育を受ける者の心身の発達に応じて，体系的な教育が組織的に行われなければならない。この場合において，教育を受ける者が，学校生活を営む上で必要な規律を重んずるとともに，自ら進んで学習に取り組む意欲を高めることを重視して行われなければならない。

第 7 条〔大学〕

大学は，学術の中心として，高い教養と専門的能力を培うとともに，深く真理を探究して新たな知見を創造し，これらの成果を広く社会に提供することにより，社会の発展に寄与するものとする。

② 大学については，自主性，自律性その他の大学における教育及び研究の特性が尊重されなければならない。

第 8 条〔私立学校〕

私立学校の有する公の性質及び学校教育において果たす重要な役割にかんがみ，国及び地方公共団体は，その自主性を尊重しつつ，助成その他の適当な方法によって私立学校教育の振興に努めなければならない。

第 9 条〔教員〕

法律に定める学校の教員は，自己の崇高な使命を深く自覚し，絶えず研究と修養に励み，その職責の遂行に努めなければならない。

② 前項の教員については，その使命と職責の重要性にかんがみ，その身分は尊重され，待遇の適正が期せられるとともに，養成と研修の充実が図られなければならない。

第 10 条〔家庭教育〕

父母その他の保護者は，子の教育について第一義的責任を有するものであって，生活のために必要な習慣を身に付けさせるとともに，自立心を育成し，心身の調和のとれた発達を図るよう努めるものとする。

② 国及び地方公共団体は，家庭教育の自主性を尊重しつつ，保護者に対する学習の機会及び情報の提供その他の家庭教育を支援するために必要な施策を講ずるよう努めなければならない。

第 11 条〔幼児期の教育〕

幼児期の教育は，生涯にわたる人格形成の基礎を培う重要なものであることにかんがみ，国及び地方公共団体は，幼児の健やかな成長に資する良好な環境の整備その他適当な方法によって，その振興に努めなければならない。

第 12 条〔社会教育〕

個人の要望や社会の要請にこたえ，社会において行われる教育は，国及び地方公共団体によって奨励されなければならない。

第 13 条〔学校，家庭及び地域住民等の相互の連携協力〕

学校，家庭及び地域住民その他の関係者は，教育におけるそれぞれの役割と責任を自覚するとともに，相互の連携及び協力に努めるものとする。

第 14 条〔政治教育〕

良識ある公民として必要な政治的教養は，教育上尊重されなければならない。

② 法律に定める学校は，特定の政党を支持し，又はこれに反対するための政治教育その他政治的活動をしてはならない。

第 15 条〔宗教教育〕

宗教に関する寛容の態度，宗教に関する一般的な教養及び宗教の社会生活における地位は，教育上尊重されなければならない。

② 国及び地方公共団体が設置する学校は，特定の宗教のための宗教教育その他宗教的活動をしてはならない。

第 16 条〔教育行政〕

教育は，不当な支配に服することなく，この法律及び他の法律の定めるところにより行われるべきものであり，教育行政は，国と地方公共団体との適切な役割分担及び相互の協力の下，公正かつ適正に行われなければならない。

② 国は，全国的な教育の機会均等と教育水準の維持向上を図るため，教育に関する施策を総合的に策定し，実施しなければならない。

③ 地方公共団体は，その地域における教育の振興を図るため，その実情に応じた教育に関する施策を策定し，実施しなければならない。

④ 国及び地方公共団体は，教育が円滑かつ継続的に実施されるよう，必要な財政上の措置を講じなければならない。

第 17 条〔教育振興基本計画〕

政府は，教育の振興に関する施策の総合的かつ計画的な推進を図るため，教育の振興に関する施策についての基本的な方針及び講ずべき施策その他必要な事項について，基本的な計画を定め，これを国会に報告するとともに，公表しなければならない。

2 地方公共団体は，前項の計画を参酌し，その地域の実情に応じ，当該地方公共団体における教育の振興のための施策に関する基本的な計画を定めるよう努めなければならない。

第 18 条〔法令の制定〕

この法律に規定する諸条項を実施するため，必要な法令が制定されなければならない。

労働基準法〔抄〕

〔公布　1947.4.7.　法 49，最終改正　2020　法 14〕

第1章　総　則

第１条〔労働条件の原則〕

①　労働条件は，労働者が人たるに値する生活を営むための必要を充たすべきものでなければならない。

②　この法律で定める労働条件の基準は最低のものであるから，労働関係の当事者は，この基準を理由として労働条件を低下させてはならないことはもとより，その向上を図るように努めなければならない。

第２条〔労働条件の決定〕

①　労働条件は，労働者と使用者が，対等の立場において決定すべきものである。

②　労働者及び使用者は，労働協約，就業規則及び労働契約を遵守し，誠実に各々その義務を履行しなければならない。

第３条〔均等待遇〕

使用者は，労働者の国籍，信条又は社会的身分を理由として，賃金，労働時間その他の労働条件について，差別的取扱をしてはならない。

第４条〔男女同一賃金の原則〕

使用者は，労働者が女性であることを理由として，賃金について，男性と差別的取扱いをしてはならない。

第５条〔強制労働の禁止〕

使用者は，暴行，脅迫，監禁その他精神又は身体の自由を不当に拘束する手段によって，労働者の意思に反して労働を強制してはならない。

第2章　労働契約

第 19 条〔解雇制限〕

①　使用者は，労働者が業務上負傷し，又は疾病にかかり療養のために休業する期間及びその後 30 日間並びに産前産後の女性が第 65 条の規定によって休業する期間及びその後 30 日間は，解雇してはならない。

第 20 条〔解雇の予告〕

①　使用者は労働者を解雇しようとする場合においては，少くとも 30 日前にその予告をしなければならない。30 日前に予告をしない使用者は，30 日分以上の平均賃金を支払わなければならない。

第3章　賃　金

第 24 条〔賃金の支払〕

①　賃金は，通貨で，直接労働者に，その全額を支払わなければならない。

②　賃金は，毎月１回以上，一定の期日を定めて支払わなければならない。

第4章　労働時間，休憩，休日及び年次有給休暇

第 32 条〔労働時間〕

①　使用者は，労働者に，休憩時間を除き１週間について 40 時間を超えて，労働させてはならない。

②　使用者は，１週間の各日については，労働者に，休憩時間を除き１日について８時間を超えて，労働させてはならない。

第 32 条の２

①　使用者は，当該事業場に，労働者の過半数で組織する労働組合がある場合においてはその労働組合，労働者の過半数で組織する労働組合がない場合においては労働者の過半数を代表する者との書面による協定により，又は，就業規則その他これに準ずるものにより，１箇月以内の一定の期間を平均し１週間当たりの労働時間が前条第１項の労働時間を超えない定めをしたときは，同条の規定にかかわらず，その定めにより，特定された週において同項の労働時間又は特定された日において同条第２項の労働時間を超えて，労働させることができる。

第 35 条〔休日〕

①　使用者は，労働者に対して，毎週少くとも１回の休日を与えなければならない。

第 36 条〔時間外及び休日の労働〕

①　使用者は，当該事業場に，労働者の過半数で組織する労働組合がある場合においてはその労働組合，労働者の過半数が組織する労働組合がない場合においては労働者の過半数を代表する者との書面による協定をし，これを行政官庁に届け出た場合においては，第 32 条から第 32 条の５までもしくは第 40 条の労働時間又は前条の休日に関する規定にかかわらず，その協定で定めるところによって労働時間を延長し，又は休日に労働させることができる。

第 37 条〔時間外，休日及び深夜の割増賃金〕

使用者が，第 33 条又は前条の規定により労働時間を延長し，又は休日に労働させた場合においては，その時間又はその日の労働については，通常の労働時間又は労働日の賃金の計算額の２割５分以上５割以下の範囲内でそれぞれ命令で定める率以上の率で計算した割増賃金を支払わなければならない。ただし，当該延長して労働させた時間が１箇月について 60 時間を超えた場合においては，その超えた時間の労働については，通常の労働時間の賃金の計算額の５割以上の率で計算した割増賃金を支払わなければならない。

第 39 条〔年次有給休暇〕

①　使用者は，その雇入れの日から起算して６箇月間継続勤務し全労働日の８割以上出勤した労働者に対して，継続し，又は分割した 10 労働日の有給休暇を与えなければならない。

第6章　年少者

第 56 条〔最低年齢〕

①　使用者は，児童が満 15 歳に達した日以後の最初の３月 31 日が終了するまで，これを使用してはならない。

第 61 条〔深夜業〕

①　使用者は，満 18 歳に満たない者を午後 10 時から午前５時までの間において使用してはならない。ただし，交代制によって使用する満 16 歳以上の男性については，この限りでない。

第6章の2　妊婦等

第 65 条〔産前産後〕

①　使用者は，６週間（多胎妊娠の場合にあっては，14 週間）以内に出産する予定の女性が休業を請求した場合においては，その者を就業させてはならない。

②　使用者は，産後８週間を経過しない女性を就業させてはならない。ただし，産後６週間を経過した女性が請求した場合において，その者について医師が支障がないと認めた業務に就かせることは，差し支えない。

第 67 条〔育児時間〕

①　生後満１年に達しない生児を育てる女性は，第 34 条の休憩時間のほか，１日２回各々少なくとも 30 分，その生児を育てるための時間を請求することができる。

②　使用者は，前項の育児時間中は，その女性を使用して

はならない。

第9章　就業規則

第 90 条〔作成の手続〕

① 使用者は，就業規則の作成又は変更について，当該事業場に，労働者の過半数で組織する労働組合がある場合においてはその労働組合，労働者の過半数で組織する労働組合がない場合においては労働者の過半数を代表する者の意見を聴かなければならない。

第 11 章　監督機関

第 97 条〔監督機関の職員等〕

① 労働基準主管局（厚生厚生労働省の内部部局として置かれる局で労働条件及び労働者の保護に関する事務を所掌するものをいう。），都道府県労働局及び労働基準監督署に労働基準監督官を置くほか，厚生厚生労働省令で定める必要な職員を置くことができる。

労働組合法〔抄〕

〔公布　1949.6.1.　法 174，最終改正　2018　法 41〕

第1条〔目的〕

① この法律は，労働者が使用者との交渉において対等の立場に立つことを促進することにより労働者の地位を向上させること，労働者がその労働条件について交渉するために自ら代表者を選出することその他の団体行動を行うために自主的に労働組合を組織し，団結することを擁護すること並びに使用者と労働者との関係を規制する労働協約を締結するための団体交渉をすること及びその手続を助成することを目的とする。

② 刑法第 35 条の規定は，労働組合の団体交渉その他の行為であって前項に掲げる目的を達成するためにした正当なものについて適用があるものとする。但し，いかなる場合においても，暴力の行使は，労働組合の正当な行為と解釈されてはならない。

第2条〔労働組合〕

この法律で「労働組合」とは，労働者が主体となって自主的に労働条件の維持改善その他経済的地位の向上を図ることを主たる目的として組織する団体又はその連合体をいう。

第5条〔労働組合として設立されたものの取扱〕

① 労働組合は，労働委員会に証拠を提出して第２条及び第２項の規定に適合することを立証しなければ，この法律に規定する手続に参与する資格を有せず，且つ，この法律に規定する救済を与えられない。但し，第７条第１号の規定に基く個々の労働者に対する保護を否定する趣旨に解釈されるべきではない。

② 労働組合の規約には，左の各号に掲げる規定を含まなければならない。

1　名称

2　主たる事務所の所在地

3　連合団体である労働組合以外の労働組合（以下「単位労働組合」という。）の組合員は，その労働組合のすべての問題に参与する権利及び均等の取扱を受ける権利を有すること。

4　何人も，いかなる場合においても，人種，宗教，性別，門地又は身分によって組合員たる資格を奪われないこと。

5　単位労働組合にあっては，その役員は，組合員の直接無記名投票により選挙されること，及び連合団体である労働組合又は全国的規模をもつ労働組合にあっては，その役員は，単位労働組合の組合員又はその組合員の直接無記名投票により選挙された代議員の直接無記名投票により選挙されること。

6　総会は，少くとも毎年１回開催すること。

第6条〔交渉権限〕

労働組合の代表者又は労働組合の委任を受けた者は，労働組合又は組合員のために使用者又はその団体と労働協約の締結その他の事項に関して交渉する権限を有する。

第7条〔不当労働行為〕

使用者は，左の各号に掲げる行為をしてはならない。

1　労働者が労働組合の組合員であること，労働組合に加入し，若しくはこれを結成しようとしたこと若しくは労働組合の正当な行為をしたことの故をもって，その労働者を解雇し，その他これに対して不利益な取扱をすること又は労働者が労働組合に加入せず，若しくは労働組合から脱退することを雇用条件とすること。但し，労働組合が特定の工場事業場に雇用される労働者の過半数を代表する場合において，その労働者がその労働組合の組合員であることを雇用条件とする労働協約を締結することを妨げるものではない。

2　使用者が雇用する労働者の代表者と団体交渉をすることを正当な理由がなくて拒むこと。

3　労働者が労働組合を結成し，若しくは運営することを支配し，若しくはこれに介入すること，又は労働組合の運営のための経費の支払につき経理上の援助を与えること。（略）

第8条〔損害賠償〕

使用者は，同盟罷業その他の争議行為であって正当なものによって損害を受けたことの故をもって，労働組合又はその組合員に対し賠償を請求することができない。

第 14 条〔労働協約の効力の発生〕

労働組合と使用者又はその団体との間の労働条件その他に関する労働協約は，書面に作成し，両当事者が署名し，又は記名押印することによってその効力を生ずる。

第 15 条〔労働協約の期間〕

① 労働協約には，３年をこえる有効期間の定をすることができない。

第 19 条〔労働委員会〕

① 使用者を代表する者（以下「使用者委員」という。），労働者を代表する者（以下「労働者委員」という。）及び公益を代表する者（以下「公益委員」という。）各同数をもって組織する労働委員会を設置する。

② 労働委員会は，中央労働委員会及び都道府県労働委員会とする。

③ 労働委員会に関する事項は，この法律に定めるもののほか，政令で定める。

労働関係調整法〔抄〕

〔公布　1946.9.27.　法 25，最終改正　2014　法 69〕

第1条〔法の目的〕

この法律は，労働組合法と相俟（あいま）って，労働関係の公正な調整を図り，労働争議を予防し，又は，解決して，産業の平和を維持し，もって経済の興隆に寄与することを目的とする。

第7条〔争議行為〕

この法律において争議行為とは，同盟罷業，怠業，作業所閉鎖その他労働関係の当事者が，その主張を貫徹することを目的として行ふ行為及びこれに対抗する行為であって，業務の正常な運営を阻害するものをいふ。

第8条〔公益事業，その指定，公表〕

① この法律において公益事業とは，左の事業であって，

資料編

公衆の日常生活に欠くことのできないものをいふ。
1　運輸事業
2　郵便又は電気通信の事業
3　水道，電気又は瓦斯（ガス）供給の事業
4　医療又は公衆衛生の事業
②　内閣総理大臣は，前項の事業の外，国会の承認を経て，業務の停廃が国民経済を著しく阻害し，又は公衆の日常生活を著しく危くする事業を，1年以内の期間を限り，公益事業として指定することができる。

第13条〔斡旋員の任務〕
斡旋（あっせん）員は，関係当事者間を斡旋し，双方の主張の要点を確め，事件が解決されるやうに努めなければならない。

第18条〔調停の開始〕
労働委員会は，左の各号の一に該当する場合に，調停を行ふ。
1　関係当事者の双方から，労働委員会に対して，調停の申請がなされたとき。
2　関係当事者の双方又は一方から，労働協約の定に基いて，労働委員会に対して調停の申請がなされたとき。
3　公益事業に関する事件につき，関係当事者の一方から，労働委員会に対して，調停の申請がなされたとき。
4　公益事業に関する事件につき，労働委員会が職権に基いて，調停を行ふ必要があると決議したとき。
5　公益事業に関する事件又はその事件が規模が大きいため若しくは特別の性質の事業に関するものであるために公益に著しい障害を及ぼす事件につき，厚生労働大臣又は都道府県知事から，労働委員会に対して，調停の請求がなされたとき。

第30条〔仲裁の開始〕
労働委員会は，左の各号の一に該当する場合に，仲裁を行ふ。
1　関係当事者の双方から，労働委員会に対して，仲裁の申請がなされたとき。
2　労働協約に，労働委員会による仲裁の申請をなさなければならない旨の定がある場合に，その定に基いて，関係当事者の双方又は一方から，労働委員会に対して，仲裁の申請がなされたとき。

第31条〔仲裁委員会〕
労働委員会による労働争議の仲裁は，仲裁委員3人から成る仲裁委員会を設け，これによって行ふ。

第34条〔裁定の効力〕
仲裁裁定は，労働協約と同一の効力を有する。

第35条の2〔決定の条件，中労委の意見聴取，公表〕
①　内閣総理大臣は，事件が公益事業に関するものであるため，又はその規模が大きいため若しくは特別の性質の事業に関するものであるために，争議行為により当該業務が停止されるときは国民経済の運行を著しく阻害し，又は国民の日常生活を著しく危くする虞（おそれ）があると認める事件について，その虞が現実に存するときに限り，緊急調整の決定をすることができる。

第36条〔安全保持〕
工場事業場における安全保持の施設の正常な維持又は運行を停廃し，又はこれを妨げる行為は，争議行為としてでもこれをなすことはできない。

第37条〔予告期間〕
①　公益事業に関する事件につき関係当事者が争議行為をするには，その争議行為をしようとする日の少くとも10日前までに，労働委員会及び労働大臣又は都道府県知事にその旨を通知しなければならない。

第38条〔緊急調整中の争議行為の禁止〕
緊急調整の決定をなした旨の公表があったときは，関係当事者は，公表の日から50日間は，争議行為をなすことができない。

民法〔抄〕

〔公布　1896.4.26.　法89，最終改正　2019　法34〕

第4条
年齢18歳をもって，成年とする。

第725条〔親族の範囲〕
次に掲げる者は，親族とする。
1. 6親等内の血族　2. 配偶者　3. 3親等内の姻族

第731条〔婚姻適齢〕
婚姻は，満18歳にならなければ，することができない。

第732条〔重婚の禁止〕
配偶者のある者は，重ねて婚姻をすることができない。

第734条〔近親婚の制限〕
①　直系血族又は3親等内の傍系血族の間では，婚姻をすることができない。ただし，養子と養方の傍系血族との間では，この限りでない。

第737条〔未成年者の婚姻〕→ 2018年改正により削除
①　未成年の子が婚姻をするには，父母の同意を得なければならない。

第739条〔婚姻の届出〕
①　婚姻は，戸籍法の定めるところによりこれを届け出ることによって，その効力を生ずる。
②　前項の届出は，当事者双方及び成年の証人2人以上が署名した書面で，又はこれらの者から口頭で，しなければならない。

第763条〔協議上の離婚〕
夫婦は，その協議で，離婚をすることができる。

第768条〔財産分与の請求〕
①　協議上の離婚をした者の一方は，相手方に対して財産の分与を請求することができる。

第818条〔親権者〕
①　成年に達しない子は，父母の親権に服する。
②　子が養子であるときは，養親の親権に服する。
③　親権は，父母の婚姻中は，父母が共同して行う。ただし，父母の一方が親権を行うことができないときは，他の一方が行う。

第820条〔監護教育の権利義務〕
親権を行う者は，子の監護及び教育をする権利を有し，義務を負う。

第877条〔扶養義務者〕
①　直系血族及び兄弟姉妹は，互いに扶養をする義務がある。

第882条〔相続開始の原因〕
相続は，死亡によって開始する。

第900条〔法定相続分〕
同順位の相続人が数人あるときは，その相続分は，次の各号の定めるところによる。
1. 子及び配偶者が相続人であるときは，子の相続分及び配偶者の相続分は，各2分の1とする。
2. 配偶者及び直系尊属が相続人であるときは，配偶者の相続分は，3分の2とし，直系尊属の相続分は，3分の1とする。
3. 配偶者及び兄弟姉妹が相続人であるときは，配偶者の相続分は，4分の3とし，兄弟姉妹の相続分は，4分の1とする。

4. 子，直系尊属又は兄弟姉妹が数人あるときは，各自の相続分は，相等しいものとする。ただし，父母の一方のみを同じくする兄弟姉妹の相続分は，父母の双方を同じくする兄弟姉妹の相続分の2分の1とする。

第967条〔普通の方式による遺言の種類〕

遺言は，自筆証書，公正証書又は秘密証書によってしなければならない。ただし，特別の方式によることを許す場合は，この限りでない。

国家賠償法〔抄〕

〔公布　1947.10.27　法125，施行　1947.10.27〕

第1条〔公権力の行使に基づく損害の賠償責任，求償権〕

① 国又は公共団体の公権力の行使に当る公務員が，その職務を行うについて，故意又は過失によって違法に他人に損害を加えたときは，国又は公共団体が，これを賠償する責に任ずる。

第2条〔公の営造物の設置管理の瑕疵(かし)に基づく損害の賠償責任，求償権〕

① 道路，河川その他の公の営造物の設置又は管理に瑕疵があったために他人に損害を生じたときは，国又は公共団体は，これを賠償する責に任ずる。

② 前項の場合において，他に損害の原因について責に任ずべき者があるときは，国又は公共団体は，これに対して求償権を有する。

刑事訴訟法〔抄〕

〔公布　1948.7.10　法131，最終改正　2020　法33〕

第1編　総則　　第4章　弁護及び補佐

第1条

この法律は，刑事事件につき，公共の福祉の維持と個人の基本的人権の保障とを全うしつつ，事案の真相を明らかにし，刑罰法令を適正且つ迅速に適用実現することを目的とする。

第30条〔弁護人選任の時期，選任権者〕

① 被告人又は被疑者は，何時でも弁護人を選任することができる。

② 被告人又は被疑者の法定代理人，保佐人，配偶者，直系の親族及び兄弟姉妹は，独立して弁護人を選任することができる。

第2編　第一審　第1章　捜査

第199条〔逮捕状による逮捕の要件〕

① 検察官，検察事務官又は司法警察職員は，被疑者が罪を犯したことを疑うに足りる相当な理由があるときは，裁判官のあらかじめ発する逮捕状により，これを逮捕することができる。ただし，30万円以下の罰金，拘留又は科料に当たる罪については，被疑者が定まった住居を有しない場合又は正当な理由がなく前条の規定による出頭の求めに応じない場合に限る。

第210条〔緊急逮捕〕

① 検察官，検察事務官又は司法警察職員は，死刑又は無期若しくは長期3年以上の懲役若しくは禁錮にあたる罪を犯したことを疑うに足りる充分な理由がある場合で，急速を要し，裁判官の逮捕状を求めることができないときは，その理由を告げて被疑者を逮捕することができる。この場合には，直ちに裁判官の逮捕状を求める手続をしなければならない。逮捕状が発せられないときは，直ちに被疑者を釈放しなければならない。

第213条〔現行犯逮捕〕

現行犯人は，何人でも，逮捕状なくしてこれを逮捕することができる。

第316条の33〔犯罪被害者の裁判への参加〕

① 裁判所は，次に掲げる罪に係る被告事件の被害者等若しくは当該被害者の法定代理人又はこれらの者から委託を受けた弁護士から，被告事件の手続への参加の申出があるときは，被告人又は弁護人の意見を聴き，犯罪の性質，被告人との関係その他の事情を考慮し，相当と認めるときは，決定で，当該被害者等又は当該被害者の法定代理人の被告事件の手続への参加を許すものとする。

1 故意の犯罪行為により人を死傷させた罪

2 刑法第176条から第178条まで，第211条，第220条又は第224条から第227条までの罪

3 前号に掲げる罪のほか，その犯罪行為にこれらの罪の犯罪行為を含む罪（第1号に掲げる罪を除く。）

4 前3号に掲げる罪の未遂罪

② 前項の申出は，あらかじめ，検察官にしなければならない。この場合において，検察官は，意見を付して，これを裁判所に通知するものとする。

第317条〔証拠裁判主義〕

事実の認定は証拠による。

裁判員法（裁判員の参加する刑事裁判に関する法律）〔抄〕

〔公布　2004.5.28　法63，最終改正　2016　法54〕

第1条〔趣旨〕

この法律は，国民の中から選任された裁判員が裁判官と共に刑事訴訟手続に関与することが司法に対する国民の理解の増進とその信頼の向上に資することにかんがみ，裁判員の参加する刑事裁判に関し，裁判所法及び刑事訴訟法の特則その他の必要な事項を定めるものとする。

第9条〔裁判員の義務〕

裁判員は，法令に従い公平誠実にその職務を行わなければならない。

2 裁判員は，第七十条第一項に規定する評議の秘密その他の職務上知り得た秘密を漏らしてはならない。

3 裁判員は，裁判の公正さに対する信頼を損なうおそれのある行為をしてはならない。

4 裁判員は，その品位を害するような行為をしてはならない。

国家行政組織法〔抄〕

〔公布　1948.7.10　法120，最終改正　2018　法102〕

第1条〔目的〕

この法律は，内閣の統轄の下における行政機関で内閣府以外のもの（以下「国の行政機関」という。）の組織の基準を定め，もつて国の行政事務の能率的な遂行のために必要な国家行政組織を整えることを目的とする。

第2条〔組織の構成〕

国家行政組織は，内閣の統轄の下に，内閣府の組織とともに，任務及びこれを達成するため必要となる明確な範囲の所掌事務を有する行政機関の全体によつて，系統的に構成されなければならない。

第3条〔行政機関の設置，廃止，任務及び所掌事務〕

① 国の行政機関の組織は，この法律でこれを定めるものとする。

② 行政組織のため置かれる国の行政機関は，省，委員会及び庁とし，その設置及び廃止は，別に法律の定めるところによる。

③　省は，内閣の統轄の下に行政事務をつかさどる機関として置かれるものとし，委員会及び庁は，省に，その外局として置かれるものとする。

第5条〔行政機関の長〕

①　各省の長は，それぞれ各省大臣とし，内閣法にいう主任の大臣として，それぞれ行政事務を分担管理する。

②　各省大臣は，国務大臣の中から，内閣総理大臣がこれを命ずる。但し，内閣総理大臣が，自らこれに当ることを妨げない。

第6条

委員会の長は，委員長とし，庁の長は，長官とする。

第7条〔内部部局〕

①　省には，その所掌事務を遂行するため，官房及び局を置く。

②　前項の官房又は局には，特に必要がある場合においては，部を置くことができる。

③　庁には，その所掌事務を遂行するため，官房及び部を置くことができる。(以下略)

第9条〔地方支分部局〕

第3条の国の行政機関には，その所掌事務を分掌させる必要がある場合においては，法律の定めるところにより，地方支分部局を置くことができる。

第10条〔行政機関の長の権限〕

各省大臣，各委員会の委員長及び各庁の長官は，その機関の事務を統括し，職員の服務について，これを統督する。

第11条

各省大臣は，主任の行政事務について，法律若しくは政令の制定，改正又は廃止を必要と認めるときは，案をそなえて，内閣総理大臣に提出して，閣議を求めなければならない。

第12条

各省大臣は，主任の行政事務について，法律若しくは政令を施行するため，又は法律若しくは政令の特別の委任に基づいて，それぞれその機関の命令として省令を発することができる。

第13条

各委員会及び各庁の長官は，別に法律の定めるところにより，政令及び省令以外の規則その他の特別の命令を自ら発することができる。

第16条〔副大臣〕

①　各省に副大臣を置く。

②　副大臣の定数は，それぞれ別表第3の副大臣の定数の欄に定めるところによる。

③　副大臣は，その省の長である大臣の命を受け，政策及び企画をつかさどり，政務を処理し，並びにあらかじめその省の長である大臣の命を受けて大臣不在の場合その職務を代行する。

④　副大臣が2人置かれた省においては，各副大臣の行う前項の職務の範囲及び職務代行の順序については，その省の長である大臣の定めるところによる。

⑤　副大臣の任免は，その省の長である大臣の申出により内閣が行い，天皇がこれを認証する。

⑥　副大臣は，内閣総辞職の場合においては，内閣総理大臣その他の国務大臣がすべてその地位を失つたときに，これと同時にその地位を失う。

第17条〔大臣政務官〕

①　各省に大臣政務官を置く。

②　大臣政務官の定数は，それぞれ別表第3の大臣政務官の定数の欄に定めるところによる。

③　大臣政務官は，その省の長である大臣を助け，特定の政策及び企画に参画し，政務を処理する。

④　各大臣政務官の行う前項の職務の範囲については，その省の長である大臣の定めるところによる。

⑤　大臣政務官の任免は，その省の長である大臣の申出により，内閣がこれを行う。

食料・農業・農村基本法〔抄〕

〔公布　1999.7.16　法106，最終改正　2018　法62〕

第1条〔目的〕

この法律は，食料，農業及び農村に関する施策について，基本理念及びその実現を図るのに基本となる事項を定め，並びに国及び地方公共団体の責務等を明らかにすることにより，食料，農業及び農村に関する施策を総合的かつ計画的に推進し，もって国民生活の安定向上及び国民経済の健全な発展を図ることを目的とする。

第2条〔食料の安定供給の確保〕

①　食料は，人間の生命の維持に欠くことができないものであり，かつ，健康で充実した生活の基礎として重要なものであることにかんがみ，将来にわたって，良質な食料が合理的な価格で安定的に供給されなければならない。(以下略)

第15条〔政府の施策〕

①　政府は，食料，農業及び農村に関する施策の総合的かつ計画的な推進を図るため，食料･農業･農村基本計画（以下「基本計画」という。）を定めなければならない。

②　基本計画は，次に掲げる事項について定めるものとする。

1　食料，農業及び農村に関する施策についての基本的な方針

2　食料自給率の目標

3　食料，農業及び農村に関し，政府が総合的かつ計画的に講ずべき施策（以下略）

アイヌ民族支援法〔抄〕

〔公布　2019.4.26　2019　法16，施行　2019.5.24〕

（アイヌの人々の誇りが尊重される社会を実現するための施策の推進に関する法律）

第1条〔目的〕

この法律は，日本列島北部周辺，とりわけ北海道の先住民族であるアイヌの人々の誇りの源泉であるアイヌの伝統及びアイヌ文化（以下「アイヌの伝統等」という。）が置かれている状況並びに近年における先住民族をめぐる国際情勢に鑑み，アイヌ施策の推進に関し，基本理念，国等の責務，政府による基本方針の策定，民族共生象徴空間構成施設の管理に関する措置（中略），アイヌ政策推進本部の設置等について定めることにより，アイヌの人々が民族としての誇りを持って生活することができ，及びその誇りが尊重される社会の実現を図り，もって全ての国民が相互に人格と個性を尊重し合いながら共生する社会の実現に資することを目的とする。

第2条〔定義〕

この法律において「アイヌ文化」とは，アイヌ語並びにアイヌにおいて継承されてきた生活様式，音楽，舞踊，工芸その他の文化的所産及びこれらから発展した文化的所産をいう。(以下略)

第3条〔基本理念〕

アイヌ施策の推進は，アイヌの人々の民族としての誇りが尊重されるよう，アイヌの人々の誇りの源泉であるアイヌの伝統等並びに我が国を含む国際社会において重要な課題である多様な民族の共生及び多様な文化の発展について

の国民の理解を深めることを旨として，行われなければならない。（以下略）

第４条

何人も，アイヌの人々に対して，アイヌであることを理由として，差別することその他の権利利益を侵害する行為をしてはならない。

第５条〔国及び地方公共団体の責務〕

国及び地方公共団体は，前二条に定める基本理念にのっとり，アイヌ施策を策定し，及び実施する責務を有する。（以下略）

第６条〔国民の努力〕

国民は，アイヌの人々が民族としての誇りを持って生活することができ，及びその誇りが尊重される社会の実現に寄与するよう努めるものとする。

第15条〔交付金の交付等〕

国は，認定市町村に対し，認定アイヌ施策推進地域計画に基づく事業の実施に要する経費に充てるため，内閣府令で定めるところにより，予算の範囲内で，交付金を交付することができる。

ＤＶ防止法〔抄〕

〔公布　2001.4.13　法31，最終改正　2019　法46〕

（配偶者からの暴力の防止及び被害者の保護等に関する法律）

我が国においては，日本国憲法に個人の尊重と法の下の平等がうたわれ，人権の擁護と男女平等の実現に向けた取組が行われている。

ところが，配偶者からの暴力は，犯罪となる行為であるにもかかわらず，被害者の救済が必ずしも十分に行われてこなかった。また，配偶者からの暴力の被害者は，多くの場合女性であり，経済的自立が困難である女性に対して配偶者が暴力その他の心身に有害な影響を及ぼす言動を行うことは，個人の尊厳を害し，男女平等の実現の妨げとなっている。

このような状況を改善し，人権の擁護と男女平等の実現を図るためには，配偶者からの暴力を阻止し，被害者を保護するための施策を講ずることが必要である。このことは，女性に対する暴力を根絶しようと努めている国際社会における取組にも沿うものである。ここに，配偶者からの暴力に係る通報，相談，保護，自立支援等の体制を整備することにより，配偶者からの暴力の防止及び被害者の保護を図るため，この法律を制定する。

第１条〔定義〕

①　この法律において「配偶者からの暴力」とは，配偶者（婚姻の届出をしていないが，事実上婚姻関係と同様の事情にある者を含む。以下同じ。）からの身体に対する不法な攻撃であって生命又は身体に危害を及ぼすものをいう。

②　この法律において「被害者」とは，配偶者からの暴力を受けた者（配偶者からの暴力を受けた後婚姻を解消した者であって，当該配偶者であった者から引き続き生命又は身体に危害を受けるおそれがあるものを含む。）をいう。

第２条〔国及び地方公共団体の責務〕

国及び地方公共団体は，配偶者からの暴力を防止し，被害者を保護する責務を有する。

沖縄返還協定〔抄〕

〔1971.6.17　調印〕

（琉球諸島および大東諸島に関する日本国とアメリカ合衆国との間の協定）

第１条

①　アメリカ合衆国は，②に定義する琉球諸島及び大東諸島に関し，1951年９月８日にサン・フランシスコ市で署名された日本国との平和条約第３条の規定に基づくすべての権利及び利益を，この協定の効力発生の日から日本国のために放棄する。日本国は，同日に，これらの諸島の領域及び住民に対する行政，立法及び司法上のすべての権力を行使するための完全な権能及び責任を引き受ける。

②　この協定の適用上，「琉球諸島及び大東諸島」とは，行政，立法及び司法上のすべての権力を行使する権利が日本国との平和条約第３条の規定に基づいてアメリカ合衆国に与えられたすべての領土及び領水のうち，そのような権利が1953年12月24日及び1968年４月５日に日本国とアメリカ合衆国との間に署名された奄美群島に関する協定並びに南方諸島及びその他の諸島に関する協定に従ってすでに日本国に返還された部分を除いた部分をいう。

第３条

①　日本国は，1960年１月19日にワシントンで署名された日本国とアメリカ合衆国との間の相互協力及び安全保障条約及びこれに関連する取極に従い，この協定の効力発生の日に，アメリカ合衆国に対して琉球諸島及び大東諸島における施設及び区域の使用を許す。

②　アメリカ合衆国が①の規定に従ってこの協定の効力発生の日に使用を許される施設及び区域につき，1960年１月19日に署名された日本国とアメリカ合衆国との間の相互協力及び安全保障条約第６条に基づく施設及び区域並びに日本国における合衆国軍隊の地位に関する協定第４条の規定を適用するにあたり，同条１の「それらが合衆国軍隊に提供された時の状態」とは当該施設及び区域が合衆国軍隊によって最初に使用されることとなった時の状態をいい，また，同条２の「改良」には，この協定の効力発生の日前に加えられた改良を含むことが了解される。

第７条

日本国政府は，合衆国の資産が前条の規定に従って日本国政府に移転されること，アメリカ合衆国政府が琉球諸島及び大東諸島の日本国への返還を1969年11月21日の共同声明第８項にいう日本国政府の政策に背馳（はいち）しないよう実施すること，アメリカ合衆国政府が復帰に雇用の分野等において余分の費用を負担することとなる等を考慮し，この協定の効力発生の日から５年の期間にわたり，合衆国ドルでアメリカ合衆国政府に対し総額３億2,000万合衆国ドル（320,000,000合衆国ドル）を支払う。日本国政府は，…この協定の効力発生の日の後１週間以内に支払い，また，残額を４回の均等年賦でこの協定が効力を生ずる年の後の各年の６月に支払う。

環境基本法〔抄〕

〔公布　1993.11.19　法91，最終改正2018　法50〕

第１条〔目的〕

この法律は，環境の保全について，基本理念を定め，並びに国，地方公共団体，事業者及び国民の責務を明らかにするとともに，環境の保全に関する施策の基本となる事項を定めることにより，環境の保全に関する施策を総合的かつ計画的に推進し，もって現在及び将来の国民の健康で文化的な生活の確保に寄与するとともに人類の福祉に貢献することを目的とする。

第２条〔定義〕

この法律において「環境への負荷」とは，人の活動により環境に加えられる影響であって，環境の保全上の支障の原因となるおそれのあるものをいう。

② この法律において「地球環境保全」とは，人の活動による地球全体の温暖化又はオゾン層の破壊の進行，海洋の汚染，野生生物の種の減少その他の地球の全体又はその広範な部分の環境に影響を及ぼす事態に係る環境の保全であって，人類の福祉に貢献するとともに国民の健康で文化的な生活の確保に寄与するものをいう。

③ この法律において「公害」とは，環境の保全上の支障のうち，事業活動その他の人の活動に伴って生ずる相当範囲にわたる大気の汚染，水質の汚濁（水質以外の水の状態又は水底の底質が悪化することを含む。第十六条第一項を除き，以下同じ。），土壌の汚染，騒音，振動，地盤の沈下（鉱物の掘採のための土地の掘削によるものを除く。以下同じ。）及び悪臭によって，人の健康又は生活環境（人の生活に密接な関係のある財産並びに人の生活に密接な関係のある動植物及びその生育環境を含む。以下同じ。）に係る被害が生ずることをいう。

第6条〔国の責務〕

国は，前三条に定める環境の保全についての基本理念（以下「基本理念」という。）にのっとり，環境の保全に関する基本的かつ総合的な施策を策定し，及び実施する責務を有する。

第9条〔国民の責務〕

① 国民は，基本理念にのっとり，環境の保全上の支障を防止するため，その日常生活に伴う環境への負荷の低減に努めなければならない。

② 前項に定めるもののほか，国民は，基本理念にのっとり，環境の保全に自ら努めるとともに，国又は地方公共団体が実施する環境の保全に関する施策に協力する責務を有する。

循環型社会形成推進基本法〔抄〕

〔公布　2000.6.2　法 110，最終改正 2012　法 47〕

第1条〔目的〕

この法律は，環境基本法の基本理念にのっとり，循環型社会の形成について，基本原則を定め，並びに国，地方公共団体，事業者及び国民の責務を明らかにするとともに，循環型社会形成推進基本計画の策定その他循環型社会の形成に関する施策の基本となる事項を定めることにより，循環型社会の形成に関する施策を総合的かつ計画的に推進し，もって現在及び将来の国民の健康で文化的な生活の確保に寄与することを目的とする。

第2条〔定義〕

この法律において「循環型社会」とは，製品等が廃棄物等となることが抑制され，並びに製品等が循環資源となった場合においてはこれについて適正に循環的な利用が行われることが促進され，及び循環的な利用が行われない循環資源については適正な処分（廃棄物としての処分をいう ）が確保され，もって天然資源の消費を抑制し，環境への負荷ができる限り低減される社会をいう。

② この法律において「廃棄物等」とは，次に掲げる物をいう。

1 廃棄物

2 一度使用され，若しくは使用されずに収集され，若しくは廃棄された物品（現に使用されているものを除く。）又は製品の製造，加工，修理若しくは販売，エネルギーの供給，土木建築に関する工事，農畜産物の生産その他の人の活動に伴い副次的に得られた物品（前号に掲げる物並びに放射性物質及びこれによって汚染された物を除く。）

③ この法律において「循環資源」とは，廃棄物等のうち有用なものをいう。

④ この法律において「循環的な利用」とは，再使用，再生利用及び熱回収をいう。（略）

第3条〔循環型社会の形成〕

循環型社会の形成は，これに関する行動がその技術的及び経済的な可能性を踏まえつつ自主的かつ積極的に行われるようになることによって，環境への負荷の少ない健全な経済の発展を図りながら持続的に発展することができる社会の実現が推進されることを旨として，行われなければならない。

第9条〔国の責務〕

国は，第3条から第7条までに定める循環型社会の形成についての基本原則にのっとり，循環型社会の形成に関する基本的かつ総合的な施策を策定し，及び実施する責務を有する。

第12条〔国民の責務〕

国民は，基本原則にのっとり，製品をなるべく長期間使用すること，再生品を使用すること，循環資源が分別して回収されることに協力すること等により，製品等が廃棄物等となることを抑制し，製品等が循環資源となったものについて適正に循環的な利用が行われることを促進するよう努めるとともに，その適正な処分に関し国及び地方公共団体の施策に協力する責務を有する。

② 前項に定めるもののほか，前条第三項に規定する製品，容器等については，国民は，基本原則にのっとり，当該製品，容器等が循環資源となったものを同項に規定する事業者に適切に引き渡すこと等により当該事業者が行う措置に協力する責務を有する。

③ 前二項に定めるもののほか，国民は，基本原則にのっとり，循環型社会の形成に自ら努めるとともに，国又は地方公共団体が実施する循環型社会の形成に関する施策に協力する責務を有する。

少年法〔抄〕

〔公布　1948.7.15　法 168，最終改正 2021　法 47〕

第1条〔この法律の目的〕

この法律は，少年の健全な育成を期し，非行のある少年に対して性格の矯正及び環境の調整に関する保護処分を行うとともに，少年の刑事事件について特別の措置を講ずることを目的とする。

第2条〔少年，成人，保護者〕

① この法律で「少年」とは，20 歳に満たない者をいい，「成人」とは，満 20 歳以上の者をいう。

② この法律で「保護者」とは，少年に対して法律上監護教育の義務ある者及び少年を現に監護する者をいう。

第3条〔審判に付すべき少年〕

次に掲げる少年は，これを家庭裁判所の審判に付する。

1 罪を犯した少年

2 14歳に満たないで刑罰法令に触れる行為をした少年(略)

第17条〔観護の措置〕

家庭裁判所は，審判を行うため必要があるときは，決定をもつて，次に掲げる観護の措置をとることができる。

一 家庭裁判所調査官の観護に付すること。

二 少年鑑別所に送致すること。(略)

人権教育・啓発推進法〔抄〕

〔公布　2000.12. 6　法 147〕

(人権教育及び人権啓発の推進に関する法律)

第1条〔目的〕

この法律は，人権の尊重の緊要性に関する認識の高まり，社会的身分，門地，人種，信条又は性別による不当な差別の発生等の人権侵害の現状その他人権の擁護に関する内外の情勢にかんがみ，人権教育及び人権啓発に関する施策の推進について，国，地方公共団体及び国民の責務を明らかにするとともに，必要な措置を定め，もって人権の擁護に資することを目的とする。

第3条〔基本理念〕

国及び地方公共団体が行う人権教育及び人権啓発は，学校，地域，家庭，職域その他の様々な場を通じて，国民が，その発達段階に応じ，人権尊重の理念に対する理解を深め，これを体得することができるよう，多様な機会の提供，効果的な手法の採用，国民の自主性の尊重及び実施機関の中立性の確保を旨として行われなければならない。

第4条〔国の責務〕

国は，前条に定める人権教育及び人権啓発の基本理念（以下「基本理念」という。）にのっとり，人権教育及び人権啓発に関する施策を策定し，及び実施する責務を有する。

第6条〔国民の責務〕

国民は，人権尊重の精神の涵養に努めるとともに，人権が尊重される社会の実現に寄与するよう努めなければならない。

国民投票法〔抄〕

〔公布　2007.5.18　法 51，最終改正 2019　法 16〕

(日本国憲法の改正手続に関する法律)

第1条〔趣旨〕

この法律は，日本国憲法第 96 条 に定める日本国憲法 の改正（以下「憲法改正」という。）について，国民の承認に係る投票（以下「国民投票」という。）に関する手続を定めるとともに，あわせて憲法改正の発議に係る手続の整備を行うものとする。

第2条〔国民投票の期日〕

国民投票は，国会が憲法改正を発議した日から起算して 60 日以後 180 日以内において，国会の議決した期日に行う。(略)

第3条〔投票権〕

日本国民で年齢満 18 年以上の者は，国民投票の投票権を有する。

第 47 条〔一人一票〕

投票は，国民投票に係る憲法改正案ごとに，一人一票に限る。

第 100 条〔国民投票運動適用上の注意〕

この節及び次節の規定の適用に当たっては，表現の自由，学問の自由及び政治活動の自由その他の日本国憲法の保障する国民の自由と権利を不当に侵害しないように留意しなければならない。(略)

男女雇用機会均等法〔抄〕

〔公布　1972.7.1，最終改正 2019　法 24〕

(雇用の分野における男女の均等な機会及び待遇の確保等に関する法律)

第1条〔目的〕

この法律は，法の下の平等を保障する日本国憲法の理念にのつとり雇用の分野における男女の均等な機会及び待遇の確保を図るとともに，女性労働者の就業に関して妊娠中及び出産後の健康の確保を図る等の措置を推進することを目的とする。

第2条〔基本的理念〕

この法律においては，労働者が性別により差別されることなく，また，女性労働者にあつては母性を尊重されつつ，充実した職業生活を営むことができるようにすることをその基本的理念とする。(略)

第5条〔性別を理由とする差別の禁止　募集・採用〕

事業主は，労働者の募集及び採用について，その性別にかかわりなく均等な機会を与えなければならない。

第6条〔性別を理由とする差別の禁止　雇用条件〕

事業主は，次に掲げる事項について，労働者の性別を理由として，差別的取扱いをしてはならない。

一　労働者の配置（業務の配分及び権限の付与を含む。），昇進，降格及び教育訓練

二　住宅資金の貸付けその他これに準ずる福利厚生の措置であつて厚生労働省令で定めるもの

三　労働者の職種及び雇用形態の変更

四　退職の勧奨，定年及び解雇並びに労働契約の更新

第9条〔婚姻，妊娠，出産等を理由とする不利益取扱いの禁止等〕

事業主は，女性労働者が婚姻し，妊娠し，又は出産したことを退職理由として予定する定めをしてはならない。(略)

情報公開法〔抄〕

〔公布　1999.5.14　法 42，最終改正 2018　法 41〕

第1条〔目的〕

この法律は，国民主権の理念にのっとり，行政文書の開示を請求する権利につき定めること等により，行政機関の保有する情報の一層の公開を図り，もって政府の有するその諸活動を国民に説明する責務が全うされるようにするとともに，国民の的確な理解と批判の下にある公正で民主的な行政の推進に資することを目的とする。

第2条〔定義〕

1　この法律において「行政機関」とは，次に掲げる機関をいう。

①　法律の規定に基づき内閣に置かれる機関（内閣府を除く。）及び内閣の所轄の下に置かれる機関

②　内閣府，宮内庁並びに内閣府設置法第四十九条第一項及び第二項に規定する機関（これらの機関のうち第四号の政令で定める機関が置かれる機関にあっては，当該政令で定める機関を除く。）

③　国家行政組織法第三条第二項に規定する機関（第五号の政令で定める機関が置かれる機関にあっては，当該政令で定める機関を除く。）

④　内閣府設置法第三十九条及び第五十五条並びに宮内庁法第十六条第二項の機関並びに内閣府設置法第四十条及び第五十六条（宮内庁法第十八条第一項において準用する場合を含む。）の特別の機関で，政令で定めるもの

⑤　国家行政組織法第八条の二の施設等機関及び同法第八条の三の特別の機関で，政令で定めるもの

⑥　会計検査院

2　この法律において「行政文書」とは，行政機関の職員が職務上作成し，又は取得した文書，図画及び電磁的記録（電子的方式，磁気的方式その他人の知覚によっては認識することができない方式で作られた記録をいう。以下同じ。）であって，当該行政機関の職員が組織的に用いるも

のとして，当該行政機関が保有しているものをいう。ただし，次に掲げるものを除く。
① 官報，白書，新聞，雑誌，書籍その他不特定多数の者に販売することを目的として発行されるもの
② 公文書等の管理に関する法律第二条第七項に規定する特定歴史公文書等
③ 政令で定める研究所その他の施設において，政令で定めるところにより，歴史的若しくは文化的な資料又は学術研究用の資料として特別の管理がされているもの（前号に掲げるものを除く。）

公職選挙法〔抄〕

〔公布 1950.4.15 法100，最終改正 2020 法45〕

第1条〔この法律の目的〕
この法律は，日本国憲法の精神に則り，衆議院議員，参議院議員並びに地方公共団体の議会の議員及び長を公選する選挙制度を確立し，その選挙が選挙人の自由に表明せる意思によつて公明且つ適正に行われることを確保し，もつて民主政治の健全な発達を期することを目的とする。

第2条〔この法律の適用範囲〕
この法律は，衆議院議員，参議院議員並びに地方公共団体の議会の議員及び長の選挙について，適用する。

第3条〔公職の定義〕
この法律において「公職」とは，衆議院議員，参議院議員並びに地方公共団体の議会の議員及び長の職をいう。

第9条〔選挙権〕
日本国民で年齢満18年以上の者は，衆議院議員及び参議院議員の選挙権を有する。(以下略)

第10条〔被選挙権〕
日本国民は，左の各号の区分に従い，それぞれ当該議員又は長の被選挙権を有する。
1 衆議院議員については年齢満25年以上の者
2 参議院議員については年齢満30年以上の者（以下略）

第35条〔選挙の方法〕
選挙は，投票により行う。

第36条〔一人一票〕
投票は，各選挙につき，一人一票に限る。(以下略)

第137条〔教育者の地位利用の選挙運動の禁止〕
教育者（中略）は，学校の児童，生徒及び学生に対する教育上の地位を利用して選挙運動をすることができない。

第138条〔戸別訪問〕
何人も，選挙に関し，投票を得若しくは得しめ又は得しめない目的をもつて戸別訪問をすることができない。

第138条の2〔署名運動の禁止〕
何人も，選挙に関し，投票を得若しくは得しめ又は得しめない目的をもつて選挙人に対し署名運動をすることができない。

デジタル社会形成基本法〔抄〕

〔公布 2021.5.19 法35〕

第1条〔目的〕
この法律は，デジタル社会の形成が，我が国の国際競争力の強化及び国民の利便性の向上に資するとともに，急速な少子高齢化の進展への対応その他の我が国が直面する課題を解決する上で極めて重要であることに鑑み，デジタル社会の形成に関し，基本理念及び施策の策定に係る基本方針を定め，国，地方公共団体及び事業者の責務を明らかにし，並びにデジタル庁の設置及びデジタル社会の形成に関する重点計画の作成について定めることにより，デジタル社会の形成に関する施策を迅速かつ重点的に推進し，もって我が国経済の持続的かつ健全な発展と国民の幸福な生活の実現に寄与することを目的とする。

第2条〔定義〕
この法律において「デジタル社会」とは，(中略) 自由かつ安全に多様な情報又は知識を世界的規模で入手し，共有し，又は発信するとともに，(中略) 従来の処理量に比して大量の情報の処理を可能とする先端的な技術をはじめとする情報通信技術（中略）を用いて電磁的記録（中略）として記録された多様かつ大量の情報を適正かつ効果的に活用すること（中略）により，あらゆる分野における創造的かつ活力ある発展が可能となる社会をいう。

世界人権宣言〔抄〕

〔採択 1948.12.10，国連第3回総会〕

第1条
すべての人間は，生れながらにして自由であり，かつ，尊厳と権利とについて平等である。人間は，理性と良心とを授けられており，互いに同胞の精神をもつて行動しなければならない。

第2条
① すべて人は，人種，皮膚の色，性，言語，宗教，政治上その他の意見，国民的若しくは社会的出身，財産，門地その他の地位又はこれに類するいかなる事由による差別をも受けることなく，この宣言に掲げるすべての権利と自由とを享有することができる。

第3条
すべて人は，生命，自由及び身体の安全に対する権利を有する。

第5条
何人も，拷問又は残虐な，非人道的な若しくは屈辱的な取扱若しくは刑罰を受けることはない。

第7条
すべての人は，法の下において平等であり，また，いかなる差別もなしに法の平等な保護を受ける権利を有する。(略)

第14条
① すべて人は，迫害を免れるため，他国に避難することを求め，かつ，避難する権利を有する。

第15条
① すべて人は，国籍をもつ権利を有する。

第16条
① 成年の男女は，人種，国籍又は宗教によるいかなる制限をも受けることなく，婚姻し，かつ家庭をつくる権利を有する。成年の男女は，婚姻中及びその解消に際し，婚姻に関し平等の権利を有する。

第21条
① すべて人は，直接に又は自由に選出された代表者を通じて，自国の政治に参与する権利を有する。

第23条
① すべて人は，勤労し，職業を自由に選択し，公正かつ有利な勤労条件を確保し，及び失業に対する保護を受ける権利を有する。

第25条
① すべて人は，衣食住，医療及び必要な社会的施設等により，自己及び家族の健康及び福祉に十分な生活水準を保持する権利並びに失業，疾病，心身障害，配偶者の死亡，老齢その他不可抗力による生活不能の場合は，保障を受ける権利を有する。

入試対策 用語集

旧センター試験に出る頻度数の高い用語を，資料集のテーマ別にまとめた入試対策用語集です。資料集本文とあわせてご活用ください。なお，比較的新しい用語は，最後にまとめてあります。

序編

1 環境開発サミット　地球サミットのアジェンダ21の実施状況を検証するため，南アフリカのヨハネスブルクで2002年に開かれた会議。正式名は「持続可能な開発に関する世界首脳会議」。環境保護と開発の両立などをめざす「ヨハネスブルク宣言」が採択された。

1 持続可能な開発（発展）　「環境的にみて健全で維持可能な発展」という意味。将来世代の前途を損なわず，現世代の必要を充足する開発（発展）のあり方を示したもの。環境保全と開発とは対立するものでなく両立が可能であるとする。

1 バーゼル条約　有害廃棄物の国境をこえた移動（輸出）やその処分の規制などを定めた条約。1989年にスイスのバーゼルで採択され，1992年に発効した。日本での発効は翌93年。

1 酸性雨　化石燃料の燃焼で，硫黄酸化物（SOx）や窒素酸化物（NOx）が大気中に増加，これが降雨のなかに溶けこむことでpH5.6以下の強い酸性値を示す。酸性雨により森林や土壌に被害が出るほか，湖沼や河川も酸性化して魚類の死滅・減少などが起きている。

1 モントリオール議定書　オゾン層保護のためのウィーン条約（1985年採択）を具体化した議定書。87年の国連環境計画（UNEP）の会議で採択された。オゾン層を破壊するフロンガスの生産・使用を規制し，段階的に削減することを目的とする。95年の締約国会議でフロンなどオゾン層破壊物質の全廃が決められた。日本は88年に条約とあわせて締結。

1 ヒート-アイランド　都市部の地上気温が周辺地域より高くなる現象。「熱の島」とも訳される。自動車やエアコンからの熱や，緑地の減少，アスファルト・コンクリートなどが影響しているとされる。

1 アジェンダ21　1992年の地球サミットにおいて採択された，国際機関，各国政府，企業などが環境保全のためにとるべき分野や行動を具体的にした計画。

1 フロン　クロロフルオロカーボン（塩素・フッ素・炭素の化合物）の日本における通称。不燃・無毒で化学的に安定しており，圧縮すると液化する。エアコン・冷蔵庫などの冷媒，スプレーなどの噴霧剤，半導体基板などの洗浄剤として利用されてきた。1974年頃からオゾン層を破壊することが指摘された。

1 温室効果　地球温暖化の要因の一つ。二酸化炭素やフロンなどが，地表から宇宙空間に熱を逃がさない働きをすることによる地球温暖化効果。大気が温室のガラスのような役割を果たすため，この名称がある。温室効果をもたらす気体を温室効果ガス（HGS）という。

1 ラムサール条約　1971年にイランのラムサールで採択された「特に水鳥の生息地として国際的に重要な湿地に関する条約」。国際湿地条約ともいい，重要な湿地を各国が登録し，保全しようとするもの。日本は80年に加入，釧路湿原が最初の登録湿地。従来は水鳥の生息地を対象に指定されてきたが，現在ではマングローブ林・サンゴ礁・ウミガメ産卵地など，国内の46か所が登録されている。

1 国連人間環境会議　1972年にスウェーデンのストックホルムで開かれた国際会議。この会議で「人間環境宣言」が採択された。「かけがえのない地球」をスローガンに，①人間居住の計画と管理，②天然資源管理の環境問題，③国際的な環境汚染，④環境問題の教育・情報・社会および文化的側面，⑤開発と環境，⑥国際的機構，などについて話し合われた。

1 地球温暖化　二酸化炭素・メタン・フロンなど，温室効果をもつガスが大気中に排出されることで地球の気温が高まり，自然環境に各種の悪影響が生じる現象。温暖化の影響には，海水面の上昇などのほか，予想できない気候変動をもたらす可能性が高く，農作物の収穫量にも大きな影響が出るとされる。

1 ワシントン条約　絶滅のおそれのある動物の取り引きについて輸入国と輸出国が規制をし，対象となる野生動物の保護を目的とする条約。1973年にワシントンで調印されたことからこの名前がついた。日本は1980年に加盟。

1 国連環境計画（UNEP）　ユネップ。1972年，国連人間環境会議での議論に基づいて設立された。事務局はケニアのナイロビにある。国連本部に属し，国連が取り組む環境問題の総合的な調整などを任務とする。

1 生物多様性条約　特定の地域や種の保護だけでは生物の多様性を守ることができないとして，その保全を目的とした条約。1992年の地球サミットで採択。多様性とは生物種がさまざまに異なることを意味し，①生態系の多様性②種間の多様性③種内（遺伝子）の多様性を指す。国連は2010年を国際生物多様性年とした。

1 名古屋議定書　生物多様性条約の第10回締約国会議（COP10）が2010年に日本（名古屋）で開かれ，医薬品などのもととなる動植物などの遺伝資源の利用を定めたもの。生態系保全をめざす世界目標である「愛知ターゲット」も採択された。なお，日本では2008年に生物多様性基本法が制定されている。

1 京都議定書　1997年に気候変動枠組み条約第3回締約国会議（COP3）京都会議で採択された。二酸化炭素などの地球温暖化防止のための温暖化ガス排出量の削減目標を定めたもの。2008年から12年の間に（第1約束期間），1990年比で平均5.2%削減しようとするもので，EU8%，アメリカ7%，日本6%の削減目標値が義務づけられた。アメリカは経済への悪影響を理由に離脱したが，2005年発効。

1 ダーバン合意　2011年に南アフリカで開かれたCOP17で，12年末で期限切れとなる京都議定書をそれ以降も延長し，すべての国が参加する新枠組みを15年までにつくるとした合意書。日本・ロシア・カナダは京都議定書からの離脱を表明したが，第2約束期間は2013年から20年までの8年間と決まった（ドーハ合意）。

2 エネルギー革命　人間が消費するエネルギー源の種類に関する，大きな変化をいう。古代・中世では薪炭が一般的であったが，産業革命前後から石炭などが使用されはじめ，第二次世界大戦後には，石油・天然ガス・液体ガスなどの流体エネルギーの需要が急増。

2 メタンガス　メタンとも。天然ガスの主成分で，無色・無臭の可燃性気体。燃やすと青色の炎をあげる。家畜の糞尿や沼地などの腐敗した有機物からも発生。

2 バイオエタノール　サトウキビのかすや廃木材，大麦やトウモロコシなどの植物を原料とするエタノール。天然ガスや石油などの化石燃料からつくられた合成エタノールと区別するためにバイオエタノールとよぶ。石油の代替燃料として注目されている一方で，世界の家畜飼料をうばい，穀物の価格を上昇させている。

2 再生可能エネルギー　太陽光・太陽熱・風力など，自然現象のなかでくり返し使えるエネルギーの総称。無尽蔵に存在するが，大規模な供給は困難で，現在までのところ経済的な効率も高くない。

2 国際原子力機関　1957年，原子力の平和利用のために設立された組織で，国連の関連機関の一つ。アイゼンハウアー米大統領が創設を提唱。本部はウィーンにあり，加盟国は2011年現在で151か国。原子力の平和利用の推進・援助と軍事への転用阻止を目的とした核査察などを行う。2005年にノーベル平和賞を受賞。現在の事務局長は日本の天野之弥氏。

2 プルサーマル 使用済み核燃料を再処理して燃え残ったプルトニウムを抽出し，稼働中の原子力発電所(軽水炉)で再利用すること。ウランとの混合酸化物(MOX)燃料に加工して用いる。プルトニウムとサーマルリアクターからの造語。

2 原子力発電 原子力発電は原子炉でウランを核分裂させ，そのときに発生する熱で蒸気をつくり，タービンを回して発電する。原子炉には，軽水(普通水)炉・重水路・黒鉛炉・高速増殖炉があり，タービンを回す水蒸気の形態の違いから加圧水型と沸騰水型にわかれる。

2 一次エネルギー 石炭・石油・天然ガスの化石燃料のほか，水力・原子力(核燃料)・地熱など，主として加工せず使われるエネルギー。

3 安楽死 不治の病気や重度の障害などによる肉体的，精神的苦痛から解放するために人為的に死亡させること。

3 ゲノム 雄・雌二つの配偶子に含まれる染色体(細胞が正常に機能できるすべての遺伝子をもった一組:一対)の全体。一つの細胞中の遺伝子の完全なセット。普通の個体(2倍体)の細胞は雌性配偶子と雄性配偶子に由来する二つのゲノムをもつ。三つまたは四つのゲノムをもつものは，それぞれ3倍体・4倍体という。

3 ヒトゲノム計画 30億の塩基対からなると推定されているヒトのゲノム(遺伝情報)の全配列を解明する計画。1990年にアメリカを中心に6か国の共同プロジェクトとして開始し，2003年4月には，ヒトゲノム配列の解読完了が発表された。医療への応用・活用が期待されている。

3 ES細胞 受精卵の分割途中の細胞を培養してできる細胞。未分化のため，神経・内臓・血液・骨などのどんな細胞や組織にもなる能力を秘め，万能細胞といわれる。この細胞を利用して，治療が困難だった糖尿病や心筋梗塞などの患者に再生医療を施すことができる。

3 ジェネリック医薬品 先発医薬品(新薬)の特許切れ後，同じ成分で製造された後発医薬品。新薬に比べて薬価が低いため普及が進めば，国内の医療費削減や発展途上国の医療向上にも貢献できる。

3 インフォームド-コンセント 「説明と同意」「十分な説明を受けた上での同意」などと訳され，医師から患者に対して病状や治療方法などについて十分な説明がなされ，それに同意を得た上で治療がなされるべきであるとする考え方。1960年代初めからアメリカで提唱された患者の権利。医師側の都合だけの医療行為では患者の権利は侵害されるとした。

3 臓器移植法 1997年6月に成立，10月から施行された法律で，臓器を提供する場合に限って脳死を「人の死」とすることが認められた。2009年には，①法的には脳死を人の死とすることを前提とし，②提供者の年齢制限を撤廃，③本人の意思が不明でも家族の承諾で可能，などとする法改正が行われた。

3 出生前診断 胎児の遺伝性疾患や健康状態などを，出生前に診断すること。先天異常に関する受精卵検査や羊水検査などがある。近年，妊婦からの血液採取でダウン症など3種類の染色体異常が高精度でわかる簡便な診断が開発され，新型出生前診断が試験的に始まった。安易な利用は，命の選別となる危うさもある。

3 クローン 無性的に増殖し，親とまったく同じ遺伝的な性質をもつ複製の生物。動物においては1962年，自然界にはないクローン動物をカエルでつくることに成功(クローンガエル)。その後1996年には，イギリスで体細胞からつくられたほ乳類，クローン羊「ドリー」が誕生(ドリーは子ボニーをもうけ2003年死)。

4 大衆社会 一般的・平均的な大衆の決定が社会の動向を左右する社会。現代の発達したマス-メディアの情報支配と，それによる集団操作の重要性に裏付けられて成立した社会。大衆社会を構成する大衆の特徴としては，匿名的，受動的，孤立的な存在であることが指摘できる。

4 伝統指向型 リースマンの主著『孤独な群衆』のなかの用語。人口の増加があまりみられない閉鎖的で前近代的な共同体社会において，人々が共有している社会的性格。共同体社会で長い間にわたって形成してきた道徳や慣習を忠実に遵守することができる者だけが，唯一成功を勝ち得る可能性があるとする。

4 内部指向型 リースマンの主著『孤独な群衆』のなかの用語。産業革命後の近代市民社会においてみられる社会的性格で，孤独に耐えながら，禁欲的な自分の内部の良心に従って行動するタイプの人間。比喩的にいえば，ジャイロスコープ(羅針盤)型の人間である。

4 外部指向型 20世紀の大衆社会にみられる社会的性格で，周囲の動向や要求に対して鋭い感覚をもち，それに敏感にしかも的確に反応するタイプの人間。比喩的にいえば，レーダー型の人間である。

4 フロム ドイツのフランクフルト生まれの精神分析学者で精神分析を社会学の面から研究。ナチスが大衆に支持された理由を，権威・権力に従順で弱者に対して威圧的になる権威主義的性格という社会的性格から分析。主著『自由からの逃走』(1941年)

4 リースマン アメリカの社会学者であり，現代の大衆社会を鋭く分析した代表者。主著『孤独な群衆』においては，初めに人間の性格を，「伝統指向型」，「内部指向型」，「外部指向型(他人指向型)」の三つに分けている。

4 コンピュータ 電子計算機と訳されてきたが，現在では，高度に情報を処理する機械という意味あいが強い。現代の情報化社会を支える機械装置であり，エレクトロニクス技術の進展とともに成長。

4 不正アクセス禁止法 他人のコンピュータへの不当侵入を禁止する法律。2000年2月に施行。他人のコンピュータに不正にアクセスする行為自体を犯罪と認め，処罰の対象としている。

4 電子マネー 貨幣価値をデジタルデータで表現し，キャッシュレス売買やネットワーク上の電子商取り引きの決済手段として使われる。データ処理のみによる決済や売買ができる。

4 メディア-リテラシー リテラシーとは本来，読み書きの能力をさす。一般国民が多様なメディアを批判的に使いこなし，それに適応できる能力を身につけること。情報化社会を生き抜くための必要不可欠な能力とされる。

4 情報 一般的には「報【しら】せ」の意味。生物の自己保存の必要性から外部に向けて発したり，外部から受けとったりする「報せ」のすべて。人間はその手段として言語や文字を発達させた。その一つの到達点がコンピュータ情報で，特徴は①論理性，②予知性，③行動選択性。

4 IT革命 1990年代半ばからアメリカを中心としてIT(情報技術)が進展して世界中に広がり，社会全体を巻き込んで大きな変革となったことを指していう。産業革命以来の産業形態をパラダイム的に変化させる本質がある。現在ではICT [Information Communication Technology] 革命ともいう。

4 ユビキタスネットワーク社会 日常生活の至るところにコンピュータがあり，必要な情報にいつでもアクセスできる環境にある社会をさす。語源は「神があまねく存在する」というラテン語。

4 インターネット コンピュータを光ケーブルや通信衛星によって接続することによりネットワーク化したもの。当初は，研究者どうしの情報交換のためにつくられたが，簡単なソフトが開発されたり，商業利用が認められることにより爆発的に普及。情報が送り手と受け手の双方向に流れるという特色をもつ。

4 デジタル-デバイド 情報格差。インターネットなどの急速な普及の陰で，個人間の年齢・能力的差異や，国家間の経済格差などによって，情報通信を利用できる人と，そうでない人（情報弱者）との間で格差が広がる事象。

倫理編

5 ライフサイクル　人生の周期という意味。人の生涯を誕生，就職，結婚，定年などを目安にいくつかの時期に区分する。最近は人間の寿命の延びにともなって，ライフサイクルのとり方や老後の過ごし方が大きな問題になっている。

5 青年期の延長　成人期の開始時期，つまり青年の社会的自立の時期が大幅に遅れてきていること。その原因としては産業構造が高度化し，成人の仲間入りをするための社会的学習の期間が長くなっていること，また，栄養条件の向上による早熟傾向によって，早くから青年期が出現していることなどが考えられる。

5 心理的離乳　青年期に入ると，家庭の厚い保護から離れようとする気持ちが強まる。この親からの心理的独立の過程をいう。それまでは親の意見を自分の意見として取り入れていたが，しだいに親そのものを対象として観察しはじめ，親の立場と自分の立場を切り離して考えるようになり，親の保護・監督をわずらわしく感じはじめる。アメリカの心理学者ホリングワースは，生後1年前後にみられる生理的離乳にならって「心理的離乳」とよんだ。

5 投射　意識的に受け入れがたい自分の特質，考え，態度，感情などを，自分とは関係がない他の人に属するものだとみなす，責任転嫁の自我の無意識的な働き。投影ともいう。

5 第二次性徴　青年期の身体的な変化の特徴をさす。男子は喉頭の隆起や胸や肩幅の厚み，女子は乳房のふくらみや初潮などがみられる。こうした身体的・生理的成熟は，青年の感情や情緒など心理面にも大きな影響を与える。

5 青年期の発達課題　一人前の「大人」として認められる条件は，文化の型や時代によって異なるが，一般的には身体的・心理的・社会的な成熟が要求され，以下のような発達課題があげられる。①健康な身体をつくりあげ，性的成熟を含む身体的変化に適応すること。②両親をはじめとする大人によりかかることから抜けでて，精神的に独立していくこと。③同性及び異性の友人に対するふさわしい態度をつくりあげ，社会性を身につけること。④将来の目標を定め，そのために必要な教養・知識・技術の修得に努めること。⑤何が正しく，何が悪であるかの基準に基づいて，自己の人生観を確立するように努めること。

5 欲求　生物としての有機体が生きていくために必要なものを得られない欠乏，不足状態から脱却しようとする傾向，あるいはそれを支えるエネルギーのこと。人間の場合には，生物的・本能的な第一次的な欲求（生理的欲求）のみで生きていくわけではなく，第二次的欲求（社会的欲求）が大切であるために，欲求は動機・欲望・願望・衝動など，いろいろな意味合いを含んだものになっている。

5 抑圧　防衛機制の基本的な形態で，自分にとって不快で受け入れがたい思い出（記憶）やイメージなどを心の奥に沈み込ませてしまおうとする自我の無意識的な働き。意識的に忘れようとするのは抑制。

5 取り入れ　同一視（同一化）ともいう。さまざまな対象の特質・特性を自分のものとして取り込む働き。たとえば，映画を観てそのヒーローの動きに合わせて自分も動いていたり，プロスポーツ選手に対する熱狂的なファン心理など。

5 逃避　自我が環境や対人関係などに適合していく過程で，不安・危険・緊張などに直面した場合に，そうした状況を避けていこうとする消極的で非合理的な適応の形態をいう。

5 合理化　イソップ寓話のなかに，高いところにあるブドウが取れなかったキツネが「まだうれていないんだ」と負け惜しみをいう場面がある。このように自分の取った不本意な行動，態度などに合理的，論理的説明をつけて自他を納得させ，不安や緊張を避ける自我の無意識的な試み。

5 退行　「子ども（幼児）返り」（子どもっぽいしぐさをすること）という現象のように，不安や緊張に耐えきれず，より低次で未発達の状態まで一時的に後戻りすること。

5 昇華　性的欲求や攻撃的衝動等の充足が阻止されたとき，そのエネルギーが，社会的，文化的に認められる方向に内容を変容して発散させること。たとえば，スポーツや芸術活動などへ，そのエネルギーが向かい，成果をあげるなどである。「成功した防衛」といわれる。

5 第二反抗期　子どもが成長する過程において親や周りの人々に対して，反抗的な態度を強く示す時期。特に3歳前後と12歳～15歳の頃がめだつ。一般的に前者を第一反抗期，後者を第二反抗期とよぶ。第二反抗期の特徴は，子どもから大人への過渡期で，精神的・社会的自我の拡大，独立した社会人への芽ばえがみられ，これらが精神的な自主性の主張，既成の社会秩序への反抗・否定という形をとって現れることである。

5 マズロー　アメリカの心理学者。精神分析学や行動主義の心理学を批判し，実存的・人間学的心理学を主張した。人間の欲求について，生理的な欠乏を満たそうとする欲求から，価値や自由をめざす成長欲求，自己実現の欲求までの階層説を唱えた。最も高次の自己実現や至高体験を重視した。主著『人間性の心理学』

5 葛藤　お互いに相入れない願い・欲求・衝動・意見・態度などがほぼ等しい力で心のなかで抗争している状態。「葛」【かずら】も「藤」【ふじ】も巻きついて伸びていく植物で，心のなかでもつれ，こんがらがった状態を表現。葛藤には，①回避したい欲求と回避したい欲求によるもの，②回避したい欲求と接近したい欲求によるもの，③接近したい欲求と接近したい欲求によるもの，という三つの型がある。

5 防衛機制　心のなかの不安や緊張を解消し，安心を求めようとする自我の自動的な働き。19世紀末，オーストリアの精神医学者フロイトによって提唱された。適応機制ともいう。

5 エリクソン　ドイツ生まれのアメリカの代表的な正統派精神分析学者。フロイトに出会い，彼の精神分析の研究を受け継いだ。モラトリアム，アイデンティティということばは，彼が青年期の心理を分析するときに用いたことば。主著『洞察と責任』『自我同一性』『幼児期と社会』

5 レヴィン　ドイツ出身のアメリカの心理学者。社会心理の分析概念としてのマージナル-マン（境界人）ということばを提唱し確立。また，ゲシュタルト説（「場の理論」とよばれ，人間を周囲の生活空間とのかかわりからとらえる）に立つ学習理論も展開した。主著『人格の動的理論』

5 発達課題　人間が成長していく乳・幼児期から老年期までのそれぞれの発達段階において，次の段階へと発達していくために達成すべき課題。

5 境界人　心理学者レヴィンは，青年期の基本的特徴を「子ども」の世界の住人ではないが，まだ「大人」の世界からは受け入れられていない住人ととらえ，青年を二つの世界に位置する人という意味でマージナル-マン[marginal man]，すなわち「境界人」とよんだ。青年期には，一人前に扱われるかと思えば「子ども」とみなされたりもすることで，境界人としての不安定な心理状態にあって，矛盾と動揺を体験することが多い。

5 アイデンティティ　エリクソンによって定義された心理学の基本概念。「自己同一性，自我同一性」と訳されている。「自分であること，自己の存在証明，真の自分，主体性」などの意味をもつ。自分が自分であることを確認することであるが，同時に自分の不変性や連続性を他者に認められているという確認に裏づけられた自己像。これらが達成されない状態を「アイデンティティの拡散」という。

5 反動形成　抑圧されたものの正反対の内容が，意識に生じることで抑圧を補強する自我の無意識的な働き。たとえば，もってはならないとされる敵意が抑圧されて，気持ちの悪いほど過度のやさしさが出ることなどである。

5 青年期 一般的に12，13歳から22，23歳頃までをさし，児童期から成人期（壮年期）へ移行する時期のこと。よく「子ども（児童）から大人（成人）への過渡期である」といわれる。青年期は身体的，生理的成熟が顕著な時期で，およそ三つの時期に区分される。

5 通過儀礼 人生の重要な節目に行われる儀式。たとえば，冠婚葬祭（元服・婚礼・葬儀・祖先の祭祀）に代表される，古来重要とされてきた儀式。イニシエーションともいう。

6 モラトリアム アイデンティティの確立のため，青年が実社会に入るのを心理的・社会的に猶予されている期間をいう。元来は経済用語で「支払い猶予期間」を意味していたが，アメリカの心理学者エリクソンによって心理学用語になったもの。

7 ニート（NEET） 就学・就業・職業訓練のいずれもしていない若者をさす。Not in Education, Employment, or Trainingの頭文字をとったもの。イギリスで名づけられた。日本では15～34歳の非労働力人口のうち，家事も通学もしていない者を「若年無業者」とよび，その数は約60万人に達する。

7 フリーター フリーアルバイターを略した造語で，定職につかずにアルバイトなどで生計を立てようとする人。モラトリアムの状態にとどまろうとする現代の青年の心を象徴する行動パターンとみられる。他方で，正社員を希望する人も多い。

7 男女共同参画社会基本法 1999年6月，男女共同参画社会の形成にむけて制定された基本法。2001年，内閣府に男女共同参画会議が設けられた。国だけでなく都道府県や市町村にも男女共同参画基本計画の策定が義務づけられる。

8 正義 アリストテレスにおける社会全体の幸福を増進し，秩序を実現するための公平な分配のあり方。アリストテレスは正義を「ポリスの法を守ること」の全般的正義と「公平であること」の部分的正義とに分け，後者をさらに「各人の地位や能力に応じて名誉や利益を与えること」の配分（分配）的正義と，「法の適用はすべての人に平等にすること」の調整的正義とに分けた。

8 義務 法によって課される拘束のこと。一般的に，権利には義務が対応しており，権利―義務という関係を形成する。

9 キリスト教 ユダヤ教を母胎に，イエス＝キリストの人格と教えを中心として成立した世界宗教。唯一絶対の神を信じて，キリストによる贖罪【しょくざい】と復活を信仰して救いを得ようとする。イエスは当時のユダヤ教を批判し，十字架上で死んだが，その後，彼が復活したという信仰が生まれ，イエスこそ待望していたメシアであると信じられた。その後，迫害にもめげずペテロやパウロらの伝道により広まり，教義，組織も充実していった。2世紀に入り，カトリック教会が成立し，4世紀にはローマ帝国の国教となった。11世紀に入るとローマ-カトリック教会からギリシャ正教が独立し，中世期には東西教会がそれぞれの世界で拡大された。16世紀になると西ヨーロッパで宗教改革が起こりプロテスタントが成立し，その後，多くの教派が生まれ，現代にいたっている。

9 アガペー キリスト教における愛の中核をなす概念で，キリストの愛として『新約聖書』に示された思想。一般にギリシャ的愛であるエロースと対比される。自己犠牲的，非打算的な愛であり，無差別，平等の敵をも愛するほど徹底した愛である。神が罪ある人間に対して，自己を犠牲にした憐みある行為と考えられる。

9 イスラーム教 7世紀にアラビア半島でムハンマドによって開かれた宗教。キリスト教・仏教とともに三大世界宗教の一つとされる。イスラーム自体が宗教の名であるから，本来は「イスラム教」とよぶ必要はない。『コーラン』（『クルアーン』）を教典とし，『旧約聖書』『新約聖書』も重んじている。形態としてはユダヤ教・キリスト教と同じく，唯一絶対神を信仰する啓示宗教で，偶像崇拝をいっさい認めない。唯一神の名はアッラーで，ムハンマドは神により遣わされた最大にして最後の預言者。僧侶階級は存在しない。

9 六信 『コーラン』に記されているイーマーン（信仰）の六つの内容のこと。①唯一絶対の神であるアッラー，②ガブリエル，ミカエルなどの天使（マラーイカ），③『コーラン』を中心とする啓典（クトゥブ），④アダム，ノア，アブラハム，モーセ，イエス，そしてムハンマドらの預言者（ルスル），⑤終末と最後の審判の後にくる来世，⑥神の天命（カダル）。

9 五行 『コーラン』に記されているイバーダート（神への奉仕）の五つの行為。①「アッラーは唯一の神，ムハンマドは神の使徒」と証言する信仰告白（シャハーダ），②アッラーへの1日5回の礼拝（サラート），③イスラム暦9月（ラマダーン）に1か月間行う断食（シャーム），④収入資産と貯蓄に課せられる税を納める喜捨（ザカート），⑤アッラーへの絶対帰依を示すメッカへの巡礼（ハッジ）である。

9 仏教 ゴータマ＝シッダッタを開祖とする世界宗教。原始仏教では，仏陀（Buddha,覚者）になるための教えとして，法（ダルマ，真理）が説かれ，特に四諦【したい】・八正道・縁起が強調された。正しい知恵の大切さを説く合理主義，平等主義の思想，生きとし生けるものすべてへの慈悲を重んじる広い愛の精神を特色とする。仏陀入滅後100年ほど経過した時，上座部【じょうざぶ】と大衆部【だいしゅぶ】に分裂し，さらに紀元前後に，大衆部を母胎としつつ大乗仏教が成立し，アショーカ王の庇護【ひご】等もあり興隆し，竜樹・世親などの思想家も輩出した。そして西域・チベットを経て中国に伝わり，6世紀には日本に伝来した。

10 年中行事 毎年一定の時期に特定の集団により繰り返し行われる儀式・伝承行事。一年間の農作業のリズムにあわせて，日常（ケ）とは異なった特別の日（ハレ＝晴れ着や特別の食事をとる）が設けられた。さらに，もともとは宮中で行われていた行事や外国から導入された行事も含まれるようになった。

10 文化 文化とは人間の生活のあらゆる場面に現れ，人間の生活の基盤を形成しているものである。その内容は多様で，人間が行為するスタイルや生活習慣，考え方などの無形のものから，儀式儀礼や芸能などの伝統，生活のなかで用いる道具までも含める。cultureの語源は「耕作する」ということで，人間が手を加えてつくりあげてきたものとして，自然に対する人工という意味もある。

10 文化の多様性 すべての文化が同様に発展するのではなく，それぞれが独特に発展する多様なものだとする考え方。多様性を認めることで文化の優劣を比較することを否定する立場である。

11 福沢諭吉 豊前中津藩出身。大坂の緒方洪庵【おがたこうあん】の適塾で蘭学を学び，1858年藩命により江戸に蘭学塾を開く。幕府に翻訳官として仕える間3度欧米に渡る。このときの知見を『西洋事情』として刊行し，画期的な海外紹介書として広く読まれた。1868年慶應義塾発足。明治維新以降は，在野の立場をつらぬき，教育・言論に啓蒙思想家として活躍した。英国功利主義の立場から封建制度，封建的思想を批判し，個人と国家の独立，実学尊重を主張した。自由民権運動に批判的であり，1882年「時事新報」を創刊し，官民調和を唱えた。国家の独立と国力充実の重視は，しだいに国権伸張論を展開することとなり，日清戦争を「文明と野蛮の戦争」と断じ主戦論を主張した。国民の智徳を高め，日本社会の文明化をはかることと，日本の国家独立とが福沢の終生のテーマであった。主著『学問のすゝめ』『文明論之概略』

11 内村鑑三 近代日本の代表的キリスト者・宗教思想家。高崎藩士の子。武士が没落するなかで少年期を送り，独立・自立の精神の肝要さを養う。札幌農学校に入学し，キリスト教に入信。23歳のとき渡米し，苦学して神学を学ぶ。帰国後，日本は武士道精神に基づく至誠な道徳心をもつとして，キリスト教が根づくことを確信し，「二つのJ」すなわち日本［Japan］とイエス［Jesus］への愛に生涯をささげることを決心する。1891年の教育勅語不敬事件では良心に基づいて権威に抗し，1901年の足尾銅山鉱毒事件では企業倫理を求めて財閥を攻撃し，日露開戦時には非戦論を唱えた。その後無教会主義を唱え，教会や儀式にとらわれず，自己の信仰のあり方に重心をおいた信仰を確立していった。主著『余は如何【いか】にして基督【キリスト】教徒なりし乎【か】』『代表的日本人』。

12 ルネサンス　14世紀から16世紀にかけて，イタリアで始まりヨーロッパ各地に広がった文芸復興運動。ルネサンスとは本来フランス語で「再生」を意味する。ルネサンスは，古代ギリシャ・ローマ文化の再生，研究を通して「人間性の発見」をもたらし，封建的秩序の束縛や神中心・教会中心の人間観・世界観から個人を解放した。「人間性の発見」という点で，宗教改革とともに近代への出発点となる人間尊重の精神を生みだす原動力に。

12 ヒューマニズム　人間そのものや人間に関することがらに目を向け，人間性を抑圧したり束縛したりするものから人間を解放しようとする考え方。ヒューマニズムはさまざまな理解のされ方をしており，人間中心主義，人文主義，人道主義，人間主義などと訳されている。どの場合でも人間尊重の精神という点では一致。

12 近代科学　16，17世紀以降天文学や物理学を中心に，コペルニクス・ガリレイ・ニュートンらによって開花し発展した科学全般をいう。中世の教会中心の閉鎖的な学説から脱却し，自然現象の背後にある原因，すなわち「なぜ」なのかではなく，自然現象そのままのあり方，すなわち「いかに」あるかを科学的に解明しようとした。こうした態度は，機械的な法則の支配する世界とみる世界観（機械的世界観）とも結びつき，新たな人間生活の建設をめざそうとする人生観とも結びつく。

13 ベンサム　功利主義思想を確立したイギリスの思想家。ロンドンの法律家の家庭に生まれ，4歳でラテン語を覚え，7歳でフランス語を習得したといわれている。12歳でオックスフォード大学に入学して法律を学び，18歳で学位を取得するなど天賦の才に恵まれていた。その後，父の遺産が入ったこともあってもっぱら学問の道に励み，1789年に著書『道徳および立法の原理序論』を出版した。また，自らの正義感から世論に訴え，選挙法・貧民法の改正，穀物法の廃止などにも大いに貢献した。

13 J.S.ミル　ベンサムのよき理解者であったジェームズ＝ミルを父として生まれる。幼い頃からその父の天才教育を受け，ギリシャ語，ラテン語，論理学，心理学，経済学などを修めた。17歳の頃にはベンサムの「功利主義協会」に加わり，また同じ頃父と同じ「東インド会社」に入った。しかし20歳のとき，いわゆる「精神的危機」が訪れ，生涯を支える全基盤がくずれ落ちるような経験をする。59歳のとき，下院議員に当選して以降，選挙法改正，女性の地位向上などに大いに寄与した。功利主義については，人間の快楽に質的差異を認め，人間の利他的な感情を重視することによって修正を加えた。主著『経済学原理』『自由論』『功利主義』

13 アマルティア＝セン　1933年11月3日，インド・ベンガル州に大学教師（化学担当）の子として生まれる。幼少期に彼を経済学へと導いた二つの事件，1943年の死者300万人ともいわれるベンガル大飢饉，ヒンドゥー教とイスラム教の宗教対立から悲惨な死を遂げたカデール＝ミアという男の死を目の当たりにする。当初物理学と経済学のどちらを学ぶか迷うが経済学を選択。カルカッタ大学経済学部卒業後，ケンブリッジ大学へ留学し，Ph.D（博士号）を取得。ケンブリッジ・デリー・オックスフォード・ハーバードなど大学教授を歴任。1998年に飢饉防止，社会的選択論などの発展への高い功績を認められ，ノーベル経済学賞を受賞した。世界の貧困や不平等の問題を解決するためには，各人の潜在能力［ケイパビリティ，capability］を高める必要があると説いた。

13 ロールズ　アメリカの倫理学者。功利主義を批判して社会契約説の再構成に取りくむ。主著『正義論』で，社会契約説を基礎とした「公正としての正義」を論じた。ロールズによれば，正義の基本的目的は社会的基本財の公正な分配であり，その原理は①基本的な自由を有する権利を各人平等に保障すべきであること，②権利の執行と享受においては各人の機会の均等を徹底すべきであること，③権利とそれによる利益の保障は最も恵まれない人々を対象の最優先とすべきであること，などである。彼の正義論は個人の自由の実現という伝統的視点を基礎としつつ，現代社会における不平等の是正を説いた点で注目される。

13 自然権　人間が生まれながらにもっている権利で，一般的には自然法に基づく。基本的人権とほぼ同義であり，したがって憲法の規定によって初めて生まれるものではない。憲法は，こうした人権の存在を確認し，保障することを宣言している。

13 一般意思　ルソーの『社会契約論』で用いられた概念。一般意志ともいう。公共の福祉を求める意思。個人の利害からくる特殊意思やその総和である全体意思と対比する。全体意思は多数決の意思につながり，その点でルソーは，一般意思は代表されえないとして，間接民主制を否定した。

13 自然状態　社会契約説において想定されている，社会組織や権力機構が存在しない状態。人権を抑圧する権力も人権を守る組織も存在しない状態であるため，秩序を維持して人権を守るには，社会契約を結んで国家や政府をつくる必要がある。

13 ロック　イギリスの哲学者。「17世紀に身を置きながら18世紀を支配した思想家」（丸山眞男）と評されるほど，彼の考え方はアメリカの独立宣言など，後世に多大な影響を及ぼした。主著『統治二論』（1690年）において，自由・平等な自然状態から，生命・自由・財産を含む固有権（プロパティ）の保障を任務とした政府設立のための社会契約が人民相互間で結ばれるとした。したがって，その任務を果たさない政府に対して人民は抵抗権（革命権）をもつとされる。

13 『統治二論』　ロックの主著の一つ。1690年刊。二つの編から構成。前編はフィルマーらの王権神授説（家父長論）を徹底的に批判し，後編はホッブズを念頭におきながら，名誉革命後のイギリスの政治体制の全体像を明らかにしたものである。具体的には自然状態を自由・平等の状態であるとし，社会契約で成立した政府のもつ権力は国民から信託されたものであり，その行使が人民の利益に反した場合には人民が抵抗権（革命権）を行使できると述べた。『市民政府二論』。

13 『社会契約論』　ルソーの政治論に関する主著。1762年刊。代議政治を批判し，「イギリス人は自由だと思っているが，それは大きな間違いである。彼らが自由なのは議員を選挙する間だけのことで，議員が選ばれるやいなや，イギリス人は奴隷となり，ゼロになってしまう」という言葉は有名。日本では明治期に，中江兆民が『民約訳解【やくげ】』（1882年）という表題で翻訳して紹介，自由民権運動の理論的支柱の一つ。

13 『リヴァイアサン』　ホッブズが社会契約説を体系化した著書。1651年刊。社会契約によって形成される主権者＝国家が強力かつ絶対的権力をもつため，それを『旧約聖書』に出てくる海の怪獣リヴァイアサンにたとえたもの。

13 ルソー　フランスの啓蒙時代の思想家。主著『社会契約論』（1762年）において，人間の本来的な自由と矛盾しない国家や法律のあり方を論じ，社会契約による国家の成立，個別の特殊意思や全体意思とは異なる，一般意思の表明としての法律の重要性などを説く。人民主権を明確にして，フランス革命などの思想的基盤を形成した。

13 ホッブズ イギリスの哲学者。主著『リヴァイアサン』（1651年）などにおいて，「万人の万人に対する闘争状態」としての自然状態から，社会契約によって強力な主権者が支配する国家を設立し，その秩序の維持を通じて人民の生存を保障しようとする社会契約説を展開した。

13 社会主義 生産手段の社会的所有を通じて，人間の自由と平等を実現しようとする思想。19世紀前半のサン-シモン・オーウェン・フーリエらの空想的社会主義と，マルクスやエンゲルスらの科学的社会主義とがある。資本主義から共産主義に移行する歴史的過程のなかで，共産主義社会への過渡期の社会を社会主義社会ともよぶ。

13 『資本論』 マルクスの主著。全3巻。第1巻は生前の1867年に刊行されたが，彼の死後にエンゲルスが第2・3巻を編集・刊行した。唯物史観・労働価値説・剰余価値説によって資本主義を大胆に分析した。資本主義の発展が搾取によって労働者階級を貧困化させるが，資本は蓄積と集中を通じて剰余を増大する。この資本主義の矛盾はしだいに激化し，ついに資本主義そのものを崩壊させ，次の社会主義に移行するとした。

13 マルクス ドイツの経済学者・哲学者。盟友エンゲルスとともに科学的社会主義を確立し，国際労働運動の指導者になった。主著『経済学・哲学草稿』(1844年)，『共産党宣言』(1848年)，『経済学批判』（1859年)，『資本論』(第1巻1867年，第2巻1885年，第3巻1894年)。歴史では唯物史観（史的唯物論)，経済では剰余価値説に基づく壮大なマルクス主義体系を確立。労働価値説・剰余価値説を唱え，資本主義を批判的に分析。

14 サルトル 現代フランスの実存主義の哲学者で，無神論的実存主義の立場に立つ。海軍士官を父としてパリに生まれる。1924年高等師範学校哲学科に入学し，そこでメルロ＝ポンティ，シモーヌ＝ド＝ボーヴォワールらと知遇を得る。そして，ボーヴォワールとは，1929年に契約に基づく結婚をした。1931年から各地の高等中学校で教鞭をとり，途中33年にはドイツに留学して，フッサール，ハイデガーらを研究した。また，マルクスの影響のもとに『弁証法的理性批判』を著し，自由と戦争へのレジスタンスのため，ヴェトナム戦争犯罪者法廷裁判長を務めるなど，社会参加の思想を実践した。『嘔吐』などの文学も手がけ，『言葉』ではノーベル文学賞を辞退。1966年に来日した。

14 自由 サルトルによれば，対自存在としての人間はたえず自己をこえていく，つまり，一定の定まったあり方にとどまることはできない。その意味で人間は自由なのである。人間は自由であるより他のあり方をもつことはできない。対自存在は不完全であるがゆえに，自らを築いていかなければならないという責任を負っている。そして，そのためには自己を選ぶ自由が保障されていなければならない。

14 義務 義務は一般に権利に対応することばで，行為の主体となる者が，その行為をなすにあたって与えられる強制ないし拘束のことをいう。自由の内実をなすものが権利であり，義務は責任の内実をなすものである。権利と義務は不可分。

15 マザー＝テレサ 本名はアグネス＝ゴンジャ＝ボジャジュ。現在の北マケドニアに生まれる。インドのベンガルを中心に，キリスト教修道女として貧しい人や病人に，神の愛を説きながら奉仕活動を続ける。19歳で申し出によりベンガル宣教区へ派遣される。1946年，自らの務めを修道会の外での奉仕活動に求めていく。50年には教え子たちとともに奉仕実践していた共同体が「神の愛の宣教者たち」と認められ，マザー＝テレサとよばれる。「死を待つ人の家」や「孤児の家」を創設したり，ハンセン病患者の救済活動を行ったりした。1978年，ノーベル平和賞を受賞。

政治編

16 政治 社会を構成する人々のさまざまな利害や意見を調整し，統合をもたらす働き。それには利害や意見が対立する人々に働きかけ，調整を納得させていくことが必要であり，統合を拒むものに対しては物理的な強制力を用いることになる。

16 基本的人権 人間が生まれながらにもつ権利。近代自然法思想・自然権思想に基づくものであり，いかなる権力であっても侵すことができない権利とされる。市民革命期には自由権・平等権を中心としていたが，現代では1919年制定のワイマール憲法などにみられるように，社会権（生存権）にまで拡大されてきた。

16 三権分立 立法・行政・司法の三つの権力を別々の機関に担当させ，それぞれの機関の間にお互いの活動を牽制【けんせい】する機能をもたせて，バランスをとるようなしくみ。厳格な三権分立のしくみとして，アメリカ合衆国の大統領制がある。

16 『法の精神』 モンテスキューの主著。1748年刊。「権力をもつ者がすべてそれを濫用しがちだということは，永遠の経験の示すところである」と述べ，立法・行政・司法の三権力の分立原則を説く。彼の権力分立の理論は権力の間の抑制と均衡［checks and balances］によって権力の濫用と腐敗を防ごうとするもの。

16 権利 個人や団体の利益などを確保するため，法が与える手段や力，活動範囲をいう。

16 間接民主制 国民が直接選んだ代表者を通じて国家の意思を決定する政治のしくみで，代議制・代表民主制ともいわれ，直接民主制と対比される。参政権をもつ国民が多くなった近代以後の国家で，全国民が直接政治に参加することが困難なことから，議員その他の代表を媒介として政治に参加する形式がとられた。

16 議会 公的な選挙で選出された代表者（議員）によって構成される代議機関をいう。語源としては，congress（集まり）とparliament（話し合い）があり，近代以降に立法機能を確立。国民の代表機関を議会（日本では国会＝the Diet）といい，地方公共団体の住民代表機関を地方議会という。立法的機能や行政監視機能をもつ意思決定機関で，民主主義体制下ではその審議・議決の過程で国民の意見を吸収し，反映させることが求められる。

16 モンテスキュー フランスの思想家。主著『法の精神』のなかで権力分立論を展開した。権力分立の考え方は，立法・行政・司法という三つの政治権力を分立させ，互いに牽制しあうことで権力の腐敗と濫用を防ぐというもの。

16 改革・開放政策 1970年代末に鄧小平によって着手された経済体制の改革政策。人民公社の解体，農業生産責任制，企業自主権の拡大などとともに，個人の経済活動や社会主義所有制の枠内で私的経営を認める社会主義市場経済の導入が明確化された。

17 不文法 成文化されていない法。慣習法・判例法が代表的なもので，英米法では不文法であるコモン-ローが重要な地位を占めている。

17 教書 議会への法案提出権をもたないため，大統領は議会に対して国家の全般的状況，経済全般の動向，予算案に関して情報を与えて，政策上必要な審議を求めることが保障されている。それぞれ，一般教書・経済教書・予算教書。憲法上定められた大統領の権限として議会へ送られるこれらのメッセージが教書である。

17 法案提出権 アメリカ大統領は議会への法案の提出ができない。そのかわりに，教書という制度がある。

17 法案拒否権 アメリカの議会を通過した法律案の成立には，大統領の署名が必要である。大統領はこの署名を拒否し，議会に再審議を求めることができるが，上下両院がそれぞれ3分の2以上で再可決すると法案は成立する。これをオーバー - ライドという。

17 大統領選挙人　間接選挙であるアメリカ大統領選挙において，各州単位で国民が直接投票して大統領選挙人を選ぶ。形の上で，この選挙人が大統領を選ぶ。選挙人はあらかじめ，どの大統領候補に投票するか表明しているため，実質的に直接選挙と異ならない。

17 全国人民代表大会　中国の立法機関で，一院制の議会に相当する。最高の国家権力機関であり，省や自治区・軍隊などから選出された任期5年の代議員約3000人で構成されている。権限としては憲法の改正，法律の制定，計画経済の決定，予算の審議，国家主席の選挙などがある。毎年1回開催。常設機関として常務委員会が置かれている。

17 中国共産党　1921年に上海で創立され，国民党との勢力争いのなか，1935年1月に毛沢東が党の指導権を握り，1949年10月に中華人民共和国を建国した。憲法で，社会主義建設のための指導的役割を認められ，その影響力は立法・行政・司法・軍事などあらゆる面に及んでいる。党の最高機関は中央委員会であり，国務院総理人事の提議など，政治機構への関与権も存在する。最高指導者は総書記で，現在は習近平。

17 大統領　アメリカ合衆国の国家元首であり，行政府の長及び国軍の司令官の地位を兼ねる存在。国民の選挙（間接選挙）によって独自に選出されるため，議会・裁判所との権力分立は厳格である。議会に対する法律案提出権はないかわりに教書提出権があり，法案拒否権をもつ。

18 多数決原理　集団の意思決定にあたって，その集団の多数意見を集団全体の意思とみなす原理。過半数によって決定する場合が多いが，重要な問題についてはそれ以上の賛成を必要とする場合がある。日本国憲法の改正を，両議院のそれぞれの総議員の3分の2以上の賛成で発議することなどがそれにあたる。

18 憲法改正　憲法の明文化された規定に変更を加えること。修正・追加・削除など多様な方法がある。手続きは，①各議院の総議員の3分の2以上の賛成で，国会が発議し，②国民投票により国民の承認を経て，③天皇が国民の名で公布する，という3段階をとる。ただし，国民主権など憲法の基本原則は改変できない，というのが学界の通説である（憲法改正限界説）。

18 天皇　明治憲法においては，国の元首であり，また主権者であった。しかし，日本国憲法では日本国の象徴であり，日本国民統合の象徴と位置づけられた。国の政治に関する権能をもたず，内閣の助言と承認に基づいて国事行為を行う。

18 国民主権　国の政治のあり方を最終的に決定する権限が，国民にあるとする政治原理のこと。日本国憲法の三大原則の一つ。憲法前文，第1条などに規定。日本国憲法では，国権の最高機関を国会とし（第41条），国会を構成する議員の選択を国民の権利として認めたため，国民に最高決定権が帰属する構造になり，天皇は国政に関する権能をもたない。

18 日本国憲法　1945年8月15日に日本が第二次世界大戦に敗戦してから，民主的な新憲法制定作業が始まり，1946年11月3日に公布，翌年5月3日から施行。この憲法は大日本帝国憲法の改正という形をとったが，天皇主権から国民主権に変わるなど多くの点で根本的に異なる。日本国憲法の柱は，①国民主権と象徴天皇制，②戦争の放棄，③基本的人権の保障である。

19 幸福追求権　憲法第13条後段に規定された国民の権利。社会の変化にともない，個人の人格的生存に不可欠な利益を内容とする権利の総体をさす。「生命・自由・幸福追求の権利」とも呼ばれるが，この三者を区別せず統一的に幸福追求権として把握するのが一般的である。

19 統治行為　統治にかかわる国家権力の政治的な判断や行為。司法権との関係では，高度の政治性をもつ国家行為として，その合憲性の判断を司法権の審査の対象とすることは不適当とされるが，安易な援用は違憲審査権の放棄だとする批判もある。

20 財産権　財貨や債権などの財産に関する権利。近代的自由権のなかで，経済の自由に属し，財産権の不可侵が前提とされてきたが，20世紀以後は公共の福祉との関連で無制限ではなく，合理的な制限が規定されている。

20 選挙権　国政選挙及び地方選挙において投票を行う権利のこと。歴史的には，財産や納税額，性別による制限を設ける形から始まり，しだいに権利の拡大がはかられた。現在の日本では満18歳以上の者に等しく選挙権が与えられている。

20 精神の自由　人権思想の根源にある「個人の尊厳」から直接に導かれる自由権的基本権の一つで，民主主義体制の基礎をなす。個人の内面的なあり方が，国家権力を含めたいかなる組織からも強制・干渉されないというもの。思想・良心の自由，信教の自由，集会・結社・表現の自由，学問の自由，などで構成される。

20 愛媛玉ぐし料訴訟　愛媛県が靖国神社への玉ぐし料などを公費で支出したことに対して，市民らが憲法の規定した政教分離原則に反すると訴えた裁判。第一審の松山地裁が違憲，第二審の高松高裁が合憲と判断が分かれたが，上告審の最高裁大法廷は1997年4月，県の行為はその目的と効果からみて，憲法の禁止した宗教的活動にあたるとして違憲判決。

20 通信傍受法　組織的殺人など，一定の犯罪に関する電話や電子メールなどの通信を，裁判官の令状に基づいて捜査機関が通信事業者の立ち会いのもと，最長で30日間傍受できるとした法律。1999年に成立，2000年から施行。「盗聴法」。

20 人身の自由　自由権の重要な構成要素の一つ。本人の意思に反し，または不当に身体的な拘束を受けないこと。日本国憲法では第18・31・33・34・37・38条で，奴隷的拘束及び苦役からの自由，法定手続きの保障，住居の不可侵，黙秘権などについて保障している。

20 令状主義　逮捕・抑留・住居侵入・捜索・押収などの強制処分を行う場合，現行犯逮捕などの特別の場合を除き，司法機関が発行する令状を必要とする原則をいう。人身の自由を保障するため，刑事捜査上の手続きに盛り込まれたもの。憲法第33・35条に規定。

20 令状　逮捕・捜索・押収などの強制処分の根拠を明示した裁判所の文書。憲法は司法官憲が発すると明示している。

20 自白　民事裁判では，当事者が敗訴する可能性のある，自己に不利益な事実を認めることをいい，刑事裁判では自己の犯罪事実の全部または主要部分を承認する供述をいう。憲法第38条の規定に基づいて，自白は被告人の供述の自由が圧迫されたものでないことが必要である。

20 職業選択の自由　憲法第22条に規定。自分が就きたいと考えるどんな職業も選ぶことができる権利で，営業の自由も含む。封建時代の身分制や世襲制による職業の固定からの転換を意味する。ただし，公序良俗【こうじょりょうぞく】に反する職業や医師のように一定の能力の保証が必要な職業もあるため，この権利にも「公共の福祉に反しない限り」という限定。

20 財産権の不可侵　憲法第29条に規定。財産権とは，一定の価値をもつ物に対する個人や法人が所有する優先的権利を意味する。貧富の格差の拡大など社会問題が深刻化したため，その制限や社会的利益との調和が求められるようになり，日本国憲法でも「公共の福祉に適合するやうに，法律でこれを定める」と規定。

20 冤罪事件　罪がないのに疑われたり罰せられることで，無実の罪をいう。

20 再審　刑事訴訟法上では，確定判決に対して事実認定の誤りを理由に，判決以前の状態に戻し，裁判をやり直すための手続き。裁判の一事不再理の原則から，無罪事件については適用されず，有罪や控訴・上告棄却の確定判決が対象となる。再審請求は原判決を下した裁判所に対してなされ，裁判所が理由ありと認めた場合に再審開始の決定をする。

20 犯罪被害者の権利　従来，精神的・身体的打撃を受けた犯罪被害者や遺族に対する十分な配慮がなされてこなかった。このことへの反省から，犯罪の被害者・遺族に裁判記録のコピーや，裁判の優先的傍聴などを認める犯罪被害者保護法と，被害者らが法廷で意見を陳述する権利などを規定した改正刑事訴訟法が，2000年11月から施行。また，犯罪被害者等基本法も2004年に制定された。

20 表現の自由　人が自由に自分の思想を形成し，発表する自由をさす。公開の場での討論などによる世論形成にもつながり，民主主義体制の不可欠の権利である。憲法第21条に規定され，言論・出版・集会・集団示威その他の行動の自由。

20 知的財産権　発明・デザイン・著作などの知的形成物に関する権利。知的所有権ともいう。商号・標章の詐称や，プログラム・著作のコピー使用など，権利侵害に対して脆弱な面をもつため，物権や債権に並ぶ権利として主張される。著作物に関する著作権と，特許・実用新案・意匠・商標などに関する産業財産権とに大別される。日本では知的財産基本法が2002年に制定。

21 社会権　自由権や平等権に対して，20世紀に入ってから導入された権利。第二世代の人権ともよばれる。人間として最低限度の生活を営む権利の主張と，その保障を国家に対して要求する権利を含む。生存権的基本権ともいわれる。教育への権利・勤労権・労働三権など含む。

21 生涯学習　生涯教育ともいう。全国民が生涯にわたって学びつづけること。1973年のOECD（経済協力開発機構）報告書では，循環的に学ぶという意味でリカレント教育の理念が提唱された。

21 勤労権　憲法第27条で定められた国民の権利。労働の意思と能力をもちながら就業機会に恵まれない者が，国に労働機会を与えることを要求する権利。

21 教育基本法　1947年制定。教育の目的と新生日本の教育の確立をめざした法律。制定経過からみて，準憲法的性格をもつとされる。教育の機会均等・義務教育・男女共学・学校教育・社会教育などについて規定していた。安倍晋三内閣のもと，2006年の改正で「愛国心」条項などが加わり制定時の理念は大きく変質。

21 労働基本権　健全な社会生活を営み，社会的地位の安定と向上をはかるためには，就業機会の確保が不可欠であることから，憲法で定められた社会権的基本権。勤労の権利と団体交渉権・団体行動権（争議権）の労働三権を含む。

21 生存権　憲法第25条に規定された権利。「健康で文化的な最低限度の生活を営む権利」と表現されている。国家が国民の生活内容を積極的に保障することを国民自身が要求できるという内容をもつ。1919年のワイマール憲法で初めて規定され，社会権の主要な要素をなす。

21 被選挙権　選挙される権利であり，選挙に立候補し，当選したときにその地位に就くことができる権利をいう。

21 請願権　憲法第16条で認められた，公的機関に一定の職務遂行を求める権利。具体的には国や地方公共団体に対して，施策に関して希望を述べる権利をさす。未成年者や外国人にも保障される。

21 参政権　政治及び国家や地方公共団体の権力の構成・行使に参加する権利のこと。日本国憲法では第15・79条で，公務員の選定や罷免の権利を定め，普通選挙・秘密投票・国民審査などを保障している。

21 朝日訴訟　1957年，国立岡山療養所の入院患者朝日茂さんが，憲法第25条の生存権規定を根拠に厚生大臣を相手に起こした訴訟。1963年の第二審でプログラム規定説に基づき，社会保障の財源を理由として原告が敗訴。しかしこれを契機に，生活保護費は大幅に増額された。

22 セクシュアル-ハラスメント　主に女性に対する職場などでの性的いやがらせ。1970年代のアメリカで主張され，日本でも80年代末から問題に。セクハラ。

22 環境権　人間が健康で文化的な生活の維持のために必要な環境を保有・維持する権利。憲法第13条の幸福追求権，第25条の生存権を根拠にして主張されている。現在では，高速道路や新幹線の建設，原子力発電所の建設，軍事基地・演習場の設置などの問題にも拡大。

22 大阪空港公害訴訟　大阪国際空港近隣住民がジェット機の騒音・排ガス・振動などを原因とする公害被害に対して，損害賠償と飛行差し止めなどを請求した事件。1981年に最高裁は，住民らが主張した環境権については言及せず，損害賠償については将来の分を除き認定した。

22 新しい人権　社会状況の変化のなかで，人間生活の保護のための新しい施策が要求されるようになった。その変化に対応して主張されるようになったのが「新しい人権」で，環境権・知る権利・プライバシー権などが代表例。第三世代の人権とも。

22 肖像権　人が自分の肖像（姿・顔など）を無断に撮影されたり，絵画に描かれたりせず，無断で公表されない権利。

22 知る権利　マス-メディアに属する者が，自由に取材・報道できる権利の主張として登場。現在では参政権的な役割とともに，国民が国・地方の行政内容やその決定過程に関する情報入手を要求する権利の意味にも使われる。最高裁は報道機関の報道は国民の「知る権利」に奉仕するものと判断している。

22 住民基本台帳ネットワーク　住基ネットと略称。すべての国民に11桁の住民票コードをふり，氏名・住所・性別・生年月日の4情報を国が一元的に管理するシステム。2002年に稼働。

22 情報公開制度　政府・地方公共団体などが所持する各種情報の開示を国民が要求した場合，請求のあった情報を公開しなければならないとする制度。

22 アクセス権　マス-メディアの巨大化した社会において，言論の自由とプライバシーを保護するため，情報源にアクセス（接近）して，情報内容に対して反論したり訂正を求める権利をいう。情報への接近という意味では「知る権利」と同じ。

22 個人情報保護法　個人情報保護を定めた法律。2003年成立。従来は1988年制定の「行政機関の保有する電算処理に係る個人情報保護法」のみだったが，高度情報通信社会の進展で法の整備が不可欠に。主に，民間業者を規制対象とした個人情報保護法と，行政機関の個人情報の管理を定めた行政機関個人情報保護法の2種類。

22 情報公開法　1999年に公布され，2001年から施行。正式には「行政機関の保有する情報の公開に関する法律」という。目的には政府の「活動を国民に説明する責務（アカウンタビリティ）」を通して，「公正で民主的な行政の推進」をすることが掲げられたが，知る権利は明記されず。

22 プライバシーの権利　私事・私生活をみだりに公開されない権利をいう。人間の名誉や信用などにかかわる人格としての価値や利益の保持に関する「人格権」との関係が深い。近年，情報化の進展にともなって「自己に関する情報をコントロールする権利」（情報プライバシー権）と定義され個人情報の保護とも結びつく。

22 ドメスティック-ヴァイオレンス　主に配偶者や恋人といった親密な関係にある異性からふるわれる暴力のこと。2001年4月に「配偶者からの暴力の防止及び被害者の保護に関する法律」（DV防止法）が公布され，同年10月に施行。

24 日米地位協定　1960年の日米安保条約第6条に基づき，在日米軍基地の使用条件や裁判管轄権，米軍人の地位などについて定めた細目協定。全文28か条からなる。旧日米行政協定に代わるもの。

24 思いやり予算　在日米軍駐留経費の日本側負担分。日米地位協定では，本来は全額アメリカの負担とされる。1978年，日本が負担する理由を問われた当時の金丸信防衛庁長官が「思いやり」と答えたことからこの名が定着。

24 非核三原則　「核兵器を持たず，つくらず，持ち込ませず」という日本政府の核兵器に関する基本政策。1971年の衆議院本会議で「非核三原則」を採択した。この原則に対する国際的評価は高い。

24 日米安全保障条約　1951年締結の旧条約（日本国とアメリカ合衆国との間の安全保障条約）と1960年改正の新条約（日本国とアメリカ合衆国との間の相互協力及び安全保障条約）とがある。旧条約には米軍の日本防衛義務には不明確な部分があり，期間も暫定的であったことなどから，改正論が強まった。アメリカは基地協定の性格を残しながら日本の防衛能力の強化と，集団安全保障体制形成を明確化する新条約締結を求めた。日本国内の激しい反対運動（安保闘争）のなか第2次岸信介内閣が1960年1月に調印。

24 国民保護法　2004年，有事法関連7法の一つとして制定。有事の際，国民の生命・身体・財産を守り，国民生活におよぼす影響を最小限におさえるため，国や地方公共団体などの責務，救援・避難の手続きなどを定める。

25 立法　具体的な成文の法規を定める行為をいう。近代国家においては国民の選挙で選出された議員が構成する議会で行われる。実質的な意味での立法行為。

25 法律　広い意味では，法と同じ意味で使われるが，狭い意味では国会で制定された法のみをさす。この意味での法律は，法体系のなかでは憲法より下位にあり，命令・規則・条例より上位にある。

25 一院制　単一の議院からなる議会制度。立法・審議の迅速化や効率化という面でメリットがあるが，慎重な審議がそこなわれる恐れもある。北欧をはじめ，単一国家では二院制よりもこの制度を採用している国のほうが多い。

25 衆議院の優越　国会の議決に際し，両院の意思が合致しない場合の両院協議会の協議のほかに，衆議院に与えられた権限の優越性。国会の会期の決定や延長など，法律で同様に衆議院の優越を定めた規定もある。

25 党首討論　国会の場で行われる，首相と野党党首による対面式の討論。国会での審議の活性化をはかる一環として，2000年の通常国会から導入。衆参両院の国家基本政策委員会合同審査会の場で行われる。イギリス議会のクエスチョン-タイム制度を手本としている。

25 本会議　衆議院・参議院で，それぞれの全所属議員の出席により開かれる会議。衆議院本会議・参議院本会議という。本会議は総議員の3分の1以上の出席で開会され，議決は出席議員の過半数により成立する。本会議は公開を原則とするが，出席議員の3分の2以上で議決した時は秘密会とすることができる。

25 常任委員会　予算・内閣・文部科学・総務などの委員会が，衆議院と参議院にそれぞれ17ずつある。

25 特別委員会　特別な案件が発生した場合に設置される委員会。

25 衆議院の予算先議権　予算案は先に衆議院に提出しなければならない（憲法第60条1項）。

25 二院制　国会を二つの独立した合議体に分け，議案を別々に審議することによって国会の審議を慎重に行う制度。両院制ともいう。全国民を代表する選挙された議員で組織される下院と，国ごとにさまざまな方法で選ばれた議員によって構成された上院の両議院で構成される。

25 予算の議決　予算案について，①衆参両院が異なった議決をし，両院協議会を開いても意見が一致しないとき，②参議院が予算案を受け取ってから30日以内に議決しないとき，衆議院の議決を国会の議決とする（憲法第60条②）。これが自然成立。

25 弾劾裁判所　訴追を受けた裁判官の罷免の可否を取り扱う弾劾を行うため，両議院の議員で組織する裁判所（憲法第64条）。衆参両院議員のなかから選ばれた，訴追委員と兼任しない各7名の裁判員で構成。3分の2以上の賛成で罷免。

25 国会議員　衆議院・参議院を構成する議員。国民によって直接選挙されるが，選ばれた国会議員は，その選挙区や支持する諸団体の代表者ではなく，全国民の代表（国民代表）であると定められている（憲法第43条）。

25 常会　毎年1回，必ず召集される国会（憲法第52条）。通常国会ともいう。毎年1月中に召集され，会期は150日間。常会の主要議事は，翌年度の予算審議である。召集詔書の公布は，天皇によって20日前までになされる。

25 臨時会　国会の議事が必要な時に臨時に召集される議会。臨時国会ともいう。内閣またはいずれかの議院の総議員の4分の1以上の要求により，また任期満了にともなう衆議院議員総選挙後や参議院議員通常選挙後の一定期間内に，内閣が召集を決定する（憲法第53条）。

25 特別会　衆議院解散後の総選挙の日から30日以内に召集される国会（憲法第54条）。特別国会ともいう。

25 国政調査権　国会が国政全般について調査を行う権限。議院内閣制に基づく行政監督権の下で国会が内閣をコントロールするための権限の一つ。

25 両院協議会　衆議院と参議院とが異なった議決をした場合に，両院の意思を調整するために開かれる協議会。協議委員は両院からそれぞれ10名ずつ選出。

25 国会　憲法が，日本の国政分野での議会につけている呼び名。国会のしくみと権限については憲法第4章に定められる。国会の議場はフランス下院と同類型で，議長席からみて右側に与党が，左側に野党が位置する構造となっている。

25 参議院　衆議院とともに日本の国会を構成する議院の一つ。比例代表区選出98名と，都道府県を単位とした選挙区選出147名の計245名の議員からなる。定数は比例区100名選挙区148名。任期は6年，3年ごとに半数ずつ改選され，解散はない。被選挙権は30歳以上。

25 衆議院　日本の国会を構成する議院の一つ。定数289名の小選挙区（295名）と11ブロックの比例代表区（定数176名，拘束名簿方式）から2票投票制で選出される小選挙区比例代表並立制。定数475名。被選挙権は25歳以上。任期は4年で解散がある。

25 ねじれ国会　衆議院と参議院とで多数派が異なる現象。2007年の参議院議員通常選挙で与党が過半数をとれなかったため，野党の協力が不可欠になるなど，国会運営に変化があらわれた。

26 条約の承認　内閣が締結する国家間の合意である条約は事前に，やむを得ない場合は事後に，国会の承認を経なければならない（憲法第73条3号）。

26 行政権　三権のうちの立法権と司法権に属するものを除いた国家の政務を執行する権限。

26 外交　国際社会での主体である国家間の諸利益・諸関係の交渉にかかわる活動をいう。現代では国民の代表機関である議会が条約批准の承認などを通じて国民的利益と国民的合意の下に，政府の外交を統制する。

26 批准　条約に対する国家の最終的な確認または同意をさす。条約の内容が合意に達すると，国の代表が署名・調印を行う。日本では内閣が批准，国会が承認し，天皇が認証する。

26 行政委員会　一般行政機構からある程度独立して権限を行使する合議制の行政機関。人事院・中央労働委員会・公害等調整委員会・公正取引委員会などがある。都道府県などにも配置されている。

26 閣議　内閣が開く会議で，行政の最高意思決定機関。内閣総理大臣が議長となって主宰し，全閣僚が出席して開かれる。閣議の内容は非公開で，定例閣議が週2回開かれる。ほかに臨時閣議や，案件を書面で持ち回って署名を得る持ち回り閣議などがある。

26 政令　命令のうちの一つで，内閣によって制定される(憲法第73条6号)。効力は法律より劣り府令・省令よりは優先。

26 内閣　内閣総理大臣及び14名(特別に必要な場合は17名)以内の国務大臣で構成される国家行政の最高意思決定機関。構成上の原則は，文民で過半数が国会議員(憲法第68条)。

26 内閣総理大臣　内閣の首長であると同時に内閣府の長でもある。国会議員のなかから，衆議院の多数派の代表が指名され，天皇が任命する。内閣を代表して各省庁大臣を指揮・監督する立場にあるため，総理大臣が欠けた場合，内閣は総辞職しなければならない。

26 国務大臣　日本国憲法では，内閣総理大臣を含む内閣の全閣僚をいい，通常は内閣総理大臣以外の閣僚をいう。内閣総理大臣によって任命され，また任意に罷免される。原則として14人以内だが，特別に必要がある場合は17人まで。

26 副大臣　従来の政務次官制度にかわり2001年1月からの中央省庁再編にともなって新設された役職。閣僚のサポート役として，国会議員のなかから内閣が任命(副大臣のみ天皇が認証)する。

27 司法権　民事・刑事・行政に関する具体的争訟事件について法を適用・宣言する権限。日本国憲法においては国会における例外を除いて，最高裁判所・下級裁判所のみがもつと定められている。裁判の公正と基本的人権の保障のため，司法権の独立が要請される。

27 最高裁判所　司法権行使に関する最高機関，違憲審査に関して及び民事・刑事・行政事件の訴訟に関しての終審裁判所。また，最高裁判所規則を制定して司法行政全般を統括する。最高裁判所長官と判事(裁判官)14名の計15名で構成され，上告審(第三審)と特別抗告を扱う。裁判官全員からなる大法廷と，5人の判事からなる三つの小法廷とがある。

27 下級裁判所　審級制において上級審の裁判所に対する下級審の総称。また，上級裁判所である最高裁判所に対して高裁・地裁・家裁・簡裁の4種類の裁判所を総称していう。

27 家庭裁判所　家庭事件の審判や調停，少年の福祉を害する成人の刑事事件，少年法に基づく少年の保護事件などの審判を担当。地方裁判所と同じ場所に設置。

27 簡易裁判所　民事裁判では訴額140万円以下の請求事件を，刑事裁判では罰金以下の刑にあたる事件を扱う。簡易裁判所判事が一人で担当。全国に438か所。

27 特別裁判所　司法裁判所の管轄から離れ，特定の身分の者や特殊な性質の問題のみを取り扱う裁判所のこと。明治憲法下の行政裁判所・軍法会議・皇室裁判所などが，それに該当する。

27 知的財産高等裁判所　司法制度改革の一環として，2005年に設置された東京高裁の特別の支部。憲法が禁止する特別裁判所にはあたらない。知的財産についての事件を専門に取り扱い，重要な事件は5人の裁判官で審理する。知財高裁と略す。

27 行政裁判所　行政事件に関する裁判を行うために，行政組織内に設けられた特別裁判所のこと。日本国憲法では設置が禁止されている。明治憲法下では，官吏は天皇の官吏であるため，通常の裁判所以外で裁判されるべきとの立場から設置された。

27 裁判　法律に規定されたことなどで生じた具体的な争いを解決する裁判所の判断。私人間の争いに関する民事裁判，刑法に触れる犯罪に関する刑事裁判，行政上の問題に関する行政裁判がある。

27 検察官　刑事事件における犯罪の捜査や公訴の提起・維持，さらには裁判所に法の適用を請求しその執行を監督する。

27 裁判官　司法権の行使にあたって，裁判所で裁判事務を担当する国家公務員。裁判官は良心に従って独立して職務を行い，憲法及び法律にのみ拘束される。裁判官のうち，最高裁長官は内閣の指名で天皇が任命，最高裁判事は内閣が任命し，ともに国民審査に付される。

27 公判前整理手続き　裁判を継続的・計画的・迅速にすすめるため導入された制度。裁判員制度の実施に先だち，2005年から始まった。初公判の前に検察官と弁護人が裁判所に集まり，裁判官とともに裁判の争点を確定し，証拠も決定する。さらに，公判スケジュールの調整なども行う。これらの手続きはすべて非公開。

27 付随的違憲審査制　通常の裁判所が具体的な事件を裁判する際に，その事件の解決に必要な範囲内で適用する法令の違憲判断を行う方式。アメリカ・カナダなどで採用されている。日本でも，1952年の警察予備隊訴訟の最高裁判決を契機に，この考え方が確立した。

27 婚外子国籍訴訟　結婚していない日本人の父親とフィリピン人の母親から生まれた子どもたちが日本国籍を求めた訴訟。最高裁は2008年，両親の婚姻と認知を国籍取得の要件とした国籍法第3条1項の規定が，法の下の平等(憲法第14条)に反するとして違憲判決を下した。国会では同年，法改正が行われた。

27 違憲法令審査権　違憲立法審査権ともいう。一切の法律・命令・規則または処分が憲法に違反していないかどうかを，具体的争訟事件に関して審査し決定する権限(憲法第81条)。この権限はすべての裁判所にあるが，終審裁判所である最高裁判所が合憲・違憲の最終的決定を行う。このために最高裁は「憲法の番人」といわれる。

27 国民審査　最高裁判所の裁判官が適任であるかどうかを国民が投票で直接審査すること。任命後初めて行われる衆議院議員総選挙の際に，国民の投票によって審査，その後，10年を経過した後初めて行われる総選挙の際にも審査に付される(憲法第79条)。

27 検察審査会　検察官が公訴しなかった不起訴処分が適切か否かなどを，請求に応じて審査する制度。有権者のなかからくじで選ばれた11人の検察審査員(任期は6か月)で構成され，各地方裁判所・支部内の165か所に置かれる。審査会では，審査後に「起訴相当」「不起訴不当」「不起訴相当」のいずれかの議決を行う。

27 裁判員制度　重大な刑事事件(殺人・強盗致死傷など)の第一審について，裁判官(3人)と有権者のなかからくじで選ばれた一般市民の裁判員(6人)とが協力し，有罪・無罪の判断や量刑を決める裁判制度。全国の地方裁判所とその支部(合計60か所)で行われる。2004年に裁判員法(裁判員の参加する刑事裁判に関する法律)が制定され，2009年5月から実施。

27 少年法　非行のある少年の保護処分や，刑事事件をおこした少年に対して成人とは異なった特別な取り扱いなどを定めた法律。1949年に施行された。家庭裁判所での審判は非公開で行われる。2007年からは少年院送致の下限年齢が「おおむね12歳」に引き下げられ，08年からは重大事件についての少年審判への「被害者参加制度」が導入された。

27 民法　市民の財産や身分に関する一般的事項を規律する法律。狭義には総則・物権・債権・親族・相続の5編からなる民法典をさすが，広義には戸籍法などの補充法や特別法も含む。明治期につくられた民法典は1947年，新憲法にあわせて改正され，2004年には現代語化が行われた。

28 官僚制　行政機関を合理的・能率的に運営するため，組織を上下の指揮・命令関係として構成した公務員の体系。ビューロクラシー［bureaucracy］ともよばれ，企業・民間団体なども含めて巨大化した組織にみられる制度。行政機能の拡大によって，高度化・専門化した行政の担い手としての官僚支配という意味で，テクノクラシー［technocracy］ともよばれる。

28 行政手続法　行政処分や行政指導の根拠や手続きを明確にし，透明性の高い行政を実現するための法律。1994年に施行された。

28 パブリック-コメント 国や地方の行政機関が政策などの意思決定を行う過程で素案を市民に公表し，意見や情報を求めるしくみ。または，そこに寄せられた意見や情報をさす。命令等（政省令）の改定の際は原則30日以上のこの手続きが必要だが，法律案は任意とされる。2008年から。

28 オンブズマン 国民や住民の立場から行政などの監察を行う職で，行政監察官などと訳す。オンブズパーソンともいう。1809年に議会の下に国政調査権を代行する機関として，スウェーデンで設置。

28 国家公務員 国の公務に従事する職員。国会議員・国務大臣・裁判官などの特別職と，それ以外の一般職とがある。一般職に対してのみ，憲法第15条に基づき1947年に制定された国家公務員法が適用される。

28 キャリア組 国家公務員I種試験に合格し，一般行政職として中央省庁に採用された職員の俗称。法的根拠はないが，幹部候補者として昇進ルートが敷かれる。2013年度からキャリア制度にかわり，総合職制度が導入されている。2014年から内閣人事局により，人事が一括管理に。

28 特殊法人 特別の法律によって設立される公共の利益確保をめざした法人。公団（日本道路公団など）・公庫（住宅金融公庫など）・事業団（日本下水道事業団など）等の名称があった。イギリスのエージェンシー（外庁）制度をモデルに企業経営の手法なども取り入れた独立行政法人化や民営化などに変化している。

28 行政改革推進法 5年間で国家公務員の5%以上，地方公務員の4.6%以上の純減目標などを定めた法律。小さな政府をめざす一環として，2006年に成立。

29 選挙 国民の政治的代表や特定の役職につく人を投票などで選出すること。日本では，公職選挙として，衆参両院議員の選挙，地方公共団体の長及び議員の選挙などが行われる。

29 55年体制 1955年に左右両派の社会党が統一され，危機感を抱いた保守側も日本民主党と自由党とが合同して自由民主党が結成された（二大政党制）。その後，野党側の多党化が生じ，実質的には自民党一党優位が続いた。

29 選挙制度 選挙権を有する者が，議員その他の役職につく人を選出する方法。選挙人の資格や，単記式・連記式などの投票の方法，選挙区制や議員定数及び代表制などによって区別される。選挙制度のあり方は民主政治の前提となり，普通・平等・直接・秘密・自由の五つの原則がある。

29 大選挙区制 1選挙区から定数2名以上の代表者を選出する選挙区制のこと。中選挙区制もこれに含まれる。

29 ドント式 比例代表制の議席配分に用いられる計算方式。ベルギーの法学者ドントが提唱した配分法に基づく。各党派の得票総数を，1,2,3，…という整数で順に割り，その商の大きい順に定数まで各党に議席を割り当てる方法。

29 比例代表制 各党派の得票数に比例して議席配分がなされるしくみ。1900年にベルギーで初めて採用された。日本では1982年に参院議員選挙に，1994年には衆院議員総選挙に導入。

29 小選挙区制 1選挙区につき定数1名を選出。単純多数で当選者が決まる。日本では，1889年と1919年に採用されたことがある。

29 小選挙区比例代表並立制 1994年の公職選挙法改正で衆議院議員選挙に導入された制度。小選挙区で300人を選出し，全国を11のブロックに分けた比例代表区から180人を選ぶ。小選挙区に重きをおく。これに対してドイツでは，比例代表制をベースにした小選挙区比例代表併用制がとられる。

29 期日前投票 有権者が選挙の当日に仕事・旅行・レジャーなどの予定がある場合，それ以前（公示または告示日の翌日から選挙期日の前日まで）に期日前投票所で行う投票。2003年の公職選挙法改正で創設された（第48条の2）。

29 秘密選挙 選挙人がどの候補者に投票したかを秘密にすること。憲法は第15条第4項で，投票の自由を保障し，選挙人は投票に関して私的・公的に責任を問われない，と定めている。

29 自由選挙 法的な制裁のない自由な投票制度。日本の選挙の際にとられている方法で，任意投票ともいう。選挙制度上の自由の原則では，立候補の自由や選挙運動への不干渉も含まれる。

29 被選挙権 選挙に立候補することのできる権利のことで，選挙によって議員その他の公務員になることができる資格をいう。日本では，衆議院議員・地方議会議員・市町村長は満25歳以上，参議院議員・都道府県知事は満30歳以上であることが必要である。

29 政党 国民の意思を政治に反映させるために，主義・主張を同じくする者同士が政権獲得をめざして団結した政治集団。民意をくみあげ，国民合意の形成に主導的役割を果たす。一定の綱領と共通の行動様式をもち，政策を掲げて有権者の支持を訴える。政党は公党として直接国政に参与するという公共的使命を負い，国民の一部の利益ではなく，国民全体の利益を増進することを目的とする。

29 野党 政党政治の下では，政権を担当する与党と対立する立場の政党をいう。イギリスでは「陛下の反対党」とよばれ，影の内閣（シャドー-キャビネット）を組織して政権交代に備えている。日本では政権交代の可能性が少なかったため，政府・与党の政策を批判し，意見が対立する法案の成立を阻止しようとした。

29 非拘束名簿方式 2000年の公職選挙法改正で，参議院の比例代表区に導入された制度。政党が候補者の名簿順位を決めず，有権者は候補者名または政党名のいずれかを書いて投票する。候補者の得票と政党の得票を合算し，得票数の多い候補者から順次，当選が決まる。

29 選挙権 選挙人として選挙に参加できる権利をいうが，一般的には国民主権の原理から，各種の議員や公務員の選挙に参加できる権利を意味する。現在の日本では憲法第15条で普通選挙を保障し，満18歳以上の男女が選挙権をもつが，その行使に関しては，同一市町村が作成する選挙人名簿に登録されていることが必要。

29 死票 選挙で議席獲得に生かされない，落選者に投じられた票のこと。死票は，投票者の意思が議席構成に反映されないが，当選者に向けられた批判票・反対票の意味ももつ。小選挙区制は死票が多く，大選挙区制は死票が少なくなる。死票を少なくするために，政党の得票数に比例して議席を配分する比例代表制が考え出された。

29 一票の重さ 各選挙区における議員一人あたりの有権者数が少ない場合，一票の価値は重くなる。その格差をめぐり，法の下の平等に反するとして訴訟が提起されてきた。衆院議員総選挙について，最高裁判所は1976年と1985年の2度，4.99倍と4.40倍の格差（較差）を違憲と判断したが，同時に選挙結果の取り消し請求は棄却された（事情判決）。1994年の法改正で衆議院議員選挙に小選挙区比例代表並立制が導入された。なお，一票の重さを強調するために，たとえば5倍の格差があるとき，「1票に対して0.2票の価値しかない」などと表現することもある。

29 政党助成法 1994年制定。政党活動にかかる費用の一部を，国が政党交付金として交付する法律。政党交付金総額は，総人口に国民一人250円を乗じた額。所属する国会議員が5人以上，または直近の国政選挙の得票率2%以上の政党が政党交付金を受けられる。

29 戸別訪問 選挙運動の一環として有権者の家庭を戸別に訪問し，投票するように（または，しないように）依頼すること。日本では，1925年の普通選挙法制定以来禁止されている。戸別訪問の禁止は憲法第21条の表現の自由に違反する。欧米では戸別訪問は認められている。

29 公職選挙法 衆議院議員・参議院議員・地方公共団体の議会の議員及び長などの公職につく者の選挙について定めた法律。選挙が公明かつ適正に実施され,民主政治の健全な発達を期するために1950年に制定。

29 有権者 選挙資格があり,選挙権を有する者で,法律上の要件や手続きを満たして選挙権を行使できる者。法律上の要件とは,日本では満20歳以上の男女で,選挙管理委員会が作成した選挙人名簿(当該市町村に3か月以上居住し,住民基本台帳に記載されている者)に登録されていることである。

30 マス-メディア マス-コミュニケーションの媒体という意味で,大衆に大量の情報を伝達する新聞・雑誌・ラジオ・テレビなどをさす。国民に政治・社会についての情報を提供し,投書や評論などで国民相互の意見発表・形成の場をつくり,世論の形成や国民の政治意識の高揚に寄与する。健全な世論を発達させる上でマス-メディアの果たす役割は大きい。

30 ファシズム 1920～40年代に興隆した国家主義的全体主義をいう。イタリアのムッソリーニが結成した,ファシオ(束=団結)を語源とするファシスト党の主義・主張に由来し,ドイツのヒトラーによるナチズム,あるいは日本の軍国主義に対しても用いられた。比較的発展が遅れた資本主義国家が,対外侵略などの帝国主義的な国家政策を最優先させるために,議会政治の否定,社会主義革命の防止,権威主義的国内統制などによって推進した政策やその背景となった思想。

30 無党派層 明確に支持する政党をもたない有権者のこと。世論調査などで「支持政党なし」と答える。これまでは政治的無関心の現れととらえられてきた。しかし,一方に既成政党に対する不信から「支持政党なし」と答える層がある。今日その割合が大きく,選挙結果に影響を与えうる勢力ともなっている。

31 地方公務員 地方公共団体の公務に従事する職員。知事・市町村長・副知事・副市町村長などの特別職と,その他の一般職とがある。特別職は地方自治法によって任免が定められ,一般職に対してのみ1950年に制定された地方公務員法を適用。

31 地方自治の本旨 地方自治の本来の趣旨及び真の目的のこと。地方の政治が,①地方公共団体によって国からある程度独立して行われること(団体自治),②その地域の住民の意思に基づいて処理されること(住民自治),の二つをさす。日本国憲法では中央政府の権力を抑制し,住民の直接参加を認める地方分権を大幅にとり入れている。

31 地方議会 都道府県・市町村・特別区などの地方公共団体の議事機関。一院制で,直接選挙で選ばれた任期4年の議員により構成される。条例の制定・改廃,予算の決定,地方税などの徴収の決定,主要公務員人事への同意などによる地方行政への監督などを行う。

31 地方債 地方公共団体が,公営企業への出資・公共施設建設・災害復旧など,特定事業の資金のため発行する公債。地方財政法は第5条で「地方公共団体の歳出は,地方債以外の歳入をもつて,その財源と」すると規定しているが,水道・交通などの公営企業,災害復旧事業などの財源とする場合には,地方債の発行ができる。

31 イニシアティヴ 国民発案・住民発案。国民または地方公共団体の住民が直接,立法に関する提案をする制度。直接民主制の一つ。アメリカの各州において採用されている。日本では,一定数の連署による直接請求を通じて条例の制定・改廃の提案をする制度。

31 監査請求 地方公共団体に置かれる監査委員に対して住民が行う権利をさし,二つの形態がある。一つは地方自治法第75条の直接請求権に基づく事務の監査請求で,有権者の50分の1以上の連署でもって行う。もう一つは同法第242条に基づく住民監査請求とよばれるもので,これは住民1人でも請求できる。いずれも,監査委員は監査を行い,その結果を請求者に通知・公表しなければならない。

31 レファレンダム 住民投票・国民投票。重要事項の決定を住民の投票によって決めていく直接民主制の制度。地方公共団体の議会の解散請求,議会の議員・長の解職請求が成立したときに行われる投票と,ある地方公共団体にのみ適用される特別法の制定に関して行われる投票とがある。なお,国政レベルでは憲法改正の国民投票制度がある。

31 リコール 解職請求。公職にある者を任期満了前にその職から解任する制度。有権者総数の原則3分の1以上の連署が必要。公選職である議員・長の解職請求は選挙管理委員会へ請求し,有権者の投票で過半数の同意を得た場合に確定する。また,副知事・副市町村長などについては長へ請求し,議会で判断される。

31 不信任と解散 地方自治の首長制では,長には拒否権・解散権があり,議会には不信任議決権がある。議会は,議員の3分の2以上が出席し,その4分の3以上の同意により,長への不信任議決ができる。長は不信任の通知を受けた日から10日以内に議会を解散できる。解散されない場合,長は失職する。

31 地方分権 地方政府(地方公共団体)にできるだけ多くの権限を付与し,中央からの統制・介入を少なくすること。中央集権の対語。

31 法定受託事務 本来は国や都道府県の事務に属するものだが,地方公共団体が委任を受けて行う事務。国の本来果たすべき役割にかかわる第1号法定受託事務と,都道府県が本来果たすべき役割にかかわる第2号法定受託事務とがある。具体的には,国政選挙,パスポートの交付などがある。

31 自治事務 地方公共団体が自主的に処理する事務で,法定受託事務以外のもの。地方分権一括法の施行にともない,2000年に導入された事務区分である。従来の固有事務や団体委任事務などが含まれる。具体的には,小中学校の建設,飲食店の営業許可,都市計画の決定,病院の開設許可などがある。

31 地方税 都道府県・市町村の経費をまかなうため,徴税権に基づいて地域の住民や法人などから徴収する租税。道府県税と市町村税に分類される。道府県税では事業税と道府県民税(住民税)が,市町村税では市町村民税(住民税)と固定資産税が中心である。地方税収入に占める直接税と間接税等の比率は約8対2。なお,東京都の場合は,道府県税に相当する税を都が,市町村税に相当する税を特別区が課税しているが,市町村税にあたる税でも,市町村民税・固定資産税・都市計画税などは都が課税している。

31 住民投票条例 地方自治体の条例制定権(有権者の50分の1以上の署名を集めて条例の制定を請求)を根拠として,政策の是非をめぐって住民投票を実施するための条例。徳島市の吉野川可動堰建設問題をめぐる住民投票などがその例である。

31 地方自治 国からある程度独立した地方公共団体の存在を認め,そこでの政治・行政を地域住民の参加と意思に基づいて行うこと。または,地域住民で構成される地方公共団体に,政治・行政の自治権を保障すること。日本国憲法は,第8章に4か条を設けて地方自治について規定している。

31 市町村合併 複数の市町村が一つに合同すること。新設合併(対等合併)と編入合併(吸収合併)の2種類がある。1995年の改正市町村合併特例法で,有権者の50分の1以上の署名で首長に合併協議会の設置を求める制度が導入された。さらに2002年,合併協議会の設置を議会が否決した場合でも,有権者の6分の1以上の署名により,協議会の設置を住民投票で問いなおすことができる制度がとり入れられた。「平成の大合併」により，1999年3月末に3232あった市町村数が1718に激減した。

31 構造改革特区 規制を緩和・撤廃した特別な区域を設けることで地域社会の活性化をはかろうとする試み。小泉純一郎内閣が構造改革の一環として推進した。2002年施行の構造改革特別区域法に基づく。これまで地方公共団体などの申請により，1000件近くが認定されている。

31 地方公共団体 一定の区域のなかで，その区域内の住民を構成員として，その住民の福祉実現を目的にさまざまな事務を処理する権限を有する法人団体。地方自治体ともいう。憲法第92条や地方自治法に基づく。都道府県及び市町村である普通地方公共団体と，特別区・地方公共団体の組合・地方開発事業団などの特別地方公共団体とがある。

31 ブライス （1838年～1922年）イギリスの政治家・政治学者。1880年から下院議員となる。この間，外務次官・米国大使などを歴任。主著『アメリカン-コモンウェルス』（1888年），『近代民主政治』（1921年）。彼は「地方自治は民主政治の最良の学校，その成功の最良の保証人なりという格言の正しいことを示すものである」と述べ，地方自治が民主政治の基礎であることを主張した。

31 地方分権一括法 国から地方公共団体への権限移譲の一環として1999年7月に成立，翌2000年4月から施行。地方自治法など475本の関連法が一度に改正された。正式名称は「地方分権の推進を図るための関係法律の調整等に関する法律」という。地方自治の本旨に反するとの批判が強かった機関委任事務が廃止されるとともに，従来の事務区分もなくなり，地方公共団体が扱う事務は自治事務と法定受託事務の二つになった。

31 国庫支出金 国が都道府県・市町村に支給するもので，使途の指定があるため「ひも付き補助金」と称されることもある。科学技術研究や貿易振興などで国が必要と認めた事業費の一定割合を支出する国庫補助金，国の事務を委託する場合の経費の全額を支出する委託金，義務教育・建設事業・失業対策事業などの経費の一定割合を支出する国庫負担金，の3種類がある。国から交付される補助金のうち，約8割は地方公共団体に支払われたものであり，地方公共団体は歳入の13%程度を国庫支出金に依存している。1980年代の後半から国庫支出金の額は減少する傾向にあり，地方財政を圧迫する要因となっている。民主党政権のもとで，地方公共団体の裁量で使い道を決められる一括交付金化が一部行われたが，使途を自由にすればまず福祉や教育が切り捨てられるとの批判も出た。

31 地方交付税 地方公共団体間の財源の格差をなくすため，国税の一定割合を自治体に交付するもの。国家予算の区分では，地方交付税交付金といわれる。使途の定めのない一般財源で，各種の行政を一定水準で実施するために交付される。政令指定都市は全市が交付税を受け，市町村では50弱が不交付団体となっている。

31 住民投票 地方公共団体の住民が条例に基づく投票によってその意思を決定すること。近年，原子力発電所や米軍基地，産業廃棄物処理施設の建設などをめぐって，条例に基づく住民投票が相次いで行われている。法的拘束力はないが，住民参加を保障する新しい形態として注目されている。滋賀県米原市や愛知県高浜市のように，永住外国人や20歳未満の人にも住民投票権を付与する事例もある。

31 条例 地方公共団体が，地方議会において制定する法。地方分権の考え方に基づき，その地方公共団体の抱える課題に具体的に応えるために制定する。法律及び政令に抵触しないことが制定の条件である。

32 国家の三要素 国家を構成する要件とされる，主権・領域（領土・領空・領海）・国民の三つをさす。

32 国家 一定の地域に住んでいる人々に対して権力の作用を及ぼすことのできる集団。国家の要素としては，領域・国民・主権の三つがある（国家の三要素）。現代の国家は，福祉などの社会問題解決のための政策を行うなど，経済過程にも介入し，積極的な役割を果たす，福祉国家（社会国家）である。

32 国際法 慣習や国家間の合意に基づいて国家間の関係を規律する法。長い間の慣習に基づく国際慣習法（不文国際法）と，二国間または多数国間で結ばれた成文国際法（条約など）の2種類がある。

32 主権 国家権力の最高性・独立性を示す言葉。フランスの政治思想家ボーダンが国王を擁護するため，『国家論』のなかで初めて体系的に論じた。

32 国際司法裁判所 オランダのハーグにある国連の常設司法機関。1945年設置。国際連盟が創設した常設国際司法裁判所を引き継いだもの。総会及び安全保障理事会によって選出される15名の裁判官（任期9年，3年ごとに5人ずつ改選）で構成される。

32 国際刑事裁判所 集団殺害罪，人道に対する罪，戦争犯罪などの重大犯罪を行った個人を裁くための常設の国際裁判所。1998年に国際刑事裁判所設立条約が採択され，2002年の発効によってハーグに設置。裁判官は18名で構成される。

32 集団安全保障 多数の国家が互いに武力の行使を慎むことを約束し，それに反した国に対して集団の力で平和を維持しようとするもの。

32 主権国家 一定の領域・国民・主権をもち，他国からの支配や干渉を受けずに自国のことを自主的に決定する国家のこと。17世紀前半のヨーロッパ（1648年まで開かれたウェストファリア会議）において成立した。

32 グロチウス オランダの自然法学者で，国際法の成立に最も重要な役割を果たした。主著『海洋自由論』（1609年），『戦争と平和の法』（1625年）

32 領土 広い意味で領域と同義に用いられることもあるが，領域のなかの陸地の部分（河川・湖沼・港湾・内海などの内水を含む）をさす。この場合には領土は，領海や領空など他の領域と区別される。

32 領海 国家の主権（統治権）が及ぶ海洋の部分。国家の沿岸にそった一定の幅をもった帯状の水域をさす。

32 領空 領土及び領海の上空で，国家は排他的な主権を有する。人工衛星の出現により，領空の上限については諸説があるが，一般に大気の存在するところと解釈されている。

32 国際慣習法 慣習国際法。不文国際法ともいう。国際法の形成過程で，国家間で暗黙に認められた合意，つまり国家間の慣行が法として認められたもの。

32 宇宙空間 領空よりさらに上空の空間。この空間については国家主権の及ばないところとされる。

32 ジェノサイド 「国民的・人種的・民族的または宗教的集団を全部または一部を破壊する目的」で行われる集団殺害行為をさす。ナチス-ドイツによるユダヤ人などの大量虐殺はその典型。

32 国際社会 主権国家を基本的な構成単位として成立する全体社会のこと。17世紀前半のヨーロッパにおいて成立した。

32 国際法 国家相互の関係を規律し，国際社会の秩序を維持するための法。国際法は国内法と異なり，これによって直接規律されるのは国家であるが，限られた範囲において国際機構や個人についても規律する。

32 条約 明文化した文書による国家間あるいは国家と国際機構，国際機構相互間の合意で，法的拘束力をもつ。広義の条約には，協定・協約・取り決め・規約・議定書・宣言・覚書・交換公文などの名称も使われる。

32 安全保障 外国の武力侵略から国家の安全を防衛すること。その方式としては，勢力均衡（バランス-オブ-パワー）方式と，集団安全保障方式がある。

33 **世界遺産**　1972年に，ユネスコ総会で採択された「世界の文化遺産及び自然遺産の保護に関する条約」（世界遺産条約）に基づいて登録された遺産。文化遺産・自然遺産・複合遺産の3種類がある。

33 **コンセンサス方式**　「全会一致」とは異なり，決定の際に賛否の投票によらず，議長提案に対して反対がなかったとして決議を採択する方法。国連の会議などで用いられる。

33 **ネガティヴ-コンセンサス方式**　一国でも賛成すれば（全加盟国が反対しない限り）決定されるしくみ。WTO（世界貿易機関）の紛争解決手続きなどで採用されている。

33 **国連児童基金**　ユニセフ。発展途上国の児童への援助問題を扱う国連の常設機関。1946年の第1回総会で設立された，戦争で犠牲になった児童の救済を目的とする国連国際児童緊急基金を出発点。本部はニューヨーク。

33 **国連難民高等弁務官事務所(UNHCR)**　母国を追われた難民の保護と救済を目的に，1951年に設置された機関。本部はジュネーヴ，約120か国に270か所以上の現地事務所をもつ。

33 **世界食糧計画**　国連の食料援助機関。食料が欠乏する発展途上国への援助のほか，穀物の国際備蓄なども行う。各国政府の自主的な拠出に依存する。

33 **拒否権**　安全保障理事会の5常任理事国に与えられた大国の優越的権限（憲章第27条）。

33 **強制措置**　紛争を強制的に解決するための措置。国連加盟国は，紛争を平和的に解決する義務を負っている。

33 **国連憲章第7章**　国連憲章は，第6章に示す「紛争の平和的解決」を原則とし，その措置が不十分な場合，「平和に対する脅威，平和の破壊及び侵略行為に関する行動」と題する第7章で，強制措置を規定している。

33 **「国連軍」**　国際の平和と安全を侵す国に対して，国連が強制措置をとるため，国連憲章第43条に基づき編成される軍隊をいう。今日，一般的に「国連軍」とよんでいるのは，国連が世界の紛争地域に派遣した平和維持活動を行う部隊のことである。これは紛争関係国の同意によって行われるもので，国連が強制措置として派遣したものではない。

33 **国際労働機関**　1919年，ヴェルサイユ条約（第13編）に基づきジュネーヴに創設。労働条件の国際的な改善を通して，世界平和の確立をめざした。国際連盟と連携・協力して活動する自主的な独立の機関。

33 **総会**　国際連合の中心的な機関。すべての加盟国で構成される。総会には，毎年開かれる通常総会と，必要がある場合に招集される特別総会，「平和のための結集決議」に基づいて開かれる緊急特別総会などがある。通常総会は毎年9月の第3火曜日から開催される。議場は同心円状に配置され，大国・小国を問わず，すべての国が対等の立場で参加・発言するという理念が反映されている。

33 **事務総長**　国連事務局の最高責任者。国連という機構の行政職員の長（主席行政官）である。

33 **世界知的所有権機関**　1970年に設立された国連の専門機関。知的財産権の国際的保護を目的とする。加盟国数は184か国で，本部はジュネーヴ。

33 **人間の安全保障**　従来の軍事力に頼った国家の安全保障ではなく，人間一人ひとりに着目し，その生命や人権を大切にしようとする考え方。1994年に国連開発計画（UNDP）が提唱して広まった。

33 **平和維持軍**　国連の平和維持活動の一つ。紛争地域での戦闘の再発を防ぐため，交戦部隊の引き離しなどを主な任務とする。

33 **国連貿易開発会議**　アンクタッド。南北問題に関して検討と勧告を行う国連の常設機関。

33 **国連食糧農業機関**　ファオ。1945年設立。世界の食料・農業問題に取り組む国連の専門機関。FAO。本部はイタリアのローマ，加盟国数は190か国とEU（欧州連合）である。

33 **世界保健機関**　1948年に設立された国連の専門機関。世界のすべての人民が最高の健康水準を維持できるように，感染症の撲滅や各国保健制度の強化，災害への援助などを行っている。本部はジュネーヴ，加盟国数は193か国。

33 **国連開発計画**　国連における発展途上国への開発援助の中心的機関。1966年に発足，150か国以上の国と地域に対して，多角的な技術協力と資金援助を行っている。

33 **経済社会理事会**　国連の主要機関の一つで，経済・社会・文化的な面での国際協力の中心を担う。総会の3分の2の多数決で選出される54か国で構成され，任期は3年で，毎年3分の1ずつ改選される。理事会の決定は，出席かつ投票する理事国の過半数の賛成で行われる。

33 **平和維持活動**　国連が平和を脅かす事態や紛争の拡大を防止するために，関係国の同意を得て，小規模な軍隊または軍事監視団を現地に派遣し，紛争の平和的解決をめざす活動をいう。

33 **国連環境計画**　ユネップ。1972年，ストックホルムで開かれた国連人間環境会議の決議に基づき創設が決まった国連の常設機関。本部はケニアのナイロビ。

33 **常任理事国**　安全保障理事会は，5常任理事国と10非常任理事国の15か国で構成される。常任理事国は，アメリカ・イギリス・フランス・ロシア・中国で，拒否権とよばれる特権をもつ。

33 **安全保障理事会**　安保理と略称。国連の総会と並ぶ最も重要な機関。国連の目的である国際の平和と安全の維持について，第一次的に責任を負い，総会よりも優越的な権限をもっているともいえる。5常任理事国と10の非常任理事国の15か国で構成される。非常任理事国は2年の任期で，地理的配分の原則に基づいて総会で選出される。

33 **国際連合憲章**　国際連合の目的・原則・組織・活動などを定めた，国連の憲法ともいうべき基本法。一般に国連憲章という。1945年6月，サンフランシスコ会議で採択され，各国の批准を経て同年10月に発効した。通常の手続きによる改正は，これまで3回行われた。

33 **国際連合（国連）**　1945年10月，国際連合憲章に基づき，集団安全保障の考え方にそって，連合国を中心に成立した国際平和機構。原加盟国はアメリカ・イギリスなど51か国。

34 **ペレストロイカ**　ロシア語で「再建」の意。1985年に共産党書記長に就いたゴルバチョフが推進した旧ソ連の政治・経済・社会のあらゆる領域にかかわる改革をさす。

34 **ワルシャワ条約機構**　東欧友好協力相互援助条約に基づき創設された集団軍事機構。1955年，NATOと西ドイツの再軍備に対抗し，ソ連や東ヨーロッパ8か国で発足した。1991年解散。

34 **非同盟諸国**　平和共存や独立運動の支持，いかなる軍事同盟へも不参加（外国軍隊の駐留と外国軍事基地設置反対も含む）などを原則とする非同盟主義の考え方を外交方針とする国々。

34 **冷戦の終結**　マルタ会談により，長く続いた米ソによる東西冷戦の終えんが宣言されたこと。冷戦を支えた東西の軍事機構である西側の北大西洋条約機構は存続したが，東側のワルシャワ条約機構は1991年に解散した。

34 **湾岸戦争**　クウェートに侵攻して占領を続けるイラク軍と，アメリカを中心に29か国からなる多国籍軍との戦争（1991年1～2月）。多国籍軍の一方的な勝利に終わり，早期停戦・クウェート解放が実現した。

34 **第二次世界大戦**　1939～45年。1929年の世界大恐慌をきっかけに，その対応をめぐって植民地を「持てる国」（イギリス・アメリカ・オランダなど先進資本主義諸国）と「持たざる国」（ドイツ・日本・イタリアなど後発の資本主義国）との対立が激化。こうした状況のなかで1939年，ドイツがポーランドへ侵攻を開始し，イギリス・フランスはただちにドイツに宣戦，ここに第二次世界大戦が始まった。1940年に結ばれた日独伊三国同盟を背景に，翌1941年にドイツがソ連を奇襲し，同年末には日本がマレー半島に上陸，ハワイの真珠湾を攻撃すると，戦争は全世界に広がった。結局，第二次世界大戦はイギリス・アメリカ・フランス・ソ連・中国を中心とする連合国側が，日独伊枢軸国側のファシズムと軍国主義に対して勝利をおさめた。

34 北大西洋条約機構　1949年，アメリカを中心にカナダ・イギリス・フランスなど12か国で結成された軍事的同盟機構（フランスは1966年，NATO軍から一時脱退）。

35 テロリズム　ある政治勢力が，他者及び他の政治勢力に対して，自らの政治目的のために行う暴力の使用または威嚇行為。

35 同時多発テロ事件　2001年9月11日，ニューヨークの貿易センタービルに旅客機2機が，ワシントン郊外の国防総省ビル（通称ペンタゴン）に1機が突っ込み，他に1機がピッツバーグ郊外に墜落した事件。

35 タリバン　アフガニスタンのイスラーム原理主義武装勢力。パシュトゥ語でイスラーム神学生を意味する。最高指導者ムハンマド＝オマル師が，難民生活を送っていたイスラーム神学生らによびかけて結成。

36 核兵器　ウラン・プルトニウムを原料とした核分裂と，重水素を原料とする核融合による爆発的エネルギーを利用した軍事兵器の総称。長距離攻撃能力をもつ兵器を戦略核兵器，中・短距離攻撃能力をもつ兵器を戦術核兵器という。

36 対人地雷全面禁止条約　対人地雷の全面禁止を定めた条約。オタワ条約ともいう。1997年に締結され，1999年発効した。締約国に保有地雷の4年以内の廃棄を義務づけた。

36 核兵器不拡散条約　核不拡散条約または核拡散防止条約ともいう。1968年6月に国連総会で採択，翌7月に米・英・ソの間で調印，56か国が署名し，1970年に発効。現在の締約国は190か国。この条約は1995年，NPT再検討会議で無期限に延長された。2003年に朝鮮民主主義人民共和国が同条約から脱退を表明。

36 包括的核実験禁止条約　爆発をともなうすべての核実験を禁止する条約。1996年の国連総会で採択されたが，いまだ発効していない。

37 6か国協議　北朝鮮の核開発問題に対処するため，2003年8月から随時開かれている米・日・中・ロ・南北朝鮮の6者による協議。現在は中断している。

37 民族　血縁的共同性・文化的共同性・共通帰属意識によって分類された人間集団。文化的共同性とは言語・宗教・歴史的伝統・政治・経済など多元的な内容を含む。

37 ボスニア-ヘルツェゴヴィナ問題　旧ユーゴスラヴィア解体後，ボスニア-ヘルツェゴヴィナ内のセルビア人とクロアチア人，ムスリム（イスラーム教徒）の間でくり広げられた民族紛争。血で血を洗う凄惨な抗争に発展した。1995年にボスニア和平協定（デイトン協定）が結ばれたが，真の和平への道はなおけわしい。

37 人種　人種とは，遺伝的に多少とも隔離された集団で，他の集団とは異なった集団遺伝子組成を有する者といわれる。完全な隔離集団は存在せず，集団遺伝子組成の差異も統計的な有意差にすぎない。

37 人種隔離政策（アパルトヘイト）　「分離」を意味する語で，特に南アフリカ共和国の極端な人種隔離（差別）政策・制度の総称。

37 東ティモール問題　東ティモールは，16世紀以来ポルトガルの植民地だったが，1975年にポルトガル本国での政変を機に，独立を求める東ティモール独立革命戦線が勢力を拡大した。これに対して1976年，インドネシアが東ティモールを併合した。しかし，独立を求める声は根強く，インドネシアからの独立の賛否を問う1999年の住民投票などを経て2002年に独立を達成した。

37 ユーゴスラヴィア問題　東欧の民主化以降，「南スラヴ諸族の国」を意味するユーゴスラヴィア連邦は六つの国家に分裂した。これら諸国の独立をめぐる過程で，民族・宗教対立もからみ，すさまじい内乱が発生，多くの悲劇を生んだ。なお，ユーゴは2003年にセルビア-モンテネグロと国名を変更したが，結局2006年にモンテネグロが分離・独立した。

37 コソヴォ紛争　セルビア共和国内のコソヴォ自治州で起こった民族紛争。コソヴォ自治州ではアルバニア人が約9割を占め，セルビア人との対立が1998年頃から顕在化した。コソヴォは2008年，セルビアからの独立を宣言した。コソヴォ独立について，国際司法裁判所（ICJ）は2010年，国際法に違反しないとの勧告的意見を示した。

37 民族自決主義　民族が自らの運命を決定する権利を有し，自由に，独立した自己の国家を建設しうるとするもの。人民の自決権ともいう。第一次世界大戦では，連合国がウィルソン大統領の影響のもとにこれを認め，ヴェルサイユ条約の一原則となった。

37 マルチカルチュラリズム　多文化主義または文化的多元主義。西欧中心主義の文化や言語への同化・融合をはかるのではなく，各民族（特に少数民族）の多様性・複雑性・アイデンティティを保持し，共存していこうとする立場・主張。

37 エスノセントリズム　自民族中心主義，自文化中心主義のこと。自民族や自国の文化を最も優れたものと考え，他国や他民族の文化を価値の低いものと判断する態度や見方をいう。

38 非政府組織　非政府間国際組織（INGO）［International Non-Governmental Organization］ともいう。公権力を行使する「政府機関」に対する用語。平和・人権・環境問題などについて，国際的に活動している民間の組織・団体をさす。

38 難民の地位に関する条約　難民条約と略称。難民，すなわち戦争や政治的・宗教的迫害などで国外に逃れざるをえなかった人の庇護や定住を確保するため，法的地位，福祉，難民の追放・迫害の禁止などを定めた条約。1951年にジュネーヴで開かれた国連全権会議で採択（発効は1954年）。

38 子どもの権利条約　児童の権利に関する条約。1989年の国連総会で全会一致で採択され，1990年に発効した。日本は1994年に批准。全54か条からなる。子どもを，大人に保護される対象としてではなく，権利を行使する主体として位置づける。教育への権利（初等教育の義務・無償制，能力に応じて高等教育にアクセスできることなど）や，子どもに意見表明権や思想・良心・宗教の自由，結社・集会の自由などの市民的権利を保障する。

38 世界人権宣言　1948年12月，第3回国連総会で採択。前文と本文30か条からなる。人権を初めて国際法の問題としてとらえ，世界に与えた影響ははかり知れない。

38 難民　人種・宗教・政治的意見などを理由として迫害を受ける可能性があるために自国外におり，自国の保護を受けることのできない人びとをさす。通常，こうした人びとを政治難民とよぶことが多い。

38 国際人権規約　世界人権宣言を条約化して国際法としての法的拘束力をもたせ，人権保障の実施を各国に義務づけたもの。1966年の第21回国連総会で採択，1976年に発効した。「経済的・社会的・文化的権利に関する国際規約」（A規約，社会権規約），「市民的・政治的権利に関する国際規約」（B規約，自由権規約），個人通報制度を規定したB規約に関する「第1選択議定書」の三つからなる。

38 人種差別撤廃条約　1961年の南アフリカ共和国での反アパルトヘイト運動の弾圧事件を契機に制定された。1965年の国連総会で採択，1969年に発効。日本はアイヌ問題などで批准が遅れ，1995年に批准。

39 第三国定住　長期間のキャンプ生活を余儀なくされた難民に対して，避難先以外の国（第三国）が行う救済制度。国連難民高等弁務官事務所の要請に応じ，日本では2010年から，タイのキャンプに滞在するミャンマー難民の受け入れが始まった。

経済編

40 サービス　形はないが，人間の必要や欲求を満たす経済活動のこと。医療・保険・金融・教育・運輸などがその例。代価を支払って物を受け取るのではなく，何かをしてもらうような活動をいう。

40 産業革命　18世紀後半にイギリスで始まり，19世紀を通じてヨーロッパ・アメリカから日本へ波及した産業技術・社会構造上の革命。

40 トラスト　企業合同。同一産業部門の複数の企業が合併・合同すること。カルテルと違い，各企業の独立性は失われ，単一の企業となる。

40 コンツェルン　企業連携。持株会社・親会社が，企業の株式を保有することで系列化して形成される企業集団。異業種の企業でも結合できる。

40 『諸国民の富』　アダム=スミスの主著。1776年に刊行。『国富論』とも訳される。資本主義経済を初めて体系的に分析した古典派経済学の代表作。

40 計画経済　生産手段を社会的所有とし，それを国家作成の計画に従って運営，生産活動を行う経済のこと。社会主義経済の根本理念の一つ。

40 市場原理主義　市場に備わる自動調節機能や市場経済のメカニズムに過度の信頼をおく経済学の立場。

40 証券市場　有価証券（公債・社債・株式）が取り引きされる市場。そこでの価格が，利子・配当・株価である。株式市場と債券市場に分かれる。

40 市場経済　市場を通して経済的資源が配分される経済システムのこと。自由な経済活動と自由競争を通じて市場メカニズム（市場機構）が働き，経済的資源が最適に配分されたり，経済の整合化がなされている。

40 市場の失敗　市場機構による資源の適正配分ができない分野があること，もしくは市場機構による資源配分の限界をさす用語。

40 需要　市場で，財やサービスを買い手が購入しようとすること。貨幣支出の裏づけのある需要をケインズは有効需要とよんだ。需要は，価格の変化に応じて増減する。

40 トレード-オフ　いわゆる「あちらを立てれば，こちらが立たず」という関係のこと。経済社会では欲しいものすべてが得られるわけではないので，ある財を手に入れるためには，他の財をあきらめなければならない。

40 ニューディール　世界大恐慌を克服するためにアメリカで実施された一連の経済再建策。「新規まき直し」という意味である。1933年からF.ローズヴェルト大統領が約7年にもおよんで実施した。

40 ケインズ　イギリスの経済学者。マーシャル門下で，20世紀の経済学に大きな影響を与えた学者の一人。彼が引き起こした経済学上の変革をケインズ革命という。主著『貨幣論』（1930年），『雇用・利子及び貨幣の一般理論』（1936年）。

40 ドイモイ　ベトナムで行われた市場経済の導入による経済改革。ベトナム語で「刷新」の意。1990年ころから目立った動きとなった。

40 技術革新　新しい技術，新しい生産方法などを生産活動に導入すること。アメリカの経済学者シュンペーターによれば，①新製品の発明・発見，②新生産方式の導入，③新市場の開拓，④新原料，新資源の獲得，⑤新組織の実現，などが含まれる。新機軸ともいう。

40 外部不（負）経済　他の経済主体の経済活動が，市場における取り引きを通さず直接に悪い影響を与えること。企業が出す公害により社会全体に不利益をもたらすなどが典型例。

40 経済　中国の古典に出てくる「経世済民【けいせいさいみん】」に基づいてつくられた語。一般的に，人間の生活に必要な財（形のあるもの）やサービスの生産・分配・流通・消費など，人間の生活や社会を維持するための最も基本的な活動をさす。

40 持株会社　株式の保有によって他の企業を支配することを目的とした会社。戦前の財閥が典型例。

40 社会主義経済　社会主義社会における経済のあり方で，①土地・工場などの生産手段が社会的所有とされ，私有財産制度が制限されていること，②経済活動が，政府の計画に基づいて運営され，個人の利潤を追求する自由な経済活動を制限すること，などが特徴。

40 小さな政府　市場機構や自由競争などの自由主義的経済政策を推し進めることにより，経済活動に介入せず，財政規模を縮小させようとする政府のこと。

40 耐久消費財　主として消費財について，長期の使用に耐えうる財を耐久消費財あるいは耐久財という。

40 アダム=スミス　イギリスの経済学者で，古典派経済学の創始者。主著『道徳感情論』（1759年），『諸国民の富』（1776年）。スコットランドに生まれ，グラスゴー大学で道徳・哲学・法学を講義した。『諸国民の富』において資本主義経済の体系的理論化を試みた。

40 社会主義市場経済　中国における経済運営の方針。1993年3月，全国人民代表大会で改正された憲法に盛りこまれた。

40 資本主義経済　現代の欧米や日本などで典型的に行われている経済体制。資本主義経済の特徴は，①私有財産制，②経済活動の自由，③利潤獲得のための商品生産を採用していることである。

40 シュンペーター　オーストリア生まれの経済学者。1919年にオーストリア蔵相，1932年からアメリカのハーヴァード大学教授。主著『経済発展の理論』（1912年），『景気循環論』（1939年）。

40 寡占価格　寡占市場で決定される価格。寡占企業同士が，市場価格によるのではなく，生産価格に平均利潤を上まわる超過利潤を得られるように設定された価格をさす。

40 プライス-リーダーシップ　寡占市場において，価格先導者とされる企業が，価格決定・価格変更をすると，他の企業もそれに追随するという市場慣行のこと。

40 寡占・寡占市場　市場において，2者以上の少数の売り手または買い手が存在し，市場を支配している状態。寡占市場では，他企業の動向を考えながら，企業の意思決定をするという相互依存関係がある。

40 独占　市場において，売り手または買い手が1者しかいない状態。したがって競争はなく，完全競争市場の対極にある。

40 公正取引委員会　公取委と略称。独占禁止法を運用することを目的に設けられた行政委員会。1948年に総理府外局として設置されたが現在は内閣府の外局。他から指揮，監督を受けることなく，独立して職務を行う。委員長と4人の委員は学識経験者から任命され，合議制をとる。委員の任期は5年。

40 管理価格　市場の需給関係で価格が決まるのではなく，独占・寡占企業が市場支配力を背景に，自ら固定的に設定する価格のこと。

40 独占禁止法　独占・寡占にともなう弊害が国民生活に及ぶことを除くために，1947年に制定された法律。正式名は「私的独占の禁止及び公正取引の確保に関する法律」。市場を独占すること，不当に取り引きを制限すること，不公平な取り引きをすること，などを禁止している。1997年の法改正で持株会社の設立が解禁された。

40 コングロマリット 本業とは異なった産業・業種にまたがって，合併や買収をくり返すことにより，巨大化した企業。複合企業ともいう。

41 所有と経営の分離 株式会社などで，資本の所有者である株主と経営を担当する経営者とが分離し，同一でないこと。資本と経営の分離，経営者革命ともいう。

41 取締役 株式会社の必置機関の一つ。株主総会で選任・解任され，会社の業務を執行する。任期は原則2年。従来は3人以上必要だったが，2006年の会社法によって1人でも可となった。

41 M&A 合併と買収によって他企業を支配すること。1980年代に入って，アメリカでは税制改革・独禁法緩和・資金過剰などによりM&Aが活発化した。

41 証券取引所 株式や債券などの有価証券を売買・取引する施設や機関のこと。日本では東京・大阪など全国に五つある。2013年に東京証券取引所と大阪証券取引所が経営統合され，日本取引所グループ（JPX）の下に再編された。

41 上場 証券取引所が株式の所内での取り引きを認めること。一定の基準を満たすことが要求されるので，企業の信用度が高まるなどの利点が多い。現在，東京・大阪・名古屋の証券取引所では，市場を一部と二部とに分けているので，一部上場，二部上場の銘柄がある。前者は比較的大企業，後者は新しい企業が多い。

41 取締役会 株主から株式会社の経営を委ねられた業務執行機関。株主総会で選任された取締役によって構成されるが，取締役は株主である必要はない。

41 株式 本来は株式会社の株主の持ち分を表す地位をさすが，一般にはその地位を象徴する有価証券をいう。株式会社は，株式の額面額を表示した額面株式，または株式数だけを表示した無額面株式を発行できる。2009年には改正商法が施行され，株券不発行制度が発足した。これにより，株式（株券）のペーパーレス化と電子化が実現。

41 株主 株式会社の所有権をあらわす分割された株式の持ち主のこと。株主は，その出資額を限度として責任を負う。これにより，広く社会から資本を集めることが可能になった。株主は個人株主と金融機関や企業などの法人株主に分類される。

41 民営化 公企業を私企業にすること。かつて三公社といわれた日本電信電話公社・日本専売公社は1985年に，日本国有鉄道は1987年に中曽根康弘内閣の手で民営化され，それぞれNTT，JT，JRとなった。

41 企業の社会的責任 企業の活動が社会に大きな影響を与えることから，そのあり方には社会に対する配慮や責任なども必要とされるという考え方。2010年，企業の社会的責任に関する国際規格「ISO26000」が発効した。

41 フィランソロピー 公益目的の寄付行為やボランティアなど，企業の社会的貢献活動をさす。

41 コーポレート-ガバナンス 企業統治。株主などのステークホルダー（利害関係者）が，企業経営に関してチェック機能を果たすこと。

41 モラル-ハザード 企業などにおける倫理の欠如や崩壊のこと。本来は保険用語で，保険契約者などが保険をかけてあるため，逆に注意力が散漫になり事故を起こす危険性が高くなる現象をさす。

41 コンプライアンス 法令遵守【じゅんしゅ】の意。具体的法令に加え，社会規範全体をさす言葉。

41 メセナ 企業の芸術・文化・社会事業支援。企業による文化事業の主催（コンサート，美術展，演劇公演など），資金の提供（寄付や協賛），文化施設の開設や運営（美術館，多目的ホールなど）といった形態がある。

41 企業 営利を目的として財・サービスの生産活動を行う組織体のこと。経済主体の一つ。原則的に企業は，自らの創意と責任において市場原理に従って生産と販売を行い，利潤を得ることを目的として行動する。

41 会社法 会社の制度や運営などを定めた基本的な法律。従来の商法第2編や有限会社法などを現代的に再編成し，2006年に施行された。株式会社の最低資本金の撤廃，有限会社にかわる合同会社の創設などが規定されている。

41 株式会社 出資者が，出資した限度内で責任を負う株主によって構成される会社。株主は出資に応じて会社の利益の一部（配当）を受け取る。イギリスの東インド会社（1600年）やオランダの東インド会社（1602年）が起源。

41 物価 一定範囲での複数の商品の価格を，ある基準で総合化したもの。物価の変動が，国民の生産・消費生活に影響することを物価問題という。

42 利子率 資金を融通してもらう場合の，その資金（元本）に対する利子の割合のこと。金融市場の資金に対する需要と供給の関係で変化する。

42 債券 国・地方公共団体・法人などが，資本市場を通じて大量の必要資金を多くの提供者（投資家）から調達するために発行する有価証券。国が発行した国債，地方公共団体が発行した地方債，企業が発行した社債などがある。

42 日本銀行 日本の金融の中心となる中央銀行。1882年に設立。銀行券の発行，政府の銀行，市中銀行との取引などを業務とする。日本銀行は，資本金1億円（55%が政府出資）の認可法人であり，日本銀行政策委員会の決定に基づき，金融政策の中心として活動している。

42 金利 資金の貸し出しに対して一定の割合で支払われる資金（利子）。また，利子の割合のこと。

42 公定歩合 中央銀行の金利のこと。日本の場合，日本銀行政策委員会によって，公定歩合が定められてきた。現在，日本銀行では公定歩合という用語のかわりに「基準割引率および基準貸付利率」を使っている。これは，公定歩合に政策的意味がなくなったことにともなう変更である。

42 預金準備率操作 日本銀行が市中金融機関に対して，預金の一定割合（預金準備率）を強制的に預金させる制度。支払い準備率操作ともいう。一般に景気が過熱したときには，準備率を引き上げる。逆に，景気を刺激したいときには，準備率を引き下げる。1991年に行われて以来，預金準備率は変更されておらず，現在では金融政策として用いられていない。

42 間接金融 金融機関を通して行われる資金の融通のこと。銀行などの金融機関は家計や企業から余裕資金を預かり，それを企業や個人に貸し出している。日本では，直接金融に比べて間接金融の割合が大きい。

42 債権 ある特定の人（債権者）が別の特定の人（債務者）に対して，物の引き渡し，金銭の支払いなどの一定の行為（給付）を請求する権利。

42 金融機関 金融活動を行う機関。日本では銀行・証券会社・保険会社などのほかに，ゆうちょ銀行や労働金庫・JA（農業協同組合）なども金融機関に含まれる。

42 金融 手持ちの資金に余裕がある企業や家計などが，資金を必要とする企業や家計などに貸したり，融通【ゆうずう】したりすること，また，借りたり，融通してもらったりすること。

42 銀行 金融機関の中心となるもの。日本では日本銀行が中央銀行にあたり，それ以外の銀行を市中銀行という。銀行の本来の利益は，預金者から集めた資金を企業などに貸し出し，企業などからもらう利子と預金者に支払う利子との差額である。

42 中央銀行 一国の金融の中心機関で，通貨の発行，通貨の流通量の調節，景気の安定など経済活動全般にわたる働きをもつ銀行のこと。日本では日本銀行，アメリカではFRS（連邦準備制度），イギリスではイングランド銀行，中国では中国人

資料編

民銀行などがそれにあたる。

42 金融政策　景気の回復をはかることや，物価を安定させることなどを達成するために，各国の中央銀行などが資金量を調整するために行う政策。

42 信用創造　銀行がその社会的信用を背景に，預金量をはるかにこえる資金を貸し出すこと。この信用創造によって，銀行は預金量以上の貸し出し能力をもつことになる。逆に，借りたい需要はあるのに，金融機関からの資金供給が細る現象を信用収縮という。

42 ペイオフ　金融機関が破たんした場合，金融機関が預金保険機構に積み立てている保険金で，預金者に一定額の払い戻しを行う制度。2010年に初のペイオフが発動された。

42 BIS規制　BIS（国際決済銀行）のバーゼル銀行監督委員会が定めた銀行経営健全化のための統一基準。

43 歳入　一会計年度における財政上の一切の収入。日本の一般会計歳入は，租税及び印紙収入・官業益金及び官業収入・政府資産整理収入・雑収入・公債金・前年度剰余金受け入れの6項目から構成されている

43 特別会計　国がある特定の事業を行う場合などに設けられる会計。国の会計は一種ですべての歳入・歳出を経理するのが望ましいとされる（単一予算主義）。しかし，現代の財政は規模が大きく，内容も複雑になったため，特別会計が設置されるようになった。

43 政府関係機関予算　国民生活金融公庫・中小企業金融公庫・国際協力銀行など，政府の全額出資によって設立・維持されてきた政府系金融機関の予算のこと。

43 相続税　死亡した人から相続した財産にかかる租税。相続によって取得した財産の総額から，故人の借金や葬儀費用，基礎控除額を差し引いた額が，課税対象となる。

43 間接税　税法上の納税義務者と実際に税を負担する者が異なる租税のこと。消費税や酒税・たばこ税が代表的な間接税。税金分が価格に上乗せされているから，最終的には消費者が税を負担することになる。

43 特定財源　使途を特定の歳出分野に限った税収。代表的なものが道路特定財源。受益と負担の関係がはっきりするが，歳出の硬直化につながるとされる。

43 逆進性　消費税のように，原則すべての財・サービスが課税対象であり，食料品・医療品のような生活必需品にまで課税されると，低所得者の収入に占める税負担の割合が大きくなる。このような税の性格を，逆進性という。

43 特例国債　赤字国債の別称。財政法は国の歳入が国債に依存することを原則的に認めておらず，その発行には，年度限りの特別措置として「公債の発行の特例に関する法律案」を政府が国会に提出し，承認を得なければならない。

43 ポリシー-ミックス　完全雇用・景気政策・国際収支の均衡など複数の政策目標を同時に達成するため，複数の政策手段が組み合わされてとられること。

43 租税　望ましい租税のあり方についてイギリスの経済学者アダム=スミスが，『諸国民の富』のなかで示した原則。公正・明確・便宜・徴税費最少の四つ。

43 法人税　株式会社や協同組合など，法人の所得にかかる租税のこと。ただし，学校法人や宗教法人は，収益事業を除いて納税義務が免除されている。

43 住民税　その地域に住む個人・法人を課税の対象としている道府県民税と市町村民税をいう。東京都の場合は，都が都民税を，23区が特別区民税を課している。個人住民税の税率は一律10%。

43 不公平税制　税負担のあり方が人や立場によって不公平なこと。所得税の捕捉率の不公平を示す言葉として，俗にクロヨン（給与所得者9割，事業所得者6割，農業所得者4割）などがある。

43 予算　一定期間（日本では4月1日～翌年3月31日）の財政収入・財政支出の予定的見積もりを数字であらわしたもの。予算には，一般会計・特別会計・政府関係機関予算などがある。

43 財政投融資　国の制度や信用によって集められた資金を財源として行われる投資や融資。郵便貯金などの資金運用部への預託制度が廃止され，また政府関係機関が財投機関債を発行して，市場から資金を調達するのが原則となった。

43 地方税　租税のうち，納税先が地方公共団体である税のこと。地方税は，道府県税と市町村税に分かれる。道府県税では道府県民税と事業税が，市町村税では市町村民税と固定資産税が中心。

43 累進課税制度　課税対象の金額が増えると，より高い税率が適用される課税のしくみ。納税者はその支払い能力に応じて課税されるべきであるという考え方から採用されている。2015年からは7段階（5～45%）となった。

43 赤字国債　事務的諸経費や人件費など，経常的経費の支出にあてる財源確保のために発行される国債。

43 所得の再分配　財政の機能の一つ。市場が決定する所得の分配は，不平等なものとなりがちであるので，政府は高所得者から低所得者に所得を移転するという政策をとる。これが所得の再分配である。

43 一般会計　政府の通常の活動にともなう歳入・歳出を経理する会計。このほかに，特別会計と政府関係機関予算などがある。一般会計の歳入は，租税など6項目から構成されている。一般会計の歳出は，国債費・社会保障関係費・地方交付税交付金等・公共事業関係費などに分類できる。

43 所得税　個人の1年間の所得金額に対して課せられる税。個人が給与・配当・事業などから得た所得額から，医療費・社会保険料など各種の控除額を差し引いた額が課税対象になる。

43 消費税　消費の背景には所得があるということを課税の根拠として，消費支出に課税される税。2014年から8%に，2015年から10%に税率が引き上げられる。ヨーロッパなどでは一般に付加価値税とよばれ，食品などの生活必需品については軽減税率が適用されるケースもある。

43 国債　公債のうち，国が発行しているもの。国債には償還期間によって，短期・中期・長期・超長期の区別がある。

43 直接税　税法上の納税義務者と税を負担する者（担税者）が同一である租税のこと。国税では，所得税・法人税・相続税などが，地方税では，住民税・固定資産税・事業税などがある。

43 景気調節機能　財政のしくみのなかに景気を安定化させ，誘導する機能をもつことを，景気調節機能または安定化機能という。

43 所得の再分配　高所得者と低所得者の所得を平準化させようとする財政がもつ機能。

43 公共事業　国や地方公共団体が行う，道路・河川・干拓・治山治水・上下水道・災害復旧などの，公共的な建設・復旧事業。

43 間接税　税金を納める人と，その税金を実質的に負担する人とが異なる税金。消費税や酒税などがある。国民所得統計上は，間接税が含まれた分だけ製品価格は高く表示されるため，間接税を差し引く必要がある。

43 政府〈経済における用語〉　家計や企業の経済活動を，財政を通じて調整する経済主体のこと。

43 社会資本　社会全体の経済活動にとって，基礎的に必要な公共性のある資本のこと。日本の社会資本の形成は明治期以来，産業基盤の整備に重点が置かれ，生活関連社会資本の立ち遅れが指摘されている。

44 所得　生産活動に使用された資本・労働・土地などの生産要素に対して支払われる報酬のこと。所得は一定期間でのフローの概念であり，これに対して，この所得が蓄積されたストックの概念が国富である。

44 国民所得 一国の居住者が一定期間(通常は1年間)において,財・サービスを生産して得た所得の合計,価値の総額。経済活動をフローの概念でとらえた国民経済計算の用語。

44 経済成長率 一定期間内(通常は1年間)における経済進度を示すバロメーター。国内総生産(GDP)の対前年(度)伸び率で示される。一国の経済状態の好・不況をあらわす重要な指標である。

44 設備投資 企業が将来の生産活動を拡大しようと,機械設備の増設や工場規模の拡大をはかる投資。資本形成ともいう。

44 付加価値 生産物を生産する過程で新たに生みだされた正味の価値のこと。国民経済において,1年間に新たに生産された財・サービスの総額から,それを生産するのに要した原材料や燃料・動力,さらに有形固定資産の減価償却費(固定資本減耗分)を差し引いた残り。

44 国民総所得 93SNA統計への移行にともない,従来のGNPにかわって用いられている概念。GNPと同じものだが,GNPが生産物の測度であるのに対して,GNIは所得(分配面)からとらえた指標である。

44 景気 経済の全般的な活動水準や活動状況,個々の企業や産業界の好・不調をあらわすことば。景気には必ず波がともなう。経済活動が活発で,生産・販売が増加し,利益が上がり,雇用者が増加する過程を好景気(好況)といい,逆に経済活動が沈滞して,売れ行きが悪く,利益が減り,企業の倒産や失業者の増加がめだつ過程を不景気(不況)という。

44 国富 一国の居住者の資産の合計をストックの概念でとらえたもの。国民の経済活動によって蓄積された成果をあらわす。正味資産ともいう。その内訳は,有形非生産資産(土地など),有形固定資産(工場・機械など),無形固定資産(特許権・商標権など),在庫,対外純資産(債券など)からなる。

44 国内純生産 国内で産出された純付加価値の合計。国内総生産(GDP)から固定資本減耗分を差し引いたものが,市場価格表示の国内純生産である。

44 経済成長 一国の国民経済の規模が長期間に量的に拡大することであり,国内総生産(GDP)や国民所得(NI)が年々増加する現象をいう。

44 実質経済成長率 経済成長率の一つで,実質成長率ともよばれる。物価水準の変動を調整したもので,一般に経済成長率といえばこの数値をさす。

44 国内総生産 一国内で通常は1年間に生産された総生産額から中間生産物を差し引いたもので,新たに生産された付加価値のみを計算したもの。自国民であるか,外国人であるかに関係なく,その国における生産活動でつくりだされた所得をさす。

45 国民所得倍増計画 1960年,経済審議会の答申を受け,池田勇人内閣によって閣議決定された計画。1961年から70年の10年間で国民所得を2倍にするというもの。

45 金融ビッグバン ビッグバンとは,宇宙の始まりの大爆発をさす。ここから転じて,サッチャー政権の下で,1986年にイギリス証券取引所が実施した証券制度の大改革をいう。スローガンは「フリー・フェア・グローバル」。

45 量的緩和政策 日本銀行が2001年から2006年まで行った超金融緩和策。短期金融市場の金利を実質0%に引き下げても景気悪化とデフレが進んだため,金融調節の目標を「金利」から「資金量」に切りかえた。

45 国際決済銀行 各国の中央銀行などによって1930年に設立された銀行。本店はスイスのバーゼル。国際金融協力などで重要な役割を果たす。

45 貸し渋り バブル経済の崩壊後,日本の金融機関が資金の貸し出しに慎重になったことをさす言葉。要因として,不良債権の増大やBIS規制などがあげられる。

45 構造改革 自由な経済活動と市場機構が十分に機能するよう,障害となる規制や制度の見直しや廃止を行う全体的な改革。

45 産業構造 一国の全産業の特徴を,労働力や生産額の各産業分野間の構成比率で示したもの。産業は,農業・製造業・サービス業などいろいろに分類される。よく知られる産業分類として,第一次産業・第二次産業・第三次産業がある。

45 経済のソフト化・サービス化 経済活動や産業構造が,生産されるものそのものの価値よりも情報・知識の価値,知識集約型のサービスの要素が重要となってきた事象をいう。

45 都市化 都市に人口が集中して都市が肥大化すること。工業社会は大量の労働力を必要とし,人口の都市への集中はまた,第三次産業としてのサービス業や商業の発達をうながした。

45 技術革新 新しい技術,新しい生産方法などを生産活動に導入すること。日本の高度経済成長も技術革新によるものとされる。

45 バブル崩壊 1989年に行われた地価や株価の高騰に対するテコ入れ(公定歩合の引き上げや地価税)により,地価や株価が下落し,金融機関の不良債権問題などが発生し,景気が後退したこと。

45 デフレーション 通貨量が商品流通に必要な量以下であるか,有効需要が供給に対して不足するために物価が持続的に下落する現象。インフレーションとは逆の現象で,景気の後退や不況に直接結びつく。略称デフレ。

45 不良債権 回収が不能・困難になった,金融機関が融資した貸出金のこと。バブル崩壊後,金融機関の抱えた多額の不良債権により金融機関の倒産や貸し渋りが発生した。

45 高度経済成長 1960年の「国民所得倍増計画」の発表前後から,1973年の石油危機の頃まで,年平均実質10%をこえる経済成長が継続した期間をいう。

45 ヘッジファンド 私募の形で資金を集め,為替・株式・商品などに投資して利益を得るファンド(基金)。巨額の資金を動かすヘッジファンドが破たんすれば,世界の金融システムに影響を及ぼすため,さまざまな規制が必要とされている。

45 サブプライムローン問題 サブプライムローンとは,アメリカにおける低所得者層などを対象にした高金利の住宅ローンのこと。変動金利のため,当初数年間の固定金利期間終了後に返済額がふくらみ,延滞や焦げ付き額が急増した。こうしたローンがさまざまな形態をとって証券化され,世界各地で販売されていたため,その値下がりなどが2007年夏以降に表面化し,世界的な金融危機の引き金となった。

45 G5 アメリカ・イギリス・ドイツ・フランス・日本の5か国によって構成された,通貨問題に関する財務相・中央銀行総裁会議のこと。

45 日米構造協議 日米間の貿易不均衡の是正をめざし,両国の生産・消費・投資など経済構造を検討するために1989年9月から開かれた協議。

46 アウトソーシング 外注。企業が業務の一部を専門会社に委託すること。コンピュータ関連分野などに多かったが,現在ではあらゆる業務に及ぶ。

46 中小企業 資本金・従業員数・生産額などが中位以下の企業をいう。中小企業基本法によれば,①製造業などでは資本金3億円以下,従業員300人以下の企業,②卸売業では資本金1億円以下,従業員100人以下の企業,③サービス業では資本金5000万円以下,従業員100人以下の企業,④小売業では資本金5000万円以下,従業員50人以下の企業,と定められている。

46 ベンチャー-ビジネス 新技術や,独自で高度な研究開発能力を生かして,冒険的な経営を行う中小企業群のこと。ベンチャー企業に提供される資金をベンチャー-キャピタルといい,個人投資家のことをエンジェルとよぶ。

47 年次有給休暇　労働者が労働から解放されて有給で保障される年間の休暇。労働基準法第39条は6か月の勤続と8割以上の出勤を条件に，10日以上の有給休暇を定めている。

47 労働争議　労働者と使用者との間に発生する争議。労働者が労働条件を維持・改善するために，使用者に対して団体行動を起こすことは憲法第28条に保障されている(団体行動権)。

47 ワーク-シェアリング　仕事の分かち合い。労働者一人あたりの労働時間を減らし，雇用の水準を維持すること。欧州などで導入されている。他の政策と組み合わせることによって，雇用を増大させる効果があるとされる。

47 在宅勤務　インターネットなどを通じて，請け負った仕事を自宅で行うこと。近年，自宅やその近くの小事務所などで働くSOHO(ソーホー，small office home office)とよばれる就業形態が注目されている。

47 労働委員会　労働争議に際して，労使双方の自主的な解決が困難な場合に，その調整(斡旋・調停・仲裁)にあたることを目的として設置された公的機関。使用者・労働者・公益を代表する各委員で構成される。

47 フレックス-タイム制　労働者が一定の時間帯(コア-タイム)のなかで，労働の始め(出社)と終わり(退社)の時間を自由に決定できる制度。

47 裁量労働制　実際の労働時間にかかわらず，一定時間働いたとみなす労働のあり方。労働者を時間ではなく成果で評価する制度。

47 労働基本権　憲法第25条に規定された生存権を，労働者が具体的に確保するための基本的な権利。勤労権と労働三権を合わせたもの。

47 労働組合　「労働者が主体となつて自主的に労働条件の維持改善その他経済的地位の向上を図ることを主たる目的として組織する団体又はその連合団体」(労働組合法第2条)をいう。

47 労働者　労働力を商品として提供し，賃金を得ることによって生活する者。生産手段をもたないため，自分の身につけている技術や能力を賃金などの対価で使用者・資本家に売る。勤労者ともいう。

48 完全失業率　働く意思と能力がありながら雇用されない者を完全失業者といい，その労働力人口に占める割合を完全失業率という。完全雇用とは完全失業率がゼロの状態ともいえる。

48 終身雇用制　新規学校卒業者のみを正規従業員として採用し，特別な場合を除いて定年まで雇用する制度。日本では大企業や官庁を中心に広く行われてきた。

48 派遣労働者　雇用関係を結んだ派遣元事業主が，企業・事業所とかわした労働者派遣契約により企業・事業所へ派遣される労働者。派遣先の指揮・命令関係に入るが，派遣先との契約関係はない。

48 リストラ　リストラクチュアリング。企業経営上，その事業の再構築をはかること。営業収益の悪い部門を削るなどする。バブル崩壊後は，中高年労働者の解雇・退職という形で進行した。

48 労働条件　賃金・労働時間などについて，労働者と使用者の間に結ばれる雇用上の条件。労働条件は労働者に不利に定められがちであるが，国は労働基準法などによって労働者を保護している。

48 失業率　総務省統計局による労働力調査に基づく完全失業者の割合。月末最後の1週間における労働力人口に対する失業者の割合を出したもの。

48 インターンシップ　高校生や大学生が在学中に一定の期間，将来の自分の進路と関連した職場や企業などで就業体験をする制度。

48 非正規雇用　企業が短期の契約で労働者を雇う雇用形態。フルタイムで継続して働く正規雇用(正社員)に対応する用語で，パートタイマー・アルバイト・契約社員・派遣社員などをさす。

48 男女雇用機会均等法　女性労働者が男性と同等の機会・待遇で就業の機会を得ることを目的に制定された法律。女性差別撤廃条約の批准に対応して1985年に成立，翌1986年から施行された。これにともない，労働基準法の一部が改正され，女性労働者の時間外労働の制限や休日労働の禁止などの制限が緩和された。2006年の改正では，直接には差別的条件ではないが，結果として不利益になる一定の間接差別の禁止や，女性だけでなく男性に対するセクハラ防止義務などがもりこまれた。

49 障害者雇用促進法　身体・知的・精神障害者の雇用促進をはかるため，1960年に制定された法律。一定の割合で障害者を雇用する義務を負う。

49 社会保障法　1935年制定。1933年にアメリカのF.ローズヴェルト大統領は，大恐慌を克服するために経済保障委員会を組織し，対策を検討させ，その答申に基づいて経済社会法が立案され，老齢年金や失業保険などが実現した。

49 福祉国家　社会国家ともいう。社会保障制度の充実や完全雇用政策の推進により，社会保障・社会福祉の水準が高い国をさす。

49 年金保険　老齢・障害・死亡などで失った所得を保障し，生活安定や福祉向上を目的とする社会保険。

49 セーフティ-ネット　安全網のこと。事故・災害など不測の事態や失業などの経済的不安に備えた制度をさす。2000年代以降に広がった国民の格差拡大に対応して，その整備の必要性が指摘されている。

49 医療保険　疾病・負傷・分娩などに必要な医療や経済的な損失に対して，費用の給付を行う。日本では1961年にすべての国民がいずれかの医療保険に加入する国民皆保険が実現。

49 国民年金　公的年金の対象者になっていなかった農民・商店主などの自営業者を対象とした年金制度。1961年発足。1986年から，すべての国民を加入者とする基礎年金制度に改められた。保険料は原則定額となっている。

49 公衆衛生　疾病を防ぎ，広く国民の健康の保持・増進をはかるために営まれる組織的な活動をさす。活動の拠点は保健所であり，住民の疾病予防・保健衛生・環境衛生などの仕事を担当している。

49 社会保険　疾病・負傷・出産・老齢・障害・失業・死亡などが原因で仕事の機会を失ったり，労働能力を喪失または減少させたりしたとき，加入者と国の拠出保険料を基金として一定の給付を行う制度。社会保障制度の中核をなす。

49 基礎年金制度　1985年に法改正され，翌1986年にから施行された。各年金制度を一本化して基礎年金(国民年金)部分を共通とし，厚生年金・共済年金の報酬比例部分を上乗せする。20～60歳未満の人は保険料納付義務がある。

49 公的扶助　日本の社会保障を形成する四つの制度のうちの一つ。日本では，憲法第25条の生存権規定に基づき，生活保護法を中心に公的扶助が実施されている。

49 雇用保険　失業や事故という生活不安に対し，所得保障を行い，再就職を促進させることを目的とする社会保険の一種。1975年から施行された雇用保険法により運用されている。

49 社会保障　疾病・負傷・出産・老齢・廃疾・死亡・業務災害・失業・多子・貧困などの場合に，一定の保障を行うことを通し，国民生活を安定させることを目的とする国家政策。

49 生活保護　憲法第25条の理念に基づき，国民の健康で文化的な最低限度の生活を保障するための制度。公的扶助の代表とされ，生活保護法が定められている。

49 介護保険　介護が必要になった国民に対して，在宅(居宅)や施設で介護サービスを提供する新しい社会保険制度。介護保険法が1997年に成立し，2000年から実施された。

50 合計特殊出生率　一人の女性が生涯

に産む子どもの数の平均の値。妊娠可能な15歳から49歳までの女性の，年齢別の出生率を合計したもの。2.1前後が人口の増減がないとされる人口置換水準である。

50 ピラミッド型　富士山型ともいう。多産多死の段階にある発展途上国によくみられる型。多産少死の段階においても同じ型になる。幼年人口の割合が高い。

50 高齢社会　国連の定義で，65歳以上の人口の割合が14%以上21%未満の社会をいう。日本は1994年にこの段階に達した。

50 エンゼルプラン　1994（平成6）年に文部，厚生，労働，建設各大臣（当時）の合意により，1995年度から実施された「子育て支援のための総合計画」のこと。

50 ノーマライゼーション　障害者も健常者も，高齢者も若者もすべて人間として，普通（ノーマル）な暮らしをともに送り，生きていく社会こそノーマルだ，とする実践運動や施策。

50 在宅介護　老人，障害者など1人で日常生活を営むことが困難な人を対象に，ホームヘルパーなどの専門家や家族の手によって，日常生活動作の援助や，話し相手になるなどの社会的孤立を避ける援助を「家の中」で行うこと。

50 障がい者　心身に障がいのある人のこと。1993年に障がい者のための施策の基本理念と国や地方公共団体の基本的な責務などを定めた障害者基本法が制定された。

50 児童相談所　児童福祉法に基づき，都道府県などに設置された機関。児童やその家庭に関するさまざまな相談に応じ，虐待のおそれがある家庭への強制立ち入り調査なども行う。

50 ユニバーサルデザイン　すべての人が平等に使える機器や製品をデザインしようとする考え方。アメリカの建築家ロン＝メイスが1980年代から用いた。

50 児童虐待　保護者による監護する児童への虐待。児童虐待防止法（2000年施行）によると，保護者がその監護する児童（18歳未満）に対して行う，①児童の身体への暴行，②わいせつな行為，③長時間の放置（ネグレクト），④心理的外傷を与える言動，の四つの行為をさす。

50 バリアフリー　障害者などが普通の生活ができるよう，身体的・精神的なバリア（障壁）を取り除こうという考え方。現実には，物理的バリア，制度的バリア，意識のバリア，文化・情報のバリアの四つの課題があるとされる。

51 内分泌かく乱物質　ダイオキシン類，DDT，PCB（ポリ塩化ビフェニール）などの物質をいう。ごく微量でも様々な作用があるとされており，生殖異常などの悪影響がある。

51 グリーン-コンシューマー　緑の消費者という意味。環境を大切にするという立場から商品を購入したり，企業の監視などをする消費者のこと。

51 容器包装リサイクル法　ビン・ペットボトル・ダンボールなど容器・包装材料のリサイクルを義務づける法律。1995年に制定，1997年から施行された。

51 グリーン購入法　国や地方公共団体などが環境負荷の低減に役立つ物品を率先して購入することなどを定めた法律。2000年に制定された。

51 循環型社会　資源循環型社会ともいう。広義には自然と人間とが共存・共生する社会システムを意味し，狭義には廃棄物の発生を抑え，リサイクルしていくことで資源の循環をはかる社会のことである。

51 リサイクル　廃棄物の再生利用。省資源・省エネルギー・環境保護の効果がある。法律としては，容器包装リサイクル法・家電リサイクル法・資源有効利用促進法などが機能している。

51 ゼロ-エミッション　生産方法の技術革新や産業間の連携を強化することで，廃棄物などの排出をゼロにしようとするものである。

51 バイオマス　食品工場の植物性廃棄物，牛や豚などの糞尿，廃材などから堆肥として発酵させていき，発生してできたメタンガスを使用し発電をしていく新しいエネルギーのこと。

51 コージェネレーション　熱と電力を同時に供給するエネルギーの供給システム（熱電併給システム）のこと。

51 環境アセスメント　環境権を具体的に保障する制度のこと。開発行為を行う場合，それが自然環境に与える影響を事前に調査・予測・評価すること。1997年に環境影響評価法（環境アセスメント法）が成立した。

51 ハイテク汚染　有機溶剤（トリクロロエチレン）など先端産業から発生する汚染。金属加工・半導体の洗浄剤として広く使用されているが，これを地下に流すため，地下水の汚染につながっている。

51 ダイオキシン　塩素系のプラスチックなどを燃やすと発生する猛毒物質。ゴミ焼却場などから検出され，社会問題となった。このため，総排出量を規制するダイオキシン類対策特別措置法が，1999年に制定された。

51 公害対策基本法　1967（昭和42）年に制定された，公害対策の憲法といわれた法律。

51 総量規制　環境基準の設定方式。従来の濃度規制では，汚染物質の排出量の規制が甘く，また生物濃縮の問題もあった。そこで一定地域に排出される汚染物質の合計量を規制しようとするもの。

51 四大公害訴訟　水俣病訴訟・新潟水俣病訴訟・イタイイタイ病訴訟・四日市ぜんそく訴訟の四つの訴訟をさす。四大公害訴訟は，いずれも1960年代後半の高度経済成長期に提訴された。裁判では，いずれも原告（被害者）側が全面勝訴。企業の加害責任を認め，被害者への損害賠償を命じた。

51 環境基本法　1967年施行され，1970年に改正された公害対策基本法と，1972年制定の自然環境保全法に代わって，1993年に環境政策全体に関する基本方針を示すために制定された法律。

51 水俣病　熊本県水俣湾周辺で1953年頃から1960年にかけて発生。手足がしびれ，目や耳が不自由になって狂い死にをする症状を示した。チッソの工場の廃液のメチル水銀が原因であった。

51 イタイイタイ病　富山県神通川流域で，1922年から発病が確認されている。骨がもろくなり「痛い痛い」と叫んで死ぬところからこの名前がついた。三井金属鉱業神岡鉱業所が排出したカドミウムが原因。

51 環境ホルモン　内分泌かく乱物質。生体にとりこむと性ホルモンに似た作用をもたらし，生殖機能障害や悪性腫瘍などを引き起こすとされる。ダイオキシン類やポリ塩化ビフェニール類などに含まれる。

51 アスベスト　石綿。繊維状の鉱物で，飛散物を吸いこむと肺がんなどを引き起こす。日本では高度経済成長期から建築材などに多用された。

51 ナショナル-トラスト運動　無秩序な開発から自然環境や歴史遺産を守るため，広く国民から基金を募り，土地や建物を買ったり寄贈を受けたりして，保存・管理する運動。

51 公害　個人や企業の諸活動にともなって生じる環境悪化や，人間の生命・健康・財産への被害などを総称したもの。公害には，①産業公害，②都市公害（生活公害）などがある。

51 トレーサビリティ　食の安全を確保するため，食品などがいつ，どのような経路で生産・流通・消費されたかの全履歴を明らかにする制度。

52 無形文化遺産　ユネスコの三大遺産事業の一つで，2006年の無形文化遺産条約に基づいて認定される祭礼・芸能等の無形の遺産。日本からは能楽・人形浄瑠璃・歌舞伎・和食など22件が登録されている。

52 食料・農業・農村基本法　従来の農業基本法に代わり，1999年に制定された法律。新農業基本法ともいう。食料の安定供給の確保，農業の持続的発展，農村の振興と農業の多面的機能の発揮な

資料編

どを規定している。

52 フード-マイレージ 食生活の環境への負荷の度合いを数値化した指標。食料輸送量に輸送距離を掛けあわせて算出される。イギリスで提唱された。

52 遺伝子組み換え作物 耐病性や日持ち性などの機能をもつ遺伝子を人工的に組み込んだ作物。遺伝子組み換えは農産物の品種改良などに有用だが，本来は自然界に存在しないため，その危険性を指摘する声も強い。

53 リコール〈経済分野における用語〉自動車などで欠陥が見つかった場合，生産者（メーカー）が国土交通省に届け出たうえでこれを公表し，購入者（ユーザー）に直接通知して無償で回収・修理を行うこと。道路運送車両法に基づく。

53 契約自由の原則 一定の法律行為・契約行為を自分のしたいようにすることができるという原則。近代の法思想における人間の自律性の原則を反映したもの。

53 消費者契約法 消費者を不当な契約から守る目的で制定された法律。2000年に成立し，2001年から施行。事業者は消費者に対して契約内容をわかりやすく伝えることが義務づけられた。

53 消費者基本法 消費者保護基本法にかわって，2004年に制定された法律。消費者を「保護」の対象とするのではなく，「消費者の利益の擁護及び増進に関し，消費者の権利の尊重及びその自立の支援」（同法第1条）などを基本理念として定めている。

53 消費者庁 従来，縦割り・寄せ集めの典型とされた消費者行政を，統一的・一元的に行うため，内閣府の外局として2009年に設置された省庁。

53 製造物責任法 製造物の欠陥によって消費者が身体・生命・財産に損害を受けたとき，製造者に故意・過失がなくても，賠償の責任を負わせるための法律。Product Liabilityの訳で，PL法と略称される。

53 消費者保護基本法 1968年，消費者の利益を保護する目的で制定された法律。2004年に，消費者の権利などをもり込んだ消費者基本法に改正された。

53 クーリング-オフ 頭を冷やすという意味で，消費者が結んだ購入などの契約を解除できる制度。契約の解除は原則として，内容証明郵便によって通知する。

54 リカード イギリス古典派経済学の完成者。穀物法反対の主張をまとめたのが，主著『経済学及び課税の原理』（1817年）である。比較生産費説により，自由貿易の利益を説明したことでも有名。

54 比較生産費説 イギリスの古典派経済学者リカードが主張した学説。各国は，国際分業に基づいて貿易を行う際，各国を比較して生産費が絶対的に安い場合はもちろん，絶対的には高いが国内の商品と比較して相対的に安い（比較優位にある）場合でも，安い商品に生産を集中（特化）し，高い商品は生産をしないで輸入したほうが，世界全体で商品の生産量が増大するという理論。

54 貿易 各国民経済の間の商品取り引きをいう。相互の余剰生産物の存在を前提に，他国へ商品を売る輸出と，他国から商品を買う輸入とから構成される。形式的には，2国間で行われる双務貿易と，3国以上が参加する多角貿易に大別される。

54 非関税障壁 関税以外の手段による輸入制限策。輸入割り当てなどの数量制限，政府による輸出補助金のほか，広義の閉鎖的商慣習などがある。

54 経常収支 ①貿易・サービス収支，②所得収支，③経常移転収支から構成され，近年のサービス貿易の増大に対応して，旧貿易外収支をサービス収支として明示した。

54 国際収支 一国の一定期間（普通1年）内の対外支払い額と受け取り額の集計。1993年にIMF（国際通貨基金）の国際収支統計マニュアルが改められ，日本でも1996年から新形式で発表されている。

54 貿易摩擦 貿易をめぐって生じる各国間のさまざまな対立・紛争のこと。すなわち，当該国の産業間の対立が，自国の政府・議会を動かすまでに進み，互いに公権力による報復措置（輸出入禁止など）をかける段階になる状況をいう。

54 日米包括経済協議 日米構造協議を引きついで，1993年9月から行われた日米間の協議。自動車・半導体・保険などの分野別の交渉の場では，市場参入の数値目標の設定を求めるアメリカとの間で，激しいやりとりがあった。

55 セーフガード 緊急輸入制限措置。一般セーフガードと特別セーフガードの二つがある。輸入による国内産業の被害が大きい場合，輸入国の保護政策の一環として行われ，世界貿易機関（WTO）協定でも認められている。

55 ブロック経済 本国と海外領土・植民地を結び，排他的・閉鎖的な経済圏（ブロック）を形成して，圏内での自給自足をはかろうとする政策。

55 経常移転収支 政府・民間による無償援助，国際機関への拠出金，労働者の送金の金額の差額など，対価をともなわない取り引きをいう。

55 固定為替相場制 外国為替相場の変動をまったく認めないか，ごくわずかの変動幅しか認めない制度。各国の通貨の価値が特定国の通貨（たとえば米ドル）や金あるいはSDR（国際通貨基金の特別引出権）などに釘付けされ，その変動幅が狭い範囲内に限定される。

55 ウルグアイ-ラウンド 1986～1994年，124か国とEUが参加して行われた。モノの貿易だけでなく，金融・情報通信などのサービス分野をも対象とし，緊急輸入制限（セーフガード）条項や不正商品の取り締まりなども協議された。1994年4月，合意文書に署名。

55 ドーハ-ラウンド 2001年にカタールの首都ドーハで開始が宣言されたWTOの新多角的貿易交渉。農業問題などをめぐる対立で，交渉は暗礁に乗りあげている。

55 プラザ合意 1985年に行われたドル高是正のためのG5での合意。その後，日本では急激な円高が進んで不況に陥る一方，国内産業の空洞化が起こった。

55 関税と貿易に関する一般協定 ガットと略称。1947年のジュネーヴ協定によってスタートした。1930年代の保護貿易化をくり返さず，関税その他の輸入制限を撤廃することで，貿易の拡大と世界経済の発展をはかるのが目的である。このための交渉が，1947年から断続的に行われてきた。

55 為替相場 異なる通貨どうしの交換比率のこと。日本では，交換比率を一定に保つ固定相場制の下で，1949年に基準外国為替相場を1ドル＝360円と定めた。変動相場制の場合，為替銀行間の取り引きを基準として相場が決定される。

55 変動為替相場制 各国の通貨相互間の価値が，外国為替市場の需要と供給の関係によって決定されるような為替相場制度をいう。

55 円高 日本の通貨である円の対外通貨に対する価値が高まることが円高で，低下することが円安。邦貨建て相場で示す場合，たとえば1ドル＝200円の相場だったものが，1ドル＝150円となった場合，円の対ドル相場は50円分（25%）高くなっている。

55 国際通貨基金 ブレトン-ウッズ協定に基づき，1947年に国連の専門機関として業務を開始した。加盟国の国際収支の不均衡是正のための短期資金供与により，固定相場制維持，国際通貨の安定，国際金融の円滑化などを目的とした。本部はワシントンにある。

55 アジア通貨危機 1997年7月，タイを中心に始まったアジア各国の通貨下落現象。タイが管理変動相場制に移行したことを契機として，タイの通貨バーツの相場が下落し，アジアの各国経済に打撃をあたえた。

55 世界貿易機関 1994年のマラケシュにおけるGATT閣僚会議で合意された，世界貿易の秩序形成を目的とした機関。

従来のモノの貿易から，サービス貿易や知的財産権問題なども扱う。本部はジュネーヴ。

55 最恵国待遇 自国の領域内で，外国人等に認めた最も良好な待遇や権利を相手国やその国民にも保障すること。したがって，この協定を結んだ国に対する関税率は同じになる。WTOなどで適用される原則の一つ。

56 マーストリヒト条約 欧州連合条約ともいう。1991年にオランダのマーストリヒトで開かれたEC首脳会議で，ローマ条約の改正に同意，翌1992年に条約に調印した。

56 欧州中央銀行 「ユーロの番人」として，EU加盟国（ユーロ圏）の金融政策を一元的に行う中央銀行。1998年に設立された。本部はドイツのフランクフルトにある。

56 アジア太平洋経済協力 エイペックと略称。日本・アメリカ・中国・韓国・ロシア・台湾・香港・オーストラリア・メキシコ・チリ・ASEAN諸国など21か国・地域が加盟。オーストラリアのホーク首相の提唱で1989年に発足。アジア・太平洋地域の経済協力が目的。

56 ASEAN自由貿易地域 東南アジア諸国連合の経済協力組織。1993年に発足，域内の関税などの撤廃をめざす。アフタと略称。

56 南米共同市場 メルコスールと略称。南米での共同市場づくりをめざし，1995年にブラジル・アルゼンチン・ウルグアイ・パラグアイの4か国間で発足した。2006年にベネズエラが加わり5か国となった。

56 地域的経済統合 近接した地域にあり，経済的利害を同じくする数か国が同盟を結び，加盟国間の関税・輸入数量制限などは撤廃の方向で共同市場を確立する一方，非加盟国に対しては貿易制限を維持することにより，各加盟国の経済力を高めることを目的とする。

56 北米自由貿易協定 1989年発足のアメリカ・カナダ自由貿易協定にメキシコが加わり，1994年に発効した協定。ナフタと略称。資本・労働・貿易の域内自由化をめざす北米全体の自由貿易圏。2020年にUSMCAとして協定が結び直された。

56 ユーロ EU（欧州連合）の共通通貨とその単位。1989年の経済通貨同盟（EMU）構想に基づき，1999年からユーロが導入された。

56 自由貿易協定（FTA） 特定の国や地域の間で，貿易などの規制をなくし経済活動を活性化させるために締結される協定。世界貿易機関（WTO）の例外規定として認められている。

56 東南アジア諸国連合 ASEAN，アセアン。1967年，東南アジアの5か国（インドネシア・タイ・シンガポール・マレーシア・フィリピン）が，経済・社会・文化の域内協力を推進するために結成した地域協力組織。2021年現在は10か国。

56 欧州連合 ECを母体として，1993年発効のマーストリヒト条約に基づき発足。ECの原加盟国は，フランス・ドイツ・イタリア・オランダ・ベルギー・ルクセンブルクの6か国。リスボン条約が2007年に調印された（2009年発効）。2013年からはクロアチアが加わり28か国となった。2020年にイギリスが離脱。

56 信頼醸成措置 緊張緩和のために東西間の相互信頼を高めようとする軍備管理措置の一つ。全欧安全保障協力会議（現欧州安全保障協力機構）では，相互の軍事活動についての誤解や誤認の危険を防ぐため，軍事演習の事前通告を決めている。

57 発展途上国 第二次世界大戦後に独立した，アジア・アフリカ諸国やラテンアメリカ地域に多い，経済的に発展途上にある諸国のことをいう。

57 先進国 主として経済開発や文化などの面で比較的に進んだ諸国。発展途上国との対比で用いられることが多い。

57 経済協力開発機構 1961年に発足した資本主義諸国間の経済協力機関。日本は1964年に加盟し，現在の加盟国は34か国。事務局はパリにある。

57 モノカルチャー経済 発展途上国の産業構造の特徴を示すことば。ブラジルやコロンビアのコーヒー，ガーナのカカオ，チリの銅など，もっぱら輸出向けの少種類の農・工業原材料（一次産品）の生産が大部分を占めている産業構造をさす。

57 新国際経済秩序 ニエオと略称。1974年に国連の資源特別総会で「新国際経済秩序の樹立に関する宣言」が採択された。

57 新興工業経済地域 ニーズと略称。発展途上国のなかで，工業化を急激に進め，国際貿易で先進国と競合し始めた国や地域。近年では，韓国・台湾・香港・シンガポールのアジアNIEsをさすことが多い。

57 累積債務問題 発展途上国で，対外債務（借金）が累積して経済不振におちいる一方，貸し手である先進国も貸し倒れによる金融不安が生じた。これを累積債務問題という。

57 ミレニアム開発目標 2000年に開催された国連ミレニアムサミットで採択された宣言を受けて，同年末にまとめられたもの。極度の貧困の半減，普遍的初等教育の達成，5歳未満児の死亡率を3分の1以下にすることなど8目標を掲げる。

57 国連貿易開発会議 アンクタッドと略称。1964年，先進国と発展途上国間で南北問題の対策を検討するため設置された国連の機関。総会は4年に1度開催される。現在，加盟国は193か国。

57 人間開発指数 UNDP（国連開発計画）が開発した人間開発に関する指標で，0～1の数値をとる。保健水準（平均寿命）・教育水準（成人識字率と就学率）・所得水準（一人あたりGNI）の三つの指標を用いて算出し，各国の福祉や生活の質（QOL）をはかる目安となる。

57 開発援助委員会 ダックと略称。1961年に発足したOECD（経済協力開発機構）の下部組織で，現在29か国とEUが加盟。発展途上国への援助について，加盟国間の利害調整をしたり，援助の具体的方法を検討・決定する。

57 政府開発援助 政府や政府の実施機関によって，発展途上国及び援助活動をしている国際機関に供与される資金のこと。発展途上国の福祉向上が目的であり，供与条件が発展途上国にとって有利であることがODAの要件。

57 フェアトレード コーヒー・ココア・バナナ・砂糖など発展途上国の産品を適正な価格で輸入し，先進国内の市場で販売する「公正な貿易」。フェアトレードの商品と生産者を認証する国際的なネットワーク組織として，1997年に設立されたフェアトレード-ラベル機構（FLO）がある。

NEW

N パターナリズム 本来は，親が子を慈しんで面倒をみること。父権主義。転じて，強い立場の者が弱者のために，本人の意思に反して介入・干渉する意味でも用いられる。医療の場では，父としての医師が，子どもである患者の治療方針などを一方的に決定することを指す。

N 接続水域 沿岸国が出入国管理など特定の行政的規制を行うために，領海の外側に設定した水域。国連海洋法条約に規定された。日本では「領海及び接続水域に関する法律」に基づき，基線から24海里までとしている。

N 原子力委員会 1956年，原子力基本法と原子力委員会設置法に基づいて総理府（現在は内閣府）に設置。原子力の研究・開発・利用に関する行政の民主的な運営をはかるのが目的で，委員長と4人の委員からなる。2012年，従来から同委員会が行ってきた原子力政策大綱の策定が取りやめとなり，組織の廃止も検討されている。

N 原子力安全・保安院 原子力関連施設の安全審査や事故の際の対応など，原子力安全行政を担当した経済産業省の一組織。2001年に設置されたが，福島

資料編

第一原発の事故を受け，2012年の原子力規制委員会と原子力規制庁の発足にともない廃止された。

N 電力システム改革　1951年以来の抜本改革として，①小売全面自由化，②市場機能の活用，③送配電の広域化・中立化を改革の基本方針とし，電力システムの改革を3段階で進めようとするもの。2014年の電気事業法の改正で，2015年に全国規模で電力需給を調整する「広域系統運用機関」を設立する。

N 水俣条約　正式名は「水銀に関する水俣条約」。人体や環境に悪影響をあたえる水銀の製造や輸出入を原則として禁止する条約。水俣市で2013年，国連環境計画（UNEP）が中心となって採択された。50か国の批准で発効する。

N ヘイトスピーチ（差別扇動表現）　在日コリアンに対して差別意識をあおる暴力的なデモや集会。東京都や大阪府の一部地域などで頻繁に開かれてきたが，これをいさめる抗議活動も行われている。日本にはヘイトスピーチを罰する国内法はないが，日本も加わる国際人権規約（自由権規約）第20条や人種差別撤廃条約第4条などに禁止規定がある。

N 武器貿易条約（ATT）　通常兵器などの国際取引を規制する条約。2013年の国連総会で条約案が採択された。50か国の批准を待って発効する。対象は戦車や戦闘機などの通常兵器に加えて小型武器も含む。主な武器輸出国であるロシア・中国などは署名していない。

N 政務活動費　地方議会議員の調査研究活動などのため，条例にもとづき議員本人や会派に交付される経費。「政務調整費」とよばれていたが，2012年の地方自治法改正に伴い名称と使途の幅が変わった（地方自治法100条14～16項）。

N 防衛装備移転三原則　日本はこれまで武器輸出（防衛装備の移転）については，1967年の佐藤首相（当時）の国会答弁「武器輸出3原則」により全面禁輸であった。2014年に閣議決定された新三原則では，①国際条約違反国等への輸出禁止，②平和貢献や国際協力などに資する場合などに輸出を限定し，厳格な審査と情報を公開，③目的外使用，第三国移転の適正管理を行うこととしている。

N エネルギー基本政策　2002年6月制定のエネルギー政策基本法に基づき，安全性，安定性，経済効率性，環境への適合が基本方針。2014年に策定された新しいエネルギー基本計画では，原子力発電は「重要なベースロード電源」と位置づけられ，安全が確認された原発から再稼働される。

N 集団的自衛権　国連憲章第51条で定められた権利。武力攻撃が行われた場合，単独国家が混捌的自衛権を行使するだけでなく，二国間あるいは地域的安全保障・防衛条約などで結びついた複数国が共同で防衛措置をとること。

N 袴田事件　1966年，静岡県清水市（現静岡市）で起きた一家4人の強盗殺人事件で，元プロボクサーの袴田巌さんが逮捕された事件。袴田さんは無罪を主張し，1968年に死刑判決が言い渡されていたが，2014年のDNA鑑定が決め手となり，静岡地裁が再審を決定。袴田さんは釈放されたが，検察が即時抗告し，現在も東京高裁で審理中。

N 安全保障関連法　安倍晋三首相が2015年の通常国会に提出し成立した，国の安全保障にかかわる法制度の総称。同年に再改定された日米防衛協力のための指針（ガイドライン）や，前年に閣議決定した集団的自衛権の行使を具体化する意味合いがある。

N 18歳選挙権　2015年の公職選挙法改正で選挙権年齢が「満18歳以上」に引き下げられたこと。2016年の参議院選挙から投票でき，これにより約240万人が新たに有権者に加わり，全人口に占める有権者の割合は2％上がる。

N ドローン　無人小型機のこと。遠隔操作での飛行やGPSなどを利用した自動飛行で，元来は軍事利用だったが，水田での農薬散布や宅配サービスなどでの利用も進んでいる。

N トリクルダウン　したたり落ちるの意で，アベノミクスの根底にある経済の考え方。大企業や富裕層がもうかれば，その恩恵がいずれ庶民にも行きわたる，というもの。現実には，そうした政策は格差拡大をもたらすとの指摘があり，経済協力開発機構（OECD）もこの考え方に懐疑的な見解を示した。

N アジアインフラ投資銀行（AIIB）　アメリカに対抗し，中国が指導して2015年末に設立された銀行。インフラ整備を主体とした融資などを担う。本部は北京におかれ，資本金は最大で1000億ドル。創設メンバーは57か国でイギリス・フランス・ドイツ・イタリアは加わるが，日本・アメリカ・カナダは加入していない。初代総裁は中国の金立群。

N デザイナー・ベビー　親などが希望する外見や知力などのために，遺伝子操作による修正を行い，デザインされて生まれた子ども。実現してはいないが，倫理上の問題のほか，生命の選別がビジネスなどと安易に結びつくことに懸念もある。

N クラウドファンディング　クラウド（群衆）とファンディング（資金調達）の合成語。インターネットを通じて，不特定多数の個人から小口の資金を集めるしくみ。アメリカからはじまり，世界に広まった。出資者が見返りを求めない「寄付型」など，いくつかのパターンがある。

N マイナンバー　国内に住むすべての人と法人に割り振られる，12桁（法人は13桁）の共通番号のこと。所管する行政機関が別々に管理していた所得や年金，社会保険などの個人情報を一つに結びつけることができる。

N IoT　モノのインターネット（Internet of Things）。コンピュータなどの情報・通信機器だけでなく，世の中に存在する様々なモノに通信機能をもたせ，インターネットに接続したり相互に通信することにより，自動認識・制御や遠隔操作などを行うこと。

N 子ども・子育て支援制度　消費税を財源として，2015年4月にスタートした子育て中のすべての家庭を支援する制度。近年の待機児童の問題にともない，新たに小規模保育や会社内の保育施設などを認めることで受け皿を広げた。保護者は，市町村から保育を必要としている設定を受ければ，働き方などに合わせて希望の施設を選ぶことができる。

N 持続可能な開発目標（SDGs）　世界共通の開発目標として掲げられていた，ミレニアム開発目標（MDGs）の後継となるもの。MDGsでは十分対応しきれなかった気候変動や貧困など17の課題が2016～2030年に達成すべき目標として設定された。

N 天皇退位特例法　2016年8月，天皇陛下は国民向けのビデオメッセージで，高齢による体力低下などを考慮し，生前に退位されるご意向を示唆された。現行の憲法には退位の規定はなく，現行の法制度でも天皇の生前退位は想定されていない。政府の有識者会議で今回限りの特例法制定が決定し，2017年6月に成立した。2019年5月1日に「平成」から「令和」に改元した。

N カジノ法　統合型リゾート施設整備推進法，正式には「特定複合観光施設区域の整備の推進に関する法律」といい，「IR法」とも呼ばれる。2016年12月，カジノやホテル，国際会議場，レストランなど統合型リゾート（Integrated Resort，略称IR）の整備を日本国内において推進するための基本法となる。運営業者の選定基準やカジノの規制，ギャンブル依存症対策などは，2018年7月に成立した実施法に盛り込まれた。

N 働き方改革　残業時間や賃金制度の見直しを図り，労働者目線での生産性向上を図るアベノミクスの成長戦略。長時間労働の是正や同一労働同一賃金などの非正規雇用者の待遇改善が課題。

さ

正誤問題に TRY 解答

序　編

ページ	正誤										
10	○	11	○	12	○	13	×	14	×	15	×
16	×	17	○	18	×	19	×	20	×	21	○
22	×	23	○	24	×	25	○	26	×	27	×
29	×	30	×	31	○	32	×	33	○	34	○
35	○	36	×	37	×	38	×	39	○	40	×
41	○										

倫理編

42	○	43	×	44	×	45	×	46	○	47	○
48	○	49	○	50	×	51	×	52	×	53	○
54	○	55	×	56	○	57	○	58	○	59	×
60	○	61	○	62	×	63	○	64	×	65	○
66	×	67	○	68	×	69	○	70	○	71	×
72	×	73	○	74	×	75	×	76	×	77	○
78	×	79	×	80	○	81	×	82	×	83	○

政治編　国際編

88	○	89	×	90	×	91	○	92	×	93	○
94	×	95	○	96	○	97	○	98	×	99	○
100	○	101	○	102	○	103	×	104	○	105	○
106	○	107	×	108	×	109	×	110	×	111	×
113	×	114	×	115	×	116	○	117	○	118	×
119	○	121	○	122	○	124	×	125	○	126	×
127	×	128	○	129	×	130	○	131	×	133	○
134	○	135	×	136	×	137	×	138	○	139	○
140	×	141	○	142	○	143	○	144	○	145	×
146	×	147	×	150	×	151	○	152	×	153	×
154	○	155	○	156	×	157	×	158	○	159	×
160	○	162	×	163	○	164	×	165	○	166	×
167	○	168	×	169	×	170	×	171	○	172	×
173	○	174	×	175	○	176	○	177	×	178	×
179	○	180	×	181	○	182	×	183	×	184	×
185	×	186	○	187	○	188	×	189	×	190	×
191	○	192	×	193	×	194	○	195	×	196	×
197	○	198	×	199	×	200	×	201	×	202	○
203	○										

経済編　国際編

204	○	205	○	206	○	207	○	208	×	209	○
210	×	211	×	212	×	213	○	214	×	215	○
216	○	217	○	218	○	219	○	220	○	211	×
222	×	223	×	224	×	225	×	226	×	228	×
229	×	230	○	231	×	232	×	233	○	234	×
235	×	236	×	237	○	240	×	241	○	242	○
243	×	244	○	245	×	246	×	247	×	248	×
249	×	250	×	251	○	252	×	253	○	254	×
255	×	256	×	257	×	258	×	260	×	261	×
262	×	264	○	265	×	266	×	267	×	270	×
271	×	272	×	273	×	274	×	275	○	276	×
277	×	278	×	279	×	280	○	281	×	282	×
283	×	284	×	285	○	286	○	287	×		

現代社会にいたる歴史的アプローチ

ヨーロッパの覇権

「ヨーロッパの覇権」の時代(19世紀末～第一次世界大戦)
ヨーロッパが世界のリーダーとして君臨し，直接・間接に世界のほとんどの地域を支配していた。それに追随するアメリカや日本を含めた列強は帝国主義政策をとり，相互に激しく対立して世界大戦を引き起こした。社会主義や植民地での民族主義の運動も起きたが，まだ国際政治の流れを変えるまでの力は持たなかった。

1900 義和団事件（～ 01）
02 日英同盟
04 日露戦争❶▶（～ 05），英仏協商
05 ロシア第一革命，第１次モロッコ事件，ベンガル分割令
06 国民会議派カルカッタ大会
07 英露協商（→三国協商）
08 青年トルコ革命，オーストリア＝ハンガリーのボスニア＝ヘルツェゴヴィナ併合
10 韓国併合
11 第２次モロッコ事件，伊土戦争（～ 12），辛亥革命（～ 12）
12 第１次バルカン戦争（～ 13）
13 第２次バルカン戦争

第一次世界大戦

14 第一次世界大戦❷▶（～ 18）
17 ロシア革命❸▶
18 第一次世界大戦終結

国際協調主義

「国際協調主義」の時代(第一次世界大戦終結～ 1929 年)
大戦で打撃を受けたヨーロッパにかわって，アメリカや新生ソ連が力を伸ばし始めた。民族自決の適用がヨーロッパに限定されたこともあり，大戦への協力の見返りを与えられなかったアジア諸地域を中心に民族主義が高揚した。小さな危機はあったものの，国際政治はおおむね協調を基調に推移した。

19 パリ講和会議，朝鮮三・一運動，コミンテルン結成，ガンディーの第１次非暴力不服従運動（～ 22），中国五・四運動
20 国際連盟成立
21 ワシントン会議
22 イタリアでファシスト政権成立，トルコでスルタン制廃止
23 ルール出兵（～ 25）
24 第１次国共合作（～ 27），レーニン死去（→スターリン独裁）
25 ロカルノ条約
26 北伐（～ 28），ドイツの国際連盟加盟
28 不戦条約

ファシズムの台頭

「ファシズムの台頭」の時代(1929 年～第二次世界大戦)
世界恐慌が国際協調を打ち砕いた。植民地を“持てる国”はブロック経済で植民地の犠牲の上に経済危機を乗り切ろうとしたが，日独伊などの“持たざる国”ではファシズムが台頭し露骨な侵略主義がとられた。民主主義・ファシズム・社会主義の三つどもえの対立が，再度の世界大戦を招いた。列強により犠牲を強いられた植民地では独立を求める動きが強まった。

29 世界恐慌❹▶
30 ロンドン会議
31 満州事変，ウェストミンスター憲章（→イギリス連邦）
32 満州国建国宣言，五・一五事件，オタワ連邦会議（→ブロック経済）
33 ドイツでナチス政権成立，日本の国際連盟脱退，ドイツの国際連盟脱退
34 ヒトラーの総統就任❺▶，長征（～ 36）
35 ドイツの再軍備宣言，イタリアのエチオピア侵略（～ 36）
36 二・二六事件，ドイツのラインラント進駐，スペイン内乱（～ 39），ベルリン・ローマ枢軸，西安事件
37 日中戦争（～ 45），第２次国共合作（～ 45），日独伊防共協定，イタリアの国際連盟脱退
38 ドイツのオーストリア併合，ミュンヘン会談

第二次世界大戦

39 第二次世界大戦❻▶（～ 45）
40 フランス降伏，日独伊三国同盟
41 大西洋憲章，太平洋戦争（～ 45）
43 イタリア降伏，カイロ会談，テヘラン会談
45 ヤルタ会談❼▶，ポツダム会談，第二次世界大戦終結

❶日露戦争

満州と朝鮮をねらうロシアと日本が衝突。ロシアの南下をきらうイギリスは日本と同盟。敗れたロシアは進出の方向をバルカン半島に転じ，ドイツやオーストリア＝ハンガリーと対立して，第一次世界大戦の一因をつくる。日本の勝利はアジアの民族主義を大いに勇気づけた。

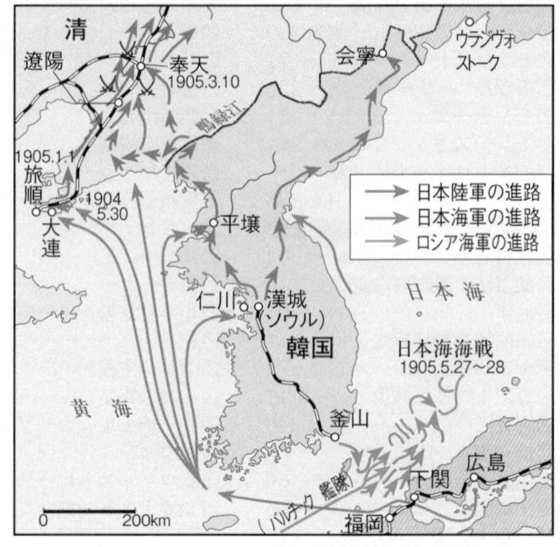

❷第一次世界大戦

帝国主義列強相互の対立により勃発。英仏露を中心とする連合国と独墺を中心とする同盟国の戦いで，前者が勝利。史上初の総力戦は国によっては労働者や女性の地位向上にもつながり，大衆民主主義社会到来の一因ともなった。主戦場となったヨーロッパは疲弊し，アメリカが台頭。４つの帝国（ドイツ，オーストリア＝ハンガリー，ロシア，オスマン）が崩壊した。

❸ロシア革命

第一次世界大戦末期のロシアで勃発。資本主義諸国は干渉を行うが失敗。これによって生まれたソ連は，のちに社会主義陣営のリーダーとなった。

● 20 世紀初頭の世界（1914 年）

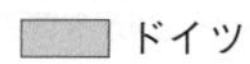

海外領土

- ドイツ
- イギリス
- ポルトガル
- ベルギー
- スペイン
- デンマーク
- フランス
- アメリカ
- イタリア
- オランダ

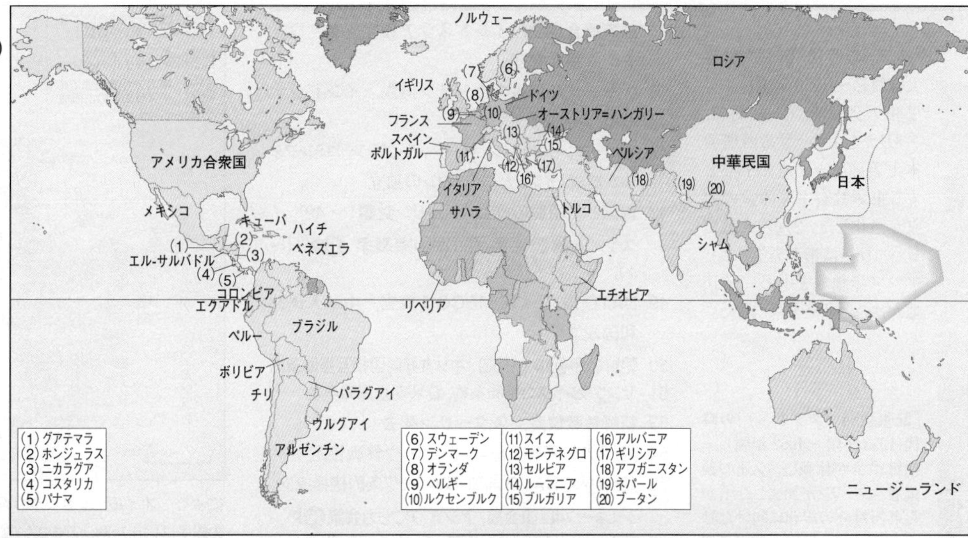

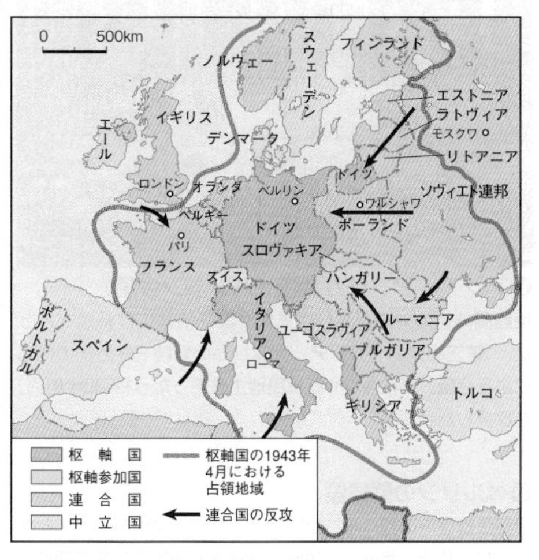

❹世界恐慌

生産過剰と購買力の停滞がもたらした経済の大混乱。アメリカで始まった恐慌は世界中に拡大し，それへの対応をめぐってブロック経済の形成やファシズムの台頭が見られ，国際協調主義は崩壊。世界は第二次世界大戦に向かって転落していく。

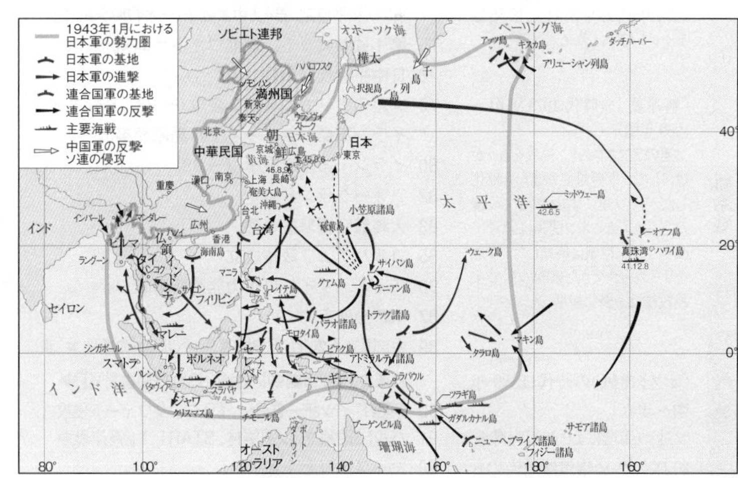

❺ファシズム体制（ヒトラーの総統就任）

両大戦の間の時期に，政治・経済上の危機を乗り切ろうとした際，民主主義発達の遅れたドイツやイタリア，日本などで出現した政治の形態。全体の利益を個人の利益より優先し，暴力的手段で民主主義を抑え込む独裁体制がしかれて，国民生活全般が統制された。宣伝による大衆操作が活発に行われ，対外侵略的な政策がとられた（写真は 1937 年，閲兵式に向かうヒトラー）。

0　500km

ノルウェー　スウェーデン　フィンランド　エストニア　ラトヴィア　モスクワ　リトアニア　エール　イギリス　デンマーク　ロンドン　オランダ　ベルリン　ドイツ　ソヴィエト連邦　ワルシャワ　ベルギー　パリ　ポーランド　フランス　スロヴァキア　スイス　ハンガリー　イタリア　ルーマニア　ユーゴスラヴィア　ポルトガル　スペイン　ローマ　ブルガリア　ギリシア　トルコ

枢軸国	枢軸国の1943年4月における占領地域
枢軸参加国	連合国の反攻
連合国	
中立国	

1943年1月における日本軍の勢力圏　日本軍の基地　日本軍の進撃　連合国軍の基地　連合国軍の反撃　主要海戦　中国軍の反撃　ソ連の侵攻

ソビエト連邦　オホーツク海　ベーリング海　アッツ島　キスカ島　ダッチハーバー　アリューシャン列島　樺太　千島列島　ハバロフスク　満州国　択捉島　新京　奉天　ウラジオストーク　朝鮮　日本海　日本　東京　北京　中華民国　京城　広島　長崎　45.8.6　45.8.9　重慶　漢口　南京　上海　奄美大島　沖縄　台北　台湾　小笠原諸島　硫黄島　太平洋　ミッドウェー島　42.6.5　オアフ島　真珠湾　ハワイ島　41.12.8　インド　インパール　マンダレー　ビルマ　広州　香港　海南島　ウェーク島　ラングーン　タイ　仏領インドシナ　マニラ　フィリピン　サイパン島　グアム島　テニアン島　セイロン　レイテ島　パラオ諸島　トラック諸島　マキン島　タラワ島　シンガポール　マレー　スマトラ　ボルネオ　セレベス　モロタイ島　ビアク島　アドミラルティ諸島　パレンバン　バタビア　ジャワ　スラバヤ　ニューギニア　ラバウル　インド洋　クリスマス島　チモール島　ソロモン諸島　ガダルカナル島　ブーゲンビル島　ニューヘブライズ諸島　フィジー諸島　サモア諸島　オーストラリア　珊瑚海　ダーウィン

40°　20°　0°　80°　100°　120°　140°　160°　180°　160°

❻第二次世界大戦

人類史上もっとも大きな被害をもたらした戦争。英仏米などの民主主義諸国，日独伊などのファシズム諸国，社会主義国家ソ連の三つどもえの対立により勃発。米英ソを中心とする連合国が日独伊を中心とする枢軸国に勝利した。ヨーロッパの地位低下は決定的となり，米ソの台頭やアジア・アフリカ諸国の独立を招いた。大戦末期にはアメリカによって核兵器が開発され，日本の広島と長崎に投下された。

❼ヤルタ会談

1945 年２月，クリミア半島のヤルタで開かれた，米英ソ巨頭会談。第二次世界大戦の戦後処理などについて話し合われたが，米英とソ連の対立が表面化し，戦後の東西冷戦を暗示する会談ともなった。

冷戦

「冷戦」の時代（第二次世界大戦終結～1953年頃）
平和の到来もつかの間で，アメリカを中心とする西側資本主義陣営とソ連を中心とする東側社会主義陣営の対立が激化した。2度の大戦でヨーロッパは指導力を失い，アジア諸地域を中心に植民地が次々と独立を果たした。

1945 国際連合成立，インドネシア独立宣言，ヴェトナム独立宣言
46 チャーチルの鉄のカーテン演説，インドシナ戦争（～54）
47 トルーマン・ドクトリン，マーシャル・プラン，コミンフォルム結成，インドとパキスタンの独立
48 韓国と北朝鮮の成立，ベルリン封鎖（～49），イスラエル建国宣言，第1次中東戦争 ❽▶（～49）
49 NATO成立，COMECON成立，中華人民共和国成立
50 朝鮮戦争❾▶（～53），中ソ友好同盟相互援助条約
51 サンフランシスコ平和条約，日米安全保障条約

緊張緩和

「緊張緩和（デタント）」の時代（1953年頃～1962年頃）
朝鮮戦争が休戦し，ソ連の独裁者スターリンが死去した頃から東西対立の緩和に向けた動きが見られた。植民地独立の波はアフリカにも及び，アジア・アフリカ諸国は第三の勢力として国際政治に登場するようになった。

53 朝鮮休戦協定，スターリン死去
54 周・ネルー平和五原則，ジュネーヴ休戦協定
55 西ドイツのNATO加盟，ワルシャワ条約機構成立，ジュネーヴ4巨頭会談，アジア・アフリカ会議❿▶
56 スターリン批判，ハンガリー動乱，エジプトのスエズ運河国有化宣言，第2次中東戦争
59 米ソ首脳会談，キューバ革命
60 中ソ論争（～89），アフリカの年

緊張再燃

「緊張再燃」の時代（1962年頃～1965年頃）
キューバのミサイル基地建設問題から生じたアメリカとソ連の対立は，直前で回避されたものの，米ソ全面核戦争勃発の危機を招いた。

61 ベルリンの壁建設⓫▶，第1回非同盟諸国首脳会議
62 キューバ危機⓬▶，アルジェリア独立
63 中ソ対立激化，部分的核実験停止条約，アフリカ統一機構結成

多極化

「多極化」の時代（1965年頃～1979年頃）
ヨーロッパの復興，日本の経済的発展，ヴェトナム戦争でのアメリカの敗北，ソ連と中国の対立の激化は，東西両陣営でのアメリカとソ連の指導力を低下させ，多極化が進行した。1970年代の東西対立緩和はデタントと呼ばれる。

65 ヴェトナム戦争⓭▶（～73）
66 フランスのNATO軍事機構脱退，中国文化大革命（～76）
67 EC発足⓮▶，ASEAN結成，第3次中東戦争
68 核拡散防止条約，チェコ事件
69 中ソ国境紛争
71 ドル・ショック，中国の国際連合代表権交代
72 ニクソン訪中，日中共同声明，SALT Ⅰ
73 イギリスのEC加盟，東西ドイツの国際連合加盟，ヴェトナム和平協定，第4次中東戦争（→オイル・ショック）
75 第1回サミット，南北ヴェトナム統一
78 日中平和友好条約

新冷戦

「新冷戦」の時代（1979年頃～1989年頃）
ソ連のアフガニスタン侵攻をきっかけにして，東西対立がまたも激化したが，ソ連にゴルバチョフ政権が誕生してから米ソ関係は急速に改善され，冷戦は終結した。ソ連をリーダーとしてきた東欧の社会主義政権は一斉に崩壊した。

79 ソ連のアフガニスタン侵攻（～88），SALT Ⅱ，イラン革命，スリーマイル島原発事故
80 イラン・イラク戦争（～88）
82 フォークランド戦争
83 大韓航空機撃墜事件
85 ゴルバチョフ政権成立
86 チェルノブイリ原子力発電所事故
87 INF全廃条約

ポスト冷戦

「ポスト冷戦」の時代（1989年頃～現在）
ソ連の崩壊により東西両陣営の対立という構造は過去のものとなったが，世界の各地で民族や宗教の対立といったものに起因する戦争・紛争が絶えない。戦争の問題とともに，環境の問題も地球規模で取り組むべき人類の課題となっている。

89 中ソ国交正常化，天安門事件，ベルリンの壁開放，東欧革命，米ソ首脳マルタ会談（冷戦終結宣言）⓯▶
90 東西ドイツ統一⓰▶，イラクのクウェート侵攻
91 バルト3国独立，ソ連解体，START Ⅰ，湾岸戦争
92 マーストリヒト条約
93 EU発足，START Ⅱ，パレスティナ暫定自治協定
94 ボスニア・ヘルツェゴヴィナ紛争激化
96 フランスのNATO軍事機構復帰
97 香港が中国に返還⓱▶
98 インドとパキスタン地下核実験
99 NATO軍のユーゴ空爆，ユーロ誕生，マカオが中国に返還
2000 南北朝鮮首脳会談

❽中東戦争
第一次世界大戦への協力の見返りにパレスティナにユダヤ人国家を建設するとしたイギリスの約束は，アラブ人に対する同様の約束と矛盾し，第二次世界大戦後建設されたユダヤ人国家イスラエルとそれを認めないアラブ諸国の戦争を招く。第4次中東戦争ではアラブ産油国の石油戦略により，オイル・ショックが発生。イスラエルとアラブ勢力の紛争はいまだ解決できていない。

❾朝鮮戦争
大韓民国（韓国）と朝鮮民主主義人民共和国（北朝鮮）の軍事衝突に始まる。アメリカ軍を中心とする国連軍が韓国を支援し，中国は北朝鮮を助けて義勇軍を派遣。北緯38度線付近で休戦。現在でも朝鮮半島は分断されたままである。「冷戦」期の「熱い戦争」。日本には戦争特需景気をもたらした。

❿アジア・アフリカ会議（バンドン会議）
東西両陣営の対立が激しさを増す国際情勢に危機感を持った，“第三の勢力”アジア・アフリカの新興29カ国の代表による会議。平和共存や反植民地主義をうたう「平和十原則」を採択した。

⓫ベルリンの壁建設
米英仏管理下の西ベルリンに逃げこむ東ドイツ市民があとを絶たないため，東ドイツ政府が交通を遮断する目的で西ベルリンを包囲する形で壁を建設。壁を越えようとして，この後も多くの人が命を落とした。

●民族独立運動の盛り上がり

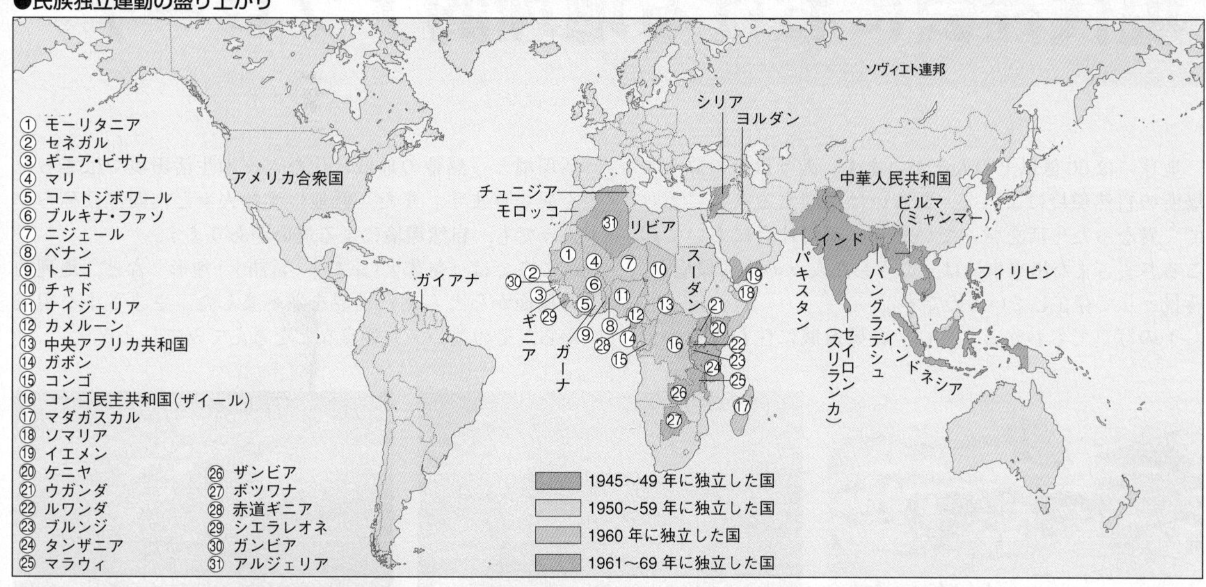

1962 年 11 月，積み荷を調べるためソ連の貨物船に停船をもとめる米海軍駆逐艦（手前）

⑫キューバ危機

ソ連がキューバにミサイル基地の建設を始め，アメリカがソ連船に対し海上封鎖を行ったため，米ソ全面核戦争の危機が生じたが，ソ連が基地を撤去することで決着。米ソ関係は好転に向かうが，中国はソ連の対応に不満を強め，中ソ関係は逆に悪化した。

⑬ヴェトナム戦争

インドシナ半島への社会主義の拡大を恐れるアメリカが,ヴェトナムの内戦に介入。南ヴェトナム解放民族戦線と北ヴェトナムは中ソの支援を受け善戦。戦局の泥沼化や世界規模の反戦運動に直面し，アメリカは威信を喪失して撤退。南北ヴェトナムはヴェトナム社会主義共和国として統一された。

⑮マルタ会談（冷戦終結宣言）

ソ連でゴルバチョフの改革が本格化すると，ソ連の影響下にあった東欧諸国の社会主義政権は一斉に崩壊。ゴルバチョフは東欧の事態を承認し，マルタでの会談で米ソ首脳は冷戦の終結を宣言。その後，冷戦の象徴であった東西ドイツは統一され，ソ連自体も消滅した。

⑭ EC（ヨーロッパ共同体）発足

２度にわたり世界大戦を引き起こし，国際政治においても主導権を失ったヨーロッパでは，国家の主権を共同管理し共同行使する統合の動きが具現化した。加盟国は増加を続け，1993 年発足のEU（ヨーロッパ連合）に発展し，統合はさらに深化している。

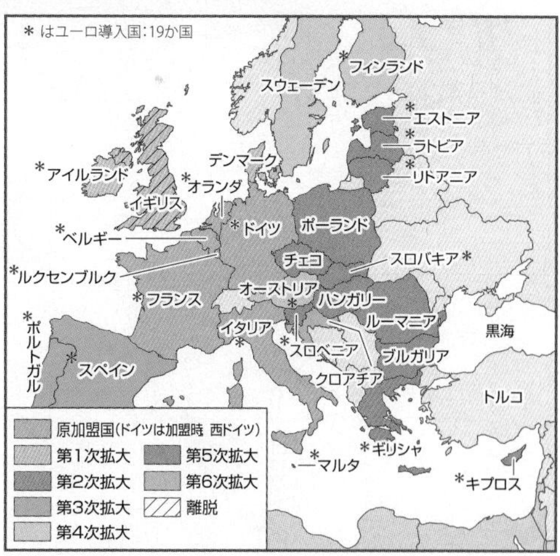

⑯東西ドイツ統一

⑰香港が中国に返還

アヘン戦争以来 155 年に及んだイギリスの香港支配が終焉をむかえた。２年後のポルトガルからのマカオ返還とあわせて，中国に存在した外国植民地はようやく消滅した。

現代社会における地理的アプローチ

地球には60億以上の人々がいます。人々はその暮らす場所の自然環境によって，あるいは信仰する宗教によって，異なった生活を営んでいます。現代社会において起こるさまざまな出来事には，こうした人々の生活環境が，背景として存在しているのです。

下の写真でもわかるように，乾燥地域に住む人々の生活環境と，熱帯の地域に住む人々の生活環境ではまったく異なります。また，低地にすむ人々と山間部に暮らす人々でも，自然環境による違いがあります。

ここでは「気候」「宗教」「言語」「地形」など，地理的な側面からとらえた世界を並べました。さまざまな視点から，その違い・共通点などを考えてみましょう。

ニジェール　サハラ砂漠をこえて交易する人々

バングラデシュ　デルタ地帯での稲の栽培

ネパール　ヒマラヤの山岳地帯にある集落

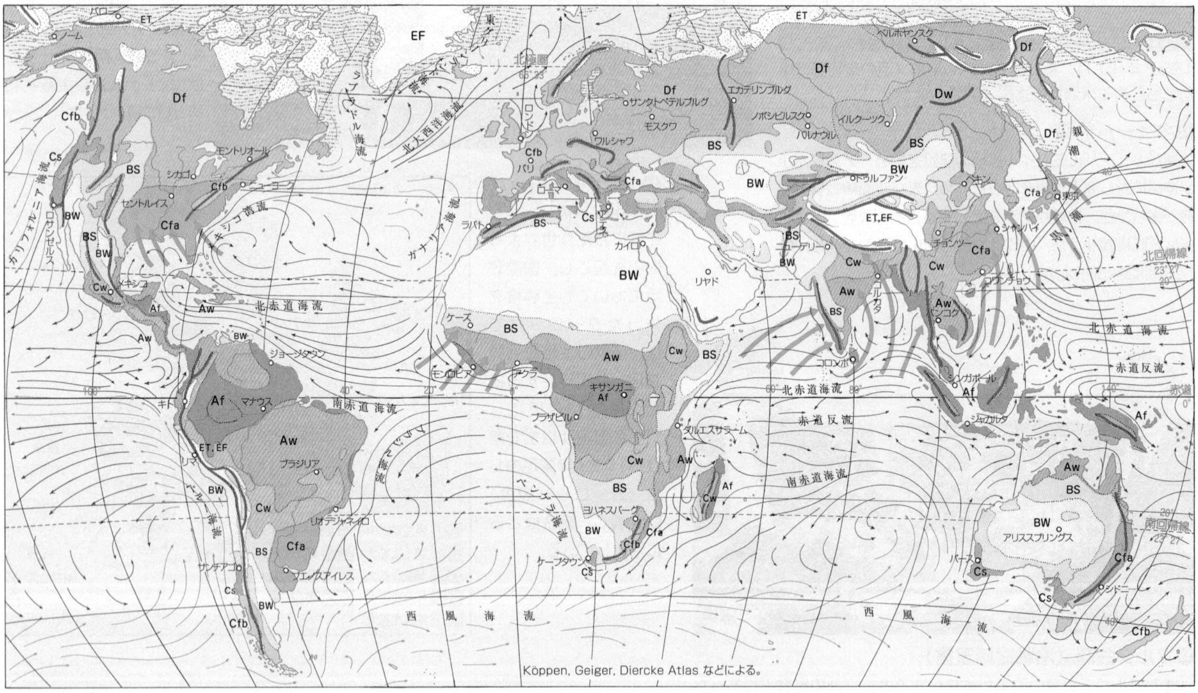

Köppen, Geiger, Diercke Atlas などによる。

❶熱帯気候
- Af　熱帯雨林気候
- Aw　サバナ気候

❷乾燥気候
- BS　ステップ気候
- BW　砂漠気候

❸温帯気候
- Cfa　温暖湿潤気候
- Cfb　西岸海洋性気候
- Cs　地中海性気候
- Cw　温帯夏雨気候

❹冷帯気候
- Df　冷帯湿潤気候
- Dw　冷帯夏雨気候

❺寒帯気候

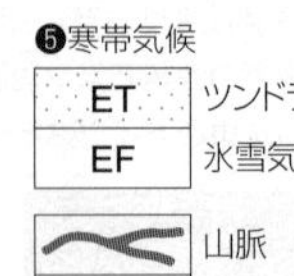

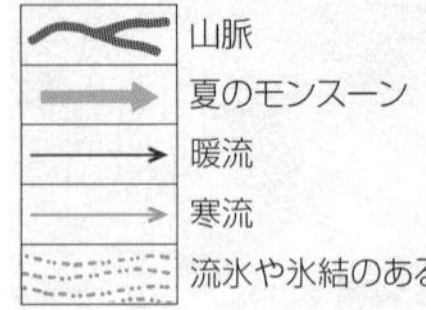

世界の気候分布

気候学者のケッペンは，おもに植物の分布に着目して世界の気候を区分し，その区分にあわせるように気温や降水量を組み合わせて，それぞれ記号化しました。上の地図には，気候分布に影響を与える気候因子である海流や山脈も示されています。適当な場所を選んで，そこの気候と海流や地形との関係を考えてみましょう。

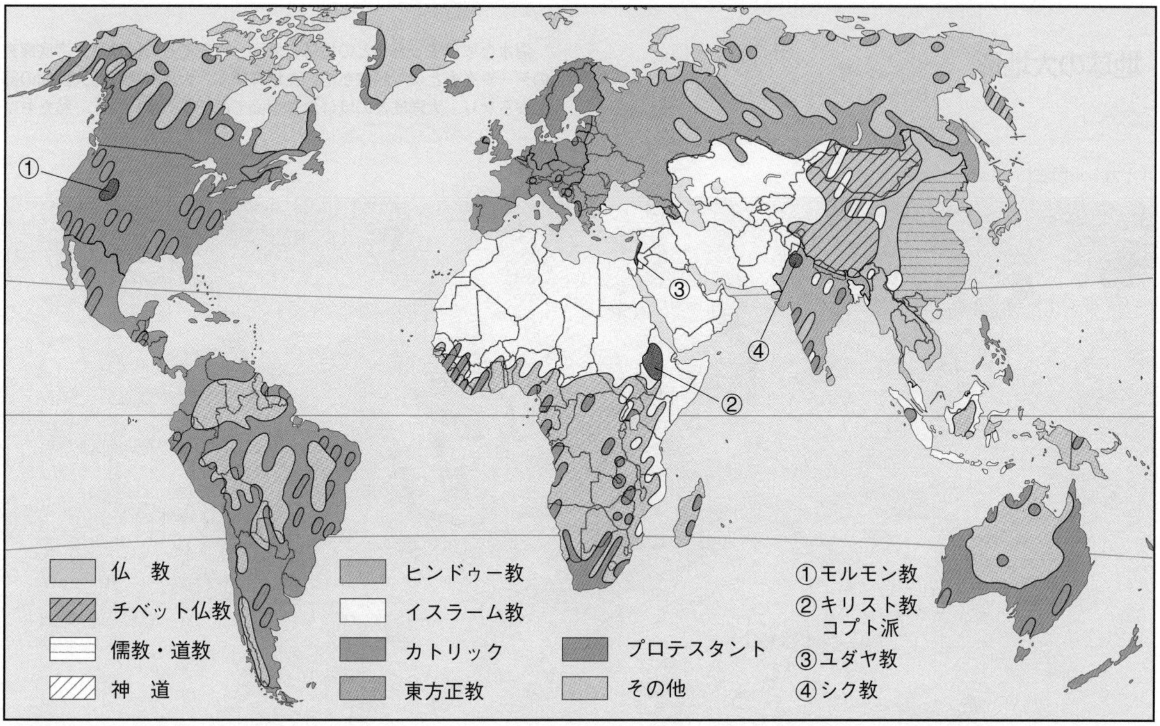

仏　教
チベット仏教
儒教・道教
神　道
ヒンドゥー教
イスラーム教
カトリック
東方正教
プロテスタント
その他
①モルモン教
②キリスト教コプト派
③ユダヤ教
④シク教

世界の宗教分布（Diercke Weltatlas）

宗教は言語とともに，人々の日常生活に密着しているため，文化圏を分類する主要指標として用いられます。

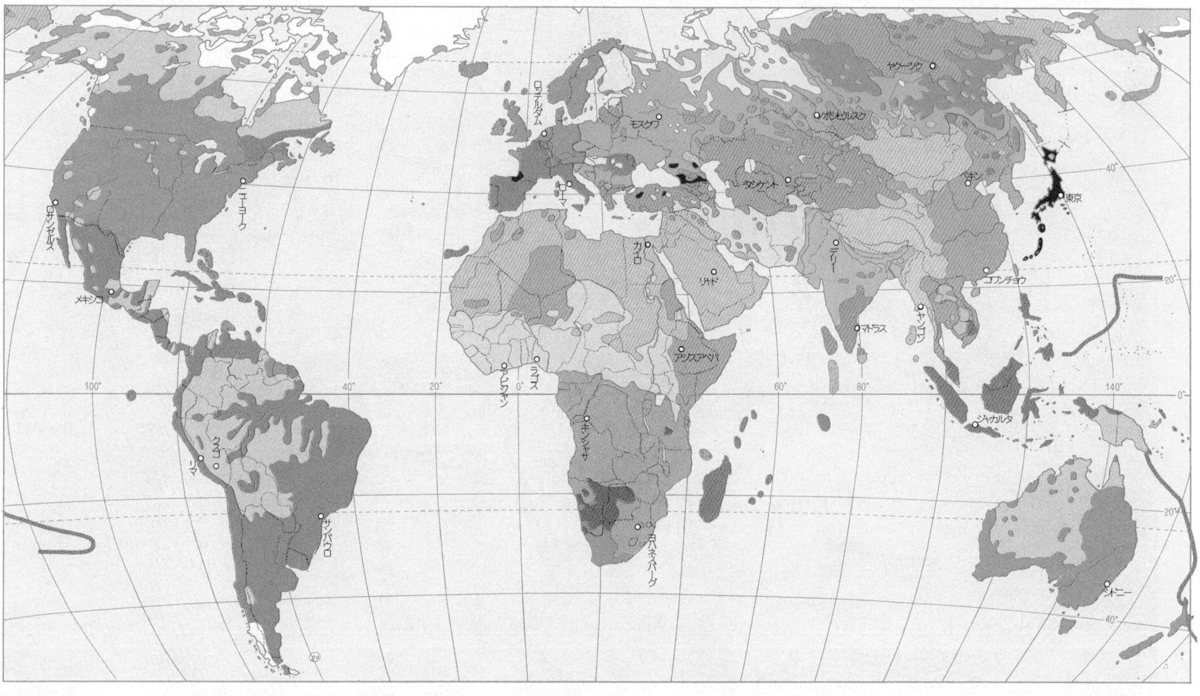

インド・ヨーロッパ語族
ヒンディー系
イラン系
ゲルマン系
ラテン系
スラブ系
その他

ウラル語族

アルタイ語族
トルコ系
モンゴル系
ツングース系

シナ・チベット語族
シナ・タイ系
チベット・ミャンマー系など

南北アメリカの諸語族
インディアン・インディオ系
イヌイット系
オーストラリア・パプア語族

セム・ハム語族
セム系
ハム系

アフリカ諸語族
スーダン系
バンツー系
その他

カフカス諸語族
古シベリア諸語族
オーストロネシア語族

ドラビダ語族
日本語
朝鮮語
オーストロアジア語族

世界の言語分布

世界の民族を分類する場合に，その指標によく言語が用いられます。言語は文化を伝える手段として，文化の内容と関連し，歴史的な系統関係が比較的はっきりしているので，客観的に違いを区別することができます。

（Diercke Weltatlas, Atlas USSR, National Geographic など）

地球の大地形

海水を取り去ったあとの地球の表面。人工衛星の画像や，海底探査のデータをもとに，画家が描いた地球です。大陸は陸地と大陸棚の部分からなり，大洋底との境は急な斜面で区切られています。私たちが

メルカトル図法（National Geographic）

普段見ることのない大洋底は，中央海嶺と無数の断層によって一面に覆われ，太平洋でも大西洋でも，西半分に比較的多くの洋島や海溝が分布して複雑な地形となっていることがわかります。聞いたことがある山脈・河川・湖・島などを探しながら，宇宙から地球をながめてみましょう。

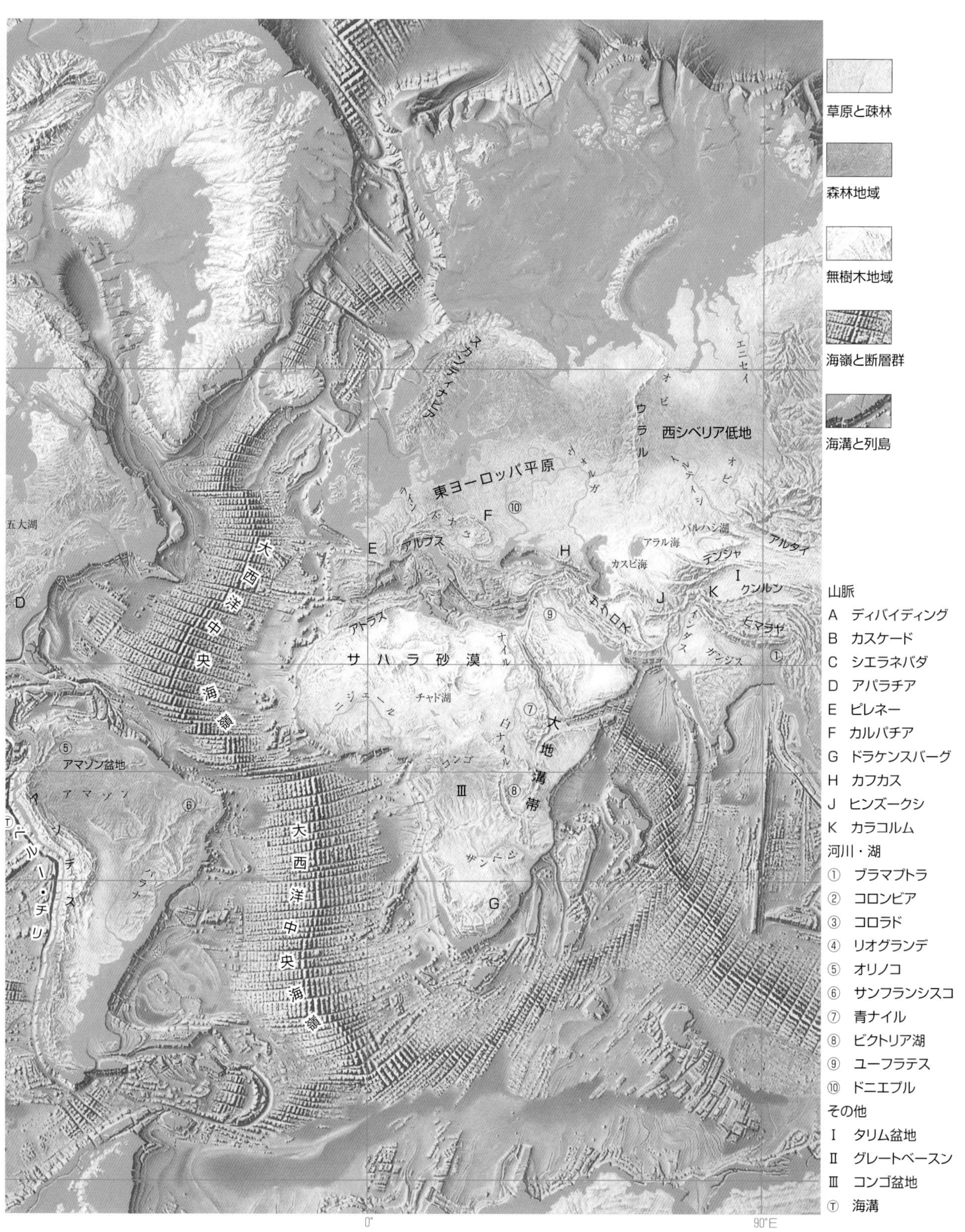

現代の世界

120°
80°
40°
80°
40°
0°
40°
80°
グリーンランド
(デンマーク)
アイスランド
アイルランド
カナダ
アメリカ
ポルトガル
モロッコ
(西サハラ)
モーリタニア
カーボベルデ
セネガル
ガンビア
ギニアビサウ
ギニア
シエラレオネ
リベリア
コートジボワール
ブルキナファソ
ガーナ
トーゴ
ベナン
メキシコ
バハマ
キューバ
ドミニカ共和国
セントクリストファー=ネーヴィス
アンティグア=バーブーダ
ドミニカ国
セントルシア
バルバドス
グレナダ
セントビンセント=
グレナディーン諸島
トリニダード=トバゴ
ハイチ
ジャマイカ
ベリーズ
グアテマラ
エルサルバドル
ニカラグア
コスタリカ
ホンジュラス
パナマ
ベネズエラ
ガイアナ
スリナム
ギアナ（仏）
コロンビア
エクアドル
ペルー
ブラジル
ボリビア
パラグアイ
チリ
ウルグアイ
アルゼンチン
一人あたり国民総所得(2019年)
高所得国(12,536ドル以上)
上位の中所得国(4,046～12,535ドル)
下位の中所得国(1,036～4,045ドル)
低所得国(1,035ドル以下)
不明
(世界銀行資料)
◆米州機構 OAS(35か国) ※キューバは参加資格停止中
セントクリストファー＝
ネーヴィス
アンティグア＝バーブーダ
ドミニカ国
セントルシア
セントビンセント＝
グレナディーン諸島
グレナダ　コスタリカ
●ラテンアメリカ経済機構 SELA(26か国)
グアテマラ　ホンジュラス　ニカラグア
ジャマイカ　ハイチ　ドミニカ共和国
バルバドス　バハマ　スリナム
ガイアナ　ベリーズ　エルサルバドル
トリニダード=トバゴ
●ラテンアメリカ統合連合 ALADI(13か国)
ペルー　パナマ　コロンビア　エクアドル
キューバ
チリ
●南米南部共同市場 MERCOSUR
(6か国)
パラグアイ　ブラジル　アルゼンチン
ウルグアイ　ベネズエラ　ボリビア
●アメリカ・メキシコ・
カナダ協定 USMCA
(旧 NAFTA)(3か国)
アメリカ　カナダ
メキシコ
アイルランド
イギリス
ベルギー
ルクセンブルク
リヒテンシュタイン
フランス
モナコ
ポルトガル
スペイン
アンドラ
0　1000km
(国名は2020年10月1日現在)
※地図の色分けは地域も含む。